22. Anfang des Nevskij-Prospektes
23. Generalstab
24. Aleksandr-Säule
25. Winterpalast
26. Kleine Ermitage
27. Alte Ermitage
28. Ermitage-Theater

29. Runder Markt (Kruglyj rynok)
30. Admiralität
31. Haus der Grafen
    Lobanov-Postovskij
32. Isaakios-Dom
33. Senat und Heiligster Synod

34. Denkmal für Petr I.
    (»Eherner Reiter«)
35. Isaakios-Brücke
36. Nikolaj-Brücke
37. Kunstakademie
38. Zwölf Kollegien

39. Akademie der
    Wissenschaften
40. Kunstkammer
41. Börse
42. Rostra-Säulen
43. Zoll

ST. PETERSBURG UM 1800

Ein goldenes Zeitalter
des russischen Zarenreichs

Ausstellung
Kulturstiftung Ruhr
Villa Hügel, Essen
9. 6.–4. 11. 1990

Die Ausstellung steht unter der Schirmherrschaft
des Präsidenten der UdSSR,
Michail Sergejewitsch Gorbatschow,
und des Bundespräsidenten der Bundesrepublik Deutschland,
Richard von Weizsäcker.

ST. PETERSBURG UM 1800

Ein goldenes Zeitalter des russischen Zarenreichs

Meisterwerke und authentische Zeugnisse der Zeit
aus der Staatlichen Ermitage, Leningrad

Kulturstiftung Ruhr Essen
Verlag Aurel Bongers Recklinghausen

Auf dem Umschlag:
K. P. Beggrow, Der Bogen des Hauptstabs-Gebäudes, 1822. Kat.-Nr. 163
Medaille zum Andenken an die Grundsteinlegung der Börse in Petersburg, 1805. Kat.-Nr. 484

Auf dem Vorsatzpapier (vorne und hinten):
Panorama von St. Petersburg, Radierung, 1858, Privatbesitz

Aufnahmen für die Farbtafeln und die Schwarz-Weiß-Abbildungen im Katalog:
Dipl.-Ing. Klaus Pollmeier, Mülheim, Ruhr; ergänzt durch einige Fotos von
Vladimir Terebenev, Leningrad
Vorlagen für die Bebilderung der Textbeiträge sowie der russischen Kaiser (S. 534–549):
Archiv Nikolaus Thon

Übersetzung der Texte aus dem Russischen: Nikolaus Thon

Organisation der Ausstellung: Jürgen Schultze

CIP-Titelaufnahme der Deutschen Bibliothek

[Sankt Petersburg um achtzehnhundert]
St. Petersburg um 1800 : Ein goldenes Zeitalter des russischen
Zarenreichs ; Meisterwerke und authentische Zeugnisse der Zeit aus der
Staatlichen Ermitage, Leningrad ; [Ausstellung Kulturstiftung Ruhr,
Villa Hügel, Essen, 9. 6. – 4. 11. 1990] / Kulturstiftung Ruhr, Essen.
[Die Texte wurden von Nikolaus Thon übers. u. bearb.].
– Recklinghausen : Bongers, 1990
ISBN 3-7647-0401-2
NE: Thon, Nikolaus [Bearb.]: Kulturstiftung Ruhr; Villa Hügel;
St. Petersburg um achtzehnhundert.

© 1990 Verlag Aurel Bongers Recklinghausen
Lithographien: ReproGrafik GmbH, Recklinghausen
Druck: Graphische Kunstanstalt Bongers Recklinghausen
Bindung: Fikentscher, Darmstadt
Printed in Western Germany
ISBN 3-7647-0401-2

INHALT

ZUM GELEIT

Die Ausstellung »St. Petersburg um 1800« bildet im Jahre 1990 zweifellos den Höhepunkt des Kulturaustausches zwischen der UdSSR und dem westlichen Europa.

Nicht von ungefähr hat die Kulturstiftung Ruhr dieses Mal eine Stadt in den Mittelpunkt ihrer Reihe »Europäische Metropolen« gestellt, die wie keine andere in ihrer fast dreihundertjährigen Geschichte die politische und kulturelle Öffnung des russischen Reiches zum Westen dokumentiert.

Bauwerke und Kunstschätze des damaligen St. Petersburg repräsentieren das ebenso spannungsvolle wie fruchtbare Wechselverhältnis zwischen den benachbarten west-östlichen Kulturkreisen, die Impulse ebenso wie die Antworten der russischen Architekten, Künstler und Handwerker. Diese Entwicklung, die mit der Stadtgründung 1703 unter Peter dem Großen begann und sich unter seiner Nachfolgerin, Katharina der Großen, fortsetzte, erreichte um 1800 unter den Zaren Paul I. und Alexander I. einen ersten Höhepunkt. Das heute im Westen noch weitgehend unbekannte Zeitalter des russischen Klassizismus, dem die Ausstellung in Villa Hügel gewidmet ist, wird nun nicht mehr durch die Vorherrschaft fremder Einflüsse, sondern durch deren Umsetzung in eine zunehmend eigenständiger werdende Sprache gekennzeichnet.

Daß dabei zugleich Erinnerungen an alte dynastische Verbindungen zwischen den russischen und deutschen Fürstenhäusern, an langdauernde, freundschaftliche, zwischenstaatliche Beziehungen wachgerufen und historische Gemeinsamkeiten betont werden, mag unserer Ausstellung aus heutiger Sicht zusätzliche Aktualität verleihen.

Wie schon bei »Barock in Dresden« und »Prag um 1600« läßt sich die Kulturstiftung auch in diesem Falle von ihrem Wunsche leiten, Europa im Spiegel seiner geistigen und kulturellen Leistungen als Einheit zu sehen und aus den Erfahrungen der langen Geschichte die Lehren für die in stetem Fluß befindliche Gegenwart zu ziehen.

Sollte »St. Petersburg um 1800« daher nicht nur als kulturelles Großereignis, sondern zugleich als Versuch eines erneuten Brückenschlags zwischen unseren Ländern gesehen und verstanden werden, hätte sie die ihr zugedachte Funktion erfüllt.

Ein derart umfangreiches Vorhaben konnte nur dank der Hilfe zahlreicher Persönlichkeiten und Institutionen aus der UdSSR, die im Bewußtsein der Bedeutung eines solchen Vorhabens für die Beziehungen zwischen der UdSSR und der Bundesrepublik Deutschland die Ausstellung von Anfang an nachdrücklich unterstützten, verwirklicht werden.

Mein persönlicher Dank gilt dem Präsidenten der UdSSR, Herrn Michail Sergejewitsch Gorbatschow und Herrn Bundespräsident Richard von Weizsäcker, die gemeinsam die Schirmherrschaft übernahmen. Er gilt zugleich dem Kultusminister der UdSSR, S. E. Herrn Nikolaj Nikolajewitsch Gubenko, und nicht zuletzt dem Botschafter der UdSSR in Bonn, S. E. Herrn Julij Kwizinskij, für deren Interesse und persönliches Engagement.

Die reibungslose Planung und Durchführung der Ausstellung ist sowohl das Verdienst der Staatlichen Ermitage, an ihrer Spitze Herr Generaldirektor Prof. Dr. Boris Piotrowski, Herr Direktor Dr. Vitali Suslov, als auch der im Arbeitsausschuß genannten Wissenschaftler in Leningrad und Essen.

Ihnen allen, wie den zahlreichen ungenannten deutschen Freunden und Helfern, fühlt sich die Kulturstiftung Ruhr für ihre unersetzliche Hilfe tief verpflichtet.

Wir sind überzeugt, daß die Resonanz auch dieser Ausstellung die gemeinsamen Anstrengungen rechtfertigen wird.

Prof. Dr. h. c. Berthold Beitz

ARBEITSAUSSCHUSS

DR. NATAL'JA GUSEVA
Abteilung für russische Kulturgeschichte der Staatlichen Ermitage in Leningrad

DR. GALINA KOMELOVA
Abteilung für russische Kulturgeschichte der Staatlichen Ermitage in Leningrad

DR. GALINA PRINCEVA
Abteilung für russische Kulturgeschichte der Staatlichen Ermitage in Leningrad

DR. JÜRGEN SCHULTZE
Kulturstiftung Ruhr, Essen

DR. GEORGIJ VILINBACHOV
Abteilung für russische Kulturgeschichte der Staatlichen Ermitage in Leningrad

PROFESSOR DR. PAUL VOGT
Kulturstiftung Ruhr, Essen

AUTOREN DES KATALOGES

*1. Die einleitenden Artikel sowie die Beschreibungen der einzelnen Stücke stammen von folgenden Autoren
(siehe das jeweilige Namenskürzel in Klammern):*

ALEKSANDRA ALEKSEEVA (AA) · BORIS ASVARIŠČ (BIA) · JURIJ EFIMOV (JE) · VJAČESLAV FEDOROV (VF)
NATAL'JA GUSEVA (NG) · GALINA KOMELOVA (GK) · TAMARA KORŠUNOVA (TKO)
BORIS KOSOLAPOV (BK) · OL'GA KOSTJUK (OK) · IRINA KOTEL'NIKOVA (IK) · TAMARA KUDRJAVCEVA (TK)
IRINA KUZNECOVA (IKU) · LIDIJA LJACHOVA (LL) · MARIJA MALČENKO (MM)
TAMARA MALININA (TM) · VLADIMIR MATVEEV (VM) · NATALIJA MAVRODINA (NM)
GALINA MIROLJUBOVA (GM) · ELENA JU. MOISEENKO (AJM) · ALEVTINA I. MUDRENKO (AIM)
KARINA ORLOVA (KO) · AVGUSTA POBEDINSKAJA (AP) · GALINA PRINCEVA (GP) · TAMARA V. RAPPE (TVR)
EVGENIJA ŠČUKINA (EŠČ) · NINA STADNIČUK (IS) · LINA TARASOVA (LT)
NIKOLAUS THON (NT) · IRINA UCHANOVA (IU) · AL'BINA VASIL'EVA (AV) · GEORGIJ VILINBACHOV (GV)
LARISA ZAVADSKAJA (LZ) · JUNA JA. ZEK (JJZ)

*2. Die Erklärungen zum Katalog, das Ausstellungs- und das Literatur-Verzeichnis, die chronologische Tabelle sowie die
Liste der russischen Herrscher und die Stammtafel erarbeiteten und redigierten Galina Princeva,
Nikolaus Thon und Georgij Vilinbachov.*

3. Die Texte wurden von Nikolaus Thon übersetzt und bearbeitet und von Jürgen Schultze und Aurel Bongers redigiert.

»SANKT PETERSBURG – IN MEINER SEELE BIST NUR DU!«

L. Tarasova

Er stand am weltumspülten Strand
In tiefem Sinnen, unverwandt
Ins Ferne schauend. Bleiern zogen
Die Fluten durch das niedre Land;
Ein Kahn trieb einsam auf den Wogen,
Und hier und da im Ufermoor
Stach eine Hütte grau hervor,
Die karge Wohnstatt eines Finnen,
Und Wald, in den sich nie verlor
Ein Sonnenstrahl durch Nebellinnen,
Rauschte ringum. Stolz dachte er:
»Von hier aus drohen wir dem Schweden.
Hier werde eine Stadt am Meer,
Zu Schutz und Trutz vor Feind und Fehden.
Hier hatte die Natur im Sinn
Ein Fenster nach Europa hin,
Ich brech' es in des Reiches Feste;
Froh werden alle Flaggen wehn
Auf diesen Fluten, nie gesehn,
Uns bringend fremdländische Gäste.

A. S. Puškin, *Der Eherne Reiter*

Das Denkmal für Petr I. in Petersburg. Kolorierter Kupferstich, 1782

Am 16. Mai 1803 beging Petersburg den hundertsten Jahrestag seiner Gründung mit Festlichkeiten aller Art. Schon am frühen Morgen weckte Glockenklang die Bewohner der russischen Haupt- und Residenzstadt; in allen Kirchen wurden Festgottesdienste abgehalten. Der Kaiserliche Hof und der gesamte Adel versammelten sich zu einem Bittgottesdienst im Dom des heiligen Isaakios von Dalmatien, der Hauptkirche der Stadt, nahe dem Winterpalast. Sämtliche Truppenteile der Petersburger Garnison marschierten unter dem Kommando Kaiser Aleksandrs I. in einer feierlichen Parade durch die Straßen und über die Plätze der Residenz. Vor dem monumentalen Denkmal des Stadtgründers Petr I. auf dem Senatsplatz, dem sogenannten »Ehernen Reiter«, senkten sich die Fahnen und Standarten der Garde-Regimenter. Auf der Neva fand eine große Flottenparade statt, bei der das Flaggschiff, die mit einhundert Kanonen bestückte Fregatte »Erzengel Gabriel [Archangel Gavriil]«,

1

direkt dem Denkmal gegenüber Anker warf. An Bord befand sich eine besondere Reliquie als Symbol für den Ursprung der russischen Flotte: ein kleines hölzernes Boot, das Zar Petr (1672–1725) als junger Mann selbst gebaut und mit dem er auf der Jausa bei Moskau auch seine ersten Navigationsversuche unternommen hatte. Dieses Boot wurde von einer Ehrenwache ganz besonderer Art begleitet, nämlich von vier hundertjährigen Greisen, die sich, als Zeitgenossen des großen Zaren, noch persönlich an den Stadtgründer erinnern konnten.

Als auf dem Boot die alte Standarte aufgezogen wurde, ertönte ein dreifacher Ehrensalut aus sämtlichen Kanonen der Kriegsschiffe, der Bastionen der Peter-und-Pauls-Festung und der Admiralität, begleitet von Gewehrsalven der angetretenen Truppenteile. Auch in der Domkirche der Peter-und-Pauls-Festung wurde der Stadtgründer an diesem Tage besonders geehrt; handelt es sich doch hier um ein Gotteshaus, das, zuerst aus Holz, ebenfalls 1703 errichtet worden und dessen Nachfolgebau in Stein, noch zu Lebzeiten Petrs, von D. Trezzini 1712 begonnen und 1733 den Apostelfürsten geweiht worden war. Sämtliche Kaiser (mit Ausnahme Petrs II. und Nikolajs II.) und zahlreiche Mitglieder ihrer Familie haben hier ihre letzte Ruhestätte gefunden. In dieser Kirche wurde am genannten Festtag der Marmor-Sarkophag Petrs I. mit einer goldenen Medaille geschmückt, die von den Ständen der Stadt anläßlich des Jubiläums gestiftet worden war. Um das Profilporträt des Kaisers mit dem Lorbeerkranz auf dem Haupte liest man die Inschrift: »Von der dankbaren Nachkommenschaft« (siehe Kat.-Nr. 483 a/b).

Diejenigen Stätten in Petersburg, die noch aus der Gründungszeit erhalten waren, wurden in diesen Tagen wie regelrechte Wallfahrtsstätten besucht. Ganz besonders galt das für das »Häuschen Petrs«, das älteste erhaltene Gebäude der Stadt, das zwischen dem 24. und 26. Mai 1703 aus Fichtenholzbalken errichtet und mit Schindeln bedeckt worden war. Die Bemalung der Außenwände imitierte einen Ziegelbau. Innen waren die Wände mit Leinwand bespannt. Schon 1784 hatte Ekaterina II. das Holzhaus zum Schutz mit Stein umbauen lassen. Dort befand sich die Ikone des Erlösers, eines der ältesten Heiligtümer des alten Petersburg, die der große Zar besonders geliebt hatte. (Heute befindet sie sich im Christi-Verklärungs-Dom.) Am Festtage des Stadtjubiläums strömten die Leute dorthin, um das heilige Bild zu verehren.

Die ganze Stadt bot ein festliches Bild: das Denkmal Petrs I. auf dem Senatsplatz, das Häuschen auf der Petersburger Seite und der Palast im Sommergarten waren mit Flaggen geschmückt. Des Abends erhellten Illuminationen und schließlich ein großes festliches Feuerwerk die Stadt.

Seit Zar Petr, inmitten des unwirtlichen Sumpflandes an der Mündung der Neva, am 16. Mai 1703 auf der Hasen-Insel den Grundstein der Peter-und-Pauls-Festung (und damit der Stadt) gelegt hatte, war die Stadt rapid gewachsen. Sie war in diesen hundert Jahren zur Hauptstadt des Rußländischen Reiches, zur Residenz der Kaiserlichen Familie und zum wichtigsten Hafen der Ostsee geworden. Sie erstreckte sich über eine Fläche von 80 Quadratverst [1 Verst = 1066,8 m] an beiden Ufern der Neva und auf den zahlreichen Inseln, die von ihren Nebenarmen umflossen werden; und zwar praktisch in der gesamten weiten Flußniederung, die im Norden und Süden von hohen Hügeln begrenzt wird. Der südwestliche Teil des flachen Neva-Deltas öffnet sich allerdings direkt zum Finnischen Meerbusen hin, so daß die Stadt häufig von schweren Überschwemmungen betroffen wurde. Petersburg war und ist eine Stadt, deren Gestalt und deren Schicksal aufs engste mit dem Wasser – besonders durch die Neva – verbunden ist: Auf einer Strecke von 8,5 Verst fließt der Fluß durch das Stadtgebiet; hinzu kommen neunzehn weitere Flüsse und acht Kanäle, die sie durchziehen. So herrschen in ihr ein feuchtes Klima und meist trübes Wetter. Nebel und Regen sind nur allzu häufig und gehören ganz wesentlich zu den charakteristischen Eigenschaften dieser Stadt.

Der Boden, auf dem Petersburg entstehen sollte, hat eine recht alte historische Tradition: Schon in der »Erzählung aus vergangenen Jahren [Povest' vremennych let]«, der ältesten aller russischen Chroniken, wird diese Gegend erwähnt. Wie die Quelle berichtet, war die Neva damals noch kein selbständiger Fluß, sondern ein Nebenarm des Nevo-Sees, auf dem die Novgoroder nach Skandinavien, in das Land der Varäger, fuhren. Doch in schon wesentlich früherer Zeit sind in dieser Region Menschen nachweisbar. Wie eine Fülle archäologischer Funde eindeutig belegt, führte die Neva offenbar zum Endpunkt eines wichtigen Landhandelsweges, der hier die Ostsee erreichte, und den Skandinavier, Griechen, Araber und asiatische Völker nutzten. Während der altrussischen Zeit waren es dann die Kaufleute des reichen und mächtigen »Großen Herrn« Novgorod, die dieses Gebiet zu beherrschen suchten. Auf dem Lagoda-See und dem Volchov hatten sie damit auch weitgehend Erfolg. Auf der Neva aber trafen sie in den Schweden starke Gegner. Mit Unterstützung des römischen Papstes versuchten diese sogar, sich die »schismatischen« Novgoroder zu unterwerfen. Mit dem 12. Jahrhundert beginnen die ersten schwedischen Kreuzzüge gegen die Stadtrepublik und ständige Auseinandersetzungen, während derer, mit stets wechselndem Erfolg, bald die eine, bald die andere Seite obsiegte. Berühmt wurden in diesem Zusammenhang der große Sieg von 1240 des zahlenmäßig unterlegenen Novgoroder Landsturms unter dem späteren russischen Nationalheiligen Aleksandr von der Neva (1219–1263) über die schwedischen Invasoren an der Mündung der Ižora in die Neva und – um-

gekehrt – der erfolgreiche Feldzug des schwedischen Königs Magnus II. Eriksson (1316–1374) in den Jahren 1348 bis 1351, der einer durch Birgitta von Schweden geweckten Kreuzzugsbegeisterung in den skandinavischen Ländern erwuchs. Grundsätzlich ist aber auch der Verlauf dieses Feldzuges für das unentschiedene Auf und Ab der schwedisch-russischen Auseinandersetzungen typisch: Magnus eroberte zunächst die Festung Orechov (das spätere Šlisselburg), mußte sie aber beim Gegenstoß der Novgoroder, der bis Vyborg führte, wieder aufgeben. Danach wurde 1351 im Frieden von Dorpat der alte Status quo wieder hergestellt. Während dieser Auseinandersetzungen, die sich über Jahrhunderte erstreckten, bauten beide Seiten eine Reihe von Festungen zur Sicherung des Grenzlandes. Im Jahre 1300 errichteten die Schweden an der Neva-Mündung ungefähr dort, wo sich heute die Lavra des heiligen Aleksandr-von-der-Neva befindet, die Festung Landskrona, die allerdings schon bald danach von den Russen wieder zerstört wurde. Im Gegenzug dazu bauten die Russen die Festung Orešek dort, wo die Neva den Ladoga-See verläßt. Aber auch sie konnten diese Befestigung nicht lange nutzen, denn schon bald ging sie in die Hand der Schweden über.

Das Hinterland gehörte dagegen schon sehr früh zu Novgorod: Das Territorium am Finnischen Meerbusen zwischen dem Fluß Narova und der Stadt Ladoga, das gemeinhin als Ingrien [Ingrija] oder als Ingermanland [Ingermanlandija] bezeichnet wird. Besiedelt war es von den finnischen Stämmen der Wod [Vod'] und der Ižora, die beide die Oberhoheit Novgorods anerkannten. Das übrige Land am Finnischen Meerbusen und die Inseln der Neva hingegen gehörten zur Stadt Orešek.

Am 9. März 1617 brachte dann der Friede von Stolbovo eine wesentliche Grenzverschiebung. Denn der kriegerische Schwedenkönig Gustav II. Adolf (1611–1632) hatte zuvor die Schwäche Rußlands in jenen Jahren der inneren Wirren und der polnischen Okkupation genutzt, um für Schweden – außer Gebietserweiterungen in Livland und im nordwestlichen Rußland – eine weitere Verschiebung der entsprechenden Grenzen nach Osten zu erreichen. Im Zuge dieser Aktionen vereinnahmte er Ostkarelien und Ingermanland und errichtete am Neva-Ufer, 7,5 km von der eigentlichen Mündung entfernt (im Bereich des von Schweden beherrschten Ochta-Flusses) die Festung Nyenschanz. Moskau gewann zwar Novgorod zurück, dessen Autonomie Ivan IV. Anfang 1570 blutig ausgelöscht hatte, blieb aber ohne direkten Zugang zur Ostsee.

Diesen Zustand konnte erst Petr I. verändern, dessen Hauptziel es war, Rußland Seegeltung und den dazu notwendigen eisfreien Hafen zu verschaffen. Nach seiner Kriegserklärung an Schweden am 19. August 1700 mußte er aber zunächst im November dieses Jahres die schwere Nie-

derlage vor Narva hinnehmen. Daraufhin begann er mit der radikalen Umorganisation seines Heeres, dessen Kern nun die Garde-Regimenter »Preobraženskoe« und »Semenovo« sowie das Infanterie-Regiment »Vyborg« bildeten. Schon bald zeigte sich der Erfolg dieser neuen Ordnung. Am 11. Oktober 1702 konnte Petrs Oberbefehlshaber und Kampfgefährte Aleksandr Danilovič Menšikov (1673–1729) nach zweiwöchiger Belagerung das alte Orešek einnehmen (das die Schweden 1611 in Nöteburg umbenannt hatten). *Diese Festung unseres Vaterlandes ist zurückgekehrt, sie, die neunzig Jahre unrechtmäßig in den Händen des Gegeners war«*, schrieb Petr zu diesem Sieg. Er gab der Festung allerdings nicht wieder ihren alten Namen, sondern nannte sie jetzt programmatisch »Šlisselburg [Schlüsselburg]«, als der Ort, der ihm den angestrebten Zugang zum Meer erschließen sollte. Einige Historiker erkennen im Namen der Festung (der übrigens in der von Petr geliebten niederländischen Sprache gegeben wurde) noch eine zweite Bedeutung: den Schlüssel, das Attribut des heiligen Apostels Petrus, als Symbol für eine zukünftige neue Festung, die seinem Patronat unterstellt werden sollte.

Ein weiterer Schritt auf diesem Wege wurde am 1. Mai 1703 getan, als die russischen Truppen unter Generalfeldmarschall Boris Petrovič Šeremetev (1652–1719) bis zur Neva-Mündung vorstießen. Zar Petr beteiligte sich dabei selbst an diesen Kämpfen. Die seit dem 26. April belagerte Festung Nyenschanz kapitulierte und wurde geschleift, und nur zwei Tage später errang Rußland seinen ersten Sieg zu Wasser. Acht russischen Booten gelang es, zwei schwedische Fregatten, die mit je 24 Kanonen bestückt waren, zu entern. Anläßlich dieses Sieges ließ Petr für die daran Beteiligten eine Medaille mit der Aufschrift schlagen: »Das noch nie Dagewesene geschieht [Nebyvaemoe byvaet]«. Petr und Menšikov, die die Operation geleitet hatten, wurden mit dem Orden des heiligen Andreas des Erstberufenen, dem höchsten Orden Rußlands, ausgezeichnet.

Damit war jenes Territorium erobert, das Rußland den Zugang zu den Ebenen des Baltikum und vor allem zur Ostsee eröffnete. Doch bedurfte es noch erheblicher Anstrengungen, um die Eroberungen auch zu sichern, ihr Land und ihre Gewässer nutzbar zu machen. Nach dem Willen des Zaren sollte als erstes die Neva-Mündung befestigt werden. Nach eingehender Prüfung der verschiedenen Inseln im Mündungs-Delta entschied er sich für die flache Haseninsel [Zajačij ostrov] (die von den Ureinwohnern auf Finnisch »Enisaari« genannt wurde), also für die Stelle, an der sich die Neva in ihre zwei Arme teilt. Am 16. Mai 1703 wurde dort *»eine Fortifikation errichtet und ihr der Name Sankt Pieterburch gegeben«.*

Petr bediente sich also auch hier zunächst wieder der niederländischen Sprache, die später allerdings durch die deut-

Sankt Petersburg (Detail). Radierung von Pieter Pickaerdt (1668/69–1735), 1704

sche ersetzt wurde. An diesem Tag der eigentlichen Stadtgründung setzte er mit großem Gefolge auf die Insel über. Dort wurde zunächst der Ort geweiht, an dem die Kirche zu Ehren der heiligen Apostel Petrus und Paulus entstehen sollte. Danach ergriff Petr einen Spaten und gab mit ihm das Zeichen zum Baubeginn. Der Überlieferung nach, zeigte sich in diesem Augenblick ein Adler am Himmel und kreiste über der Insel. In die erste ausgehobene Grube wurde ein steinerner Kasten gesenkt, der in einem goldenen Kästchen Teile der Reliquien des heiligen Apostel Andreas barg. Der Kasten wurde mit einer steinernen Platte bedeckt, mit der Inschrift: »Im Jahre 1703 seit der Fleischwerdung unseres

Petr I. beim Abschreiten des Geländes im zukünftigen Petersburg. Gemälde von V. A. Serov, 1907

Herrn Jesus Christus, am 16. Mai, ward gegründet die Herrscherstadt Sankt Petersburg von dem Großen Herrn, dem Zaren und Großfürsten Petr Alekseevič, Autokrator von ganz Rußland.« Darauf legte Petr zwei Rasenstücke in Kreuzesform und sagte: »Hier wird eine Stadt entstehen!« Dann fällte der Zar zwei Birken und verband ihre Kronen zu einem symbolischen Tor für die künftige Festung. Nun soll sich der Adler aus den Lüften herabgeschwungen und auf das Birkentor niedergelassen haben, was man als ein glückverheißendes Vorzeichen gedeutet hat. Schließlich habe der Zar den Adler auf seinen Arm genommen und sei mit ihm unter Salutschüssen auf sein Schiff gestiegen. (Nach dem Zeugnis von Ortsansässigen lebte der Adler allerdings schon längere Zeit auf der Insel und war von schwedischen Soldaten gezähmt worden; auch jetzt blieb das Tier in der Festung und wurde dort weiterhin gefüttert.)

Diese Petersburger Legende verklärt die Geburtsstunde der neuen Stadt durch himmlische Zuwendung, verkörpert in einem kaiserlichen Adler, der als Vorbote kommender Größe den ersten Spatenstich begleitet. Geweiht wurde die Stadt, deren Keimzelle an diesem Tage entstand, dem heiligen Petrus, dem ersten Apostel und Patron von Rom. Denn wie dieses sollte auch Petersburg für die Ewigkeit gebaut werden. Im allgemeinen Bewußtsein hat allerdings der Stadtgründer nicht selten seinen Namenspatron verdrängt, und wenn von der »Stadt Petrs« gesprochen wird, wird mehr an den Zaren als an den Apostel gedacht.

Petersburg wurde nun rasch – um es mit den Worten Puškins (in seinem Gedicht »Der eherne Reiter«) zu sagen – »aus Forst und Morast stolz genug zur jungen prächtgen Stadt«. Doch nicht ein Akt persönlicher Willkür, wie manchmal behauptet wird, lag dem zugrunde, sondern staatliche Notwendigkeit. Dementsprechend entwickelte sich auch das Stadtbild nach präzisen, sachlich vorgegebenen Plänen. P. N. Anciferov, Geograph und Kenner Petersburgs, hat dazu einmal bemerkt, daß solche Städte, die sich wie Rom oder auch Moskau allmählich und freizügig im Laufe vieler Jahrhunderte entwickelt haben, mit einem dichten Wald vergleichbar seien. Die Wurzeln solcher Ansiedlungen liegen tief im Dunkel der Geschichte; so tief, daß selbst der Spaten des Historikers sie nicht mehr zu ergründen vermag. Entsprechend erinnert auch der Grundriß dieser Städte an das verzweigte und komplizierte Astgewirr eines großen Baumes. Anders Petersburg; wie New York gehört es zu jenen Städten, die aus den Vorstellungen einer bereits klar entwickelten und deutlich ausgeprägten Kulturtradition entstanden sind. Sie gleichen nicht dem Urwald, sondern eher einer Parklandschaft mit gerade angelegten, in ihrer Richtung ausgewogenen Alleen, die gerade nicht der Natur mit ihren Zufällen und Unwägbarkeiten, sondern bestimmten schöpferischen Ideen des Menschen entwachsen sind: »Vor

uns liegt eine Stadt, die zu einer Zeit entstanden ist, in der ein mächtiges Volk die traditionellen Wege eines verschlossenen nationalen Daseins verläßt und in die weltumfassende Arena der Geschichte tritt, machtvoll geführt vom Willen zu leben ... So ist diese neue Hauptstadt von den Wurzeln des nationalen Seins abgeschnitten, wovon selbst die Natur zeugt, die sich hier so grundsätzlich von der des russischen Landes unterscheidet, und worauf ebenso der fremde Stamm immer wieder hinweist, der hier seine Heimstatt hat – all dies spricht deutlich von der tragischen Entwicklung eines Volkes, das durch sein Schicksal auf Gebiete beschränkt worden war, die den freien Wassern des Ozeans so fern liegen.«

Am Anfang war die Stadt noch recht klein. Die ersten Bauten befanden sich ausnahmslos auf der Petersburger Seite in unmittelbarer Nähe zum Neva-Ufer, so daß man von der »Stadt-Insel« sprach. Dort wurde die damalige Palisaden-Festung mit ihrem sechseckigen Grundriß an der Stelle errichtet, wo sich auch heute ihr steinerner Nachfolgerbau befindet. Die entsprechenden Bauarbeiten leitete der Zar selbst, der sich in der Nachbarschaft sein kleines, lediglich zwei niedrige Zimmer umfassendes Häuschen errichten lassen hatte. Die Arbeiten gingen außergewöhnlich rasch voran, so daß schon am 29. Juni, anderthalb Monate nach der Grundsteinlegung, das Patronatsfest der heiligen Apostel Petrus und Paulus in der Festung begangen werden konnte.

Damals erreichte auch das erste friesische Handelsschiff die Stadt. Der Zar selbst übernahm dafür die Funktion des Lotsen und leitete es sicher die Neva aufwärts bis zum Standort seines kleinen Hauses, bewirtete dort die Mannschaft des Kauffahrers und beschenkte sie reichlich, um Handelsbeziehungen anzubahnen und deren Ausbau zu fördern.

Doch noch waren Sicherheit und weiteres Wachstum nicht gewährleistet, denn der Nordische Krieg gegen Schweden war noch im Gange, auch wenn sich sein Verlauf immer deutlicher zu Gunsten Rußlands entwickelt hatte: 1704 befestigte Petr die der Neva-Mündung vorgelagerte Insel Kotlin und errichtete die Festung Kronšlot (später: Kronštadt). Am 13. Juli 1704 ergab sich Dorpat, am 9. August Narva und am 16. August Ivangorod. Doch 1706 konnte Karl XII. die mit Rußland verbündeten sächsischen Truppen Augusts des Starken bei Fraustadt schlagen und Ende 1707 sogar auf das Territorium des Rußländischen Reiches vordringen. Erst mit der Schlacht von Poltava fällt die Entscheidung am 27. Juni 1709 endgültig zu Gunsten Petrs und damit auch für seine Stadt. Karl XII. erfährt eine vernichtende Niederlage und kann sich – zusammen mit seinem Verbündeten, dem aufständischen ukrainischen Hetman Ivan Stepanovič Mazepa (1644–1709) – nur durch die Flucht auf osmanisches Territorium retten. Rußlands reformiertes Heer hatte den Waffengang mit den erfahrenen Schweden bestanden. Puškin schrieb dazu in seinem Gedicht »Poltava« von

1829 (siehe Kat.-Nr. 530):

»Dahin, wo Karl verschanzet war,
Marschierte sturmbeschwingt der Zar.
Und beider Heere standen dicht
Genüber sich im Angesicht.
So mag, vom jüngsten Blutvergießen
Berauscht, ein kühner Kampfgesell
Voll wildem Trotz den Gegner grüßen,
Der, lang ersehnt, jetzt kam zur Stell'.
Voll Grimm erblickte Karl nicht Scharen
gleich einem wilden Bienenschwarm,
Wie sie vor Narvas Toren waren,
Gezüchtigt schwer von seinem Arm.
Er sieht die Regimenter halten,
Sich in geschloßnen Reihn entfalten,
Ein Wald von Bajonetten glänzt.
Wie hat der Zar sein Heer ergänzt! ...
Und sieh! Das weite Todesfeld
Entflammt, erdonnert hier und dorten.
Der Russen Schlachtenglück erhält
Die Oberhand bald allerorten. ...
Wir drängen vorwärts, langsam weichet
Der Feind im wilden Waffentanz:
Gott ist mit uns heute! Es erbleichet
Der Schweden alter Ruhmesglanz.«

Mit dem Sieg von Poltava war der Krieg zwar immer noch nicht endgültig beendet, aber die Schweden und ihr unternehmender König konnten nicht mehr gefährlich werden – auch nicht für das »Paradies«, wie Petr I. seine Gründung an der Neva gern nannte. So konnte der Zar zu seinem General-Admiral Graf Fedor Matveevič Apraksin (1661–1728) im Hinblick auf Poltava sagen: »Nun ist es also vollendet und damit ein Stein zum Fundament von Sankt Peterburch gelegt.«

Am 4. Juli 1710 kapitulierte die schwedische Besatzung Rigas nach halbjähriger Belagerung, und die livländische Ritterschaft schloß einen Unterwerfungsvertrag mit dem russischen Reich. Bald darauf folgte der Anschluß Estlands. Auch die Umgebung ist nun also gesichert und so steht einer Verlegung der Residenz nichts mehr im Wege. 1712 wird Petersburg zur neuen Hauptstadt des Reiches erklärt. Im Februar des gleichen Jahres heiratet Petr seine zweite Frau, Ekaterina Alekseevna (1684–1727), die spätere Kaiserin Ekaterina I. (ab 1725), mit der er seinen Wohnsitz in Petersburg nimmt. Im selben Jahr beginnt – nach Entwürfen des Tessiners Domenico Trezzini (1670–1734), eines Vertreters des von Petr so geliebten »holländischen Barock« – der Bau der steinernen Domkirche in der Peter-und-Pauls-Festung. Auch sämtliche wichtigen staatlichen Einrichtun-

gen wurden jetzt nach Petersburg geholt: 1711 wurde dort der Regierende Senat als provisorisches Vertretungsorgan für den Zaren konstituiert. 1713 verlagert Petr durch mehrere Verordnungen das russische Außenhandels-Zentrum von Archangel'sk in die neue Hauptstadt.

Allerdings hatte der Gründer seiner Stadt offensichtlich nicht von Anfang an die führende Rolle zugedacht. Ursprünglich sollte sie vor allem als Hafenstadt und damit als »Fenster nach Europa« fungieren. Erst allmählich kristallisierte sich bei ihm der Gedanke heraus, die neue Stadt dem alten Moskau mit seinen verkrusteten Traditionen gegenüberzustellen und sie zum lebensvollen Zentrum eines erneuerten Staats- und Kulturlebens zu formen. Bestärkt wurde er in diesen Überlegungen durch die Erfolge im Krieg gegen Schweden und den dadurch bewirkten Landgewinn im Baltikum; außerdem bewog ihn dazu aber auch die Tatsache, daß sich das konservative, klerikal geprägte Moskau seinen Reformen mit gleichbleibendem Widerstand entgegensetzte. Über Petersburg hoffte er aber Rußland Europa entgegen führen zu können.

Außerdem entsprach der Charakter der Umgebung sehr den persönlichen Vorlieben des Zaren. Hier gab es jene ausgedehnten Gewässer, die seiner Liebe zur Schiffahrt und zum Meer entgegenkamen. Bereits 1715 gründete er in der Stadt die Marineakademie. Das feuchte Klima und der karge Boden erinnerten ihn an jene Orte, die ihn während seiner Europareise am tiefsten beeindruckt hatten. Zu ihnen zählte ja gerade nicht der Süden Europas, nicht etwa Italien, sondern Holland; seine Seehäfen, das große Delta des Rheins, seine unzähligen Kanäle und seine Grachten in den Städten, seine großen Werften und sein Welthandel, sein durch Gemeinsinn und Fleiß erlangter Reichtum, sein schlichter Lebenswandel, der auf äußeren Prunk verzichtet, aber auch seine bisweilen ziemlich rauhen Sitten, die dem Zaren sympathisch waren. Überhaupt entsprach dessen Charakter in vielem dem der Niederländer.

Neben diesen mehr emotionalen Gründen bestimmten aber rationale Petrs Wahl seines holländischen Vorbildes: Die großen europäischen Hauptstädte, wie etwa London, Paris oder Wien waren als historisch gewachsene Denkmäler steinerne Zeugen des Feudalismus und des mittelalterlichen Katholizismus. Im Vergleich dazu bildeten aber die Generalstaaten der Niederlande einen recht jungen und modernen Staat. Seine Städte waren nicht Schöpfungen feudaler Herrscher, sondern des aufblühenden bürgerlichen Handels; und damit waren sie für ihn auch weniger die Bewahrer jahrhundertealter nationaler Traditionen. In diesem Sinne bot sich ihm eine Stadt wie Amsterdam als Vorbild an. Auch wenn er sich beim Bau und der Ausgestaltung seiner Hauptstadt vor allem italienischer oder französischer Baumeister und Architekten bediente, bewahrte er sich doch

seine Vorliebe für die holländische Baukunst, die alle wichtigen Bauten seiner Regierungszeit geprägt hat.

Den Grundriß seiner Stadt hat Petr zunächst selbst festgelegt und danach dem französischen »General-Architekten« Jean-Baptist Alexandre Leblond (1669–1719) zur Überarbeitung und Vervollständigung übergeben, der 1716 in Rußlands neue Hauptstadt gekommen war. Obwohl der Architekt drei Jahre später bereits an den Blattern starb, konnte er doch in dieser kurzen Zeit ganz wesentliche Impulse für die Gestaltung Petersburgs geben. Ihre geraden, endlos lang erscheinenden Prospekte, die radial von der Admiralität ausgehen und die abgezirkelte geometrische Einteilung der Basileios-Insel gehen auf Leblond zurück und schaffen die Voraussetzung für eine weitläufige Stadt. Doch schon nach der Schlacht von Poltava hatte ihr planmäßiger Ausbau begonnen, so daß sie 1710 bereits mehr als 8.000 Einwohner aufnehmen konnte. Auf Geheiß des Zaren wurden zunächst »Lehmhütten nach preußischer Manier [prusskim manerom mazanki]« gebaut, d. h. Häuser, die zur Hälfte aus Lehmziegeln und sonst aus Holz bestanden. Petr – wie immer bemüht, nicht nur anzuordnen, sondern selbst als Vorbild zu wirken – arbeitete selbst an einer bei den Festungstoren als Modell errichteten Hütte mit, in der der Senat und die Apotheke untergebracht wurden. Ebenso entstanden unweit der Festung das schon mehrfach erwähnte Wohnhaus Petrs, ein Gästehaus, der Proviantmarkt [sytnyj rynok] und die Dreieinigkeits-Kirche. Zwischen der Peter-und-Pauls-Festung und der Petersburger Seite wurde die erste Brücke der Stadt gebaut. Die Namen der dort gegenüber der Festung angelegten Straßen – die Adels- [Dvorjanskaja], die Handels- [Posadskaja], die Kanonengießer-[Puškarskaja], die Büchsenmacher- [Ružejnaja], die Pulver-[Zelejnaja] und die Münzstraße [Monetnaja] nennen Stand und Tätigkeit der dort angesiedelten Bewohner.

Die ersten bedeutenden Baumeister kamen aus dem Ausland. Von dem Italiener Domenico Trezzini, der 1710 zum leitenden Architekten ernannt worden war, wurden Modellhäuser als Prototypen der Bebauung in drei verschiedenen Versionen erarbeitet. Ihrem Vorbild hatten alle Bauherren zu folgen, um der entstehenden Stadt einen möglichst einheitlichen und harmonischen Charakter zu verleihen. Nach Petrs Vorstellungen sollte auf der Basileios-Insel das Handelszentrum entstehen, als eine kleine Kopie Amsterdams mit den für diese Stadt typischen Grachten. An ihrer Landzunge lag deshalb der Hafen mit der Zollstelle, dem Handelshof und dem Gästehaus. Hier standen auch der 1710 begonnene steinerne Palast des Generalgouverneurs, des 1707 zum Durchlauchtigsten Fürsten erhobenen Aleksandr Menšikov, und die »Zwölf Kollegien«, nach schwedischem Vorbild eingerichtet, die die alten Behörden [prikazy] der Moskauer Rus' ablösten.

Dort, wo später die Admiralität erbaut werden sollte, gründete Petr 1704 die erste Werft seines Landes. Schon zwei Jahre später gab es hier zehn Hellinge, und die erste Brigantine (ein kleiner, schneller Zweimaster) für den Zaren konnte hier vom Stapel laufen. Die beiden einander gegenüberliegenden Gebäudekomplexe der Peter-und-Pauls-Festung auf dem einen und der Admiralität auf dem anderen Neva-Ufer, für die der Fluß sozusagen die Symmetrieachse bildete, erzielten später als architektonisches Ensemble einen besonders schönen Effekt. Fast wirkte jeweils die eine Seite als Spiegelbild der anderen. Die Stadtlandschaft wurde durch die Kuppeln der Kirchen und durch die spitzen Türme des Peter-und-Pauls-Domes und der Admiralität akzentuiert. Der Nevskij Prospekt [eigentlich: Neva-Prospekt], der damals noch nicht diesen Namen trug, war noch eine lange Allee, an der schwedische Kriegsgefangene Bäume angepflanzt hatten. Sie mußten die Straße auch sauber halten und sie deshalb jeden Samstag fegen. (Auf dem Admiralitätsplatz wurden häufig Faustkämpfe veranstaltet.)

Auch um durch das eigene Beispiel seine Umgebung zum Bau neuer Schlösser und Paläste anzuregen, hat Petr solche für sich und seine Gemahlin Ekaterina errichten lassen. Außer dem kleinen Haus, das ihm als erste Bleibe gedient hatte, ließ er 1711 für Ekaterina ein Sommerhaus im Sommergarten errichten. Später entstand in der Deutschen Straße beim Wintergraben – zuerst in Holz und dann in Ziegeln – ein weiterer Palast: der Winterpalast, dessen Fassade auf die Neva hin ausgerichtet war. (In diesem Gebäude starb Kaiser Petr I. am 28. Januar 1725 im Alter von nur 52 Jahren.)

Inzwischen waren an der Neva mehrere große Wohnhäuser und Palais für einflußreiche Staatsmänner entstanden; z. B. für F. M. Apraksin, den Generalstaatsanwalt Pavel Ivanovič Jagužinskij (1683–1736), oder für den von Petr zum Vizeadmiral ernannten holländischen Kapitän Cornelius Cruys. Außerdem wurden in der Umgebung der Stadt – vor allem auf dem Südufer des Finnischen Meerbusens – mehrere Schlösser erbaut: Ekaterinenhof, Strel'na, Peterhof und Oranienbaum. In ihren Parks gab es künstliche Kanäle. In Wasserbecken und zahlreiche Kaskaden sprudelten Fontänen, wie es heute noch besonders in Peterhof in vielfältigen Varianten zu sehen ist.

Auch in der Stadt ließ Petr Parks und Gärten anlegen. Besonders liebte er den großen Garten beim Sommerpalast, für den er sich seltene Bäume und Pflanzen aus Südrußland und aus dem Ausland beschaffen ließ. Der Garten wurde mit Grotten, Statuen und Springbrunnen ausgestattet, für die in speziellen Röhren Wasser aus dem nahegelegenen Fluß geleitet wurde. So kam es zu dessen Namen »Fontänenfluß« (auf Russisch: »Fontanka«). Mit der Pflege seines Gartens hatte Petr den deutschen Gärtner Kaspar Vogt [Gaspar Focht] aus Hannover betraut, der auch den

Apotheker- oder Botanischen Garten anlegte. – Häufig unternahm der Zar seine Spaziergänge allerdings auch im großen Park auf der Peters-Insel.

Immer wieder war er es selbst, der neue Anstöße gab und sich auch weiterhin persönlich um eine Vielzahl von Dingen bis zu Einzelheiten kümmern mußte, was seine Zeit und seine Kräfte stark in Anspruch nahm. Einerseits mußte er immer wieder gegen das Desinteresse seiner Umgebung angehen und andererseits gegen die Beschaffenheit des Bodens in dieser Sumpflandschaft. Durch sie wurde die Errichtung von Gebäuden häufig ungewöhnlich stark erschwert, besonders die von Steinbauten, die seit 1712 ausschließlich vorgeschrieben waren. Hinzu kam der chronische Mangel an Arbeitskräften und an geeignetem Baumaterial. Zunächst wurden die erforderlichen Arbeiten von kriegsgefangenen Schweden geleistet. Da ihre Kapazität jedoch nicht ausreichte, ordnete Petr 1710 an, daß die Gouvernements im Inneren des Landes Jahr für Jahr vierzigtausend Arbeiter in die Hauptstadt schicken mußten. In den ersten Jahren waren deren Ausfälle beträchtlich. Das feuchte und unwirtliche Klima, der Morast und das Moor, dazu der Mangel an Unterkünften, an Nahrung und an Kleidung, die harte und ungewohnte Arbeit und grassierende Krankheiten dezimierten die Zahl der Arbeiter erheblich. Sie erkrankten und starben zu Tausenden. So kostete nach Schätzungen der Zeitgenossen allein der Bau der Peter-und-Pauls-Festung das Leben von rund 100.000 Neusiedlern. Nicht von ungefähr sagte daher ein Dichter über Petersburg:

>»Ein Recke baute es auf,
Füllt's mit Knochen an zuhauf . . .«*

Als 1710 auch noch mit der Pflasterung der Straßen begonnen wurde, machte sich der Mangel an Steinen – und noch mehr an Steinmetzen – noch stärker bemerkbar. Aus diesem Grunde kam es 1714 zu dem bis 1741 gültigen Erlaß, durch den alle steinernen Bauten in Rußland – mit Ausnahme von Petersburg – strikt verboten und Zuwiderhandlungen mit sofortiger Konfiszierung des Vermögens und Verbannung nach Sibirien zu ahnden waren. Ebenfalls wurde verordnet, daß jede Fuhre bei ihrer Einfahrt in die Stadt drei Feldsteine abzuliefern hatte und jedes Schiff eine bestimmte Menge unbehauenen Gesteins mitbringen mußte. Für jeden Stein, der fehlte, war die für die damalige Zeit hohe Summe von einem Rubel als Strafe zu entrichten (was dem Monatslohn eines einfachen Arbeiters entsprach). Übrigens blieb dieser zweite Erlaß sogar 62 Jahre, nämlich bis 1776, in Kraft.

So zeugt die Stadt auch von dem Schweiß und dem Blut, die vergossen werden mußten, um ihre Existenz zu gründen und zu sichern. Sie zeugt auch von der Rigorosität ihres

Schöpfers und der Knechtschaft des Volkes, das sein Leben hingeben mußte, als das Fundament jener Stadt geschaffen wurde, die dieses Volk weithin mit Haß verfolgte. Wenn auch sonst Archäologen unter den Mauern alter Städte Gebeine von Menschen finden, die dort den Göttern geopfert worden sind, um deren Wohlwollen zu erbitten und den Bestand der Stadt zu sichern, so dürfte doch kaum eine andere Stadt schon bei ihrer Geburt mehr Opfer als unsere nördliche Hauptstadt gefordert haben. Petersburg ist tatsächlich eine auf Menschenknochen errichtete Stadt. Um dieses »Paradies« aus den Nebeln des Finnischen Meerbusens aufsteigen zu lassen, bedurfte es geradezu titanischer Anstrengungen; ein gewaltiger Kampf mit den Elementen der Natur, der notwendig war, damit Petersburg lebe. Neben der Pest, die 1711 wütete, waren Cholera und Skorbut, aber auch Brände und Überschwemmungen ständige Begleiter seiner ersten Jahre. Nikolaj Anciferov hat dies so formuliert: »Die Stadt ist als eine Antithese zu der sie umgebenden Natur geschaffen worden, als habe man dieser eine Aufforderung zum Duell zukommen lassen. Mag unter ihren Plätzen, Straßen und Kanälen ,das Chaos toben‘, sie selbst besteht aus ruhigen klaren Linien, aus festgefügtem mächtigem Stein, ist ausgerichtet, zielstrebig und königlich, mit ihren goldenen Spitzen, die sich so ruhig in die Himmel emporheben. Blickt man wie ein Adler aus der Höhe auf Petersburg hinab, so sieht man die Geschlossenheit eines einzigen Willens, der die Stadt ins Sein gerufen hat, spürt man den wundertätigen Erbauer, dessen Denken sich hier in harter Materie inkarniert hat. Wahrhaftig: ohne das Bild Petrs des Großen kann man das Antlitz Petersburgs nicht ergründen.«

Das Petersburg Petrs, dessen Einwohnerzahl bis 1725 auf 70.000 Menschen angewachsen war, entwickelte sich rasch zu dem bedeutendsten Handels- und Industriezentrum Rußlands. Durch seine geographische Lage war es an das innerrussische Flußsystem angeschlossen. Um den Erfordernissen eines Handelsumschlagplatzes noch mehr entsprechen zu können, ließ Petr Kanäle anlegen, die als Transportwege von der Ostsee zum Kaspischen und zum Weißen Meer dienten. Schon 1709 hatte man mit dem Bau einer Kanalverbindung zur Volga und des (1752 fertiggestellten) Ladoga-Kanals begonnen. Um die noch kaum geschwächte Vormachtstellung des Handelshafens von Archangel'sk abzubauen, ordnete Petr an, daß zwei Drittel aller exportierten Waren über den Hafen seiner Hauptstadt zu verschiffen seien; eine Maßnahme, die den Unmut der Holländer hervorrief, die sich vorher schon in Archangel'sk etabliert hatten. Andererseits kam sie aber den Interessen der deutschen Kaufleute aus den verschiedenen Handelsstädten an der Ostsee, bis Kiel und Lübeck, entgegen.

Von Jahr zu Jahr entwickelte sich Petersburg nun immer mehr zur Handelsstadt. Im Sommer 1722 liefen schon 116

Die Gebäude der Akademie der Wissenschaften und der Kunstkammer. Kolorierter Stich von Richter, 1804

ausländische Kauffahrteischiffe ihren Hafen an, 1724 bereits 240. Dem entsprach eine deutliche industrielle Belebung der Stadt, in der jetzt zahlreiche Fabriken, Werkstätten und Manufakturen gegründet wurden.

Sein besonderes Augenmerk richtete Petr auf die Förderung der Wissenschaft und der Künste, die er in der neuen Hauptstadt dauerhaft anzusiedeln suchte. Deshalb schickte er die Diplomaten Savva Lukič Raguzinskij-Vladislavič (ca. 1670–1738; ein geborener Serbe aus Ragusa) und Ju. Kologrivov nach Italien, um dort für ihn Kunstwerke anzukaufen. Im selben Zusammenhang gingen auch der Duma-Beamte und ehemalige Lehrer des Zaren, Nikita Moiseevič Zotov (ca. 1644–1718), und der Admiral François Lefort (1655–1699, seit 1678 in russischen Diensten) nach Paris, um dort junge Talente für ihr Land zu entdecken und anzuwerben. So kamen unter anderem die Architekten Carlo Bartolomeo Rastrelli (1675–1744) und Jean-Baptiste Leblond (1669–1719) oder der französische Maler Louis Caravaque (gest. 1754) nach Petersburg. 1711 wurde dann bei der Waffen-Kanzlei eine eigene Schule für Zeichnen, den Kupferstich und für Malerei gegründet. Weitere kulturelle Aktivitäten folgten: die schon erwähnte Gründung der Marine-Akademie; 1716 ein Erlaß, der Lehrer der deutschen und der französischen Schule zur Edition von Büchern auffordert; 1718 die Einrichtung der »Kunstkammer«, des ersten Museums in Rußland. Sie alle belegen das große Interesse Petrs für Künste und Wissenschaften. Für die Kunstkammer wurde damals noch unsystematisch gesammelt. Sie enthielt bald ganz unterschiedliche historische, kunstgewerbliche und naturgeschichtliche Kuriositäten, wie z. B. die 1716/17 von Petr auf seiner zweiten Europareise bei dem

Amsterdamer Anatom Friedrich Ruysch für 30.000 Gulden gekauften Präparate, den 1717 erworbenen »Gottorfer Globus« und die vom Zaren besonders geschätzte Sammlung abnormer Foeti.

Durch westeuropäische Vorbilder angeregt, plante auch Petr die Gründung einer »Akademie der Wissenschaften und der seltenen Künste« zu gründen. Das von seinem Leibarzt Laurentius Blumentrost [Lavrentij Bljumentrost] (1692–1755) 1721 dafür vorgelegte Konzept sah vor, daß sie nicht nur eine gelehrte, sondern auch eine lehrende Einrichtung, d. h. eine Universität, sein sollte. Ihre Eröffnung erlebte der Gründer jedoch nicht mehr. Durch seinen Erlaß wird sie zwar noch am 28. Januar 1724 ins Leben gerufen; bis die berufenen ausländischen Gelehrten aber in Petersburg eintreffen, vergeht noch einige Zeit. So wird sie erst nach dem Tode des Zaren durch Ekaterina I. am 27. Dezember 1725 feierlich eröffnet. Damit erfüllte sich posthum sein Traum: *»Die europäische Bildung kam an die Ufer der eroberten Neva«* (A. S. Puškin).

In dieser ersten Entwicklungsphase erlebte die Stadt harte Zeiten. Trotzdem wurden in ihr aber auch damals große Feste veranstaltet, die häufig wichtige politische, militärische oder kirchliche Ereignisse zum Anlaß hatten. (Außerdem fanden sogenannte »Assemblées« statt, bei denen die Petersburger ihre Freizeit gemeinsam verbrachten.) Ereignisse, derentwegen man feierte, waren beispielsweise der Sieg von Poltava (1709) oder der Frieden von Nystad (Uusikaupunki), durch den am 30. August 1721 endlich der große Nordische Krieg zwischen Schweden und Rußland beendet war und Rußland die Provinzen Livland, Estland, Ingermanland und Teile Kareliens Rußland zugesprochen wurden. Dies bedeutete nicht nur einen breiten Zugang zur Ostsee, sondern vor allem auch die Vormachtstellung in diesem Gebiet. Den Höhepunkt der Feierlichkeiten anläßlich dieses Friedensschlusses bildete der 22. Oktober 1721, an dem Petr offiziell den Titel eines »Allrußländischen Kaisers [Imperator Vserossijskij]« annahm und sich damit in die Reihe der großen Kaiserhäuser der Weltgeschichte stellte. Ein Erlaß vom 11. November des gleichen Jahres legt die neue Titulatur genau fest und läßt zugleich erkennen, zu welcher Machtfülle es Petr I. in seinem Reich gebracht hatte: *»Von Gottes weiterhelfenden Gnaden Wir Petr I., Imperator und Autokrator von ganz Rußland, Moskau, Kiev, Vladimir, Novgorod, Zar von Kazan', Zar von Astrachan', Zar von Sibirien, Herr von Pskov [Pleskau], Großfürst von Smolensk, Fürst von Estland, Livland, Karelien, Tver' etc.«* Die Hochzeit seiner Nichte Anna Ioannovna (1693–1740; seit 1730 Kaiserin), der zweiten Tochter seines Halbbruders Ivan V. (1666–1696), mit Herzog Friedrich-Wilhelm von Kurland, 1718, zeigte deutlich, daß Rußland nicht mehr ein isolierter Oststaat war, sondern sein »Fenster nach Europa« geöffnet hatte.

Jeweils große Feste begleiteten auch die Stapelläufe jener Schiffe, die jetzt auf der Petersburger Werft gebaut wurden. An solchen Tagen wurden auf dem Spielfeld (dem heutigen Marsfeld), das bis zum Sommergarten reichte, und im Garten selbst, Lustbarkeiten geboten, kostenlose Speisen gereicht und abends Feuerwerke abgebrannt. Petr selbst liebte aber am meisten Kahnfahrten auf der Neva, an denen alle ihn umgebenden Personen teilnehmen mußten, so daß sich dabei regelrechte Geleitzüge und Flottillen bildeten.

Auch für die religiöse Tradition seiner neuen Hauptstadt schuf ihr Gründer wichtige Voraussetzungen: Fern vom damaligen Stadtzentrum errichtete er 1710 an der Stelle ein Kloster, wo, der Überlieferung nach, der ab 1380 als Heiliger verehrte Novgoroder Fürst Aleksandr Jaroslavič die Schweden unter Birger Jarl geschlagen hatte. 1724 wurden dann, auf Befehl des Kaisers, die Gebeine des heiligen Aleksandr von der Neva aus dem Christi-Geburt-Kloster in Vladimir (wo sie seit seinem Tode 1263 ruhten), in die Dreieinigkeits-Kirche des Klosters überführt und der Heilige zum Patron der Stadt erklärt.

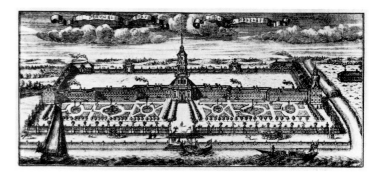

Das Kloster des heiligen Aleksandr von der Neva. Entwurf von Domenico Trezzini, Stich von A. F. Zubov, 1716/17

Diese Maßnahme stand in einem gewissen Widerspruch zu der von Petr – auf Anraten seines geistlichen Beraters, des Novgoroder Erzbischofs Feofan [Prokopovič] (1681–1736) – durchgeführten Klosterreform, im Zuge derer Klosterbesitz säkularisiert, die Neugründung von Klöstern verboten und Klöster geschlossen oder zusammengelegt wurden, damit sie ihre sozialen und ökonomischen Aufgaben besser erfüllen konnten. Doch für Petersburg machte der Kaiser eine Ausnahme, weil er sich vom himmlischen Beistand des rechtgläubigen Fürsten Aleksandr als siegreichen Landesverteidiger Hilfe für seine eigenen Unternehmungen und vor allem den Schutz des Landes an der Neva erhoffte. (1797 wurde das Kloster übrigens von Pavel I. in den Rang einer Lavra erhoben.)

9

Dank seines unermüdlichen Einsatzes wuchs die Stadt und wurde immer schöner, so daß sie auch zunehmend die Aufmerksamkeit ausländischer Gäste auf sich zog. Schon 1714 werden bei einer ersten Volkszählung 34.500 Gäste ermittelt. Deshalb liest man in der Legende zum Stadtplan, der 1717 in Paris herausgegeben wurde: »Dort (in Petersburg) haben sich nicht nur Russen angesiedelt, sondern auch eine große Anzahl von Ausländern, die die Stadt als angenehm und die Straßen als schön und gerade empfinden. Ihre zahlreichen Kanäle sind durch gute Uferbefestigungen verschönt und die Häuser prächtig gebaut.« 1723 wurde sogar – erstmalig in Rußland – eine ständige Straßenbeleuchtung mit 600 Laternen in Betrieb genommen.

Aber es gab auch andere Stimmen. So meinte der Literaturkritiker, Philosoph und sozialrevolutionäre Publizist Vissarion Grigor'evič Belinskij (1811–1848), daß Petersburg, trotz all der beispiellosen Anstrengung seines Gründers »ein zu armes und unbedeutendes Städtchen war, um überhaupt von ihm als von etwas Wichtigem zu sprechen. Es schien, als könne dieses Städtchen, das seine ganze erzwungene Existenz dem Willen eines großen Menschen verdankte, seinen Erbauer überhaupt nicht überleben. Irgend einer seiner Nachfolger hätte es wieder der ewigen Vergessenheit anheimgeben oder zu nichtiger, schwindsüchtiger Existenz verdammen können. Und doch zeigt sich hier der schöpferische Genius des großen Petr in all seinem Glanz: die von ihm vorgezeichneten Pläne mußten und müssen für alle Zeiten befolgt werden. Mochten seine Nachfolger vielleicht auch daran denken, diesen Baukomplex an einen anderen Ort zu übertragen, so konnten sie einen solchen Stein doch nicht aus seiner Verankerung reißen. Denn der Stein war von einem Genius gelegt worden, einem Genius so groß, daß man nicht einmal daran denken konnte, ihn mit menschlichen Kräften zu bewegen.«

Petersburg durfte einfach nicht aufhören zu existieren. Es mußte weiterleben, da mit ihm auch das zukünftige Geschick des Russischen Imperiums verbunden war, das an die Stelle des Moskauer Zarentums getreten war. Deshalb versuchte man im Laufe des 18. Jahrhunderts, Petrs Ideen auch weiterhin in die Tat umzusetzen. Elizaveta, Ekaterina II. und auch Pavel I. verstanden sich als Nachfolger und Sachwalter seiner Grundsätze und haben diese Funktion mehrfach deutlich ausgesprochen. Der Dichter Fürst Petr Andreevič Vjazemskij (1792–1878) hat diese Kontinuität mit folgenden Worten gepriesen:

»Durch Petrs mächt'gen Geist und Ekaterinas Verstand,
was sonst so lange währt, in einem Jahrhundert
Vollendung fand!«

Als die Stadt geboren wurde, wurden damit zahlreiche überlieferte Traditionen bis tief in die Wurzeln hinein umbrochen. Dies hat ganz unterschiedliche Bevölkerungsschichten des Landes stark beschäftigt. So spiegeln sich etwa auch ihr ungewöhnlich schnelles Wachstum, ihre damals für Rußland noch einzigartige Verbindung mit Westeuropa, ihre majestätische Schönheit und der darin beheimatete eigenwillige Geist in der russischen Kunst wieder, die sich nun in der neuen Stadt ebenfalls neu entwickelte.

Durch ihre Lösung von den übrigen Teilen des Landes wurde sie nicht zu einer charakterlosen Kopie irgendeiner anderen europäischen Stadt, sondern zu einer komplexen Stätte des Übergangs, an der Gegensätze aufeinandertreffen und sich begegnen; nicht nur in geographischer, sondern auch in chronologischer Hinsicht, zwischen dem Moskauer Zarentum und dem Rußländischen Imperium, diesem neuen multinationalen Staat, in dem auch Ausländer eine große und oft führende Rolle spielten.

Petersburg ist eine Stadt Europas, in der sich bald die Großen der Kunst und der Wissenschaft des gesamten Kontinents, aus England, Frankreich, Italien und Deutschland ein Stelldichein geben werden, indem sie an dessen Leben teilnehmen und es mitgestalten. Petersburg ist dabei aber zugleich eine Stadt Rußlands. Beide Positionen bestimmen sein kompliziertes und oft auch widersprüchliches Leben, das so voll von tragischen Vorahnungen ist.

Im ersten Jahrhundert ihres Bestehens wurde die Stadt von der russischen Gesellschaft heiß geliebt, weil ihre Existenz so eng mit dem Werk des Gründers verbunden war. Sie galt sozusagen als Banner im Kampf um die Vereinigung mit dem Westen. Der Genius des Gründers blieb als Schirm und Schutz der Stadt lebendig. Der »Eherne Reiter«, dem Falconet Gestalt gegeben hatte, hielt Wache und »es schien, als verkörpere er in sich den Geist des verstorbenen Kaisers.«

In den Oden des 18. Jahrhunderts ist Petropolis – wie die Poeten dieser Zeit die Stadt im Anklang an die des großen Konstantin gern antikisierend bezeichnen – gerade nicht ein Rußland fremder Ort, sondern ist in der Heiligen Rus' verwurzelt. Sie erscheint als die Stadt der »Sonne des russischen Landes«, also des heiligen Aleksandr von der Neva; so etwa bei dem Dichter Aleksandr Petrovič Sumarokov (1717–1777):

»Am Ufer dort der Neva-Ströme
liegt des heil'gen Aleksandrs Grab!«

Jung fühlt sich diese stolze Hauptstadt und verspürt in sich die Kräfte des gesamten Reiches. Sie ist zugleich einfach, harmonisch und, dank des Geschmacks ihrer Erbauer, von allem falschen Prunk frei geblieben, so daß sich in ihr »Natur und Kunst« festlich vereinen:

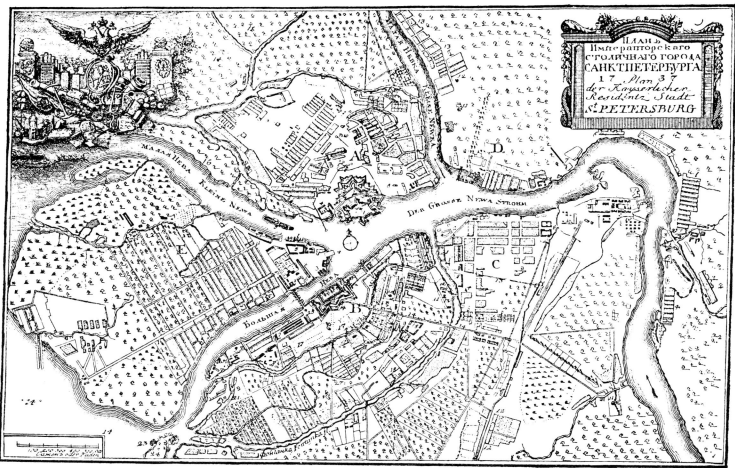

Gestochener Plan der Stadt Petersburg aus dem Jahre 1737

»Ich sehe Petrs Stadt, so wunderbar voll Pracht,
Aus Sümpfen wohl emporgeführt von der Manie des Zaren,
Dies letzte Denkmal seines Ruhms und seiner Macht,
An hundertmal schmückten es die, so nach ihm waren.«,

besingt sie Fürst Vjazemskij.

Von der historischen Notwendigkeit einer Hauptstadt an den Ufern der Neva und am Baltischen Meer waren zahlreiche fortschrittlich denkende Menschen im 18. Jahrhundert überzeugt. Als Beispiel sei hier nur der russische Universalgelehrte Michail Vasil'evič Lomonosov (1711–1765) zitiert, der uns die folgende poetische Beschreibung Petersburgs aus der Mitte des Jahrhunderts hinterlassen hat, aus der aufrichtige Liebe und Begeisterung spricht: *»Wenn man die großartigen Gebäude des Monarchen und die Häuser bedeutender und wohlhabender Menschen sieht, so könnte man denken, daß hier die Herrscher verschiedener Staaten wohnen. Die sich an den Ufern der Neva und der kleineren Flußläufe erstreckenden Staats- und Wohnpaläste entzücken durch ihre Erhabenheit* den Betrachter. Ihre Schönheit durch ihr ruhiges Spiegelbild im Wasser gesteigert, das aber immer wieder vom Wellengang der zahlreichen Boote aller Art unterbrochen wird ... Wenn jemand auf ein hohes Gebäude steigt und sich dort umschaut, so mag es ihm erscheinen, als würden die Häuser auf dem Wasser schwimmen, von geraden Linien in Regimenter eingeteilt, die in Reih und Glied angetreten sind. Zugleich sieht er Kanäle, Gärten, Brunnen und Radialstraßen in der Stadt selbst als auch bei den Lusthäusern, die in ihrer Umgebung liegen. Es gibt eine Gott wohlgefällige Fülle von Kirchen; und mag auch die alte Hauptstadt [Moskau] Petropolis durch die Zahl ihrer Gotteshäuser übertreffen, so übertrifft diese sie doch durch deren Schönheit. Jene ist sicher edeler auf Grund ihres Alters, diese aber glücklicher auf Grund ihrer Jugend, wunderbarer durch ihr schnelles Wachstum und ruhmreicher durch die Person ihres Gründers.«

Auch die Forscher, die im 19. und Anfang des 20. Jahrhunderts über das alte Petersburg gehandelt haben, formulieren ihr Urteil deutlich, indem sie aus dem Bild der histori-

11

schen Stadt charakteristische Merkmale herauszuarbeiten versuchten. Der Historiker V. Lukomskij (1882–1946) beurteilte sie sehr kritisch: »*Es ist schon interessant, wie Petersburg – sowohl in der Petr noch verhältnismäßig nahen Periode wie auch in all jenen Momenten unserer Geschichte, da alles rein Russische nicht verstanden und nicht einmal angestrebt wurde – geradezu mit Kränzen der Verehrung geschmückt wurde ... Erinnern wir uns der Oden auf das ‚Palmyra des Nordens‘ aus dem 18. Jahrhundert und vom Beginn des 19. Jahrhunderts. Oder sehen wir uns besser noch all die Stiche, Zeichnungen und Gemälde der Meister aus der Zeit [der Herrscher] Elizavetas, Ekaterinas und Aleksandrs an. Diese Kleinmeister, Absolventen der Petersburger Akademie, wuchsen unter den gleichen wachstumsfeindlichen Bedingungen auf wie die im finnischen Sumpfboden angelegten verfaulten Gärtchen, die aus Bäumen bestehen, die über hunderte von Verst herangeschafft worden sind. Sie sind wahrhaftige Kinder ihrer rauhen Heimatstadt. Und doch wird in ihren Werken diese Stadt mit einer bewundernswert getreuen Präzision und sogar mit Poesie geschildert ...*

Alekseev [gemeint: der Landschafts- und Städtemaler Fedor Jakovlevič A. (ca. 1755–1824)] *gelang es, die feuchte Atmosphäre und das typisch trübe, ausgesprochen nördliche Licht einzufangen, das auf den Petersburger Fassaden spielt, sie aber nicht erhellt. Auch Ivanov* [gemeint: der Landschaftszeichner und -maler Michail Matveevič I. (1748–1823)] *und Ščedrin* [gemeint: Semen Fedorovič Šč. (siehe Kat.-Nr. 44) (1745–1804)] *haben mit besonderer Anmut die krankhafte Schönheit unserer Parks und Gärten vermittelt – der eine in seinen Aquarellen, der andere in Stichen und Gemälden. Und schließlich haben dann Galaktionov* [gemeint: Stepan Filippovič G. (1779–1854), siehe Kat.-Nr. 14] *und Martynov* [gemeint: Andrej Efimovič M. (1768–1826), siehe Kat.-Nr. 113] *in ihren manchmal sehr reich gestalteten, dabei aber immer mit großer Einfühlungskraft erarbeiteten Lithographien, Aquarellen und Stichen die ganze unergründliche Anmut Petersburgs, die Anmut seiner unendlichen Straßen, der langweiligen Plätze und der monumentalen Bauten wiedergegeben. Besonders gut aber haben sie die öden Flächen der Neva ins Bild gesetzt, ihre phantastische Grandiosität und ihre Schönheit, die wunderbaren Effekte der weißen Nächte, die anmutigen Ansichten der Inseln und des Smol'na.*«

Schon die Zeitgenossen Kaiser Aleksandrs I. haben um 1800 voll innerer Anteilnahme ihr Petersburg beschrieben, und auch dafür sollen hier einige charakteristische Beispiele zitiert werden. Zuerst A. Trubnikov: »*Wahrlich, wenn man sich nach alten Plänen und Stichen eine Vorstellung [von Petersburg] macht, so ergibt sich ein verlockendes Bild: Das 18. Jahrhundert hat Petersburg seine großartigen Paläste hinterlassen: Die Zeit Aleksandrs I. schmückte es mit dem einfachen, doch majestätischen Empire. An dem grauen Fluß, an*

der Neva, dieser zierlichen und göttlichen Nymphe, war Petersburg eine reich geschmückte Stadt. Seine neuen Häuser mit den weißen Säulen, mit den so detailreichen Friesen aus Stuck und ihren geschmackvoll und sinnvoll gestalteten Basreliefs waren in schönen zarten Tönen gestrichen: blaßgrün, zitronengelb und hellgrau. So erschienen sie, als seien sie aus Porzellan oder sorgfältig aus dünnem Karton geschnitten. Und tatsächlich war ihr Dekor so zerbrechlich wie Porzellan und so wenig dauerhaft wie Karton. Viel Poesie lag darin beschlossen: die romantische Zeit herrschte auch in der Stadt Aleksandrs. Poetisch leuchtete das Weiß der antiken Giebel mit ihren Heroenfiguren im dunklen Grün der fahl schimmernden Nacht.«

Für die Bewohner des aleksandrinischen Petersburg ergab sich ein changierendes Bild dieser vielseitigen Stadt, die – von verschiedenen Standpunkten aus betrachtet – nicht mehr als eine erschien, sondern als »*gleichsam vier verschiedene Städte: eine Stadt des Militärs und eine Stadt des Handels, Hauptstadt des Reiches und Hauptstadt des Gouvernements. Wenn man sich davon überzeugen will, so muß man nur auf eine der Eckbastionen der Peter-und-Pauls-Festung steigen und sich einige Minuten der stillen Betrachtung hingeben. Aus dem einen Fenster, das auf die Admiralität hinausgeht, sieht man die prachtvolle, herrliche Hauptstadt; aus dem anderen, das zur Börse blickt, den Wald der Masten und daran die ausländischen Flaggen in ihrer farbigen Vielfalt flattern; sieht die Makler voller Geschäftigkeit, die Warenstapel und die zahlreich versammelten Kaufleute, hört sogar den Lärm der feilschenden Parteien und den eintönigen Gesang des ‚Santa Maria‘ eines nachdenklich auf dem Deck sitzenden Schiffers – wenn das keine Handelsstadt ist! Auf der dritten, der Petersburger Seite, aber zeichnen sich vor unserem Auge bescheidene Holzhäuschen ab, die halb versteckt im Grün der Gärten liegen, und wir sehen einen Bauern, der müde auf seine magere Hippe einschlägt ... Und schließlich blickt man aus dem vierten Fenster auf die Festung selbst, sieht Kanonen, Mörser, Granaten, die abgezirkelten Schritte des Wachhabenden, spürt sozusagen eine rauhe Stille, die nur selten durch eine Gewehrsalve, durch den Ausruf oder den Wechsel der Wache unterbrochen wird. Ja, das sind die wichtigsten Charakterzüge Petersburgs*«, schreibt I. Puškarev.

Die Stadt war vor allem aber die Hauptstadt eines gewaltigen Imperiums und die Verkörperung der Autokratie. Hier traf man die »*Gesandtschaften der halben Welt*«, konnte man überall ausländische Sprachen hören. Besonderen Glanz verliehen ihr die Bälle der mondänen Welt in den kaiserlichen Palästen und in den Häusern einflußreicher Familien; aber auch ihre literarischen und musikalischen Salons. Hinzu kamen die Paraden und Heerschauen der Truppen unter den Klängen der Märsche; außerdem die Theater der Stadt oder ihre Volksbelustigungen.

Eine Besonderheit der Stadt zeigt sich in ihren Plätzen, die

nach einem einheitlichen Plan erbaut worden sind und deshalb in sich geschlossene künstlerische Ensembles darstellen. Die Architektur Petersburgs lebt von ihrer Weiträumigkeit, der Perspektive ihrer langgestreckten Straßen, von den Wasserflächen der Neva und der Kanäle, von der Weite des Himmels, den Gewitterwolken, von Nebel und Reif. Dafür wurden nicht einzelne Gebäude für sich erbaut, die jeweils ihre eigenständige Schönheit vorführen, sondern zusammenhängende Architekturlandschaften. Aber erst die durch die Natur vorgegebenen Bedingungen verleihen der Stadt die Seele: Sowohl der klare Himmel und die damit verbundene Klarheit des Blickes in die Ferne, als auch die Nebel dunkler und trüber Tage helfen uns, die architektonische Schönheit ihrer Bauten zu begreifen. Einerseits kommt hier die Natur buchstäblich in die Stadt, und andererseits strahlt diese ihren Glanz auf die sie umgebende Landschaft aus, wie dies einmal der Historiker Ivan Michajlovič Grevs (1860–1941) formuliert hat.

»Die weiße Nacht erfüllt Petersburg mit ihrem Zauber, macht es zu der phantastischsten Stadt der Welt!«, schrieb der Wahlpetersburger Fedor Dostoevskij (1821–1881), und G. Lukomskij hat uns diese berühmten Nächte folgendermaßen geschildert: *»Wenn du in den weißen Nächten spazieren gingst, hast du dich dann nicht in die Schönheit der Paläste, der Wohnhäuser und Staatsgebäude verliebt? . . . Hast du in dieser Juni-Nacht gesehen, wie intensiv vor allem die zitronengelben und die ockerfarbenen Fassaden vor dem Hintergrund des fliederblauen Himmels wirken? Thomons einem Tempel gleichende Börse, die Nadel der Admiralität mit dem Zifferblatt oben, der Stab mit der feierlichen Treppe, der Senat, die Kunstakademie, die Dome, Paläste und Kasernen . . .«* Und noch eine Stimme soll hier gehört werden, nämlich die des slavophilen Dichters und Literaturkritikers Apollon Aleksandrovič Grigor'ev (1822–1864), eines geborenen Moskauers, der sein Leben in Petersburg beschlossen hat: *»Es gibt eine Jahreszeit in Petersburg, um derentwillen man ihm sein Balkenpflaster und den Regen und all das andere Unangenehme verzeihen kann. Denn weder unter dem Himmel Italiens, noch inmitten der Täler Griechenlands, weder auf den Platanenhügeln Indiens, noch bei den Lianen Südamerikas gibt es solche Nächte wie in unserem schönen Petersburg. Unsere Dichter haben versucht, mit ihren begrenzten Mitteln unsere nördlichen Nächte zu rühmen und zu beschreiben, aber es ist ihnen schlechthin unmöglich, diese Schönheit in Worte zu fassen; dies gelingt ebenso wenig, wie man den Duft der Rose oder das Zittern einer Saite beschreiben kann, die in der Luft erstarrt. Kein Dichter ist in der Lage, dieses unbeschreibliche mystische Schweigen zu vermitteln, das dann über der nach der Hitze des Tages schwer atmenden Neva liegt und im phosphorisierenden Licht der leichten Wolken und des purpurnen Sonnenuntergangs mit Gedanken und mit Leben so gefüllt ist. Und auch*

kein Maler verfügt über solch eine Palette wundersamer Farben, wie sie sich dann über den Himmel ergießen und im Fluß widerspiegeln . . . Ebensowenig ist es einem Musiker geschenkt, in irdischer Sprache dieses Gefühl so tief eindringender Klänge zu vermitteln, jener Klänge, die aus der Erde zum Himmel empor aufsteigen, und die dann - von den Himmeln reflektiert - wieder auf die Erde fallen!«

Doch nicht nur die sommerlichen »weißen Nächte«, auch der Petersburger Winter hat das Entzücken empfindsamer Naturen hervorgerufen:

»Ich lieb' der Winterstürme Tosen,
Des starren Frostes kalten Kuß,
Die Mädchenwangen, rot wie Rosen,
Den Flug des Schlittens längs dem Fluß . . .«
A. S. Puškin

Ein Naturereignis hat dabei für die Geschichte der Stadt ganz besondere und oft schreckliche Bedeutung erlangt: die sich periodisch im Herbst immer dann wiederholenden Überschwemmungen, wenn ungünstige Winde Wasser aus dem Finnischen Meerbusen in die Mündung der Neva trieben und den Fluß stauten:

»durch Peters Stadt am Nevadelta
Zog herbstliche Novemberkälte;
In ihrem rauschenden Bereich
Jagten die Wellen um die Wette;
Die Neva, einem Kranken gleich,
Warf ruhlos sich in ihrem Bette . . .«

In stürmischen Herbstnächten wurde die Bevölkerung durch einen Kanonenschuß vor dem »Ansturm des zornigen Meeres wider die so mutwillig errichtete Stadt« gewarnt. Der Dramatiker Aleksandr Sergeevič Griboedov (1795–1829) hat uns ein eindrucksvolles Bild von der Überschwemmung am 7. November 1824 hinterlassen: *»Beim Blick aus dem Fenster bot sich ein schrecklicher Anblick: wo vor einer Stunde noch eine belebte Verkehrsstraße gewesen war, ergossen sich jetzt die tobenden Wellen mit Gischt und Schaum und die bösen Weggeister waren nicht mehr zum Schweigen zu bringen . . . Die Neva selbst schob gegenüber dem Palast und der Admiralität Berge aufgestauten Wassers vor sich her und hatte schon die großen Brücken in ihre Einzelteile zerlegt, gleich, ob es sich um die Isaakios-, die Dreieinigkeits- oder um andere Brücken handelte. Wirbelstürme spielten auf der weiten Wasserfläche wild mit ihnen - doch mit den Brücken gingen auch die Menschen zugrunde, die sich mit letzten Kräften auf den Wogen zu halten versuchten, während andere auf Bäumen des Boulevards über dem unergründlich brodelnden Abgrund Halt zu finden suchten.«*

Puškin schildert uns das Grauen der Überschwemmung so:

> »O Schreckentag! Die ganze Nacht
> Drängte die Neva ihre vollen
> Gewässer hin zum Meer, dem Tollen
> Des Winds entgegen. Seiner Macht
> War sie erlegen . . .
> Und kochend wie in Kesselglut
> Warf einem Tiere gleich, in Wut,
> Sich auf die Stadt der Strom. Die Menschen
> Ergriffen jäh die Flucht, und leer
> Ward schnell das Ufer; dumpf und schwer
> Die Fluten in die Keller schlugen
> Durch der Umzäunung Gitterfugen -
> Petropolis wie ein Triton
> Schwamm auf den Wogen im Zyklon! . . .
> Trümmer von Hütten, Balken, Dächer,
> Waren der Kaufleute und Schächer,
> Der Armut karges Gut und Hab,
> Särge aus aufgewühltem Grab
> Und fortgeschwemmte Brücken schnellen
> Wild durch die Straßen!
> Held und Wicht
> Spürt Gottes Zorn und sein Gericht.
> Nahrung und Heim wird Raub der Wellen!«

Die Geburt einer Stadt ist immer von Legenden begleitet: und es gibt wohl keine, für die nicht ein besonderes Gedicht oder eine Hymne geschrieben wurde, die ihre Gründung besingen. Für Petersburg gibt es jedenfalls ein solches Epos, den schon mehrfach zitierten *»Ehernen Reiter [Mednyj vsadnik]«* Puškins – wie der Dichter es selbst genannt hat –*»Petersburger Erzählung«* von 1833. Mit N. Anciferov können wir dazu sagen, daß *»Puškin damit in gleichem Maße das Bild von Petersburg geschaffen hat, wie Petr der Große die Stadt selbst.«*

Und G. Lukomskij stellte zu recht fest: *»Puškins Genius hat natürlich sofort die ganze Schönheit der Hauptstadt erfaßt. Welche Kenntnis spricht allein schon daraus, wie er die Gebäude betrachtet und mit welch präzisem Geschmack er die Gebäude auswählt.«* Das Epos *»Der eherne Reiter«* ist dem gewidmet,

> »der mit eherner Gebärde,
> Stolz überragend Flut und Land,
> Die Stadt erschuf am Nevastrand
> Durch sein verhängnisvolles: ,Werde!'«

Und mit einem geradezu heiligem Schauder blickt der Dichter auf den Genius Petersburgs:

Denkmal für Petr I. (»Der eherne Reiter«) von Etienne-Maurice Falconet (1716–1791), Kopf von Marie Anne Collot (1748–1821). Errichtet 1782

> »Wie schrecklich ragt er aus der Nacht!
> In diesem Blicke - welche Macht!
> Auf dieser Stirn - welch ein Gedanke!
> In diesem Rosse - welche Glut!
> Wo sprengt es hin in wildem Mut,
> Wo sinkt sein Huf, daß Welten wanken?
> O mächt'ger Zwingherr des Geschicks!
> Hast du nicht so, am Eisenzaume,
> Emporgeschnellt aus dumpfem Traume,
> Vorm Abgrund, Rußland, festen Blicks?«

Wenn Puškin mit seiner *»die ganze Menschheit umfassenden Seele, fähig jeden Laut des ganzen Kosmos zu verspüren«* (Dostoevskij) aus Petersburg einen »ganzen Kosmos« geformt hat, so ist dieses Petersburg im Bewußtsein jedes Russen eben jener Kosmos, der von der Sonne seiner Poesie beschienen wird. Für Puškin ist das Nördliche Palmyra vor allem die herrliche Schöpfung Petrs, deren schnelles Wachstum ein Wunder ist und die damit ein Symbol des neuen Rußland darstellt; eines aufgeklärten Imperiums, in dem man mit frischem Glauben seine Hoffnung auf die Zukunft in die Worte kleiden kann:

> »Rag, Peters Stadt, in hehrer Pracht,
> Wie Rußland stolz und unbezwungen!
> Bezähm der Elemente Macht,
> Der du dein Leben abgerungen!«

Und doch klingt selbst in diesem Epos geradezu prophetisch auch die gespaltene Existenz Petersburgs an, wenn der arme Evgenij dem *»stolzen Bild aus Erz wie in Fieberglut«* die Worte zuruft: *»Ha, wundertätiger Erbauer! . . . Fluch dir!«*

Die kommenden Jahre haben der »*gestrengen, einheitlichen Pracht*« Petersburgs immer wieder neue Züge hinzugefügt: »*Im wahrsten Sinne des Wortes siegtragende Führer haben hier ihre Triumphe gefeiert und ihre Trophäen über die Stadt verteilt.*« Und Petersburg nahm sie an, machte sie sich zu eigen, als seien sie nur für diese Stadt geschaffen worden. So halten etwa am Uferkai der Neva auf der (von Konstantin Andreevič Thon 1832/34 angelegten) Granitterrasse bei der Kunstakademie zwei Sphingen Wache, die aus der XVIII. Dynastie des Alten Ägypten, aus der Zeit Amenophis III. (1402-1464), stammen und 1820 in Theben ausgegraben worden sind. Und auf einem der ältesten Plätze der Stadt bei der Dreieinigkeits-Kirche reckt die 1910/12 nach dem Muster des Gur-Emir-Mausoleums in Samarkand erbaute blaue Moschee ihre Minarette in den trüben Himmel. Immer wieder bewahrheitet sich in Petersburg, daß »*alles Schöne sein Teil wird, zu eigen gemacht und beseelt von dem eigenwilligen Atem dieser Stadt.*« (N. Anciferov)

Noch eine weitere Besonderheit wird von der Forschung hervorgehoben, nämlich der Einfluß, den diese Stadt auf das Werk zahlreicher Architekten aus anderen Ländern ausgeübt hat. Dies mindert nicht deren Genialität, gibt uns aber das Recht, bei den Werken Rastrellis, de Thomons oder Quarenghis von russischem Stil zu sprechen. Hierzu bemerkt der Kunstgeschichtler und Architekt Aleksandr Nikolaevič Benua [Benois] (1870-1960): »*Wenn es auch ursprünglich die Intention war, aus Petersburg irgend etwas Holländisches zu machen, so kam doch etwas ganz Eigenständiges, Besonderes dabei heraus, was mit Amsterdam oder mit Den Haag eigentlich nichts mehr zu tun hat. Dort gibt es beengte hohe Wohnhäuschen, akkurate, schmale Uferkais, winklige Straßen, Ziegelfassaden - hier hingegen weitgestreckte niedrige Häuser, einen gewaltigen Fluß mit breiten Ufern, gerade, wie mit dem Lineal gezogene Radialstraßen und Stukkaturen.*«

Im Bewußtsein Rußlands existierten immer zwei Hauptstädte, die alte und die neue, Moskau und Petersburg, die häufig gegeneinander ausgespielt wurden. »*Nichts in der Welt existiert ohne Grund: Wenn wir zwei Hauptstädte haben, so heißt das, jede von ihnen ist unersetzlich, und diese Unersetzlichkeit kann eigentlich nur in der jeweiligen Idee bestehen, die die eine wie die andere verkörpert. Und so repräsentiert Petersburg seine ihm eigene Idee und Moskau eine andere*«, schreibt Vissarion Belinskij. Moskau ist stolz auf seine alten Heiligtümer, repräsentiert die Tradition der Alten, der heiligen Rus', Petersburg strebt der Zukunft entgegen, dem neuen Reich. Moskau ist »*aus weißem Stein erbaut [belokamennaja]*«, Petersburg aus Granit gehauen. »*Moskau ist weiblichen Geschlechtes, Petersburg männlich. In Moskau sind alle Braut, in Petersburg alle Bräutigam*«, meinte der geborene Ukrainer Nikolaj Vasil'evič Gogol' (1809-1852), und ähnlich äußerte sich später Graf Lev Nikolaevič Tolstoj

(1828-1910): »*Jeder Russe, der auf Moskau schaut, spürt, daß dies seine Mutter ist; jeder Ausländer aber, der es anschaut und nichts von seiner mütterlichen Bedeutung weiß, muß doch den weiblichen Charakter dieser Stadt verspüren!*« Und wieder Gogol', der zwar in Moskau gestorben ist, aber lange Jahre seines Lebens in der Stadt an der Neva verbracht und ihr in den »*Petersburger Erzählungen*« ein literarisches Denkmal gesetzt hat: »*Petersburg - das ist ein akkurater Mensch, ein vollendeter Deutscher, der auf alles mit genauer Berechnung schaut und der, bevor er auch nur daran denkt, einen kleinen Abendimbiß zu geben, erst einmal sorgfältig sein Portemonnaie untersucht; Moskau - das ist ein russischer Adeliger, und wenn man sich schon amüsiert, dann amüsiert man sich gefälligst auch wenigstens bis zum Umfallen; nein, Halbheiten liebt Moskau da nicht! Nach Moskau schleppt sich die ganze Rus' mit Taschen voller Geld - und kehrt erleichtert zurück; nach Petersburg hingegen gehen Menschen ohne Geld - und wenn sie dann wieder in alle Himmelsrichtungen abreisen, so nur mit ausgezeichnetem Kapital. Rußland braucht Moskau, aber Petersburg braucht Rußland. Für Petersburg ist ein Wort wie ,Beamter [činovnik]' typisch, für Moskau hingegen ,gnädiger Herr' und ,Herrin'. In Moskau trifft man selten einmal jemanden mit Wappenknöpfen am Frack, in Petersburg dagegen niemals einen Frack ohne Wappenknöpfe. Petersburg liebt es, sich über Moskau, über seine Unbeholfenheit und seinen mangelnden Geschmack lustig zu machen; Moskau hingegen stichelt Petersburg, weil es nicht einmal russisch sprechen kann!*«

Das Petersburg Gogol's ist eine Stadt mit einer gespaltenen Existenz: auf der einen Seite ist es »*der akkurate Deutsche, der Schicklichkeit über alles schätzt*«, auf der anderen Seite aber ist es wie ein Trugbild, das sich nicht erhaschen läßt, ein geheimnisvolles Rätsel, eine Stadt unerwarteter Begegnungen und mysteriöser Verwandlungen, »*eine Stadt, die die Prosa vertreibt und die Phantasie hervorzaubert*«. Auf dem Nevskij Prospekt, wo alles Blendwerk ist, alles ein fruchtloser Traum, geht die entlaufene Nase des Majors Kovalev spazieren, und dort werden den Passanten in der Vision des unglücklichen Menschen Akakij Akakievič Bašmačkin die Mäntel heruntergerissen. »*Er lügt, dieser Nevskij-Prospekt, er lügt die ganze Zeit, am meisten aber immer dann, wenn sich die Nacht wie eine komprimierte Masse auf ihn niedersenkt und die weißen und hellgelben Mauern der Häuser schmückt, wenn die ganze Stadt sich in Lärm und Flitter verwandelt, wenn Myriaden von Kutschen sich über die Brücken ergießen, die Vorreiter schreien und auf die Pferde einschlagen, dann entzündet der Dämon selbst die Lampen, und dies nur, um alles in einem unwirklichen Licht zu zeigen*«. (N. Gogol')

Den »*glänzendsten Fehler Petrs des Großen*« hat der Historiograph Nikolaj Michajlovič Karamzin (1766-1826) Petersburg genannt, und hat damit eine neue Beurteilung der Hauptstadt begonnen, die sich in der zweiten Hälfte des

19. Jahrhunderts verbreiten sollte. War zuvor die Kritik gegenüber der Stadt vor allem von den Anhängern der alten Rus', von den konservativen Kreisen Moskaus ausgegangen, die der neuen Hauptstadt ihre Weltoffenheit und ihren Mangel russisch zu sein vorwarfen, so kommt sie nun mehr und mehr aus staatsfeindlichen, revolutionären Kreisen, die ihren Haß auf das Reich auch direkt auf seine Hauptstadt übertragen. Inzwischen hatte sich dort die soziale Struktur deutlich verschoben; der sich entfaltende Kapitalismus zog kulturell wenig entwickelte Bevölkerungsschichten an, die die Stadt fortschreitend dem reinen Profits auslieferten.

Nebel verhüllte jetzt nicht nur als klimatische Erscheinung den stolzen Anblick ihrer architektonischen Landschaft. Einerseits gab es die Stadt der Kasernen, der Beamten und Militärs, aber auch noch die Stadt der russischen Literatur und der untrennbar zu ihr gehörenden Jugend; andererseits gab es ihr gegenüber die große und stetig wachsende Masse der Arbeiter.

Ein doppeltes Gesicht kennzeichnet jetzt Petersburg: Einerseits ist sie die nüchterne Hauptstadt, in der sich die Staatsidee Rußlands verkörpert, die »prosaischste Stadt der Welt«; und andererseits ist sie das Trugbild einer Stadt, von Geheimnis erfüllt, bereit, davonzufliegen, wie dies Dostoevskij in seinem genialen Vergleich mit den über der Stadt liegenden Nebeln ausgedrückt hat: »Es ist ein Unglück, in Petersburg zu leben, in dieser beglückendsten und doch zugleich bösartigsten Stadt der Welt.« Die Stadt bleibt auf irgendeine Weise immer ein Gedankengebilde ihres kaiserlichen Gründers, das sich der realen Existenz entzieht. Der »wundertätige Erbauer« hat die finnischen Sümpfe verhext, um in ihnen ein Wunderwerk zu errichten, das die lebendige Seele des Menschen verformt: »Wohl an die hundert Mal

Der Frachthafen Petersburgs um 1900

hat sich mir inmitten des Nebels das befremdliche und für mich doch so bestrickende Traumbild vor Augen geschoben: „Wenn sich nun dieser Nebel hebt und nach oben steigt - wird dann nicht auch diese verfaulte und glitschige Stadt zusammen mit ihm in den Lüften oben auflösen? Steigt einfach mit dem Nebel auf und löst sich in Rauch auf, und übrig bleibt, wie einst, der finnische Sumpf, in seiner Mitte aber - wie zur Zierde - allein der bronzene Reiter auf seinem dampfenden, sich bäumenden Roß!"«

Ende des 19. und zu Beginn des 20. Jahrhunderts war die geistige Atmosphäre Petersburgs von düsteren Prophezeiungen ihres - angesichts der sozialen Erschütterungen - unausweichlichen Endes erfüllt. Innokentij Feodorovič Annenskij (1856–1909) sprach von dem »Bewußtsein des schrecklichen Fehlers« Petrs und vom Schwinden jeder historischen Berechtigung für die Existenz seiner Stadt. Und Zinaida Nikolaevna Gippius (1869–1945) dichtete:

> »Nein, verschwinden sollst im schwarzen Schlund,
> Verfluchte Stadt, du, Gottes Widerpart und Feind,
> Und schleimiges Gewürm, des Sumpfes gier'ger Mund
> Soll fressen ganz dein steiniges Gebein!«

Ein ähnliches Bild zeichnete Graf Aleksej Nikolaevič Tolstoj (1882–1945): »Mit Niedergeschlagenheit und Angst bemerkten die Russen den Verfall der Hauptstadt. Das ganze Land hatte mit all seinem Blut die Petersburger Hirngespinste nicht nähren können - und vermochte dies auch jetzt nicht in ausreichendem Maße. Petersburg führte deshalb ein kaltes, übersättigtes, halbnächtliches Leben ... grüne Tische und das Rauschen von Gold, fliegende Trojkas, Zigeuner, Duelle im Morgengrauen ... mit unwahrscheinlicher Geschwindigkeit wurden grandiose Unternehmungen durchgeführt. So entstanden - gleichsam aus der Luft - Millionenvermögen. Aus Kristall und Zement baute man Banken, Musikhallen, Vergnügungsstätten, großartige Kneipen, wo die Menschen sich zwischen gleisenden Spiegeln mit Musik, Licht, halbnackten Frauen und Champagner betäubten ... In der Stadt grassierte eine Selbstmordepidemie ... Der Verfall erfaßte alles, selbst der Palast wurde von ihm wie von der Pest befallen; zwar bemühte sich die zentrale Macht noch, Ordnung, Ruhe und Anstand wiederherzustellen, aber der Geist der Stadt war bestrebt, diese Kraft zu vernichten.«

Wütende Vorwürfe wurden nun auch gegen den Stadtgründer selbst erhoben, gegen den »fliegenden Holländer«, der »mit seinen düsteren Segeln aus den bleiernen Weiten der baltischen und der deutschen See nach Petersburg geflogen sei, um dort seine nebligen Lande als ein Trugbild für die Menschen aufzurichten und dafür eine Gruppe vorbeiziehender Wolken als Inseln auszugeben«, dort, wo seit jener Zeit »das orthodoxe Volk mit Alpträumen zu kämpfen hat«, wie es An-

drej Belyj (1880–1934) formuliert hat. Noch massiver ist der Vorwurf Dmitrij Sergeevič Merežkovskijs (1865–1941), der seine Vaterstadt schlicht eine »große Vergewaltigung der russischen Geschichte« nannte und den »wundertätigen Erbauer« zum Verantwortlichen für das spätere tragische Geschick des russischen Volkes erklärte. Ähnlich formuliert es 1920 auch die Dichterin Marina Ivanovna Cvetaeva (1892–1939):

> *»Unter diesen siedenden Kessel hast jetzt*
> *Selbst Kohlen du gelegt - immer schon:*
> *Du bist der Stammvater der Sowjets,*
> *Bist all ihrer Gremien eifriger Patron!*
>
> *Jede Ruine dich zum Stammvater hat,*
> *Deinetwegen brennen die Hütten:*
> *So mag den stürzen deine Fabelstadt*
> *Durch deiner eigenen Hände Wüten!«*

Und doch blieb selbst damals eine Liebe zu Petersburg lebendig, die denkende Menschen miteinander und in der Verehrung der »Schöpfung Peters« verband; zu dieser Stadt, die auch weiterhin von einem geheimnisvollen, von Magie keineswegs vollkommen befreiten Geist erfüllt ist. So schrieb Bsevolod Michajlovič Garšin (1855–1888) geradezu eine Liebeserklärung: »Ja, diese sumpfige, deutsche, finnische, bürokratische, fremde Stadt, dieses ‚überflüssige administrative Zentrum', ... ist nach meiner Meinung die einzige wirklich russische Stadt, die uns eine echte geistige Heimat sein kann. Mag sein, daß Petersburg weit von Rußland entfernt liegt - und alle Anklagen der Moskauer Glöckner basieren ja wesentlich auf diesem einen Gedanken! - und mag es sich auch häufig geirrt haben, dies spricht nur dafür, daß es etwas nicht kennt, aber trotzdem denkt und redet. Denn nicht in Moskau liegt der Mittelpunkt des russischen Lebens oder all dessen, was es in diesem Leben gibt, sondern hier in Petersburg!«

Zu Beginn des 20. Jahrhunderts entwickelte sich in Rußland ein neues Interesse für die Vergangenheit. Damals entdeckte man etwa den hohen künstlerischen Wert der altrussischen Ikone; aber auch erneut die ästhetische Bedeutung Sankt Petersburgs, nicht zuletzt durch die Aktivitäten der dortigen Künstlervereinigung »Welt der Kunst [Mir iskusstva]«.

Viele echte Petersburger hat das Schicksal jedoch bald darauf zu ewigem Abschied von ihrer geistigen Heimat gezwungen. Aber auch fern vom »strahlenden Sankt-Petersburg« gab ihnen diese Stadt immer noch lebendige Kraft:

> *»Ach, wie das Herz mir immerzu geschlagen hat!*
> *Was steht vor meinem Auge - plötzlich und im Nu!*
> *Ja, die Vergangenheit bahnt sich den Pfad!*
> *In diesem Elend seh' ich Petersburger Weiten ...*
> *...*
> *Was habe mit Paris ich denn zu streiten?*
> *Da doch so gar nicht russisch diese Stadt ...*
> *...*
> *Sankt-Petersburg - in meiner Seele bist nur du!«*
>
> N. Agnivcev, 1921

Doch Petersburg ist nicht nur Vergangenheit, sondern von gegenwärtigem Leben erfüllt. Auch in Zukunft wird es immer wieder als Quelle des Geistes wirken, wie es Anna Achmatova (1889–1966) bereits 1915 ausgesprochen hat:

> *»Doch niemals und für nichts geb ich dich her,*
> *Stadt aus Granit, voll Hochmut, Leid und Ehr',*
> *Wo weite Flüsse tragen Eisesschollen schwer,*
> *In sonnenlosen Gärten herrscht ein Schattenheer,*
> *Und auch der Musen Stimme immer noch zu hören wär'.«*

I   A. G. Varnek, Porträt des Grafen A. S. Stroganov, 1814. Kat.-Nr. 51

DAS GESELLSCHAFTLICHE, POLITISCHE UND KULTURELLE LEBEN PETERSBURGS IN DER ZEIT DER KAISER PAVEL I. UND ALEKSANDR I.

G. PRINCEVA

Das Ende des 18. Jahrhunderts war für Petersburg – wie für ganz Rußland – eine Umbruchszeit. Das »goldene Zeitalter« Ekaterinas II. (1762–1796) ging zu Ende, und seit ihrem Tode war die seit langem etablierte, gewohnte Lebensordnung nur noch eine angenehme Erinnerung für den hauptstädtischen Adel. Die Zeit der »Unabhängigkeit des Adels«, die Zeit, da der hofierten Garde einfach alles erlaubt war, die Zeit der Verschwendungssucht der Favoriten und des Luxus der Höflinge gehörte nun der Vergangenheit an. Mit der Herrschaft Kaiser Pavels I. änderte sich alles.

Pavel I. (1754–1801) ist eine extrem widersprüchliche Figur auf dem russischen Thron, ein Mensch von unberechenbarem Verhalten, von unerwarteten, verwirrenden Umschwüngen der Stimmung und Vorlieben. Er hatte eine ausgezeichnete Erziehung erhalten und hatte auch in der Jugend reformerischen Bestrebungen nicht fremd gegenüber gestanden, sagte sich aber in der Zeit der französischen Revolution von ihnen los und wurde zum Anhänger einer uneingeschränkten Autokratie. Er betrachtete sich als den gesetzlichen Erben des rußländischen Thrones. Nicht ohne Grund nahm er jedoch an, daß Ekaterina II. ihn des Thrones zu berauben plante, indem sie eine entsprechende Verordnung zu Gunsten ihres geliebten Enkels, des Großfürsten Aleksandr Pavlovič, erließ. (Ein von Petr I. erlassenes Gesetz über die Thronfolge erlaubte dem herrschenden Kaiser, einen Nachfolger seiner Wahl zu bestimmen.) Der plötzliche Tod Ekaterinas setzte jedoch allen solchen Plänen und Intrigen ein Ende, da es ihr nicht mehr gelang, ihr Vorhaben in die Tat umzusetzen.

Der Übergang der Macht auf Pavel wirkte sich bei ihm in zweifacher Hinsicht aus: einerseits wuchs seine Vorstellung von der Bedeutung der eigenen Persönlichkeit unermeßlich, andererseits weiteten sich sein Argwohn und sein Mißtrauen zu ausgesprochen krankhaften Eigenschaften aus. Bekannt ist sein berühmter Satz, den er einmal gegenüber dem schwedischen Gesandten Stedingk geäußert hat: »Herr Gesandter, Sie sollen wissen, daß es in Rußland keine wichtigen Personen gibt außer denen, mit welchen ich spreche, und auch nur dann, wenn ich mit ihnen spreche.«

»Ein Begriff: die Autokratie, ein Wunsch: die uneingeschränkte Autokratie, das waren die Beweggründe aller Handlungen Pavels«, so schrieb der wahrhaftig nicht gerade progressive Historiker der Zeit Nikolajs I., Baron Modest Andreevič Korf (1800–1876).

Die äußere Stärkung der kaiserlichen Macht, die Beschränkung der Selbstverwaltung des Adels, die Stärkung der Armee in absoluter Disziplin, eine noch größere Unterordnung der Kirche, die auf die Rolle einer »staatlichen Dienstleistungseinrichtung« herabgedrückt werden sollte – all dies war das Ziel zahlreicher Erlasse und Befehle der Zeit. Das von Pavel eingeführte Verwaltungssystem erstreckte sich über das ganze Land. Am konsequentesten wurde es natürlich in Petersburg angewandt, wo der Kaiser aus seinen Untertanen den »Jakobinergeist« entschlossen und gnadenlos »austrieb«. Im Jahre 1798 wurde erstmals in der Geschichte ein »Reglement für Sankt Petersburg« erlassen und bestätigt. Schon die Benennung dieses Dokumentes, das die Hauptstadt des Kaiserreiches in eine Kaserne verwandelte, spricht deutlich vom Wesen der eingetretenen Veränderungen.

Der reglementierte Ablauf nicht allein des dienstlichen, sondern auch des häuslichen Tagesgeschehens der Petersburger wurde genau festgelegt – und niemand durfte davon abweichen. Die Einwohner wurden verpflichtet, zu einer bestimmten Zeit aufzustehen oder sich schlafen zu legen, auf der Straße nur in vorgeschriebener Kleidung zu erscheinen, beim Zusammentreffen mit dem Kaiser ein besonderes Zeremoniell zu beachten – so z. B. aus der Kutsche auszusteigen und sich zu verbeugen: ohne Rücksicht auf das Wetter oder den Straßenkot. Es wurde außerdem vorgeschrieben, die Häuser nach einem bestimmten Modell zu streichen, nur zugelassene Tänze zu tanzen (so war es beispielsweise verboten, Walzer zu tanzen), unerlaubte Worte (»Club«, »Rat«, »Deputierte«) zu vermeiden. Das ganze Leben der Petersburger – auch das des Adels – unterlag einer Fülle von kleinlichen Polizeiverordnungen, für deren Übertretung der unerbittliche Zar strenge Urteile verhängte. Um die Befolgung des »Reglements« zu überwachen, befahl Pavel dem damaligen Major (und späteren General der Infante-

rie) Graf Karl Fedorovič Tol' (1777–1842) »ein Modell von Sankt Petersburg so anzufertigen, daß nicht allein alle Straßen und Plätze, sondern auch die Fassaden aller Häuser und sogar ihre Hoffront mit getreuer, geometrischer Genauigkeit dargestellt wurden«.

»Während der letzten Jahre Ekaterinas und noch als Pavel den Thron bestieg, war Petersburg zweifelsohne eine der schönsten Hauptstädte in Europa … Sowohl im Hinblick auf die äußere Pracht wie auch auf den inneren Luxus und die Schönheit konnte man nichts mit Petersburg im Jahre 1796 vergleichen … Der plötzliche Wechsel jedoch, der in dieser Hauptstadt - was die äußere Erscheinung anbelangt - im Verlauf von einigen Tagen vonstatten ging, war einfach unglaublich. Da die Polizeimaßnahmen in äußerster Vollständigkeit durchgeführt werden mußten, vollzog sich die Metamorphose außerordentlich schnell; Petersburg hörte auf, einer zeitgenössischen Hauptstadt zu gleichen und nahm das langweilige Aussehen einer deutschen Kleinstadt des 17. Jahrhunderts an«, schrieb Oberst N. A. Sablukov in seinen Memoiren.

»Es scheint, als habe sich auch Gott von uns zurückgezogen«, meinte ein anderer Zeitgenosse, »die Hauptstadt bot früher nicht gekannte, sonderbare Aspekte: Um neun Uhr abends, nach Eintritt der Dunkelheit, wurden auf den großen Straßen Gitter vorgezogen und nur noch Ärzte und Hebammen durchgelassen.«

Heftigen Protest der Petersburger Militärs riefen die täglichen Inspektionen und Wachparaden hervor. Kleinste Unkorrektheiten oder Fehler in der Beachtung des neuen Militär-Reglements, das sklavisch vom preußischen abgeschrieben war, riefen den Zorn des Kaisers hervor und hatten Rügen, Prügel, Degradierungen, Arreste und Verbannungen zur Folge.

Alle privaten Druckereien wurden geschlossen, die Einfuhr aller ausländischen Bücher und Noten in die Hauptstadt verboten. Die äußeren Erscheinungsformen des zaristischen Despotismus waren so widerwärtig, daß selbst der Sohn des Kaisers, der Großfürst Konstantin Pavlovič, einmal sagte: »Mein Vater hat dem gesunden Menschenverstand den Krieg erklärt - und dies mit der festen Absicht, niemals Frieden zu schließen!«

Man darf jedoch auch die andere Seite des Verhaltens und des Charakters des Kaisers nicht unerwähnt lassen, die seine Zeitgenossen als »ritterlich« und »romantisch« bezeichneten; sie trat oft ganz plötzlich und dann so anziehend wie unerwartet zutage, daß unser Urteil über Pavel I. vielleicht ein wenig anders ausgefallen wäre, wenn seine Herrschaft länger gedauert hätte.

Pavel, der von ausgezeichneten Lehrern erzogen worden und genügend gebildet war, der sich in seiner Jugend mit sozialpolitischen Ideen vertraut gemacht hatte, fühlte sich verpflichtet, den Prinzipien der adligen, »ritterlichen« Ehre, der Gerechtigkeit und der Wahrhaftigkeit die Treue zu halten. Es ist interessant, daß er sich in seiner Jugend, als er mit seiner Frau Europa bereiste, in Hofkreisen den Ruf eines »russischen Hamlet« erwarb, und daß Napoleon ihn einen »russischen Don Quichotte« nannte, wobei er sowohl die lächerliche, sinnlose als auch die edle Seite im Benehmen Pavels im Blick hatte. »Ich fand … in seinem Benehmen etwas Ritterliches, Offenes«, erinnerte sich sein gebildeter Zeitgenosse, der Dichter Ivan Ivanovič Dmitriev (1760–1837), einer der Hauptvertreter der russischen Empfindsamkeit. »Pavel verband mit der Unerträglichkeit und Grausamkeit eines Armeedespoten die vielen bekannte Gerechtigkeit und Ritterlichkeit in jener Zeit des Aufruhrs, der Umstürze und Intrigen«, bezeugt auch der schwedische Politiker G. Armfeldt.

Unter Pavel durfte der Schriftsteller Aleksandr Nikolaevič Radiščev (1749–1802) (der Autor des 1790 im Selbstverlag gedruckten und sofort verbotenen Romans »Reise von Petersburg nach Moskau«, in dem besonders die Auswüchse der Leibeigenschaft kritisch geschildert werden) aus der sibirischen Verbannung nach Petersburg zurückkehren, wurde der fortschrittliche Journalist Nikolaj Ivanovič Novikov (1744–1818) (der Herausgeber der satirischen Zeitschriften »Die Drohne [Truten']« und »Der Maler [Živopisec]«) aus der 1792 von Ekaterina II. verhängten Haft in der Peter-und-Pauls-Festung befreit, wurde sogar Taddeusz A. B. Kosciuszko (1746–1817), der polnische General und Führer des Aufstandes von 1794, begnadigt und ausgezeichnet. In Petersburg wurden in jenen Jahren die Russisch-Amerikanische Kompanie gegründet, die Medizinisch-chirurgische Akademie neu strukturiert, die öffentliche Bibliothek gebaut, eine Schule für Kriegswaisen und die Wohltätigkeitseinrichtungen »der Kaiserin Marija« eröffnet (gemeint ist die zweite Gemahlin Pavels, Marija Fedorovna, die vormalige Prinzessin Sophie von Württemberg, 1759–1828).

Auch das Urteil der Nachwelt über Pavel ist nicht einhellig. So fanden die Dekabristen Michail Aleksandrovič Fonvizin [von Wiesen] (1788–1854) und Aleksandr Viktorovič Podzio (1798–1873) im politischen System des Kaisers einige Details, die Beachtung verdienten, so zum Beispiel der Erlaß zur Beschränkung der Hand- und Spanndienste der leibeigenen Bauern für ihre Herren auf drei Tage in der Woche. Die Person Pavels und seine Art zu regieren hat Aleksandr Sergeevič Puškin (1799–1837), als Dichter und Historiker, außerordentlich interessiert. Er sammelte sehr intensiv Berichte der Zeitgenossen, sowie der Teilnehmer am Zarenmord vom 11. März 1801 und notierte sich deren Erzählungen.

In seiner Jugend hat Puškin Pavel sehr einseitig beurteilt und ihn als »gekrönten Übeltäter« betrachtet. In der Ode »Freiheit« (1817) verurteilt er aber sowohl die Tyrannei des Kaisers als auch dessen grausame Ermordung. »Die Herr-

schaft Pavels zeigt eines«, schrieb Puškin im Jahre 1822, »nämlich, daß auch in diesen aufgeklärten Zeiten ein Caligula geboren werden kann. ... Das Herrschaftssystem in Rußland ist eine Autokratie, die durch den Tyrannenmord eingeschränkt wird.« Das Bild von Pavel als einem neuen Caligula erscheint in der Ode durchaus sinnvoll, da ja Caligula wegen seiner Grausamkeit berüchtigt war und andererseits Pavel von seinen »Prätorianern«, den Gardisten, ermordet worden ist.

In den letzten Jahren seines Lebens betrachtete der Dichter die Herrschaft Pavels objektiver als früher und bemühte sich, nicht zu richten, sondern die innere Gesetzmäßigkeit dessen, was dem Kaiser zugestoßen war, zu ergründen. Die Tagebuchaufzeichnungen Puškins bezeugen, daß er diese Geschehnisse oft in Gesprächen mit Freunden behandelt hat. So schreibt er im Jahr 1834 über die letzten Regierungsjahre Ekaterinas II.: »Das Ende ihrer Regierung war abscheulich ... Alle waren unzufrieden, aber dann herrschte Pavel, und die Unzufriedenheit wuchs noch an. Laharpe (der Erzieher Aleksandrs I.) zeigte mir die Briefe des jungen Großfürsten (Aleksandr), in denen dieses Gefühl klar zum Ausdruck gebracht ist. Ich sah seine Briefe an Langeron (einen Freund Aleksandrs I.), in denen er sehr offen spricht.« Hier sagt Puškin zwar seine Meinung über Pavel noch mit den Worten anderer, als er aber in seinem Tagebuch ein Gespräch mit Freunden vom 2. Juni desselben Jahres 1834 aufzeichnet, schreibt er schon ohne Umschweife: »Gestern Soirée bei Katerina Andreevna (der Witwe des Historikers N. M. Karamzin). Bei ihr waren Vjazemskij, Žukovskij und Poletik ... Wir sprachen viel über Pavel I., unseren romantischen Kaiser.« - Im Munde Puškins zeugt dieses komplizierte Epitheton von einem deutlich vertieften Einblick in die Persönlichkeit des Zaren. Sein Vorhaben, sein Bild von Pavel I. sowohl in einer Tragödie als auch in einer historischen Untersuchung darzulegen, wurde jedoch nicht ausgeführt.

Unter Pavel I. kamen die Ritter des Malteser-Ordens (des Ordens des heiligen Johannes von Jerusalem) nach Petersburg, die der Kaiser unter seinen Schutz genommen hatte. Im Jahre 1798 nahm Pavel sogar den Titel eines Großmeisters an; ein Schritt, der – objektiv gesehen – der antinapoleonischen Politik jener Jahre zuzuordnen ist: Der orthodoxe Zar nahm den katholischen Orden unter seinen Schutz – ohne Rücksicht auf die Tatsache, daß die Vereinigung der katholischen Ritter und damit auch ihr Großmeister formell dem römischen Papst unterstanden; was Pavel allerdings in keiner Weise anstrebte. Die Stellung als Großmeister erlaubte es ihm vielmehr, seine »Ritterlichkeit« im abendländischen mittelalterlichen Gewand zu zeigen, sich als Bewahrer der Ehre alter europäischer Institutionen und als Hüter der jahrhundertealten Traditionen der Adelsverbände zu präsentieren.

In die Reihe der rußländischen Auszeichnungen und Orden wurde nun auch jener des heiligen Johannes von Jerusalem aufgenommen und von Pavel am meisten geschätzt. Nur den engsten Weggefährten des Kaisers wurde er verliehen. Der Architekt Giacomo Quarenghi (1744–1817), ein Italiener aus Bergamo, errichtete eine Kapelle für die Gottesdienste der gräco-russischen Priorei der Ordensmitglieder, für die – ebenfalls nach seinen Plänen – auch der Maltesische Thron Pavels gearbeitet wurde.

Nach überliefertem mittelalterlichen Vorbild wurde das Michaels-Schloß, die neue Residenz Pavels in Petersburg, errichtet, bei dessen Grundsteinlegung am 26. Februar des Jahres 1797 er selbst den ersten Stein setzte. Der Kaiser liebte den Winterpalast nicht und beschleunigte deshalb den Bau des neuen Gebäudes, das von einem Graben und Kanälen mit Zugbrücken umgeben, mit einem geschlossenen Innenhof, mit komplizierten Verbindungsgängen und verborgenen Stiegen ausgestattet war. »Seine Majestät hat mit dero allerhöchster Familie das alte Schloß verlassen und ist in das Michaels-Schloß übergesiedelt, welches nach dem Vorbild einer befestigten Burg errichtet worden ist, mit Zugbrücken, Gräben, Geheimstiegen, unterirdischen Gängen - mit einem Wort, es erinnert an eine mittelalterliche Festung«, schrieb N. A. Sablukov.

Die ritterlich-romantischen Züge des Zaren, sein »Hang zur Großherzigkeit«, seine angemessenen Versuche, die höheren und niederen Vertreter des Adels »in ihren Rechten einander anzugleichen«, wurden jedoch immer wieder durch seinen Argwohn, seine Unausgeglichenheit und seine bis zum völligen Verlust der Selbstbeherrschung reichende Reizbarkeit zunichte gemacht. Pavel verdächtigte ohne Ausnahme alle Personen seiner Umgebung, ihn vom Thron stürzen zu wollen; auch die Kaiserin und den Thronfolger.

Der Petersburger Adel, und zwar sowohl der Dienst- als auch der Militäradel, verlor, in noch größerem Ausmaße als die herrschende Klasse des übrigen Reiches, die ihm garantierte Unabhängigkeit: Fast jeder zehnte Beamte oder Offizier wurde damals in irgendeiner Form bestraft oder geächtet.

»Die Zeit war so beschaffen«, erinnert sich der Offizier K. F. Tol', »daß ich jeden Abend aus vollem Herzen Gott dankte, daß wieder ein Tag gut zu Ende gegangen war«. »Damals lebte man mit dem gleichen Gefühl, wie später in der Zeit der Cholera. Wenn man den Tag überlebt hatte, dann Gott sei Dank!«, stimmt ihm der Literat Nikolaj Ivanovič Greč (1787–1867) bei. Das gleiche schrieben auch ausländische Diplomaten, von denen einige Pavel sogar für einen »wirklichen Geisteskranken« hielten.

Interessanterweise hat ausgerechnet sein Abgott, der preußische König Friedrich II. (1712–1786), der Pavel schon in dessen Jugend kannte, die widersprüchlichen Züge im Cha-

rakter des Kaisers treffend charakterisiert, die für ihn so verhängnisvoll werden sollten: »*Wir können das Urteil, das Eingeweihte über den Charakter des jungen Prinzen gefällt haben, nicht mit Schweigen übergehen*«, schreibt er. »*Er erwies sich als stolz, hochmütig und schroff, was jene, die Rußland kennen, zu der Ansicht brachte, daß es ihm schwer fallen würde, sich auf dem Throne zu halten. Er, der dazu berufen ist, ein grobes und wildes, zudem noch durch die milde Regierung einiger Kaiserinnen verwöhntes Volk zu regieren, könnte dem gleichen Schicksal zum Opfer fallen wie sein unglücklicher Vater.*« (Gemeint ist damit Kaiser Petr III. Er fiel 1762 einer Palastrevolution zum Opfer, die seine Gemahlin Ekaterina II. auf den Thron brachte, und wurde bald darauf ermordet.)

Die Beziehungen Pavels zum Petersburger Adel verschlechterten sich mit jedem Monat seiner Regierungszeit. Und von den Gardeoffizieren wurde wiederum eine Palastrevolution vorbereitet. An der Spitze der Verschwörer standen der Petersburger Militär-Gouverneur Graf Petr A. Palen [Freiherr von der Pahlen] (1745–1826), ein Deutschbalte, und der Vize-Kanzler Graf N. P. Panin. Auch der Thronfolger, Großfürst Aleksandr Pavlovič (1777–1825), ohne dessen Einverständnis der Umsturz sinnlos gewesen wäre, war in die Verschwörung eingeweiht. Nach den Worten Palens »*wußte*« Aleksandr von der Verschwörung »*und wollte doch nichts wissen*«; außerdem verlangte er die Zusicherung, daß die Verschwörer keinen Anschlag auf das Leben Pavels unternehmen würden. Der russische Revolutionär und Philosoph Aleksandr Ivanovič Gercen [Herzen] (1812–1870) hat später ironisch dazu bemerkt, Aleksandr habe schon erlaubt, seinen Vater »*umzubringen, aber nicht auf tödliche Art*«.

Offiziell war das Thema des Zarenmordes vom 11. März tabu; die neuen Machthaber jagten den Memoiren der Verschwörer nach, erpreßten, erlisteten und kauften alle ihnen zugänglichen Dokumente über diesen Mord. Und doch wurde mit den Jahren die wirkliche Rolle Aleksandrs immer offenkundiger. Ein halbes Jahrhundert später schrieb der gut informierte Würdenträger und Diplomat Fürst Aleksei Borisovič Lobanov-Rostovskij (1824–1896): »*Jetzt ist schon hinreichend geklärt, daß die Katastrophe des 11. März 1801 für Aleksandr in keiner Weise eine Überraschung war; alles wurde mit seiner Kenntnis getan, wenn er auch in der Folgezeit abstritt, daß irgend jemand eine blutige Lösung vorgeschlagen habe.*«

Im Hinblick auf Aleksandr I. schrieb Puškin sogar, daß »*der verstorbene Herrscher von den Mördern seines Vaters umgeben war. Da liegt der Grund, warum es zu seinen Lebzeiten niemals ein Gericht über die jungen Verschwörer gegeben hätte, die am 14. Dezember [1825 beim Dekabristenaufstand] umkamen. Er hätte allzu harte Wahrheiten zu hören bekommen!*«

Pavel wurde in seinem Schlafzimmer im Michaels-Schloß erbarmungslos und schrecklich bei einem Handgemenge von aufgebrachten Offizieren ermordet – »*der Kaiser wurde erstickt und erwürgt*«. Die Familie des Kaisers verließ noch in derselben schrecklichen Nacht das Schloß und kehrte in den Winterpalast zurück.

Petersburg erwachte aber am anderen Morgen mit freudiger Erleichterung. Nach den Worten des großen Historikers Nikolaj Michajlovič Karamzin (1766–1826), (durchaus eines Befürworters des aufgeklärten Absolutismus), »*wurde die Kunde von diesem Ereignis im ganzen Staat zu einer Botschaft der Erlösung; in den Häusern und auf den Straßen weinten die Menschen und umarmten einander.*« Mit geradezu kindlichem Übermut entledigte sich die adlige Bevölkerung der Hauptstadt der uniformen Gewandung und trug wieder Frack, runden Hut und die beliebten Stiefel mit den breiten Stulpen. Die Equipagen mit französischer und deutscher Bespannung verschwanden, und die russische Bespannung erschien wieder auf den Straßen. Die unter Pavel verbotenen Signalrufe der Vorreiter erschollen wieder in der Petersburger Innenstadt. Ihre Einwohner waren froh, bei einem Zusammentreffen mit dem Kaiser nicht mehr aus der Kutsche aussteigen zu müssen; oder auch nachts nicht mehr die Fenster verhängen zu müssen, um die Lichter für abendliche Tänze oder Kartenspiele zu verbergen.

»*Alle Gedanken und Herzen beruhigten sich... Die Gesellschaft war gleichsam zu neuem Leben wiedergeboren, war erlöst vom Terror eines Menschen, der vier Jahre lang, ohne zu wissen, was er tat, das ihm von Gott anvertraute Zarentum gemartert hatte*«, schrieb der Literat und Staatsmann Admiral Aleksandr Semenovič Šiškov (1754–1841).

Im Manifest zur Thronbesteigung versprach Aleksandr I. »*nach den Gesetzen und dem Herzen*« Ekaterinas II. zu regieren, was eine klare öffentliche Absage an die Politik Pavels

Die Kaiser Ekaterina II., Aleksandr I. und Nikolaj I. Detail aus dem Skulpturenfries auf dem Denkmal »1000 Jahre russischer Staat« im Kreml' von Novgorod. Errichtet nach einem Entwurf von I. N. Sreder (Schröder) und M. O. Mikesin, enthüllt im September 1862

II   Unbekannter Künstler, Porträt A. S. Puškin, um 1840. Kat.-Nr. 76

Straßenszene in Petersburg. Lithographie von Utkin nach einer
Zeichnung von Ščedovskij, um 1800

darstellte. Sukzessive wurden alle einschränkenden Polizeiverordnungen aufgehoben. »*Der aleksandrinischen Tage
wunderbarer Beginn*« – diese poetische Wendung Puškins
wurde zum Symbol der ersten Herrschaftsjahre des jungen
Kaisers.

Petersburg erwartete vom neuen Zaren die Lösung vieler
sozialer und politischer Fragen. Wie schon zuvor, blieb die
Stadt am Anfang des 19. Jahrhunderts das Zentrum Rußlands, blieb Spiegel und Konzentrationspunkt aller seiner
charakteristischen Eigenschaften in politischer, gesellschaftlicher, ökonomischer und intellektueller Hinsicht. Die Besonderheit und Eigenart Petersburgs, die alle vermerken, die
über diese Stadt geschrieben haben, und die sie immer wieder von anderen bedeutenden Städten Rußlands abhob, bestand jedoch vor allem in ihrer Multinationalität und ihrer
engen Verbindung mit Europa. Petersburg war von Anfang
an als eine europäische Stadt geschaffen worden, als ein
»Kosmopolit von Stadt«. Das hing besonders mit seiner Bedeutung und Funktion für die Europäisierung Rußlands

zusammen, die nach dem festen Willen Petrs I. gerade durch
diese Hauptstadt – durch ihre spezifische geographische Lage
an der Peripherie der russischen Völkergruppen bei gleichzeitiger Nähe zu anderen europäischen Zentren – realisiert
werden sollte.

Die soziale und nationale Zusammensetzung der Stadt
war sehr bunt: der mächtige und reiche Adel, der die höfische Schicht und die der Beamtenbürokratie bildete; der
mittlere und kleine Dienstadel; die höfische und sonstige Intelligenz (Literaten, Künstler, Gelehrte, Lehrer, Ärzte,
Schauspieler); die Händler, Handwerker, Fabrikarbeiter (sowohl Leibeigene wie Lohnarbeiter); schließlich die Bauern,
die von ihren Herren gegen Zins freigegeben worden waren
oder in großer Anzahl als Bedienstete in den Herrenhäusern
arbeiteten. Am Anfang des 19. Jahrhunderts wuchs die
Stadt rasch und ebenso wuchs auch ihre Bevölkerung. Dies
geschah hauptsächlich durch die freigekauften Bauern, die
für Bauarbeiten benötigt wurden. Wenn die Einwohnerzahl
der Stadt im Jahre 1800 noch 220.208 Menschen betrug, so
waren es 1818 schon 386.285. 1821 zählte man in Petersburg
40.250 Adlige, aber bereits 107.980 Bauern.

Eine Besonderheit, die Petersburg von allen anderen russischen Städten unterschied, war die große Anzahl von Ausländern, die dort lebten: Im Jahre 1818 handelte es sich dabei fast um jeden neunten Einwohner. Nahezu die Hälfte
davon war in Handwerk und Handel beschäftigt. Zu einer
weiteren großen Gruppe gehörten die Vertreter der künstlerischen Intelligenz, ferner die Ärzte und Apotheker. Beachtlich war auch die Zahl der Pädagogen, und zwar nicht allein
solcher in den Lehranstalten, sondern auch der Privatlehrer
in Adelsfamilien. Wiederum viele andere arbeiteten als Meister oder Vorarbeiter in staatlichen oder privaten Fabriken,
sowie bei Bauarbeiten. Andere waren als Diener oder Gou-
vernanten angestellt. Das ganze vielsprachige Europa hatte
hier eine Wohnstatt gefunden: Franzosen, Engländer, Bewohner Österreich-Ungarns, Schweden, Griechen. Besonders zahlreich waren aber die Deutschen. Sie traf man schon
seit der Gründung im Jahre 1703 in der Stadt. Zwar kam in
den ersten Jahrzehnten des 19. Jahrhunderts die im 18. Jahrhundert weithin geübte Regierungspolitik zum Erliegen,
Ausländer nach Petersburg ausdrücklich einzuladen. Trotzdem folgten aber auch dann noch häufig neue Übersiedler
ihren Landsleuten; meistens Bewohner der deutschen Länder. Sie bildeten in der Mitte des 19. Jahrhunderts fast zwei
Drittel aller Ausländer der Stadt, wobei sie zum Teil auch
aus dem Baltikum nach Petersburg übersiedelten.

Bei den Deutschen aus der Oberschicht und den intellektuellen Kreisen ging der Assimilierungsprozeß zwar nicht
schnell, aber doch beständig vonstatten, wohingegen die
deutschen Handwerker mehr für sich lebten; Clubs, Kirchen, Schulen, Theater und ihre eigenen Innungen hatten;

vor allem als Weißbäcker, als Wurstmetzger, als Bierbrauer, aber auch als Uhrmacher oder Metallhandwerker.

Daneben waren die Deutschen vor allem Ärzte und Apotheker. So war auch die erste medizinische Gesellschaft eine deutsche, der »Deutsche Ärztliche Verein«, der 1819 gegründet worden ist.

Innerhalb der multinationalen Gesellschaft bildeten die Deutschen eine besondere Gruppe und bewahrten deren Einheit, indem sie ihre eigenen religiösen, kulturellen, besonders aber musikalischen und gesellschaftlichen Organisationen gründeten. Deshalb wurde in Petersburg damals auch viel Literatur in deutscher Sprache herausgegeben, und es gab sogar die »St. Petersburger Zeitung« als eigene Tageszeitung der Deutschen.

Hier ist auch noch einmal die traditionelle Verbindung zu erwähnen, die – dank der zahlreichen Eheschließungen zwischen Vertretern des russischen Hofes und des preußischen Königshauses sowie den Herrscherhäusern zahlreicher anderer deutscher Fürstentümer – zustande kam.

Die soziale Schichtung war innerhalb der Bevölkerung Petersburgs am Beginn des 19. Jahrhunderts besonders kontrastreich: Die Reichen und die Armen der Stadt lebten schon rein äußerlich in verschiedenen Vierteln territorial getrennt und erschienen sogar zu verschiedenen Zeiten auf den Straßen der Stadt.

Wenn er den frühen Morgen beschreibt, charakterisiert Puškin in seinem großen Epos »Evgenij Onegin« (1. Kap. XXXV) das werktätige Petersburg so:

> »Der Kaufmann kommt, Laufjungen preschen,
> zur Börse streben die Kaleschen,
> die Kanne schleppt die Milchfrau mit,
> der Frühschnee knirscht, wohin sie tritt,
> des Morgens trauter Lärm erwachte.
> Auf sind die Läden, und gemach
> steigt blauer Rauch empor vom Dach,
> der Bäcker, deutsch und pünktlich, machte
> papierbemützt schon zum Verkauf
> sein Was-ist-das (kleines Guckfenster) ein paarmal
> auf.«

Es gab Stadtbezirke, in denen vor allem Kaufleute lebten. Es existierten spezielle Handwerkerviertel und bäuerliche Randsiedlungen. Für den Großteil der werktätigen Bevölkerung war das Leben hart und teuer, erfüllt vom täglichen Kampf um die Existenz. In einer Stadt, in der der Sommer kurz, der Winter aber lang, kalt und dunkel ist, der Herbst hingegen feucht, erfordert die Sorge um Wohnung, Heizung, Beleuchtung und warme Kleidung viel Kraft. Vor allem Kerzen und Brennholz waren dafür wichtig. Deshalb wurde bei Lohnverhandlungen auch die Versorgung mit diesen Gegenständen, zusammen mit dem Entgelt, geregelt.

Der soziale Unterschied spiegelte sich natürlich auch in der äußeren Erscheinung der Städter wieder: Die Bauern und sonstigen einfachen Leute kleideten sich traditionell, wie daheim in ihren Dörfern, aus denen sie gekommen waren, die Ausländer nach ihren eigenen nationalen Bräuchen. Die Wohlhabenderen hingegen trugen eine zivile, städtische Kleidung. Der Unterschied in der äußeren Erscheinung wie auch im Auftreten der Petersburger war so groß, daß der Schriftsteller Aleksandr Sergeevič Griboedov (1795–1829) in seinem Essay »Reise jenseits der Stadt«, in dem er von einem Spaziergang der Städter in der Umgebung erzählt, bemerkt: »Wenn durch irgendeinen Zufall ein Ausländer hierher geweht würde, der die russische Geschichte des ganzen letzten Jahrhunderts nicht kennt, so würde er unbedingt aus der schroffen Gegensätzlichkeit der Sitten schließen, daß bei uns die Herren und die Bauern aus zwei verschiedenen Stämmen kommen müßten.«

Der Beginn der neuen Herrschaft Kaiser Aleksandr I. weckte bei dem liberal gesinnten Teil des Adels Hoffnungen auf Reformen, die die Schärfe der sozialen Gegensätze mildern könnten. Der junge Zar, so schien es, kam solchen Erwartungen entgegen. Die erste Hälfte seiner Regierungszeit, also bis zum Jahre 1812, stand unter dem Vorzeichen sich anbahnender oder zumindest zu erwartender Umgestaltungen, und seine ersten amtlichen Verfügungen verschafften ihm auch warme Sympathien.

Neben zahlreichen persönlichen Erlassen, die gesetzliche Ordnung und Humanität verkündeten, begann der Kaiser Prinzipien und Pläne für allgemeine politische Reformen aufzustellen und auszuarbeiten. Seine Jugendfreunde Graf Pavel Aleksandrovič Stroganov (1772–1817), der Innenminister (1802–1807 und erneut 1819–1823) Fürst Viktor Pavlovič Kočubej (1768–1834), der polnische Fürst Adam Jerzy Czartoryscy (1770–1861; später Haupt der nationalen Regierung beim polnischen Aufstand von 1830/31) und Graf Nikolaj Nikolaevič Novosil'cev (1768–1838) dienten ihm bei diesem Unterfangen als Helfer. Sie bildeten ein inoffizielles »Geheimes Komitee [Neglasnyj komitet]«, das sich über zwei Jahre hinweg zweimal in der Woche im Winterpalast traf. Die Resultate der Tätigkeit des Komitees waren allerdings begrenzt: Die Reformen führten lediglich zur Errichtung von Ministerien, zu kleinen Veränderungen in der Organisation des Senats, zur Erleichterung der Zensurbestimmungen und einer gewissen Ausweitung des Bildungswesens. Nach 1803 hörten die Sitzungen des »Geheimen Komitees« ganz auf.

Die Historiker der Folgezeit haben die Meinung vertreten, daß auch Aleksandr keine tatsächlichen Reformen durchzuführen beabsichtigte. So meint z. B. der amerikanische Forscher A. Palmer, daß es eine spezifische Politik

III   B. Ch. Mitoire, Porträt der Gräfin Ju. P. Samojlova, nach 1820. Kat.-Nr. 29

26

Aleksandrs gewesen sei, gerade keine Beschlüsse zu fassen. Stattdessen zog er es vor, Entscheidungen endlos lange abzuwägen, wobei er sich unabhängig von jenen Parteien zeigte, die ihrerseits den Kampf um die Macht führten. Adam Czartoryscy, der ja den Kaiser lange kannte und sogar ein Jugendfreund von ihm war, charakterisiert ihn später so:

»Große Gedanken über das allgemeine Wohl ... der Menschen, die seinem Willen untertan waren, das bewegte den Kaiser zuzeiten aufrichtig, aber es waren dann doch weit eher Jugendträume als feste Entschlüsse eines reifen Menschen. Der Kaiser liebte die Formen der Freiheit gerade so, wie man ein Spektakel liebt. Ihm gefiel der äußere Effekt einer Volksvertretung, und diese wurde zum Ziel seiner Eitelkeit; aber er wünschte doch nur die Formen und den Anschein, nicht aber ihre tatsächliche Realisierung; mit einem Wort: Er hätte mit Vergnügen zugestimmt, daß die ganze Welt frei wäre – allerdings unter der Bedingung, daß sich alle freiwillig ausschließlich seinem Willen untergeordnet hätten.«

So wich in Petersburg die freudige Erwartung auf Veränderungen bald der Enttäuschung, die mit den außenpolitischen Mißerfolgen weiterhin wuchs. Als die russischen Armeen in den gesamteuropäischen Kampf gegen das napoleonische Frankreich eintraten, verloren sie ihre Schlachten: Im Jahre 1805 bei Austerlitz und 1807 bei Friedland. Am 7. Juni 1807 wurde zwischen Rußland und Frankreich der Friede von Tilsit zu erniedrigenden Bedingungen für Rußland abgeschlossen – ein Friede, den das ganze Land als eine nationale Schande empfand. In der Petersburger Gesellschaft führte dies zu einem Ausbruch patriotischer antifranzösischer Gefühle. Den Regierungskreisen erschien jedoch die Zusicherungen neuer sozial-ökonomischer und politischer Reformen unvermeidlich.

Unter diesen Bedingungen begann Michail Michajlovič Speranskij (1772–1839) die führende Rolle in der Regierung Aleksandrs I. zu übernehmen – einer der bedeutendsten Politiker Rußlands in der ersten Hälfte des 19. Jahrhunderts. Abkömmling einer einfachen Familie (Speranskij war der Sohn eines Provinzpriesters), erschien er im Jahre 1788 in Petersburg als Schüler des Seminars in der Lavra des heiligen Aleksandr-von-der-Neva. Herausragende Fähigkeiten sowie die Beschäftigung mit Philosophie, Jurisprudenz, Ökonomie und Politik formten diesen bewundernswerten Denker und bildeten die Basis seines staatsmännischen Denkens. Nach Beendigung des Seminars blieb er in Petersburg in der Kanzlei des Generalgouverneurs und wurde auch bald in Regierungskreisen bekannt. Napoleon wußte den bemerkenswerten Verstand und das Organisationstalent Speranskijs sofort zu schätzen und fragte Aleksandr I. bei der Begegnung in Erfurt scherzhaft: *»Würden es Ihnen, Sire, nicht belieben, mir diesen Menschen gegen irgendein Königreich einzutauschen?«*

Kaiser Aleksandr I. verleiht M. M. Speranskij den Orden des heiligen Andreas des Erstberufenen. Volkstümliche Darstellung von A. Kivšenko, 1880

Nach Tilsit beauftragte Aleksandr Speranskij mit der Arbeit an einem Projekt einer Umgestaltung des Staates. Aber auch hierbei blieb Aleksandr seiner Vorliebe treu, mit Gegensätzen zu operieren, und berief noch im Jahre 1803 Aleksandr Andreevič Arakčeev (1769–1834) nach Petersburg, mit dessen Namen die dunkelsten Seiten der Regierung des Kaisers verbunden sind. Der *»Korporal von Gatčina«*, früher ein Handlanger Pavels I., erwies sich nun auch bei der Reorganisation des Militärwesens für den neuen Zaren als nützlich, obwohl er in der Gesellschaft keinerlei Popularität genoß. Mit der Ankunft Arakčeevs in Petersburg, der zuerst zum Inspekteur der Artillerie und danach zum Kriegsminister ernannt worden war, erloschen alle Illusionen von der Liberalität des Zaren.

Speranskij war ein gebildeter, geistreicher und präziser Politiker – Arakčeev hingegen ein eher dumpfer, schlicht ausführender, außergewöhnlich arbeitsamer und dem Kaiser völlig ergebener, ja engstirniger Militarist: In der Regierung Aleksandrs I. waren beide Antipoden.

Im Jahre 1809 präparierte Speranskij seine *»Einführung in den Codex der Staatsgesetze«*, durch die Rußland eine gewählte Staatsduma und eine neue politische Struktur erhalten sollte; gegliedert in die gesetzgebende, die ausführende und die richterliche Gewalt, mit dem herrschenden Kaiser an der Spitze. Dem Adel erschien der Plan Speranskijs geradezu revolutionär. Und als er auch noch eine Reihe weiterer Gesetze einbrachte, die die Interessen der Beamten und Grundbesitzer tangierten, erreichte die Erregung einen erneuten Höhepunkt. Am 17. März 1812 verbannte Aleksandr I. Speranskij aus Petersburg, zunächst nach Simbirsk, dann nach

Perm'. Erst 1819 wurde er wieder in den Staatsdienst aufgenommen. 1821 kehrte er nach Petersburg zurück, stand aber dem Kaiser nicht mehr nahe. Puškin, der mit Speranskij erst zur Zeit Nikolajs I. bekannt wurde, schrieb über ihn in seinem Tagebuch: »Am vorigen Sonntag habe ich bei Speranskij zu Mittag gegessen. Er erzählte mir von seiner Vertreibung im Jahre 1812. ... Ich sprach zu ihm von dem wunderbaren Anfang der Regierungszeit Aleksandrs: Sie und Arakčeev - Sie stehen an den entgegengesetzten Türen dieser Herrschaft wie die Genien des Bösen und des Guten. Er antwortete mit Komplimenten und riet mir, die Geschichte meiner Zeit zu schreiben.«

Nach Beendigung des Krieges von 1812 war der Einfluß Arakčeevs, der zum Günstling des Kaisers geworden war, in sämtlichen staatlichen Angelegenheiten faktisch unbegrenzt. Selbst die Großfürstin Aleksandra Fedorovna (1798-1860), [vormalige Prinzessin Karoline von Preußen, die Gemahlin des Großfürsten Nikolaj Pavlovič (1796-1855)], die 1817 nach Petersburg gekommen war, beurteilte das folgendermaßen: »In jener Zeit war Arakčeev der allerwichtigste Ratgeber beim Kaiser. Er war für ihn unersetzlich und arbeitete täglich mit ihm. Durch seine Hände gingen fast alle Angelegenheiten. Diesen Menschen fürchtete man, niemand liebte ihn, und ich konnte nie begreifen, mit welchem Mittel er es verstand, sich bis zu seinem Tode in der Gunst des Kaisers Aleksandr zu halten.« Dies war in der Tat den meisten Zeitgenossen unbegreiflich.

Aleksandr, der noch 1784-1795 von dem Schweizer Republikaner Frédéric-César de La Harpe [Lagarp] (1754-1838) mit den Ideen einer aufgeklärten konstitutionellen Monarchie erzogen worden war, hat sie offenbar nicht aufgegriffen. Seine Unzulänglichkeit als Herrscher war durch den Mangel an festen politischen Ansichten bedingt. Die schwierigen Familienverhältnisse, in denen er aufwuchs - das ständige Bemühen, seiner Großmutter zu gefallen, und zugleich die Furcht vor dem Vater - machten ihn früh zu einer gespaltenen Persönlichkeit; die durch den Untergang des Vaters ohne Zweifel ebenfalls tief verletzt wurde.

Eine sehr menschliche Liebenswürdigkeit (»un vrai charmeur«, nennt ihn Speranskij), Großmut, Offenheit seiner Ansichten, Duldsamkeit in Glaubensdingen, all dies verband sich in Aleksandr I. mit Ruhmsucht, Hinterlist, Inkonsequenz und Argwohn. Nach Meinung der Mme. de Staël (1766-1817) war dieser liberale Träumer in tiefster Seele ein Despot.

Der gutmütige Vasilij Andreevič Žukovskij (1783-1852) beschrieb ihn sowohl als den »ruhmreichen Zaren, dem Rußland wegen der Jahre 1813 und 1814 verpflichtet ist«, als auch als »einen höflichen, wohlwollenden Menschen«; auch A. S. Puškin bemerkt »die Züge wahrer Großmut und edler Gesinnung im Charakter Aleksandrs I.«. Trotzdem sollte man aber darüber nicht seine Verse aus dem »Evgenij Onegin« vergessen:

> »Ein schwacher und böser Machthaber,
> ein kahlköpfiger Stutzer, ein Feind der Arbeit,
> der unerwartet vom Ruhm erwärmt,
> hat über uns damals geherrscht.«

Nicht uninteressant ist auch die Meinung über Aleksandr I., die ein Mitglied der Familie Romanov, nämlich sein Ur-Großneffe, der Historiker Großfürst Nikolaj Michajlovič (1859-1919) geäußert hat: »Wir denken, daß Aleksandr I. als Lenker eines so großen Landes einen herausragenden Platz in den Annalen der allgemeinen Geschichte einnehmen müßte; aber als russischer Herrscher stand er nur während der Jahre des Vaterländischen Krieges von 1812/13 in der vollen Blüte seiner blendenden Fähigkeiten. Während der übrigen Abschnitte seiner vierundzwanzigjährigen Regierungszeit traten bei ihm die Interessen Rußlands leider ins zweite Glied zurück. Was aber die Persönlichkeit von Aleksandr Pavlovič als Menschen und einfachen Sterblichen betrifft, so wird ein nüchterner Forscher nach hundert Jahren deren Erscheinung, die die Zeitgenossen so fasziniert hat, wohl kaum als so charmant anerkennen.«

In der zweiten Hälfte seiner Regierungszeit zeigt sich ein deutlicher Gesinnungswandel: Vom aktiven Politiker und Diplomaten, der sich dazu berufen fühlte, die Geschicke Europas zu bestimmen, wandelte er sich zu einem müden enttäuschten Menschen, der sich in Mystizismus, Selbstbefragung und in die Suche nach dem verborgenen Sinn des Lebens versenkte. Im Kreise seiner Familie sprach er sogar von dem Entschluß, dem Thron zu entsagen und sich von weltlichen Dingen zurückzuziehen.

Vor dem Hintergrund des gesellschaftlichen Umbruchs, der im ersten Jahrzehnt der Regierung Aleksandrs durch die Hoffnungen auf Reformen sowie durch den Ausbruch patriotischer Gedanken im Napoleonischen und besonders im Vaterländischen Krieg von 1812 in Gang gesetzt worden war, entwickelte sich in Petersburg das gesellschaftliche Leben ungewöhnlich aktiv und vielfältig: Der Kampf unterschiedlicher literarischer Richtungen entflammte wieder, nämlich zwischen den Klassikern und den Romantikern; es verstärkte sich die journalistische Polemik gegenüber sozialen und historischen Fragen; Gesellschaften junger Schriftsteller, Dichter und Theaterleute wurden gegründet; politische, philosophische und ökonomische Traktate wurden veröffentlicht; literarisch-künstlerische Salons waren populär; und die Aktivitäten der Freimaurer-Logen nahmen zu. Ohnehin war dies die Zeit der größten Popularität des Freimaurertums im Rußland des 19. Jahrhunderts. Freimaurer gaben ihre eigenen Zeitschriften und Bücher heraus, grün-

deten Druckereien und Schulen. Die Zusammensetzung der Freimaurer-Logen war zu Beginn des 19. Jahrhunderts auch demokratischer als im 18. Jahrhundert, wobei einige von ihnen auschließlich Angehörige bestimmter Berufe zusammenschlossen und etwa nur aus Militärs, Ärzten, Handwerkern oder den künstlerischen Intellektuellen bestanden.

Als sich nach dem Krieg die Reaktion wieder verstärkte, versuchten einige radikale Kreise, die geheimen Freimaurer-Logen auch für die politische Konspiration zu nutzen. Allgemein bekannt ist die Beteiligung der zukünftigen Dekabristen an den Freimaurer-Logen. Ihre politischen Organisationen entstanden unmittelbar nach dem Vaterländischen Krieg des Jahres 1812, der ja auf breiter Ebene Patriotismus geboren und zugleich eine nationale Selbstbesinnung in Gang gesetzt hatte. Die Kenntnis der revolutionären Ideen Europas und der fortschrittlicheren gesellschaftlichen Struktur in einer Reihe von Ländern, denen man während der Feldzüge im Ausland in den Jahren 1813 und 1814 nahe gekommen war, führte dazu, auch die Probleme im eigenen Land schärfer zu beachten.

In Petersburg erregte sich das leitende Offizierskorps über die allgemein übliche erniedrigende und jeder Menschenwürde Hohn sprechende Schinderei der einfachen Soldaten, über die Prügelstrafe und das auf bloßen Drill ausgerichtete Exerzierreglement; sowie über die Willkür und Bestechlichkeit der bürgerlichen Beamten und der Polizisten.

Die Reaktion betraf aber auch die Bildungseinrichtungen: Aus der Petersburger Universität wurden jene Professoren entfernt, die für ihre liberalen Ideen bekannt waren; zugleich wurden die Zensurbestimmungen deutlich verschärft. Unzufrieden war man auch über die Rolle Rußlands in der »Heiligen Allianz« und über seine Beteiligung an der Niederwerfung der nationalen Befreiungsbewegungen in Europa. Schließlich wurden im Jahre 1822 alle nicht-offiziellen politischen und gesellschaftlichen Vereinigungen generell verboten.

Unter diesen Bedingungen schlossen sich die leitenden Offiziere der Petersburger Garde zu geheimen, ihren Zielen und Aufgaben nach vordringlich politischen Organisationen zusammen: Zum *Bund der Rettung* (1816), zum *Bund der Wohlfahrt* (1818) und schließlich zur *Nördlichen Gesellschaft* (1821).

»Noch vor 15 Jahren beschäftigten sich die jungen Leute ausschließlich mit dem Kriegsdienst«, schrieb Puškin 1826, als er die Entwicklungen des gesellschaftlichen Bewußtseins am Vorabend des Dekabristenaufstandes zu beurteilen suchte, *»sie waren bemüht, sich allein durch ihre weltliche Bildung oder durch mutwillige Streiche auszuzeichnen. ... Vor 10 Jahren verstanden wir liberale Ideen als unerläßliche Indizien einer guten Erziehung; das Gespräch war ausschließlich politisch; ... und schließlich gab es die geheimen Gesellschaften, die*

Einzug Kaiser Aleksandrs I. mit seiner Suite in Paris. Volkstümliche Darstellung von A. Kivšenko, 1880

Verschwörungen, die mehr oder weniger blutigen und sinnlosen Planspiele. Es ist klar, daß den Feldzügen von 1813 und 1814 bzw. dem Aufenthalt unserer Armeen in Frankreich und Deutschland jener Einfluß auf den Geist und die Sitten dieser Generation zuzuschreiben ist, dessen unglückliche Vertreter in unseren Augen gescheitert sind.«

Die gesamte Geschichte der Dekabristenbewegung – von ihrer Geburt bis zu ihrem tragischen Ende – ist mit Petersburg eng verbunden. Viele der Aufständischen vom Dezember 1825, die sogenannten Dekabristen [russisch heißt »Dezember« »dekabr'«], sind hier geboren, zur Schule gegangen, haben hier gedient oder sich literarisch betätigt. Hier führten die revolutionären Offiziere am 14. Dezember 1825, indem sie den Tod Aleksandrs I. und die Thronfolge seines jüngsten Bruders Nikolaj nutzten, die aufständischen Regimenter auf den Senatsplatz und forderten, die Autokratie zu begrenzen, die Leibeigenschaft abzuschaffen und den Wehrdienst zu verkürzen. An der Dekabristenbewegung beteiligten sich auch die gebildeten Kreise der adligen Intelligenz – nach ihrer Aburteilung und Verbannung in die Katorga nach Sibirien ist Petersburg deutlich »geistig verarmt«. Als Beispiel für eine solche Petersburger »Dekabristen«-Familie möge hier die Familie Bestužev dienen. Fünf Brüder – alle Offiziere und Söhne des Marinemilitärs, Schriftstellers und Journalisten Aleksandr F. Bestužev – nahmen am »Umsturz des 14. Dezember« teil. Unter ihnen befanden sich einer der populärsten Romanschriftsteller des ersten Drittels des 19. Jahrhunderts, nämlich der Stabskapitän Aleksandr Aleksandrovič Bestužev (Marlinskij; 1797–1837), der in den Kaukasus verschickt wurde und dort starb; sowie sein talentierter Bruder, der Schriftsteller und Historiker Kapitänleutnant

Nikolaj Al. Bestužev (1791–1855), der seine Tage in dem fernen transbajkalischen Städtchen Selenginsk beendete, wohin er nach 13jähriger Haft in der Festung Šlissel'burg verbannt worden war.

Innerhalb der Geschichte des »Dekabristentums« war außerdem die große und in sich eng verbundene Familie Murav'ëv bedeutend, welche zu den allerreichsten und mächtigsten Vertretern des Petersburger Adels gehörte. Kapitän Nikita Michajlovič Murav'ëv (1796–1843), Offizier im Generalstab, war einer der führenden Köpfe der »Nördlichen Gesellschaft«. Seine Frau Aleksandra Grigor'evna folgte ihm nach Sibirien; das Haus der Mutter Ekaterina Murav'ëv aber wurde in der Stadt das Zentrum, in dem alle Nachrichten von den Verurteilten zusammenkamen, wo man sich um die Erleichterung ihres Schicksals bemühte und von wo aus man ihnen Lebensmittel und Bücher zusandte.

Gercen hat die Bewegung der Dekabristen, die in die zweite Hälfte der Regierungszeit Aleksandr I. fällt, eine »gewaltige Verschwörung ... des ganzen gebildeten Rußland« und die »wunderbaren Jahre« im Leben des Landes für »viele Jahrhunderte« genannt.

* * *

Es ist nur natürlich, daß in dieser Epoche auch jene Blüte der russischen Literatur sich zu entfalten beginnt, in der der junge Puškin auftritt.

Auch die Geschichte der russischen Literatur ist eng mit Petersburg verbunden. Hier lebten und arbeiteten die führenden Schriftsteller, formierten sich die literarischen Richtungen und Gemeinschaften, und hier wurde der russische Journalismus geboren. Als Hauptstadt hatte Petersburg die literarische Hegemonie inne, zumal im 18. und am Anfang

des 19. Jahrhunderts ein Großteil der Literaten im Staatsdienst in den zentralen Behörden des Landes tätig waren.

Gavrila Romanovič Deržavin (1743–1816), der große Poet am Ende des 18. Jahrhunderts, war beispielsweise in den Jahren um 1800 Senator und Justizminister. Der Fabeldichter Ivan Andreevič Krylov (1769–1844), die Dichter Konstantin Nikolaevič Batjuškov (1787–1855) und Nikolaj Ivanovič Gnedič (1784–1833) arbeiteten als Bibliothekare in der Petersburger Bibliothek. Der Dramatiker A. Griboedov war im diplomatischen Dienst. Der Schriftsteller N. Karamzin verdiente seinen Unterhalt als Hofhistoriograph, und sogar Puškin gehörte zu den Beamten des Auswärtigen Amtes.

Diese bewundernswerte Konstellation talentierter Autoren von ganz unterschiedlicher Individualität, die völlig unterschiedlichen Literaturgenres und -richtungen angehörten, entstand in den ersten Jahren des neuen Jahrhunderts. In ihr vollzog sich ein Wechsel der literarischen Stile: Der Klassizismus des 18. Jahrhunderts mit seiner archaischen Literatursprache, den feierlichen Oden und Tragödien, den überbordenden Allegorien einer papiernen Antikisierung wurde durch einen Romantizismus mit sehr vielfältigen Schattierungen ersetzt – sentimentaler, realistisch-volkstümlicher, heroischer, polemischer, satirischer.

Ein eindeutiger Vertreter des satirischen Genre war der Dramenautor, Journalist und Fabeldichter Ivan Andreevič Krylov (1796–1841). Schon in den 1790er Jahren war er als Satiriker in Petersburg bekannt geworden, sah sich unter Kaiser Pavel wegen Verfolgung durch die Polizei gezwungen, in die Provinz auszuweichen. Nach 1800 kehrte er zurück und gelangte sowohl als Dramenautor als auch als Fabeldichter zu Ruhm. Das begann im Jahre 1809, als die erste Ausgabe seiner Fabeln erschien, und wuchs mit jeder neuen Auflage. Krylovs Popularität war einzigartig: Ihn liebten und kannten alle. Er war ein gern gesehener Gast, und zwar sowohl bei den Hofbanketten als auch in den Krämerbuden des Handelshofes. Krylov, wohlbeleibt, liebte es, viel und schmackhaft zu essen, war faul, unendlich freidenkend und wohlwollend – und zeichnete sich durch eine untrügliches literarisches Urteil aus.

Aus der Reihe der sentimentalen Romantiker muß hier der Name des Freundes und Lehrers Puškins, nämlich von Vasilij Andreevič Žukovskij (1783–1852), genannt werden. Der große Lyriker und Humanist war der Schöpfer wunderbarer, in ihrer kultivierten Schönheit und vollkommener Verse.

Dichter und Denker Rußlands im frühen 19. Jahrhundert (v. l. n. r. Karamzin, Krylov, Žukovskij, Gnedič, Griboedov, Lermontov, Puškin, Gogol', Glinka). Detail des Skulpturenfrieses am Denkmal »1000 Jahre russischer Staat« im Kreml' von Novgorod

»Seiner Verse ergreifende Süße
durchdringt der Äonen mißgünstige Ferne ...«

schrieb Puškin über seinen Lehrer.

IV   E. F. Krendovskij, Ansicht des Thronsaales der Kaiserin Marija Fedorovna im Winterpalast, um 1831. Kat.-Nr. 23

Der unübertroffene Meister der poetischen Übersetzung, der Žukovskij ebenfalls war, machte die russischen Leser mit den Werken Schillers, Goethes und Byrons bekannt. Puškin schrieb über diese Seite seines Talents: »Man hätte Žukovskij in alle Sprachen übersetzt, wenn er selbst weniger übersetzt hätte!« Als ein äußerst guter und vollkommen uneigennütziger Mensch wurde Žukovskij auch zum großen Verteidiger all jener Kulturschaffenden, die in der Regierungszeit Aleksandr I. und Nikolaj I. verfolgt wurden.

Vertreter der revolutionären Romantik waren die in Petersburg unter den Dekabristen lebenden Autoren wie Kondrat Fedorovič Ryleev (1795–1826), A. Bestužev (1797–1837), Vilgel'm Karlovič Kjuchelbeker [Wilhelm Küchelbäcker] (1797–1846), Fürst Aleksandr Ivanovič Odoevskij (1802–1839). Im Jahre 1822 begannen A. Bestužev und K. Ryleev, den Almanach »Polarstern [Poljarnaja zvezda]« zu edieren, welcher in der Geschichte des freien Denkens in Rußland so bedeutsam geworden ist und sich vom Geist des »rebellischen Romantizismus« sehr wohl unterscheidet. Die Petersburger Intellektuellen nahmen diese Zeitschrift mit großer Teilnahme auf: Sowohl durch die Meisterschaft der darin veröffentlichten Dichtwerke (so von Puškin, Žukovskij und dem Freund Puškins, Anton Antonovič Del'vig, 1798–1831) als auch durch künstlerische Gestaltung war sie eine bemerkenswerte Erscheinung. Obwohl sie nur kurze Zeit erschien und schon 1825 wieder eingestellt werden mußte, wurde der Name dieses dekabristischen Almanachs später auch zu einem Symbol für diejenige freie russische Presse im Ausland, die A. Gercen zu Anfang der 50er Jahre des 19. Jahrhunderts organisierte.

Ein Gesinnungsgenosse der Dekabristen war auch der bedeutende Dramenautor Aleksandr Griboedov (1795–1829), der Verfasser der außerordentlich populären Komödie »Verstand schafft Leiden [Gore ot uma]«. Wenn auch der Ort der Handlung Moskau ist, so beginnt und endet sie doch in Petersburg. Von hier wurde die Komödie auch in Kopien verbreitet, die sich bald über das ganze Land verteilten. Die Komödie Griboedovs wurde dabei als literarischer Ausdruck des politischen Programms der »Nördlichen Gesellschaft« der Dekabristen verstanden. »Seine erst im Manuskript vorliegende Komödie 'Verstand schafft Leiden' rief eine unbeschreibliche Reaktion hervor und stellte ihn sofort in eine Reihe mit unseren ersten Dichtern«, schrieb Puškin. (Die Erlaubnis zur Aufführung einzelner Szenen der Komödie wurde erst im Jahre 1829, also nach dem Tode des Dramatikers, gegeben.)

1811 kam der damals zwölfjährige Puškin nach Petersburg, um bald darauf für sechs Jahre in das Lyzeum von Carskoe Selo überzusiedeln. Nachdem er dieses 1817 absolviert hatte, wurde er nun wirklich zum Einwohner der Hauptstadt. Das Petersburg der Literatur und des Theaters,

die Bekanntschaft mit Karamzin, Žukovskij, mit Pavel Aleksandrovič Katenin (1792–1853), den Brüdern Aleksandr Ivanovič (1784–1845) und Nikolaj Ivanovič Turgenev (1789–1871), mit Ryleev, den Bestuževs, dem Dichter Fedor Nikolaevič Glinka (1786–1880), mit Aleksej Nikolaevič Olenin (1763–1843) und dem Fürsten Aleksandr Aleksandrovič Šachovskoj (1777–1846), die Freundschaft mit den Dekabristen Ivan Ivanovič Puščin (1798–1859), Del'vig, Kjuchelbeker – das war jenes intellektuelle Milieu, das Puškin erzog und das sehr bald seinerseits von diesem prägenden Geist grundsätzlich beeinflußt wurde.

Am Ende des zweiten Jahrzehnts des 19. Jahrhunderts schuf Puškin die Ode »Freiheit [Volnost']« und viele andere, in zahlreichen Kopien weit verbreitete satirische und freiheitsliebende Verse mit ihrer Kritik der Tyrannei und der Leibeigenschaft. In den Jahren seiner Petersburger Jugend vollendete Puškin aber auch »Ruslan und Ljudmila«, jenes Dichtwerk, das seinen Namen in ganz Rußland bekannt machte.

Die satirischen Verse und vernichtenden Epigramme, darunter solche auf den Günstling Arakčeev, blieben in diesen Jahren der heraufziehenden Reaktion nicht ungestraft. »Puškin überschwemmt Rußland mit aufwieglerischen Versen«, in diesen Worten Aleksandrs I. war das zukünftige Schicksal des Dichters schon angekündigt. Am 6. Mai 1829 wurde er aus Petersburg verbannt; zuerst nach Kišněv und Odessa im Süden Rußlands; dann auf die Pleskauer Besitzung seiner Eltern in das Dorf Michajlovskoe.

Zu Lebzeiten Aleksandrs I. wurde der Dichter natürlich nicht begnadigt, so konnte er erst nach genau sieben Jahren, Ende Mai 1827 nach Petersburg zurückkehren. Aber sein Name schmückte auch weiterhin die Seiten der Petersburger Zeitschriften, wohin er seinen Freunden neue Verse und Gedichte zur Veröffentlichung sandte: den »Kaukasischen Gefangenen [Kavkazskij plenenik]«, »Die Räuberbrüder [Brat'ja-Razbojniki]«, »Die Zigeuner [Cygany]« und schließlich – ein Kapitel nach dem anderen – den »Evgenij Onegin«. Das erste Kapitel dieses Gedichtes ist als das »Petersburgische« in die Literaturgeschichte eingegangen und seine poetische Übersetzung wäre die schönste Einführung für jede Ausstellung, die dem Petersburg der Zeit Aleksandrs I. gewidmet ist.

Die Blüte der Literatur und des Zeitungswesens machte auch die Ausweitung der verlegerischen Aktivitäten und des Buchhandels erforderlich. Die ersten Buchläden (mit Ausnahme des ältesten der Akademie der Wissenschaften) tauchten am Ende des 18. Jahrhunderts in Petersburg auf. Bis dahin hatten die Drucker oder die Buchbinder die Bücher selbst verkauft – oder aber die zahlreichen Straßenhändler. Im ersten Viertel des 19. Jahrhunderts entstanden in der Stadt drei bedeutende Buchhandlungen, die von Vasi-

lij Alekseevič Plavil'ščikov (1768–1823), jene seines Nachfolgers Aleksandr Filippovič Smirdin (1795–1857) und schließlich die von Ivan Vasil'evič Slenin (1789–1836). Über die Handlung von Smirdin schrieb der Dichter und Literaturkritiker Fürst Petr Andreevič Vjazemskij (1792–1878) an I. I. Dmitriev nach Moskau: *Ich empfehle . . . die Buchhandlung Smirdin, den ersten europäischen Laden mit russischen Büchern! In ihr ist es nicht dunkel, nicht kalt, nicht feucht und nicht schmutzig.«*

Die Eigenart dieser berühmten Buchhandlungen bestand darin, daß sie gleichzeitig auch literarische Klubs waren, wo sich die Schriftsteller *»unterhalten, ihre Meinungen austauschen, die Neuigkeiten der Stadt erfahren«* konnten, und daß sie gleichermaßen Bibliotheken mit einem recht großen Kontingent an Lesern darstellten. Außer ihnen gab es im Handelshof, daneben auf dem Nevskij-Prospekt und der Garten-[Sadovaja-]Straße die weniger illustren Buchhändler, die aber ebenfalls erfolgreiche Geschäfte machten. Viele von ihnen waren zugleich auch Petersburger Verleger, da es ja in den ersten Jahrzehnten des 19. Jahrhunderts in Rußland noch keine professionellen Verleger gab. Neben den Editionen von A. Smirdin und I. Slenin waren besonders die von Ivan Petrovič Glazunov (1762–1831) weit verbreitet und populär, der 1788 seinen Buchladen in Petersburg gründete und ab 1790 selbst Bücher edierte (insgesamt 178 Titel und ab 1803 in einer eigenen Druckerei gesetzt). Im Verlag von Slenin erschien beispielsweise – in zwei Auflagen – die *»Geschichte des Rußländischen Staates [Istorija gosudarstva Rossijskogo]«* von Karamzin; Slenin gab auch den *»Polarstern«* und den Almanach *»Nördliche Blumen [Severnye cvety]«* von Del'vig heraus. Smirdin publizierte alle Petersburger Autoren: Deržavin, Žukovskij, Krylov, Batjuškov, vor allem aber Puškin. Er war es auch, der als erster anfing, den Autoren Honorare zu zahlen, was zuvor in der russischen Literaturwelt nicht praktiziert worden war. Dies ermöglichte einen »Fortschritt in der Geistesindustrie«, und Puškin schrieb in diesem Zusammenhang: *»Ich beginne unsere Buchhändler zu verehren und denke, daß unser Handwerk in Wirklichkeit ja nicht schlechter ist als irgendein anderes.«*

In den ersten Jahren des 19. Jahrhunderts wurde in Petersburg die Kaiserliche Öffentliche Bibliothek eröffnet, die erste derartige Buchsammlung des Landes. Der Beschluß, das Gebäude für diese Einrichtung auf dem Nevskij-Prospekt zu errichten (und zwar nach den Plänen des Architekten Egor Timofeevič Sokolov, 1750–1824), war noch unter Ekaterina II. im Jahre 1795 gefaßt worden. 1801 wurde dann ein beachtlicher Bücherfundus in das neue Gebäude übertragen. Diesen Umzug wie auch die Organisation der Bibliothek und des Bestandes leitete der bekannte Staatsmann und Mäzen Graf Aleksandr Stroganov (1738–1811), einer der gebildetsten Menschen im Rußland des ausgehenden 18. und

beginnenden 19. Jahrhunderts. Im Jahre 1808 wurde ein anderer Universalgelehrter zu seinem Gehilfen ernannt, nämlich der schon erwähnte Aleksej Nikolaevič Olenin (1763–1843). Seit 1811, also seit Stroganov verstorben war, leitete Olenin die Bibliothek. 1817 wurde er auch Präsident der Akademie der Künste. Unter ihm wurde die systematische Erfassung des Bestandes und seine bibliographische Überarbeitung durchgeführt. Schließlich erfolgte am 2. Januar 1814 die feierliche Eröffnung der Bibliothek für das Publikum. *»Jede Woche am Dienstag von 11 Uhr morgens bis 2 Uhr nachmittags ist die Bibliothek für alle Interessenten geöffnet, die sie besichtigen wollen. Mittwoch, Donnerstag und Freitag, und zwar im Sommer von 10 Uhr morgens bis 9 Uhr abends, im Winter bis zum Sonnenuntergang, sind für jene bestimmt, welche sich mit der Lektüre und mit Kopieren beschäftigen wollen«*, schrieb im Jahre 1816 der bekannte Journalist, Historiker und Geograph Pavel Petrovič Svin'in (1787–1839). Zur Arbeit in der Bibliothek zog Olenin hervorragende Leute heran, die *»für ihre Talente in der Wissenschaft bekannt waren«*. Dies waren die schon oben erwähnten I. Krylov, N. Gnedič, K. Batjuškov, A. Del'vig, N. Greč, sowie der Philologe und Sprachgeschichtler Aleksandr Christoforovič Vostokov [eigentlich: Ostenek] (1781–1864), der dann 1843 erstmals das berühmte »Ostromir-Evangelium«, das älteste datierte Denkmal der altslavischen Buchkunst (wohl 1056/57 entstanden) edierte. Es gelang Olenin weiter, einen Erlaß durchzusetzen, demgemäß zwei Pflichtexemplare von allen in Rußland erscheinenden Druckwerken der Bibliothek zu überlassen waren. So umfaßte der Bestand der Bibliothek am Ende der Regierungszeit Aleksandr I. schon fast eine halbe Million Bücher und siebzehntausend Handschriften.

Als erste aber erfuhren von neuen, noch gar nicht publizierten Gedichten, Erzählungen, Dramen und Fabeln die Besucher der Petersburger Salons und Zirkel – und das zudem noch durch den Vortrag der Autoren selbst. Diese Salons waren in Petersburg am Anfang des 19. Jahrhunderts typische Erscheinungen als damals verbreitete Formen des gesellschaftlichen Lebens. Vjazemskij nennt sie *»mündliche Sprech-Zeitungen«*. Der Salon der Olenins war hier besonders einflußreich. *»Dorthin gelangten gewöhnlich alle literarischen Neuheiten, neu erschienenen Dichtwerke, Nachrichten über Theater, Bücher, Bilder«*, erzählt einer der Besucher des Salons.

Der bekannte deutsche Naturforscher Alexander von Humboldt, den Goethe als seinen neugierigsten Gesprächspartner charakterisiert hat, weilte ebenfalls im Hause Olenins und sagte, er habe *»die beiden Hemisphären der Welt bereist und überall nur sprechen müssen, hier aber mit Genugtuung zugehört«*. Einen *»Tausendkünstler«* nannte Aleksandr I. im Scherz Olenin.

Unter den zahlreichen Salons der künstlerischen Intellektuellen waren auch die sonnabendlichen Versammlungen bei V. Žukovskij berühmt, sodann jene bei V. Grigorovič, dem Vize-Präsidenten der Akademie der Künste, bei dem Literaten Baron A. Del'vig, bei den Brüdern Turgenev, im Hause der Murav'ëvs, beim Dichter Ivan Ivanovič Kozlov (1779–1840) und beim Journalisten N. Greč. Dagegen waren die Salons im Hause der Grafen Laval und beim Grafen Matvej Jur'evič Viel'gorskij (1794–1866) aristokratischer ausgerichtet; letzterer war ein bekannter Violoncellist und Leiter der Konzertgesellschaft von Petersburg, wo häufig bedeutende europäische Sänger und Musiker auftraten.

Immer mehr Leser kamen aus den Reihen der aufblühenden Petersburger Intelligenz, sowohl des adligen, als auch ganz anderer Stände: Erst im ersten Viertel des 19. Jahrhunderts waren ja in der Stadt solche bemerkenswerten Lehranstalten wie das Lyzeum zu Carskoe Selo (1811) oder im selben Jahr das Forstinstitut gegründet worden, ein Jahr zuvor das Institut für Ingenieure der Verkehrswege und schließlich im Jahre 1819 die Petersburger Universität, welche durch Umbildung aus dem schon seit 1804 existierenden Pädagogischen Institut entstand. Eine mittlere Ausbildung ermöglichten daneben die Gymnasien, sowie die zahlreichen staatlichen und privaten Pensionate.

* * *

Das Theaterleben Petersburgs war am Anfang des 19. Jahrhunderts sehr lebendig, da sich in ihm ja auch der Kampf der unterschiedlichen literarischen Richtungen und das Feuer jener Passionen widerspiegelten, die damals die Gesellschaft bewegten. Drei Theatergruppen traten damals ständig in Petersburg auf: eine russische, eine französische und eine deutsche. Die Theater hatten fast das ganze Jahr über geöffnet, und nur die sechswöchige Große Fastenzeit vor Ostern, eine Hoftrauer oder starke Frosteinbrüche veranlaßten einen Programmwechsel. Öffentlich zugängliche Privattheater gab es in der Stadt nicht. Statt dessen unterstanden alle Bühnen der Aufsicht der kaiserlichen Theaterdirektion.

Das russische und das französische Ensemble traten abwechselnd auf den Bühnen des Großen und Kleinen Theaters auf. Dabei zeichnete sich das Große Theater Petersburgs sowohl durch sein Repertoire als auch durch die Pracht der Aufführungen und eine glänzende Schauspielertruppe aus. Sein großes klassizistisches Gebäude schmückte seit den 80er Jahren des 18. Jahrhunderts den Theaterplatz. Das Kleine Theater war auf dem Nevskij-Prospekt in der Nähe des Aničkov-Palais untergebracht. Die deutsche Truppe spielte hingegen bis etwa 1820 im Theatersaal des Kuselev-Hauses am Schloßplatz; daher wurde dieses Haus auch das Deutsche oder das Neue genannt.

Das Kaiserliche-Russische Dramen-Ensemble spielte abwechselnd im Großen oder im Kleinen Theater. Zu Beginn des 19. Jahrhunderts stand an seiner Spitze als dienstältester Schauspieler Ivan Afanas'evič Dmitrevskij (1734–1821), ein bemerkenswerter Regisseur, Pädagoge und Übersetzer, zudem ein Mensch von hoher Kultur und weitem Horizont. Die Truppe bestand aus 32 Personen. Eine besondere Zierde der Dramenbühne jener Jahre war die glänzende Ekaterina Semenova (1786–1849), deren Schaffen in der Geschichte des russischen klassischen Theaters epochemachend war. *»Wenn man von der russischen Tragödie spricht«*, schrieb Puškin, *»und Bemerkungen über das russische Theater der Jahre vor 1820 macht, so spricht man von der Semenova - und vielleicht nur von ihr. Begabt mit Talent, der Schönheit und dem Gefühl für das Lebendige und Wahre, stellte sie sich selbst dar . . . Ihr Spiel war immer frei, immer klar, die Erhabenheit beseelter Bewegungen, eine reine, deutliche und angenehme Stimme und häufige Aufschwünge wahrhafter Begeisterung - all dies war ihr eigen und durch niemanden sonst ersetzbar. Sie schmückte die unvollendeten Werke des unglücklichen Ozerov und schuf die Rolle der Antigone und der Moina; sie beseelte die ausgezirkelten Strophen Lobanovs; in ihrem Munde gefielen uns die slavischen Verse Katenins, die so voller Kraft und Feuer sind, doch den allgemeinen Geschmack und die Harmonie verwerfen. In den knöchernen Übersetzungen, . . . welche heutzutage leider nur allzu üblich geworden sind, hörten wir allein die Semenova . . .«.* Hier in den letzten Sätzen verbindet Puškin geschickt eine Charakterisierung des Repertoires des russischen Theaters jener Jahre mit der der wichtigsten Dramatiker.

Der bedeutendste unter ihnen war im Verlauf des ersten Jahrzehnts des 19. Jahrhunderts Vladislav Aleksandrovič Ozerov (1769–1816). Als Autor klassischer Tragödien (*»Ödipus in Athen [Edip v Afinach]«*, *»Polyxene [Poliksena]«*) stattete er seine Helden mit den Zügen lebender Menschen aus. Außerdem gab es in seinen Stücken nicht wenige Anspielungen auf aktuelle Geschehnisse der Gegenwart, was die Zuschauer wohl zu deuten wußten. Sein allergrößter Erfolg wurde die Tragödie *»Dimitrij vom Don [Dmitrij Donskoj]«*, die der heldenhaften Schlacht der Russen gegen die Tataren im Jahre 1380 auf dem Schnepfenfelde gewidmet war. 1807 – beim Ausbruch des zweiten Krieges gegen Napoleon – aufgeführt, appellierte das Stück mit zahlreichen patriotischen Aufrufen an die Zuschauer, die darauf mit wilder Begeisterung reagierten. *»Diese Tragödie hatte zu ihrer Zeit eine literarische und eine politische Bedeutung, die auch der Kaiser Aleksandr bemerken mußte. In ihr . . . waren Anspielungen auf gegenwärtige Ereignisse zu finden - zugleich deutete sich aber bereits prophetisch das nicht mehr ferne Jahr*

1812 an«, schrieb P. Vjazemskij. Im Jahre 1812 wurde der *»Dimitrij vom Don«* erneut aufgeführt und wurde wieder zu einem gewaltigen Erfolg. Stürmisch aber kurz feierten die Tragödien Ozerovs ihre Triumphe, denn ihr klassischer Stil gehörte schon bald zur Vergangenheit. Doch dessen ungeachtet hat Ozerov jedoch am Anfang des 19. Jahrhunderts so stark wie sonst niemand das russische dramatische Theater geprägt. So schildert Puškin z. B. das Theaterleben Petersburgs im *»Evgenij Onegin«* (1. Kap. XVIII):

> *»O Zauberland! Dort wo Fonvinzin,*
> *einst glänzte, der satirisch kühn,*
> *als Freund der Freiheit sich bewiesen,*
> *und der gelehrte Knjaznin,*
> *dort hatte Ozerov die Spende*
> *der Tränen und gerührten Hände*
> *geteilt mit der Semenova,*
> *Katenin ließ erstehen da*
> *Corneilles Genie in neuem Glanze,*
> *dort schuf Komödien reihenweis*
> *die spitze Feder Šachovskojs,*
> *dort kam Didelot zum Ruhmeskranze,*
> *dort im Kulissenschatten, dort*
> *war meiner Jugend liebster Ort.«*

Eine glänzende Konstellation dieses Gestirns am russischen Schauspieler-Himmel – neben der Semenova, I. Dmitrevskij, A. Jakovlev, V. Karatygin, Ja. Brjanskij, A. Kolosova, M. Valberchova – führte das Repertoire zum Erfolg – oder um es in der drastischen Wendung eines Zeitgenossen auszudrücken: *»Gebt diesen Schauspielern nicht ein Stück, sondern das russische Alphabet und irgendwelche Vertragstexte; sie werden sie so spielen, daß Sie sich amüsieren, weinen, lachen werden . . .«*
Neben den Tragödien von Ozerov nahmen die Komödien und kleinen Lustspiele, also die sogenannten Vaudevilles, des Fürsten Aleksandr A. Šachovskoj (1777–1846) einen bedeutenden Platz im Repertoire der russischen Theatertruppe ein. Er war als Schreiber von rund 100 Stücken ein äußerst fruchtbarer Dramatiker, zudem ein bekannter Regisseur, der bis 1826 die Repertoire-Abteilung der Theater leitete und überhaupt im ersten Drittel des 19. Jahrhunderts als führende Figur der Petersburger Bühne auftrat. 1825 verfaßte er seine *»Ordnung und Regel der inneren Verwaltung der Kaiserlichen Theaterdirektion«*, die praktisch bis 1917 in großen Teilen gültig blieb.
Auf dem Felde der Komödien und der Vaudevilles wurden die Schauspieler V. Rjazancev, I. Sosnickij, N. Djur, V. Asenkova besonders berühmt. Letztere verehrten die Theaterbesucher buchstäblich wie eine Gottheit: Äußerst schön und wunderbar kompliziert, starb sie mit kaum 24 Jahren.

Am Tag ihrer Exequien herrschte in der Petersburger Theaterwelt wirkliche Trauer.
Im russischen Theater spielte man außer den Tragödien von Ozerov und den Komödien von Šachavskoj auch Übersetzungen von Stücken Racines, Molières und Voltaires, gekürzte Tragödien Shakespeares, komische und Zauberopern, Intermezzi, französische Vaudevilles, Dramen von Lessing, Schiller und Kotzebue.
Im Repertoire des Musiktheaters gab es sowohl heimische als auch übersetzte ausländische Opern. Unter den russischen vom Anfang des 19. Jahrhunderts war *»Lesta - Die Nixe vom Dnepr [Lesta - Dneprovskaja rusalka]«* des Komponisten und Theaterkapellmeisters Stepan Ivanovič Dvydov (1777–1825), des talentiertesten russischen Musikers der Zeit vor Glinka, die weitaus populärste. Daneben hatten zahlreiche komische Opern Erfolg, die schon im 18. Jahrhundert entstanden waren, so *»Anjuta«* von M. Popov, *»Rozana und Ljubim«* von N. Nikolaev, *»Der Müller als Zauberer, der Betrüger und der Brautwerber [Mel'nik-koldun, obmanščik i svat]«* nach dem Libretto von Aleksandr Onisimovič Ablesimov (1742–1783) mit der Musik von M. M. Sokolovskij bzw. ab 1792 von E. I. Fomin; und schließlich der 1779 uraufgeführte *»Sankt-Petersburger Handelshof [Sankt-Petersburgskij gostinyj dvor]«* von Michail Matinskij (ca. 1750–1820).
Die musikalische Leitung des Großen Theaters hatte der eingebürgerte Italiener Katerino Al'bertovič Kavos (1776–1840) inne, selbst Autor einer Vielzahl von Opern, Balletten, Oratorien und entschiedener Förderer der nationalen russischen Musik. Von ihm stammen etliche Opern zu russischen Themen, wie z. B. *»Il'ja der Recke [Il'ja-bogatyr']«* (1806) oder *»Ivan Susanin«* (1815).
Von den Sängern, die im Großen Theater zu Kavos Zeiten auftraten, sollten Nimfidora Semenova, Elizaveta Sandunova und Vasilij Samojlov eigens erwähnt werden. Letzterer, der damals bei weitem Populärste, entstammte einer alten Moskauer Kaufmannsfamilie, brach aber mit deren Traditionen und ging nach Petersburg. Dort sang er zuerst in der Kirche, wurde aber schon bald zur weiteren Ausbildung in die Direktion der Kaiserlichen Theater übernommen. Sein Debut fand im Jahre 1803 statt, und seitdem konnte sich Samojlov bis zu seinem Tode außergewöhnlicher Erfolge erfreuen. Seine kraftvolle Stimme und seine besonderen schauspielerischen Gaben lenkten auch die Aufmerksamkeit der kaiserlichen Familie auf ihn. Und so verbot beispielsweise Aleksandr I. die Aufführung der Oper *»Die Horatier und die Curatier«* nur deshalb, weil der Part Symojlovs allzu kompliziert war und der häufige Gesang dieser Passagen eventuell seiner Stimme hätte schaden können.
Neben dem Schauspiel und der Oper wurde auch Ballett

auf der Bühne des Petersburger Theaters aufgeführt. Ein Ballett auf der kaiserlichen Bühne – das war damals die höchste aristokratische Stufe der Theaterkunst. Ihre Sujets entstammten der Mythologie. Aber als Puškins romantische Dichtungen erschienen, gab es auf der Bühne des Petersburger Theaters bald auch Ballette nach Szenen aus dem »Kaukasischen Gefangenen« oder »Ruslan und Ljudmila«. Das zuletzt Genannte wurde von dem französischen Ballettmeister Charles Louis Didelot (1767–1837) getanzt (der – mit Unterbrechungen – von 1801 bis 1831 in Petersburg arbeitete), und »mit Lebendigkeit in der Wiedergabe und ungewöhnlicher Koketterie« dargeboten, wie Puškin selbst bemerkt. Unter den Tänzerinnen waren E. Teleseva und E. Istomina, welche sich im »Evgenij Onegin« verewigte, besonders berühmt.

Neben den erwähnten Kaiserlichen Theatern gab es in Petersburg noch ein ausgesprochenes Hoftheater, und zwar in der Ermitage, wo ebenfalls ständig sowohl das russische wie das französische Ensemble auftraten.

Und schließlich gab es noch eine ziemlich große Zahl von Theatern, die Privatpersonen gehörten und in denen die Stücke nur intern für den Bekanntenkreis des Hausherrn aufgeführt wurden; und zwar von Leibeigenen. In Petersburg gab es ungefähr fünfundzwanzig. Davon erlangten die Theater von A. L. Naryškin, der Grafen Šuvalov, der Fürsten Jusupov den größten Bekanntheitsgrad. Schicksal und Leben der leibeigenen Schauspieler hingen dabei völlig von der Laune, dem Charakter und der Verfassung des Hausherren ab.

Trotzdem spielten aber auch die Leibeigenentheater eine sehr wichtige Rolle innerhalb der Entwicklung der russischen Theaterkultur. Aus den Reihen der Leibeigenen gingen sogar solche bewundernswerten Künstler wie die Sopranistin Praskov'ja Ivanovna Žemčugova [eigentlich: Kovaleva] (1768–1803) hervor (nach ihrer Eheschließung Gräfin Šeremeteva), oder der in der Folgezeit bedeutende dramatische Schauspieler Michail Semenovič Ščepkin (1788–1863), der erst 1822 aus der Leibeigenschaft entlassen wurde.

Das Ensemble des deutschen Petersburger Theaters war klein; so mußte man für die Statisten auf nicht-professionelle Schauspieler und Handwerker aus der Stadt zurückgreifen oder bei Opernaufführungen zusätzlich russische Chorsänger einladen. In den Jahren zwischen 1800–1820 wirkte dort der 1802 aus Sachsen gekommene Friedrich Gebhardt als Schauspieler und Regisseur der deutschen Truppe. Auch seine Familie war – wie dies häufig vorkam – mit im Theater tätig. So war das Haus Gebhardts ein bekanntes Zentrum des Musik- und des Theaterlebens. Einer der Freunde der Familie war der bedeutende englische Musiker John Field, ein gutmütiger, liederlicher, zerstreuter,

aber sehr talentierter Pianist und Musiklehrer, der sein ganzes Leben in Petersburg verbracht hat.

Die Konzerte Fields waren damals in weiten Kreisen wohl die beliebtesten. Sie wurden häufig von der 1802 gegründeten Petersburger Philharmonischen Gesellschaft veranstaltet, die zu wohltätigen Zwecken von den Orchestermitgliedern der Kaiserlichen Theater ins Leben gerufen worden war. Die Gesellschaft veranstaltete mehrere Male im Jahr Konzerte, und zwar speziell mit dem Ziel, die ernste Musik populär zu machen. Dabei konnte man Oratorien von Haydn sowie Symphonien von Mozart und Beethoven hören. Bei besonderen Konzerten wirkten auch berühmte durchreisende Kräfte mit. Gewöhnlich fanden die Veranstaltungen in dem heute noch bekannten Haus von Kusovnikov (später V. Engelhardt) an der Ecke des Nevskij-Prospektes und des Ekaterinen-Kanals statt; das Haus, in dem sich auch heute der Kleine Saal der Leningrader Philharmonie befindet.

Neben den öffentlichen Konzerten prägte die Hausmusik das Musikleben der Stadt. Zahlreiche Gäste versammelten sich zu Soireen in den Salons, die ebenso beliebt wie die literarischen waren. Man musizierte bei P. Karatygin, bei A. Šachovskoj, A. Olenin, später bei A. L'vov und dem berühmten M. Viel'gorodskij.

Außergewöhnlich hoch entwickelt war in Petersburg auch die Kultur der kirchlichen Chormusik. Dimitrij Stepanovič Bortnjanskij (1751–1825) schuf in diesen Jahren wunderbare Werke für die orthodoxen Liturgien. Seine geistliche Musik hat aufgrund ihres emotionalen Feuers und durch die Verarbeitung von volkstümlichen Melodien, die die meisten Zuhörer kannten, ausgesprochen nationalen und originellen Charakter.

Das Leben Bortnjanskijs gehört ganz unmittelbar zum Petersburg des ausgehenden 18. und beginnenden 19. Jahrhunderts. In seiner Jugend war er Hofkomponist am »kleinen Hof« des damaligen Großfürsten Pavel Petrovič, des späteren Kaisers Pavel I., für den er Bälle, Konzerte und Opernaufführungen inszenierte; danach war er in reifem Alter für viele Jahre Dirigent der Hofsängerkapelle [Pridvornaja Pevčeskaja kapella].

Von all diesen Theater- und Konzertveranstaltungen war das einfache Volk der Stadt allerdings ausgeschlossen. Die einzigen ihm zugänglichen Darbietungen waren Volksbelustigungen.

Sie fanden immer zur selben Jahreszeit statt, die jeweils durch religiöse Feste bestimmt wurde. So wurden im Winter die Volksbelustigungen in der Butterwoche [maslenica] (der letzten Woche vor dem Beginn der Großen vorösterlichen Fastenzeit) und während der sogenannten »Heiligen Tage [svjatki]« um den Jahreswechsel (also zwischen den Festen der Christgeburt am 25. Dezember und der Theo-

phanie am 6. Januar) veranstaltet. Im Frühjahr und Sommer fanden sie zu Ostern und zu Pfingsten statt.

Besonders lebendig und pittoresk waren die öffentlichen Belustigungen in der Butterwoche. Man schüttete auf der Neva beim Winterpalast, auf der Krestovsker Insel und auf der Ochta Eisberge auf. Daneben wurden Bretterbuden errichtet, in denen man Marionettentheater, chinesische Schattenspiele und Zauberkunststücke sehen konnte. Die Zuschauer amüsierten sich über Seiltänzer, dressierte Bären und Affen, Taschenspieler, Gaukler und Akrobaten. Die Schausteller, vom Volk »Budenopas [balagannye dedy]« genannt, unterhielten ihr Publikum mit Witzen und Wortspielen. Ringsherum erschollen Drehorgeln und Leierkästen, ebenso Dudelsäcke und Flöten, priesen die Verkäufer von Sbiten (einem aus Wasser, Honig und Gewürzen gemischten Getränk) und von anderen Leckereien ihre Waren an. Zu Ostern baute man außer diesen Bergen und Buden auch noch Schaukeln und Karussells auf. Um all das herum aber fuhr die vornehme Welt in ihren Equipagen und betrachtete das bunte Treiben. »Die Stutzer in ihren wunderschönen Edelschlitten fliegen unablässig um die Berge«, schreibt P. Svin'in. – Ein Straßentheater, das sicher das älteste, das meistbesuchte und das traditionsreichste in der ganzen Stadt war.

* * *

Man kann dem Petersburg vom Ende des 18. und Anfang des 19. Jahrhundert nicht gerecht werden, ohne seine Aufmerksamkeit auch der Rolle der orthodoxen Religion und der Kirche im Leben der Gesellschaft zuzuwenden. Die orthodoxe Religion war die offizielle staatliche Weltanschauung, prägte den Charakter der Menschen und die alltägliche und gesellschaftliche Existenz. Das Jahr wurde nach kirchlichen Festtagen eingeteilt: Christgeburt (25. Dezember), Taufe des Herrn (6. Januar), Ostern, Pfingsten … Die Verpflichtung zum Vollzug der Riten von Taufe, Beichte, Kommunion u. a., sowie der Besuch der kirchlichen Gottesdienste wurde durch staatliche Erlasse vorgeschrieben. Diese Riten begleiteten den Menschen von der Geburt bis zum Tode – und sogar noch darüber hinaus, denn das Andenken der Verstorbenen lebte ja immer wieder in den Fürbittgebeten und den Totengottesdiensten, den Panichiden, auf.

Das alltägliche Leben der Stadtbürger spielte sich vor dem akustischen Hintergrund des Glockenklangs der Kirchen ab; ein besonderer ästhetischer Aspekt jener das Leben prägenden Traditionen. Mit den kirchlichen Riten waren nicht allein das philosophisch-theologische Denken über das Wesen alles Seins verbunden, sondern auch die moralischen Grundlagen der Persönlichkeit: Die Religion schuf Tag für

Inneres der Kazaner Domkirche. Kupferstich von T. Higham nach einer Zeichnung von A. G. Vickers, um 1820

Tag die wichtigen und unersetzlichen Grundlagen der Ehrfurcht vor dem Mitmenschen; der Barmherzigkeit und Mildtätigkeit; der Demut und Duldsamkeit in der menschlichen Gemeinschaft; sie unterstützte in den Jahren des Krieges den patriotischen Aufbruch und den Zusammenhalt der Menschen; zugleich aber auch die Heiligkeit und Unantastbarkeit des monarchischen Staatsaufbaus.

In Puškins Anmerkungen zur orthodoxen Geistlichkeit lesen wir: »In Rußland ist der Einfluß der Geistlichkeit ebenso wohltätig und nützlich, wie er in den römisch-katholischen Ländern verderblich ist. Dort hat nämlich der Klerus, indem er seinen Papst als Oberhaupt anerkennt, einen besonderen Verein gebildet, der von den bürgerlichen Gesetzen unabhängig ist und der Aufklärung ständig die Schranken des Aberglaubens entgegenstellt. Im Gegensatz dazu hängt bei uns die

Geistlichkeit, wie jeder übrige Stand, von einer einzigen Macht ab und wird zugleich von der Heiligkeit der Religion beschirmt; daher war sie immer der Vermittler zwischen Volk und Herrscher wie auch zwischen dem Menschen und Gott. Wir verdanken den Mönchen unsere Geschichte und später auch die ganze Bildung und Aufklärung.«

In den letzten Jahrzehnten des 18. und am Anfang des 19. Jahrhunderts fand man unter den Männern der Kirche viele gebildete Theologen, Historiker, Altertumsforscher und Bibliophile; beispielsweise die Hierarchen Platon (Levšin), Metropolit von Moskau und Kolomna (1777–1812), Evgenij (Bolchovitinov), Metropolit von Kiev und Galič (1822–1837), oder Michail (Desnickij), Metropolit von St.-Petersburg (1818–1821). Viele bedeutende Männer Rußlands erhielten in dieser Zeit in den Geistlichen Akademien ihre Ausbildung; man braucht nur an M. M. Speranskij zu erinnern.

Die kirchlichen Gebäude der Stadt aus dieser Periode zählen zu den bemerkenswerten Denkmälern der internationalen Architektur. Bei ihrer Errichtung wurde an Mitteln nicht gespart, für sie wurden die besten künstlerischen Kräfte herangezogen. Die bedeutendsten Kirchenbauten dieser Zeit sind – ohne auch nur die zahlreichen Gemeinde- und Regimentskirchen mitzurechnen – die beiden Domkirchen zu Ehren der Ikone der Gottesgebärerin von Kazan' auf dem Nevskij-Prospekt und zu Ehren des hl. Isaakios von Dalmatien [Kazanskij i Isaakievskij sobory]. Und es ist wohl kein Zufall, daß gerade in diesen Jahren auch die erwähnten bedeutenden Chorwerke von D. Bortnjanskij und dem Ukrainer Maksim Sozontovič Berezovskij (1745–1777) für die orthodoxen Gottesdienste geschrieben wurden.

Auch die Innenausstattung der Kirchen waren großartig. Die Ikonostasen wurden von talentierten Meistern geschaffen, die Ikonen und Wandmalereien von den damals besten Künstlern wie den Klassizisten Vasilij Koz'mič Šebuev (1777–1835), Aleksej Egorovič Egorov (1776–1851), dem Schüler Šebuevs, Petr Vasil'evič Basin (1793–1877) oder dem eingebürgerten Italiener Fedor Antonovič Bruni (1799–1875). Die Metallverkleidungen der Ikonen und die kirchlichen Gerätschaften wurden aus Gold, Silber und kostbaren Steinen gefertigt. Und so wurde z. B. die gewaltige, aus Silber gegossene Ikonostase des Kazaner Domes zur besonderen Sehenswürdigkeit. Sie wurde aus 100 Pud (also ungefähr 1 638 Kilogramm) Silber gegossen, das die Kosaken des Donschen Heeres im Jahre 1812 den Franzosen abgejagt hatten. Als Kultstätten russischen Ruhmes dienten die Peter-und-Pauls-Domkirche und die Kazaner zur Aufbewahrung der eroberten Trophäen und Fahnen der Gegner: Der Türken, Schweden und Franzosen. Im Schatten dieser Fahnen ist im Kazaner Dom auch der große russische Feldherr und Sieger über Napoleon, Michail Illarionovič Kutuzov (1745–1813), Fürst von Smolensk, begraben.

Einen besonderen Charakter hatten diejenigen Gottesdienste an den kirchlichen Feiertagen in Petersburg, die mit einer Wasserweihe verbunden waren. Zum Fest der Taufe Christi, der Theophanie am 6. Januar, errichtete man auf dem Eis der Neva eine hölzerne Kirche auf einer erhöhten Terrasse mit einer überdeckten Galerie. In der Kirche wurde der eigentliche Gottesdienst für die Wasserweihe abgehalten, und auf der Galerie wurden die herbeigebrachten Fahnen der Garderegimenter zur Segnung aufgestellt. Eine feierliche Prozession nahte aus der Kirche des Winterpalastes. Durch ein Eisloch wurde ein Kreuz zur Weihe des Wassers in den Fluß gesenkt. Und all dies wurde von Glockengeläut und Salutschüssen begleitet.

Am Tag der Mittpfingsten, also zwischen Ostern und dem Pfingstfest, den man im Frühjahr feiert, wurde auf den Mauern der Peter-und-Pauls-Festung eine andere Prozession an der Neva veranstaltet: In Gebeten erbat man den Schutz vor Überschwemmungen. Bei dieser Veranstaltung war die

Inneres der Schloßkirche von Peterhof. Holzschnitt von Carl Streller nach einem Aquarell aus dem Jahre 1873

Wasserweihe an der Neva in Sankt Petersburg. Holzschnitt von S. Tilly, um 1860

Neva von kleinen Jollen, sowie von kleinen und großen Ruderbooten übersät, die das Volk zur Festung brachten.

Auch der Heiligste Regierende Synod, das administrative Zentrum der Kirche, befand sich in Petersburg, dem alle russischen Diözesen, Klöster, Geistliche Akademien und Seminarien unterstanden. Aber seit Petr I. das Patriarchat abgeschafft hatte, war die Geistlichkeit in Rußland völlig vom Zaren abhängig. Zwar hatte der Metropolit von Sankt-Petersburg im Synod den Vorsitz, seine Mitglieder wurden aber ebenso wie auch der Ober-Prokuror vom Zaren ernannt. Dieser Ober-Prokuror war kein Geistlicher, sondern ein Laie, der aber, mit den Rechten eines Ministers ausgestattet, die Verbindung des Synods mit dem Zaren und den Regierungsstellen herzustellen hatte. Diese weitreichenden Vollmachten erhielt er jedoch erst mit dem Beginn der Regierungszeit Aleksandrs I. Der Ober-Prokuror Fürst Aleksandr Nikolaevič Golicyn (1773–1844) war darüber hinaus als langjähriger persönlicher Freund des Zaren Minister für geistliche Angelegenheiten und Volksbildung.

In den ersten Jahren seiner Regierung zeichnete sich Aleksandr I. zwar durch keine besondere Religiosität aus, wandelte sich aber in der Mitte des zweiten Jahrzehnts des 19. Jahrhunderts zu einem tiefgläubigen Menschen. Er studierte daher nicht allein die Heilige Schrift, sondern trat auch mit Freimaurern und mystischen Predigern in Verbindung. Seine Toleranz in Glaubensdingen war bekannt: *»Es wäre besser, wenn du zu irgend einem Götzenbild beten würdest, als wenn du etwa gar überhaupt nicht betest!«* schrieb er an den Marquis Paulucci, den General-Gouverneuer von Riga.

Fast die ganze gehobene Petersburger Gesellschaft tat es gegen 1820 dem Kaiser gleich, vertiefte sich in den Mystizismus und folgte ganz unterschiedlichen religiösen Richtungen und Predigern – sowohl orthodoxer wie auch sektiererischer Richtungen. Man nahm durchreisende Wahrsager und »heilige Leute« in Petersburg auf und hörte sie an; die Aktivitäten zahlreicher geheimer und öffentlicher mystischer Vereinigungen lebten – besonders nach dem Vaterländischen Krieg des Jahres 1812 – wieder auf. Sogar im Milieu der Geistlichkeit selber verspürten einige führende Kirchenmänner einen Hang zur Mystik; z. B. der damalige Rektor der Geistlichen Akademie (und spätere Metropolit von Moskau) Filaret (Drozdov) oder der Metropolit von St.-Petersburg Michail (Desnickij).

Damals entstand in Petersburg auch – nach Pariser und Londoner Vorbild – eine »Rußländische Bibelgesellschaft«, die am 6. Dezember 1812 gegründet worden ist. An ihrer Spitze stand ein Komitee, zu dem Oberprokuror Fürst A. N. Golicyn, Graf V. P. Kočubej, der Volksbildungsminister von 1810–1816, Graf Aleksandr Kirillovič Razumovskij (1748–1822) und R. A. Košelev gehörten. Einer der Sekretäre war ein für die russische Kultur so wichtiger und bekannter Mann wie A. I. Turgenev. Ziel der Gesellschaft war das Studium und die Verbreitung der Heiligen Schrift, der Bibel.

Die Vertreter aller christlichen Glaubensbekenntnisse, die es in Petersburg gab, wurden in die Bibel-Gesellschaft eingeladen. So saßen in ihren Versammlungen neben dem orthodoxen Metropoliten die lutherischen und anglikanischen Prediger sowie der katholische Bischof. Auf diese Weise suchte Aleksandr I. auch seine Lieblingsidee von einem religiösen Bund zu verwirklichen. Dies erweckte allerdings den Unmut des fanatischeren Teils der orthodoxen Geistlichkeit, die sich zum Kampf gegen Golicyn und die neuen Mystiker zusammenschloß. An der Spitze dieser orthodoxen Partei, die der mächtige Arakčeev unterstützte, standen der Mönchspriester Fotij (der Archimandrit des St.-Georgs-Klosters [Jur'evskij monastyr'] bei Novgorod) und Serafim (Glagolevskij) (1821–1843), der Nachfolger Michails als Metropolit von Sankt Petersburg. Drei Jahre nach dem Hin-

scheiden Aleksandrs I. konnten sie triumphieren: Golicyn wurde entlassen. Die Sitzungen der Bibelgesellschaft fanden nicht mehr statt. Denn dem Nachfolger, Kaiser Nikolaj I., der sonst auf seinen Wünschen zu bestehen und sie durchzusetzen verstand, fehlte hier die notwendige Durchsetzungskraft.

* * *

Auch zu Beginn des 19. Jahrhunderts blieb Petersburg das führende Wissenschaftszentrum des Landes, und in der Stadt selbst bildete die 1725 von Petr I. ins Leben gerufene Akademie der Wissenschaften den Mittelpunkt des wissenschaftlichen Lebens. In ihren Gebäuden, die auf der Spitze der Basileios-Insel [Vasil'evskij ostrov] liegen, wurden ein Konferenzsaal, die Kanzlei und die Bibliothek, physikalische und chemische Laboratorien, ein Observatorium, eine Druckerei, Mechanik-Werkstätten, sowie die umfangreichen naturwissenschaftlichen, ethnographischen und archäologischen Sammlungen der Akademie untergebracht.

Diese Sammlungen, die dann am Anfang des 19. Jahrhunderts in selbständige Museen umgewandelt wurden, sind das Ergebnis jener zahlreichen wissenschaftlichen Expeditionen, die zur »Vervollkommnung der geographischen und physikalischen Kenntnis des Reiches« ins Landesinnere unternommen worden waren. Darüber hinaus nahmen Gelehrte der Akademie aber auch an Weltreisen teil, die damals im ersten Viertel des 19. Jahrhunderts veranstaltet wurden. Die erste Weltumsegelung fand in den Jahren 1803–1806 unter dem Kommando des Kapitäns Ivan F. Kruzenštern [Adam Johann von Krusenstern] (1770–1846) auf den Fregatten »Hoffnung [Nadežda]« und »Neva« statt. Im folgenden Jahr, 1807, startete Admiral V. M. Golovin eine Expedition, 1815 Otto E. Kocebu [von Kotzebue] (1787–1846; übrigens ein Sohn des 1819 ermordeten Theaterschriftstellers und russischen Staatsrates August von Kotzebue); 1819 folgte die Expedition von Fabian F. Bellingsgauzen [von Bellingshausen] (1778–1852) und Admiral Michail Petrovič Lazarev (1788–1851) und schließlich 1821 eine weitere unter dem Admiral Fedor Graf Litke [Lütke]. Der Ausgangspunkt all dieser Expeditionen war Petersburg und die an der Einfahrt zur Stadt auf einer Insel gelegene Festung Kronštadt, wo die Seeleute ausgebildet und die Schiffe gebaut wurden und wo man die wissenschaftlichen Grundlagen der Reisen erarbeitet hat. Als Ergebnis brachten diese Fahrten die Entdeckung mehrerer Inseln im Pazifischen Ozean und schließlich 1820 – auf der Expedition von Bellingshausen und Lazarev auf den Kanonenschaluppen »Osten [Vostok]« und »Der Friedliche [Mirnyj]« – die Entdeckung des Festlandes der Antarktis. Seit dieser Entdeckung gehört der Name Bellingshausens zu denen der herausragendsten Vertreter der internationalen geographischen Wissenschaft. Daneben war man auch auf dem Gebiet der Ozeanographie, der Kartographie und der damit verbundenen Erstellung neuer geographischer Atlanten erfolgreich.

Das bedeutendste Ereignis auf dem Gebiet der Humanwissenschaften war die Edition der »Geschichte des rußländischen Staates« von N. M. Karamzin (1766–1826), die die Zeit von den Ursprüngen bis zum Anfang des 17. Jahrhunderts behandelt. Die ersten acht Bände erschienen in den Jahren 1816–1818, die folgenden drei 1821–1824, der letzte, der zwölfte Band, den der Autor nicht mehr selbst abschließen konnte, wurde erst nach seinem Tode, im Jahre 1829, gedruckt. »Es war im Februar 1818«, schreibt Puškin. »Die ersten acht Bände der russischen Geschichte von Karamzin kamen heraus… Das Erscheinen dieses Buches erweckte zu Recht großes Aufsehen und hinterließ einen tiefen Eindruck: 3000 Exemplare waren in einem Monat vergriffen (was nicht einmal Karamzin selbst in irgendeiner Weise erwartet hätte) - ein einzigartiges Exempel auf unserer Erde. Alle, auch die Damen der Gesellschaft, beeilten sich nun, die Geschichte ihres Vaterlandes zu lesen, die ihnen bis dato unbekannt gewesen war. Sie wurde für sie alle zu einer ganz neuen Entdeckung. Das Alte Rußland, so schien es, war von Karamzin entdeckt worden wie Amerika von Columbus.«

Auch die Veröffentlichungen des ukrainischen Historikers Nikolaj Nikolaevič Bantyš-Kamenskij (1737–1814) waren von großer Bedeutung, weil er in ihnen eine Vielzahl von Archivdokumenten aus dem Amt für auswärtige Angelegenheiten veröffentlichte.

Mit dem Namen des schon als Mitarbeiter Olenins erwähnten Akademiemitgliedes A. Ch. Vostokov (1781–1864) ist die Entwicklung der russischen Philologie in jener Zeit verbunden, der eine vollständige Grammatik der russischen Sprache publizierte und außerdem die Vorbereitung zu einer »Beschreibung der russischen und slavischen Manuskripte des Rumjancev-Museums« leitete.

Die Rußländische Akademie [Rossijskaja Akademija], die unweit der Akademie der Wissenschaften auf der Basileios-Insel lag, beschäftigte sich mit Fragen der russischen Sprachkunde. Sie wurde 1783 nach dem Vorbild literarischer Akademien anderer Länder gegründet und gab im Jahre 1794 das erste Wörterbuch der russischen Sprache heraus. Dessen zweite, verbesserte Auflage erschien 1806 bis 1822.

Auch auf dem Gebiet der Mathematik und der Technik erzielten die Petersburger Wissenschaftler beachtliche Ergebnisse. 1804 führte das Akademiemitglied Jakob Dmitrievič Zacharov (1765–1838) zusammen mit dem belgischen Physik-Professor E. Robertson den ersten Ballonflug in Rußland durch. Sie blieben mehr als drei Stunden in der Luft und flogen 60 Kilometer weit. Zehn Jahre später gab es das erste Dampfschiff auf der Neva, und bereits im Jahre

1820 verkehrten regelmäßig vier Dampfboote zwischen Petersburg und Kronštadt. Kaum hatte die Dampfkraft begonnen, das Zeitalter zu bestimmen, da warf bereits die Epoche der Elektrizität ihre Schatten voraus: Im Jahre 1802 entdeckte Vasilij Vladimirovič Petrov (1761–1834), Professor der Physik an der Medizinisch-Chirurgischen Akademie, mit Hilfe einer eigens von ihm konstruierten galvanischen Batterie (der größten seiner Zeit), den elektrischen Bogen, beschrieb ihn und verwies dabei auch auf die Möglichkeit seiner praktischen Nutzung für Beleuchtungs- und Kochzwecke.

In den zwanziger Jahren des Jahrhunderts entwickelte der deutsch-baltische Baron Paul L. Šilling [von Schilling] (1786–1837) einen elektromagnetischen Telegraphen und demonstrierte damit die Übermittlung eines Telegramms von seiner Wohnung zum Marsfeld.

Zahlreiche Probleme der Mathematik und der Astronomie, der Statistik und der Volkswirtschaft, der Chemie, der Geologie, der Biologie und der Anatomie wurden damals in Petersburg von der Wissenschaft behandelt und erfolgreich erfaßt. Die Namen des Mathematikers Michail Vasil'evič Ostrogradskij (1801–1861), der aus Dorpat stammenden Physiker Emil Ch. Lenc [Lenz] (1804–1865) und Boris Semenovič Jakobi [Moritz Hermann Jacobi] (1801–1874), des aus Genf gebürtigen Chemikers G. I. Gess [Hermann Hess] (1802–1850), des Anatomen Ja. V. Villiet (1767–1854), des Biologen Karl M. Ber [Baer] (1792–1876), des Mineralogen Vasilij Michajlovič Severgin (1765–1826) erinnern an diese Ergebnisse, die in die internationale Geschichte der Wissenschaft eingegangen sind.

Neben der Akademie, der Universität, den verschiedenen Instituten und der Medizinisch-Chirurgischen Akademie widmeten sich in der Hauptstadt auch zahlreiche private Gesellschaften der Forschungsarbeit; so die Freie Ökonomische Gesellschaft (seit 1765), die Physikalisch-Medizinische (seit 1804) und die Mineralogische (seit 1817). Sie alle gaben Periodika heraus: Die »Technologische Zeitschrift [Technologičeskij žurnal]«, die »Bergbauzeitschrift [Gornyj Žurnal]«, die »Zeitschrift für Manufakturen und Handel [Žurnal manufaktur i torgovli]«, die »Zeitschrift für Verkehrswege [Žurnal putej soobscenija]«; hinzu kamen jährlich erscheinende Bände mit Berichten der Akademie der Wissenschaften.

* * *

Kaiser Nikolaj I. Stich von Weger, Leipzig, um 1860

Wenn man zusammenfassend einige grundlegende Züge nennen will, die am Anfang des 19. Jahrhunderts die Entwicklung des wissenschaftlichen, des kulturellen und des gesellschaftlichen Bewußtseins kennzeichneten, dann sind das – bei aller Komplexität und Vielfalt – die selbstbewußte Befreiung aus allen Fesseln, ein neuer Pulsschlag der Zeit, ein intensiver Wettstreit der Meinungen und das Streben, sich von kleinlichen Kontrollsystemen, von den Dogmen und Vorschriften der Autokratie zu befreien, die sich danach während der Regierungszeit Kaiser Nikolaj I. (1825–1855), bereits wieder festigen sollten.

Orest A. Kiprenskij (1782–1836)

Michail I. Kozlovskij (1753–1802)

Bartolomeo Francesco Rastrelli (1700–1771)

Ivan E. Starov (1744/45–1808)

Vasilij P. Stasov (1769–1848)

Fedot I. Šubin (1740–1805)

Vasilij A. Tropinin (1776–1857)

Aleksej G. Venecianov (1780–1847)

Andrejan D. Zacharov (1761–1811)

DIE ARCHITEKTUR PETERSBURGS UM 1800

G. KOMELOVA

»Ich lieb' dich, Schöpfung Peters, deine
Gestrenge, einheitliche Pracht,
In dem granitenen Gesteine
Der Neva königliche Macht

Rag, Peters Stadt, in hehrer Pracht,
Wie Rußland stolz und unbezwungen!
Bezähm der Elemente Macht,
Der du dein Leben abgerungen . . .«

Aleksandr Sergeevič Puškin

An der Wende vom 18. zum 19. Jahrhundert hatte sich Petersburg, das sich damals gerade auf seine Zentenarfeier vorbereitete, in eine der schönsten Städte Europas verwandelt. Seine wunderbare Lage an den Ufern der wasserreichen Neva, seine weiten Plätze und breiten, »Prospekte« genannten Straßen, die wie Pfeile die Stadt durchschnitten, die mächtigen Uferbefestigungen aus Granit, die Vielzahl majestätischer Gebäude, die nach den Plänen der bedeutendsten Architekten ihrer Zeit geschaffen worden waren, zahlreiche Kanäle und malerische Inseln – all dies zusammen verlieh der Stadt ihren unverwechselbaren und einzigartigen Charakter und ihren so besonderen Reiz.

»Welche Stadt, mein lieber Freund!«, schrieb der polnische Komponist und Großschatzmeister von Litauen, Graf Michael Kleophas Ogiński (1765–1833), im Januar 1793 in einem Brief an seine Frau. *»Obwohl ich doch schon London, Berlin, Dresden und Wien gesehen habe, bin ich ganz verzückt, wenn ich in der Kutsche über die breiten Straßen dieser Kapitale fahre, die vor hundert Jahren überhaupt noch nicht vorhanden war.«*

Und einige Jahrzehnte später schrieb Aleksandr Puškin, im Prolog zu seinem Gedicht *»Der eherne Reiter [Mednyj vsadnik]«* (1833):

»Hin gingen hundert Jahre – und
Das Wunder mitternächt'ger Lande,
Die Stadt, wuchs auf aus Meeresgrund,
In stolzem, prunkvollem Gewande:
Wo einst der Stiefsohn der Natur,
Der Finne, sein betrübtes Leben
Erstritt durch Netz und Angelschnur
An öden Ufern – heute streben
An dem in Stein gefaßten Strand
Empor in goldnem Kuppelbrand
Kirchtürme, schimmernde Paläste,
Und Schiffe schneiden durch die Flut
Aus aller Welt, voll reichem Gut,
Begrüßt als gern willkommne Gäste;
Die Neva hüllte sich in Stein;
Die Wasser überspannen Brücken,
Und dunkelgrüne Gärten schmücken
Der Inseln malerische Reihn.
Und vor der jungen Metropole
Neigt Moskau demütig das Haupt,
Wie vor der Kronengloriole
Der Zarinwitwe, machtberaubt.«

43

Diese Stadt, die sozusagen aus dem Feuer des Nordischen Krieges zwischen Rußland und Schweden geboren worden war, wurde im Jahre 1703 von dem russischen Zaren (und späteren Kaiser) Petr I. (1672–1725) gegründet und wuchs in der Tat mit einer atemberaubenden Geschwindigkeit. In den ersten drei Jahrzehnten, als sich Petersburg, nach den Worten Puškins, »aus Meeresgrund« erhob, bestand es noch aus nicht sehr großen, zwei- bis dreistöckigen Gebäuden. Die Bautätigkeit leitete Petr I. selbst, sowie der Tessiner Domenico Trezzini (ca. 1670–1734), der Hauptarchitekt der Stadt, nach streng formulierten Regeln. Dabei wurden Planung und Ausführung von Anfang an durch die Flußläufe der Neva bestimmt. Sie konzentrierten sich vorerst auf das Gebiet um die Peter-und-Pauls-Festung [Petropavlovskaja krepost'], deren Grundstein am 16. Mai 1703 auf der sogenannten »Hasen-Insel« [Zajač'ij ostrov] gelegt worden war, d. h. besonders auf den Bereich um die dort zu Ehren der heiligen Apostelfürsten Petrus und Paulus erbauten Domkirche. Am Flußufer erhoben sich die ersten Paläste des Zaren, die Häuser der Notabeln und eine Reihe öffentlicher Gebäude: so der Bau der Zwölf Kollegien, das erste Museum, die sogenannte »Kunstkammer«, und die Admiralität, also die Werft, in der man die Schiffe für die noch junge Baltische Flotte erbaute; ferner der Senat, der Synod, der Handelshof und andere Gebäude. Schon damals, in den ersten Jahrzehnten des Aufbaus, wurde das Zentrum mit seinen Radial- und Ringstraßen geplant, wurden die ersten breiten Straßen und Prospekte projektiert und ihr Bau auch schon in Angriff genommen, wie beispielsweise der heute wohlbekannte Nevskij-Prospekt, der im Leben der Stadt eine ähnliche Rolle spielen sollte wie etwa die Champs-Elysées in Paris oder die Allee »Unter den Linden« in Berlin. Die Architektur Petersburgs zeichnete sich damals durch eine besondere Strenge, Klarheit und Schlichtheit in der Konzeption aus und durch eine entsprechende Zurückhaltung beim Einsatz dekorativer Elemente.

Jedoch schon in der Mitte des 18. Jahrhunderts, also während der Regierungszeit Elisaveta Petrovnas (1709–1761), der Tochter Petrs I. – eine Zeit, die durch rasches Aufblühen und eine deutliche Stabilisierung des russischen Staatswesens gekennzeichnet ist – verändert sich das Aussehen der Stadt erheblich. Sie entwickelt sich von einer strengen, noch nicht sehr großen und rein funktional angelegten Stadt zu einer wirklichen Metropole, voll großartiger Paläste und Dome. Der führende Architekt der Zeit war Bartolomeo Francesco Rastrelli (1700–1771), der Sohn jenes italienischen Bildhauers Carlo Rastrelli, der schon unter Petr I. in Rußland gearbeitet hatte. Bartolomeo Rastrelli darf mit Recht als einer der bedeutendsten Baumeister in der internationalen Geschichte der Architektur der ganzen Welt bezeichnet werden. Zusammen mit seinem Zeitgenossen, dem

Architekten Savva Ivanovič Čevakinskij (1713–1783), schuf er den nationalen Baustil des russischen Barock, indem er den Formenschatz des altrussischen Erbes mit dem anderer Länder schöpferisch verschmolz. Herausragende wunderbare Architekturdenkmäler wurden nach den Plänen dieser beiden Architekten errichtet. Sie sind durch Majestät und Bewegung geprägt, durch Reichtum und Üppigkeit der Elemente, durch zierliche Dekors, durch eine Fülle von Skulpturen und modellierten Ornamenten, sowie durch eine lebendige Farbigkeit, so daß sie als Ganzes wie eine Komposition in Dur erscheinen können. Bis heute haben sich zahlreiche Bauten jener Zeit erhalten, wie der Aničkov-Palast am Nevskij-Prospekt, der für den Generalfeldmarschall Graf Aleksandr Grigor'evič Razumovskij (1709–1771), den Favoriten (und seit 1742 sogar morganatischen Gatten) Elizaveta Petrovnas, bestimmt war; oder auch die Paläste anderer Vertreter der Adelsgesellschaft, beispielsweise jener der Stroganovs auf dem Nevskij-Prospekt; der Voroncovs in der Garten-Straße [Sadovaja ulica]; der Palast der Grafen Šeremetev am Ufer der Fontanka; der Komplex des Smol'na-Klosters mit seinem grandiosen Dom; die Marine-Domkirche des heiligen Nikolaus; die des heiligen Andreas [Nikol'skij-Morskoj- i Andreevskij Sobory] und zahlreiche andere. Zur Apotheose von Rastrellis gesamten Werkes wurde aber der Winterpalast [Zimnyj dvorec], in dem heute die Staatliche Eremitage untergebracht ist: »Die Errichtung des steinernen Winterpalastes geschieht einzig und allein zum allrussischen Ruhm!«, schrieb Rastrelli zu diesem seinem vollendetsten Werk.

Die dritte Periode in der Baugeschichte Petersburgs fällt schließlich in die zweite Hälfte des Jahrhunderts, nämlich in die Zeit Ekaterinas II. Schritt für Schritt fing die Stadt damals an, jene »gestrenge, einheitliche Pracht« zu erreichen, die Puškin – im folgenden Jahrhundert – besang. Gegenüber dem nun aufgeputzt und schon bald unerträglich überladen erscheinenden Barock trat jetzt der Klassizismus mit seiner »edlen Einfalt und stillen Größe« auf; im Anschluß an die Antike, die sich die neue Stilrichtung zum Vorbild nahm.

In der Entwicklung der Petersburger Architektur unterscheidet man üblicherweise den frühen Klassizismus der Jahre zwischen 1760 und etwa 1770 vom Hochklassizismus der 70er bis 90er Jahre, der im 19. Jahrhundert in den reifen oder späten Klassizismus – das Empire – übergeht.

Die großen Veränderungen, die sich im Rußland der zweiten Hälfte des 18. Jahrhunderts auf sozialem und ökonomischem Gebiet ereigneten, sowie die Entwicklungen der Industrie und des Handels, die auch die kulturellen Interessen und den Geschmack der Gesellschaft entscheidend veränderten, veränderten natürlich auch die Architektur der Landeshauptstadt. Dabei stellten sich mit der intensiven Bautätigkeit auch neue architektonische Aufgaben. Die

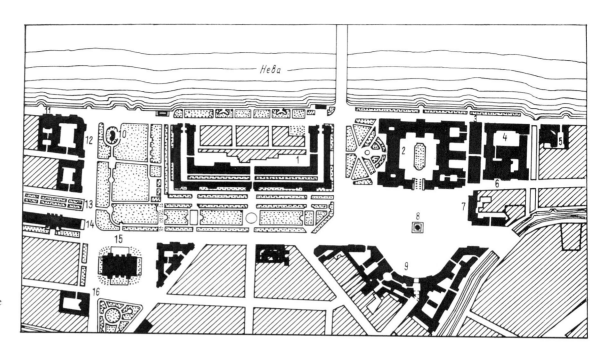

Der zentrale Teil Petersburgs
um die Admiralität und den
Winterpalast

1. Admiralität
2. Winterpalast
3. Kleine Ermitage
4. Alte Ermitage
5. Ermitage-Theater
6. Neue Ermitage
7. Stab des Garde-Corps
8. Aleksandr-Säule
9. Hauptstab
10. Denkmal Petr I.
11. Haus La Valle
12. Senat und Synod
13. Säulen mit Siegesstatuen
14. Manege der Gardekavallerie
15. Isaakios-Dom
16. Haus Mjatlev

schon im ersten Drittel des Jahrhunderts angewandten städtebaulichen Prinzipien der Symmetrie und der Regelmäßigkeit wurden einerseits weiterentwickelt. Andererseits entstanden aber ganz neue Typen öffentlicher Gebäude: die Akademie der Wissenschaften, die Akademie der Künste und andere Bildungsanstalten, sowie Krankenhäuser, Handelshäuser, Theater, Schulen und andere mehr. Im Jahre 1762 wurde die »Kommission für den Bau in Stein zu Sankt-Petersburg und Moskau« als leitende Instanz für die intensiven Bauarbeiten ins Leben gerufen. Ihre Hauptaufgabe war es, »die Stadt Sankt Petersburg in jenen geordneten Zustand zu versetzen und ihr solche Pracht zu verleihen, wie sie der Hauptstadt eines großen Staates gebührt.«

In der zweiten Hälfte des 18. Jahrhunderts arbeiten zahlreiche herausragende Baumeister in der Stadt, deren Namen in die Geschichte der internationalen Architektur eingegangen sind; Namen, wie etwa Aleksandr Filippovič Kokorinov (1726–1770) oder Jean-Baptist Vallin de la Mothe (1729–1780); Jurij Fel'ten [Georg Veldten] (1730–1801) und Ivan Starov (1745–1808); dazu die Italiener Antonio Rinaldi (ca. 1710–1794) und Giacomo Quarenghi (1744–1817); der Schotte Charles Cameron (1740–1812) und andere.

Zu den wichtigsten Ereignissen im kulturellen Leben der Stadt und zugleich in der Geschichte ihrer Architektur gehört zur Zeit Ekaterinas II. die Eröffnung der Akademie der Künste, die ja noch unter Elizaveta Petrovna im Jahre 1757 gegründet worden war und die nun zum Zentrum des künstlerischen Lebens werden sollte. Ihr wurde in den Jahren 1764–1788 am Ufer der Neva ein majestätisches Gebäude, nach den Plänen von J. B. Vallin de la Mothe und A. Ko-

kornikov, errichtet. 1764 wird aber auch als Gründungsjahr der Eremitage, eines der bedeutendsten Museen der Welt, angesehen. Denn damals wurde für Ekaterina II. die erste bedeutende Gemäldesammlung westeuropäischer Künstler erworben und noch im selben Jahr der Grundstein zu einem eigenen Sammlungsgebäude neben dem Winterpalast gelegt: zur Kleinen Eremitage, die dann 1764–1767 als frühklassizistischer Bau entstand, und zwar wiederum nach Plänen von Vallin de la Mothe. 1775–1784 folgte dann das Gebäude der Alten Eremitage – nun im Stil des Hoch-Klassizismus – nach den Plänen von Jurij Matveevič Fel'ten.

Im Jahre 1783 wurde das Gebäude vollendet und im selben Jahr eröffnete man auch das Große Steinerne Theater, einen strengen und monumentalen Bau mit einem Portikus aus acht Säulen. Für viele Jahre fand dort das beste Theater des gesamten Landes statt, und zwar sowohl mit nationalen Schauspielertruppen, als auch mit durchreisenden Größen der Theaterwelt. Das Haus wurde nach Plänen Antonio Rinaldis errichtet, einem typischen Vertreter des Klassizismus, der mehr als dreißig Jahre in Rußland gelebt hat. (Ein tragischer Unfall – der Architekt fiel bei der Besichtigung der Arbeiten am Theatergebäude vom Baugerüst – war der Grund dafür, daß er bald nach diesem Unfall in seine italienische Heimat zurückkehrte.) 1802 bis 1806 wurde das Theater noch einmal von dem Schweizer Architekten Thomas de Thomon (1760–1813) vollkommen umgestaltet, brannte aber bereits in der Nacht zum 1. Januar 1811 wieder ab und wurde dann erneut wieder aufgebaut. In dieser Form bestand es bis 1886.

Von Rinaldi stammen auch die Pläne für den Marmorpa-

45

last, eines der herausragendsten Denkmäler des frühen Petersburger Klassizismus, das 1768–1785 für den damaligen Favoriten der Kaiserin Ekaterina II., den Grafen Grigorij Orlov, den Mitorganisator des Umsturzes von 1762 und späteren (1765–1775) Feldzeugmeister der russischen Armee errichtet worden ist. Nach dessen Tod ging es in den Besitz der Krone über. Mit diesem Palast wurde das einheitliche Gebäude-Ensemble des Palastufers – vom Winterpalast über die Kleine und die Alte Eremitage, sowie das Eremitage-Theater bis hin zum Sommergarten – vollendet.

Für den anderen einflußreichen Favoriten Ekaterinas (möglicherweise auch morganatischen Gatten und zugleich wohl mächtigsten Staatsmann seiner Zeit), den Generalfeldmarschall und Fürsten von Taurien, Grigorij Aleksandrovič Potemkin (1730–1791), errichtete der Architekt Ivan Egorovič Starov 1783–1788 ebenfalls eines der bekanntesten und qualitätsvollsten Baudenkmäler Petersburgs – den Taurischen Palast, der bald zum Prototyp zahlreicher Herrenhäuser in der Stadt und ihrer Umgebung, aber auch vieler anderer Bauten, wie etwa Krankenhäuser und Lehranstalten, wurde. *Sein Äußeres besticht* nach den Worten des Dichters Gavrila Romanovič Deržavin (1743–1816), *nicht durch bildhauerischen Schmuck, nicht durch Vergoldung, nicht durch andere überladene Verzierungen, sondern durch die ästhetische Würde und einen ausgeprägten klassischen Geschmack: es ist einfach und doch majestätisch!*

In den Jahren zwischen 1780 und 1810 spielte Giacomo Quarenghi [Kvarengi] (1744–1817) eine besondere Rolle im Bauwesen der Stadt. Der Italiener aus Bergamo verbrachte den größten Teil seines Lebens, nämlich von 1779 bis zu seinem Tode im Jahre 1817, in Rußland und widmete der neuen Heimat sein bemerkenswertes Talent. Zahlreiche Gebäude der Hauptstadt wurden nach seinen Plänen ausgeführt, unter denen die Akademie der Wissenschaften am Ufer der Neva (1783–1789) das vollendetste Beispiel seines strengen Klassizismus darstellt; ferner sind zu nennen die sogenannten »Silbernen« Handelshäuser am Nevskij-Prospekt (1783), das Eremitage-Theater (1783–1789), der Gebäude-Komplex der Assignaten-Bank auf der Garten-Straße (1783–1790; 1967 wurde vor eben diesem Gebäude für Quarenghi ein Denkmal errichtet) und schließlich das Smol'na-Institut für adelige Mädchen, das nun schon in den ersten Jahren des 19. Jahrhunderts (1806–1808) entstand und zu den besten Werken dieses Architekten zählt. Das Zentrum seiner Fassade wird durch einen großartigen ionischen Portikus mit spitzem Giebelfeld geprägt. Monumentalität und lakonische Strenge; das sind – wie alle diese Bauten zeigen – die Eigenschaften, die das Werk Quarenghis charakterisieren.

In der zweiten Hälfte des 18. Jahrhunderts wurden auch die bewundernswerten Uferbefestigungen aus Granit geschaffen, ferner die ersten steinernen Brücken über die wichtigsten Flüßchen und Kanäle, die die Stadt durchziehen; nämlich über die Mojka, den Ekaterinen-Kanal und über die Fontanka. Außerdem errichtete man zahlreiche malerische kleine Stege mit Treppen zum Wasser hinunter. Puškin beschreibt dies so (ebenfalls an der schon zitierten Stelle im Prolog des »Ehernen Reiters«):

> *Die Neva hüllte sich in Stein;*
> *Die Wasser überspannen Brücken,*
> *Und dunkelgrüne Gärten schmücken*
> *Der Inseln malerische Reihn.«*

Damals wurden auch die Gitter des Sommergartens geschaffen und zwei heute wohlbekannte Denkmäler errichtet: 1782 der sogenannte »Eherne Reiter« für den Stadtgründer Kaiser Petr I. auf dem Senatsplatz, von der Hand des französischen Bildhauers Etienne Maurice Falconet (1716–1791), und 1799–1801 das von M. Kozlovskij gefertigte Denkmal für den Feldmarschall Aleksandr Suvorov am Ufer der Neva, nahe dem Marmor-Palais. Hinzu kommt unter anderem 1799 der Obelisk von Vincenzo Brenna zu Ehren des Feldmarschalls A. Rumjancev, der ursprünglich auf dem Marsfeld errichtet, bald aber in die Nähe der Kadettenanstalt auf der Basileios-Insel gebracht worden war.

Die französische Malerin Elisabeth Vigée-Lebrun, die sich am Ende des 18. Jahrhunderts in Petersburg aufhielt, notierte damals voller Begeisterung ihre Eindrücke von der Stadt: *»Wie ich mich auch immer bemühe, die Grandeur Petersburgs zu schildern, so bleibe ich doch völlig bezaubert von seinen Gebäuden, seinen schönen Palästen, von den breiten Straßen, deren eine, die 'Prospekt' genannt wird [sie meint den Nevskij-Prospekt] sich durch die ganze Stadt hinzieht. Die Neva, licht und klar, eine königliche Schönheit, fließt durch die Stadt und ist von allen möglichen Fahrzeugen belebt, die unablässig kommen und gehen und damit die schöne Stadt so wunderbar beleben. Die Uferbefestigung der Neva ist aus Granit, ebenso die vieler großer Kanäle, die Ekaterina II. in der Stadt mit diesem Stein einfassen ließ. Auf der einen Seite des Flusses befinden sich die wunderbaren Gebäude der Akademie der Künste, der Akademie der Wissenschaften und viele andere, welche sich in der Neva widerspiegeln. Man hat mir gesagt, daß es kein prachtvolleres Schauspiel gäbe, als wenn man diese Gebäude bei vollem Mondlicht anschaue - sie alle gleichen dann alten Tempeln. Wirklich: mit der Größe und Erhabenheit seiner Bauten, sowie mit seiner Bevölkerung aus unterschiedlichen Nationalitäten, die an die Antike erinnert, versetzt mich Petersburg in die Zeiten Agamemnons.«*

Das letzte Gebäude, das im 18. Jahrhundert erbaut wurde, ist das Michaels-Schloß, das zu so trauriger Berühmtheit gelangen sollte. Kaiser Pavel I. ließ es errichten, der dort auch seine Tage beendet hat, als er, der Sohn Ekaterinas II., in der

Nacht auf den 12. März 1801 von einer Verschwörergruppe ermordet wurde. Unweit des Nevskij-Prospektes beim Sommergarten gelegen, entstand es in den Jahren 1797–1800 nach Plänen von Vasilij Ivanovič Baženov (1737–1799). Die Bauarbeiten leitete der schon erwähnte Italiener Vincenzo Brenna (1745–1820), der Hofarchitekt Pavels I.

Das eher düstere und auf seine Art doch sehr ausdrucksstarke Gebäude wurde – nach Pavels Wunsch – in der mächtigen und etwas schwerfälligen Form einer schwer zugänglichen mittelalterlichen Burg errichtet, die an allen Seiten von Wasser umgeben ist; von der Mojka, der Fontanka und einem weiteren breiten Wassergraben oder Kanal, über die jeweils Zugbrücken führten.

Das Gebäude hat einen quadratischen Grundriß mit einem großen achteckigen Innenhof in der Mitte. Seine Fassaden sind sehr unterschiedlich angelegt: Die nördliche, zum Sommergarten und zur Mojka hin, trägt einen etwas schwerfälligen Aufbau über dem Hauptgesims, ist auf der ersten Etage mit Kolonnaden und unten mit einer breiten Paradetreppe versehen. Die gegenüberliegende südliche Seite, die Hauptfassade, ist noch düsterer gestaltet; sie ist direkt auf die Ahornallee [Klenovaja alleja] ausgerichtet, also dorthin, wo Pavel, nach Pariser Vorbild, den sogenannten Konnetabel-Platz hatte anlegen lassen. Im Mittelteil der Fassade befindet sich der Haupteingang ins Schloß; als massiver Portikus gestaltet, der mit Granit und Marmor belegt ist und von zwei Obelisken flankiert wird. Sein dreieckiges Giebelfeld schmückt eine Reliefkomposition des italienischen Bildhauers Pietro Staggi.

Gleichzeitig wurden daneben von Brenna eine Manege und Dienstgebäude errichtet, die ein großes Territorium um das Schloß herum einnehmen. Sie wurden allerdings in den 20er Jahren des 19. Jahrhunderts von Rossi noch einmal vollkommen umgestaltet.

Insgesamt fällt das Michaels-Schloß etwas aus der allgemeinen Stileinheit der zeitgenössischen klassizistischen Architektur Petersburgs heraus und verkörpert gleichsam die finstere und kurze Epoche Pavels I. in einem steinernen Antlitz.

Im Jahre 1800 wurde dann auf dem Konnetabel-Platz vor dem Schloß ein Reiterstandbild Petrs I. errichtet, das jedoch schon in den frühen 40er Jahren des 18. Jahrhunderts nach einem Entwurf von Carlo Bartolomeo Rastrelli (1675–1744), dem Vater des berühmten Architekten, entstanden war. Es steht auf einem hohen marmorverkleideten Sockel, der seinen majestätischen und monumentalen Charakter noch weiterhin steigert.

Im Jahre 1803, also zwei Jahre nach dem gewaltsamen Tode Pavels I. und also schon unter der Regierung seines Sohnes Aleksandr I., feierte Petersburg sein hundertjähriges Bestehen. Die junge Hauptstadt Rußlands präsentierte sich

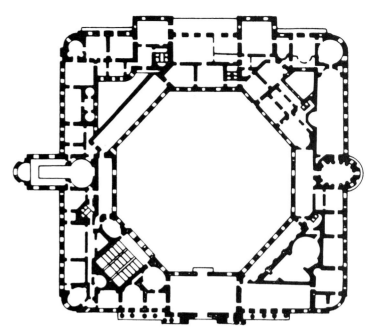

Grundriß des Michaels-Schlosses

den zahlreichen Gästen als eine Metropole mit zweihunderttausend Einwohnern (1750 waren es erst etwas mehr als 95.000 Einwohner gewesen), die mit ihren herrlichen Gebäuden stetige Begeisterung hervorrief. Poeten besangen sie, woraus wir hier nur einige Zeilen aus dem kleinen Gedicht »Der feierliche Tag des Zentenariums seit der Gründung der Stadt des heiligen Petrus im Mai, am 16. Tage, des Jahres 1803 [Toržestvennyj den' stoletija ot osnovanija grada svjatago Petra maija 16 dnja 1803 goda]«: des sonst wenig bekannten Dichters und Mystikers Semen Sergeevič Bobrov (1740–1810) zitieren wollen:

> »Königtümer wundern sich aufs beste,
> Wie gewaltig dieser Koloß war,
> Der in der Erdenwiege Feste
> Wuchs empor in hundert Jahr.«

Die klassizistische Architektur des 18. Jahrhunderts war bestrebt, den Bereich ihrer Bauaufgaben möglichst umfassend zu erweitern und daher den unterschiedlichen Projekten einen durchgängigen Stil zu verleihen. Diesem vereinheitlichenden Prinzip waren im ersten Drittel des 19. Jahrhunderts – also in der Periode des Empires – alle führenden Architekten verpflichtet und erreichten dabei eine erstaunliche Perfektion. Als verbindendes Ziel erkannten all diese Baumeister die ästhetische Einheit der architektonischen Stadtlandschaft, wobei diese beachtliche Entwicklung der städtebaulichen Prinzipien im 19. Jahrhundert zu höchster Blüte geführt wurde.

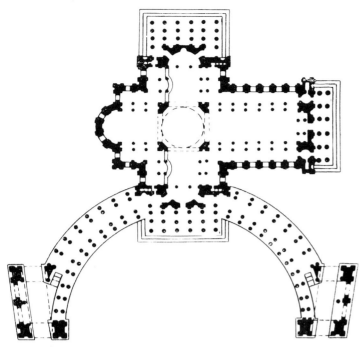

Grundriß des Kazaner Domes

Deshalb konnten zahlreiche Dichter und Schriftsteller, aber auch Historiker und Kunstwissenschaftler, die Petersburg gewürdigt haben, Puškins Worte wiederholen, die hier als Epigraph zu diesem Beitrag zitiert worden sind. Denn Puškin war es, der damit eine treffende Formulierung für die Petersburger Architektur am Ende des 18. und im ersten Drittel des 19. Jahrhunderts gefunden hat, um ihre majestätische Harmonie und ihre strenge Klarheit zu erfassen.

In den ersten Jahren des 19. Jahrhunderts werden in Petersburg die Grundsteine dreier herausragender Gebäude gelegt, die bis heute das Stadtbild entscheidend prägen. Die Urheber dieser Bauten sind Andrej Nikiforovič Voronichin (1759–1814), der Frankoschweizer Thomas de Thomon (1760–1813) und Andrejan Dmitrievič Zacharov (1761–1811), drei hochbedeutende Architekten, mit denen die Baukunst des Jahrhunderts beginnt.

Andrej Voronichin war ursprünglich Leibeigener des Grafen Aleksandr S. Stroganov, eines der bedeutendsten Vertreter der Aufklärung in Rußland, der seit 1801 Präsident der Akademie der Künste war. 1777 kam der Achtzehnjährige nach Moskau und wurde dort Schüler und Mitarbeiter Baženovs, eines der ersten maßgebenden russischen Klassizisten, nach dessen Entwürfen u. a. 1784–1786 in Moskau das Paškov-Haus (der heutige Altbau der Lenin-Bibliothek) sowie in Petersburg das bereits erwähnte Michaels-Schloß gebaut worden sind. Nach Petersburg gerufen, wurde Voronichin bald mit dem Sohn des Grafen

Stroganov auf eine Studien-Reise durch Rußland geschickt und anschließend – nach der Entlassung aus der Leibeigenschaft im Jahre 1786 – auf eine weitere nach Italien und Frankreich. Nach seiner Rückkehr arbeitete er in Stroganovs Auftrag und beteiligte sich 1799 an dem Wettbewerb für den Kazaner Dom. Außer ihm nahmen an dieser Ausschreibung eine Reihe berühmter Architekten der Zeit teil (unter anderem Charles Cameron, Thomas de Thomon sowie der Italiener Pietro Gonzago [oder: Gonzaga] (1751–1831), der seit 1791 in Rußland wirkte. Man entschied sich jedoch für das Projekt von Voronichin. Die Entscheidung fiel am 14. Dezember 1800, also nur einige Tage vor Beginn des neuen Jahrhunderts, und nach wenigen Monaten, nämlich am 20. August 1801, wurde für den Bau der Grundstein gelegt.

Voronichin war es gelungen, das große Gebäude nicht als Fremdkörper, sondern als Teilstück des gesamten städtebaulichen Ensembles erscheinen zu lassen; eine Lösung, die für ganz Rußland zum Vorbild werden sollte. Die von 1800 bis 1811 erbaute Kazaner Domkirche wurde damit zu einem organischen Teil des architektonischen Ensembles am mittleren Nevskij-Prospekt.

Dem Wunsch Kaiser Pavels I. entsprechend, sollte das Äußere des Domes dem Petersdom zu Rom ähneln und zugleich die Hauptkirche Petersburgs werden. Er ist der Ikone der Gottesmutter von Kazan' geweiht, die im Jahre 1579 in der von Ivan IV. eroberten Hauptstadt des Tatarenchanates von Kazan' gefunden und zuerst nach Moskau, 1721 aber von Petr I. in die neue Kapitale an der Neva gebracht wurde. Da der vor dieser Ikone erbetenen Fürsprache der Gottesmutter die Befreiung Moskaus von den Polen (1612) und die anschließende Einsetzung der Zarendynastie des Hauses

Domkirche der Ikone der Gottesmutter von Kazan'. Stich, um 1820

48

V   S. F. Ščedrin, Der Palast auf der Steinernen Insel und die von Booten getragene Brücke über die Große Nevka vom Stroganov-Uferkai gesehen, nach 1800. Kat.-Nr. 44

Grab des Fürsten von Smolensk, Michail I. Goleniščev-Kutuzov, im nördlichen Seitenschiff des Kazaner Domes

Romanov zugeschrieben (und alljährlich am 22. Oktober gefeiert) wurde, gilt die Kazaner Ikone sowie die auf ihr dargestellte Gottesmutter als besondere Schutzpatronin dieses Herrscherhauses.

Beim Bau des Kazaner Domes bestand für Voronichin eine besondere Schwierigkeit auch darin, daß der Altarbereich jeder Kirche nach alter orthodoxer Überlieferung nach Osten ausgerichtet sein muß und deshalb nur eine – die nördliche – Seitenfassade zum Nevskij-Prospekt gerichtet sein konnte. Voronichin, der die Besonderheit des Petersburger Stadtbildes sehr gut verstanden hatte, löste diese Aufgabe auf hervorragende Weise, indem er nicht nur einen geschlossenen, fast isolierten Komplex – wie bei dem römischen Vorbild – entwarf, sondern ihn mit den umliegenden

Gegebenheiten der Stadt verband. Zwar übernahm er vom Petersdom die Kolonnaden, tat dies aber doch unter Berücksichtigung der spezifischen Petersburger Bedingungen, indem er einerseits den Dom etwas von der durchgängigen Häuserreihe des Prospektes nach hinten absetzte, und andererseits die von der nördlichen Seitenfront des Domes ausgehenden Kolonnaden aus 96 Säulen so breit zog, daß sie einen kleinen Platz bilden, der mit dem Prospekt verschmilzt und ihn zugleich erweitert. Damit verlieh der Architekt der Seitenfassade die Wirkung einer Hauptfront. Die ebenfalls geplante analoge Kolonnade auf der südlichen Seite der Kirche wurde allerdings wegen des beginnenden Krieges mit Frankreich – und auch danach – nicht mehr ausgeführt.

Auf der westlichen Seite des Domes, also der eigentlichen Hauptfassade, legte der Architekt außerdem noch einen kleinen Platz an, den er mit einem bemerkenswerten gußeisernen Gitter umgrenzte; ein Meisterwerk der Petersburger Architektur und damit zugleich ein herausragendes Werk im Oeuvre Voronichins.

Der aus heimischem hellgelben Sandstein erbaute Kazaner Dom ist nicht sehr hoch: Seine mit Weißblech gedeckte silbern schimmernde Kuppel mißt 71,6 m (demgegenüber mißt der Glockenturm des Peter-und-Pauls-Domes 122,5 m und die Kuppel des Isaakios-Domes 101,5 m Höhe). Aber – wie von vielen immer wieder zurecht erwähnt – beeindruckt er durch seine ausgewogenen Proportionen und seine dadurch bedingte majestätische Erscheinung.

Die Kirche ist sehr reich mit Skulpturen ausgestattet, an deren Ausführung etliche bedeutende Bildhauer Rußlands Anteil hatten: Ivan Petrovič Martos (1754–1835), von dem auch das bekannte Denkmal für Minin und Požarskij auf dem Roten Platz in Moskau stammt; ferner Ivan Prokof'evič Prokof'ev (1758–1828), der 1801 die Skulpturen im Park von Peterhof geschaffen hat, schließlich Stepan Stepanovič Pimenov (1784–1833) und Vasilij Ivanovič Demut-Malinovskij (1779–1846), von deren Hand zahlreiche Gemeinschafts-Arbeiten zu patriotischen Themen stammen. Am Kazaner Dom zieren große Flachreliefs die Attika-Zonen und krönen jeweils den Portikus an den Seiten der Kolonnaden mit biblischen Themen, wie »Die eherne Schlange« oder »Moses schlägt Wasser aus dem Felsen«. Am nördlichen Eingang der Kirche stehen in Nischen die Bronzeskulpturen der heiligen Fürsten Aleksandr-von-der-Neva (des zweiten Stadtpatrons) und Vladimir des Apostelgleichen (des Erleuchters der Rus'), des Apostels Andreas des Erstberufenen (dem die Überlieferung die erste christliche Predigt auf dem Territorium des späteren Rußland zuschreibt) und des heiligen Johannes des Täufers.

Fast zehn Jahre dauerten die Bauarbeiten am Kazaner Dom. Seine Weihe und die feierliche Überführung der Iko-

ne der Gottesmutter, des größten Heiligtums der Stadt, fanden am 15. September 1811 statt. Mit dem bald darauf ausbrechenden Vaterländischen Krieg (1812) gegen das Frankreich Napoleons wurde der Dom zu einer Gedenkstätte für die Helden des russischen Volkes. Verschiedenste Trophäen – eroberte Fahnen, Standarten, Schlüssel eingenommener Städte und andere bedeutsame Objekte – wurden hier aufbewahrt. Im Jahre 1813 wurde dort auch der Feldmarschall Michail Ilarionovič Kutuzov (1745–1813) begraben, der die russischen Heere zum Sieg geführt und dafür den Titel eines »Fürsten von Smolensk« erhalten hatte. (Bis auf unsere Tage ist das Grab des großen Feldherrn unverändert erhalten geblieben; siehe Abbildung S. 50)

Auf dem nördlichen Domplatz zum Nevskij-Prospekt hin, wurden im Jahre 1837 die Denkmäler für Kutuzov und für Generalfeldmarschall Fürst (seit 1815) Michail Bogdanovič Barklaj de Tolli [Barclay de Tolly] (1761–1818), den anderen Heerführer des Vaterländischen Krieges, der einer in Mecklenburg und in Livland ansässigen, ehemals schottischen, Adelsfamilie entstammte. Beide Statuen sind Arbeiten des Bildhauers Boris Ivanovič Orlovskij [eigentlich: Smirnov] (1796–1837).

Lange Zeit vor Fertigstellung des Kazaner Domes entwarf Voronichin das Berginstitut (= Akademie für Bergbau), die älteste höhere Lehranstalt Rußlands, die dann 1806–1811 auf der Basileios-Insel am Ufer der Neva erbaut worden ist. Das im Grundriß recht kompliziert angelegte Gebäude ist in der Mitte seiner Fassade mit einem großzügigen, von zwölf Säulen getragenen dorischen Portikus und zwei flankierenden Skulpturengruppen geschmückt. Diese zeigen Themen aus der antiken Mythologie: »Den Raub der Proserpina« und den »Kampf des Herkules mit Antaios«. Sie wurden von einem Steinmetz, Samson Ksenofontovič Suchanov (1766–ca. 1840), nach Modellen von Pimenov und Demut-Malinovskij gefertigt. Insgesamt schließt das Bergbauinstitut mit seinem breiten Zugang zur Neva das Panorama der Uferbebauung ab. Es begrüßt jeden Besucher, der vom finnischen Meerbusen kommend, die Neva heraufährt.

Um die Wende zum 19. Jahrhundert wurde die Gestaltung des zentralen Stadtteils gegenüber dem Winterpalast zu einer vorrangigen Frage. Dieser Teil hat ja für das gesamte Stadtbild ganz besondere Bedeutung. Die Neva, die die Peter-und-Pauls-Festung mit dem sich über die ganze Stadt erhebenden Glockenturm des Domes umfließt, teilt sich hier in zwei Arme: Nach Norden fließt die sogenannte Kleine Neva ab, während die Große Neva, der andere Arm des Flusses, direkt zu dem Finnischen Meerbusen fließt. Dort, wo sie sich teilen, liegt die sogenannte »Pfeilspitze [Strel'ka]«, das äußerste Ende der Basileios-Insel, die hier in die Neva hineinragt, wo sie am breitesten ist.

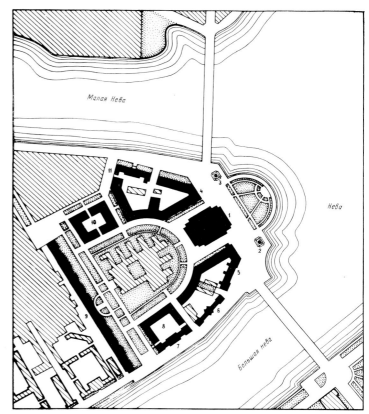

Plan der Spitze der Basileios-Insel

1. Börse
2–3. Rostra-Säulen
4. Nördliches »Packhaus«
5. Südliches »Packhaus«
6. Kunstkammer
7. Akademie der Wissenschaften
8. Museumsflügel der Akademie
9. Zwölf Kollegien
10. Neues Börse-Gasthaus
11. Zollstelle

Zu Beginn des 19. Jahrhunderts war die »Spitze« noch recht planlos bebaut. Schon in der Zeit Peters des Großen, kurz nach der Stadtgründung, gab es hier einen Hafen und die Börse, für die man aber erst in den 80er Jahren des Jahrhunderts ein eigenes Gebäude zu errichten begann. Der Aufbau verlief jedoch nicht sehr glücklich. Man stellte die Bauarbeiten schon bald wieder ein und allmählich verfiel das halbfertige Gebäude, was natürlich nicht gerade dem Bild eines hauptstädtischen Zentrums – gegenüber dem Kaiserlichen Palast – entsprach.

1801 wurde dann die Ausgestaltung der »Spitze« und der Bau der Börse dem schon erwähnten Schweizer Architekten

51

Thomas de Thomon übertragen, einem gebürtigen Berner, der gerade erst auf Einladung des Fürsten Golicyn aus Paris, wo er bislang gearbeitet hatte, nach Petersburg gekommen war. Ihn reizte die Aufgabe, einen großen Bau-Komplex im Zentrum der Stadt zu schaffen. Im Verlauf von vier Jahren arbeitete er verschiedene Varianten seiner Entwürfe aus, bis er schließlich eine befriedigende Lösung gefunden hatte. An ihrer Ausarbeitung war auch der russische Architekt Andrejan Zacharov beteiligt, von dem später noch zu handeln sein wird.

Der Plan von de Thomon wurde 1804 akzeptiert, und im Juni 1805 fand endlich die Grundsteinlegung für das Börsengebäude statt. Auf Vorschlag des Architekten wurde das Ufer auf mehr als einhundert Meter über dem Wasserspiegel der Neva aufgeschüttet und befestigt. Der Verlauf des Ufers wurde ausgeglichen und symmetrisch angelegt, so daß ein halbkreisförmiger Platz entstand. Genau in der Zentralachse der »Spitze« errichtete man nun nach dem Vorbild eines antiken Peripteros vor diesem Platz den Monumentalbau der Börse, der auf einem erhöhten Sockel steht und an allen Seiten von dorischen Säulen umstellt ist. Zu jedem Portikus führen breite Freitreppen.

Im Inneren des Gebäudes hat de Thomon für Handelsabschlüsse und öffentliche Geschäfte einen großen zentralen Saal mit mächtigem Gewölbe sowie einige weitere Räume für die Verwaltung untergebracht.

Der für den Spätklassizismus typische Skulpturenschmuck der Börse symbolisiert die Bedeutung dieses Handels-und Hafengebäudes: Auf der Attika der Hauptfassade zur Neva hin erscheint der antike Meeresgott Neptun, der in Begleitung zweier Flußgötter, der Neva und des Volchov, auf einem Wagen fährt. Auf der gegenüberliegenden Seite stehen die Verkörperungen der Seefahrt, Merkur und weitere allegorische Figuren.

Flankiert wird das Gebäude von zwei monumentalen dorischen Säulen von 32 m Höhe, die bei der Einfahrt in den Hafen als Leuchttürme dienten. Sie sind mit Schiffsschnäbeln (»rostra«) geschmückt, deren Silhouetten in den Himmel ragen. Zu Füßen der Säulen stehen auf hohem Sockel je zwei aus Stein gehauene Kolossalfiguren von 5 Metern Höhe; Personifikationen der Neva, des Volchov, der Volga und des Dnepr, gearbeitet von dem belgischen Bildhauer Joseph Camberlin [Kamberlen] (1766–1821), der 1805 nach Petersburg übergesiedelt war, und dem Franzosen J. Thibaud. Im Inneren dieser Säulen führt jeweils eine Wendeltreppe zur oberen Plattform empor, wo Dreifüße als Leuchter für das Signalfeuer aufgestellt sind.

Die majestätischen Granitmauern des halbkreisförmigen Platzes zur Neva hin und die Uferbefestigungen der Großen und Kleinen Neva mit ihren schönen Treppen zum Wasser wurden gleichzeitig mit dem Bau der Börse und der Errichtung der Rostra-Säulen angelegt. Alle Arbeiten wurden 1810 abgeschlossen, aber erst nach dem Vaterländischen Krieg, im Juli 1816, feierlich eröffnet.

Mit seiner klar gegliederten, ruhigen und in ihrer Einfachheit so ausdrucksvollen Gestalt bildet das Börsengebäude, zusammen mit den Rostra-Säulen, dem halbkreisförmigen Platz und den mächtigen Granit-Treppen ein ausgewogenes Architekturensemble, das sowohl von der Neva aus, wie vom Palastufer und auch von der Peter-und-Pauls-Festung als prägender Faktor der Innenstadt gut sichtbar ist.

Etwas später, in den Jahren 1826 bis 1832, wurden nach Plänen des Architekten Giovanni [Ivan Francevič] Lukini (1784–1858) noch zwei Speicherhallen, sogenannte »Packhäuser [pakkgauzy]« errichtet, die die Gestaltung des architektonischen Komplexes der »Spitze« vollendeten; insgesamt eines der besten Beispiele russischer klassizistischer Architektur vom Anfang des 19. Jahrhunderts und einer der schönsten Plätze der Stadt.

Dementsprechend würdigten schon die Zeitgenossen das neue Ensemble. So bemerkte der Schriftsteller und Verleger Pavel Petrovič Svin'in (1787–1839): »Die Börse in Bordeaux, die als die großartigste in Europa gilt, muß nun - was Schönheit und Originalität betrifft - hinter die neue Sankt-Petersburger Börse zurücktreten, die neben ihrer vorzüglichen Architektur noch ihre prachtvolle und vorteilhafte Lage aufzuweisen hat.« Gleich ihm äußerte sich im Jahre 1814 der Dichter Konstantin Nikolaevič Batjuškov (1787–1855): »Wie schön und majestätisch ist dieser Teil der Stadt! Dies ist wahrhaft ein Werk, das eines de Thomon würdig ist, jenes unermüdlichen Ausländers, der uns sein Talent gewidmet und soviel zur Verschönerung des nördlichen Palmyra beigetragen hat!«

Etwa gleichzeitig mit dem Bau der Börse begannen auch die Arbeiten am gegenüberliegenden Ufer der Großen Neva, wo sich in der Nachbarschaft des kaiserlichen Palastes das schon im Jahre 1704 begonnene alte - und rein funktionalistische - Gebäude der Admiralität und die Schiffswerft befanden. Mit dem Neubau der Admiralität, deren Architektur der des hauptstädtischen Zentrums entsprechen

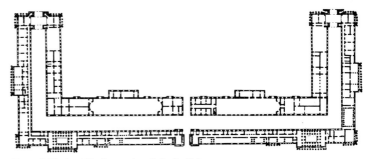

Grundriß des Neubaus der Admiralität

VI   B. Patersson, Das Michaels-Schloß vom Konnetabel-Platz aus gesehen, um 1801. Kat.-Nr. 123

VII   B. Patersson, Das Michaels-Schloß vom Uferkai der Fontanka aus gesehen, 1801. Kat.-Nr. 124

und Raum für das Admiralitätsamt [Admiraltejskij departement] und das Kriegsmarine-Ministerium bieten konnte, wurde der »Architekt der Haupt-Admiralitäten« Andrejan Zacharov beauftragt, der bereits durch Bauten in der Festung Kronštadt und in Petersburg selbst bekanntgeworden war. Das von ihm vorgelegte Projekt wurde im Mai 1806 von Kaiser Aleksandr I. akzeptiert, und kurz nach der Grundsteinlegung der Börse wurde auch mit dem Bau begonnen. Der Architekt veränderte das Äußere des Gebäudes von Grund auf, baute es weitgehend um und plante alle Innenräume neu. Nur der einem griechischen Pi (П) gleichende Grundriß, der schon unter Petr I. festgelegt worden war, blieb erhalten. Da es für Zacharov wichtig war, das Verwaltungsgebäude und die Werft miteinander zu verbinden, fand er dafür eine originelle Lösung: er setzte zwei П-förmige Gebäudeteile so nebeneinander, daß der eine an den Innenhof des anderen zu liegen kam; dabei trennte er sie zwar einerseits durch einen Kanal für den Schiffsverkehr, vereinte sie aber andererseits auf der Seite zur Neva hin wieder durch Zierpavillons mit Rundbögen.

Später, als die Werft an einen anderen Ort gebracht worden war, wurde der Kanal zugeschüttet. Alle ehemaligen Produktionsstätten im Inneren des schmucken und würdigen Baublocks, der zum Winterpalast, zum Schloß- und zum Senatsplatz hin gelegen ist, wurden nun den staatlichen Einrichtungen übergeben, die das Marinewesen verwalteten.

Der Baubetrieb ging hier übrigens ungewöhnlich langsam voran. Denn schon im Jahre 1806, als zunächst nur der östliche Teil zum Winterpalast hin hochgezogen worden war, bestand Aleksandr I. auf einer Veränderung des Gebäudes. Es sollte von der Neva weiter abgesetzt werden, da es ihm sonst – nach den Worten des Kaisers – »die Sicht aus seinen eigenen Räumen auf den Galeerenhafen und die Mündung der Neva verstellt«. Zacharov arbeitete seine Pläne entsprechend um und verkürzte diesen Teil des Gebäudes; was dann in der Folgezeit, nach Verlegung der Werft, die Möglichkeit brachte, unten an der Neva einen der schönsten Abschnitte der Uferbefestigung anzulegen.

Nach dem unerwarteten Tod Zacharovs im Jahre 1811 wurden die Bauarbeiten zwar weiterhin nach seinen Plänen, aber nun von seinen Schülern und Gehilfen fortgesetzt; von Dmitrij Michajlovič Kalašnikov (1780–ca. 1845), Ivan Grigor'evič Gomzin (1784–1831) und anderen. 1823 wurden sie abgeschlossen.

Noch heute nimmt die Admiralität, im Geist der besten klassizistischen Traditionen geschaffen, einen würdigen Platz in einem der schönsten Bereiche des Stadtzentrums ein. Die nicht sehr hohen, aber langgezogenen drei Etagen umfassenden Fassaden (die Hauptfassade 415 m, die seitlichen je 172 m) erscheinen weder unbelebt noch einförmig.

Zacharov hat diese Gefahr meisterlich vermieden, und zwar durch eine klare Gliederung und zugleich durch einen komplexen Rhythmus in der Abfolge der verschiedenen Bauelemente, des mehrfach verwendeten Säulenportikus und der von Fenstern aufgelockerten Wandflächen. In der Mitte der Hauptfassade blieb der alte Turm zwar im Prinzip erhalten (der schon in den 30er Jahren des 18. Jahrhunderts von dem russischen Architekten Ivan Kuz'mič Korobov [1700–1747] erbaut worden war), wurde aber weitgehend umgebaut. Auf diese Weise entstand ein leicht gestufter Turm mit einer 72 m hohen vergoldeten Spitze, die mit der entsprechenden Turmspitze des Peter-und-Pauls-Domes in der Festung des gegenüberliegenden Ufers korrespondiert. Diese neue »Nadel der Admiralität [Admiraltejskaja igla]« wurde zusammen mit einem goldenen Schiffchen zum Symbol der Stadt, sowie zum Symbol des russischen Ruhmes auf den Meeren und zugleich zum Zeichen für die Funktion der Metropole, die Puškin im »Ehernen Reiter« Petr I. in den Mund gelegt hat:

Stolz dachte er:
»Von hier aus drohen wir dem Schweden.
Hier werde eine Stadt am Meer,
Zu Schutz und Trutz vor Feind und Fehden.
Hier hatte die Natur im Sinn
Ein Fenster nach Europa hin,
Ich brech' es in des Reiches Feste;
Froh werden alle Flaggen wehn
Auf diesen Fluten, nie gesehn,
Uns bringend fremdländische Gäste.«

Je ein symmetrisch angeordneter dorischer Portikus gliedert zu beiden Seiten des Turmes die langgestreckten Fassaden; ein Element, das mit veränderter Säulenzahl auch an den Seitenfassaden und an den Pavillons hin wieder auftaucht.

Der Skulpturenschmuck des Gebäudes ist außergewöhnlich reich und bildet, zusammen mit der Architektur, jene Synthese, die für den späten Klassizismus typisch ist. Das anspruchsvolle ikonographische Programm steht unter einem einzigen Thema: die Verherrlichung Rußlands als Seemacht. Dabei ist der Turm besonders üppig mit Bildwerken ausgestattet. In seinem ersten Geschoß über dem Eingangsbogen ist ein 22 m großes Relief mit der allegorischen Szene der Flottengründung in Rußland angebracht; gearbeitet von dem Bildhauer Ivan Ivanovič Terebenev (1780–1815). Es zeigt den antiken Meeresgott Neptun, der Petr I. seinen Dreizack als Zeichen der Herrschaft über die Meere übergibt, umgeben von Tritonen und Nymphen. Über der Attika im zweiten Turmgeschoß, das von ionischen Säulen gesäumt wird, hat der Architekt Statuen aufge-

stellt, die die vier Elemente, die vier Jahreszeiten und die vier Windrichtungen symbolisieren. Ebenso sitzen hier Achilles, Ajax, Pyrrhus und Alexander der Große; sämtlich Arbeiten von Feodosij Fedorovič Ščedrin (1751–1825), dem Mitglied einer bekannten Petersburger Künstlerfamilie (sein Bruder Semen war Maler, sein Sohn Apollon Architekt). Von seiner Hand stammen auch die beiden monumentalen Gruppen von jeweils drei Meeresnymphen, die zu beiden Seiten des Eingangsbogens auf hohen Sockeln stehen und die Himmels- sowie die Erdensphäre tragen.

Schon zur Zeit Petrs I. war die Admiralität das Zentrum der Stadt, auf das schon damals, als drei Radialachsen, die drei Haupt-Prospekte, ausgerichtet waren: der Nevskij- (eigentlich: Neva-)Prospekt, der (nach der entsprechenden Domkirche benannte) Himmelfahrts- [Voznesenskij-] Prospekt (heute: Majorov-Prospekt) und die Erbsen-Straße [Gorochovaja ulica], die heutige Dzeržinskij-Straße.

Die imposante Neugestaltung des strengen Gebäudes zog nun aber auch die Umgestaltung der drei Plätze nach sich, die sich bis zu ihm erstreckten, also des Palast-, des Admiralitäts- und des Senatsplatzes. Hier sei bereits im Voraus erwähnt, daß an der Stelle des alten Admiralitätsplatzes in den Jahren nach 1870 ein ausgedehnter Boulevard gebaut wurde, der in unseren Tagen schließlich in einen großen Garten umgewandelt wurde.

Sonst ist die Umgestaltung der genannten Plätze schon mit der nächsten Etappe der Petersburger Baugeschichte – nach dem Vaterländischen Krieg von 1812 – und mit dem Namen eines anderen bedeutenden Architekten der ersten Hälfte des 19. Jahrhunderts verbunden: mit Karl Ivanovič [Carlo] Rossi (1777–1849).

Als Sohn von Gertrude Rossi, einer in ganz Europa berühmten Tänzerin, die zusammen mit ihrem zweiten Mann, dem Ballettmeister Le-Picque, 1787 einem Ruf nach St.-Petersburg gefolgt war, kam er nach Rußland und blieb hier über 60 Jahre bis zu seinem Tode. Aufgewachsen im Hause des italienischen Architekten Vincenzo Brenna, dessen Schüler und Gehilfe er war, arbeitete er zunächst bei der Neugestaltung und beim Umbau der vor der Stadt gelegenen Paläste von Pavlovsk und Gatčina mit ihm zusammen; danach auch noch bei der Errichtung des Michaels-Schlosses. Auf Befehl Aleksandrs I. wurde er 1801 zum Architekturassistenten im Kabinett Seiner Majestät ernannt und bereiste bald darauf Europa, um seine Ausbildung zu vervollständigen. Nach seiner Rückkehr arbeitete er zunächst noch einige Jahre in Moskau und Tver' (dem heutigen Kalinin) und begann schließlich ab 1814 den glänzendsten Abschnitt seines Lebens, der so eng mit Petersburg verbunden ist. Im Jahre 1816 avancierte er zum leitenden Architekten des neuen »Komitees für das Bauwesen und für hydraulische Arbeiten«, das für alle Neubauten und die Pfle-

ge der bereits vorhandenen Gebäude in der Hauptstadt zuständig war. Rossis schöpferischer Weg war eine Weiterentwicklung der architektonischen und städtebaulichen Prinzipien Voronichins und Zacharovs. Aus der Fülle der Arbeiten des Baumeisters (dem Umbau des Aničkov-Palastes am Nevskij-Prospekt und der Fontanka; der Gestaltung neuer Interieurs im Taurischen Palast und im Winterpalast; dem Bau des Großen Palastes auf der Elagin-Insel) ragen jene monumentalen Ensembles heraus, die Petersburg so entscheidend prägten und verwandelten.

Zuerst soll hier auf den Komplex des Michails-Palastes [Michajlovskij dvorec] eingegangen werden, den Rossi, nahe beim Kazaner Dome, vom Nevskij-Prospekt etwas abgesetzt, für den jüngeren Bruder des Zaren, den Großfürsten Michail (1798–1848) – den vierten Sohn Kaiser Pavels I. – errichtet hat (das also nicht mit dem Michaels-Schloß [Michajlovskij zamok] Pavels verwechselt werden darf!). Rossi gab sich hier nicht allein mit dem Bau des Palastes zufrieden, sondern veränderte, vom Nevskij-Prospekt bis hin zur Neva und vom Ekaterinen-Kanal bis zur Fontanka, einen ganzen Bezirk und formte ihn dabei zu einem großen einheitlichen Ensemble. Zu ihm gehören auch eine Reihe von ihm neu geschaffener Straßen und der große Platz vor dem Palast (dem heutigen Platz der Künste [ploščad' Iskusstv]). Ihn verband er durch die speziell zu diesem Zweck entworfene Michails-Straße (die heutige Brodskij-Straße) mit dem Nevskij-Prospekt; und damit den gesamten Komplex mit der Hauptstraße der Stadt. Hinter dem Palast schuf er später noch einen Garten, führte die Gartenstraße weiter, die nun, am Michaels-Schloß vorbei, bis zum Marsfeld reichte; und dieses verband er wiederum mit der Neva, indem er einen weiteren kleinen Platz zwischen beiden schuf; nämlich jenen, auf dem das schon erwähnte Denkmal für den großen Feldherrn Suvorov (1729/30–1800) steht; ein Werk von Michail Ivanovič Kozlovskij (1753–1802).

In diesem Komplex dominiert ganz ausgesprochen der Michails-Palast, dessen Bau im Jahre 1819 begonnen und bereits 1823 abgeschlossen wurde, während sich die Vollendung des gesamten Ensembles etwa über zwanzig Jahre hinzog. Der Grundriß des Palastes erinnert an das traditionelle Schema von Gartenhäusern, das schon von Ivan Starov dem Taurischen Palast zugrundegelegt worden war. Vor die festliche Hauptfassade wurde im Obergeschoß eine prachtvolle korinthische Säulenreihe geblendet. Die Mitte des Gebäudes markiert ein Portikus, wiederum von acht Säulen getragen, die man schon vom Nevskij-Prospekt aus erkennen kann. Den mittleren Gebäudeteil flankieren zwei ursprünglich einstöckige Dienstbotenflügel, die mit einem hohen durchbrochenen gußeisernen Gitter zu einem Paradehof verbunden werden. (Später wurden diese Flügel aufgestockt.)

Die Gartenfront ist lyrischer gestaltet. Hinter ihrer Säu-

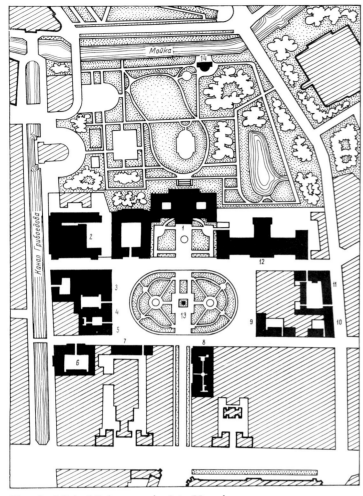

Plan des Michail-Palastes und seiner Umgebung

1. Michail-Palast
2. Russisches Museum (Nebenbau)
3. Michail-Theater
4. Haus Goleniščev-Kutuzov
5. Haus Jackot
6. Haus des Jesuitenordens
7. Haus der römisch-katholischen St. Katharinen-Kirche
8. Haus der Adelsversammlung
9. Haus der Fürsten Vielgorskij
10. Haus Jakovlev
11. Kommandantur
12. Ethnographisches Museum
13. Denkmal für A. S. Puškin
14. Pavillon im Garten des Michail-Palastes

lenreihe öffnet sie sich im Obergeschoß zur Loggia. Die Mitte wird von einer Figurengruppe über der zentralen Attika betont. Die Seiten markiert je ein Portikus.

Wie schon seine Vorgänger Voronichin, Zacharov und de Thomon es taten, zog auch Rossi die besten Bildhauer zur

Ausschmückung seiner Gebäude heran; darunter vor allem wieder Demut-Malinovskij und Pimenov. Mag das Gebäude auch, vom Blickpunkt des Hochklassizismus aus gesehen, ein wenig mit Details überladen erscheinen, so kennzeichnet gerade aber dieser Überfluß an gliedernden Elementen, Skulpturen und anderen plastischen Verzierungen das Schaffen Rossis und verleiht seinen Bauten ihre spezifische Pracht und damit ihre besondere Attraktivität. Hier erstreckt sich ein wunderbarer Skulpturenfries aus 44 Flachreliefs über den Fenstern der zweiten Etage fast über die ganze Breite der Hauptfassade. Das Giebelfeld der Hauptfassade wird ebenfalls durch eine Figurengruppe gefüllt.

Später ging das Gebäude in den Besitz der Großfürstin Ekaterina Michajlovna über, wurde danach von Kaiser Aleksandr III. angekauft und 1888 als Nationalmuseum zur Verfügung gestellt. Noch heute befindet sich unter dem Namen »Staatliches Russisches Museum« eine der bedeutendsten Sammlungen der Sowjetunion in diesem Haus.

Gleichzeitig mit dem Bau des Michails-Palastes wurde Rossi auch die Gestaltung des zentralen Schloßplatzes übertragen, auf dessen einer Seite die prächtigen Barockgebäude des Winterpalastes und die noblen Bauten der Admiralität; auf dessen anderer Seite aber nur gewöhnliche Wohnhäuser standen. (Darunter auch drei Häuser von Höflingen Ekaterinas II., die Jurij Fel'ten in den 70er Jahren des nun zu Ende gegangenen Jahrhunderts gebaut hatte.) Diese architektonisch kaum bemerkenswerten Bauten waren gerade keine Zierde des Platzes. Deshalb beschloß man, sie vollständig umzugestalten und damit den Platz zu einem Zentrum der Stadt zu formen, in dem dann zugleich administrative Regierungseinrichtungen, wie der Generalstab und Ministerien, untergebracht werden konnten.

Der Schloßplatz mit der Aleksandr-Säule. Stahlstich mit Radierung von Sagert, um 1835

Rossi änderte die Fassaden der Fel'tenschen Gebäude zwar nur geringfügig, trug aber alle übrigen vollkommen ab und errichtete stattdessen zwei schon in ihren Ausmaßen grandiose Bauten, die sich in einem weiten Bogen bis zum Winterpalast erstrecken und durch zwei große, hintereinandergesetzte Triumphbögen verbunden sind. Der Bogen zur Platzseite hin ist mit seiner Scheitelhöhe von 17 m der wichtigste Akzent der gesamten Anlage. Dem russischen Sieg im Vaterländischen Krieg von 1812 gewidmet, krönt ihn die Figur des Ruhmes auf einem von sechs Pferden gezogenen Triumphwagen, von zwei Kriegern begleitet. Die Höhe dieser Figurenkomposition beträgt 8 m. Die Fassade des Bogens ist mit geflügelten Genien des Ruhmes, mit Kriegern und Kriegsgerät geschmückt; auch hier arbeitete Rossi wieder mit den Bildhauern Pimenov und Demut-Malinovskij zusammen. Die beiden Obergeschosse der rechts und links anschließenden Gebäude werden durch monumentale Kolonnaden zusammengefaßt.

Dem Prinzip eines einheitlichen Stadtbildes verpflichtet, gestaltete Rossi auch die anschließenden Gebäudeteile entsprechend großzügig. Geschickt leitete er die Kleine Millionen-Straße [Malaja Millionnaja ul., die heutige Gercen-Straße] durch den Bogen, indem er ihre Richtung bei der Einmündung in den Platz änderte, damit sie direkt auf den zentralen Bau des Winterpalastes zuführt. Auf diese Weise verband er auch diesen Platz mit dem Nevskij-Prospekt.

Der Bau des Generalstabes und der zu ihm gehörenden Ministeriums-Gebäude zog sich mehr als zehn Jahre hin und wurde erst gegen 1829 vollendet. Aber mit ihrer Errichtung vervollständigte er die gesamte Komposition des Platzes zu einem zusammenklingenden Akkord, innerhalb dessen sowohl die festliche Monumentalität des Winterpalastes als auch die regelrecht rhythmisierten Fassaden der Admiralität ganz neue Wirkung verliehen bekommen. Das dabei vom Architekten zugrunde gelegte Prinzip überrascht – bei Rationalität und Einfachheit der Lösung – durch außergewöhnliche Ausdruckskraft und durch großzügigen Schwung.

Heute sind fast alle Gebäude des Generalstabes der Staatlichen Eremitage übergeben worden. In ihnen ist eine Zweigstelle des Museums für dekorative und angewandte Kunst untergebracht.

Als Rossi noch mit dem Bau des Generalstabs beschäftigt war, nahm er aber außerdem am Wettbewerb für die Gestaltung des von Westen zur Admiralität führenden Senatsplatzes teil. (Wegen des dort befindlichen Denkmals wurde er zunächst Petr-Platz [Petrovskaja ploščad'] genannt, heißt heute aber, nach dem dort stattgefundenen Aufstand vom 14. Dezember 1825, Platz der Dekabristen.) Überdies fand gleichzeitig die Ausschreibung für die Gebäude des Senats

und des Synods statt, also für die beiden höchsten Regierungsorgane des Kaiserlichen Rußlands, von denen der erste für Zivil- und Kriminalverfahren, für Dienstvergehen usw., der zweite für alle Angelegenheiten der Orthodoxen Kirche zuständig war. Im Zentrum des Platzes erhob sich das bekannte, von der Neva aus besonders gut sichtbare Denkmal für Petr I., der sogenannte »Eherne Reiter«, den Puškin in seinem hier schon mehrfach zitierten Epos besungen hat. Die Skulptur von Falconet entstand auf Anordnung Ekaterinas II. und wurde im Jahre 1782 eingeweiht.

Die alte Isaakios-Kirche bei der Rückkehr des Petersburger Landsturms am 12. Juni 1814. Kolorierter Stich von I. A. Ivanov, 1816

Auf der südlichen Seite des Platzes stand der alte Bau der Domkirche des heiligen Isaakios, der nach einem Projekt von Rinaldi 1768 begonnen und von V. Brenna 1802 beendet worden war. Der klotzige und disharmonische Kirchenbau mit seinem unvollendeten Glockenturm entsprach allerdings in keiner Weise den zeitgenössischen Vorstellungen von einem Hauptplatz der Stadt. Deshalb begann man schon 1818, unmittelbar nach der Ausschreibung des Wettbewerbes, mit dem über 30 Jahre dauernden Umbau nach Plänen des französischen Architekten Auguste Ricard de Montferrand [Avgust Avgustovič Monferran] (1786–1858), der seit 1816 in Rußland arbeitete und den Übergang vom späten Empire zum Eklektizismus einleitete. (Von Montferrand stammt auch die später aus rotem finnischen Granit 1830–1834 gefertigte Aleksandr-Säule auf dem Schloßplatz.)

Am Anfang des 19. Jahrhunderts befand sich gegenüber der Admiralität noch das frühere Palais eines Würdenträgers und Staatsmannes aus der Zeit der Kaiserin Elizaveta Petrovna, nämlich des Generalfeldmarschalls und langjährigen (1744–1758) Kanzlers Grafen Aleksej Petrovič Bestužev-Rjumin (1693–1766). In diesem Haus war seit 1763 auch der

Senat untergebracht, dessen Vorsitz Bestužev-Rjumin inne-hatte. Als der Plan Rossis für eine vollständige Umgestaltung dieses Palais und der benachbarten Gebäude akzeptiert worden war, begannen im August 1829 auch hier die Bauarbeiten.

Rossis Projekt erinnert mit seiner Grundkonzeption an den Generalstab. Er vereint den Senat und den Synod als zwei symmetrisch angelegte Gebäude durch einen mächtigen Torbogen, durch den die Galeeren-Straße (heute: Rote Straße) führt. Die Ecke des Senatsgebäudes zur Neva hin, die vom Winterpalast aus gut zu sehen ist, wird besonders betont, nämlich abgerundet und auf der Höhe der oberen Etagen mit Säulen geschmückt. Mit Skulpturen und modellierten Ornamenten belebte Rossi wiederum seine Fassaden, so daß die in ihrem Außenbau 1834 vollendeten Gebäude das Bild des Senatsplatzes ganz erheblich bereichern.

Es ist unmöglich, in einem so kurzen Abriß alle Arbeiten Rossis in Petersburg auch nur zu nennen. Erinnert werden soll aber noch an den Bau des Aleksandra-Theaters [Aleksandrinskij teatr], das nach der Gemahlin Kaiser Nikolaj I., der Kaiserin Aleksandra Fedorovna (1798–1860; der vormaligen Prinzessin Friederike-Louise von Preußen und Tochter König Friedrich-Wilhelms III.) benannt worden ist. Durch diesen Bau, dessen Gestaltung wiederum seine Umgebung miteinbezog, wurde der Nevskij-Prospekt noch weiterhin verschönert. Im August 1832 eröffnet, wurde es bald eines der führenden Theater der Stadt (heute trägt es den Namen A. S. Puškins). Seine Hauptfassade, die auf einen kleinen Platz zum Prospekt ausgerichtet ist, ist mit einer Loggia geschmückt. Die Attika krönt die Quadriga Apolls und weiter unten stehen in Nischen Terpsichore und Melpomene, die Musen der chorischen Lyrik und der Tragödie, von Pimenov und Demut-Malinovskij sowie von dem Italiener Paolo Triscorni (gest. 1832) gearbeitet.

Gegenüber dem Theater beginnt eine kleine, ebenfalls von Rossi geplante Straße: die Theaterstraße [Teatral'naja], die heute den Namen ihres Schöpfers trägt: Baumeister-Rossi-Straße [ul. Zodčego Rossi]. Hier stehen Rossis Bauten, in denen zu Anfang des 19. Jahrhunderts die Direktion der Kaiserlichen Theater und das Ministerium für Volksbildung untergebracht waren. Zu ihr gehört ebenfalls der von Rossi geschaffene halbkreisförmige Platz an der Fontanka, der spätere Černyšev-Platz.

Mit Recht werden die Arbeiten dieses Architekten als Krönung der russischen Baukunst im ersten Drittel des 19. Jahrhunderts und zugleich als Vollendung des russischen Klassizismus innerhalb der Baugeschichte Petersburgs angesehen.

Man sollte darüber jedoch nicht die anderen Baumeister der Zeit vergessen, die damals ebenfalls ihren spezifischen Beitrag zur Stadtentwicklung geleistet haben. Unter ihnen ist etwa Vasilij Petrovič Stasov (1769–1848), ein talentierter Ingenieur, Erfinder und Baufachmann zu nennen, der neben Rossi zu den führenden Architekten der Stadt zählte und ebenfalls zum »Komitee für das Bauwesen und die hydraulischen Arbeiten« gehörte. Nach seinen Plänen entstanden zahlreiche klassizistische Gebäude in der Stadt und in ihrer Umgebung. Außerdem wirkte er in vielen Gutachter-Kommissionen für unterschiedlichste Projekte mit; so beispielsweise bei der Neuplanung des Isaakios-Domes durch den Architekten de Montferrand, oder bei der innenarchitektonischen Umgestaltung verschiedener Paläste.

Stasovs bedeutendstes Werk sind die ab 1818 erbauten Kasernen des Leib-Garde-Regiments Kaiser Pavel I. [Pavlovskij Lejb-gvardejskij polk]. Deren breite Hauptfront ist auf das Marsfeld hin, den größten Platz Petersburgs, ausgerichtet, auf dem Militärparaden stattfanden. Die Anlage der Kasernen wurde ganz deutlich von Stasovs Plänen für die Admiralität beeinflußt. Auch ihre besonders langgestreckten Fassaden werden durch strenge Portikus-Formen mit Giebeln des Attika-Abschlusses in der Mitte akzentuiert.

Die Verse Puškins aus dem »Evgenij Onegin«

> »Ich liebe kriegerische Regung,
> des Marsfeld lust'ge Melodie,
> der Reiter und der Infantrie
> gleichmäßig reizvolle Bewegung . . .«

entsprechen auch der Stasovschen Architektur, die mit ihrem regelmäßigen Rhythmus der Säulenstellung und der fließenden Wände festlich und streng zugleich wirken. Allein durch die Tatsache, daß eben dieses Garderegiment zu jenen gehörte, die sich im Vaterländischen Krieg besonders ausgezeichnet hatten, läßt sich diese besondere Ausstattung eines Kasernengebäudes erklären.

Durch ebensolche Schlichtheit, Erhabenheit und Monumentalität zeichnet sich auch Stasovs Moskauscher Triumphbogen aus, der zum Andenken an den Sieg im russisch-türkischen und persischen Krieg von 1828–1831 erbaut worden ist und dessen Einweihung 1838 stattfand. Mächtige kannelierte dorische Säulen tragen seine Attika, die mit Kriegstrophäen und Genien reich verziert ist. Noch ein weiterer Triumphbogen wurde nach Stasovs Entwürfen in Petersburg errichtet: der Narvasche Bogen, am Weg nach Peterhof gelegen, der am 18. August 1834 vollendet worden ist. Er wurde auf Anordnung Kaiser Aleksandrs I. zum Andenken an seine siegreiche Garde gebaut und erinnert zugleich an die Einnahme dieser estnischen Stadt durch die russischen Armeen im Nordischen Krieg 1704. Auch hier bediente sich der Baumeister wieder des dorischen Stils, den er wegen seiner »mannhaften Erhabenheit« besonders liebte. Den aus Granit erbauten Bogen, der mit

Bronze verkleidet ist und von zwanzig Säulen getragen wird, krönt die Statue der geflügelten und mit Lorbeer bekränzten Siegesgöttin. Sie steht auf einem Wagen, der von sechs kraftvollen gezäumten Rossen gezogen wird; Bildhauerarbeiten von Pimenov und Baron Petr Karlovič Klodt (1805–1867), einem der herausragendsten Vertreter spätklassizistischer Skulptur in Rußland. Von ihm stammen auch die vier Pferdegruppen an der Aničkov-Brücke.

Ein Bericht über die Architektur Petersburgs im ersten Drittel des 19. Jahrhunderts wäre jedoch nicht vollständig, wenn man die großen Bauten der Schlösser und Paläste in der Umgebung der Stadt unerwähnt lassen wollte. Zu dieser Umgebung gehörten Anfang des 19. Jahrhunderts auch die sogenannten »Inseln«, die heute schon lange einen geschlossenen Stadtbezirk bilden, aber immer noch »Inseln« genannt werden. Der russische Dichter Dmitrij Ivanovič Chvostov (1757–1835), der unter Pavel I. 1799–1802 Ober-Prokuror des Synods war, schrieb 1824: »Die Anmut der Inseln hat Petropolis verschönt!«

Wie man weiß, teilt sich die Neva im Zentrum der Stadt in mehrere Arme. Es entstehen die Kleine und die Große Neva, die dann ihrerseits in die Mittlere und die Kleine Nevka fließen. Außerdem gibt es zahlreiche weitere Flüßchen (wie beispielsweise die Mojka, die Fontanka und andere) und auch Kanäle, die jene Vielzahl von Inseln bilden, auf denen Petersburg liegt. Einige dieser Inseln befinden sich im nordwestlichen Bezirk der Stadt, vor allem die Steinerne [Kamennyj], die Kreuzes- [Krestovskij], die Elagin- und die Apotheker- [Aptekarskij] Insel, die am Anfang des 19. Jahrhunderts zu den malerischsten begrünten Plätzen in der näheren Umgebung der Hauptstadt gehörten. »Die Inseln stellen eine der Schönheiten von Petersburg dar«, schrieb ein Zeitgenosse, der französische Gesandte de Barant. »Stellen Sie sich auf jener Seite des Flusses hinter der Brücke ein ganzes Labyrinth vor, das aus ungefähr zwei Quadratverst [= 1,13802 km²] Park, Wäldern und Gärten besteht, die von tausenden Wasserläufen durchzogen sind, von kleinen Bächlein, von Flüßchen und Seen.«

Eine der Inseln, nämlich die sogenannte »Steinerne«, wurde von Ekaterina II. ihrem Sohn, dem Großfürsten Pavel Petrovič (dem späteren Kaiser Pavel I.) geschenkt. Für ihn wurde hier in den Jahren 1776–1781 ein prunkvoller Palast errichtet, der »Steininselpalast [Kamennoostrovskij dvorec]« genannt wurde. Der Name seines Architekten ist uns leider bis heute nicht bekannt. Die Bauleitung hatte aber Baumeister Fel'ten.

Später, im 19. Jahrhundert, wurde der Palast mehrfach umgestaltet. Er vertritt den Typ eines ländlichen Herrenhauses inmitten eines malerischen Parks. Seine Fassaden sind wiederum mit Portikus-Bauten gegliedert. Der Gesamtbau ist einfach und klar komponiert. Die Innenausstattung

entfaltet – bei aller stilistischen Strenge – besonderen Reichtum.

Nach Pavels Tode machte dann Kaiser Aleksandr I. die Steinerne Insel und den Palast zu seiner Sommerresidenz. Seinem Vorbild folgend, begann daraufhin die Petersburger Oberschicht, sich hier ebenfalls ihre kleinen, von Gärten umgebenen vorstädtischen Gutshöfe oder Landhäuser zu bauen. Deren Pavillons und Säulenhallen heben sich mit bezaubernder Leichtigkeit vom Hintergrund der dunkelgrünen Parkanlagen ab, die A. S. Puškin besungen hat.

1792, also noch zu Lebzeiten der Kaiserin Ekaterina II., hat Graf Aleksandr Stroganov, der damalige Präsident der Kunstakademie und einer der reichsten Männer seiner Zeit, gegenüber der Steinernen Insel auf dem anderen Ufer der Großen Nevka, bei den sogenannten Neuen und Alten Dörfern, ein prächtiges Landhaus erbaut; in Form eines Pavillons mit flacher Kuppel und einer schönen steinernen Treppe zur Anlegestelle an der Nevka hinunter. Entworfen wurde das Projekt von dem Architekten A. Voronichin, einem damals noch jungen Anfänger, der aber – wie schon erwähnt – bald durch den Bau des Kazaner Domes berühmt werden sollte. Auch die Landhäuser des Ober-Jägermeisters Naryškin, der Fürsten Belosel'skij und anderer Vertreter der vornehmen aristokratischen Familien Petersburgs befanden sich im Inselgebiet. Und auch mancher Künstler leistete sich hier ein Haus, wie etwa der klassizistische Maler, Graphiker und Bildhauer Graf Fedor Petrovič Tolstoj (1783–1873) oder Aleksandr Puškin, der hier mit seiner Familie einige Sommermonate verbrachte.

Ein Teil der Inseln und des zu ihnen gehörenden Gebietes des Neuen und des Alten Dorfes diente in der ersten Hälfte des 19. Jahrhunderts auch als Erholungsgebiet für die Stadtbewohner, und zwar sowohl für die »jeunesse dorée« wie auch für kleinere Beamte, Kaufleute und Handwerker. Hier wurden alljährlich hölzerne Rutschbahnen, Schaukeln und Karussells aufgestellt, hier gab es eine Vielzahl von Buden und Lädchen, mit Speisen und volkstümlichen Waren gefüllt.

Die auch heute so berühmten Paläste und Parkanlagen in der Umgebung Petersburgs darf man wohl zu Recht als kostbares Geschmeide der Stadt bezeichnen. Die meisten liegen auf ihrer südlichen Seite, etwa 24 bis 45 Kilometer entfernt: Peterhof, das »Zarendorf [Carskoe selo]« (heute Puškin genannt), Pavlovsk, Gatčina, Oranienbaum (heute nach dem russischen Universalgelehrten Michail Vasil'evič Lomonosov, 1711–1765, umbenannt). Schon im 18. Jahrhundert war ein Großteil dieser vorstädtischen Zarenresidenzen unter Kaiser Petr I. und seinen Nachfolgern errichtet worden, wurde aber dann zu Beginn des 19. Jahrhunderts durch Anbauten erweitert oder umgestaltet. Die Peterhofer Anlagen mit ihren bemerkenswerten Springbrunnen,

X   Lory, Ansicht des großen Theaters in Petersburg, nach 1800. Kat.-Nr. 205

XI   M. G. II. Lory, Blick auf den Schloßplatz und den Winterpalast vom Nevskij-Prospekt aus, 1804. Kat.-Nr. 208

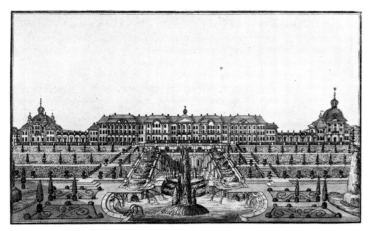

Palast von Peterhof. Kolorierter Stich von Richter, Leipzig, 1804

Fontänen und Parks am Ufer des Finnischen Meerbusens wurden schon gegen Mitte des 18. Jahrhunderts grundsätzlich festgelegt. Damals wurde auch Carskoe Selo, die ehemalige Lieblingsresidenz Ekaterinas II., als Ensemble entworfen. An der endgültigen Gestaltung dieser Schlösser hatte Rastrelli entscheidenden Anteil und verlieh ihnen die für ihn typischen Qualitäten, die wir weiter oben bereits genannt haben.

Die am weitesten von der Stadt entfernt gelegene Zarenresidenz war Gatčina, die in der zweiten Hälfte des 18. Jahrhunderts zunächst dem Grafen Grigorij Orlov gehörte. Auf seinen Wunsch wurde hier von Rinaldi ein prächtiger Palast errichtet, den 1783, nach Orlovs Tod, die Kaiserin kaufte und dem Thronfolger Pavel Petrovič schenkte. Gatčina wurde damit zuerst die Residenz des Großfürsten und danach des Kaisers Pavel I., der es allerdings in einen Ort umwandelte, an dem ständig Militärparaden stattfanden. Deshalb hat auch der Architekt Brenna 1790 auf Befehl Pavels den alten Palast drastisch umgestaltet, ihn durch große steinerne Bastionen mit Schießscharten verbaut und mit einem breiten Wassergraben umgeben. Und so unterscheidet sich der düstere Anblick des Palastes mit seinen beiden hohen pentaedrischen Türmen und den zwei seitlichen Karrees erheblich von der Pracht und dem Glanz in Carskoe Selo oder Peterhof.

Später als die anderen Residenzen entstand das Ensemble von Pavlovsk unweit von Carskoe Selo, das nach Kaiser Pavel I. benannt ist. Bemerkenswert ist bei ihm vor allem die erstaunliche Parkanlage und darin der Palast selbst, der von dem schottischen Architekten Charles Cameron 1782 bis 1786 für den damaligen Großfürsten erbaut und nur wenig später, in den neunziger Jahren, von Vincenzo Brenna umgestaltet worden ist; nach einem Brand erfolgte 1803 wieder-

um eine Umgestaltung durch Voronichin und schließlich eine weitere im Jahre 1822, die Karl Rossi durchführte.

Der Palast von Pavlovsk, der beliebteste Aufenthaltsort der Kaiserin Marija Fedorovna, der Gemahlin Pavels, steht auf dem hohen Ufer des Slavjanka, von allen Seiten des umliegenden Parkes ansichtig. Der Mittelbau wird von einer breiten Kuppel mit einer Kolonnade aus 64 Säulen gekrönt. Halbkreisförmige Galerien verbinden ihn mit den Seitenflügeln, die einen Paradehof mit dem Denkmal Pavels I. in der Mitte bilden. Die geschickt angelegten Proportionen, der Kontrast zwischen den reich gestalteten Säulen, dem eher prächtigen Mittelteil und den dagegen einfach gestalteten Seitenflügeln, die sinnvoll angelegte Harmonie der Fassaden mit der Landschaft verleihen dem Ganzen seinen besonderen Reiz.

Wenn wir unseren kleinen Überblick über die architektonischen Besonderheiten Petersburgs im ersten Drittel des 19. Jahrhunderts abschließen – eine Stadt, die gerade in dieser Zeit ihr gültiges »strenges und einheitliches« Gesamtbild erhielt und die sich durch eine geschlossene Einheit ihrer Bauensembles auszeichnet, die so eng mit den weitläufigen Windungen der Neva verbunden sind – dann müssen wir noch einmal betonen, daß ihr all die bedeutenden russischen oder ausländischen Architekten, die hier wirkten, ihre ganze Schaffenskraft und Liebe gewidmet haben. Damit leisteten sie ihren Beitrag zu dem großartigen Stadtbild an der Neva, das es kein zweites Mal in der Welt gibt.

Die Schönheit dieser Stadt, des herrlichen »nördlichen Palmyra«, wie man sie damals nannte, hat die Zeitgenossen tief und nachhaltig beeindruckt. Dichter besangen die lichten Weiten der Neva und die Majestät ihrer Architektur.

Ansichten von Petersburg wurden zum beliebten Thema russischer und ausländischer Landschaftsmaler, und viele ihrer Werke, Gemälde, Aquarelle und Graphiken, werden auf der gegenwärtigen Ausstellung gezeigt.

Einige Zeilen des russischen Dichters Fürst Petr Andreevič Vjazemskij (1792–1878) sollen am Schluß dieser Ausführungen stehen, der 1832 schrieb:

»Ich liebe Petersburg, lieb' es ob seiner strengen Schönheit,
lieb's, durch den glitzernden Gürtel seiner üppigen Inseln zu
ziehn,
wo Tag und helle Nacht ohn' Traum im Widerstreit.
Ich liebe seiner jungen Gärten frisches Grün.«

KÜNSTLERISCH GESTALTETE INTERIEURS IN PETERSBURG UM 1800

N. GUSEVA

Eine der wichtigsten Quellen zur Erkundung von Geschichtsepochen ist, neben dem Studium der zeitgenössischen Architektur, das der entsprechenden Interieurs und ihrer Ausstattung; denn erst dadurch entwickelt sich ein vertieftes Verständnis für das Ambiente, in dem sich das alltägliche Leben jeweils abgespielt hat.

Wenn wir hier nun nach den charakteristischen Merkmalen Petersburger Interieurs und deren Ausstattung fragen wollen, so wenden wir uns vor allem den Palastbauten zu. Gerade diese architektonischen Ensembles, die nach den Plänen der führenden Architekten der Zeit und den Wünschen gebildeter, gesellschaftlich hochgestellter Auftraggeber entsprechend errichtet worden sind, bieten uns exemplarische Beispiele eines »reinen Stils«, der damals auch dem zahlreichen Provinzialadel Rußlands als nachahmenswertes Vorbild diente.

Zuvor soll aber klargestellt werden, daß der zeitliche Rahmen unseres Themas keinesfalls auf die Regierungszeit Pavels I. und Aleksandrs I. begrenzt werden kann. Denn auch die Zeit um 1800 wurde noch durch jenen Stil geprägt, der konsequent die Traditionen russischer Kultur der Jahre nach 1760 weiterentwickelt hat. Außerdem haben mehrere Baumeister, die entweder auch unter Aleksandr I. erfolgreich weitergearbeitet oder zumindest immer noch großen Einfluß auf die damalige Innenarchitektur klassizistischer Gebäude ausgeübt haben, ihre Tätigkeit bereits am Ende der 70er Jahre des 18. Jahrhunderts begonnen; also in der Zeit, als der »frühe Klassizismus« von der folgenden Periode abgelöst wurde, die die Forschung gewöhnlich als »strengen Klassizismus« bezeichnet.

Ein gewisser Umbruch vollzog sich allerdings zu Beginn der Regierungszeit Ekaterinas II., weil die junge Kaiserin damals mit den Leistungen jener Architekten, die ihre Ausbildung vor allem an der Pariser Kunstakademie absolviert hatten, ausgesprochen unzufrieden war. Galten doch dort selbst bei der Wendung zum »Dorischen« immer noch »Grazie« und »gefällige Schönheit« als grundlegende Kriterien (also Merkmale, die auch in Rußland für die Zeit Elizaveta Petrovnas typisch waren), was eher zu intim verspielten als zu majestätisch-ruhigen Interieurs führte.

Deshalb wandte sich die Kaiserin an andere Architekten, und zwar zuerst an den in London beheimateten Schotten Charles Cameron (1743–1812), der bisher unter Charles-Louis Clérisseau (1722–1780) in Rom gearbeitet hatte, sowie an den Bergamesen Giacomo Quarenghi (1744–1817). Als glühende Verehrer und genaue Kenner der Baudenkmäler des alten Griechenland und Roms waren beide bestrebt, ihr Schaffen streng den dort ablesbaren Gesetzen der Antike zu unterwerfen. Ihr neuer Standpunkt markierte damit nicht allein einen deutlichen Gegenpol zu Barock und Rokoko, sondern rückte vor allem auch in vielem von dem deutlich ab, was bis dahin in Petersburg geschaffen worden war. Ging es ihnen doch um ein neues Verständnis für die Bedeutung der Räume, der Decken und der Wände, sowie überhaupt für klassische Proportionen. Dies führte zum Wechsel von der barocken Illusion einer Unendlichkeit, die sich in endlosen Zimmerfluchten, Spiegeln, Deckenmalereien und vergoldeten Skulpturen äußert und den Blick von einem Saal in den nächsten zieht, zu einer rational durchdachten, einheitlichen, in sich abgeschlossenen Komposition des jeweils einzelnen Raumes. Die neue Raumauffassung entsprach damit deutlich den Ideen der Aufklärung, die ja damals in der russischen Gesellschaft weit verbreitet waren. Denn sie ermöglichte eine Umgebung, in der sich der Mensch nicht nur als kleines Teilchen eines kosmischen Ganzen fühlen, sondern sich, im Gegenteil, als eigene Individualität definieren konnte, die die Natur mit spezifischen Eigenschaften ausgestattet hat. War man bisher bemüht, die den Menschen umgebende Welt mit ausgesprochen emotionaler Intensität aufzunehmen, so werden hingegen jetzt Ruhe und philosophische Kontemplation des eigenen Seins zu bevorzugten Tugenden.

Cameron, Quarenghi und der in Petersburg arbeitende Ivan E. Starov (um 1743–1808), ein Schüler von Vallin de la Mothe, fanden durch intensives Studium der klassischen Antike und deren genialer Interpretationen Andrea Palladios (1508–1580) zu den Prinzipien klassischer Kompositionen, in denen sich sowohl Majestät als auch erlesene Einfachheit verkörpern und miteinander verbinden. Die aufgeklärte Kaiserin war bestrebt, solche Ideen in ihrem Land

Achatzimmer im Ekaterinen-Palast zu Carskoe Selo. Entworfen von Charles Cameron

Ein besonders bemerkenswertes Beispiel für die ausgewogene Harmonie zwischen dem Interieur und der Proportionierung des gesamten Gebäudes ist das Schloß von Carskoe Selo, nicht mehr ein Werk des zunächst beauftragten Clérisseau, sondern seines Schülers Cameron. Von ihm stammt die von der Kaiserin erträumte »griechisch-römische Rapsodie«, also jene gewöhnlich mit dem altrussischen Ausdruck »Termy« [von »terem« = Haus, (Frauen-)Gemach] bezeichnete Suite für Ekaterina II. Der bis heute erhaltene Baukomplex besteht aus den der »Kalten Bädern« (Frigidarium), den »Achatzimmern«, dem »Hängenden Garten« und den Galerien und Treppen, die zum Teich und zu den beschatteten Alleen des Parks führen. Nach dem Vorbild des antiken Rom legte man auch hier Räume zur Erholung, zur Zerstreuung oder zum Nachdenken an. Sie alle tragen Gewölbe, deren Elemente sich in den Wandflächen aus glänzendem Marmor, Achat, Jaspis, Porphyr sowie anderen Steinen aus dem Ural widerspiegeln. Einige Zimmer sind reich mit Arabesken bemalt. Nach antikem Vorbild gearbeitete Vasen, Konsoltische und Leuchter beleben ihr Bild.

Grünes Eßzimmer im Ekaterinen-Palast zu Carskoe Selo. Entworfen von Charles Cameron

sichtbar zu machen, das unter ihrer Regierung eine wirtschaftliche und kulturelle Blütezeit erlebte. Und in diesem Sinne statteten die Baumeister des »strengen Klassizismus« ihre Gebäude nicht nur außen, sondern auch innen mit klassischen Elementen aus, wie z. B. Gewölben, Kuppeln oder halbkreisförmigen Bögen. Mit ihnen betonten sie die symmetrische und dabei ausgewogen proportionierte Anlage ihrer Interieurs. Wie schon im Altertum, so gehören auch hier die Gewölbe zu den Hauptelementen der Architektur, da sie ihr einen deutlich dekorativen Akzent verleihen. Mit ornamentalen Friesen farbig bemalt und plastischen Reliefs geschmückt, heben sie sich kontrastreich von glänzend polierten Wänden ab. In diesen Räumen wurden möglichst sämtliche horizontale und vertikale Elemente der Konstruktion offen gezeigt und dadurch in ihrer Wirkung betont, ja teilweise sogar noch zusätzlich akzentuiert. Türen, Öfen, Kamine und auch kleine Details der Ausstattung wurden in der Form antiker Bauten en miniature oder wenigstens als Zitate ihrer Bauelemente gestaltet, deren Maße, Proportionen und Farbgebung sehr genau mit denen des gesamten Raumes abgestimmt waren.

Cameron erzielte – bei aller individuellen Gestaltung einzelner Räume – stets eine bemerkenswerte Geschlossenheit des gesamten Ensembles; selbst hier, wo ihre Ausmaße und Lage bereits vorgegeben waren, denn der Ekaterinen-Palast stammte ja aus der Mitte des 18. Jahrhunderts. Dort wurde von ihm, auf Wunsch der Kaiserin, jedes Zimmer neu ausgestaltet, und dabei verlieh er ihnen durch die Innenarchitektur und deren farbige Fassung jeweils einen völlig eigenständigen Charakter. Z. B. erinnerte das »Grüne Eßzimmer« auf poetische Weise an die Schönheit des Parks, an sein zartes Laub und seine Statuen aus weißem Marmor. Cameron arbeitete dabei ausschließlich mit plastischen Dekorationen und doch gelang es ihm, den Besucher gleichsam in einen romantischen Garten zu entführen, indem er auf die grünen Wände modellierte Arkaden aus Weinranken, schlanken Vasen und harmonisch geformten Säulen setzte. In die Laibung der Bögen plazierte der Architekt Jünglinge und Mädchen in antiken Gewändern. Ihren ruhigen Rhythmus verdankt die Dekoration dem Bildhauer Ivan Petrovič Martos (1754–1835), dessen künstlerische Vorstellungen sich mit denen Camerons deckten. Gemeinsam mit dem auf menschliche Proportionen bezogenen Ebenmaß der Räume und dem sanften Zusammenklang der pistaziengrünen, rosa und weißen Farbtöne vermittelt sie jenes besondere Gefühl der Heiterkeit und geistiges Hochgefühl, das das gesamte Schaffen des Architekten auszeichnet. Auch die Möbel mit ihren klaren, geometrisch ausgerichteten Formen und ovalen Rückenlehnen gehören zu dieser harmonischen Einheit. Dabei wird die besondere Lebendigkeit dieser Interieurs häufig durch ungewöhnliche und ganz verschiedenartige Materialien hervorgerufen. Farbige Metallfolie unter Glas, silberne Metallbeschläge, Keramik-Reliefs von Josiah Wedgwood (1730–1795), Perlmutter, Steine, kostbare Stoffe, wertvolle Holzarten, Bronze, Stahl sowie farbiges und bemaltes Glas verbinden sich zu einem eindrucksvollen Ganzen. Die ungewöhnlichen und überraschenden Kombinationen, die mit sicherem – an antiken Bauten geschulten – Gespür für Maß und Harmonie verbunden sind, erweckten auch die Aufmerksamkeit anderer Petersburger Architekten der Zeit, die sich bald die von ihm gefundenen und erfundenen Formen zu eigen machten und sie selbständig weiter entwickelten.

In den 90er Jahren des 18. Jahrhunderts schuf Ivan Egorovič Starov mehrere Wohnräume im Winterpalast. Sie entstanden anläßlich der Hochzeit des Großfürsten Aleksandr Pavlovič (1777–1825), des späteren Kaisers Aleksandr I., mit der Prinzessin Louise von Baden (1779–1826), die jetzt Großfürstin Elizaveta Alekseevna hieß. Graf Fedor Golovkin berichtet in seinen Memoiren darüber folgendes: »Allein das Schlafzimmer war schon ein Muster an Schönheit und Luxus. Die Tapeten waren aus weißem Lyoneser Stoff mit

einer Borte gearbeitet und mit großen Rosen bestickt. Die Säulen des Alkoven, die Türen und die Wandverkleidungen bestanden hingegen aus rosa Glas, das in vergoldete Bronze eingesetzt war, und über ihnen erhoben sich weiße Basreliefs aus bearbeiteten Steinen . . .« Für die junge Großfürstin wurde hier ein Wohnraum geschaffen, der ihrem Geschmack und ihren besonderen Wünschen entsprach. In diesem Zusammenhang ist es vielleicht von Interesse, daß Elizaveta Alekseevna bei ihrer Hochzeit (nach dem Bericht desselben Golovkin) »in ein rosa Gewand gekleidet war, das große aufgestickte weiße Rosen zierten, und daß sie dazu ein weißes Unterkleid trug, das dementsprechend rosa Blumen schmückten. Im offen herabfallenden rötlichen Haar aber trug sie etliche Brillanten. So wirkte sie wahrlich wie Psyche!«

Ungefähr zur gleichen Zeit gestaltete ein anderer maßgebender Petersburger Architekt, Giacomo Quarenghi, die Prunksäle des Winterpalastes aus: Dessen schöpferische Eigenart, die sich während seiner mehr als zwanzigjährigen Tätigkeit nicht verändert hat, wird durch Säulen und Portikus-Architekturen für Palast-Interieurs, durch polychrome Deckenmalereien, modellierte Friese und durch Parkettfußböden mit Einlegearbeiten charakterisiert, deren Muster jeweils der Unterteilung der Decke entspricht. Da er Räume unterschiedlicher Nutzung mit deutlich unterschiedenen Dekorationen versah, bevorzugte er Pilaster und Halbsäulen aus Stuck-Marmor. Bei Innenräumen in öffentlichen Gebäuden vermied der Architekt möglichst die Polychromie und konzentrierte sich auf strenge, klar dimensionierte und wohlgeordnete Formen.

Quarenghi arbeitete aber nicht nur für den kaiserlichen Hof und für andere staatliche Einrichtungen, sondern auch im Auftrag privater Bauherren. Dies belegt unter anderem eine interessante Beschreibung der Paläste des Fürsten Aleksandr Andreevič Bezborodko (1747–1799), des langjährigen Sekretärs Ekaterinas II. (seit 1775) und späteren Kanzlers (seit 1797). Sie entstanden nach Plänen von Quarenghi in Moskau und Petersburg. Die Beschreibung stammt von Stanisław II. August Poniatowski (1732–1798), dem letzten polnischen König (1764–1795), der nach der endgültigen Auflösung des polnischen Staates durch die dritte Teilung 1797 Petersburg besuchte, und dort auch im folgenden Jahr starb.

Stanisław August erinnert sich an den großen Palast des Fürsten in Moskau und bemerkt, daß er »nirgends größere Erhabenheit sowohl im Bau als auch in der Ausstattung gefunden [habe] und nirgends einen besseren Geschmack, besonders für Bronzen, Vorhänge und Stühle, die der Form nach bequem und der Verarbeitung nach sehr reich sind.« Die Bronzearbeiten hatte der Fürst vor allem bei französischen Emigranten gekauft. Ein Teil der Innenarchitektur aus vergoldetem Holz und ein Teil der Möbel waren nach eigenen Skizzen in

Wien angefertigt worden. Eines der Zimmer schmückte ein gewaltiges Buffet, mit Vasen aus Gold, Silber, Elfenbein und Korallen dekoriert. Die Wände der Räume waren mit Seide bespannt, wobei sich neben zahlreichen importierten Stoffen auch Erzeugnisse aus heimischer Produktion befanden. Gerade die russischen, mit Arabesken ornamentierten, Seidentapeten erregten das besondere Interesse des polnischen Exkönigs. Außerdem notierte er, daß es neben den zahlreichen klassizistisch gestalteten Räumen auch Zimmer »im chinesischen Stil« gab.

Das Petersburger Haus des Fürsten, das, nach Stanisław Augusts Meinung, schlichter eingerichtet war, übertraf das Moskauer durch die Ausmalung seines Interieurs. Z. B. waren die Wände des sogenannten »Tanzsaales« sowohl mit Wandmalereien als auch mit aufmontierten Leinwandbildern versehen, auf denen Landschaftsszenen und antike Ruinen zu sehen waren. Während festlicher Empfänge beim Kanzler entzündete man hier Räucherbecken, aus denen die betörendsten Wohlgerüche aufstiegen, reichte auf Schalen eine »epikureische« Essenz und Süßigkeiten auf Tellern mit Glasdeckeln, auf denen sich »etrurische« Motive befanden.

Auf diese Weise suchte die europäisch gebildete, herrschaftlich-verschwenderische Oberschicht ihrem Leben in der Hauptstadt – auch in allen Einzelheiten – einen einheitlichen Stil zu verleihen und dabei möglichst auch die Lebensformen der antiken Patrizier wieder aufzugreifen.

Insgesamt erstreckte sich der russische Klassizismus bis in die 20er Jahre des 19. Jahrhunderts, und zwar als die vorherrschende Richtung, die immer intensiver die Kultur der Alten nachzuahmen und ihr in zeitgenössischer Umgebung eine zunehmend verfeinerte Gestalt zu verleihen suchte.

Mit dem Jahre 1796 begann sich davor jedoch zunächst eine andere Kunstrichtung zu entfalten, die unmittelbar mit dem Hof Pavels I. und besonders mit der Person des Kaisers selbst verbunden war. Dieser Mann, der so lange nach Macht gelechzt hatte, der seine Mutter inständig haßte und deren Geschmack in allem feindlich gegenüberstand, brauchte zu eigener Verherrlichung eine äußerlich prunkvolle und oft zugleich nichtssagend-geschwätzige Kunst. »Theaterhafte Schönheit« nannte einer der Zeitgenossen die Innenausstattungen dieser Zeit. Eine Voraussetzung dieser Richtung, die man eigentlich nicht als Stil, sondern eher als eine Variante des Klassizismus auf russischem Boden bezeichnen kann, war eine generelle Liebe zum Theater, die Pavel I. seit seiner Kindheit prägte und die sich bei ihm zu einer wahren Leidenschaft entwickeln sollte. Während seiner Regierungszeit wurden die großen Hofzeremonien – noch stärker als das sonst der Fall war – wie Theateraufführungen inszeniert. Für besonders feierliche Anlässe wurden sogar die schon längst in Vergessenheit geratenen Reifröcke wieder eingeführt.

Der Lieblingsarchitekt des Kaisers war Vincenzo Brenna (1745–1820), ein geborener Italiener, der seit 1780 in Rußland arbeitete; zuerst als Assistent Camerons und seit 1786 als dessen Nachfolger im Amt des leitenden Architekten beim Bau des Schlosses von Pavlovsk. In seinem Werk verband er Elemente der römischen imperialen Kunst und der italienischen Renaissance. Mit ihm wich in den Prunksälen die Dekoration des erlesenen Geschmacks, die Schlichtheit und die ästhetische Harmonie einer pompösen Feierlichkeit mit üppigen Stukkaturen, überbordenden vergoldeten Schnitzereien und dekorativen Perspektiv-Malereien. Auch Formen barocker Deckengestaltung kehren in die Interieurs wieder. Ihre Möblierung bestand aus einem Sammelsurium von Gegenständen, völlig verschieden in Farbe, Form und Material. Einige davon, wie beispielsweise die großen geschnitzten Standleuchter aus Pavlovsk oder aus dem Michaels-Schloß, nach französischem Vorbild als »Torchères« bezeichnet, erreichten hypertrophe Ausmaße und wirkten dadurch eher als eigenständige architektonische Gebilde und kaum noch als Elemente der angewandten Kunst. Entsprechendes wäre auch von dem massiven geschnitzten Thron aus der Maltesischen Kapelle (vgl. Kat.-Nr. 376) zu sagen, der 1798 bis 1800 nach Plänen des Architekten Giacomo Quarenghi gearbeitet worden ist. Diese Kapelle für unterschiedliche Zeremonien der Ordensritter, deren Großmeister Pavel I. ja bekanntlich geworden war, befand sich in einem Gebäude, das zum Palast des Grafen Voroncov gehörte. In ihrer Apsis stand eine Kreuzigung und ihr gegenüber unter einem Baldachin mit üppigen Drapierungen aus Samt der Thron; darüber drei Kronen.

Ebenfalls mit einem hohen Baldachin aus hochrotem Samt war auch der Thron im großen Saal des Michaels-Schlosses dekoriert; der bevorzugte Aufenthaltsort Pavels I., der sehr rasch errichtet und als ständiger Aufenthaltsort der kaiserlichen Familie besonders ausgestattet worden war. Das Deckengemälde im großen Plafond des monumentalen Thronsaales zeigte Jupiter als Blitzeschleuderer auf dem Olymp. Auf dem vergoldeten Gesims befanden sich die gemalten Wappen aller rußländischen Gouvernements. Die Wände waren mit dunkelgrünem Samt und goldenen Borten bespannt. In Nischen über den Türen standen Büsten römischer Kaiser aus weißem Marmor und über ihnen die allegorischen Figuren der Gerechtigkeit, des Friedens, des Sieges und des Ruhmes. Von der Decke hing ein gewaltiger bronzener Lüster mit vierzig Kerzen. Außerdem wurde das gesamte Interieur durch Spiegel, Vasen, Uhren mit allegorischen Figuren, Kandelaber und Möbel aus Edelhölzern geschmückt.

Die übrigen Prunkräume des Schlosses waren nicht weniger üppig ausgestaltet. Z. B. in den »Runden Thronsaal« hatte Brenna, der der maßgebliche Leiter aller dekorativen Ar-

beiten war, sechzehn mächtige Atlanten vor der Wand plaziert, die die Kuppel des Raumes tragen. Die mit Caissons und Arabesken bemalte Decke hat Carlo Scotti ausgeführt, der zu dieser Zeit, zusammen mit Pietro Gonzago, zu den populärsten Meistern der dekorativen Perspektiv-Malerei in Petersburg zählte. Inmitten dieser Prachtentfaltung hing ein silberner Lüster mit drei Adlern, an den Wänden acht silberne Schilde, wiederum mit Adlern und dem Monogramm des Zaren unter einer Krone. Sitzmöbel gab es im Thronsaal nicht, da in Gegenwart des Kaisers ohnehin niemand sitzen durfte.

Insgesamt zeichneten sich sämtliche Prunkräume des Schlosses durch übermäßige Prachtentfaltung und durch eine grelle, in sich heterogene Farbigkeit aus und zeugten damit von der Herrschsucht des buchstäblich machttrunkenen Kaisers. Leider hat sich die originale Ausstattung nicht bis heute erhalten. An ihr ließe sich sonst der Klassizismus zahlreicher europäischer Länder gut studieren, da Erzeugnisse sehr unterschiedlicher Herkunft in den Sälen dieser Residenz aufgestellt waren.

Als man das Schloß in kürzester Zeit erbaute und einrichtete, ließ Pavel I. sogar besondere Zollbeschränkungen einführen. Sie untersagten die Ausfuhr von Gegenständen, die zur Ausstattung des Schlosses benötigt wurden. Wie man jedoch weiß, lebte der Kaiser lediglich 40 Tage in seiner neuen, so heftig ersehnten Residenz. In der tragischen Nacht vom 11. auf den 12. März 1801 wurde er dort in seinem Schlafzimmer ermordet. Weil daraufhin die kaiserliche Familie sofort wieder in den Winterpalast übersiedelte, wurde die Innenausstattung des Schlosses nicht mehr in all ihrer vorgesehenen Pracht vollendet.

Eine gewisse Vorstellung von der Meisterschaft V. Brennas als Innenarchitekt kann man sich aber aufgrund der erhalten gebliebenen Darstellungen der Prunkräume im Schloß von Gatčina machen, das, vor den Toren der Stadt gelegen, die beliebteste Sommerresidenz Pavels I. war. Mehrere der dort von dem Architekten gestalteten Empfangsräume, hat er später im Michaels-Schloß wiederholt. So wurden beispielsweise die »Paradeschlafzimmer« in beiden Schlössern mit Blautönen und silbernen Stickereien ausgestattet, in Gatčina mit Seide, im Michaels-Schloß mit Samt. In der Mitte des Raumes erhob sich über dem Bett ein vergoldeter geschnitzter Baldachin mit Vorhängen an den Seiten. Um das Bett führte eine zierliche Balustrade. Die Wände des Schlafzimmers in Gatčina wurden außerdem noch durch kleine Pilaster mit reicher Arabeskenmalerei verziert. Im Plafond befand sich eine allegorische Darstellung.

Im Ganzen erscheint jedoch das gesamte Schlafzimmer – besonders in der Verwendung geschnitzter und vergoldeter Möbel mit reich verzierten Füßen – wesentlich typischer für die Zeit des frühen Klassizismus als für die 90er Jahre,

Paradeschlafzimmer im Palast von Gatčina. Entworfen von V. Brenna (Aquarell von L. O. Premazzi aus dem Jahre 1873)

seine tatsächliche Entstehungszeit. Dies dürfte wohl dadurch zu erklären sein, daß sich Gatčina außerhalb der Stadt befand. Obwohl dort die Arbeiten teilweise tatsächlich erst 1796 begannen, hatte an ihnen aber noch Vasilij Ivanovič Baženov (1737–1799) entscheidenden Anteil, der einer der bedeutendsten Architekten des frühen Klassizismus war. Bei der Ausgestaltung des Michaels-Schlosses wurde die Grundkonzeption Brennas beibehalten, nun allerdings massiver und reicher umgesetzt. An die Stelle der Seide tritt Samt. Statt der geschnitzten Balustrade steht hier eine silberne. Das feingliedrige Muster des Parketts wird durch einen großen Teppich ersetzt. Der Baldachin ist nicht nur mit Schnitzereien, sondern außerdem mit vier Wedeln aus weißen und blauen Straußenfedern geschmückt. Dementsprechend ist die Anzahl der Beleuchtungskörper wesentlich vergrößert worden.

In der Regel hat Brenna die Innenarchitektur der Räume nur in ihrer grundsätzlichen Struktur selbst ausgearbeitet, aber nicht ihre Details festgelegt. Deshalb findet man in ihnen zahlreiche Einzelheiten, die aus früheren Epochen oder anderen Palästen stammen. Wie bei einer Theaterdekoration dienten sie dem neu erdachten Konzept als Fundus, das die Aufmerksamkeit der Besucher erwecken wollte.

Unmittelbar nach dem Tode Pavels I. sank auch der Stern Brennas: Schon im Sommer 1802 verließ er Petersburg und ging nach Dresden, wo er 1820 auch verstarb.

Die Proklamation des neuen Kaisers, Aleksandr I., die Tradition seiner Großmutter Ekaterina II. fortzusetzen,

hatte neuen Optimismus und Hoffnungen auf bessere Zeiten erweckt. Zahlreiche Verordnungen Pavels, mit denen er seinen Untertanen kleinliche Vorschriften zu ihrer Kleidung, ihrer Lektüre oder ganz allgemein zu ihrer Lebensweise gemacht hatte, wurden jetzt aufgehoben. Die von Aleksandr wieder neu geknüpften politischen Beziehungen zu Frankreich wurden in Rußland auch deshalb begrüßt, weil sie den Künstlern neue Impulse vermittelte und damit deren schöpferische Aktivität anregte.

Mit Aleksandr begann für die russische Kultur eine neue Phase, die später in der russischen Kunstgeschichte als »Hochklassizismus« bezeichnet werden sollte. Zugleich wird dabei der Stil dieser Jahre von 1800 bis nach 1820 »Empire« genannt, in Analogie zu der französischen Epoche während der Herrschaft Napoleons I. Denn auch die russische Kunst wurde von dort durch ikonographische Elemente aus der Zeit der Revolution und der ägyptischen Feldzüge Napoleons bereichert. Und doch bestand zwischen den beiden künstlerischen Zentren ein wesentlicher Unterschied: In Frankreich entsprach das Empire einer gewaltsam erzwungenen Kaiserwürde und war offenbar deshalb durch den weitgehenden Verlust emotionalen Ausdrucks gekennzeichnet. Demgegenüber entsprach die russische Version einer Fülle neuer Ideen und Visionen, die sich unter dem neuen Zaren entfalten konnten. Die damit verbundene Konsolidierung der russischen Gesellschaft im ersten Jahrzehnt des 19. Jahrhunderts – also unmittelbar vor dem Einfall der napoleonischen Heere – sollte sich bald als notwendiges Fundament für kommende Siege erweisen. Dadurch ergibt sich offenbar jene deutliche Gestimmtheit in Dur, ist das lebensbejahende Element zu erklären, das sich in allen maßgebenden Werken des russischen Empire deutlich zeigt. Hinzu kommt das Bestreben, nicht Einzelstücke, sondern ganze Ensembles zu schaffen, die jeweils durch ein übergreifendes Thema in sich verbunden sind.

Ein bezeichnendes, durch seine Qualität herausragendes Beispiel des frühen Empire-Stils ist jenes Arbeitszimmer im Winterpalast, das 1805–1806 von dem Architekten Luigi Rusca (Aloizij Ivanovič Ruska, 1758–1822) – als Geschenk des damaligen Leiters des Kaiserlichen Kabinetts, Graf Dmitrij Aleksandrovič Gur'ev (1751–1825), an seinen Zaren – eingerichtet worden ist. Ursprünglich bestand es (vgl. Kat.-Nr. 377) aus sechsundzwanzig Möbelstücken und vier Paravents, von denen allerdings nur noch zwei erhalten sind. Sie alle wurden in der sogenannten »Kaiserlichen Tapisserie-Manufaktur (Imperatorskaja špalernaja manufaktura)« angefertigt. Die Darstellungen der Paravents von Diana und Saturn auf den Wolken entsprechen mit ihren Themen aus der antiken Mythologie den antikisierenden Bezügen der Sessel, Stühle und des Sofas. Charakteristisch für die Zeit sind ebenfalls die zoomorph gestalteten Armlehnen, die,

zusammen mit ihren Stützen, an geflügelte Löwen und Greife erinnern. Dem entspricht die charakteristische Ornamentik der geschnitzten Rückenlehnen: ein Paar Adlerflügel, die die kaiserliche Macht versinnbilden, ein Schild mit Strahlen als Zeichen der Kriegsmacht, dazu ein Köcher, ein Jagdhorn und eine Garbe mit Sicheln als Symbole der friedlichen Arbeit und der Jagd. Insgesamt sind diese Sessel recht massiv und breit gearbeitet. Zusammen mit dem Sofa verbinden sie sich mit den Paravents zu einem einheitlichen Ensemble.

Solche Gegenstände waren damals tonangebend, d. h. sie wurden zu Vorbildern für zahlreiche Varianten und Nachahmungen. Um sie sich in ihrem ursprünglichen Zusammenhang vorzustellen, sei hier aus den Erinnerungen einer adligen, in Moskau lebenden, Dame zitiert. Sie beschreibt, wie ihr Haus »gemäß der damaligen Sitte sehr gut [ausgestattet wurde], so daß es in dem einen Gästezimmer weiße Möbel mit Gold gab, in dem anderen war alles vergoldet; dazwischen ein Teppich in Gobelin-Manier. Überall gab es Kristallüster und Tische mit Marmorplatten.«

In der Regel bestand damals ein typisches Stadthaus aus zwei bis drei Etagen. Handelte es sich um ein dreistöckiges Haus, dann befanden sich in der dritten Etage die Wohn- und im Erdgeschoß die Wirtschafts- und Dienstbotenräume. In der zweiten Etage waren die sogenannten »Paradesäle« untergebracht, nämlich der eigentliche »Saal«, das »Gästezimmer«, das »Diwanzimmer« usw. Die Ausstattung unterschied sich jeweils durch die unterschiedliche Qualität der Ausführung und durch die dabei verwendeten Materialien. Bei vermögenderen Grundbesitzern waren die Tapeten in den Treppenaufgängen aus Stoff oder aus teurem Papier mit dem typisch klassizistischen Dekor. Bei ärmeren Leuten blieben die steinernen Wände dagegen unbedeckt oder wurden höchstens geweißt. Gelegentlich findet man auf den Wänden auch Malereien mit antiken Themen, die von heimischen Künstlern ausgeführt wurden. Die Möbel wurden entweder gekauft oder von bäuerlichen Meistern angefertigt. In deren Interpretation erhielten die übernommenen antikisierenden Details der Adler und Greifen, Löwen, Schwäne oder Widderköpfe nicht selten jene naive Ausdrucksformen der Volkskunst, die durch die unmittelbare Anschauung der Motive aus dem bäuerlichen Bereich genährt wird. Besonders verbreitet waren Möbel aus rotem Holz mit strengen gradlinigen Formen und mit schmalen Beschlägen aus Kupfer oder Messing.

Doch selbst in besonders wohlhabenden Adelsfamilien wurden in der Regel nur wenig Schauräume in jenem einheitlichen Stil ausgestaltet, der jeweils der letzten Mode entsprach. Man tat das dort, wo man Gäste empfing und ihnen imponieren wollte. In den eigentlichen Wohnräumen herrschte dagegen bunte Vielfalt: Neben vergleichsweise

neuen Einrichtungsgegenständen gab es genügend alte Stücke, die bereits abgegriffen waren und etwa noch an die Großeltern des jetzigen Besitzers erinnerten. Architekten wurden (mit Ausnahme der kaiserlichen Residenzen) nur für die Räume der zweiten Etage herangezogen. Die übrigen Zimmer wurden nach den Vorstellungen der Hausherren eingerichtet oder sahen eben so aus, wie es sich zufällig ergeben hatte. Heute kann man sich kaum noch vorstellen, wie groß in einem Hause der Unterschied zwischen Empfangsräumen und den einfachen Wohnzimmern war.

In diesem Zusammenhang sind die Interieurs des Palastes in Pavlovsk, die nach Pavels I. Tode der verwitweten Kaiserin gehörten, für den Forscher und den Kunstliebhaber von besonderem Interesse. 1803 wütete dort ein gewaltiger Brand und vernichtete fast die gesamte Ausstattung. Die von dem schweren Verlust betroffene Marija Feodorovna wandte sich daraufhin an den Architekten Andrej Nikoforovič Voronichin (1760–1814), den späteren Baumeister des Kazaner Domes auf dem Nevskij Prospekt, und beauftragte ihn mit der Wiederherstellung der Schauräume und der eigentlichen Wohnzimmer. Seitdem sind viele von ihnen nicht mehr verändert worden. Voronichin hatte hier eine schwierige Aufgabe zu bewältigen: Auf Wunsch der Kaiserin sollte er alles bewahren, das von der alten Dekoration erhalten geblieben war; allenfalls mit geringfügigen oder unvermeidlichen Änderungen, da es sich ja immerhin um eine Innenarchitektur handelte, die auf Cameron, Brenna und Quarenghi zurückging. Von dieser Bedingung abgesehen, konnte der Architekt jedoch bei der Raumgestaltung völlig frei arbeiten; eine Freiheit, die er auch glänzend zu nutzen verstand.

Eines der gelungensten und in sich vollkommen harmonisch gelösten Interieurs ist dort der »Griechische Saal«. Die Wände des weitgestreckten Raumes sind aus weißem polierten Stuck-Marmor, mit einer vorgeblendeten Kolonnade aus grünen kannelierten Säulen und weißen korinthischen Kapitellen. Die weiße Decke wird in der Mitte von Caissons und an den Seiten durch Borten mit antiken Ornamenten geschmückt. In Wandnischen stehen marmorne Kopien nach antiken Skulpturen. Auf der Fensterseite stellte Voronichin wohlproportionierte Vasen aus farbigem Stein mit Bronzemontierungen auf, ihnen gegenüber ließ er Kamine aus behauenem Stein setzen. Die noch in der Mittelachse des Saales vorhandenen massiven Leuchter aus vergoldeter Bronze hat Voronichin – statt der früheren hier benutzten Lüster – durch Öllampen bereichert. Damit hatte er einen neuen Typ von Beleuchtungskörper entwickelt, der mit seiner Schale aus weißem Marmor, seiner Bronzemontierung und einem schweren Ring unten dem angestrebten Vorbild einer antiken Lampe sehr nahe kam. Sie wurden an dünnen Ketten zwischen die Säulen gehängt, betonten dort den

Griechischer Saal im Palast zu Pavlovsk nach der Restauration durch A. Voronichin

gemessenen Rhythmus der Kolonnade und damit die feierliche Ruhe und schlichte Erhabenheit des ganzen Saales.

Den abschließenden dekorativen Akzent setzen die Möbel, die ebenfalls nach den Zeichnungen von Voronichin angefertigt worden sind. Die durchgängige Farbgebung ihrer Details aus dunkelgrün patinierter Bronze entspricht der Farbe der Säulen, ihre Vergoldung der der Bronzeleuchter. Die Rückenlehnen der massiven Sofas und Sessel entsprechen in ihrer Höhe exakt der Höhe der Bänder aus gelbem künstlichen Marmor, die sich ringsum in der Dekoration der Wände finden. Die ausgewogenen Proportionen dieser Möbel vermitteln ein Gefühl von Ebenmaß, wie es in diesem Ausmaße nur im »Griechischen Saal« erreicht worden

Pilaster-Kabinett im Palast von Pavlovsk nach der Restauration durch
A. Voronichin

ist. Hier ergänzt jedes Detail durch seine Farben und Formen harmonisch ein anderes. Nähme man diese Gegenstände aus der speziell für sie geschaffenen Umgebung heraus, so würde dadurch ihr künstlerischer Rang ohne Zweifel erheblich geschwächt.

Die Ausgestaltung der Wohnräume hat Voronichin dort auf eine ganz andere Art gelöst. Für sie wurden die Details nicht in erster Linie einem prinzipiellen architektonischen Konzept oder der Maßgabe der Räume entsprechend, sondern den Bedürfnissen des Menschen und den Anforderungen seiner Bequemlichkeit entsprechend entworfen. So hat der Architekt beispielsweise in dem »Pilasterkabinett« den nicht sehr hohen, aber ziemlich langen Raum optisch verkleinert und überschaubar in verschiedene Teile gegliedert, indem er die hellen Wände mit dunkelbraunen Pilastern dekorierte. Dementsprechend sind auch die Möbel entworfen. Hier handelt es sich dabei nicht, wie in den Schauräumen, um massive Stücke von beachtlichem Gewicht, bei denen man – nach den Worten eines Zeitgenossen – »die Arme auf Adler, Greifen und Sphinxen stützte«, sondern um rationell konstruiertes Mobiliar, das bequem für den täglichen Gebrauch und leicht umzustellen war. So konnte man es nicht nur den Wänden entlang aufreihen, sondern, nach Wunsch, mit ihm auch einzelne Sitzgruppen bilden. Dabei geht es dann nicht, wie in den Paraderäumen, um die rhythmische Wiederholung gleicher oder ähnlicher Stücke, welche dort manchmal auch zur Monotonie werden kann; Stühle, Sessel, Tische, Eßtischchen sind hier ihrer Form nach sehr unterschiedlich ausgebildet und beleben die gesamte Einrichtung durch ihre Vielfalt und ihre bunte Farbigkeit, die mit dem von den Wänden reflektierten Licht und den Vorhängen vor den Fenstern korrespondiert. Besonders zu erwäh-

nen zu erwähnen sind in diesem Zusammenhang die zahlreichen Handarbeitstischchen für die unterschiedlichsten Näh-Utensilien.

In der Ornamentik der Jahre um 1800 herrschen zunächst noch »friedliche« Motive vor. Doch nach Ausbruch des Krieges mit Napoleon, der mit dem triumphalen Sieg der russischen Heere beendet werden sollte, klingt nun auch in der russischen Kunst fortschreitend das heroische Thema des Sieges an. Auch die durch Kriegshandlungen zeitweise zum Erliegen gekommene Bautätigkeit wird danach bald wieder aufgenommen. Große architektonische Programme werden nun in die Tat umgesetzt, innerhalb derer ganze Gebäudekomplexe, Plätze und Straßen neu entstehen. Neben den Neubauten in Petersburg, der Hauptstadt des Reiches, das inzwischen große internationale Bedeutung gewonnen hatte, wurde vor allem dem Wiederaufbau Moskaus besondere Aufmerksamkeit gewidmet, da diese Stadt ja durch den Brand von 1812 stark gelitten hatte. Damals tauchten sowohl bei der Außenarchitektur als auch bei den Interieurs immer häufiger Triumphbögen, Portikusformen und allegorischer Skulpturenschmuck auf. Dem entspricht im Bereich der angewandten Kunst die weite Verbreitung solcher dekorativer Einzelelemente, wie Lorbeerkränze, Helme, Fahnen, Fasces-Bündel, Lanzen und andere kriegerische Attribute.

Nach 1810 verstarben mehrere führende Petersburger Architekten: Andrejan Zacharov 1811, Thomas de Thomon 1813 und Andrej Voronichin 1814. An ihre Stelle traten tun Vasilij Petrovič Stasov (1769–1848) und der gebürtige Neapolitaner Carlo Rossi (1775–1849). Beide prägen nun mit ihrem außerordentlich reichen Schaffen jenen offiziellen, feierlich-triumphalen Staatsstil des russischen Empires auf dem Höhepunkt seiner Entwicklung.

Das Werk Stasovs, von dem zahlreiche Bauten in Petersburg und in Moskau stammen, kennzeichnet nicht nur das hohe handwerkliche Niveau seiner Arbeiten, sondern auch ihre Ausgewogenheit der Proportionen und eine so lapidare wie erlesene Schlichtheit ihrer Dekorationen. Er bediente sich in seinen Entwürfen klassischer Stilformen und bevorzugte dabei die dorische als die »männlichste«.

Unter den von ihm geschaffenen Interieurs ist das Arbeitszimmer Aleksandrs I. im Ekaterinenpalast zu Carskoe Selo, das sich bis heute erhalten hat, besonders charakteristisch. Das Kabinett trägt ein Kreuzgewölbe ohne Stukkatur. Säulen und Halbsäulen aus künstlichem Marmor gliedern seine Wände. Über ihnen befindet sich ein ornamentaler Fries mit militärischen Attributen und figürlichen Kompositionen in Goldgrisailletechnik. Die Wände und das Gewölbe sind zartrosa getönt. Der Kamin besteht aus weißem Marmor. Die Säulen sind in einem blassen Oliv gehalten. Den deutlichsten Farbakzent setzen in diesem Interieur die

Drapierungen an den Fenstern in sattem Grün, das Tischtuch in derselben Farbe und die Schreibutensilien aus Malachit. Streng und edel sind auch die Möbel konzipiert. (Zu der von Stasov neu entworfenen Stuhlkonstruktion siehe Kat.-Nr. 382). Insgesamt kann man in diesem Raum in allen Einzelheiten, bis hin zu den vergoldeten Bronzebeschlägen auf den Türen oder am Kaminsims, wiederum Feierlichkeit und edle Schlichtheit konstatieren.

Einen etwas anderen Eindruck vermitteln die Interieurs von C. Rossi. Er, der Lieblingsschüler Brennas, verlieh seinen Palasträumen einen ausgesprochen prächtigen Charakter, der manchmal schon ans Pompöse grenzt. Dafür ist vor allem eine reiche Ausstattung der Decke mit Malereien und Stukkaturen, die Benutzung kräftig profilierter Gesimse und Türverkleidungen mit Pilastern, Pfeilern oder Frontispizien bezeichnend. In reichem Maße werden auch vergoldete Details verwendet. Eine besondere Rolle spielten in seinen Sälen Stoffe, die frei an den Wänden drapiert wurden oder etwa in großen Bögen von den Baldachinen der Bettstätten hingen. Da Rossi seit seinen Jugendjahren auch Entwürfe für Porzellan- und Glas-Manufakturen geschaffen hatte, kannte er die spezifischen Eigenarten und Schwierigkeiten bei der Herstellung solcher Erzeugnisse der angewandten dekorativen Kunst. So konnte er sich auch jede Innenarchitektur bis ins kleinste Detail vorstellen und entwickelte sie jeweils als dekoratives Gesamtkunstwerk aus einem Guß.

Solche und andere Entwürfe konnten allerdings nur deshalb ausgeführt werden, weil in Rußland um 1800 alle Zweige der Kunst eine wahre Blütezeit erlebten. Um die bedeutenden Architekten versammelte sich ein vielfältiges »Team« talentierter Bildhauer, Schreiner, Möbeltischler, Schnitzer, Bronzemeister und Dekorationsmaler. Vertraut mit dessen Ideen, waren sie in der Lage und bereit, auch die kompliziertesten Pläne ihres Architekten umzusetzen.

Ende der 20er Jahre, besonders als nach der Niederschlagung des Dekabristenaufstandes von 1825 viele fortschrittliche denkende Russen nach Sibirien verbannt worden waren, verloren die Kunstwerke die emotionale Ausdruckskraft ihrer Vorgänger. Die Künstler suchten ihre Inspirationen jetzt nicht mehr allein in der Antike, sondern ebenso in den vergangenen Kulturen anderer Zeiten und Völker. Dabei treten hier bereits Tendenzen auf, die auf die neue kunstgeschichtliche Epoche des Historismus hinweisen.

Als letzte bedeutende Zeugnisse klassizistischer Palastausstattungen gelten einige Interieurs im Winterpalast, die nach der dortigen Feuersbrunst von 1837 sehr rasch wiederhergestellt worden sind. Für die größten Säle mußte man auch den »großen Stil« wieder zum Leben erwecken. Diese Aufgabe wurde dem inzwischen schon alten Stasov übertragen, welcher ja – nach seinen eigenen Worten – sein ganzes Leben »feierliche Erhabenheit« angestrebt hatte. Deshalb beabsichtigte er auch bei seiner Ausstattung des Großen Saales (des größten Raumes im gesamten Winterpalast) die dort 1790 von Quarenghi zugrundegelegte proportionale Gliederung und die korinthischen Säulenstellungen zu erhalten. Tatsächlich vernichtete er bei seiner Restaurierung aber wesentliche Elemente der ursprünglichen Anlage. So ließ er z. B. alles weiß ausmalen und verdeckte damit die »bunte Farbigkeit der unterschiedlichen Marmorarten«. Denn die einst so verbreitete Bewunderung für die Antike, die vorher die Architekten befähigt hatte, bemerkenswerte Ensembles von überzeugender stilistischer Einheit zwischen dem Inneren und dem Äußeren zu schaffen, gehörte schon der Vergangenheit an . . .

DAS KÜNSTLERISCHE LEBEN PETERSBURGS UM 1800

G. MIROLJUBOVA

Schon in seinen Anfängen spielte Petersburg als Zentrum der Kunst in Rußland eine führende Rolle. Dafür sorgten Architekten, Maler und Bildhauer, die für den raschen und systematischen Aufbau der Stadt in Anlehnung an europäische Vorbilder tätig waren und dort dabei auch die Voraussetzungen für eine neue künstlerische Schule legten. Sie fußte einerseits auf den vielfältigen Traditionen der vaterländischen Kunst und bediente sich andererseits auch der Erfahrungen ausländischer Meister. In diesem Zusammenhang ist daran zu erinnern, daß es bis zum Ende des 17. Jahrhunderts in Rußland ausschließlich sakrale Malerei gab (Ikonen, Fresken, Wandmalereien). Erst danach wurden, angeregt durch westeuropäische Maler im Dienste des Zaren und durch polnisch-ukrainische Holzschnitte, erstmals auch weltliche Motive behandelt, wodurch allerdings noch keine neue eigenständige Entwicklung in Rußland selbst in Gang gesetzt wurde. Erst mit Petr I. entfaltete sich nun auch die Kunst grundsetzlich nach westeuropäischen Maßstäben; ein Wandel, der von konservativen Kreisen als »Verweltlichung« kritisiert wurde. Rußlands erster Kaiser schickte auch ganz bewußt mehrere Künstler zum Studium in westeuropäische Länder, die danach bald die ersten Grundlagen für eine neue Phase selbständiger russischer Malerei schaffen sollten. Dabei entwickelte sich zunächst die Porträtmalerei zur tragenden Bildgattung, gefördert durch den großen Bedarf an repräsentativen Bildnissen für das Kaiserhaus und den Adel; zugleich als eine Art von weltlicher Fortführung der sakralen Ikonentradition. Als Repräsentanten dieser Aufbruchszeit sind Ivan Maksimovič Nikitin (1690–1740, von dem das Gemälde »Petr der Große auf dem Totenbett« stammt) und Andrej Merkurevič Matveev (1701–1739) zu nennen.

Eine spezifische Ausbildung für die neue profane Richtung der Malerei gab es damals in Rußland zunächst jedoch noch nicht. Erst am 6. November 1757 wurde durch einen Erlaß Elisaveta Petrovnas und angeregt durch ihren damaligen Favoriten und Generaladjutanten Ivan Ivanovič Šuvalov (1727–1797), der bis 1763 erster Akademie-Präsident wurde, in Sankt Petersburg die »Akademie der drei namhaftesten Künste [Akademija trech znatnejšich chudožestv]« gegründet, durch die sich die Hauptstadt endgültig zum neuen Zentrum der russischen Kunst entwickelte. Sie wur-

de bald zu einer der bedeutendsten Akademien Europas, die ihren Studenten fundierte Kenntnisse im Zeichnen, Malen und Modellieren, aber auch Kenntnisse der Anatomie und der Perspektive vermittelte. Bereits die ersten Absolventen zeugen von dem hohen Niveau ihrer Ausbildung. Diejenigen, die man bei ihrem Abschluß mit großen Goldmedaillen auszeichnete, wurden zur Fortsetzung ihres Studiums ins Ausland, zunächst vor allem nach Italien, geschickt. Den übrigen wurde im Zeugnis lediglich der jeweils erreichte Wissensstand bescheinigt. Als 1763, unter Ekaterina II., Ivan Ivanovič Beckij (1704–1795) das Amt des Präsidenten übernahm, wurde die Ausbildung der Studenten, die bereits mit 6 Jahren in die Akademie eintraten, besonders streng reglementiert.

Danach erhielt die Akademie auch ein eigenes Gebäude. Die ersten Entwürfe lieferten Aleksandr Filippovič Kokorinov (1726–1772) und Jean-Baptiste Michel Vallin de la Mothe (1729–1800), die beide dort auch als Lehrer tätig waren. 1764 begonnen, mußte der Bau allerdings 1771 erst einmal aus Geldmangel eingestellt werden. 1772 starb Kokorinov und 1776 ging Vallin de la Mothe nach Frankreich zurück, so daß der Bau erst 1788 unter der Leitung von Jurij Matveevič Fel'ten (1730–1801) fertiggestellt werden konnte.

Sie war aber nicht nur eine Ausbildungsstätte, sondern überhaupt ein Zentrum des Kunstlebens. In dieser Funktion verlieh sie auch die Titel des »approbierten Künstlers« und des »Mitgliedes der Akademie [akademik]« und ernannte verdiente Mäzene zum »freien Ehrenmitglied [početnyj vol'nyj obščnik]« oder zum »Ehrenmitglied [početnyj člen]«. Über ihr Institut wurden auch staatliche Aufträge an Künstler vergeben. Sie wurde zum Sammelpunkt aller künstlerischen Kräfte, die damals im Lande, und besonders in Petersburg, tätig waren.

Die Arbeiten der Studenten und darunter besonders diejenigen, mit denen sie ihre verschiedenen akademischen Grade erreichten, wurden regelmäßig im Hause ausgestellt. Bereits 1770 fand die erste dieser Ausstellungen statt, die jeweils über den Entwicklungsstand der russischen Kunst informierte. Nicht nur in der Presse fanden sie entsprechenden Widerhall, sondern wurden ganz allgemein als bedeutende kulturelle Ereignisse angesehen.

Auch die Veranstaltung solcher Ausstellungen war – wie

der übliche Akademiebetrieb ebenfalls – bereits unter Beckij in den ersten Statuten von 1764 festgelegt worden, die bis zum Ende des 19. Jahrhunderts ihre Gültigkeit behielten. Ebenso unverändert blieben auch ihre künstlerischen Prinzipien, die durch die Ideale und die Vorstellungen des Klassizismus bestimmt wurden. Ihr absolutes Vorbild und die Basis ihrer gesamten Ausbildung war die Antike, die der Künstler studierte und deren Beispielen er nachstrebte. Die praktische Grundlage des Studiums war das Zeichnen. Über das Zeichnen vermittelte man ihm Verständnis für die Gesetzmäßigkeiten der Komposition und erst danach für die der Farbgebung.

Auf diese Weise wurden im 18. Jahrhundert Künstler wie Anton Pavlovič Losenko (1737–1773), Fedor Stepanovič Rokotov (1732/36–1808), Dmitrij Grigor'evič Levickij (1735–1822) oder Fedor Jakovlevič Alekseev (1753/55–1824) unterrichtet, die dabei zu entschiedenen Vertretern des Klassizismus und damit zu führenden Vertretern der neuen Kunst des Landes ausgebildet worden sind. In dieser Funktion haben sie sozusagen die Stafetten, die sie von ihren – meist noch ausländischen – Lehrern übernommen haben, getreulich weitergereicht.

Inzwischen hatte sich bei den russischen Künstlern Grundsätzliches verändert: Im Gegensatz zu ihren Vorgängern in der Zeit Petrs I. kam jetzt in der zweiten Hälfte des Jahrhunderts die Mehrzahl der russischen Maler aus den unteren Volksschichten. Selbst begabte Leibeigene, die erst im Laufe ihrer Tätigkeit freigelassen wurden, waren nicht selten unter ihnen. Deshalb konnten sie sich im allgemeinen kein Studium im Ausland leisten; es sei denn, sie gehörten zu den besonderen Begabungen, die als Stipendiaten der Akademie ins Ausland geschickt wurden. Trotzdem blieb das Können der meisten russischen Künstler der Zeit zunächst noch hinter dem von Matveev oder Nikitin zurück, weshalb auch der Hof weiterhin bevorzugt Ausländer beschäftigte. Hinzukam, daß die russischen Porträtisten des ausgehenden 18. Jahrhunderts stets Schüler von Ausländern waren, die ihre Entwicklung grundsätzlich prägten. Z. B. war Ivan Petrovič Argunov (1727–1802), der Vater von Nikolaj Argunov (1771– nach 1829), ursprünglich ein Leibeigener der Grafen Šeremetev, Schüler des deutschen Malers Georg Grooth (1716–1749), eines gebürtigen Stuttgarters, der 1743 nach Petersburg kam und dort Hofmaler wurde. Sein Zeitgenosse Aleksej Petrovič Antropov (1710–1795) erhielt seine Ausbildung in der Kanzlei für das Bauwesen und wurde von dem Veronesen Graf Pietro Antonio Rotari (1707–1762) nachhaltig beeinflußt, der, nach Erfolgen in Wien und Dresden, 1758 nach Petersburg gekommen war, wo er bis zu seinem Tode blieb.

Zu Rotaris Schülern zählte auch Anton Losenko, der in Gluchovo in der Ukraine geborene spätere Direktor der Pe-

tersburger Akademie (ab 1772). 1744 wurde er, gerade sieben Jahre alt, Sänger in der Petersburger Hofkapelle und kam danach 1753 bei Ivan Petrovič Argunov in die Lehre. Seit 1759 studierte er an der Kunstakademie, um sich später zum ersten wirklich bedeutenden Historienmaler des Landes und damit zum Begründer einer Schule der russischen Malerei zu entwickeln. 1760 war er zur Fortsetzung seines Studiums nach Paris geschickt worden, wo er mit einer kurzen Unterbrechung bis 1765 blieb, um dann die nächsten drei Jahre in Rom zu verbringen. 1770 fand sein nach der Rückkehr in die Heimat entstandenes Gemälde »Vladimir und Rogneda« auf der ersten Kunstausstellung der Akademie besonderen Beifall. In der Folgezeit leitete er dort die Klasse für Historienmalerei. Bei seinen Schülern bildete er das Interesse für geschichtliche Themen aus und lenkte dabei ihr Augenmerk auf vaterländische Helden, denen er sich selbst mit seinem oben genannten Gemälde demonstrativ gewidmet hatte. Auch weiterhin prägte er durch eigenes Beispiel die russische Historienmalerei um 1800, ebenfalls durch sein Lehrbuch »Kurze Darlegung der Proportionslehre des Menschen [Iz-jasnenie kratkoj proporcii čeloveka]«.

Das wachsende Interesse für historische Themen und für Helden aus dem eigenen Lande bestimmte fortschreitend auch die Entwicklung der Porträtmalerei. Zwar galt sie in streng akademischer Sicht, im Vergleich mit der Historienmalerei noch als niedere Kunstgattung zum praktischen Gebrauch, entfaltete sich damals in Rußland aber trotzdem rasch zu einem geschätzten Spezialgebiet. Die Grundlage dieser Entwicklung war die aufklärerische Komponente des russischen Klassizismus mit seinem spezifischen Blick für die Eigenarten des menschlichen Individuums. Außerdem kam das Porträt den realistischen Tendenzen der Zeit entgegen, die in der Historienmalerei durch idealisierende Monumentalität verdrängt oder doch verfremdet wurden.

Zu jener ersten an der Akademie ausgebildeten Gruppe von Künstlern, die die russische Porträtmalerei auf westeuropäisches Niveau gebracht haben, gehörte Fedor Stepanovič Rokotov (1732/36–1808/09), der in den 60er Jahren der beliebteste Hofmaler war und von dem unter anderem das Krönungsporträt Ekaterinas II. stammt. Rokotovs begabter Schüler Dmitrij Grigor'evič Levickij (1735–1822) wäre in diesem Zusammenhang ebenfalls zu nennen. Als Schüler Antropovs, der damals die Andreas-Kirche in Kiev ausmalte, wurde er dort 1752 von Rastrelli, dem Lieblingsarchitekten Elisaveta Petrovnas, entdeckt, konnte bald nach Petersburg übersiedeln und 1770 in der ersten Ausstellung der Akademie seine Werke mit Erfolg zeigen. Noch im selben Jahr wurde er deren Mitglied und leitete dort 1779 bis 1789 die Porträt-Klasse. Während dieser Zeit schuf er zahlreiche Porträts.

F. S. Rokotov, Großfürst Konstantin Pavlovič als Kind, Anfang der 80er Jahre des 18. Jahrhunderts. Staatliches Architekturhistorisches Kunstmuseum, Pskov

Die Werke beider Meister spiegeln die zeitgenössischen Vorstellungen von der menschlichen Persönlichkeit, ihrer Bedeutung und ihres Schicksals. Sie versuchen, deren jeweiligen Charakter zu ergründen und sichtbar zu machen, indem sie das Beobachtete als konkretes Faktum schildern. Das aufblühende gesellschaftliche Leben dieser Jahre erweiterte auch den Motivkreis der Porträtmalerei, die ihrerseits neue Ausdrucksmittel entfaltete, um dieses Leben ins Bild zu setzen. Dabei spielte die Verbindung von Gedanken der Aufklärung mit Darstellungsformen des Realismus weiterhin eine wichtige Rolle und prägte den humanistischen Charakter der zeitgenössischen russischen Kunst.

Das Verständnis für die menschliche Persönlichkeit vertieft sich in den 90er Jahren immer mehr. Ihre Gefühle und verborgenen Gedanken beschäftigen Maler und Schriftsteller, die sich damit neue Bereiche für ihr Tun erschließen. In der Entwicklungsgeschichte des russischen Porträts führt das zu wesentlichen Veränderungen. Das zeigen die Werke Vladimir Lukič Borovikovskijs (1757–1825, siehe Kat.-Nr. 4),

eines Schülers von Dmitrij Levickij, deutlich, die zu den authentischsten Zeugnissen dieser Phase zählen. Der bei seinem Vater Ausgebildete erregte zum ersten Mal 1787, anläßlich eines Besuches Ekaterinas II. auf der Krim, mit einigen (nicht erhaltenen) allegorischen Darstellungen der Kaiserin und Petrs I. Aufmerksamkeit. Das führte am Ende der 80er Jahre schließlich zur Übersiedlung nach Petersburg, wo Borovikovskij seine künstlerischen Fähigkeiten zu vervollkommnen suchte. Wegen seines bereits vorgerückten Alters konnte er allerdings nicht mehr in die Kunstakademie eintreten, durfte jedoch eine Zeitlang als externer Schüler Levickijs arbeiten, dessen Einfluß Borovikovskijs Werke auch deutlich zeigen. Doch ließen ihn bald Talent und Fleiß zu einem anerkannten Porträtmaler werden, von dem beachtlich viele Bildnisse seiner Zeitgenossen stammen. Zu seinen frühesten Arbeiten in Petersburg gehört das Porträt der Kaiserin Ekaterina II. im Park von Carskoe Selo aus dem Jahre 1796 (vgl. dazu die Radierung Kat.-Nr. 234). Schon damals zeigt sich deutlich, wie sich der Künstler von den stereotypen Formeln des offiziellen Prunkporträts zu lösen sucht, indem er die Kaiserin während eines Spaziergangs in Begleitung ihres geliebten Hündchens zeigt. Das Porträt zeigt die Herrscherin möglichst unkonventionell und einfach und erlaubt damit fast einen Einblick in ihr privates Leben.

Diese Auffassung und der damit verbundene Blickwinkel zeugt von der damals neuen Phase der Empfindsamkeit [sentimentalizm], die in Literatur und Kunst am Ende des 18. und Anfang des 19. Jahrhunderts zum Kult der Natürlichkeit des Menschen und seiner engen Verbindungen mit der Natur führte. Sie war eine Vorstufe der Romantik. Ihre Theoretiker, wie Jean Jacques Rousseau oder Samuel Richardson (1689–1761), der Schöpfer des empfindsamen Briefromans, wurden auch in Rußland mit Teilnahme und Begeisterung gelesen und fanden in N. M. Karamzin ihr russisches Pendant.

Dem entspricht das Werk Borovikovskijs, wie besonders seine Damenbildnisse belegen. Nach 1810 konzentriert sich sein Interesse ganz offensichtlich auf die individuelle Charakterisierung der jeweils dargestellten Person. Während die frühen Arbeiten des Künstlers weicher, malerischer und damit gefühlvoller wirken, zeigen die späteren Werke eine strengere und sachlichere Auffassung. Das Porträt P. S. Masjukov von 1817, das sich heute in der Ermitage befindet, ist ein ausgezeichnetes Beispiel dafür (Kat.-Nr. 4). Der früher so zarte Lyriker hat sich deutlich gewandelt. In seinem Porträt finden wir kaum noch das einst so beherrschende poetische Element. Der Künstler hat neue Ausdrucksformen gefunden, innerhalb derer bereits jene realistischen Tendenzen eine deutliche Rolle spielen, die die Porträts des neuen Jahrhunderts fortschreitend prägen werden.

Auch bei anderen Künstlern setzen sich jetzt realistische Prinzipien durch, wie z. B. Werke von Stepan Semenovič Ščukin (1762–1828, siehe Kat.-Nr. 45) zeigen. Nach seinen Studien in Petersburg und Paris übernahm er 1788 als Nachfolger seines Lehrers Levickij die Porträt-Klasse der Akademie und prägte auch durch seine Schüler die Bildnis-Malerei der ersten Hälfte des 19. Jahrhunderts.

Mit dem Porträt Kaiser Pavels I. (Kat.-Nr. 45) – eine seiner wohl besten Arbeiten – hat Ščukin eine sehr selbständige Form des offiziellen Porträts gefunden. Die sonst häufig betonten Anzeichen einer hohen gesellschaftlichen Position spielen hier nur eine untergeordnete Rolle. Der Künstler zeigt Kaiser Pavel ohne Herrscher-Insignien in einfacher militärischer Uniform vor monochromem Hintergrund. Sicher können etwa das stolz emporgehobene Haupt oder die großzügige Geste der rechten Hand auch als Formeln kaiserlicher Erhabenheit verstanden werden. Sie sollen aber wohl eher jene Unausgeglichenheit andeuten, die den Charakter dieses unglücklichen russischen Monarchen bekanntlich bestimmt hat.

Als dritter zeitgenössischer Porträtist ist hier neben Borovikovskij und Ščukin Nikolaj Ivanovič Argunov (1771 – nach 1829, siehe Kat.-Nr. 2) zu nennen. Seine Bilder sind offenbar von einem geradezu demokratischen Geist durchdrungen, und erinnern damit an einen Menschen, der erst im Alter von 45 Jahren aus der Leibeigenschaft entlassen wurde. Sie schildern die Würde des Menschen, wobei der Künstler auf Idealisierung und Inszenierung seiner Modelle verzichtet. Gerade dadurch wird er zu einem der wichtigsten russischen Meister der Zeit.

Zu einem interessanten Spezialgebiet der russischen Porträtkunst wurde damals die Miniaturmalerei. In Westeuropa hatte sie bereits im 16. Jahrhundert – nicht zuletzt durch Holbein d. J. – größere Bedeutung erlangt und auch in Rußland wendeten sich ihr schließlich um 1700 zahlreiche Künstler zu. Ihre eigentliche Blüte erlebte sie aber dort erst am Ende des 18. und im ersten Drittel des 19. Jahrhunderts.

Ursprünglich wurde dabei das Porträt auf Email gemalt. Da dieses Material aber außergewöhnlich teuer war, konnten es sich nur ganz wenige – fast nur Mitglieder des Kaiserhauses – leisten. Deshalb malte man seit dem Ende des 18. Jahrhunderts vor allem auf Bein, wenn möglich auf Elfenbein oder auch auf Papier, um damit den Käuferkreis erheblich zu erweitern.

In der Miniaturmalerei findet man schon sehr früh jenen Hang zur Intimität, die die manchmal kalte Monumentalität und Erhabenheit offizieller Porträts erkennbar mildert. Vergleicht man jene mit großen Orchesterwerken, so entsprechen diese der Kammermusik. Auch auf diesem Gebiet hat wiederum S. S. Ščukin Entscheidendes geleistet, wie dies beispielsweise sein Miniaturbildnis Pavels I. im Gewand

V. L. Borovikovskij, Porträt des Vizekanzlers A. B. Kurakin, 1801/02. Tret'jakov-Galerie, Moskau

eines Ritters des Malteser-Ordens, 1799, zeigt (Kat.-Nr. 142). Aber auch in Borovikovskijs Miniaturen verlieren die Dargestellten den Charakter der Unnahbarkeit und erschließen sich dem Betrachter ganz unverstellt. Gerade in seinen späteren Jahren hat dieser Künstler häufig Miniaturen gemalt.

Spricht man von der fortschreitenden Entwicklung dieser Gattung im Rußland des ausgehenden 18. Jahrhunderts, so müssen noch zwei weitere Künstler erwähnt werden: Petr Gerasimovič Zarkov (1742–1802, siehe Kat.-Nr. 153) und Dmitrij Joanovič Evrejnov (1742–1814, siehe Kat.-Nr. 140). Mit ihrer jeweils hoch entwickelten Technik haben sie meisterhaft nach Gemälden anderer Künstler gearbeitet, sie da-

E. Vigée-Lebrun, Porträt der Großfürstin Elizaveta Alekseevna. Staatliches Architekturhistorisches Kunstmuseum, Pskov

bei jedoch nicht sklavisch kopiert, sondern stets schöpferisch umgesetzt. Deshalb gab es zahlreiche Liebhaber und Käufer ihrer Kunst. Zu ihnen gehörten die Kaiserin und die Großfürsten ebenso wie die höchsten Repräsentanten des Staates und der Armee. Erst später wurden diese immer noch recht teuren Arbeiten – innerhalb des allgemeinen gesellschaftlichen und kulturellen Wandels der Jahre zwischen 1810 und 1830 – demokratisiert.

Aber auch um 1800 stammte immer noch ein beträchtlicher Teil der in Rußland verbreiteten Kunst von ausländischen Künstlern, die häufig nur eine Zeitlang in Petersburg bleiben wollten und dann doch bis zum Ende ihres Lebens dort blieben. Sie arbeiteten vor allem im Auftrag des Hofes, schufen z. B. zahlreiche Porträts von Mitgliedern des Zarenhauses und anderer aristokratischer Familien; so der Hofporträtist Johann-Baptist Edler von Lampi d. Ä., der 1751 in Romeno (Südtirol) geboren wurde und 1830 in Wien hochgeehrt starb. Denn er war sowohl in Wien als auch in Petersburg einer der beliebtesten Bildnis-Maler, in dessen Stil sich Elemente des späten Rokoko mit solchen des bür-

gerlichen Realismus verbinden. 1792 bis 1798 arbeitete er in Petersburg und hat in dieser Zeit fast alle Mitglieder des russischen Hofes dargestellt. Dabei erwies er sich als Meister der Komposition und der Farbgebung und beeinflußte damit auch Künstler wie Levickij und Borovikovskij, wenngleich diese auch ihr Vorbild durch eine tiefergehende Charakterisierung der Dargestellten übertreffen.

Nicht weniger Erfolg als Lampi hatte in Rußland die französische Malerin Elisabeth-Louise Vigée-Lebrun (1755–1842), die sich schon vorher mit ihren Damenporträts des französischen Hochadels – darunter der Königin Marie-Antoinette – einen Namen gemacht hatte. Durch die Französische Revolution aus ihrem Heimatland vertrieben, siedelte sie 1795, nach kurzen Aufenthalten in Rom, Wien und Berlin, nach Petersburg über. Dort blieb sie als Emigrantin bis 1801, um danach wieder in ihre Heimat zurückzukehren. Auch ihr Erfolg in Petersburg beruhte auf dem gefühlvollen Charme ihrer Werke, der dem Geschmack der damaligen Gesellschaft sehr entgegenkam. Besonders die junge Elizaveta Alekseevna (1779–1826), die Gemahlin Aleksandrs I. verehrte ihre Kunst. Das Ganzfiguren-Porträt der Kaiserin gehört wohl zu den gelungensten Werken der beliebten Französin.

Ebenfalls als französischer Emigrant kam 1795 Jean Laurent Mosnier (1743–1808) nach Petersburg, von dessen Hand zahlreiche Bildnisse der damaligen vornehmen Gesellschaft überliefert sind. Das Porträt der E. F. Murav'ëva mit ihrem Sohn Nikita Michajlovič (1796–1843), dem zukünftigen Dekabristen, ist für seinen Stil besonders typisch (vgl. dazu die Fassung von anderer Hand, Kat.-Nr. 82). Zusammen mit Lampi, Vigée-Lebrun und dem ihnen stilistisch nahestehenden Jean Louis Voille (geb. 1744) bildet er eine maßgebende Gruppe der Bildnis-Malerei der Zeit. Hinzu kommt außerdem Gerhard von Kügelgen (1772–1820, siehe Kat.-Nr. 26). Der in Bacharach Geborene war Schüler von Christian Georg Schütz (1718–1791) und Januarius Zick (1730–1797) und kam nach Aufenthalten in Rom, Riga und Reval 1798, zusammen mit seinem Zwillingsbruder, dem Landschaftsmaler Carl von Kügelgen (1772–1832), nach Petersburg, wo er bis 1805 blieb. Kügelgen gehörte zum engeren Kreis um Kaiser Pavel I. und hat deshalb auch die Mitglieder der kaiserlichen Familie mehrfach dargestellt, so 1800 auf dem bekannten Gruppenporträt im romantischen Park (Kat.-Nr. 26).

Neben historischen Motiven und Porträts gehört auch die Landschaft zur Malerei des Jahrhundert-Endes. Sie entspricht besonders dem damaligen Streben nach Natürlichkeit und Einfachheit; ein Zug der Zeit, der auch die russischen Meister betrifft und ihnen immer zu einem neuen vertieften Naturverständnis verholfen hat. Doch bereits um die Mitte des 18. Jahrhunderts hat es Künstler gegeben, die nach

der Natur arbeiteten. Ihr Ziel war eine geradezu dokumentarische topographische Genauigkeit, wie sie sich vielleicht am deutlichsten in den Ansichten Moskaus und Petersburgs von Michail Ivanovič Machaev (1718–1770) oder in Darstellungen des Moskauer Künstlers Aleksej Fedorovič Zubov (1682/83– nach 1750), einem gelernten Ikonenmaler, zeigen. Im Gegensatz dazu suchten jedoch die Maler am Ende des 18. Jahrhunderts weniger den topographischen als vielmehr den poetischen Gehalt der Landschaft dem Betrachter zu vermitteln. Dies gelingt vor allem Semen Feodorovič Ščedrin (1745–1804, siehe Kat.-Nr. 44), der zu Recht als Vater der russischen Landschaftsmalerei gilt. Als er 1776 von seiner Stipendiatenreise nach Italien und Frankreich zurückkehrte, wurde er vom Kabinett Seiner Majestät beauftragt, Ansichten der Paläste und Parkanlagen in der Umgebung Petersburgs zu malen. Auf diese Weise entstanden in den 90er Jahren zahlreiche solcher Darstellungen für die Wände der kaiserlichen Residenzschlösser.

All diese Darstellungen der Parks von Pavlovsk, Gatčina, Carskoe Selo und Peterhof zeugen von jener emotionalen Poesie, die nicht nur den Vorlieben der Zeit entspricht, sondern sich auch heute noch auf den Besucher dieser Anlagen überträgt. Obwohl ihre Kompositionen nach überliefertem klassischen Muster aufgebaut und deshalb auch noch streng in die drei Zonen von Vordergrund, Mittelgrund und Hintergrund eingeteilt sind, vermitteln sie dem Betrachter ein neues lebendiges Bild der Natur. Der allmähliche Übergang einer Bildebene in die andere, die wie in Nebel liegende unendliche Ferne, die träumerische Atmosphäre, die hier die dargestellte Natur umgibt, berühren den Betrachter auf besondere Weise. Eines seiner bemerkenswertesten Bilder ist die »Ansicht des Palastes auf der Steinernen Insel« (siehe Kat.-Nr. 44), in dem sich die Begabung und die Fähigkeiten dieses Meisters der Landschaftsmalerei deutlich bemerkbar machen. Auch daß er als erster russischer Künstler Darstellungen vom Meer gemalt hat, wird schon beim Anblick der hier gezeigten Wasserflächen verständlich.

Die Gemälde Ščedrins waren bald so beliebt, daß der kaiserliche Auftraggeber ihre Umsetzung in Druckgraphik anstrebte. Deshalb wurde 1799 an der Kunstakademie eine Klasse für Landschaftsstiche eingerichtet, die Ščedrin zusammen mit dem Stecher Ignaz Sebastian Klauber (1754–1817, siehe Kat.-Nr. 203), einem gebürtigen Augsburger, leitete. Unter ihrer Aufsicht arbeiteten die besten Stecher der Akademie: Andrej Grigor'evič Uchtomskij (1771–1852, siehe Kat.-Nr. 228), Stepan Filippovič Galaktionov (1779–1854, siehe Kat.-Nr. 191), Ivan Dmitrievič Telegin (geb. 1779, siehe Kat.-Nr. 226) und die Brüder Ivan (1779/80–1848, siehe Kat.-Nr. 182) und Kuz'ma (1776–1813, siehe Kat.-Nr. 186) Českij. Mit ihren in den ersten Jahren des 19. Jahrhunderts entstandenen Arbeiten, haben auch sie das neue Naturverständnis mit eigenen Akzenten versehen. Dabei geben sie die Ansichten oft mit größerer zeichnerischer Genauigkeit wieder als man sie bei den Vorbildern findet, ohne daß dabei jedoch die ihnen innewohnende Poesie verlorengeht.

Eine andere Richtung der Landschaftsmalerei vertrat um 1800 Fedor Michajlovič Matveev (1758–1826, siehe Kat.-Nr. 28), der nach Abschluß der Akademie nach Italien ging und dort sein Leben lang blieb. Die Arbeiten, die er nach Petersburg schickte, zeigen deshalb Landschaften aus Italien und der Schweiz. Dabei geben sie nicht immer eine bestimmte Gegend wieder, sondern zeigen auch häufig Ideallandschaften, deren klassizistische Komposition die immerwährende Schönheit der Natur einfangen soll.

Ganz der Stadt Petersburg gewidmet war das künstlerische Schaffen eines anderen Absolventen der Klasse für Landschaftsmalerei an der dortigen Akademie, Fedor Jakovlevič Alekseevs (1753–1824, siehe Kat.-Nr. 1), ebenfalls ein Absolvent der Klasse für Landschaftsmalerei an der dortigen Akademie. Schon eines seiner frühesten Bilder, die »Ansicht des Schloßufers von der Peter-und-Pauls-Festung aus gesehen« zeigt das beachtliche Talent des Landschafts- und Perspektivmalers und führte zu seiner Berufung zum Mitglied der Akademie.

Alekseev wollte in seinen Darstellungen nicht allein Teilaspekte, sondern mit ihnen jeweils einen möglichst geschlossenen Eindruck der faszinierenden Stadt vermitteln. In diesem Sinne hat er deshalb auch all ihre Einzelheiten durchdacht und angelegt. Auch die Staffage-Figuren spielen dabei eine wichtige Rolle, akzentuieren die Farbgebung und bestimmen auch damit die Wirkung des Ganzen. Vor allem werden seine Bilder durch die weiten Wasserflächen der Neva bestimmt, die den Schilderungen der Stadt ihren unverwechselbaren Charakter verleihen.

Einerseits betonte er die realistischen Aspekte seiner Stadtansichten und zugleich verarbeitet er sie zu emotional erfaßten Landschaften. Das Gefühl einer grenzenlos erscheinenden Weite, die sich fern am Horizont im Dunst aufzulösen beginnt, der überraschende Effekt unterschiedlich beleuchteter Flächen und Zonen und eine durch das Licht der Sonne hervorgerufene optische Bewegung bedingen die lyrische Gestimmtheit seiner Bilder. Mit ihnen schuf er wesentliche Voraussetzungen für die rasche Entwicklung und Verbreitung dieser Bildgattung.

Einer ihrer wichtigsten Vertreter war neben ihm der geborene Schwede Benjamin Patersson, der seit 1785 dreißig Jahre in Petersburg lebte. In dieser Zeit schuf er ungefähr einhundert Ansichten der Stadt als Gemälde, Zeichnungen oder Aquarelle. Viele von ihnen erwarb Pavel I. selbst und kamen auf diesem Wege in die sogenannte »Galerie der Petersburger Ansichten« der Ermitage.

Patersson erkannte in der Architektur der Stadt die vielge-

rühmte »gestrenge, einheitliche Pracht« der »Schöpfung Petrs« (A. S. Puškin) und setzte sie adäquat ins Bild. Auch er zeigt nicht nur Einzelheiten, sondern vermittelt ein lebendiges Bild der ausdrucksvollen Gebäudekomplexe und ihres charakteristischen Lebens auf den Straßen. Mit besonderer Anteilnahme und Aufmerksamkeit hat der Künstler bei seinen Gängen durch die Stadt zahlreiche Genre-Szenen entdeckt und in seine Bilder übertragen. So wirken die von ihm geschilderten Straßen und Plätze nicht leer und tot, sondern sind mit liebenswerten Szenen und zahlreichen interessanten Figuren bestückt, die uns noch heute die bunte Vielfalt des damaligen Lebens in der Stadt vorführen. Durch sie werden seine Ansichten lebendig und konkret, werden zu spannenden Erzählungen, die uns Vieles aus dem alltäglichen Leben auf Straßen und Gassen und von verschiedenen Beschäftigungen der Bewohner des »nördlichen Palmira« berichten: Aufgeputzte Damen gehen mit ihren Kavalieren spazieren. Maurer bauen Häuser. Händler und Straßenverkäufer entdeckt man neben Kinderfrauen mit ihren Zöglingen usw. Durch sie kann sich der Betrachter selbst in das pulsierende Leben dieser Zeit und dieser Stadt versetzt fühlen.

Paterssons Darstellungen sind so treffend und wurden bald so beliebt, daß man sie auch in graphischen Umsetzungen verbreitet hat. Einige davon hat der Künstler selbst publiziert, andere wurden von Stechern in England, Frankreich und der Schweiz herausgegeben. Die wohl besten graphischen Fassungen stammen von den Schweizern Gabriel Ludwig (1763–1840) und Matthias Gabriel Lory (1784–1846, siehe Kat.-Nr. 205 ff.). Ihre Arbeiten zeichnen sich durch besondere Treue zum Original aus und vertiefen dabei zugleich die den Vorbildern angelegte optische Poesie.

Der interessanteste Repräsentant jener Ausländer, die damals in Rußland lebten und ihren Beitrag zur Ikonographie Petersburgs leisteten, ist der Engländer John Augustus Atkinson (1775– nach 1831, siehe Kat.-Nr. 162). In London geboren, kam er schon als Neunjähriger mit seinem Onkel in die russische Hauptstadt, wo er die kommenden achtzehn Jahre seines Lebens verbringen sollte. Während dieser Zeit entstanden mehrere Gemälde zu Themen aus der russischen Geschichte (so für die Ausstattung des Michaels-Schlosses die »Taufe der Rus'« und die »Schlacht Mamajs«), Porträts und zahlreiche Zeichnungen mit Szenen aus dem Volksleben sowie mit Stadtansichten. Nach seiner Rückkehr nach England verarbeitete er in den Jahren 1803 bis 1812 diese Vorlagen zu mehreren Folgen über das städtische und bäuerliche Leben in Rußland. Auch aus ihren erläuternden Begleittexten spricht die intensive Kenntnis ihres Verfassers.

Sein erstaunliches Beobachtungstalent zeigt sich aber besonders in dem von ihm geschaffenen großen Panorama Petersburgs, das aus vier kolorierten Aquatinta-Blättern be-

steht. Es zeigt einen Rundblick über die Stadt (siehe Kat.-Nr. 162) vom Dach der Kunstkammer aus. Mit ihm stellt sich der Künstler in die Tradition der Stadtpanoramen, die für Petersburg 1716 mit A. F. Zubov beginnt und 1753 von M. I. Machaev fortgesetzt wird. Im 19. Jahrhundert schlossen sich 1817 A. Tozelli, 1830–1835 V. S. Sadovnikov und 1850 I. Bernadazzi und andere an.

Auch die russische Bildhauerkunst erreichte am Ende des 18. Jahrhunderts ein hohes Niveau. Wenn wir hier kurz versuchen wollen, ihre Entwicklung auch in vorhergehenden Zeiten zu skizzieren, so muß vor allem auf die strenge Folgerichtigkeit hingewiesen werden, deren Gesetze auch die anderen Kunstzweige bestimmten.

Die Zeit der Umgestaltung durch Petr I., während derer sich Kunst und Kultur erstmals weltlichen Themen in ihrer bunten Vielfalt zuwenden sollten, veränderte auch den Themenkreis der Bildhauer wesentlich. Hatten bisher auch sie vor allem für die Kirche gearbeitet, ergaben sich jetzt auch in den profanen Bereichen der Monumentalskulptur, der Bauplastik, des Reliefs und des Porträts neue Aufgaben. Dabei ist die erste Phase der Entwicklung vor allem mit dem Namen des Florentiners Bartolomeo Carlo Graf (seit 1704) Rastrelli (1675–1744) verbunden, den Petr I. 1716 berufen hatte, wo er bis zu seinem Tode als Architekt und Bildhauer tätig war. Im Bereich der Bildhauerkunst gehört das Reiterstandbild Petrs I. zu seinen bekanntesten Werken, das er bereits 1743–1745 entworfen hatte, das jedoch erst nach seinem Tode, auf Anordnung Elisaveta Petrovnas, 1745–1747 in Bronze gegossen und dann aber immer noch nicht aufgestellt wurde. Erst 1800 ließ es dann Pavel I. –wohl als Gegenpol zum Petr-Monument, das seine Mutter errichten lassen hatte – vor dem Michaels-Schloß auf einen Marmorsockel montieren, wo es heute noch steht.

Im darauf folgenden Abschnitt ist die Entwicklung der Bildhauerkunst eng mit der Petersburger Kunstakademie verbunden, an der nun mehr als eine Künstler-Generation ihre Ausbildung erhält. Als einer ihrer ersten Absolventen wäre Fedor Ivanovič Šubin [eigentlich: Šubnoj] (1740–1805) zu nennen, der sich fast ausschließlich dem Porträt widmete. Als Sohn eines freien Kronbauern in einem Fischerdorf in der Nähe von Cholmogory geboren, verdiente er sich seinen Lebensunterhalt zunächst durch Fischfang im Weißen Meer und erlernte dort auch die für diese Gegend typische Fischbeinschnitzerei. 1759 kam er nach Petersburg und studierte dort 1761 bis 1766 an der Kunstakademie, an der er auch mit der Großen Goldmedaille ausgezeichnet wurde. Drei Jahre lebte er daraufhin in Paris und zwei weitere in Rom, bis er 1773 nach Petersburg zurückkehrte und dort seine Karriere begann.

Neben seinen Porträt-Skulpturen schuf er auch andere bemerkenswerte Werke, vor allem Bauplastik. Reliefkomposi-

tionen und Statuen zu historischen, mythologischen oder
biblischen Themen, sowie allegorische Kompositionen entstanden für den 1768 bis 1786 im Auftrage Ekaterinas II.
von Rinaldi erbauten Marmorpalast und den von Starov
entworfenen (am 30. August 1790 geweihten) Dreieinigkeits-Dom der Lavra des heiligen Aleksandr-von-der-Neva.
Außerdem schuf er für die große Kaskade in Peterhof die
Bronzefigur der Pandora und einige Standbilder Ekaterinas II.,
vor allem das 1789–1790 entstandene, das sie als Gesetzgebe-
rin zeigt.

In der Geschichte der russischen Bildhauerkunst spielt der
Pariser Etienne-Maurice Falconet (1716–1791) eine besondere Rolle. Der Schüler von J.-B. Lemoyne leitete 1757 bis
1766 die Manufaktur in Sèvres, für die er auch mehrere
Porzellan-Figuren entwarf. Durch sie gelangte sein Ruhm
auch nach Rußland, und Ekaterina II. beauftragte ihn, für
Petersburg ein monumentales Denkmal Petrs I. zu schaffen.
1766 siedelte Falconet deshalb in die Residenzstadt über, in
der er zwei Jahre blieb, um eines der bemerkenswertesten
Reiterstandbilder zu errichten, in dem sich Wirken und Person des Stadtgründers monumental verkörpern. Unterstützt wurde der Künstler bei seinem Tun von seiner Schülerin Marie Anne Collot (1748–1821), die den Kopf des Reiters modelliert hat.

Form und Größe des Denkmals entsprechen auf geniale
Weise dem Ort seiner Aufstellung. Riesig wirkt die Figur
auf dem sich aufbäumenden Roß, das eine Schlange, die Personifikation des im Nordischen Krieg besiegten Schwedens,
zertritt. Majestätisch erhebt sie sich auf ihrem Sockel vor
dem Hintergrund der weiten Wasserflächen der Neva und
des Finnischen Meerbusens, wie es Puškin in seinem berühmten Epos »Der eherne Reiter« 1833 geschrieben hat:

> »Und auf granitnem Postamente,
> Am unbewegten Felsenrand,
> Ragt starr, mit ausgestreckter Hand, . . .
> Auf erznem Rosse der Gigant.«

Entwurf des Monumentalkopfes für das Denkmal Petrs I. Modell von
E.-M. Falconet und M. A. Collot, um 1767

Am Ende des 18. Jahrhunderts gehört schließlich Michail
Ivanovič Kozlovskij (1753–1802, siehe Kat.-Nr. 87) zu den
markanten Vertretern der russischen Bildhauerkunst. Von
seiner Hand sind einige Basreliefs zu historischen Themen
für den Marmorpalast, außerdem Grabdenkmäler und Monumentalskulpturen überliefert. Auch das 1801 in Petersburg enthüllte Denkmal für den russischen Heerführer Generalissimus A. V. Suvorov stammt von ihm. Es gilt als
eines seiner Hauptwerke und ist zugleich ein exemplarisches
Beispiel russischer klassizistischer Bildhauerkunst. Porträt-
hafte Ähnlichkeit wurde hier nicht angestrebt, sondern eine
Verkörperung des mit Suvorov verbundenen heroischen
Pathos, das sich in der antikisierenden Rüstung, der stren-

gen Schönheit des Antlitzes und der energisch aufgerichte-
ten jugendlichen Figur äußern. Zusammen mit seinem
wohlproportionierten zylindrischen Postament war es
exakt für seinen ursprünglichen Standort auf dem Marsfeld
konzipiert.

Ebenfalls von Kozlovskij stammt die Figur des Samson,
die 1800 für die Große Kaskade vor dem Palast in Peterhof
geschaffen wurde. Die kraftvolle Bewegung des Helden, der
mit übermenschlicher Anstrengung den Rachen des Löwen
aufreißt, steht in der Tradition antiker Herakles-Statuen
oder anderer herkulischer Skulpturen in der Nachfolge Mi-
chelangelos. Als Allegorie verkörpert die Figur den Sieg
Rußlands über Schweden und folgt damit einer ersten

Statue des Samson auf der Großen Kaskade des Palastes von Peterhof. Skulptur von Michail I. Kozlovskij, 1800

tuen ersetzte, war daran auch Ivan Prokof'evič Prokof'ev (1758–1828), der jüngste der maßgebenden russischen Bildhauer des 18. Jahrhunderts, beteiligt. Von ihm stammt dort die allegorische Figur des Flusses Volchov. Sein individueller Stil zeigt sich jedoch deutlicher in seinen Reliefs. Sie entstanden für den Palast in Pavlovsk und für das Haupttreppenhaus der Kunstakademie. 1806–1807 entstand sein Relieffries zum Thema der »Ehernen Schlange« für den Westportikus des Kazaner Doms.

Von Fedodosij Fedorovič Ščedrin (1751–1825), der gleichzeitig mit Kozlovskij an der Kunstakademie studiert hatte, stammt im Komplex der Wasserspiele von Peterhof die Statue der »Neva«, das Pendant zu Prokof'evs »Volchov«. Für den Skulpturenschmuck des Kazaner Domes hat dieser Bildhauer ebenfalls gearbeitet. Seine Spätwerke entsprechen aber bereits jener Phase des russischen Klassizismus, die von der Architektur A. Voronichins und A. D. Zacharovs geprägt wird. Davon zeugen besonders Ščedrins Skulpturen

Grabmal des Architekten A. Voronichin von V. Demut-Malinovskij auf dem Lazarus-Friedhof in Petersburg

Samson-Gruppe, die C. B. Rastrelli 1735, im Auftrage der Kaiserin Anna Ioanovna, geschaffen hatte und die hier bereits zum 25. Gedenktag der Schlacht von Poltava aufgestellt werden sollte. Wie diese basierte auch Kozlovskijs Skulptur auf einer Verwechslung: Der russische Sieg bei Poltava fällt zwar auf den 27. Juni (1709), den Gedenktag des heiligen Samson (oder: Sampson) im orthodoxen Heiligenkalender; bei ihm handelt es sich aber nicht um den mit wunderbaren Kräften ausgestatteten alttestamentlichen Helden (vgl. Rich. 13 ff.), der jetzt auf der Kaskade steht, sondern um einen Arzt und Wundertäter aus dem Konstantinopel des 6. Jahrhunderts. (Zur Geschichte der Kaskade und ihrer Skulpturen siehe Kat.-Nr. 182).

Als man bei der Kaskade die ursprünglichen und inzwischen verwitterten Bleifiguren durch vergoldete Bronzesta-

für den Umbau der Admiralität, indem sie mit der Architektur eine gelungene Synthese bilden.

Im letzten Jahrzehnt des 18. Jahrhunderts – und für diesen Zeitraum wären neben Prokof'ev und Ščedrin noch Fedor Gordeevič Gordeev (1744–1810) und Ivan Petrovič Martos (1752–1835) zu nennen – wird das Grabdenkmal eine bevorzugte Aufgabe der Architekten. Dies entspricht der Weltanschauung jener empfindsamen Zeit, in der sich geradezu ein Kult des Schmerzes über den unersetzlichen Verlust eines geliebten Menschen entfaltete. Dadurch werden die Petersburger Friedhöfe um 1800 zu Sammelorten für qualitätvolle Bildhauerkunst der bedeutendsten Meister der Zeit. Besonders gilt dies für den Lazarus-Friedhof [Lazarevskoe kladbišče] an der Lavra des heiligen Aleksandr-von-der-Neva, auf dem sich auch die Gräber von Rossi, Quarenghi, de Thomon, Voronichin, Starov, und Stasov, besonders aber der Bildhauer Ščedrin, Zacharov, Kozlovskij und Martos und anderer Persönlichkeiten des damaligen kulturellen Lebens in Rußland befinden.

Auch für die Bildhauerkunst haben – wie für die Malerei – in der zweiten Hälfte des 18. Jahrhunderts auch ausländische Künstler wichtige Beiträge geleistet. Der bedeutendste unter ihnen war der schon erwähnte E. M. Falconet. Doch schon vor ihm war der Franzose Nicolas François Gillet (1709–1791) 1764 zur Unterrichtung russischer Studenten nach Petersburg berufen worden. Fast alle Bildhauer dieser zweiten Hälfte des 18. Jahrhunderts wurden von ihm ausgebildet. Daneben schuf er Porträtbüsten (1800 von Pavel I. für den Winterpalast).

Der Franzose Jean Dominique Rachette (1744–1809, siehe Kat.-Nr. 91) war seit 1780 als Modellmeister an der Kaiserlichen Porzellan-Manufaktur in Petersburg tätig. Aber auch großplastische Werke stammen von seiner Hand, so eine Anzahl von Basreliefs an der Fassade des Kazaner Domes am Nevskij-Prospekt.

In die Jahre nach 1800 fällt die Tätigkeit eines weiteren französischen Bildhauers in Petersburg: Louis-Marie Guichard (nach 1770 – nach 1831, siehe Kat.-Nr. 86), der 1804, aufgrund seiner Büste des Großfürsten Konstantin Pavlovič, zum Mitglied der Petersburger Akademie berufen wurde. Als weitere Porträts von Mitgliedern des Kaiserhauses entstanden Büsten der Kaiserin-Witwe Marija Fedorovna, Aleksandrs I., dessen Gemahlin Elizaveta Alekseevna (Kat.-Nr. 86) und der Großfürstin Ekaterina Pavlovna.

Mit dem Beginn der Regierungszeit Aleksandrs I. begann auch ein neuer Abschnitt in der Entwicklung der russischen Kunst. In ihm spiegelt sich der gesellschaftliche Wandel, der damals nicht zuletzt durch die Hoffnung auf eine grundlegende Umgestaltung der Regierungsform hervorgerufen wurde. Im Hinblick darauf wurden neu formulierte Ideen des Humanismus und der Aufklärung verfolgt, die sich im ersten Drittel des neuen Jahrhunderts auch auf das künstlerische Leben auswirkten. 1801 wurde in Petersburg die »Freie Gesellschaft der Freunde der Literatur, der Wissenschaften und der Künste [Vol'noe obščestvo ljubitelej slovesnosti, nauk i chudožestv]« gegründet, der vor allem Publizisten, Schriftsteller und bildende Künstler angehörten: der Maler und Zeichner Andrej Ivanovič Ivanov (1775–1848), die Bildhauer Ivan Petrovič Martos (1752–1835), Ivan Ivanovič Terebenev (1780–1815) oder der Grafiker Aleksandr Ivanovič Zauervejd [Sauerweid] (1783–1844, siehe Kat.-Nr. 242 ff.). Zusammen mit Vertretern der Wissenschaft erarbeitete man dort neue weltanschauliche Theorien. *»Damit nun auf jeden Fall die Künste die Prinzipien der Moral verkündeten, proklamierten sie den Geist des Volkes und stärkten ihn«*, schreibt 1807 der russische Kunsttheoretiker A. Pisarev.

Neu erwachtes bürgerliches Pathos, nationale und patriotische Themen und die Verherrlichung von Helden bestimmten den Klassizismus dieser Zeit; den Hochklassizismus, als letzte Phase dieser Stilform.

Die Bildhauerkunst strebte nach verstärkter Monumentalität, als wichtiger Faktor jener Synthese, die sie – jetzt noch deutlicher als vorher – mit der Architektur und der Malerei bildete. In den Bauwerken der Zeit dienten jeweils alle Kunstgattungen einem übergreifenden Gesetz, wobei die Bildhauerkunst mit ihren Reliefs und Statuen sowie die Wandmalerei Bedeutung und Funktion des Gebäudes sichtbar machten.

Als besonders eindrucksvolles Beispiel einer solchen Synthese gilt das neue Gebäude der Admiralität, ein 1806–1823 von Andrejan (Adrian) Dmitrievič Zacharov (1761–1811) vollzogener vollständiger Umbau des Vorgängerbaus. In dieser zu Stein gewordenen Hymne auf die Seemacht Rußland sind alle Reliefs und Skulpturen vom Architekten selbst nach einem einheitlichen Konzept entworfen und danach von verschiedenen Meistern – F. F. Ščedrin, Vasilij Ivanovič Demut-Malinovskij (1779–1846, siehe Kat.-Nr. 85), I. I. Terebenev und Stepan Stepanovič Pimenov (1784–1833) – ausgeführt worden. Vor allem am Turm, der mit seiner berühmten goldenen Nadelspitze das Zentrum der gesamten Architektur-Komposition bildet, konzentriert sich der plastische Schmuck. Er symbolisiert die Macht der russischen Flotte und deren Fahrten über die Meere der Welt. Von ihrem Ruhm künden geflügelte Engel über dem Eingangsbogen. Im oberen Geschoß zeigt das Relief »Die Gründung der Flotte in Rußland« den Meeresgott Neptun, der Petr I. als Herrschaftszeichen seinen Dreizack übergibt. – In der Fülle der Darstellung äußert sich ein reiches ikonographisches Programm.

Einem anderen, für die Zeit typischen Themenkreis ist das Bildprogramm des 1804 bis 1811 nach Entwürfen von

Haupt des heiligen Aleksandr von der Neva. Detail der Statue von S. Pimenov für den Kazaner Dom, 1807–1811

Das Bekenntnis zu neuen Idealen führt zur Errichtung neuer Denkmäler, und zwar nicht nur in der Hauptstadt, sondern auch in anderen Städten Rußlands. Zu einem Hauptmeister dieses Aufgabengebietes entwickelt sich der schon mehrfach erwähnte Ivan Petrovič Martos, der sich auch hier als einer der bedeutendsten Vertreter des russischen Klassizismus ausweist. Der in dem kleinen Provinzstädtchen Ična in der Ukraine geborene – sein Vater stammte aus einer alten Kosakenfamilie – kam 1764 an die Kunstakademie in Petersburg und ging 1773 nach seinem Abschluß als Stipendiat nach Rom. Berühmt wurde der »Phidias des 19. Jahrhunderts« (wie ihn Zeitgenossen nannten) vor allem durch sein Denkmal für die Volkshelden Minin und Požarskij im Aufstand von 1612 gegen die polnische Okkupation. Auf dem Roten Platz in Moskau zeugt es von der patriotischen Begeisterung jener Jahre der Kämpfe gegen den Feind. Das 1804 begonnene und in Petersburg in Bronze gegossene Denkmal wurde 1818 enthüllt, nachdem es auf dem Wasserwege nach Moskau gebracht worden war. Weitere Standbilder folgten: für den Gelehrten M. V. Lomono-

Andrej N. Voronichin erbauten Kazaner Doms gewidmet. Seine beiden großen Reliefs von I. P. Prokof'ev und I. P. Martos über den Seiteneingängen der Kolonnaden zum Nevskij-Prospekt zeigen zwei alttestamentliche biblische Themen: »Die Eherne Schlange« und »Moses schlägt Wasser aus dem Felsen«. In beiden Darstellungen geht es also um einen »Helden«, der seinem Volke hilft. Jede Komposition umfaßt bis zu 150 Figuren, die in klassizistisch klarer Anordnung zu präziser plastischer Form geordnet werden.

Zum Bildprogramm des Domes gehören ebenfalls die vier großen Bronzestatuen am Haupteingang nach Modellen von Martos, Prokof'ev, Demut-Malinovskij und Pimenov. Sie stellen vier Heilige dar, die für die russische Geschichte von besonderer Bedeutung sind: Johannes der Täufer und der Apostel Andreas, der als erster Verkünder des Evangeliums auf dem Boden der Rus' gilt; der heiliggesprochene russische Fürst Vladimir, der 988 das Christentum in Kiev eingeführt hat, und Aleksandr von der Neva, der Patron Petersburgs. Die Kraft ihrer Gestik und ihr plastisches Volumen entsprechen der Monumentalität der Kolonnaden.

Denkmal für die Volkshelden Minin und Pozarskij auf dem Roten Platz in Moskau. Skulptur von I. Martos, 1818

sov in Archangel'sk, für den Stadtgründer Armand Emmanuel du Plessis Herzog von Richelieu (1766–1822) in Odessa und für Aleksandr I. in Taganrog, dem Sterbeort des Kaisers. Von den durch ihn geschaffenen Grabmälern wären die für den Fürsten S. S. Volkonskij, für G. A. Potemkin und N. I. Panin besonders zu nennen. Bei aller klassizistischer Strenge verlieh der Künstler dabei seinen Verkörperungen der Trauer einen nahezu dramatischen Klang.

Nachdem die bereits erwähnten Bildhauer Demut-Malinovskij und Pimenov ihre Arbeiten an der Admiralität und am Kazaner Dom abgeschlossen hatten, arbeiteten beide am Skulpturenschmuck für den Bogen des Hauptstabes, der 1827 bis 1829 nach Plänen von Carlo Rossi entstand. Seine kolossalen Kriegerfiguren in den Nischen und die monumentalen Reliefs im Durchgang zeigen Rußlands Triumph im Krieg gegen Napoleon. Der den Bogen bekrönende sechsspännige, von zwei Kriegern flankierte Triumphwagen über der Attika, wird von der geflügelten Figur des Ruhmes gelenkt. Sie weist mit ihrem Siegeskranz zur kaiserlichen Residenz, deren Haupteinfahrt sich exakt gegenüber öffnet.

Beide Bildhauer haben auch für den Senat, den Heiligsten Synod (um 1830) und den Narva-Triumphbogen (siehe Kat.-Nr. 479) gearbeitet. Von Demut-Malinovskij allein stammen die großen bronzenen Ochsenfiguren an den Toren des städtischen Schlachthofes.

Boris Ivanovič Orlovskij (1793–1837, siehe Kat.-Nr. 89 f.), der Sohn eines leibeigenen Bauern aus dem Gouvernement Orel, wurde nicht in der damals üblichen Weise zum Künstler ausgebildet. Erst 1822 wurde der damals schon erfahrene Werkmeister in die Kunstakademie aufgenommen und bald danach schon als Stipendiat nach Italien geschickt. Sein Werk ist sehr vielfältig. Von seiner Hand stammen zahlreiche allegorische Darstellungen und Porträts, aber auch Monumentalskulpturen für verschiedene Bauten. Von ihm stammt auch ein Modell für das 1834 bis 1838 nach einem Entwurf von Stasov in Gußeisen ausgeführte Moskauer Triumphtor in Petersburg, für das er außerdem noch Skulpturen schuf. Heute sind wohl seine beiden Denkmäler für M. I. Kutuzov (siehe Kat.-Nr. 90) und M. B. Barclay de Tolly besonders bekannt, die 1831 bis 1836 vor dem Kazaner Dom errichtet wurden. Mit der kurz vorher entstandenen Architektur bilden sie ein beziehungsreiches plastisch-räumliches Ensemble.

Ohne die Kunst Graf Fedor Petrovič Tolstojs (1783–1873, siehe Kat.-Nr. 92 ff.) bliebe das Register russischer Empire-Kunst unvollständig: Der Aristokrat verzichtete auf die Vorrechte seines Standes und auf die Fortsetzung seiner militärischen Laufbahn, um sich ausschließlich der Kunst zu widmen. Seine 1814 bis 1836 geschaffene Serie von Medaillons mit allegorischen Darstellungen der wesentlichen

Schlachten spricht von der Kraft, der Mannhaftigkeit und der Größe Rußlands. Auf hellblauem Grund erscheinen weiß die Krieger in antiken und historischen Kostümen; unter ihnen Aleksandr I. in altrussischer Rüstung als der sagenumwobene Fürst Rodomysl (vgl. Kat.-Nr. 92). – Aber auch mit Zeichnungen, Illustrationen, Silhouetten und anderen kleineren Arbeiten hat sich Tolstoj einen Namen gemacht.

In der Malerei zeigen sich die hochklassizistischen Merkmale am deutlichsten bei historischen Themen. Im Anschluß an die heroischen Ideale der Zeit stellte dabei die Kunstakademie ihren Absolventen bevorzugt Themen aus der russischen Vergangenheit. Aber auch das Schaffen von Künstlern wie Andrej Ivanovič Ivanov, Aleksej Egorovič Egorov (1776–1851) oder Vasilij Kuz'mič Šebuev (1777–1855, siehe Kat.-Nr. 43) spiegelt deutlich diese Tendenzen. Ihr gemeinsames Werk, der Bilderschmuck des Kazaner Domes (1932 bei der Umwandlung dieser Kirche in das »Museum für Geschichte der Religion und des Atheismus« größtenteils entfernt und ins Russische Museum verbracht) zeigt – bei allen individuellen Unterschieden – die einheitlichen Stilmerkmale der Zeit: eine streng angelegte Zeichnung mit gleichzeitiger Betonung der plastischen Form, eine rational disponierte Komposition und einen entsprechenden Einsatz der Farbe. Dafür ist Šebuevs Gemälde »Der heilige Aleksandr von der Neva« von 1819 (Kat.-Nr. 43) ein typisches Beispiel.

Malerei, Architektur und Bildhauerkunst der Zeit zeigen jedoch, daß sich ihre bildnerischen Qualitäten nicht in ihren heroischen und erhabenen Aspekten erschöpfen. Während sich die Kunst einerseits verstärkt nationalen Themen zuwendet, widmet sie sich andererseits der Erfassung beobachteter Wirklichkeit. Das Pendel der künstlerischen Entwicklung schlägt damit wieder zur anderen Seite aus. Die neuen Kräfte der Romantik bahnen sich an. Im Gegensatz zur klassizistischen Rhetorik sprechen sie von den Idealen der Natürlichkeit und Einfachheit von erhabener Humanität und von deren Emotionen. Die Aufmerksamkeit der Künstler wendet sich wieder der sie umgebenden Welt zu und sucht sie adäquat ins Bild zu setzen.

Die neue Richtung zeigt sich schon früh in der Porträtmalerei, wobei sie allerdings durch die jeweiligen Künstler jeweils unterschiedliche Akzente erhielt. Der bedeutendste russische Bildnismaler dieser Zeit, Orest Adamovič Kiprenskij (1782–1836, siehe Kat.-Nr. 202), hat mit der Sprache seiner Malerei und seiner Graphik (womit er vielleicht seine besten Werke schuf) die Qualitäten seiner Zeitgenossen so geschildert, wie sie auch in den Dichtungen Žukovskijs, Puškins oder Batjuskovs erschlossen werden.

Seit der Mitte der 20er Jahre macht sich in seinem Werk ein neuer Zug bemerkbar. Die romantische Bewegtheit seiner frühen Arbeiten wird nun mehr und mehr zu psycholo-

gischem Verständnis vertieft. Dies zeigt ganz ausgesprochen sein wohl bestes Werk dieser Periode, das Bildnis Puškins 1827, nach dessen Vorbild zahlreiche weitere Fassungen von anderer Hand entstanden sind (siehe Kat.-Nr. 76). Das sehr einfach angelegte Porträt wird weder durch genrehafte Züge belebt, noch wird in ihm die Genialität des Dichters übermäßig betont. Das Bild wirkt allein durch die strengformulierte Gestalt des Dargestellten, durch deren ungezwungene Pose und den ruhigen, konzentrierten Ausdruck des Gesichts. Dem entspricht die Farbgebung, die auf olivgrünen und braunen Tönen basiert, sowie die ausdrucksvolle Klarheit der plastisch modellierten Formen. Dabei priesen damals die zeitgenössischen Betrachter vor allem die bewundernswerte Porträtähnlichkeit der Darstellung. Der Dichter selbst sagte dazu: »*Ich sehe mich wie in einem Spiegel, aber dieser Spiegel schmeichelt mir!*«

Im Kreise der romantischen Maler machte Aleksandr Grigor'evič Varnek (1782–1843, siehe Kat.-Nr. 50) die getreue Erfassung der Natur zum grundlegenden Prinzip seiner Kunst. Intensiv studierte er seine Modelle, um deren charakteristische Züge ins Bild setzen zu können. Sein Porträt der Ballerina E. I. Kolosova aus dem Jahre 1801 ist ein aufschlußreiches Ergebnis solcher Beobachtungen. Trotz der Verfremdung durch das Bühnenkostüm erhält sein lebendiger Ausdruck einen eher zarten, intimen Charakter. Bei dem Porträt des Grafen A. S. Stroganov von 1806, des damaligen Präsidenten der Kunstakademie, Komposition und Malerei wiederum von der klaren Naturbeobachtung des Künstlers.

Ähnlich wie Kiprenskij sucht auch Vasilij Andreevič Tropinin (1776/80–1857, siehe Kat.-Nr. 47) die spezifischen menschlichen Qualitäten zu erschließen, die sich in der Seele des Dargestellten verbergen. Was er dabei entdeckt, vermittelt er ungekünstelt als reales Faktum. Seine Porträts der 20er und 30er Jahre wirken durch eine geradezu bürgerliche Schlichtheit natürlich und ungezwungen.

Der Künstler war auch an den Arbeiten für die Militär-Galerie des Winterpalastes beteiligt, woran das 1824 entstandene Bildnis des Generals und späteren Dekabristen Fürst Sergej G. Volkonskij erinnert.

Daneben gilt er als einer der Schöpfer der russischen Genre-Malerei. Seine »Spitzenklöpplerin« und seine »Spinnerin« aus den 20er Jahren zeigen Menschen aus dem einfachen Volk bei ihrer alltäglichen Arbeit.

Das Bestreben, die komplexe Natur des Menschen zu erfassen, bekräftigte auch in dieser Phase der Romantik immer wieder realistische Tendenzen. Das zeigen die Genre-Bilder von Aleksej Gavrilovič Venecianov (1780–1847, siehe Kat.-Nr. 131). Er begann zunächst mit Porträts und satirischer Graphik, konzentrierte sich danach aber bald auf Darstellungen aus dem Volksleben und besonders auf Typen

V. A. Tropinin, Die Spitzenklöpplerin, 1823, Tret'jakov-Galerie, Moskau

russischer Bauern, wobei er neue Prinzipien für die Darstellung der Wirklichkeit erarbeitete. Seine Szenen aus dem bäuerlichen Leben suchen dort nach exemplarischen Formen der menschlichen Natur und beschreiben poetisch deren Lauterkeit. Doch geht es ihm in seinen Genre-Bildern nicht allein um den naturverbundenen Menschen, sondern auch um die Natur selbst, die er als reales Faktum mit eigenständigem ästhetischen Wert erkennt und schildert.

Für die weitere Entwicklung der russischen Kunst erwarb er sich durch die Gründung einer Schule besondere Verdienste, für deren Schüler er eine eigene pädagogische Methode entwickelte. Ihre Voraussetzung war die direkte Begegnung mit der Natur, die möglichst durch keinerlei Vorbilder anderer Meister verstellt werden sollte.

Das Interesse für die menschliche Existenz übertrug sich dabei auf deren Umgebung. Deshalb malten Venecianov und seine Schüler Interieurs von Herrenhäusern, Salons in den Landhäusern des Adels oder Innenansichten russischer

A. G. Venecianov, Bei der Ernte, nach 1820, Tret'jakov-Galerie, Moskau

Künstler, wie unterschiedlich dieselbe akademische Ausbildung genutzt und weiterentwickelt werden kann. Basin blieb ihr weitgehend treu, indem er vor allem biblische und mythologische Themen behandelte; charakteristische Werke des Hochklassizismus, wie das hier gezeigte Gemälde »Susanna und die beiden Alten« aus dem Jahre 1822 (siehe Kat.-Nr. 3). Bei Brjullov werden dagegen die akademischen Dogmen jedoch bald romantisch gebrochen, was auch in diesem Falle wieder mit lebendiger realistischer Überzeugungskraft anstatt mit abstrakt-idealistischen Normen verbunden ist.

Weltweites Aufsehen erregte seine große Komposition »Die letzten Tage von Pompeji«. Sie entstand 1830–1833 während seiner Stipendiatenzeit in Rom, geprägt durch die Kunst Raffaels und anderer Meister des Cinquecento. Man zeigte es auf Ausstellungen in Rom, Mailand und Paris; 1834 in Rußland, und zwar zuerst in Moskau und danach in Petersburg. Das dabei erweckte begeisterte Echo der Zeitgenossen spricht aus den Versen des Dichters Evgenij Abramovič Baratynskij (1800–1844):

> *»Du brachtest mit die stolzen Siegeszeichen*
> *aus aller Welt ins Vaterland hinein,*
> *und mit »Pompejis letztem Tag« dergleichen,*
> *für Rußlands Malerei den Morgenschein.«*

In Petersburg hat Brullov zahlreiche ihm nahestehende Schriftsteller und Künstler wie V. A. Žukovskij, I. A. Krylov oder N. V. Kukol'nik porträtiert, außerdem Adelige, wie die Gräfinnen Ju. P. Samojlova oder E. P. Saltykova oder Mitglieder der Kaiserlichen Familie, wie die Kaiserin Aleksan-

Kirchen. Und weil er seine Schüler – trotz des postulierten Primats der Natürlichkeit – immer wieder aufforderte, Bilder europäischer Meister in der Ermitage zu kopieren, unterwies er sie dort auch in der Darstellung von Interieurs. Auf diese Weise entstanden in den 20er und 30er Jahren die hier gezeigten Arbeiten von Sergej Konstantinovič Zarjanko (1818–1870, siehe Kat.-Nr. 56 f.), Aleksej Vasil'evič Tyranov (1808–1859, siehe Kat.-Nr. 49) und Efim Tucharinov (1. Hälfte des 19. Jahrhunderts, siehe Kat.-Nr. 48). Ihre Gemälde dokumentieren bis heute Prunkräume des Winterpalastes, die später dem großen Brand von 1837 zum Opfer gefallen sind.

Neben dieser Richtung wird die Tradition der Historienmalerei durch Karl Pavlovič Brjullov (Brüllow, eigentlich: Brulleau, aus einer zugewanderten Lüneburger Hugenottenfamilie, 1799–1852, siehe Kat.-Nr. 5), und durch seinen Zeitgenossen Petr Vasil'evič Basin (1793–1877, siehe Kat.-Nr. 3) fortgesetzt. Dabei zeigt ein Vergleich der Werke beider

K. Brjullov, Der letzte Tag von Pompeji, 1833, Russisches Museum, Leningrad

dra Fedorovna, die Gemahlin Nikolaj I., zusammen mit ihrer Tochter, der Großfürstin Marija Nikolaevna (Kat.-Nr. 5).

Damals waren neben den russischen Bildnismalern in Petersburg wiederum auch ausländische Künstler tätig: Nicolas de Courteille (1768 – nach 1830, siehe Kat.-Nr. 7), François Baron de Gérard (1770–1837) und Benois Charles Mitoire (siehe Kat.-Nr. 29) und der Ungarndeutsche Johann [János] Rombauer (1782–1849, siehe Kat.-Nr. 42). Von der Kunstakademie wurde ihnen der Titel eines »approbierten [naznačennyj]« oder »nichtklassizifierten [neklassnyj]« Künstlers verliehen. Sie arbeiteten vor allem in privatem Auftrag und übten auf die weitere Entwicklung der russischen Malerei im Grunde keinen Einfluß aus.

Neben der Malerei entwickelten sich am Anfang des Jahrhunderts die Zeichnung und das Aquarell, nicht zuletzt als Vorlagen für druckgraphische Umsetzungen. Spielten sie vorher eine eher untergeordnete Rolle, erlangten sie jetzt eigenständige künstlerische Bedeutung. In den Oeuvres der Bildnis- und Historienmaler bilden sie jetzt ganz selbständige Kapitel, innerhalb derer auch spezifische neue Wege der Kunst erkundet wurden. Dazu zählen die gezeichneten Porträts von O. A. Kiprenskij, von K. P. Brjullov oder von dessen Bruder Aleksandr Pavlovič (1798–1877), der allerdings vor allem als Hof-Architekt wirkte. Auf dem kleinen Format der Blätter entfaltet sich eine sehr intime Auffassung der Sujets, die Antlitz und Geist der Dargestellten gleichermaßen zu erfassen suchte. Dabei entstanden die kleinen Blätter nicht mehr nur für die große Welt, sondern auch für Künstler, Intellektuelle, Beamte und Kaufleute; eine durch ihre Verbreitung verhältnismäßig demokratische Kunst.

Gleichzeitig steigerte sich die Vorliebe für die Miniaturmalerei. Neben zahlreichen Ausländern bedienten sich vor allem zwei Russen dieser minuziösen Technik: Dmitrij Ivanovič Evrejnov (1742–1814, siehe Kat.-Nr. 140) und Petr Gerasimovič Žarkov (1742–1802, siehe Kat.-Nr. 153). 1802 wurde ihr Schüler Pavel Alekseevič Ivanov (1776–1813, siehe Kat.-Nr. 141) als erster russischer Miniaturmaler zum Mitglied der Akademie ernannt.

Zur Gruppe der kleinformatigen Bildnisse gehörte damals außerdem - neben der Zeichnung und der Miniatur - das Aquarell, wobei in diesem Zusammenhang an erster Stelle der Name Petr Fedorovič Sokolovs (1787–1848, siehe Kat.-Nr. 143) genannt werden muß. Er hat in den 20er und 30er Jahren des Jahrhunderts Porträts von Staatsmännern, Schriftstellern, Dichtern, Künstlern, mondänen Damen, dazu von Freunden und Bekannten geschaffen, die insgesamt ein enzyklopädisches Bild der Petersburger Gesellschaft zur Zeit Puškins vermitteln. Diese Blätter bestechen durch ihre Leichtigkeit und die Reinheit ihrer Farbgebung, wie das vor allem das 1825/26 entstandene Porträt Aleksandra Murav'ëva zeigt (Kat.-Nr. 143).

Unter dem Einfluß Sokolovs steht deutlich Nikolaj Aleksandrovič Bestužev (1791–1855, siehe Kat.-Nr. 137), wie sich das in seinem Selbstporträt vielleicht am besten zeigt. Dagegen arbeitet Michail Ivanovič Terebenev (1795–1864, siehe Kat.-Nr. 145) nicht mit dessen zart lasierten weichen Tönen, sondern mit verfestigten opaken Farbschichten, die er häufig mit Gouache verstärkt.

Die Landschaftsmalerei bildete damals einen besonders interessanten Bereich der russischen Aquarellkunst, wobei deren selbständige Entwicklung bereits am Ende des 18. Jahrhunderts begann. So kolorierte Benjamin Paterssen (1750–1815, siehe Kat.-Nr. 216 ff.) nicht nur seine druckgraphischen Ansichten von Petersburg häufig selbst, sondern verwendete das Aquarell bereits auch als eigenständige Technik (Kat.-Nr. 121 ff.). Mit der Transparenz ihrer Farben bilden sie gegenüber den Gemälden des Künstlers ein qualitätsvolles Äquivalent und vermittelt ein besonders lebendiges Bild der Stadt.

Auch die Topographen, die, im Auftrag des Generalstabes, Landschaften nach der Natur malten, nutzten dafür häufig die Aquarelltechnik. Fedor Kuz'mič Neelov (1782/83–1832, siehe Kat.-Nr. 117 ff.) gehört zu ihnen, der die Stadt und das Leben in ihren Straßen zwar ohne besondere Virtuosität aber mit einer fast an Naivität grenzenden Lauterkeit schildert.

Andrej Efimovič Martynov (1768–1826, siehe Kat.-Nr. 113 ff.), der Absolvent der Klasse für Landschaftsmalerei an der Petersburger Kunstakademie, bediente sich dieser Technik mit Erfolg. 1805/06 lieferte er bereits während einer Reise von Moskau nach China, als Mitglied der damaligen diplomatischen Gesandtschaft, erste Proben seines Könnens. Danach arbeitete er in Petersburg auch weiterhin in dieser Technik und schuf mit ihr im zweiten Jahrzehnt des 19. Jahrhunderts eine große Serie mit Ansichten der Stadt; Darstellungen, bestimmt von blassem Himmelsblau und dessen Spiegelungen in Flüssen und Gewässern.

Stadtansichten und solche von deren Umgebung malten damals auch der Deutsche Johann Wilhelm Gottfried Barth (1779–1852, siehe Kat.-Nr. 98 ff.) und dessen Sohn Eduard. Aus Gründen der Präzision und der topographischen Genauigkeit bevorzugten sie jedoch die Gouache-Technik. Plätze und Straßen wirken so, als seien sie leergefegt, denn die Künstler verzichteten fast gänzlich auf Staffage.

Nicht so bei Maksim Nikiforovič Vorob'ev (1787–1855, siehe Kat.-Nr. 132 ff.), der die Traditionen des Landschafters Fedor Jakovlevič Alekseev (1753–1824, siehe Kat.-Nr. 1) fortgesetzt hat. Er arbeitet lyrischer, weicher und emotionaler, wie bereits frühe Arbeiten, z. B. die »Parade auf dem Schloßplatz« oder der »Uferkai der Neva von der Ecke des Winterpalastes« aus dem Jahre 1817 zeigen. In den 20er Jahren bevorzugte er ausgesprochen romantische Stimmungen

und zeigt die Stadt im Dämmerlicht, bei Mondschein oder Sonnenuntergang.

Lange Jahre leitete Vorob'ev die »Klasse für Malerei und Perspektive« der Kunstakademie, zu deren wichtigsten Schülern der Deutschbalte Carl Joachim Beggrow [Karl Petrovič Beggrov] (1799–1875, siehe Kat.-Nr. 108 ff. und 163 ff.), Grigorij Girgor'evič Gagarin (1810–1893, siehe Kat.-Nr. 111) und die Brüder Grigorij Grigor'evič (1802–1865) und Nikanor Grigor'evič (1805–1879) Černecov (siehe Kat.-Nr. 6) gehörten. Von ihnen stammen Stadtbilder in unterschiedlichen Techniken, deren realistische Auffassung die romantische Sicht bereits wieder zu verdrängen beginnt. Dies äußert sich mit besonderer Deutlichkeit im Werk von Grigorij Černecov, der häufig festliche Paraden auf den Plätzen Petersburgs dargestellt hat. Zum Stadtbild tritt dabei die Schilderung der Menge, deren einzelne Figuren ebenfalls detailliert und individuell charakterisiert werden.

Im ersten Drittel des Jahrhunderts erleben auch Kupferstich und Radierung eine besondere Blütezeit. Sie beginnt mit Nikolaj Ivanovič Utkin (1780–1863, siehe Kat.-Nr. 231 ff.), der wiederum Porträts interessanter und bedeutender Persönlichkeiten der damaligen Gesellschaft gearbeitet hat. Daneben setzte er Gemälde von D. G. Levickij, V. L. Borovikovskij, O. A. Kiprenskij, A. G. Varnek und anderen Künstlern in Druckgraphik um, wobei er die spezifischen Eigenarten der Vorbilder jeweils transponiert und dabei noch zusätzlich verdeutlicht hat. Dabei entstanden – aus der Verbindung von technischer Meisterschaft und schöpferischer Interpretation – sehr eigenständige graphische Werke. Von seinen Bildnissen seien die des Fürsten Kurakin, von N. M. Karamzin, A. S. Griboedov, G. R. Deržavin und der E. S. Semenova ausdrücklich genannt.

Mehr als dreißig Jahre lang hat Utkin die Kupferstich-Klasse der Petersburger Kunstakademie geleitet und während dieser Zeit fast alle bedeutenden Graveure des frühen 19. Jahrhunderts ausgebildet: Konstantin Jakovlevič Afanas'ev (1793–1857, siehe Kat.-Nr. 161), Semen Faddeevič Vladimirov (geb. 1800, siehe Kat.-Nr. 239), den Deutschbalten Georg Johann Heitmann [Egor Ivanovič Gejtman] (1800–1829, siehe Kat.-Nr. 195 f.) und Ivan Pavlovič Fridric (1803– ca. 1860, siehe Kat.-Nr. 189 f.). Aber nur wenige von ihnen widmeten sich auch weiterhin der Tiefdrucktechnik, nachdem sie die Akademie verlassen hatten. Die meisten machten sich statt dessen mit der neuen Flachdrucktechnik der Lithographie vertraut, die 1798 gerade erst von Senefelder veröffentlicht worden, aber schon in der Mitte des zweiten Jahrzehnts des 19. Jahrhunderts in Rußland weit verbreitet war. Da mit dieser Technik die Lebendigkeit einer Zeichnung erzielt und vervielfältigt werden kann, entsprach sie auch den damaligen künstlerischen Vorstellungen und Ansprüchen. Herzustellen war sie in einer weitaus kürzeren

Zeit als die Radierung oder gar der Kupferstich. Man konnte sie ohne Verlust an Qualität in hohen Auflagen preiswert drucken, was eine weite Verbreitung ermöglichte. Außerdem vollzog sich ihre Entwicklung außerhalb der Akademie, befreite damit die Künstler von deren Reglement und eröffnete ihnen neue schöpferische Bereiche.

Als erster russischer Lithograph gilt Aleksandr Osipovič Orlovskij (1777–1832, siehe Kat.-Nr. 211 ff.), der Porträts, Landschaften, Genre- und Schlachtenszenen in der neuen Technik schuf. Der vorhin behandelten Gattung des kleinen gezeichneten Bildnisses brachte der Steindruck ebenfalls neue Möglichkeiten für Herstellung und Verbreitung. Genutzt wurden sie vor allem von C. J. Beggrow, K. Ja. Afanas'ev, I. P. Fridric und Vladimir Ivanovič Pogonkin (1793–nach 1847, siehe Kat.-Nr. 219), wobei deren Arbeiten in der Regel nach Vorbildern anderer Hand entstanden. Auf eigenhändige Zeichnungen bezogen sich dagegen Künstler wie der eben erwähnte G. J. Heitmann, dazu der Balte Gustav Adolf Hippius (1792–1856, siehe Kat.-Nr. 197) und der Petersburger Deutsche Otto Johann Oesterreich [Emel'jan Ivanovič Esterrejch] (1790– nach 1834, siehe Kat.-Nr. 210).

Auch für die Lithographie werden schließlich Landschaft und Stadtlandschaft zu bevorzugten Themen. Ein Hauptbeispiel dafür ist die 1820 bis 1826 entstandene Serie von lithographierten »Ansichten Sankt Petersburgs und seiner Umgebung«, nach Zeichnungen verschiedener Künstler, wie S. F. Galaktinonov, aber auch zweier damals noch am Anfang ihrer Laufbahn als Architekten stehenden deutschstämmigen Petersburger, Alexander Brüllow [Aleksandr Pavlovič Brjullov] (1798–1877) und Alexander Andreas Thon [Aleksandr Andreevič Ton] (1790–1858); hinzukam der Schlachtenmaler und Formzeichner S. P. Šifljar und der Theaterdekorateur Karl Friedrich Sabath (1782–1840, siehe Kat.-Nr. 221). Einen wesentlichen Teil der Vorlagen lieferte C. J. Beggrow. Fast alle Blätter der Serie, die insgesamt 45 Ansichten von Petersburg umfaßt, bestechen durch die Schönheit ihrer Zeichnung, ihre Komposition, in der sich topographische Genauigkeit mit lebendiger Staffage verbinden.

Auch der Landschaftsmaler A. E. Martynov hat viele Blätter in der neuen Technik gearbeitet. Anfang der 20er Jahre des 19. Jahrhunderts schuf er ca. 100 Ansichten von Petersburg, Carskoe Selov, Gatčina, Peterhof und anderen Orten in der Umgebung der Hauptstadt.

Auch die Entwicklung und Verbreitung dieser neuen graphischen Technik wurde durch die 1820 gegründete »Gesellschaft zur Förderung der Künstler« unterstützt. Ihre Gründer – P. A. Kikin, I. A. Gagarin, A. I. Dmitriev-Mamonov – hatten es sich zum Ziel gesetzt, das Ansehen der russischen Künstler und ihrer Kunst weiterhin zu stärken. Zu diesem Zweck organisierte man eine permanente

A. A. Ivanov, Die Erscheinung Christi vor dem Volke, 1837–1857,
Tret'jakov-Galerie, Moskau

Verkaufsausstellung, die 1825 auf dem Nevskij-Prospekt im
Haus der Holländischen Kirche (d. h. der niederländisch-
reformierten Gemeinde) eröffnet wurde. Seit 1826 veranstaltete die Gesellschaft außerdem in jedem Jahr eine Lotte-
rie, die Mittel zur materiellen Unterstützung notleidender
Künstler erbringen sollte. Hinzu kamen noch mehrere andere Aktivitäten: Man vergab Aufträge an verschiedene
Künstler, kaufte Werke an und sorgte für den Unterhalt
von Stipendiaten. Dies betraf Künstler wie K. P. Brjullov
oder Aleksandr Andreevič Ivanov (1806–1858), der Schöpfer des Monumentalwerkes »Christus erscheint dem
Volke«. Die Gesellschaft finanzierte auch ehemalige Leibeigene, für deren Freilassung sie sorgte, um ihnen das Studium an der Akademie zu ermöglichen. (Auf diese Weise
konnten beispielsweise die Brüder Černecov eine angemes-
sene Ausbildung erhalten.)

Auf Grund dieser vielfältigen Aktivitäten nahm die »Gesellschaft zur Förderung der Künstler«, neben der Kunstakademie, fortschreitend auf die Entwicklung des russischen
Kunstlebens Einfluß. Beide Institutionen sorgten gemeinsam dafür, daß Petersburg bis zum Ende des 19. Jahrhunderts ein Zentrum der bildenden Kunst – nicht allein in
Rußland, sondern in ganz Europa – blieb.

KUNSTHANDWERK UND MANUFAKTUREN IN RUSSLAND UM 1800

N. GUSEVA

Die Interieurs der kaiserlichen und der privaten Paläste in Petersburg zeichneten sich während der Zeit des Klassizismus durch besondere Schönheit und Harmonie aus. Alle Details der Innenarchitektur und alle Einrichtungsgegenstände waren sorgfältig aufeinander abgestimmt, nach einem einheitlichen Konzept entworfen und danach in einer dementsprechenden handwerklichen Qualität verarbeitet worden. Dies beruht einerseits auf dem hohen künstlerischen Niveau und der technischen Vollkommenheit der verschiedenen Werkstätten, die die einzelnen Teile des Ganzen herstellten; andererseits auf der Meisterschaft der Baumeister, Bildhauer und Dekorateure sowie der dort arbeitenden Handwerker, die solche Interieurs nach dem zugrunde gelegten Entwurf gemeinsam schufen.

Die klassizistischen Objekte erforderten spezielle Vorbereitungen. Um also bei der Ausgestaltung von Innenräumen qualitätvolle Ergebnisse zu erzielen, bediente man sich deshalb spezialisierter Vorzeichner, deren Entwürfe Form und Technik der Ausführung festlegten. Da man dafür versierte Kräfte brauchte, handelte es sich bei diesen »Inventeuren [inventor]« meist um führende Petersburger Baumeister, also um vielseitig ausgebildete Künstler, die mit den Besonderheiten der Bearbeitung unterschiedlichster Materialien vertraut waren und zugleich genau wußten, wie diese wirkungsvoll und materialgerecht einzusetzen waren.

So hat beispielsweise einer der damals bekanntesten Architekten Petersburgs, Andrej Nikiforovič Voronichin (1759–1814, siehe Kat.-Nr. 73), mehr als zehn Jahre lang eng mit den erfahrensten russischen Steinschneidern zusammengearbeitet und mit ihnen Objekte von bemerkenswert hohem Niveau geschaffen.

Um die Wende vom 18. zum 19. Jahrhundert gab es in Rußland drei wichtige Zentren für die Bearbeitung von Edel- und Halbedelsteinen (den sogenannten »von sich aus bunten Steinen [samocvetnye kameni]«): die Werkstätten in Peterhof, in Ekaterinburg und in Kolyvan'. Das Peterhofer Schleif [šlifoval'naja]- oder Schneide [granil'naja]-Werk war bereits 1723 unter Kaiser Petr I. gegründet worden; das in Ekaterinburg im Ural (das 1924 in Sverdlovsk umbenannt worden ist) 1774; das im Altaj-Gebirge, das 1802 in das Örtchen Kolyvan' verlegt worden ist, 1786.

Boudoir im Großen Palast zu Pavlovsk

Sowohl im Altaj wie im Ural gibt es bekanntlich große Vorkommen an Edel- und Halbedelsteinen. Man findet dort Jaspis mit außerordentlich vielfältiger Zeichnung und Farbgebung, Porphyr, Lapislazuli, Malachit und andere Steine. Diese Gaben der Natur waren in Rußland zwar schon seit langem bekannt und wurden bewundert, man lernte aber

89

erst allmählich, sie zu perfekten künstlerischen Objekten zu verarbeiten. Erfordert doch die Arbeit des Steinschneiders nicht nur Geduld, physische Kraft und Beharrlichkeit, sondern auch technisches Wissen und Erfahrung.

Die ersten großen Stein-Vasen wurden in den 70er Jahren des 18. Jahrhunderts für verschiedene Paläste in Petersburg gearbeitet. Allerdings konnte man, wegen der primitiven Technik dieser Zeit und des schwer zu verarbeitenden Materials, zunächst nur eine geringe Anzahl solcher Erzeugnisse herstellen. Doch 1793 gelang es dem talentierten russischen Meister Filipp Strižkov (einem Autodidakten) eine Maschine zu entwickeln, mit deren Hilfe die Steinbearbeitung mechanisiert werden konnte. Durch sie wurde der langwierige Herstellungsprozeß fast um das Zehnfache verkürzt. 1807 kam es zu einer weiteren bahnbrechenden Erfindung. Der bekannte Steinschneider Vasilij Kokovin aus Ekaterinburg entwickelte eine Methode, mit der man nicht nur die Objekte selbst mechanisch herstellen, sondern sie auch mit plastischen Ornamenten versehen konnte, was wiederum eine enorme Zeit- und Krafterparnis mit sich brachte.

Sowohl Strižkov wie Kokovin haben übrigens mehrfach nach Entwürfen von A. N. Voronichin gearbeitet. Dabei verbanden sich die breite praktische Kenntnis der erfahrenen Steinschneider von der Natur und den Eigenschaften des Materials (sowie von seiner Verarbeitung) mit dem künstlerisch produktiven Verstand des Architekten. Es gelang ihnen, die natürliche Schönheit des Materials zur Wirkung zu bringen und es zugleich – nach den Entwürfen des Baumeisters – zu Formen zu verarbeiten, die häufig denen der Antike sehr nahe kamen. Ein hervorragendes Ergebnis solcher Zusammenarbeit ist die Vase aus Lazulith auf vier Bronzedelphinen, die 1803/04 entstand (siehe Kat.-Nr. 355).

Seit 1800 unterstanden sowohl die Peterhofer wie die Ekaterinburger Schleiferei dem damaligen Präsidenten der Kunstakademie, Graf Aleksandr Sergeevič Stroganov (1733–1811, siehe Kat.-Nr. 51). Stroganov wiederum beauftragte den von ihm sehr geschätzten Architekten Voronichin, die Arbeit in den Schleifereien vollkommen neu zu organisieren. Seitdem überwachte Voronichin die gesamte Produktion und lieferte die Vorzeichnungen für die Handwerker. Ein Teil der fertigen Stücke wurde anschließend zur weiteren Verarbeitung in die Bronze-Werkstatt der Kunstakademie gebracht. Auf diese Weise bestimmte ein Architekt bis 1812 die gesamte Produktion dieser für die Ausschmückung der Petersburger Paläste so wichtigen Erzeugnisse. Zahlreiche Entwürfe haben sich erhalten, nicht nur von Voronichin, sondern auch von anderen bedeutenden Architekten der Zeit, wie Giacomo Quarenghi (1744–1817) oder Carlo Rossi (1775–1849), die ebenfalls Vorzeichnungen für Vasen und Tischdekorationen – oder für die Bronzemontierungen

dieser Gegenstände – geliefert haben. Solche Bronzedekors, die sich an den Motiven der antiken Ornamentik orientierten, bereicherten die Form der Steinschneidearbeiten. Dabei betonten die Kombinationen von matter und glänzender Vergoldung oder dunkel patinierten Partien miteinander Farbe und natürliche Zeichnung des Steins.

Außer Vasen und anderen dekorativen Schmuckstücken wurden in den Steinschneide-Werkstätten auch kleine, sogenannte »Galanteriewaren [galanternye vešči]« hergestellt. So berichtet beispielsweise der polnische König (1764–1795) Stanisław August (1732–1798) in seinen Memoiren, daß er bei dem Senator Fedor Ivanovič Sojmonov (1692–1780) *ein verziertes Dessertservice der gleichen Art gesehen hat, wie es auch beim König selbst in Warschau existierte, aber mit Accessoires aus Marmor und sogar aus kostbaren Steinen wie Jaspis, Beryll und Kristallen, weswegen das Service von Sojmonov noch kostbarer war als das Warschauer, und zwar sowohl im Hinblick auf das Material als auch auf seine wesentlich bessere Verarbeitung der Steine und der Bronze. Die Steine . . . waren aus Sibirien importiert, wo man in Ekaterinburg . . . Künstler hat ansiedeln können, die es verstehen, die bei ihnen bestellten Arbeiten aus kostbaren Steinen aufs genaueste nach den Vorzeichnungen zu verfertigen, die sie erhalten haben.«*

In den 20er Jahren des 19. Jahrhunderts wurde im Ural ein enormer Malachit-Brocken von fast fünfhundert Tonnen gefunden. Das brachte die Meister kunstgewerblicher Objekte dazu, neue Verwendungsmöglichkeiten für diesen wunderbaren Stein zu suchen, in dem sich alle nur denkbaren Schattierungen von Grün finden: vom hellsten mit einem leicht bläulichen Schimmer bis hin zu Dunkelgrün mit schwärzlichem Schein. Zudem ergaben sich durch verschiedene Verarbeitungsmöglichkeiten auch außergewöhnlich reiche Musterungen: bandförmig, fließend, sternförmig oder in konzentrischen Kreisen (näheres siehe Kat.-Nr. 358).

Diese Technik der Malachit-Bearbeitung für große und gewölbte Oberflächen wurde bald als »russisches Mosaik« bezeichnet, als sie eine Spezialität der russischen Steinschneide-Meister geworden war, die es an keinem anderen Ort sonst in dieser Qualität gab. Ihr Ablauf war folgender: Zuerst wurde die Form des geplanten Objekts aus irgendeinem anderen Stein gearbeitet. Der Malachit wurde in kleine Stückchen geschnitten, und zwar mit Eisenblättern, deren leicht gekörnte Seiten eine Schmirgelfläche bildeten. Die vorbereiteten Malachit-Teilchen wurden danach, der jeweiligen Vorzeichnung entsprechend, der vorbereiteten Form zugeordnet und festgeklebt. Dabei verwendete man entweder Zinn oder eine Art von Mastix als Klebstoff, der seinerseits mit Malachitstaub angereichert worden war. Den Abschluß der Arbeit bildete das Schleifen und Polieren der

Oberfläche, wodurch die schön angeordneten Muster erst richtig zur Wirkung kamen.

Neben größeren dekorativen Objekten wurden in einigen Petersburger Werkstätten auch kleine Gebrauchsgegenstände aus Malachit gearbeitet, wie etwa Tischglöckchen, Briefbeschwerer, Uhrengehäuse, Schatullen oder Leuchter (siehe Kat.-Nr. 360 ff.).

Auch Malachit-Objekte wurden in der Regel – wie die aus anderem Stein – nach ihrer Fertigstellung mit Bronzeteilen verziert. Eine dazu verwertbare Bronze von guter Qualität konnte man in Petersburg seit der Mitte des 18. Jahrhunderts schon manchmal, systematisch aber erst ab 1769 herstellen, als an der Kunstakademie eine Klasse für »Guß- und Modellierarbeiten« eingerichtet wurde, die die französischen Modelleure Louis Rolland (1711–1791) und später Antoine Simon leiteten. Seit dem Ende der 70er Jahre gab es dann auch eine staatliche Bronze-Gießerei, die der Bauhütte der Isaakios-Kirche angegliedert war. Um deren Tätigkeit zu beleben und ihr die dazu notwendigen Aufträge zu sichern, verbot Kaiserin Ekaterina II. den Architekten durch eine Verordnung, weiterhin Bronzeartikel aus dem Ausland zu beziehen, wie dies bis dahin allgemein üblich gewesen war. Statt der – zumeist aus Frankreich – importierten Stücke sollten nun ausschließlich die Petersburger Bronze-Erzeugnisse verwendet werden.

Neben der Bronzegießerei der Akademie und der an der Isaakios-Kirche gab es bald auch einige private Firmen. Die bedeutendste unter ihnen war in den 80er und 90er Jahren die des eingewanderten Franzosen Pierre Agi [Aži] (1752–1828), die nicht nur kleinformatige Objekte anbot, sondern auch für verschiedene Bauunternehmer der Stadt Aufträge für große Bronzearbeiten übernahm. Besonders damit hat Agi einen bedeutenden Beitrag zur Entwicklung des Bronze-Guß in Rußland geleistet; aber nicht nur durch seine Werke, sondern auch als talentierter Lehrer an der Akademie. Dort wurden unter seiner erfahrenen Leitung zahlreiche Schüler ausgebildet, deren während des Studiums entstandenen Arbeiten noch vielen Museen zur Zierde dienen.

Am Anfang des 19. Jahrhunderts hat Agi dann allerdings seine Werkstatt verkauft. Doch gelang es dem bereits erwähnten Grafen Stroganov, dem damaligen Präsidenten der Kunstakademie, mit der Werkstatt-Einrichtung der Firma eine neue Staatliche Bronze-Gießerei [Kazennaja bronzovaja fabrika] bei der Akademie ins Leben zu rufen, die, im Gegensatz zu den vorherigen öffentlichen Unternehmungen (der früheren Klasse der Kunstakademie und der Werkstatt bei der Isaakios-Kirche), nicht nur temporären Charakter hatte. Dort entstand in den folgenden Jahren beachtlich viel Bronze-Zierrat für Vasen und andere Objekte aus Stein, Glas und Porzellan. Dessen Entwürfe und Modelle stammten von den Professoren der Kunstakademie, also von den

Leuchter, russische Arbeit, ca. 1770. Sammlung der Grafen Šeremetev im Palast zu Kuskovo (Erstes Eßzimmer)

besten russischen Bildhauern der Zeit. Deshalb sind die Erzeugnisse dieser Gießerei von besonderer Qualität, deren feine und präzise Verarbeitung der der Goldschmiedekunst nahe kommt. Ihre feuervergoldeten Teile wurden durch den geschmackvoll angelegten Kontrast zwischen mattierten und glänzend polierten Partien geprägt.

Andererseits hat aber auch der Kaiserliche Hof Aufträge an private Bronzegießereien der Stadt vergeben, von denen sich um 1800 einige Werkstätten deutscher und französischer Meister, wie die von Zech, Schreiber, Fischer und de Lancry, einen besonderen Namen gemacht hatten. Einige von ihnen arbeiteten sehr lange in der Hauptstadt und haben – wie etwa Schreiber – später die russische Staatsbürgerschaft erworben. Neben ihren Werkstätten unterhielten sie

Arbeitszimmer im Großen Palast zu Pavlovsk (sog. »Leuchterchen«)

wie eine dekorative »Lichtfontäne« wirkt, die unten von einer Zierform, meist einem bronzenen Pinienzapfen, abgeschlossen wird.

Am Ende des zweiten Jahrzehnts des 19. Jahrhunderts kommt ein neuer Leuchter-Typus in Form einer großen durchbrochenen Schale auf, die gänzlich aus modellierter und vergoldeter Bronze besteht (siehe Kat.-Nr. 305). Der erste, der solche Leuchten für seine Interieurs entworfen hat, war Carlo Rossi. Als Form wirken sie streng, sind aber häufig mit Palmetten und mit kleinen gegossenen Figürchen antiker Götter und Göttinnen verziert, wie sie für die Ornamentik des Empire ganz allgemein charakteristisch sind.

Zu Beginn des 19. Jahrhunderts erlebten die Bronzewerkstätten in Petersburg noch einmal einen weiteren Aufschwung. Ein beredtes Zeugnis hierfür ist z. B. die Tatsache, daß ein einziger Meister, Karl Dreher, bei der Wiederherstellung des von einer Feuersbrunst verwüsteten Palastes in Pavlovsk mit seiner Werkstatt sämtliche Bronze-Arbeiten für Kamine, Balkongitter und Möbel ausführen konnte.

Zu klassizistischen Möbeln gehören die sauber gegossenen und die sorgfältig ziselierten Bronzeapplikationen. Noch in den 70er und 80er Jahren des 18. Jahrhunderts verfügten die wenigen russischen Möbeltischler, die damals überhaupt Funiermöbel herstellten, nicht über genügend Bronzeelemente zur Dekoration ihrer Erzeugnisse. Gerade unter Ekaterina II. wuchs aber der Bedarf an neuen Möbeln beträchtlich. Die Vergrößerung und die straffe Organisation des bürokratischen Apparates, der Ausbau der Gouvernementsverwaltung, die den Bau neuer Städte und darin neuer Büros notwendig machte, aber auch die Erfolge von Wissenschaft und Technik brachten es mit sich, daß immer wieder neue Gegenstände zur Möblierung all der zahlreichen neuen Einrichtungen gebraucht wurden. Außerdem wurden in vielen Privathäusern jetzt Arbeitszimmer und Bibliotheken eingerichtet. All dies brachte es mit sich, daß man nach einer neuen, zweckmäßigeren Art von Möbeln verlangte. Nicht mehr die geschnitzten und reich vergoldeten Typen des Barock waren jetzt gefragt, sondern solide fournierte, die schneller herzustellen und leichter zu gebrauchen waren. Sie sollten bequem, rationell und – nach Möglichkeit – auch noch schön sein.

Noch bis in die 90er Jahre waren im wesentlichen Tischler und Holzschnitzer in Petersburg für die Möbelherstellung zuständig. Sie arbeiteten entweder im festen Auftrag für verschiedene Bauunternehmungen oder als durchreisende »freie« Meister. Außerdem gab es begabte Handwerker aus dem leibeigenen Stande, die in den Stadtpalästen ihrer Herren lebten. Hinzu kamen wenige in einer Gilde zusammengeschlossene Handwerker. Zahlreiche Einrichtungsstücke wurden aber auch nicht im Lande selbst hergestellt, sondern importiert. Denn die wenigen guten russi-

eigene Ladengeschäfte – häufig auf dem Nevskij Prospekt – in denen sie besonders modische Waren mit gutem Erfolg verkauften.

Ein spezieller Tätigkeitsbereich vieler Bronzegießer war die Herstellung unterschiedlicher Lampen und Leuchter, deren praktische Nutzung sich elegant mit der jeweiligen künstlerischen Form verbinden ließ; ganz gleich, ob es sich dabei um Laternen, Lüster, Torchèren, Grirandolen usw. handelte. Zu ihnen gehörten ebenfalls die in ihrer Herstellung oft sehr komplizierten, in ihrer Wirkung aber äußerst eindrucksvollen großen Lüster für die großen Paläste. An ihren Bronze-Reifen für die Kerzen hängen Girlanden aus unzähligen geschliffenen Straßsteinen. Die Stange in ihrer Mitte ist häufig aus farbigem Glas, so daß der Lüster oben

schen Werkstätten, wie z. B. die Tischlerei von H. Meier in Petersburg, konnten kaum alle Aufträge des Hofes und des Hochadels ausführen, geschweige denn noch für den allgemeinen Verkauf arbeiten. Dazu reichte ihre Kapazität bei weitem nicht aus. Und dies ist, unserer Ansicht nach, auch ein Grund dafür, daß besonders in den 80er Jahren so viele fournierte Möbel in Deutschland – vor allem bei David Röntgen (1743–1807) in Neuwied – erworben und nach Rußland gebracht worden sind. Röntgen betrieb damals bekanntlich eine große, weit über die Grenzen seines Landes hinaus bekannte Firma, die nicht nur im großen Stil und mit einer genau abgestimmten Aufteilung der einzelnen Arbeitsphasen produzierte, sondern auch über ein weitverzweigtes Netz von Handlungen verfügte. Damit wurde es möglich, Röntgen-Möbel in ganz Europa zu verkaufen; auch in Rußland, worauf der in der Ausstellung gezeigte Schrank hinweisen soll (siehe Kat.-Nr. 379). Sie wurden überall hoch geschätzt und beeinflußten die Geschichte der Möbelkunst entscheidend; nicht nur in Deutschland, sondern auch in Frankreich und Rußland. Eine kleine Werkstatt hatte sich zu einer Möbelfabrik größten Zuschnitts entwickelt, deren reiche mit Intarsienschmuck gearbeiteten Produkte zu einem Begriff für Qualität geworden waren.

Aber auch in diesem Falle regelte die Nachfrage nicht nur den Preis, sondern regte auch zur Nachahmung der beliebten Vorbilder oder zur selbständigen Weiterentwicklung ihrer Formen an. So wurde 1795 in Petersburg eine neue Firma eröffnet, die ernsthafte Alternativen zu den importierten Röntgen-Möbeln anbot. Dabei handelte es sich um ganz unterschiedliche Erzeugnisse aus der Möbelwerkstatt von Heinrich Gambs (1765–1831, siehe Kat.-Nr. 378), einem begabten Schüler Röntgens, der zu Beginn der 90er Jahre nach Petersburg übergesiedelt war, um hier sein Glück zu machen. In seiner Werkstatt arbeiteten hochqualifizierte Spezialisten als Tischler, Schnitzer, Vergolder, Bronzemeister oder Mechaniker. Besonders die Bronze-Technik erreichte in der Werkstatt ein so hohes Niveau, daß man bald daran denken konnte, nicht allein kleine Teile für die Verzierung von Möbeln herzustellen, sondern Rahmen für Spiegel, Kandelaber oder dekorative Wandteller mit Szenen aus der antiken Mythologie zu gießen. Gambs konnte mit seinen Arbeiten sowohl Aufträge des Bürgertums als auch der wohlhabensten Kreise der damaligen russischen Gesellschaft erfüllen. 1810 wurde er zum ständigen Kaiserlichen Hoflieferanten ernannt. Aber auch Gegenstände für den täglichen Gebrauch wurden bei ihm hergestellt, die beträchtlich weniger kosteten, obwohl sie trotzdem von guter Qualität waren. Auch sie wurden mit Bronze-Applikationen verziert, die allerdings – um es in der heutigen Sprache zu sagen – als Massenartikel hergestellt wurden. Um 1800 handelte es sich dabei um Sternchen oder Tierkreiszeichen, gegossene weib-

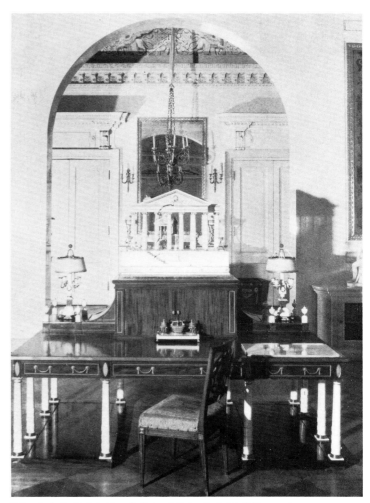

Schreibtisch Kaiser Pavels I. im Michaels-Schloß (heute im Schloßmuseum zu Pavlovsk). Entwurf von Vincenzo Brenna

liche Figuren und Karyatiden oder um lange Zierleisten in Form stilisierter Ähren für die kannelierten Teile der Möbel. Da man diese Elemente unterschiedlich kombinierte und da außerdem die Form des jeweiligen Möbelstücks variiert wurde, entstanden doch jeweils Einzelstücke mit eigenem Charakter. Dies belegt z. B. der hier gezeigte Schreibtisch (siehe Kat.-Nr. 378), aus Rotholz, mit Bronze verziert und mit Geheimfächern ausgestattet. Stücke wie dieses wurden in den Palästen der begüterten Familien beinahe wie kostbare Reliquien bewahrt.

Zahlreiche weitere Beispiele belegen die Vollkommenheit der damaligen Möbelkunst in Petersburg. Die in diesem Zusammenhang besonders zu erwähnende Firma Gambs hat ungefähr 60 Jahre lang existiert. Nach dem Tode Heinrichs ging sie auf dessen Söhne Peter (1802–1871) und Ernst

93

(1805? –1849) über. Sie arbeiteten nach Entwürfen führender Innenarchitekten technisch aufwendige und komplizierte Stücke. So entstand in der Werkstatt Gambs z. B. nach einem Entwurf von Vincenzo Brenna (1740–1819), dem Lieblings- und Hofarchitekten Kaiser Pavels I., für das Michaels-Schloß ein großer Schreibtisch aus Rotholz mit sechzehn aus Elfenbein gearbeiteten Beinen, der seinesgleichen sucht (heute befindet sich das Objekt im Schloßmuseum von Pavlovsk). In seiner Mitte steht auf einem Podest ein Miniaturmodell des antiken Vesta-Tempels, ebenfalls aus weißem polierten Elfenbein mit kleinen Schmuckformen aus Bronze; zu beiden Seiten des Tempels Lampen aus demselben Material.

In welchem Maße die Erzeugnisse der Firma Gambs von den Zeitgenossen geschätzt wurden, soll eine Passage aus einer der Zeitschriften von 1829 vermitteln: *»Der Reichtum seiner Erfindungen und seiner Einfälle sind unerschöpflich. Stets trifft man hier auf wunderbare Entwürfe, gute Verwendbarkeit und klare Verarbeitung, auf eine Auswahl allerbester Materialien und zugleich auf Einfachheit. Dies verleiht allen Arbeiten der Firma eine gleichbleibende Qualität. Was aber diese Erzeugnisse vor allem auszeichnet und unnachahmlich macht, ist ein seltenes Talent, die Kunst der Architektur in meisterhafte Möbelkunst eingehen zu lassen. Sie alle sind im Grunde wunderbare Beispiele für Baukunst, denn alle Kompositionen, Proportionen, Symmetrien und sogar alle Ornamente entsprechen deren Regeln. Schon auf den ersten Blick sieht man in ihnen die Meisterschaft, sieht, daß sie das Werk eines gebildeten Geistes sind. Wahrhaftig: H. Gambs ist in seinem Fach ein Genie!«*

Um 1800 gab es in Petersburg zunächst nur wenige bedeutende Möbelwerkstätten; außer der von Gambs die von V. Bibkov, K. Scheibe [Šejbe], F. Vitepaž und F. Gagemon. Außerdem wurden in den Werkstätten von Wirt [Virt], Gabran, Rohde [Rode] (siehe Kat.-Nr. 373) und einigen anderen außer Möbeln auch Musikinstrumente hergestellt, die sich durch gute Form und Klangqualität auszeichneten. So konnte der bereits erwähnte polnische König Stanisław August, der sich damals in der Residenzstadt umgesehen hat, in seinen Memoiren schreiben, daß ihn N. N. Novosil'cev, der Neffe des Grafen Stroganov, durch sein Spiel auf einem Klavichord erfreute, das in Petersburg gebaut worden war. Nach Meinung des Königs übertraf es alle derartigen Instrumente, die er vorher je gehört hatte.

Im zweiten und dritten Jahrzehnt des 19. Jahrhunderts teilte sich noch ein anderer Deutscher mit H. Gambs den Ruhm des besten Möbeltischlers: I. Baumann, in dessen Werkstatt fast alle Möbelstücke entstanden, die der Architekt Carlo Rossi entworfen hat (siehe Kat.-Nr. 380). Wie leistungsfähig diese Werkstatt war, zeigt der breite Fächer ihrer Produktion, der sich von Garnituren aus kostbaren Edelhölzern mit Bronzebeschlägen bis zu solchen aus einfachem Holz mit schlichter Bemalung und kleinen vergoldeten Holzapplikationen erstreckte.

Dem wäre noch hinzuzufügen, daß ebenfalls ganze Garnituren oder auch nur Zierrat für sie in der Kaiserlichen Tapisserie-Manufaktur angefertigt wurden, die außer Webern und Zeichnern auch Tischler und Schnitzer beschäftigte. Die Tapisserie-Herstellung wurde dort so perfekt betrieben, daß bei einigen Erzeugnissen (etwa der Tapisserie »Aurora«, siehe Kat.-Nr. 459), nach den Worten der Zeitgenossen, *»die Zeichnung auf beiden Seiten gleichermaßen vollkommen ausgeführt war«.*

Tapisserie »Bethsabee«, Kaiserliche Tapisserie-Manufaktur, Sankt Petersburg, 1756 (nach einer Tapisserie des Meisters Afanas'ev aus dem Jahre 1727)

Die großen Möbelwerkstätten der Hauptstadt dienten damals auch als Ausbildungsstätten für jene Leibeigenen, die von ihren Herren, auch aus entfernten Landsitzen der Provinz, nach Petersburg geschickt wurden, um dort neue Fertigungsmethoden und »modische« Formgebung zu erlernen. Einige Arbeiten dieser namenlosen Handwerker sind uns überliefert. Bei ihnen erscheinen die klassizistischen Formen plastischer, die ursprünglich strengen Konturen runder, und insgesamt sind sie bei ihren Zitaten antiker Motive, die deutlich von Traditionen der Volkskunst geprägt werden, nicht durch die Maßgaben der offiziellen Kunst gebunden (siehe Kat.-Nr. 385, 386). Dies verleiht ihnen einen

eigenartigen Zug von »Menschlichkeit« und läßt sie insgesamt als eine spezielle Komponente des russischen Empire erscheinen. Dabei arbeitete man die originellsten Stücke aus karelischer Birke oder manchmal aus der ihr in ihrer Maserung recht ähnlichen Pappel. Doch wurde meist die Birke bevorzugt, da sie in Rußland am häufigsten vorkommt und wegen ihrer an die Sonne erinnernden goldgelben Farbe mit dunkelbraunen Einsprenkseln besonders beliebt war.

Bezeichnend für die Zeit ist ihr Hang zur Polychromie, der sich vor allem bei Spiegeln und Rahmen zeigt, aber auch bei Objekten mit farbigem Glas, bemaltem Glas mit farbigem Schmuck, hinterlegt mit reflektierenden Metallfolien. Besonders effektvoll nutzte man dabei das »verre eglomisé«, das im Licht wie kostbares Email schimmert, wie dies sonst nirgends zu finden ist. Das Gehäuse einer heute im Schloßmuseum von Pavlovsk stehenden drei Meter hohen Uhr ist vollständig aus Glasscheiben zusammengesetzt, die so bemalt sind, daß sie Marmor vortäuschen; ein herausragendes Beispiel dieser Gruppe. Zu ihr gehören ebenfalls die Tische, Standleuchter oder Dreifuß-Vasen aus farbigem Kristall oder Glas, die damals nach Entwürfen von Andreij Voronichin, Thomas de Thomon oder Carlo Rossi für die Ausstattung der kaiserlichen Schlösser gearbeitet worden sind. 1825 wurde sogar im Auftrag des Schahs von Persien ein Diwan aus blauem transparenten Kristall angefertigt, den sechs Fontänen aus dem gleichen Material umgaben.

Solche »Möbel« zeugen auch von dem hohen technischen Können der Meister der Kaiserlichen Glas-Manufaktur zu Beginn des 19. Jahrhunderts. Sie wurde als staatlicher Betrieb in den 30er Jahren des 18. Jahrhunderts an der Fontanka gegründet, in dem gepreßtes und gegossenes Fensterglas, aber auch vielerlei bemalte und gravierte Schalen und sogenannte »Scherzgefäße« hergestellt wurden. Ein großes Problem war allerdings lange Zeit die Herstellung von farbigem Glas, bis dann in den 50er Jahren der russische Universalgelehrte Michail Vasil'evič Lomonosov (1711–1765), ein talentierter Erfinder, seine Experimente für eine Buntglas-Produktion durchführte. Seine Versuche waren erfolgreich, und deshalb konnte er bald in dem kleinen Örtchen Ust'-Rudica in der Nähe von Petersburg eine kleine Glashütte in Betrieb setzen, die farbiges Geschirr, Glasperlen und Steinchen für Mosaiken herstellte.

1751 wandte sich die Kanzlei für das Bauwesen, der die Petersburger staatliche Glashütte unterstand, offiziell an die Akademie der Wissenschaften, damit Lomonosov einen ihrer Meister mit der Herstellungs-Technik von gefärbtem Glas vertraut mache. Seitdem produzierte auch die Staatliche Manufaktur zunehmend Gegenstände aus blauem, violettem, grünem, weißmelliertem und rotem Glas. Besonders beliebt waren ihre Objekte aus Goldrubin-Glas wie Karaffen, Flaschen, Stofe oder Gläser für Wein und Spirituosen.

Gegen Ende des 18. Jahrhunderts bevorzugte das Publikum mehr und mehr graviertes und geschliffenes statt bemaltes Glas. Die eingearbeiteten Ornamente bestanden jetzt vor allem aus Girlanden, Kränzen, Bandmustern, gereihten »Erbsenkörnern« oder Medaillons mit den Initialen der Besteller.

Auch die Glaserzeugnisse zeigten also jetzt die für den Klassizismus charakteristischen klaren, symmetrischen und strengen Formen, während die frühere Bemalung der Buntfarbigkeit des Rokoko entsprach.

Zu Beginn des 19. Jahrhunderts begann man auch in Rußland im großen Stil Bleikristall herzustellen, das man bevorzugt mit Facettenschliff versah. Denn mit ihm kamen die besonderen Formen des Kristallglases – sein strahlender Glanz und das in ihm zu allen Regenbogenfarben gebrochene Licht – besonders zur Geltung. Die russischen Schleifmeister beherrschten die verschiedenen Formen dieses speziellen Schliffs virtuos. Jedes seiner Muster hatte seine spezielle Bezeichnung. Man sprach vom »Ananas-«, vom »gerippten«, vom »rübenartigen«, vom »spitz zulaufenden« und vom »russischen« Schliff (siehe Kat.-Nr. 344), bei deren Ausführung man sich jeweils an einer holzgeschnitzten Modellform orientierte.

Der russische Wirtschaftswissenschaftler E. Zablovskij schrieb 1832: *»Die Kaiserliche Glas-Hütte in Sankt-Petersburg hat inzwischen ein solches Niveau erreicht, daß man sie mit den führenden ausländischen Unternehmen dieser Art sehr wohl vergleichen kann. Darüberhinaus ist sie aber schon deswegen bemerkenswert, weil bei ihr ausgezeichnete Meister für die Kristallverarbeitung ausgebildet worden sind, die diese Kunst in ganz Rußland verbreitet haben. So kann die Manufaktur auch heute ihre führende Stellung behaupten und auch weiterhin als Vorbild dienen, das überall den Geschmack, die Kunst und den Wettbewerb bestimmt. Die von ihr hergestellten Kristallwaren zeichnen sich durch eine besondere Reinheit des Körpers, durch schöne Formen, einen spiegelgleichen Schliff sowie durch kunstvolle Gravuren und Modellierungen aus; einige auch durch ihre gewaltige Größe.«*

Tatsächlich: Hatte sie auch schon am Anfang des 19. Jahrhunderts bei der Produktion von kleineren Gegenständen durch private Unternehmen ernsthafte Konkurrenten (damals gab es bereits 146 private Hütten), so brauchte sie bei der Produktion von großen Stücken und Prunkservices keine zu fürchten. Nicht nur in Rußland sondern auch in ganz Europa gab es keine Unternehmen, die ihre Qualität erreichen, geschweige denn übertreffen konnten.

1823 wurde in der Petersburger Manufaktur z. B. ein großes Service für die Paläste in der Umgebung der Stadt angefertigt, zu dem außer dem üblichen Geschirr im üblichen Umfang auch noch aufsehenerregende Tischdekorationen gehörten: ein Paar hohe Vasen für Früchte auf figürlich aus-

Kaffeeservice mit satirischen Szenen aus dem Vaterländischen Krieg von 1812 nach Werken des Bildhauers Ivan Terebenev und des Malers Aleksej Venecianov, Manufaktur Gardner, Moskau, 1. Viertel des 19. Jahrhunderts

gearbeiteten Füßen. Zum ersten Mal wurde hier auch Kristall plastisch gestaltet. Bei den Greifen und Hermen der Vasen blieb das Kristall matt. Alle übrigen Details wurden verschiedenartig – als Pfauenfedern, als Pfeile und als Blätter – geschliffen. Mit dieser Kombination erzielte man einen einzigartigen dekorativen Effekt.

Am Ende der 20er Jahre begann man in der Staatlichen Manufaktur gleichzeitig eine neue Art von Objekten zu produzieren, die aus Schichten unterschiedlich gefärbten Glases bestanden. Die unterste, innerste Schicht war farblos, die mittlere milchig-weiß, die äußere hingegen von leuchtender, intensiver Farbe. Durch Schliff und Gravur ließen sich daraus interessante Effekte erzielen, wie das hier ausgestellte Stück (siehe Kat.-Nr. 346) zeigt.

Weißes und gelbes Glas wurde z. B. in einer Serie von Tellern kombiniert, die in ihrem Mittelfeld allegorische Darstellungen der Schlachten des Vaterländischen Krieges von 1812 zeigen (siehe Kat.-Nr. 347). Ihre Kompositionen folgen den Basreliefs aus Gips von Graf Fedor Petrovič Tolstoj (1783–1873, siehe Kat.-Nr. 92 ff.), die damals sehr bekannt waren. Denn der schwer errungene Sieg über die Heere Napoleons rief Wellen patriotischer Begeisterung hervor, die sich auch im russischen Kunsthandwerk bemerkbar machten. In diesem Zusammenhang entstanden in der Kaiserlichen Glas-Hütte, – aber auch in privaten Manufakturen, wie der von Bachmetev und anderen –, Pokale, Gläser oder Krüge mit Porträts der Generäle Kutuzov, Platov und Wittgenstein (Vitgenstejn) oder Kaiser Aleksandrs in unterschiedli-

chen Techniken: als Diamantschliff oder als Grisaille-Zeichnung auf einem Milchglas-Medaillon. Bei einfacheren Objekten war lediglich eine Inschrift aufgebracht.

Auch in der Kaiserlichen Porzellan-Manufaktur entstand nach 1812 Geschirr mit entsprechenden Darstellungen, Teller mit Schlachtenszenen oder mit Soldaten unterschiedlicher militärischer Einheiten. Während dabei Porträts häufig in Grisaille-Technik angelegt wurden, waren die Schlachtenszenen meist schon mehrfarbig. Die Ränder zierten meist goldene Ornamente. Die Qualität dieser Arbeiten zeigt, daß damals die Kaiserliche Porzellan-Manufaktur einen Höhepunkt ihrer Produktion erreicht hatte.

Für ihre Gründung im Jahr 1744 und für die Entwicklung ihrer Produktionsmethoden hatte Dmitrij Ivanovič Vinogradov (1720? –1758), ein Freund Michail Lomonosovs, die Voraussetzungen erarbeitet. Ihm, dem »Vater des russischen Porzellans«, gelang es in Rußland als erstem, aus heimischen Erden Porzellan herzustellen. Deshalb konnten schon während der 50er Jahre in der Petersburger Manufaktur die ersten, wenn auch noch recht kleinen Services für den Kaiserlichen Palast hergestellt werden. Ende der 60er Jahre folgten dann die ersten plastischen Figuren aus Biskuit. Dabei wurden für die Modellier-Arbeiten in der Regel Professoren der Kunstakademie herangezogen. Doch 1779 übernahm der Franzose Jean Dominique Rachette [Jakov Ivanovič Rašett] (1744–1809, siehe Kat.-Nr. 330, 331), ein äußerst talentierter Mann, die Modellmeisterwerkstatt der Manufaktur, die seitdem für die Entwicklung der russischen Porzellanskulptur von entscheidender Bedeutung war.

Damals zeigten sich auch beim Porzellan bereits deutliche klassizistische Züge. Ruhige, klare Formen dominieren. Die

Suppentasse und Flaschenuntersetzer aus dem »Kabinett-Service«. Kaiserliche Porzellan-Manufaktur, Sankt Petersburg, Ende des 18. Jahrhunderts

Malerei zeigt häufig allegorische Themen, und für die Ornamente werden antike Motive bevorzugt.

1784 entstand in der Kaiserlichen Porzellan-Manufaktur im Auftrag des Hofes das erste einer Reihe großer Services für die Kaiserlichen Paläste, das sogenannte »Arabesken-Service [Arabeskovyj serviz]« mit 933 Teilen. Diesem Service folgte das »Yacht-Service [Jachtinskij serviz]« mit Motiven der russischen Handelsflotte, das »Kabinett-Service« mit antiken Ruinen in Landschaften und schließlich das – nach seinem Besitzer benannte – »Jusupov-Service«. Gleichzeitig entstanden in der Manufaktur Gebrauchsgegenstände für den Hof, die dem Stil und dem Charakter der genannten Services nahestanden: Kvas-Krüge, Schüsseln, Teller oder etwa Übertöpfe (siehe Kat.-Nr. 317). Bei all diesen Objekten läßt die weiße Scherbe die jeweilige Gefäßform deutlich hervortreten und dient dabei zugleich als Fond für Ornamente, Szenen oder Blumen.

Solche Erzeugnisse der Kaiserlichen Porzellan-Manufaktur setzten Maßstäbe und dienten auch den zahlreichen privaten Manufakturen als Vorbilder, die um die Jahrhundertwende in verschiedenen Provinzstädten des Landes entstanden waren. Erreichten deren Stücke einerseits natürlich nicht das Niveau der Petersburger Manufaktur, so waren sie andererseits bedeutend preiswerter. Deshalb und auf Grund ihres vielfältigen Angebots waren die Erzeugnisse der privaten Manufakturen beliebt und beim niederen Adel, der Kaufmannschaft und den Handwerkern weit verbreitet.

Einige von ihnen erreichten aber auch einen beachtlichen künstlerischen Rang, besonders das Unternehmen, das der englische Kaufmann Francis [Franc Jakovlevič] Gardner (der 1746 nach Rußland gekommen war) 1766 in dem kleinen Dorf Verblika im Gebiet von Dmitrovo (Gouvernement Moskau) gegründet hatte und das durch eine umfangreiche Produktion wohlfeiler, aber auch zahlreicher qualitätvoller Objekte bald große Popularität erlangte. Seine Erzeugnisse mit reicher Farbenpalette und gediegener Vergoldung konnten sich neben denen der Kaiserlichen Manufaktur behaupten. Deshalb beauftragte auch Ekaterina II. 1777 die Firma mit der Herstellung dreier Prunkservices für die Empfänge an den Festtagen der drei höchsten russischen Orden: 1. für den Orden des heiligen Georg des Siegträgers am 23. April, 2. für den Orden des heiligen Aleksandr von der Neva am 30. August und 3. für den Orden des heiligen Andreas des Erstberufenen am 30. November, später auch für den Orden des heiligen Vladimir des Apostelgleichen am 15. Juli. Diese Services (siehe Kat.-Nr. 324–329) waren für den Winterpalast bestimmt, in dem alljährliche Festmahle an den Patronatstagen der Orden stattfanden.

Sie entstanden nach dem Vorbild eines Tafelservices der Königlichen Porzellan-Manufaktur zu Berlin von 1770/72, ein Geschenk des preußischen Königs Friedrich II. an Eka-

Parade-Eßzimmer im Großen Palast zu Pavlovsk

terina II. Dies war kein Einzelfall, denn die gesamte Porzellanherstellung im Rußland der Mitte und der zweiten Hälfte des 18. Jahrhunderts stand im engen Zusammenhang mit der im übrigen Europa.

Im ersten Viertel des 19. Jahrhunderts erreichte jedoch die Kaiserliche Porzellan-Manufaktur größere Eigenständigkeit, wie das große »Gur'ev-Service« von 1809 zeigt. Damals war Stepan Stepanovič Pimenov (1784–1833), einer der führenden russischen Bildhauer der Zeit, Leiter der Modellierwerkstatt. Dabei stammen die Entwürfe und Vorzeichnungen zum Service vermutlich von dem Architekten Thomas de Thomon (1760–1812), der für die Porzellan-, die Glas- und die Tapisserie-Manufaktur zeichnete. Das Dekor zeigt Ansichten Petersburgs, Moskaus und deren Umgebung.

Teile des sogenannten »Gur'ev-Service«

XII   Zwei Sessel, 1817/18. Kat.-Nr. 380; Tisch, um 1820. Kat.-Nr. 381 (Aufnahme in der Staatlichen Ermitage)

Blumenmädchen und Salzverkäufer, Porzellanfiguren aus der Manufaktur Gardner, Moskau, spätes 18. Jahrhundert

Plastische Figuren an den Vasen stellen Frauen in Volkstracht dar. – Immer wieder wurden Einzelheiten dieses komplexen Services aufgegriffen, variiert und wiederholt (siehe Kat.-Nr. 312 ff.).

Mit einem so umfangreichen Ensemble wie diesem erreichte die Kaiserliche Manufaktur höchstes technisches Niveau. Ihre Produktion war breit und vielfältig angelegt und erstreckte sich von den großen Vasen für die Palast-Interieurs bis zu Ostereiern mit unterschiedlichen Darstellungen (siehe Kat.-Nr. 322, 323) für den alten russischen Brauch, zu Ostern verzierte und bemalte Eier zu verschenken. In wohlhabenden Kreisen nahm man dafür künstliche Eier aus Porzellan, Halbedelsteinen oder Edelmetallen, die nicht mehr lediglich mit schlichten Folklore-Ornamenten und den Initialen »XB« (für: Christos voskrese [Christus ist

auferstanden]), sondern mit verfeinerten Schmuckformen und Darstellungen versehen wurden.

Beliebt waren die »Volkstypen« als Porzellanfiguren. Das in ihnen verkörperte Bestreben, »eine charakteristische Beschreibung des einfachen Volkes in all seiner ursprünglichen Einfachheit der Sitten und der ganzen Erscheinung« - wie eine zeitgenössische Stimme es nannte - regte sich zuerst am Anfang der 20er Jahre des 19. Jahrhunderts bei den Meistern der Gardner-Manufaktur (siehe Kat.-Nr. 330, 331), wurde aber bald auch von anderen Porzellanherstellern übernommen.

Neben Gardner, dessen Erzeugnisse denen der Kaiserlichen Manufaktur noch sehr nahe kamen, entstand 1811, als weitere bedeutende Porzellanfabrik Petersburgs, die auf der Vyborger Seite der Stadt gelegene Manufaktur von Philipp

Glasschneider (nach einem Stich von Kapiton Zelencev in der Zeitschrift »Die magische Lampe«), Manufaktur Gardner, Moskau, frühes 19. Jahrhundert

Wasserträgerin. Porzellan-Kleinplastik von Stepan Pimenov, Kaiserliche Porzellan-Manufaktur, 1817

Batenin (siehe Kat.-Nr. 332–335). Deren vielfältige Produktion zeichnete sich durch kräftige, manchmal fast rustikal angelegte farbenfrohe Darstellungen auf intensiv getöntem Grund und goldene Ränder mit reichen Ornamenten aus. In ihren Malereien zeigt sich lebendig das russische Leben in den ersten Jahrzehnten des 19. Jahrhunderts. Besonders beliebt waren diejenigen Stücke der Manufaktur, auf denen bekannte Ansichten Petersburgs und seiner näheren Umgebung dargestellt sind. Ohne Übertreibung kann man sagen, daß sich in fast allen Haushalten der Kaufleute oder Beamten in der Hauptstadt Services oder Einzelstücke von Batenin befanden.

Zu Glas und Porzellan kommen Silber und Gold. So wird von einem festlichen Essen im Hause der Gräfin Orlova-

Česminskaja, der Gemahlin des Generals en Chef Aleksandr Girgor'evič Orlov (1737–1807/08) berichtet, daß dort »der Tisch sehr reich gedeckt und alles aus Silber war, das Besteck aber vergoldet und die Dessert-Messer und -Gabel vergoldet mit Griffen aus Karneol«. Solche Bestecke aus Edelmetallen, teilweise mit Halbedelsteinen, wurden in Petersburger und Moskauer Manufakturen, aber auch in solchen anderer russischer Städte – in Velikij Ustjug, in Novgorod, Jaroslavl', Kazan' oder Tobol'sk – hergestellt.

Die Kunst der Metallverarbeitung ist in der Rus' seit den ältesten Zeiten bekannt und wurde stets besonders sorgfältig betrieben. Schon während des Moskauer Zarentums gab es spezielle staatseigene Werkstätten im Kreml', die sogenannten »Silber- und Goldpaläste [Zolotaja i Serebrjanaja

palata]« für Gebrauchsgegenstände und liturgische Geräte, Schmuck, Ikonenbeschläge und ähnliche Dinge. Nach der Gründung Petersburgs wurden Handwerker von dort in die neue Hauptstadt umgesiedelt. Außerdem bemühte man sich um ausländische Meister. Schon 1714 wurde in Petersburg die Gilde [cech] der ausländischen Meister der Gold- und Silberschmiedekunst gegründet. 1722 folgte eine zweite für die russischen Kunsthandwerker, zu der gegen Ende des 18. Jahrhunderts bereits vierundvierzig Meister und fünfzehn Obergesellen [podmaster] gehörten. Um die Jahrhundertwende gab es in der Stadt, neben den russischen, zahlreiche Gold- und Silberschmiede ganz unterschiedlicher Nationalität: Deutsche, Finnen, Franzosen, Schweden, Schweizer und Dänen. Leider sind nur wenige ihrer Arbeiten erhalten geblieben, denn beim Wechsel von Geschmack und Stil oder auch des Besitzers wurden sie häufig zu neuen Formen umgearbeitet.

Während der Regierungszeit Kaiser Pavels I. wurde ein goldenes Tafelservice für vierundzwanzig Personen gearbeitet, dessen Entwurf von dem Architekten Nikolaj Aleksandrovič L'vov (1751–1803) – einem Mitglied der Akademie der Wissenschaften (seit 1783), der auch als Dichter und Musiker bekannt wurde – stammt. Er verzierte die formschönen Stücke mit einem leichten frühklassizistischen Dekor von eng ineinander verschlungenen Girlanden aus Blumen, Weinreben und Bändern. Das Service entstand in der Werkstatt von Ivar Wenfeld Buch, die zu dieser Zeit wohl die bedeutendste der Stadt und über Jahre Kaiserlicher Hoflieferant war. Von ihr kamen um 1800 noch weitere bemerkenswerte Objekte für die Speisezimmer und als Schmuck der Paläste, silberne Königstüren für Ikonostasen, Lüster, Standleuchter und Konsolen.

Früher als ihre Kollegen in anderen Bereichen des Kunsthandwerks befaßten sich die Petersburger Silberschmiede mit dem neuen Stil des Klassizismus und bedienten sich seiner Sprache. Schon in den 80er Jahren des 18. Jahrhunderts werden die bewegten Formen und die reiche Ornamentik des Barock und Rokoko durch Schlichtheit, Symmetrie und eine weiche, fließende Linienführung ersetzt. Man bevorzugt jetzt die glatte polierte Oberfläche, allenfalls mit leicht modellierten flachen Reliefs oder Gravuren (siehe Kat.-Nr. 271). Im Gegensatz zu den Werkstätten an anderen Orten benutzten die Meister der Hauptstadt nur sehr selten die Niello-Technik für ihre Ornamente. In der Provinz herrschte dagegen noch ein Stilgemisch, in dem sich klassizistische Motive mit weiterlebenden Rokoko-Elementen verbanden und die Schwärzung dazu diente, den dekorativen Effekt noch weiterhin zu steigern.

Zu Beginn des 19. Jahrhunderts, als der Klassizismus seinen Höhepunkt erreichte, bestimmte F. Hattenberger [Gattenberger] mit hervorragenden Entwürfen die Arbeit

Grüner Krug mit Goldornamenten, Detail des Henkels, Kaiserliche Porzellan-Manufaktur, 1816–1825 (siehe Kat.-Nr. 318)

der führenden Petersburger Goldschmiede. Erforderten doch die Formen des Empire mit ihrer Annäherung an geometrische Figuren eine besondere Präzision. Ihre glatten Oberflächen wurden meist ausschließlich mit einigen gegossenen Figürchen verziert, Amor, Schwäne, Greifen oder ähnliche Wesen, die Deckel-Griffe oder Henkel bildeten (siehe Kat.-Nr. 285).

Was die kleinen Preziosen betrifft, so wurden sie, nach den Worten von F. Wiegel [Vigel'] »statt mit Diamanten mit Steinen und Mosaiken geschmückt. Man fing an, für wirklich unglaubliche Preise seltene Steine zu erwerben, sie mit Gold zu fassen und auf Armbändern und Colliers anzubringen. Dies galt als besonders antik!«

Um 1800 gab es in Petersburg nur einen bemerkenswerten Mosaikmeister. Georg Weckler [Vekler] aus Riga, der an der Kunstakademie lehrte (siehe Kat.-Nr. 149). Außerdem gab er, wie E. Jan'kovskaja in ihren Memoiren schreibt, in seinem Hause auch Privatunterricht. Auch seine Tochter hat etwa unter seiner Anleitung solche kleinen Objekte gearbeitet, darunter eine Mosaik-Landschaft für eine Tabaksdose aus Schildpatt.

Bei den adligen Damen war in den 20er Jahren des 19. Jahrhunderts besonders die Stickerei mit Seide, Wolle und Perlen beliebt, aber auch das Malen auf Holz oder Samt. Mit Girlanden bemalten Samt benutzte man für Kaminanschirme, Sonnenschirme, Decken und auch als Bespannung von Möbeln. Ebenso verwendete man ihn – neben der sonst üblichen Stickerei – für kleine Beutel oder

Russische Bürgersfrau aus Niznij Novgorod in landstädtischer Tracht.
Kupferstich, um 1800

Täschchen (siehe Kat.-Nr. 449), »*die in Gebrauch kamen, als die Kleider keine Taschen mehr hatten, da sie so eng geworden waren, daß dafür einfach kein Platz mehr war.*«

Auch die Damen-Mode der Jahrhundertwende zeigte sich, im Vergleich zur vorausgehenden Zeit, ausgesprochen schlicht: mit hoher Taille, großem Décolleté, engen Ärmeln und Röcken mit weich fließenden Falten, womit sie insgesamt an antike Gewänder erinnern wollten (siehe Kat.-Nr. 414). In den »Aufzeichnungen« des Grafen Fedor Golovkin ist zu lesen, daß Frau Naryškina den Kaiser Aleksandr besonders bezaubert habe, obwohl »*sie nur mit einem ganz einfachen Kleid aus weißem Krepp und mit Girlanden aus jenen lila Blüten geziert war, die man 'Vergißmeinnicht [Nezabudki]' nennt.*« Gegen 1810 wird der Rock kürzer. Schleppe [šlejf] trug man nur noch während besonders feierlicher Zeremonien bei Hofe. Besonders dünne, leichte und transparente Stoffe waren sehr beliebt.

Erst gegen Ende des zweiten Jahrzehnts und zu Beginn der 20er Jahre wird die Kleidung wieder opulenter, wofür man auch allmählich wieder massivere Stoffe benutzt. Prunkvolle Formen, wie Puffärmel, Rüschen, Volants oder mit Watte oder Haaren ausgepolsterte Röllchen am unteren Rocksaum treten auf, die dem Kleid die jetzt modische trapezförmige Silhouette verleihen. Häufig trägt man Spenzer, eine kurze Jacke mit langen Ärmeln (siehe Kat.-Nr. 420). Die Männer trugen im Alltag Überrock oder Gehrock [sjurtuk], den Frack bei feierlichen Anlässen.

Während weniger begüterte Stadtbewohner sich ihre Kleidung entweder selbst nähten oder bei Schneidern nähen ließen, hatten die Wohlhabenden die Möglichkeit, sie sich im Ausland zu bestellen oder bei den Modeschneidern der Hauptstadt nach den neuesten internationalen Modellen anfertigen zu lassen, während die Bediensteten und die Kaufleute weiterhin die überkommene Volkstracht trugen. Außerdem hatten die Familien des Hochadels eine eigene Schneiderwerkstatt auf ihren Gütern, in denen geschickte leibeigene Näherinnen nach Vorlagen aus Pariser Modezeitschriften arbeiteten und ihre Erzeugnisse darüber hinaus mit Stickereien und geklöppelten Spitzen verzierten (siehe Kat.-Nr. 419). In den Memoiren einer Gutsbesitzerin aus jener Zeit ist zu lesen, daß sie »*ihre Näherinnen an die Webrahmen gesetzt habe, um für jede ihrer Töchter zwei weiße Kleider zu fertigen, die aus Silber mit Seidentüll gemacht werden sollten; zwei dieser Kleider waren mit kleinen Pünktchen oder Erbsen aus Silberstickerei versehen, und zwar abwechselnd mattiert und glänzend, während die beiden anderen aus Gaze mit großen Blumensträußen bestanden, was sehr prächtig, reich und doch zugleich leicht wirkte.*«

Man darf sich derartige Kleider niemals ohne die dazugehörigen Schals oder Umschlagetücher vorstellen, besonders im Winter unverzichtbare Accessoires der Damentoilette jener Zeit. (Sogar einen entsprechenden Tanz, den »Pas de châle« gab es, den kleine Mädchen schon in frühester Jugend erlernten.) Zuerst wurden nur sehr teure orientalische Schals importiert, später kamen auch westeuropäische Erzeugnisse auf den Markt, bis dann kurz nach der Jahrhundertwende mehr und mehr auch inländische Produkte angeboten wurden. Im Unterschied zu den anderen hatten die russischen keine Rückseite; Vorder- und die Rückseite waren identisch, was natürlich die ästhetische Wirkung der Stoffe erheblich steigerte. Der Mittelteil war dabei in der Regel einfarbig, während den Rande mehr oder minder breite Bordüren mit prachtvollen Blütenornamenten bildeten (siehe Kat.-Nr. 432).

Besonders berühmt waren die Manufakturen der Familie Kolokol'cov sowie die von Frau Merlina und von Frau Eliseeva, die alle mit leibeigenen Handwerkerinnen arbeiteten. Dabei muß man daran erinnern, daß die Herstellung jeweils

XIII   Zwei Sessel aus einer siebenteiligen Garnitur mit einem Sofa und sechs Sesseln, 1. Drittel 19. Jahrhundert. Kat.-Nr. 390

Schal aus der Werkstatt Dmitrij Kolokol'cev in Saratov (Detail), beidseitig bestickt, um 1840

beiten aus dieser Stadt gelangten auch als diplomatische Geschenke ins Ausland. 1785 kamen von dort Handwerker nach Petersburg, um ihre Kenntnisse bei Georg Kinig, einem bekannten Goldschmied, Chemiker und Steinschneider zu vervollkommnen.

sehr kompliziert und langwierig war und – je nach Schwierigkeitsgrad der Vorzeichnung – von sechs Monaten bis zu zweieinhalb Jahren dauerte.

Weiche, dünne Schals in zarten Schattierungen waren ebenfalls beliebte Accessoires, da sie die dezente Klarheit der Toilette zwar nicht störten, zugleich aber ihrer gesamten Erscheinung malerische Lebendigkeit durch eine schmeichelnde Silhouette verliehen.

Im ersten Drittel des 19. Jahrhunderts gab es – außer in Petersburg selbst – weitere Zentren für die Herstellung von Schals in den Gouvernements Nižnij Novgorod, Saratov an der Volga und Penza. Verkauft wurden sie aber meist in Petersburg, wo eben auch teure Ware, die in den Landstädten schwerlich Käufer fand, abzusetzen war.

Dies galt nicht nur für Schals, sondern auch für eine Reihe anderer Erzeugnisse. Nur in Petersburg gab es einen blühenden Markt für Luxusgüter. Weder Moskau, geschweige denn die Provinzstädte konnten entsprechendes bieten.

Deshalb kamen auch die Schmiede aus Tula, dem alten Zentrum der Metallverarbeitung in der Rus', in die Hauptstadt und brachten ihre Stahlerzeugnisse dorthin. Während des gesamten 18. Jahrhunderts wurden in Tula auch Teile für Möbel, Kamine oder Kaminzubehör angefertigt sowie die durchbrochenen Stahlgitter für die Einzäumung und Ausstattung der kaiserlichen Residenzen. Die begehrten Ar-

Becher »Die vier Jahreszeiten«. Beinschnitzerei aus Cholmogory von Verescagin, um 1790

Der verhältnismäßig niedrige Preis der Stahlwaren ermöglichte es nicht nur besonders wohlhabenden, sondern auch Käufern aus den mittleren Schichten, sie zu erwerben. Dadurch fanden diese Kästchen, Tintenfässer, Garnspulen oder Leuchter (siehe Kat.-Nr. 292) weite Verbreitung.

Geschätzt wurden damals ebenfalls Objekte aus Bein, wobei es sich nicht nur um Importe, sondern auch um heimische Erzeugnisse handelte, die aus dem Gouvernement Archangel'sk – einem alten Zentrum dieses Handwerks – kamen. Dort arbeitete man vor allem nach der komplizierten Schnitzmethode »aufs Loch [na proem]«, bei der ein Gebilde entsteht, das den feinen Zeichnungen ähnelt, die der Frost auf die Fenster der Hütten im hohen Norden zaubert. Dafür wird die gesamte Fläche vollständig in ein durchbrochenes Ornament zerlegt (siehe Kat.-Nr. 403). Diese zerbrechlichen und zarten beinernen Kästchen, Schatullen, Väschen, Broschen oder Schmuck-Scheibchen fanden in Petersburg stets Käufer, die die mühselige, peinlich genaue Arbeit und die künstlerische Sensibilität zu schätzen wußten. Dabei bestanden die besten Erzeugnisse ganz aus Bein, die einfachen wurden dagegen zuerst aus Holz gearbeitet und danach mit geschnitzten Beinscheiben, die zum Teil graviert und koloriert waren, belegt.

Ging man damals durch die Warenhäuser der Hauptstadt, durch ihre Geschäfte und kleinen Lädchen, so konnte man Waren für jeden Geldbeutel finden: von den teuersten Waren aus wertvollem Material bis zu preiswerten aus Pappe mit typisch klassizistischen Ornamenten. Selbst Lüster und viele andere Gebrauchsgegenstände gab es in modischen Formen aus Pappmaché, mit Goldbronze »vergoldet« oder mit Malerei verziert, die Schildpatt, Gold und Lack imitieren sollte (siehe Kat.-Nr. 408).

Ausländische Händler importierten – bei aufmerksamer Beobachtung des Marktes – ebenfalls Waren in die Hauptstadt, wohl wissend, welche Dinge hier gut abzusetzen waren. Denn zahlreiche wohlhabende Petersburger kauften direkt bei den europäischen Herstellern, oder sandten ihnen Entwürfe und Konzepte, die in Frankreich, Italien oder Deutschland ausgeführt wurden. Besonders galt das für den französischen Bronzeguß, dessen Produkte in großem Umfang eingeführt wurden, und damit Einfluß auf die Entwicklung der russischen Bronzegießerei ausübten.

Die russischen Handwerker aus der Provinz, die in der Stadt ihre Waren zum Verkauf boten, bewunderten nicht nur die Schönheit Petersburgs, sondern beobachten zugleich auch die Methoden ihrer Kollegen aus anderen Nationen. So erwarben sie neue Fähigkeiten und lernten neue Techniken kennen, studierten Formen und Ornamentik des herrschenden Stils, so daß sie bald selbst mit der Gilde ausländischer Meister in Wettbewerb treten konnten. Einige von ihnen blieben in Petersburg und arbeiteten dort er-

Sankt Petersburger Marktszene. Holzschnitt nach einer Zeichnung von A. Baumann, Düsseldorf um 1850

folgreich weiter. Andere kehrten in ihre Heimatorte zurück und vermittelten auch diesen durch ihre Erzeugnisse einen Hauch von hauptstädtischer Atmosphäre.

Auf diese Weise wurde die Hauptstadt fortschreitend zum Kulturzentrum Rußlands, in dem sich die führenden Richtungen der europäischen Kunst schöpferisch zusammenfanden und weiter verarbeitet wurden, so daß sie schließlich auch in zahlreichen russischen Provinzstädten Nachahmer fanden. Andererseits beeinflußte aber auch die traditionelle Sprache der Volkskunst, die von vielen namenlosen, doch fähigen Künstlern von Generation zu Generation weitergetragen worden war, den verfeinerten Stil der führenden Zeichner und Planer in der Hauptstadt sehr wohl, so daß die so erzielten Ergebnisse einerseits nationale Züge tragen und sich aber andererseits den gesamteuropäischen künstlerischen Entwicklungen um 1800 verpflichtet wissen.

XIV   Uhr (Malachit), nach 1820. Kat.-Nr. 359

XV Karaffe, Becher und Gläschen aus dem »Orlov-Service«, um 1800. Kat.-Nr. 341

G. G. Černecov, Parade auf dem Schloßplatz in Petersburg, 1839. Kat.-Nr. 6

SANKT PETERSBURG – EINE MILITÄRISCHE HAUPTSTADT

G. VILINBACHOV

In der russischen Kulturgeschichte des 18. und des ersten Drittels des 19. Jahrhunderts nimmt Sankt Petersburg einen ganz besonderen Platz ein. Dies hängt natürlich vor allem damit zusammen, daß die Stadt des heiligen Apostels Petrus schon bald nach ihrer Gründung im Jahre 1703 zur Hauptstadt eines räumlich sehr weit ausgedehnten Staates wurde, zur Haupt- und Residenzstadt des Rußländischen Reiches [Rossijskaja Imperija]. So nennt man nicht von ungefähr die kaiserliche Periode der russischen Geschichte auch die »Petersburger Zeit«. Der alten Moskauer Rus' steht nun das Petersburger Rußland gegenüber. Der Wechsel in der Benennung hat seine Bedeutung: An die Stelle der alten ostslavischen Namensform »Rus'« tritt nun die neue, aus dem Lateinischen übernommene Form »Rossija«. Das in sich ruhende, weitgehend auch gegen äußere Einflüsse abgeschlossene Moskauer Zarentum wird durch Petr I. zu einem offenen, modernen Staat umgebildet, wenigstens soweit es die neue Hauptstadt betrifft. War die Rus' bisher allenfalls am Rande für Europa von Interesse, spielt Rußland nun bald eine führende Rolle im Kräfteverhältnis der europäischen Großmächte. Petersburg wurde zum Symbol für diesen neuen Abschnitt der Geschichte. Und in diesem Zusammenhang bildet auch die kaiserliche Symbolik, bildet die kaiserliche Mythologie einen ganz wesentlichen Teil der »Seele Petersburgs«.

Diese Gegebenheiten bestimmten auch die Rolle, die das militärische Element bei der Gestaltung der Stadt, seines geistigen und alltäglichen Lebens spielte. Ohne sein Militär ist das kaiserliche Petersburg nicht vorstellbar. Schon das damalige Stadtbild kann man sich nicht ohne Militär denken. Zeichen seiner Präsenz sind überall sichtbar: die Unterkünfte der Truppen, die Kasernen und die Garnisonkirchen der einzelnen Regimenter, die Manegen und die Wachhäuschen. Aber das militärische Element reicht wesentlich tiefer und zeigt sich auf unterschiedliche Weise, wie beispielsweise in den Bezeichnungen bestimmter Straßen und Plätze, in der städtischen Folklore, im gesamten städtischen Leben und in vielen Einzelzügen des städtischen Alltags.

Die Gründung der Stadt und ihre anfängliche Geschichte ist bekanntlich unlösbar mit dem Nordischen Krieg verbunden, den Rußland von 1700 bis 1721 führte. Im Kampf gegen die Schweden wurde das Territorium Petersburgs ge-

wonnen, im Kampf gegen die Schweden mußte es auch gesichert werden. Deshalb sind die ersten Gebäude der neu entstehenden Stadt vor allem militärische: die Peter-und-Pauls-Festung und die Admiralität, bei der es sich in dieser Zeit besonders um eine Werftanlage für den Bau dringend benötigter Kriegsschiffe handelt. Diese beiden die Stadt in den ersten Jahrzehnten ihres Bestehens dominierenden architektonischen Ensembles entspringen eindeutig ihrer militärischen Funktion. Sie sollten aber nicht die einzigen auf diese

Christi-Verklärungs-Dom in Sankt Petersburg (Innenansicht). Errichtet 1827/29 nach einem Entwurf von Vasilij Stasov als Garnison-Kirche des Regimentes »Preobraženskoe«; Gemälde der Ikonostase von V. K. Šebuev, A. E. Egorov und A. I. Ivanov

Einfassung des Kirchplatzes am Christi-Verklärungs-Dom mit Kanonen, die 1828 im Russisch-Türkischen Krieg erbeutet wurden.

Weise motivierten Bauwerke bleiben, denn auch in der Folgezeit war die Bedeutung jener Gebäude, die mit dem militärischen Leben direkt oder indirekt verbunden waren, für die Hauptstadt außerordentlich groß. Denken wir hier nur an die verschiedenen Dome, die als Garnison-Kirchen dienten, und die bis heute zu den bemerkenswertesten und bekanntesten Kirchbauten Petersburgs zu zählen sind; beispielsweise an den 1827 bis 1829 nach Entwürfen von Vasilij Petrovič Stasov (1769–1848) im klassizistischen Stil errichteten Erlöser-Verklärungs-Dom [Spaso-Preobraženskij-Sobor] oder den vom gleichen Architekten 1828–1835 erbauten Dreieinigkeits-Dom [Troickij Sobor]. Erster war die Kirche des berühmten Leib-Garde-Regimentes »Preobraženskoe« (siehe Kat.-Nr. 174), letzterer des Leib-Garde-Regimentes »Izmajlovo« (siehe Kat.-Nr. 175).

Denken wir auch an die repräsentativen Kasernenbauten, die ebenfalls von führenden Architekten der Zeit erbaut wurden, wie die Kasernen des Chevaliergarde-Regimentes kurz nach 1800 von Luigi Rusca oder des Leib-Garde-Regimentes »Pavel« 1817 bis 1819 von V. P. Stasov.

Denken wir auch daran, daß nicht nur die Garnison-Kirchen im engeren Sinne, sondern auch eine Reihe weiterer Petersburger Dome und Kirchen ausgesprochen militärische Gedenkstätten geworden waren. So wurden im Peter-und-Pauls-Dom der Festung die erbeuteten schwedischen Fahnen als Trophäen des Nordischen Krieges aufbewahrt, im Kazaner Dom am Nevskij Prospekt die Trophäen aus den Kriegen gegen Napoleon und aus dem Russisch-persischen Krieg von 1804–1813, der Rußland das nördliche Azerbajdžan und das östliche Georgien sicherte. Besonders der Kazaner Dom ist geradezu ein Militärdenkmal, denn dort befindet sich das Grab des Oberkommandierenden der russischen Armeen im Jahre 1812, des Generalfeldmarschalls Michail I. Kutuzov, Fürsten von Smolensk (1745–1813, siehe Kat.-Nr. 31). Vor der dem Nevskij Prospekt zugewandten Fassade steht sein Denkmal, zusammen mit dem seines Nachfolgers im Vaterländischen Krieg, des Fürsten (seit 1815) Michail Bogdanovič Barclay de Tolly (1761–1818); beide 1830 bis 1837 von dem Bildhauer Boris Ivanovič Orlovskij (1796–1837) geschaffen. Erbeutete Fahnen schmückten auch den Erlöser-Verklärungs- und den Dreieinigkeits-Dom. Der erste erhielt 1829 bis 1832 aber außerdem noch eine sehr originelle und wohl einmalige Trophäensammlung: Um die Kirche wurde eine Umzäunung mit erbeuteten türkischen Kanonen errichtet.

Der militärische Charakter der Stadt wurde darüber hinaus durch die verschiedenen Triumphbögen verstärkt; durch den Triumphbogen von Narva, 1827 bis 1824 von V. P. Stasov erbaut (siehe Kat.-Nr. 479), und den Moskauer Bogen, den derselbe Architekt 1834 bis 1838 errichtete (siehe Abb. S. 116), ferner durch den Bogen des Haupt- bzw. Generalstabes, ein Werk aus den 20er Jahren des 19. Jahrhunderts von Carlo Rossi (siehe Kat.-Nr. 127). Erwähnt werden sollten auch noch die Denkmäler für die verschiedenen Heerführer, die das Stadtbild prägten; außer den schon genannten das von Michail I. Kozlovskij (1753–1802) in den Jahren 1799–1801 geschaffene für den Generalissimus Aleksandr Vasil'evič Suvorov (1729–1800, siehe Kat.-Nr. 87), das heute auf dem Marsfeld steht, sowie die Obelisken und Säulen zu Ehren großer militärischer Taten. Für diese Gruppe sind zwei Beispiele zu nennen: zum einen der 1799 von Vincenzo Brenna (1740–1819) aufgestellte Obelisk für Generalfeldmarschall Graf (seit 1744) Petr Alekseevič Rumjancev-Zadunajskij (1725–1796), den Sieger im russisch-türkischen Krieg von 1768–1774, und zum anderen die Aleksandr-Säule auf dem Schloßplatz, die Auguste Monferrand 1830 bis 1834 zu Ehren Kaiser Aleksandrs I., des obersten Heerführers im Vaterländischen Krieg von 1812, erbaut hat. All diese Gedenkstätten stehen in Petersburg selbst. Doch sollte wenig-

stens eine weitere in Carskoe Selo erwähnt werden, nämlich die 1774 bis 1778 von Antonio Rinaldi (ca. 1710–1794) geschaffene Česma-Säule [Česmenskaja kolonna] zum Andenken an die Seeschlacht am 25./26. Juni 1770, bei der die russische Flotte unter der Leitung der Admiräle Grigorij Antonovič Spiridov (1713–1790) und Samuil Karlovič Grejg [Samuel Greigh] (1736–1788) die türkische Armada in der Bucht von Česma an der Küste Kleinasiens blockieren und schließlich vernichten konnte. Dies brachte der russischen Flotte die Seeherrschaft in der Ägäis und führte schließlich zur Blockade der Dardanellen. Der erste große russische Sieg auf See trug wesentlich zu einem für Rußland positiven Ausgang des russisch-türkischen Krieges von 1768–1774 bei.

Doch finden wir in Petersburg nicht nur in diesen Denkmälern militärische Symbolik, sondern auch in den Schmuckformen zahlreicher Empire-Bauten der Hauptstadt, die immer wieder militärisches Gerät, wie Waffen, Rüstungen, Helme usw. zeigen.

Auf militärische Fakten und Zusammenhänge verweisen auch zahlreiche Namen von Straßen und Plätzen, die es er-

Seeschlacht bei Cesma. Stich von P. Kenot nach einer Zeichnung von R. Paiton, 1777

Petr Aleksandrovič Rumjancev (seit 1771 Graf Zadunajskij [Donaubezwinger], 1725–1796), Werk eines unbekannten russischen Malers, nach 1770

möglichen festzustellen, in welchen Gebieten der Stadt militärische Einrichtungen untergebracht waren, und wie sich diese Plazierungen im Laufe der Zeit auch verändert haben. Dazu gehören einerseits ausgesprochen militärische Bezeichnungen, wie beispielsweise die Troßstraße [Furštatskaja ulica] (heute: Petr-Lavrov-Straße), der Leib-Garde-Reiter-Boulevard [Konnogvardejskij bul'var] (heute: Boulevard der Gewerkschaften [bul'var Profsojuzov]) oder der – nach dem Leib-Garde-Regiment »Semenovskoe« benannte – »Platz Semenovskij [Semenovskij plac]« (heute: Pionier-Platz [Pionerskaja ploščad']). Daneben gab es aber andererseits noch eine Reihe weiterer Namen und Bezeichnungen, deren ursprünglich militärischer Charakter nicht immer so offensichtlich ist wie bei den soeben genannten Beispielen. So trug beispielsweise die Zacharias-Straße [Zachar'evskaja ulica] (heute: Kaljaev-Straße) den Namen des Patrons der Regimentsgarnisonkirche der Chevaliergarde, die sich dort befand. Ebenso war die Sergij-Straße [Sergievskaja ulica] (heute: Čajkovskij-Straße) nach dem dort 1796 bis 1800 (von dem sonst kaum hervorgetretenen Architekten F. I. Demercov) erbauten Sergij-Dom benannt, bei dem es sich um die Garnisonkirche der russischen Artillerie handelte; eine Funktion, die auch in der Ausstattung des Gotteshauses deutlich wurde.

Leider sind zahlreiche dieser für Petersburg so charakteristischen Fakten verloren gegangen, einige davon sogar unwiderruflich. Viele Straßen wurden in den letzten Jahrzehnten umbenannt und mehrere der genannten Kirchen zerstört. Dies schadete dem Gesamtbild Petersburgs als militärischer Hauptstadt erheblich.

Seit den ersten Jahren seines Bestehens gab es in Petersburg – wie bei seiner Gründungsgeschichte auch nicht anders zu erwarten – einen erheblichen Anteil von Einwohnern, die zum Militär gehörten. Zeitweilig stellten sie nicht weniger als ein Viertel der Gesamtbevölkerung dar. Noch in den 30er Jahren des 19. Jahrhunderts, als die Bevölkerung insgesamt schon fast eine halbe Million erreicht hatte, trugen etwa 50.000 Petersburger, also mehr als 10 Prozent der Einwohner, militärische Uniformen.

Der Stadthistoriker I. Puškarev schreibt dazu: »*Wenn man Petersburg im Hinblick auf seine charakteristischen Merkmale betrachtet, so kann man sagen, daß es jetzt eigentlich aus vier voneinander getrennten Städten besteht, nämlich aus der Militär-Stadt, der Handels-Stadt und den Hauptstädten des Gouvernements und des Reiches ...*« Man sollte hier vielleicht noch etwas genauer auf die Gegebenheiten eingehen, die diese Entwicklung bedingt haben.

I. Puškarev bemerkt dazu, daß »*sie [die Stadt] auch in den 30er Jahren des 19. Jahrhunderts noch so war – alle vier Elemente waren wohl dosiert in der Hauptstadt verteilt.*« Damit sind auch die gebräuchlichen ironischen Epitheta – »Beamtenbüro [činovnyj departement]« oder »Regimentskanzlei [polkovaja kancelarija]« – für Petersburg erklärt. In diesen Spottnamen tritt schon eine Auffassung zu Tage, die Abneigung gegenüber der Stadt, ihrem Leben und ihrer Architektur ausdrückt, eine Abneigung, die in den 40er Jahren aufkommt und bis zum Ende des 19. Jahrhunderts andauert.

Der Architekturhistoriker G. K. Lukomskij schrieb dazu, daß dies sich allerdings »*... wahrscheinlich nicht ohne Anlaß ergab, denn gleichzeitig entbrannte erneut die Liebe zum russischen, malerischen, unsymmetrischen Altertum, weswegen jede Form von Klassizismus, ja jede feste Regel generell als langweilig galt.*«

Man begann wohl bereits in den 20er Jahren damit, den Petersburger Stil abschätzig zu betrachten, wie dies beispielsweise der durch seine Memoiren bekannte Schriftsteller P<u>ř</u>zeclavskij zeigt: »*Eine gewisse Monotonie der Bauten [Petersburgs] erklärt sich dadurch, daß von den Behörden nur einige wenige Typen von Fassaden und Bauplänen gebilligt wurden, nach deren Vorbild dann generell neue Gebäude zu errichten waren. Eine solche Beschränkung gab es auch für die farbliche Fassung der Bauten, auf Grund derer die Fassaden selbst fast ausschließlich blaßgelb, die Frontons, Säulen, Pilaster und Friese hingegen weiß gehalten wurden. Deshalb sahen ganze Straßen – sogar Hauptstraßen – wie Kasernen aus, und es ermüdete ihr und der Plätze Anblick durch Eintönigkeit!*«

Etwas später begegnen wir in dem Gedicht »Porträt« des Grafen Aleksej Konstantinovič Tolstoj (1817–1875) den folgenden Zeilen:

»*Dort, genau bei der Aničkov-Brücken,*
erwarben wir für uns ein großes Haus:
Es sah – kein Zweifel kann uns bedrücken –
mit Gelb gestrichen, wie alle and'ren aus.«

Die Farbwahl wurde allerdings nicht von ungefähr getroffen: Erinnern wir uns daran, daß Gelb beziehungsweise Gold die Grundfarbe der kaiserlichen Standarte war. Deshalb treffen wir sie als Anstrich der Bauten des Petersburger Empire, ganz gleich, ob es sich um Bauten von Rossi, Stasov oder Rusca handelt. Auch auf den Fahnen mit dem gelben Kreuz und in den gelben Bändern der Standarten tritt sie auf und wird im ersten Viertel des 19. Jahrhunderts zur spezifischen Farbe der Kaiserlichen Garde. Gelb wird so ausgesprochen zur charakteristischen Farbe Petersburgs, daß später Fedor M. Dostoevskij einfach vom »*gelben Schnee*« sprechen konnte, wenn er den Schnee von Petersburg meinte.

Offensichtlich gibt es eine innere Wechselbeziehung zwischen dem Wandel der Stilrichtungen und dem Wandel der Beurteilung dieser Stadt. Der Kulturgeschichtler und Kenner ihrer »Seele«, N. P. Anciferov, hat einmal geschrieben, daß »*mit jedem Jahr der Anblick der nördlichen Hauptstadt immer mehr verdunkelt wird. Ihre gestrenge Schönheit verschwindet buchstäblich im Nebel. Petersburg wird für die russische Gesellschaft allmählich zu einer kalten, langweiligen, 'kasernierten' Stadt kranker, gesichtsloser Spießbürger. Gleichzeitig – und im Zusammenhang damit – schwindet auch jene machtvolle Schaffenskraft, die einst ganze künstlerische Ensembles hoheitsvoller Bauwerke in dieser 'einzigartigen Stadt' (Konstantin Batjuškov, 1787-1855) hat entstehen lassen. Es beginnt ihr deutlicher Verfall seltsamerweise mit dem Tode Puškins.*«

Und wirklich: Das Bild, das Puškin von Petersburg zeichnete, hatte ja seinerzeit Gefühle der Zuneigung, ja der Liebe zu dieser Stadt hervorgerufen – und nicht zuletzt ihre Rolle als »militärische Hauptstadt« war hierbei von Bedeutung, wie uns die bekannten Zeilen aus dem »Ehernen Reiter« mit ihrem Lobpreis auf die »Schöpfung Petrs« deutlich machen:

»*An dem in Stein gefaßten Strand*
Empor in goldnem Kuppelbrand
Kirchtürme, schimmernde Paläste, ...
Ich lieb' dich, Schöpfung Petrs, deine
Gestrenge, einheitliche Pracht,
In dem granitnen Gesteine
Der Neva königliche Macht ...
Ich lieb' ...
... auf dem Marsfeld, vor dem Volke,
Das kriegerische Spiel voll Zucht:
Des Fußvolks einheitliche Wucht,
Der Reiterei Gewitterwolke;

Vor ihrer schlanken, ranken Pracht
Die Fetzen unbesiegter Fahnen,
Die Messinghauben der Ulanen,
Durchlöchert in der letzten Schlacht,
Ich lieb' den Donner der Kanonen,
Verkündend, daß dem Kaiserthron
Der mitternächtlichen Regionen
Geboren der erlauchte Sohn,
Daß neuer Siege Blitzeslohn
Durchzittert Rußlands stumme Weiten …
Rag, Petrs Stadt, in hehrer Pracht
Wie Rußland stolz und unbezwungen!«

Diese Zeilen Puškins entsprechen den zeitgenössischen Stadtansichten der Gemälde, Aquarelle und der druckgraphischen Arbeiten. Welche Anteilnahme und welche Freude an dieser Stadt sprechen aus den Werken von Benjamin Paterssen (siehe Kat.-Nr. 32 ff.), von I. A. Ivanov (siehe Kat.-Nr. 198 f.), M. G. Lory (siehe Kat.-Nr. 205 ff.) oder G. G. Černecov (siehe Kat.-Nr. 6), um einige, auch auf dieser Ausstellung vertretene, Künstler zu nennen. Immer wieder begegnen wir in diesen Darstellungen auch militärischen Motiven: den Wachparaden und -wechseln, dem Aufmarsch der Truppen in den Straßen der Stadt oder auch nur irgendwelchen Stadtansichten, auf denen natürlich auch Personen in Militäruniform zu sehen sein müssen. Dieses ikonographische Repertoir ist nicht zufällig entstanden, sondern darf als Ausdruck einer Tradition gesehen werden, die essentiell zur Lebensweise und zur Kultur der rußländischen Hauptstadt gehörte.

Ihre soldatische Bevölkerung bestand vor allem aus den Gardetruppen. Deshalb sollen hier einige Worte zu Geschichte und Entwicklung des russischen Militärs im 18. und frühen 19. Jahrhundert gesagt werden. Vor 1700 und vor den petrinischen Reformen umfaßten die russischen Truppen insgesamt zwar auch schon ungefähr 130.000 Mann (davon 30.000 Reiter), es handelte sich aber dabei zumeist um wenig disziplinierte Einheiten, die teilweise sogar von ausländischen Söldnertruppen unterstützt werden mußten. Eine gewisse Elite bildeten die erstmals um die Mitte des 16. Jahrhunderts so benannten Schützen [strelcy], eine Art Miliz-Leibwache, die schon durch ihre einheitliche Bewaffnung mit Luntengewehren, Säbeln und langgeschäfteten Streitäxten den anderen schlechter ausgerüsteten Truppen überlegen waren. Dies erweckte in ihnen das Gefühl der Unentbehrlichkeit und einen gewissen Prätorianer-Geist. Er zeigte sich besonders deutlich, als sich die Schützen während der Auseinandersetzungen Petrs I. mit seiner Schwester, der Regentin Sof'ja Alekseevna (1657–1704), gegen den Zaren stellten und deshalb, nach Niederwerfung ihres Aufstandes vom 18. Juni 1698, einem blutigen Strafge-

Russische Truppen in der Schlacht von Poltava. Mosaik von M. V. Lomonosov, 1761–1765 (Detail)

richt unterworfen wurden. Damit war ihre Bedeutung als Kerntruppe der russischen Armee endgültig beendet.

Unmittelbar nach ihrer Vernichtung begann Petr mit der Neubildung des russischen Heeres. Keimzelle der neuorganisierten Truppen wurden die sogenannten »Spielregimenter« Petrs, die er gemeinsam mit seinen Spielgefährten in den 80er Jahren des 17. Jahrhunderts zusammengestellt hatte. Sie wurden nach den Dörfern, in denen sie entstanden waren, »Preobraženskoe« und »Semenovo« benannt. Ihre Ausbildung nach europäischem Vorbild wurde dem schottischen General Patrick Gordon (1635–1699) übertragen, der seit 1661 in russischen Diensten stand. Beide unterstanden dem Fürsten Fedor Jur'evič Romonadovskij (ca. 1640–1717), einem engen Vertrauten Petrs, und dem ehema-

113

ligen Schützen-Obristen und späteren General Buturlin (1661–1739). Schon in den Schlachten des Nordischen Krieges zeichneten sie sich aus; die von »Semenovo« beispielsweise in dem Gefecht bei Narva (1700), weshalb alle Stabs- und Ober-Offiziere dieses Regimentes bis 1917 einen kleinen Brustschild aus rotem Kupfer mit der Aufschrift »1700 Nov. 19« trugen.

Diese Regimenter bildeten also die ersten – und für einige Jahrzehnte auch die einzigen – Einheiten der Garde. Bis 1796 kamen nur zwei weitere Garde-Regimenter hinzu. 1730 gründete Ekaterina I. das vor allem aus Ukrainern, Esten und Kurländern zusammengestellte Regiment »Izmajlovo«, dessen erster Befehlshaber der Deutschbalte von Löwenwald wurde. Während die Chevaliergarde [Kavalergardija] damals lediglich eine Ehreneskorte und noch keine reguläre militärische Einheit war (1724 bei der Krönung Ekaterinas I. erstmals aufgestellt, danach aber immer wieder umgebildet), wurde 1731 eine andere Truppe, die 1707 unter der Bezeichnung »Leib-Regiment« aufgestellt worden war (danach unter verschiedenen anderen Bezeichnungen) zum vierten Garde-Regiment umgebildet, nämlich zum Leib-Garde-Reiter-Regiment [Konnoj gvardii polk]. Außerdem bestand in dieser Zeit die russische Armee aus den Linien-Infanterie-Regimentern, von denen es 1795 bereits 57 gab, den Grenadier-Regimentern (1795: 15) und den verschiedenen Regimentern der Linien-Kavallerie (Dragoner, reitende Grenadiere, Kürassiere, Karabiniere, Lanzenreiter und Husaren) sowie den irregulären Einheiten der Kosaken und der Artillerie.

Zwar wurde die Gliederung der russischen Armee während des 18. Jahrhunderts immer wieder modifiziert, waren einzelne Einheiten neugebildet, zusammengelegt und umbenannt worden, aber erst Pavel I. hat 1796 die Truppen

A. N. Benua [Benois], Parade unter Kaiser Pavel I. vor dem Michaels-Schloß, 1907

grundlegend umgestaltet; eine Umgestaltung, die auch die Garde betraf. Der Kaiser gründete ein Leib-Garde-Jäger-Bataillon, ein Husaren- und ein Kosaken-Regiment und schließlich auch das Chevaliergarde-Regiment als reguläre kämpfende Einheit. Insgesamt bestand nun die Garde aus zehn Korps, die sich aus Infanterie, Kavallerie und Artillerie zusammensetzten. Weitere Änderungen betrafen vor allem die Uniformierung, die teilweise – wie schon unter Petr III. – preußischem oder holsteinischem Vorbild folgten und ebenfalls die Benennung der Regimenter. Waren sie vorher meist mit Städte- und Ortsnamen bezeichnet worden, so verlieh der Kaiser nun Generälen und Regimentskommandanten das Privileg, Regimenter, die sie befehligten oder deren Inhaber sie waren, ihren eigenen Namen zu geben.

Aleksandr I. machte diese Regelung nach seinem Regierungsantritt wieder rückgängig, doch war dies eine der weniger einschneidenden Änderungen, die in den folgenden Jahren die russische Armee und auch die Garde betrafen. 1805/1806 fand jedoch eine radikale Umbildung statt, nach der die Infanterie 13 Grenadier-, 83 Musketier- und 26 Jäger-Regimenter umfaßte; die Kavallerie 6 Kürassier-, 30 Dragoner-, 8 Husaren- und 2 Reiter- [konnyj] Regimenter, nämlich ein tatarisches und ein polnisches. Die ebenfalls umstrukturierte Garde erhielt 1811 in der Infanterie zu den traditionellen Regimentern noch die Leib-Garde-Regimenter »Finnland« und »Litauen« (1817 umbenannt in »Moskau«). Außerdem kamen in der Garde-Kavallerie zu den beiden schon seit 1805 existierenden Kürassier-Regimentern, dem Husaren- und dem Kosaken-Regiment noch je ein Ulanen- und ein Dragoner-Regiment. Zugleich wurden damals auch spezielle Garde-Einheiten – die Garde-Eskorte [Gvardejskij ekipaž] und das Leib-Garde-Sappeur-Bataillon [Lejb-gvardii Sapernyj batal'on] – gebildet. Nach dem Sieg über Napoleon (1812) wurden weitere verdiente Einheiten in die Garde aufgenommen: 1813 das Leib-Garde-Grenadier-Regiment, das Grenadier-Regiment »Pavel« und das Leib-Garde-Kürassier-Regiment Seiner Majestät. Auch einige Artillerie-Einheiten zu Fuß und zu Pferde sowie Militärschulen wurden ihr zugeordnet. Sämtliche Gardeeinheiten hatten ihre Garnisonen entweder in Petersburg selbst (die Garde-Equipage, das Jäger-Regiment, die Chevaliergarde, das Kosaken-Regiment, die Gardereiter, die Regimenter »Pavel«, »Preobraženskoe« und »Semonovo«) oder in der näheren Umgebung (Carskoe Selo, Peterhof, Strelna, Pavlovsk).

Aber auch andere Linien-Regimenter, Stäbe und andere militärische Einrichtungen oder Verwaltungen waren in der Stadt und ihrer Umgebung untergebracht. Dabei spielten auch die Militär-Schulen eine bedeutende Rolle, von denen es am Ende der 30er Jahre des 19. Jahrhunderts bereits mehrere gab: das Pagenkorps Seiner Kaiserlichen Majestät, die

Erste und Zweite Pavel-Kriegsschule, das Aleksandr-Kadetten-Korps, das Adels-Regiment, die Schule für Garde-Fähnriche und Junker, die Artillerie- und die Haupt-Ingenieur-Schule sowie die Militär-Akademie. Die Flotten-offiziere wurden ebenfalls in Petersburg, und zwar im Marine-Kadetten-Korps, ausgebildet. Hinzu kamen noch einige spezielle Ausbildungsstätten, wie die Garde-Bereiter-Schule, die Technische Schule, die Schule für die Artillerie zu Pferde, die Militär-Topographen-Schule und die Schule für Auditoren. Außerdem standen in dieser Zeit eine Reihe anderer Institute unter militärischer Leitung, so die Institute für Bergbau-Ingenieure, für die Ingenieure der Verkehrswege und die Förster. Kinder von Soldaten dienten im Sankt Petersburger Bataillon der Militär-Kantonisten.

Zu Zeiten Petrs wurden die Soldaten der Petersburger Garnison, auch die der Garde-Regimenter, in beliebige Häuser der Stadt einquartiert. Aber am Ende der 20er Jahre wurden den Regimentern weiträumige Ländereien in ihrer Umgebung zur Verfügung gestellt. Bereits Petr I. hatte vorge-schlagen, die Regiments-Siedlungen *»auf der Moskauer Seite von der Gießer-Straße bis zum Ende hin ...«* zu errichten. 1726 wurde dann durch einen Erlaß angeordnet, daß *»die Gebäude für die Garde-Regimenter auf eben jener Moskauer Seite hinter dem Fontanka-Fluß an der neu errichteten großen Perspektive, die von der Admiralität ausgeht, errichtet werden sollen.«* Tatsächlich wurden steinerne Kasernen-Gebäude aber erst nach dem Vaterländischen Krieg von 1812 erbaut, deren Entwürfe von den besten Architekten Petersburgs stammten.

Seitdem gibt es fast im gesamten Stadtgebiet Kasernen oder ganze Kasernen-Städtchen. In seiner »Beschreibung von Sankt-Petersburg« von 1839 liefert uns I. Puškarev eine treffende Beschreibung jener Stadtteile, in denen Truppen untergebracht waren: *»Das Regiment 'Izmajlovo' und das Regiment 'Semenovo' haben ihre Namen auf ganze Viertel dieses Teils der Stadt übertragen, die eine eigene Welt für sich darstellen, eine Welt aus bürgerlichen Beamten, pensionierten Militärs, ursprünglichen Einwohnern, Geschäftsleuten und kleinen Spekulanten. Die Wohnungen sind hier billiger und einfacher, die Wirtinnen weniger zänkisch und gutmütiger als im Zentrum der Stadt, weswegen unverheiratete Leute sich bevorzugt bemühen, hier Quartier und Brot zu bekommen.«*

Wie schon gesagt, waren einige Regimenter der Garde-Kavallerie auch in Vororten untergebracht, so die Husaren und die Kürassiere in Carskoe Selo (weshalb sie in der Umgangssprache auch einfach die »von Carkoe Selo [carskosel'skie]« genannt wurden), die Ulanen in Strelna und die Dragoner in Peterhof.

Die schmucken Uniformen aller Waffengattungen und Regimenter spielten bei den verschiedenen militärischen Zeremonien und Paraden eine wichtige Rolle und verliehen

Großfürst Aleksandr Pavlovič (der spätere Kaiser Aleksandr I.) in einer Gruppe von Kadetten. Zeitgenössische Zeichnung

ihnen einen geradezu malerischen Glanz. Dabei stehen die Petersburger Paraden an erster Stelle, deren Hauptattrak-tion immer die Garde war. *»Wer würde nicht die Garde rühmen?«*, schreibt der Infanterie-General Aleksej Petrovič Ermolov (1777–1861), der Held des Vaterländischen Krieges und spätere Oberkommandierende des Kaukasus-Feldzuges von 1816–1827. Er fährt fort: *»Und wie könnte man sie anders loben als mit vollem Recht!«* Die besondere, privilegierte Stellung der Garde erregte allerdings machmal bei den Armeebediensteten in der Provinz und sogar in Moskau auch Unwillen, ja Neid. Erinnern wir uns hier der Worte des großen Kenners *»aller Unterschiede in der Uniform: bei den Waffenröcken, dem Besatz, den Achselstückchen und Tresslein«* Oberst Sergej Sergeevič Skalozub [wörtlich: Zähnefletscher], einer Figur aus der zeitgenössischen (1822 bis 1824 geschriebenen und 1831 in Moskau uraufgeführten) Komödie »Verstand schafft Leiden [Gore ot uma]« von Aleksandr Sergeevič Griboedov (1795–1829):

Russischer Offizier läßt sich von zwei Burschen die Taille schnüren.
Englische Karikatur, um 1815

»Mein Herr! In ihrer prächtigen Betrachtung
betonten Sie mit Recht und sehr viel Geist
die maßlos übertriebne Achtung,
die man der Garde hier erweist.
Wie sagten Sie doch? Von den goldnen Tressen
ist alles fasziniert ... Indessen,
verdient die Linie dasselbe nicht?
Man weiß die Taille gradso eng zu schnüren.
Und manchen kenn ich von den Offizieren,
der tadellos Französisch spricht.«

Im städtischen Alltag beanspruchten die Paraden einen bedeutenden Platz, zum einen auf Grund ihrer Häufigkeit und der großen Anzahl der daran beteiligten Truppen, zum anderen auf Grund ihrer ästhetischen Schönheit. Es gab Paraden einzelner Regimenter und solche des ganzen Garde-Korps zum Wachwechsel. Prächtiger waren die Hofparaden zu großen Festen oder wichtigen Ereignissen im Leben des Reiches, der Hauptstadt oder der kaiserlichen Familie, aber auch zu Kirchenfesten, wie etwa zum Patronatsfest der jeweiligen Regimentskirchen. Solche Zeremonien wurden auch häufig auf Gemälden und graphischen Blättern dargestellt. So gibt es beispielsweise eine Radierung von M. G. Lory, die die Parade anläßlich der sogenannten »feierlichen Wachablösung [razvod karaula s ceremoniej]« auf dem Schloßplatz zeigt (siehe Kat.-Nr. 206).

In den 30er Jahren gab es in der Stadt insgesamt vierzehn Bereiche für sogenannte »Platz-Paraden [plac-parady]«. Dabei erklangen Militärmusik und Kommandos am häufigsten auf dem weitgestreckten Feld der Zaren-Aue [Caricyn lug], die seit den Zeiten Pavels I. insgesamt zu einem regelrechten Marsfeld geworden war. Hier fanden auch die zahlreichen Exerzierübungen statt, von denen eine wiederum auf einer Radierung (1804) von M. G. Lory dargestellt ist (siehe Kat.-Nr. 207). Alljährlich wurden hier im Frühjahr große

Paraden vor dem Kaiser veranstaltet, die man als »Allerhöchste Truppenschau des Garde-Korps [Vysočajsij smotr vojsk Gvardejskogo korpusa]« bezeichnete. Bevor die Truppen aus den Winterquartieren der Stadt in die Sommerlager der Umgebung ausrückten, beendete diese Maiparade die Wintersaison, die im Herbst mit dem Ball im Marine-Kadetten-Korps begonnen hatte. Auf dem Marsfeld fanden aber auch verschiedene militärische und kirchliche Zeremonien anläßlich bestimmter Feste statt; am 23. September 1829 beispielsweise ein feierlicher Dankgottesdienst [blagodarstvennyj moleben] aus Anlaß des Friedensschlusses mit der Türkei, von dem uns ein Zeitgenosse die folgende Beschreibung hinterlassen hat: »*Alle Gardetruppen, die in der Hauptstadt stationiert sind, der Armee, der (Militär-) Schulen, sowohl Infanterie wie Kavallerie und Artillerie sind in dichten Kolonnen in zwei Linien auf drei Seiten des Platzes angetreten und haben sich auf das erhöhte Podest ausgerichtet, das für den Kaiserlichen Herrscher aufgestellt worden ist. Um 12 Uhr geruhte Seine Kaiserliche Majestät, zusammen mit dem Thronfolger und einer großen Suite, auf der Zarenaue zu erscheinen und dem Gottesdienst beizuwohnen. Während dieser Zeit befand er sich auf dem Podest, um das herum man alle Fahnen und Standarten aufgestellt hatte. Nach Beendigung der heiligen Handlung [svjaščennodejstvie] wurden dann unter dem Donner des (Salut schießenden) Kanonenfeuers und unter Hochrufen der Truppen sowie des zuschauenden Volkes die*

Einzug der siegreichen Petersburger Garnison bei ihrer Heimkehr aus dem Vaterländischen Krieg am 31. Juli 1814. Kolorierter Stich von I. A. Ivanov, 1814 (Detail)

116

Trophäen, die unsere Soldaten in Europa und Asien erobert hatten, rings um den Platz getragen. Dabei handelte es sich um die Ehrenwaffen der Paschas, die Roßschweifstandarten [bunčuki] sowie die Schlüssel der eroberten Festungen und die Fahnen.«

Ebenso malerisch anzusehen war auch die Feier, die hier am 6. Oktober 1831 anläßlich der Beendigung des polnischen Feldzuges stattfand. Dieses Ereignis hat G. G. Černecov in seinem Bild »Die Parade auf dem Schloßplatz« (siehe Kat.-Nr. 6, Abb. S. 108) festgehalten. Bezeichnend ist, daß der Künstler sich dabei nicht auf die Darstellung der glänzenden Heeresmacht beschränkt, sondern darüber hinaus noch eine komplette Porträtgalerie der Petersburger Gesellschaft jener Zeit geboten hat. Dabei findet man unter den abgebildeten 223 Personen nicht nur die Vertreter des Adels, sondern auch zahlreiche Schriftsteller, Gelehrte und Künstler. Besonders die Dichter Vasilij Andreevič Žukovskij (1783–1852), Nikolaj Ivanovič Gnedič (1784–1833), Ivan Andreevič Krylov (1769–1844) und Aleksandr Sergeevič Puškin (1799–1837) sind gut zu erkennen. Insgesamt dokumentiert die Darstellung, daß derartige Zeremonien wegen ihrer Schönheit stets viele Zuschauer anzogen. Kaiser Nikolaj I. schrieb dazu in einem Brief an den ihm sehr nahestehenden Generalfeldmarschall (seit 1829) Ivan Fedorovič Paškevič (1782–1856), der die Niederwerfung des polnischen Aufstandes von 1830/31 geleitet hatte und dafür mit dem Titel eines Durchlauchtigsten Fürsten von Warschau ausgezeichnet worden war: »Die Heerschau und die ganze Zeremonie waren prachtvoll, die Truppen betrugen 19.000 Mann und 84 Kanonen, das Wetter war prächtig und der Anblick außergewöhnlich . . .«. Die Hochstimmung, die »die einzigartige Schönheit der Infanterie in Reih und Glied und auch die der Pferde« erzeugte, war nicht nur bei einem solchen Liebhaber militärischer Paraden und Zeremonien anzutreffen, wie es Nikolaj I. war, sondern auch bei den Zuschauern am Rande der Truppenschau. So schreibt ein ungenannter Petersburger: »Wer vermag zu leugnen, daß die gesamte militärische Entwicklung einen gefangen nimmt, die als eine Auswirkung unserer bürgerlichen Philosophie erscheint. Daß diese vielköpfige Menge korrekte Figuren ausführt, daß sie sich bewegt und daß, auf einen Fingerzeig hin, einer um den anderen wie in einem magischen Bilde einschwenkt, daß hier eine solch erfreuliche und brillante Farbigkeit inmitten aller Eintönigkeit existiert, all das nimmt schon den Blick außergewöhnlich gefangen; ebenso wie der Klang der Musik und der Donner der Kanonen das Gehör gefangen nehmen können.«

Stellen wir uns doch einmal vor, wir befänden uns damals auf den Straßen Petersburgs und beachteten nicht allein das, was unseren Gesichtssinn erfreut – militärische Gestalten in bunten, prachtvollen Uniformen –, sondern beachteten auch das, was unser Gehör uns mitteilt. In einem solchen

Phonogramm der Vergangenheit könnten wir den Klang der Trommeln und der Flöten hören, das Schmettern der Trompetensignale, den feierlichen und machtvollen Klang eines Militärorchesters. Einen unabdingbaren Teil dieser Klangkulisse würden die in der Dienstvorschrift festgelegten Signale für den Aufzug der Regimenter bilden.

>»Doch Petersburg kennt keine Ruh',
hört schon dem Klang der Trommel zu«,

meint der Dichter.

Um die Bedeutung dieser militärischen Klänge richtig einzuschätzen, muß man sich zunächst einmal klarmachen, daß in einer Stadt des 18. und sogar noch des frühen 19. Jahrhunderts sonst verhältnismäßig wenig laute Geräusche zu hören waren. Keine Eisenbahnen, Automobile und kaum Maschinen machten sich akustisch bemerkbar. Umso deutlicher aber war die Militärmusik und waren die Trompetensignale, auch über weitere Entfernungen, zu hören. Der Dichter Gavrila Romanovič Deržavin (1743–1816) hat in seinen Aufzeichnungen auch seinen Dienst im Leib-Garde-Regiment »Preobraženskoe« beschrieben, den er in der Mitte des 18. Jahrhunderts leistete. So bemerkt er beispielsweise im Zusammenhang mit dem Umsturz von 1762, der Ekaterina II. anstelle ihres Gatten an die Macht brachte: »Beim Regiment 'Izmajlovo' war Trommelschlag und Lärm zu hören – und in der Stadt geriet alles in Verwirrung.« Im Laufe des 18. Jahrhunderts wurden schließlich alle Garde-Regimenter nicht allein mit Trommlern, Flötisten und Trompetern zur Übermittlung von Signalen ausgestattet, sondern in zunehmendem Maße auch mit einer größeren Anzahl von Musikern, die jeweils Orchester bilden konnten.

Hierzu bemerkt der Schriftsteller und Naturforscher Andrej Timofeevič Bolotov (1738–1833) in seinen Aufzeichnungen: »Die Regimentsmusiken wurden immerzu vergrößert und waren bald nicht allein bei der Infanterie, sondern auch bei der Kavallerie sehr umfangreich, bei denen ja im Budget eigentlich außer Trompetern gar keine Musik vorgesehen war.« In einigen Regimentern stieg die Zahl der Musikanten des jeweiligen Orchesters bald auf hundert und mehr. Dazu wieder Bolotov: »Die Regiments- und Bataillonskommandeure, die sich natürlich mit ihren Musikern brüsten wollten, gaben sich nicht allein mit der Blasmusik zufrieden, sondern führten sogar Streicher ein. In anderen Regimentern gab es wiederum zahlreiche Hornisten, wobei wir noch gar nicht von der Janitscharenmusik und den vielen anderen Instrumenten reden wollen, die ebenfalls von ihnen eingeführt worden sind, die aber nicht einmal halbsoviel Sinn ergeben, wie sie Krach und Lärm machen. Außerdem existierten bei den Regimentern nicht weniger umfangreiche Chöre. All dies wurde auf Staats-

kosten unterhalten, obwohl es in keiner Weise dem vorgesehenen und festgelegten Etat entsprach.«

Trommler und andere Musiker trugen eine besondere Uniform mit den aus der preußischen Armee übernommenen sogenannten »Schwalbennestern [kryl'co]« in der Farbe der Achselstücke auf den Schultern und einer Reihe dreieckiger Haken auf den Ärmeln.

Kaiser Pavel I. hat aber diesem maßlosen Ausbau der Militär-Musik schließlich entschieden Grenzen gesetzt. Darüber berichtet unser Gewährsmann A. T. Bolotov: »*Einmal bemerkte der Herrscher die übermäßig große Menge von Musikern, die an der Flanke des Regiments standen. Pavel I. gab sich den Anschein, als wisse er nicht, worum es sich dabei handele, und fragte: 'Was ist das für eine Truppe?' - 'Musiker, Eure Majestät!', antwortete man ihm. 'Wie denn! Das alles sind Musiker? Das ist ja der größte Haufen . . . ei jei, jei', wunderte sich der Herrscher und rief, indem er sich ihren Reihen näherte: 'Die besten zwei Musiker, hierher kommen!' Als sie gekommen waren, rief er ebenso die besten Klarinettisten und einen der besten Flötisten. 'So, mit diesen langt es wohl! Ihr bleibt Musiker,' sagte der Zar zu den Auserwählten, 'alle anderen aber treten ins Glied ihrer Abteilung zurück, und da sollen sie dann Soldaten werden!'*«

Unter Aleksandr I. wurden die Regimentsorchester wieder vergrößert, wenn sie dabei auch niemals wieder das unglaubliche Ausmaß wie in früheren Jahren erreichten. Aber mit dem 19. Jahrhundert entfaltet sich die Militärmusik in der Stadt sehr vielfältig, da jedes Garde-Regiment seinen eigenen Marsch hatte. Schon an der Melodie konnte das geübte Ohr erkennen, welches Regiment da gerade anrückte. Die ältesten, die Leib-Garde-Regimenter »Preobraženskoe« und »Semenovo«, hatten natürlich auch die ältesten Märsche. Man nimmt an, daß der erste davon noch aus der Zeit

Petrs des Großen stammt, weswegen man ihn auch den »Petrinischen Marsch [Petrovskij marš]« nannte. Unter seinen Klängen zog die russische Garde 1814 in Paris ein. Der Marsch des Regimentes »Semenovo« wurde 1796 von General Rimskij-Korsakov, einem leidenschaftlichen Musiker, geschrieben und einem Hoffräulein gewidmet. Auf Befehl Pavels I. wurde die Komposition als Regimentsmarsch übernommen. Die Herkunft des 1826 eingeführten Marsches des Chevaliergarde-Regimentes ist ebenso interessant. Er stammt nämlich aus der erst 1825 geschriebenen Oper »Die weiße Dame« von François Adrien Boieldieu (1775–1834), der 1804 bis 1811 in Rußland gelebt und gearbeitet hatte. Seine Komposition wurde auf Wunsch des Chefs der Chevaliergarde, der Kaiserin Aleksandra Fedorovna, als Regimentsmarsch übernommen. Dabei sollte man daran denken, daß »weiße Dame« im Militärjargon die Blankwaffe bezeichnete.

Die Militärs, besonders die Offiziere, spielten damals auch in gesellschaftlicher Hinsicht eine wichtige Rolle – anders als in Moskau, wo ». . . *zu jener Zeit die Studenten fast die einzigen Kavaliere der Moskauer Schönheiten waren, die vergeblich nach Epauletten und Schärpen [aksel'bant] schmachteten*«, wie Michail Jur'evič Lermontov (1814–1841) in seiner Erzählung »Fürstin Ligovskaja« geschrieben hat. In Petersburg war das eben anders. Überall war das Militär präsent, in großer Zahl auch in den Theatersälen.

Zu Beginn des vorigen Jahrhunderts war es dort Brauch, daß die Männer im Parterre Platz nahmen. Die Gardeoffiziere bevorzugten es besonders, die dortigen Sessel zu belegen. In den Logen saßen die Damen mit ihren Kavalieren oder Familien. Bis zum Beginn der Aufführung blieben die Offiziere stehen, denn es war untersagt, zu sitzen, solange ein im selben Raum anwesender Ranghöherer noch stand. Es war also für alle Subalternoffiziere praktisch unmöglich, Platz zu behalten, sobald in den Logen irgendein ranghöherer Offizier oder etwa gar ein General auftauchte, und so zogen es die jüngeren Offiziere vor, überhaupt stehen zu bleiben, anstatt sich alle Augenblicke beim Eintritt eines Ranghöheren wieder zu erheben und darauf zu warten, bis auch dieser sich gesetzt hatte – ein Spiel, das sich endlos fortsetzen mochte.

Allerdings beschränkte sich dieser Hang zu Theater und Kultur doch weitgehend auf die Garde, wie Oberst Skalozub in »Verstand schafft Leiden« so entlarvend ausführt:

> *»Verschone mich! Dem Militär*
> *kann der gelehrte Quark nicht imponieren.*
> *Doch wenn du willst, geb' ich euch gerne her*
> *meinen Feldwebel als Voltaire,*
> *der läßt in Reih und Glied euch exerzieren –*
> *und muckst ihr, werdet ihr sofort zur Ruh gebracht!«*

Ein Salon der großen Welt. Aquarell eines unbekannten Künstlers, um 1813

Hier sollte noch ein für die russische Armee der Zeit charakteristisches Verhalten erwähnt werden, nämlich der verhältnismäßig freizügige Umgang mit den Vorschriften der Bekleidungsordnung, besser gesagt, der häufige Verstoß gegen die Regeln des Uniformtragens. Wahrscheinlich begann dies bei den Linien-Truppen. Bei der Garde konnte man dagegen einerseits eher einen Hang zur Putzsucht beobachten, zugleich aber andererseits die sogenannte »praktische Witzelei«, die ihre besondere Bedeutung in der Zeit der Reaktion erlangte.

In diesem Zusammenhang galt das »Schließen aller Knöpfe [zastegivanie na vse pugovicy]« als deutlicher Ausdruck für eine reaktionäre Haltung. Demgegenüber galt der offene Kragen [»na raspasku«] als Zeichen der Opposition. Dies war schon im 18. Jahrhundert der Fall, besonders unter Petr III. und Pavel I., als die russischen Uniformen nach holsteinischem bzw. preußischem Vorbild verändert und dabei Puder, Haarlocken, Zöpfe, Manschetten und weiße Gamaschen eingeführt wurden. Deržavin hat uns auch hiervon eine bissige Schilderung hinterlassen, die entstand, als er zur Krönung Ekaterinas II. reiste: *»Als ich nach Moskau kam, war ich in der Uniform des Regimentes 'Preobraženskoe', sah also nach holsteinischer Manier aus wie ein Stummelschwanz, mit goldenen Litzen überall, mit einem gelben Kamisol und gleichfarbigen Hosen angetan, mit einem furchtbar dicken preußischen Zopf, mit Haaren, die wie Pilze über die Ohren herunterhingen, mit dicker Talgpomade eingeschmiert. So stolzierte ich dann wie ein Geck vor den Moskauern herum, denen eine solche außergewöhnliche - oder besser gesagt fremdartige - Figur ganz wunderlich erschien, so daß er sogar die Blicke der Blinden auf sich zog; aber mit der Ankunft der Kaiserin wurde dann die alte Uniform der 'Preobražensker' wiederhergestellt.«* Pavel I., der ja grundsätzlich den Maßnahmen seiner Mutter zuwieder handeln und dem Vorbild seines Vaters folgen wollte, verordnete ebenfalls preußischen Zuschnitt, während sich Aleksandr I. der Tradition Ekaterinas II. verpflichtet fühlte. Das ständige Hin und Her führte zu einer recht freizügigen Einstellung des Militärs und besonders der Garde zu ihren Uniformen. Besonders offenkundig wurde dies nach den Feldzügen im Ausland von 1813 und 1814. Als Aleksandr I. 1815 nach Petersburg zurückkam, erschien er, nach den Erinnerungen zahlreicher Augenzeugen, *»angeödet und sogar verärgert ... und war im Hinblick auf die militärische Disziplin wesentlich anspruchsvoller und strenger geworden. So wurde den Offizieren das Tragen bürgerlicher Kleidung verboten und große Aufmerksamkeit auf die exakte Einhaltung der Uniformordnung gelegt.«* In diesem Zusammenhang mag eine Bemerkung aus den Aufzeichnungen eines Offiziers von Interesse sein, von Baron Andrej Evgenievič Rozen [Rosen] (1800–1884), eines späteren Teilnehmers am Dekabristen-Aufstand von 1825. Er

Kaiserin Ekaterina II. in der Uniform des Garde-Regimentes »Semenovo«. Zeitgenössisches Gemälde von Erichson (?)

schreibt: *»Ein Pedant war ich nie, wenn man mich vielleicht auch in einem bestimmten Fall hätte dafür halten können: Immer, zu jeder Zeit, selbst in der Nacht, wenn ich gegen Mitternacht durch die leergefegten graden Straßen der Basileios-Insel nach Hause zurückkehrte, beachtete ich die militärische Kleiderordnung streng, den Dreispitz trug ich immer quer zur Uniform, obwohl dies sowohl im Sommer wie im Winter häufig meinen Augen gefährlich wurde. Wer mich nach der Art die Uniform zu tragen beurteilt hätte, der mochte mich wohl einen Pedanten nennen, oder auch ein Original, oder einen Stutzer [vyskočka], wie man die nannte, die sich mit allen Mitteln von anderen unterscheiden wollten. Ich aber hatte dafür einen ganz anderen Grund: In den ersten Jahren meines Dienstes, noch im Jahre 1818, als N. M. Sipjagin Stabschef war, da trugen er selbst und Graf M. A. Miloradovič* [gemeint ist der Infanteriegeneral Graf Michail Andreevič M. (1771–

1825), der seit 1818 Militärgouverneur von Petersburg war und 1825 beim Dekabristenaufstand ermordet worden ist, siehe Kat.-Nr. 241] *und Ja. A. Potemkin und überhaupt alle Stutzer- oder Gecken-Generäle - und nach ihrem Vorbild dann auch die anderen Offiziere! - grüne Handschuhe und Hüte mit breiten Rändern. Eines Tages im Sommer ging auch ich bei warmen Wetter über die Isaakios-Brücke spazieren. Unter dem aufgeknöpften Waffenrock war die weiße Weste zu sehen, zudem hatte ich einen Hut mit heruntergeklappten breiten Rändern auf und an den Händen grüne Handschuhe - mit einem Wort: Alles widersprach der Dienstvorschrift und glich ganz einem Stutzer wie er eben damals aussah. Als ich vom Nevskij Prospekt in die Kleine Meerstraße zurückkam, begegnete ich Kaiser Aleksandr; ich blieb stehen, geriet in Verwirrung, verlor die Fassung und konnte gerade noch den Hut quer drehen. Der Herrscher bemerkte meine Verwirrung, lächelte, indem er mir mit dem Finger drohte, ging vorbei und sagte nicht ein einziges Wort. Ich nahm einen Kutscher, eilte ins Quartier und war völlig unentschlossen, ob ich nun von dem Vorgefallenen dem Regimentskommandeur Meldung machen oder lieber abwarten sollte, bis ich zu meinem Vorgesetzten gerufen würde. Ich schwieg, aber lange Zeit erwartete ich doch mit großer Unruhe die Folgen dieses Zusammentreffens mit dem Kaiser. Wegen solcher Vergehen wurde man nämlich in irgendein Linienregiment versetzt oder einen ganzen Monat auf der Hauptwache in strengem Arrest gehalten. Doch ich hatte Glück. Es gab wegen dieses Vorfalls keinerlei Anfrage an das Regiment! Allerdings habe ich mir damals das heilige Wort gegeben, nunmehr streng die Uniformordnung zu beachten, was ich dann auch bis zur letzten Stunde meines Dienstes getan habe.«*

In den Jahren der Reaktion unter Nikolaj I. wäre eine solche Freizügigkeit eines Offiziers vom Kaiser allerdings wohl nicht so leicht vergeben worden. Nicht von ungefähr gibt es ja die aufschlußreiche Legende um das Grabdenkmal von K. I. Rejsig, eines Offiziers im Leib-Garde-Regiment »Semenovo«, das sich jetzt auf dem Friedhof der Lavra des heiligen Aleksandr-von-der-Neva befindet. Der Bildhauer A. I. Štrejchenberg zeigt dort auf dem Sockel die liegende Figur eines Offiziers im Waffenrock, der sich in seinen Mantel hüllt und den Kopf auf seinen Tschako legt. Dazu wird berichtet, daß dieser Offizier während des Dienstes einfach einschlief. Nikolaj I. traf ihn in der Pose an, die auf dem Denkmal dargestellt ist. Der Offizier erwachte, schnellte empor – sah seinen Kaiser vor sich und erschrak so sehr, daß er starb.

Neben solchen Verstößen, die mit dem ordnungsgemäßen Tragen der Uniform und ganz allgemein mit der militärischen Bekleidungsvorschrift zusammenhingen, kursierten in Petersburg gerade in der Zeit Aleksandrs I. und Nikolajs I. unter den Offizieren allerlei Späße, mit denen man sich über die verschiedenen Anordnungen und Befehle lustig zu machen suchte. Hierzu gibt es eine ganze Reihe von Anek-

doten, die immer wieder gern erzählt wurden. Die Hauptperson der Handlung und die Zielscheibe des Spottes war dabei der Großfürst Michail Pavlovič (1798–1848), der jüngste Bruder der Kaiser Aleksandr und Nikolaj, der seinerzeit das Garde-Korps kommandierte und dafür bekannt war, daß er wenig Verständnis für »den Unfug und die Streiche« der Offiziere aufbrachte. Das folgende Beispiel ist charakteristisch für den Tenor der erwähnten Anekdoten: »*Einstmals ging der Großfürst Michail Pavlovič spazieren und erblickte einen Offizier in Galoschen. Entsetzt ob einer solchen Freizügigkeit, hielt der Großfürst den Mann an: 'Galoschen? Ab! Auf die Hauptwache!', befahl er ihm in unverhülltem Zorn. Der Offizier begab sich auf die Hauptwache, zog dort seine Galoschen aus, ließ sie da und kehrte wieder dorthin zurück, wo der Großfürst war. 'Wie?', brüllte dieser, als er den Mann von neuem bemerkte: 'Hast du meinen Befehl nicht ausgeführt!' – 'Ausgeführt, Eure Hoheit!', meldete stramm der Offizier: 'Die Galoschen sind auf der Hauptwache!'*«

Galanterie eines russischen Offiziers gegenüber einer Pariser Schönheit. Französischer Stich von 1814

Bei den in Petersburg stationierten Garderegimentern spielte der Wettbewerb untereinander eine wesentliche Rolle, wobei dieser auf ganz unterschiedliche Weise stattfinden konnte. Im Felde waren die einzelnen Regimenter stolz auf ihren Heldenmut und ihre Tapferkeit, während der Märsche stolz auf ihre Belastbarkeit und ihre Bereitschaft, selbst widerwärtige Situationen mit Ausdauer zu überstehen. In Friedenszeiten ging es aber um Pferderennen und nicht selten auch um Trinkgelage, zumindest in den exklusiven Regimentern, deren Offizierkorps normalerweise aus Angehörigen des höheren Adels und der wohlhabenden Bürger stammten. Der Militärhistoriker V. Krestovskij unterscheidet nach ihrem Benehmen in der Zeit Aleksandrs I. zwei Typen von Gardeoffizieren: *Im Chevaliergarde-Regiment und auch in den Regimentern 'Preobraženskoe' und 'Semenovo' herrschten damals ein besonderer Geist und ein besonderer Umgangston. Die Offiziere dieser Regimenter gehörten zur höchsten Gesellschaft und zeichneten sich durch besonders feine Manieren, durch erlesene Eleganz und vollendete Höflichkeit im Umgang miteinander aus ... Die Offiziere der anderen Regimenter hingegen zeigten sich nur von Zeit zu Zeit in der Gesellschaft, sozusagen im Vorüberflug, und zogen im übrigen ein Leben im Kreise ihrer Kameraden, ein ungezwungenes Leben vor. Das Garde-Reiter-Regiment hielt sich etwa in der Mitte zwischen den beiden Extremen und folgte auch durchaus gemischten Gepflogenheiten, wohingegen die Leib-Husaren, die Leib-Kosaken, die Izmajlovzer oder die Leib-Jäger wie irgendwelche Linien-Truppen [po armejski] lebten und sich dem Geist einer sorglosen Tollkühnheit verschrieben hatten ... Die Ulanen unterhielten mit den letztgenannten Regimentern brüderliche Beziehungen, eine ganz besondere Freundschaft aber mit den Offizieren der Flotte.«*

Die Uniformen der Garde-Truppen waren zwar größtenteils schon an sich recht malerisch, eine besondere Vorliebe vieler Offiziere bestand aber darin, diese Uniformen auch noch weiterhin zu schmücken. Dazu muß man wissen, daß jedes Regiment seine besondere militärische Kleiderordnung hatte, die es von den anderen unterschied. So trug die Garde-Infanterie zwar generell die gleiche Uniform wie die Linien-Truppen, jedoch mit den besonderen Knopfleisten der Garde aus gelber Litze und mit Fäden in der für das jeweilige Korps typischen Farbe. Das wichtigste Unterscheidungsmerkmal aber war die Farbe des Kragens: Rot für das Regiment »Preobraženskoe« und das Regiment »Litauen«, Blau für das Regiment »Semenovo« und die Garde-Grenadiere, Grün für die Regimenter »Izmajlovo« und »Pavel« usw. Die Verbrämungen der I. Garde-Division waren weiß, und zwar zur Erinnerung daran, daß diese Truppen unter Petr I. auch an den Feldzügen zu Wasser teilgenommen hatten. Außerdem gab es für die Offiziere jedes Regiments eine besondere Art von Goldstickerei. 1806 fiel der Zopf endgültig weg, dafür wurden im folgenden Jahr die Offiziers-Epauletten eingeführt (vorläufig nur auf der linken Schulter). Die Ärmelaufschläge waren bei den meisten Regimentern rot, bei einigen kamen noch ebenfalls rote Rabatten hinzu, was zusammen mit der dunkelgrünen Grundfarbe des Waffenrocks (die ja für die russische Armee seit Petr I. durchgängig typisch war), mit den in der Regel zweireihigen goldenen oder vergoldeten Knöpfen und den weißen, in schwarzen Stiefeln oder kurzen Gamaschen getragenen Hosen ein würdiges Bild ergab. Einige Regimenter bewahrten aus alter Tradition außerdem noch nur ihnen eigene Besonderheiten der Uniformierung. So trug etwa das Regiment »Pavel« seit 1796 die blanke Grenadiermütze, deren Bleche innerhalb des Regiments vererbt wurden und daher vielfach Kugelspuren zeigten. Sie blieben übrigens bis 1914 die Paradekopfbedeckung dieses Regiments (siehe Kat.-Nr. 428).

Und doch waren die Infanteristen noch recht eintönig gekleidet, wenn man ihre Uniformen mit der bunten Vielfalt der Kavallerie vergleicht. Die Kürassiere, die es seit 1731 in der russischen Armee gab, trugen einen weißen Rock, mit Kragen, Ärmel- und Schoßumschlägen in der Abzeichenfarbe, dazu seit 1803, anstelle des vorher getragenen Hutes mit Goldtressen, einen Helm aus schwarzem Leder, auf dessen Bügel eine dicke, schwarze Raupe aus Roßhaar saß. Sie wurde allerdings 1807 durch einen schmalen Kamm aus demselben Material ersetzt (nur die Offiziere behielten die Raupe zur Paradeuniform). 1812 hat man dann noch den Küraß aus geschwärztem Eisen, für die Offiziere aus poliertem Kupfer, eingeführt, der ein Gewicht von bis zu 10 kg haben konnte.

Die Garde-Husaren trugen einen roten Dolman und einen Pelz [mentik] mit goldenen Tressen und Verschnürungen, der im Winter übergezogen wurde, im Sommer aber frei von den Schultern hing. Dazu trugen sie ab 1806 den Tschako (und nicht, wie vorher und später, die Pelzbzw. Filzmütze). Man hielt sie für so vorteilhaft gekleidet, daß es in den Aphorismen des »Koz'ma Prutkov« (eines satirischen Autorenkollektivs um den Grafen A. K. Tolstoj in der Mitte des 19. Jahrhunderts) heißt: *»Willst du schön sein, tritt bei den Husaren ein!«* Doch waren die Husaren nicht nur schön, sondern stellten auch einige der bekanntesten und tapfersten Helden des Vaterländischen Krieges von 1812 wie D. V. Davydov, A. N. Seslavin und I. S. Dorochov.

Die Ulanen, die es in der russischen Armee erst seit 1803 gab, trugen einen nach polnischem Vorbild geschnittenen kurzen Rock ohne Schöße, die sogenannte »kurtka«, aus dunkelblauem Tuch, und zwar mit roten Rabatten, Schoß- und Ärmelumschlägen in Rot, gelben Knöpfen und Epauletten. Hinzu kam die dieser Kavallerie-Truppe eigene Mützenform, die viereckige Tschapka, ebenfalls in Rot mit

Orest A. Kiprenskij, Porträt D. V. Davydovs in Husaren-Uniform, 1809

Außer durch die genannten Besonderheiten der Uniform unterschieden sich die Kavallerie-Regimenter seit dem 19. Jahrhundert aber auch noch durch weitere, eifersüchtig gehütete Spezialitäten, nämlich durch die Farbe der Felle der von ihnen gerittenen Pferde. Doch nicht nur das: bei den Garderegimentern war man sogar bemüht, nicht allein die Pferde, sondern auch die Soldaten sämtlich nach einem bestimmten Typus auszuwählen. So nahm man für das Regiment »Preobraženskoe« bevorzugt kräftige, brünette oder dunkle Braunhaarige und Rothaarige, ohne sonst weiter auf deren Schönheit zu achten. Wichtig waren vor allem ihre Größe und das martialische Aussehen. In das Leib-Garde-Reiter-Regiment wurden hingegen besonders schöne Brünette aufgenommen, in das Regiment »Semenovo« hochgewachsene, blonde Jünglinge »mit reinem Gesicht«, die nach Möglichkeit auch noch blauäugig sein sollten, da dies mit der Kragenfarbe gut korrespondierte. Auch für die Chevaliergarde wurden Menschen dieses Typus gewählt, nur sollten sie womöglich noch athletischer gebaut sein und schon fahlgelbe Haare haben. Auch das Regiment »Izmajlovo« und das Grenadierregiment nahmen Brünette, wobei für das erstere ihre Schönheit das wichtigste Auswahlkriterium war, für das zweite aber ein möglichst einschüchterndes Aussehen. Das Jäger-Regiment bevorzugte hingegen Dunkelbraune mit breiten Schultern und breiten Gesichtern, während das Regiment »Moskau« sich auf Rothaarige spezialisiert hatte. Eine ganz besondere Vorliebe zeigte das Regiment »Pavel«. Es nahm, wenn irgend möglich, nicht sehr hochgewachsene Blondköpfe auf, die eine Stupsnase haben sollten – zum Andenken an Kaiser Pavel I., dessen Namen das Regiment ja trug, und der selbst eine solche Physiognomie hatte. Die Husaren von Carskoe Selo bevorzugten schließlich wieder nicht sehr groß gewachsene schlanke Hellbraunhaarige. Wenn auf diese Weise ein ganzes Regi-

einem hohen weißen Stutz. Besonders malerisch war die Uniform der Leib-Garde-Kosaken, die sich aus der Nationaltracht herleitete. Während bei den übrigen irregulären Kosaken-Einheiten auch noch während des Vaterländischen Krieges recht große Freiheiten in der Bekleidung herrschten, hatte das Leib-Garde-Kosaken-Regiment eine einheitliche Uniformierung erhalten, die aus roten Halbkaftanen mit gelben Litzen auf Kragen und Aufschlägen, gelben Epauletten, weißen Leibbinden und ebensolchem Lederzeug sowie roten Mützenbeuteln und blauen Hosen bestand.

Zu den hier angedeuteten grundsätzlichen Unterschieden der Uniformierung kamen dann noch allerlei kleinere Merkmale für die einzelnen Regimenter, Ränge und Funktionen, wie Fangschnüre mit und ohne Quasten, Litzen am Kragen und auf den Ärmeln, Kettschnüre, Zickzacktressen, Achselklappenfarben usw.

»Womit hat er den Feind besiegt? – Mit der Peitsche!«. Satirischer Stich von I. I. Terebenev (1780–1815) auf den Sieg der Kosaken über französische Kürassiere im Vaterländischen Krieg 1812

ment nicht nur aus gleich gekleideten, sondern auch aus verhältnismäßig gleich gebauten und gleich wirkenden Männern bestand, war das natürlich ein sehr imponierender Anblick.

Der ständige Wettbewerb zwischen den einzelnen Regimentern und Militär-Schulen fand natürlich auch in einer reich entwickelten militärischen Folklore und vielen interessanten Bräuchen seinen Ausdruck, wobei allerdings zu sagen ist, daß es sich dabei um ein noch sehr wenig erforschtes Gebiet der Militär- und Kulturgeschichte sowie der Volkskunde handelt. Auch hier kann nur auf weniges verwiesen werden, so beispielsweise auf die typischen kurzen Couplets, die in der russischen Armee üblich waren, und die den Namen »Kranich [Žuravl']« trugen. Dabei handelt es sich um einfach gebaute Strophen, in denen buchstäblich jeder bemüht war, den anderen durch Lobreden auf das eigene Regiment zu übertrumpfen und zugleich den Mitbewerber verächtlich zu machen. Über den Ursprung des »Kranichs« wie auch der eigenwilligen Bezeichnung haben wir keine gesicherten Zeugnisse und sind auf Vermutungen angewiesen. Allerdings könnte möglicherweise Gavrila Deržavin (1743–1816), der klassizistische Poet, der ja 1762 bis 1774 im Militärdienst stand, einer seiner Stammväter gewesen sein. In den schon erwähnten Aufzeichnungen von Dmitriev heißt es: »Wer könnte schon erraten, welcher der erste literarische Versuch des Schöpfers des 'Wasserfalls' war? - Vielleicht die Umsetzung der auf den Exerzierplätzen über jedes Garde-Regiment kursierenden Geschichten in Verse, oder vielleicht besser gesagt, in Reime.« Allerdings stammt die Mehrzahl der überlieferten Couplets der Gattung »Kranich« aus einer wesentlich späteren Zeit. Trotzdem lassen sich an ihnen die Struktur und die Besonderheiten dieser kurzen Lieder der Garde-Truppen recht gut ablesen, weshalb hier einige von ihnen angeführt werden sollen. In ihnen finden sich auch immer wieder Anspielungen auf die Eigenheiten der einzelnen Regimenter, von denen wir oben gesprochen haben:

»Kommt denn, Freunde treffen sich,
Auf denn, besingen wir den Kranich!
Kra - Kra - Kranich mein,
Du junger Kranich klein!
[Soberemtes'-ka druz'ja
Da spoem po žuravlja!
Žura - žura - žura moj,
Žuravuska molodoj!]«

Nach dieser allgemeinen Einleitungsstrophe folgen dann solche mit Versen auf die einzelnen Regimenter:

»Laßt uns mit dem ersten Regiment fortfahren,
mit der Chevaliergarde, diesen ausgemachten Narren!

Ja, die Chevaliergarde mit ihren Narrenmützen
darf immer schön die Zimmerdecke stützen!

Angezogen, als ob sie Türhüter waren,
Sind aus Carskoe Selo die Husaren!

Und da schauen von den 'Semenovzern' die Visagen raus,
Seh'n doch wohl allesamt genau wie Hafersäcke aus!

Und mit ihren stumpfen Nasen wie die Kälber traben
dort vom Regimente »Pavel« alle seine Knaben!

Hurra, ihr Garde-Ulanen, wackre Männer,
wer hätte von euch Burschen nichts erfahren?
Nicht umsonst erinnern sich all die Muselmänner
an unsere Väter, wie einst sie waren!

Es gibt ja viele Truppen beim Zaren,
Schützen, Jäger und auch Husaren!
Doch schönere als die beritt'nen Batterien,
wohl keine im Dienst des Zaren ziehen!«

Auch in der hier versuchten sinngemäßen deutschen Übertragung, die natürlich die Direktheit des Originals nicht exakt wiederzugeben vermag, läßt sich ablesen, welches dieser Couplets von dem Regiment, auf das es gesungen wird, auch selbst verfaßt worden war, und welches – wie die oben zuerst zitierten – eher ein Spottlied der anderen ist. So sangen beispielsweise die Garde-Jäger über sich selbst:

»Diener dem Zaren stets getreu,
das ist unsere Jägerei!
[Slugi vernye Carja -
eto naši jegerja!]«,

wohingegen die anderen Regimenter daraus machten:

»Erste Diebe beim Zaren immer ärger,
das sind seine besten Jungs, die Leib-Jäger!
[Pervye vory u Carja -
molodcy, lejb-egerja!]«

Die militärische Folklore verband sich übrigens aufs engste mit dem Gesamtgefüge der Bräuche und Sitten in der Stadt, die es allerdings noch aufzuspüren, zu sammeln und zu erforschen gilt. Denn außer den genannten »Kranich-Liedern« gab es ja auch noch andere, wenn auch entschieden weniger bekannte militärische Äußerungen, wie die sogenannten »Biestereien [Zveriada]« und das »ABC des Junkers [Junkerskaja azbuka]« und andere mehr.

Hier sollen abschließend noch ein paar Worte zur spezifi-

Militärs und Zivilisten beim Denkmal Kaiser Petrs I. auf dem Senatsplatz. Kupferstich von A. H. Payne (London) nach einer Zeichnung von H. Bydgoszog, um 1820

schen Sprachform der Gruppe, zum Jargon, gesagt werden, den Fürst Petr Andreevič Vjazemskij (1792–1878), der zeitgenössische Literaturkritiker, einmal die »Gardesprache« genannt hat. Ein heutiger Literaturwissenschaftler, Jurij Michajlovič Lotmann (geb. 1922) beschreibt »die Gardesprache« als eine eigenwillige Erscheinung des gesprochenen Wortes zu Beginn des 19. Jahrhunderts. Ihr allgemein verbreiteter Gebrauch ist ein deutlicher Beleg dafür, welch bestimmende Position die Garde im allgemeinen kulturellen Leben Petersburgs zur Zeit Aleksandrs I. innehatte. Sie war schon lange nicht mehr die »viehische Horde besoffener Raufbolde«, wie der Schriftsteller Denis Ivanovič Finvizin [von Wiesen] (1744–1792) sie einmal zu Zeiten Ekaterinas II. genannt hat. Sie war aber auch noch nicht das willenlose Spielzeug in der Hand des Kaisers, wie sie es später unter Nikolaj I. sein sollte. Die Garde zu Beginn des 19. Jahrhunderts war vielmehr eine Versammlung unterschiedlicher Bildung und Kultur sowie des freiheitlichen Denkens, die mehrfach mit der Welt der Literatur, aber auch mit der Bewegung der späteren Dekabristen verknüpft war.

Wir haben von der weitverbreiteten Freizügigkeit gegenüber der Uniformordnung, aber auch im Benehmen der Gardisten gesprochen. Die »Gardesprache« war – neben der militärtechnischen Terminologie – weitgehend dem Leben »außerhalb der Front [vne stroja]« verbunden und damit das Gegenteil zu jener »Frontomanie«, die sich in Petersburg besonders zwischen 1810 und 1840 immer weiter ausbreitete. Zu dieser freizügigen Lebensweise gehörten eine »Husa-

rentum [gusarstvo]« genannte Art von Herrenreitermanieren, gehörten aufwendige Gelage und Kartenspiele um große Summen. Diesem Milieu entsprechen auch einige charakteristische Wendungen der »Gardesprache«, als deren Urheber der Kommandeur des Leib-Garde-Ulanen-Regimentes, Graf Gudovič, gilt:
»Kristall trocknen [sušit' chrystal']« bedeutet:
zechen, maßlos trinken
»sich mit dem Blatt bis zum Schwitzen plagen [popotet' na liste]« bedeutet: Karten spielen

Weit verbreitet war auch der Ausdruck »der Heisere [chripnun]« zur Bezeichnung eines soldatischen Stutzers, der sich in ein Korsett eingeschnürt hatte, um dadurch eleganter zu wirken – ein damals nicht nur in der russischen Armee recht weit verbreiteter Brauch, der aber natürlich auf die Fähigkeit, Atem zu holen, um laut und kräftig sprechen zu können, seine Auswirkungen hatte. So lesen wir bei Puškin in seinem (1830 entstandenen) »Häuschen in Kolomna«:

> »Wir haben Krieg! Ihr Jungen, die ihr mir so schön daherkommt!
> (ursprünglich stand dort: »Ihr eingeschnürten Gardisten!«)
> Ihr Heiseren - doch euer Krächzen ist wohl schon verstummt.
> Konntet ihr denn die Feldzüge wohl bestehen?
> In Persien das Regiment von Širva sehen?«

Diese Sprache – wir sagten es schon – blieb keineswegs allein auf das militärische Milieu beschränkt, sondern verband sich auch mit der in Petersburg überhaupt üblichen Sprachweise. Gleiches gilt auch sonst für die soldatische Folklore und manche ursprünglich beim Militär entstandenen Bräuche.

In unserem kurzen Überblick haben wir vor allem die Themen behandelt, die im vergangenen Jahrhundert entscheidend zu der Entwicklung der »Physiologie einer Stadt«, in unserem Falle Petersburgs, beigetragen haben. Dazu war es notwendig, einen Blick auf die Architektur der Kasernen und der Garnisonkirchen zu werfen, kurz die Militärdenkmäler zu behandeln sowie von der militärischen Topographie und der Toponomastik Petersburgs zu sprechen. All dies konnte bei der gebotenen Kürze zwar nur angedeutet werden, aber es vermag doch wohl das Verständnis für die militärische Kultur, das soldatische Leben in Rußland am Ende des 18. und Anfang des 19. Jahrhunderts und vor allem für den Rang der »militärischen Hauptstadt« Petersburg in der Geschichte der vaterländischen Kultur überhaupt zu wecken.

DAS BUCH IN PETERSBURG UM 1800

V. FEDOROV

Das russische Buchwesen entwickelte sich um 1800 auf recht komplizierte und oft widersprüchliche Weise. Denn erst zu Beginn des 18. Jahrhunderts hatte die religiöse Literatur – im Zusammenhang mit der radikalen Umgestaltung des gesamten gesellschaftlichen Lebens durch Kaiser Petr I. – ihre damals noch unangefochtene Stellung aufgeben müssen, die sie bis dahin mit der Edition liturgischer Bücher, Bibelausgaben und Kommentaren, mit Werken der Kirchenväter, mit Heiligenviten, Legenden oder mit frommer Erbauungsliteratur in der Alten Rus' behauptet hatte. Wurden vorher also nahezu ausschließlich geistliche Werke verfaßt und gedruckt, so nun vorrangig weltliche, die den aktuellen Bedürfnissen eines neu geordneten russischen Staates dienen sollten. Deswegen regelte Petr I. auch ganz persönlich die Entwicklung des Buchdrucks und des Verlagswesens durch spezielle Anordnungen.

In solchem Zusammenhang entfalteten sich die verlegerischen Aktivitäten während der zweiten Jahrhunderthälfte in ganz Rußland und vor allem aber in Petersburg beachtlich schnell und intensiv. Gefördert wurde diese Entwicklung durch die immer enger werdenden Verbindungen zu westeuropäischen Ländern und der damit zusammenhängenden Verbreitung französischer Aufklärungsideen, die in Rußland mit großem Interesse aufgenommen wurden. Dies steigerte zugleich das Interesse am westeuropäischen Buch, besonders französischer Autoren. Und so war mehr als die Hälfte aller russischer Editionen des 18. Jahrhunderts ihren Werken gewidmet. Als besonders bemerkenswertes Beispiel für das – vor allem beim Adel – neu erwachte Interesse am Buch sei Ekaterina II. genannt, die nicht nur Bücher liebte, sondern sie auch passioniert und sachkundig sammelte. Sie verstand sich auch dabei als Erbin und Nachfolgerin Petrs I., dessen volksbildende Aktivitäten sie auch auf diese Weise fortzusetzen suchte. Ihre Verbindungen zu französischen und deutschen Aufklärern, zu Voltaire, Diderot und Friedrich Melchior von Grimm und zu anderen maßgebenden Repräsentanten des Geisteslebens wurden bewußt im eigenen Lande und im übrigen Europa propagiert, um auch damit ihren Ruhm als einer aufgeklärten Monarchin zu verbreiten. In diesem Zusammenhang erwarb sie nicht nur die Werke der ausländischen Aufklärer – z. B. die gesamte Bibliothek von Diderot – sondern ließ sie auch in Rußland selbst erscheinen – z. B. Werke von Voltaire oder die unter der Leitung Diderots herausgegebene »Enzyklopädie«.

Ein Erlaß des Jahres 1783 war für die weitere Entwicklung des Buchgewerbes besonders förderlich, denn er erlaubte Privatpersonen, Druckereien einzurichten und zu unterhalten. Zwar hatte es schon vorher, in den 70er Jahren, Verleger gegeben, die dieses Privileg erhalten hatten. Dabei handelte es sich aber um Einzelfälle, während jetzt mit einer generellen Erlaubnis die Grundlagen für einen lebendigen und vielseitigen Buchmarkt gelegt wurden. Die Zeit des Staatsmonopols war damit beendet. Die privaten Verleger waren bestrebt, auf dem freien Markt einen möglichst weiten Leserkreis für sich zu gewinnen, indem sie mit ihren Erzeugnissen den Wünschen und dem Geschmack des Publikums zu entsprechen suchten; ein Verhalten, das ganz allgemein der Verbreitung des Buches dienlich war.

Die Residenzstadt Petersburg entwickelte sich dabei zum Zentrum des Buchdrucks in Rußland, wobei dort der westeuropäische Einfluß – vor allem aus Deutschland und Frankreich – eine wichtige Rolle spielte. Das zeigen nicht nur die zahlreichen eingeführten Bücher, sondern auch die zahlreichen Publikationen, die damals in fremden Sprachen in Petersburg erschienen. Zugleich sorgten gerade die ausländischen Verleger, Buchhändler, Drucker und Buchbinder in der Stadt dafür, daß sich im Laufe der Zeit eine selbständige einheimische Produktion entwickelte. Zunächst lag jedoch dort der gesamte Buchhandel weitgehend in ausländischen Händen. J. M. Hartung hatte dort wohl schon 1771 eine Druckerei eingerichtet. J. J. Weitbrecht und I. K. Schnoor folgten ihm 1776 und B. T. Breitkopf 1780. J. Gerstenberg und F. Dittmar wären außerdem zu nennen. Sie alle besaßen nicht nur eigene Druckereien, sondern auch eigene Handlungen, in denen neben Büchern auch Noten, Musikinstrumente, Stiche, Bilder und kleine Skulpturen verkauft wurden. Hinzukam in der Regel auch eine antiquarische Abteilung.

Der größte Teil ihrer Editionen erschien in Fremdsprachen, vor allem auf Französisch und Deutsch. Ihr Programm war ausgesprochen vielseitig: Gerstenberg verlegte damals in Rußland beispielsweise den ersten Musikalmanach, das »Taschenbuch für Musikliebhaber [Karmannaja kniga dlja

ljubitelej muzyki]«, und die illustrierte Zeitschrift »Magazin des allgemein-nützlichen Wissens und der Entdeckung mit Beilage einer Modezeitschrift, das Zeichnungen und Musiknoten enthält«. Der Verleger war allerdings nur von 1792 bis 1799 in Petersburg tätig, denn inzwischen hatte sich – nach dem Regierungsantritt Kaiser Pavels I. – die wirtschaftliche Situation entscheidend verschlechtert. Die Konkurrenz hatte sich am Ende des 18. Jahrhunderts wesentlich verschärft, vor allem aber auch die Zensur, und schließlich wurden die privaten Editionen wieder verboten. Nicht nur Gerstenberg verlor dadurch seine Selbständigkeit, dessen schon länger verfolgter Plan, in Rußland einen großen Musikverlag zu gründen, damit vereitelt wurde.

Seit der zweiten Hälfte des 18. Jahrhunderts gibt es in Petersburg aber auch russische Buchhändler und Verleger: Nikolaj Ivanovič Novikov (1744–1818), Matvej Petrovič Glazunov (1757–1830), Petr Ivanovič Bogdanov (gest. um 1800) oder der vor allem als Fabeldichter bekannte Ivan Andreevič Krylov (1769–1844). Sie verlegten – neben den staatlichen Druckereien – vor allem russische Autoren und verschiedene andere Publikationen in der Sprache des Landes.

Doch Ekaterina II. war davon überzeugt, daß der russische Leser vor allem mit Übersetzungen antiker und europäischer Autoren bekannt gemacht werden müsse. Um dieses Ziel der Volksbildung verfolgen zu können, wurde in Moskau eine Übersetzungs-Gesellschaft gegründet: die »Versammlung, die Sorge zu tragen hat für die Übersetzung ausländischer Bücher in die russische Sprache [Sobranie starajuščeecja o perevode inostrannych knig na rossijskij jazyk]«. Ungefähr 80 % der dort übertragenen Texte antiker Autoren wurden in Petersburg verlegt, ebenso zahlreiche Übersetzungen französischer Schriftsteller wie Rousseau, Racine, Molière oder Abbé Prévost. Die übersetzte Literatur erschien vor allem in staatlichen Druckereien, »Typographien«, die meist anderen Staatlichen Einrichtungen, z. B. der Akademie der Wissenschaften, dem Senat und dem Kadetten-Korps für die Landtruppen [Suchoputnyj kadetskij korpus] angegliedert waren. Die Druckerei der Akademie der Wissenschaften publizierte außerdem noch in erheblichem Maße fremdsprachliche Literatur.

Seit der zweiten Hälfte des 18. Jahrhunderts gibt es bekanntlich bereits eine eigenständige russische Literatur, die nun auch immer häufiger publiziert wird. Deshalb spielte sie nun nicht nur im kulturellen, sondern auch im gesellschaftspolitischen Leben des Landes eine bedeutende Rolle. Dabei bereiteten die Werke von G. R. Deržavin (1743–1826), N. M. Karamzin (1766–1826), D. I. Fonvizin (1744–1792), I. A. Krylov (1769–1844), V. I. Novikov (1744–1818) oder A. N. Radiščev (1749–1802) den Boden für die Blüte der russischen Literatur des 19. Jahrhunderts vor und ermöglichten damit überhaupt erst die Ausbildung einer russischen Literatursprache. Aus diesem Zusammenhang seien als Beispiele die von Krylov edierte »Geisterpost [Počta duchov]« und der von Novikov herausgegebene »Müßiggänger [Truten', wörtl.: Drohne]« herausgegriffen. Beide gehören zu den besten je in Rußland publizierten Satire-Blätter, in denen sich die Autoren mit Bravour über die Gesellschaft, ihre gegenwärtigen Probleme und deren Lösungen lustig machen.

Die Furcht vor der französischen Revolution, vor oppositionellen Kräften innerhalb des Adels und Unruhen im Lande veranlaßten die Regierung zu einer Reihe von Gegenmaßnahmen, durch die schließlich auch die Buchproduktion eingeschränkt werden sollte. Noch Ekaterina II. erließ im Jahre 1796 eine Verordnung, durch die private Druckereien verboten und die Zensur in allen Teilen des Rußländischen Reiches eingeführt wurde. Das Ergebnis war, daß die Buchherstellung ungefähr um zwei Drittel zurückging. Denn jetzt konnten nur noch solche Betriebe weiterarbeiten, denen ein besonderes Privileg erteilt worden war. Zu diesen glücklich Davongekommenen gehörten die schon genannten Anstalten von J. Weitbrecht, I. Schnoor und von Vasilij Alekseevič Plavil'ščikov (1768–1823), der 1794 die Druckerei von Krylov und seinen Mitgesellschaftern übernommen hatte. Plavil'ščikov konnte deshalb weiterhin publizieren, weil er jetzt (1797–1804) als Druckerei der Sankt Petersburger Gouvernements-Verwaltung und danach (1804–1807) als Theater-Druckerei firmierte, bis er sich 1807 wieder reprivatisieren konnte.

Doch zunächst ließ Kaiser Pavel I., als entschiedener Gegner aller Gedanken der französischen Revolution, die Zensurbestimmungen seiner Mutter nicht nur weiterhin bestehen, sondern er verschärfte sie auch noch beträchtlich. Ein Erlaß des Jahres 1800 verbot darüber hinaus grundsätzlich die Einfuhr sämtlicher ausländischer Bücher. Und auch die im Lande selbst gedruckten Bücher der Zeit sind thematisch eng begrenzt. Meist handelte es sich bei ihnen um staatliche Verordnungen und Erlasse, Militär-Reglements und Dienstvorschriften. Hinzukamen einige wissenschaftliche und pädagogische Veröffentlichungen, während sich die schöne Literatur – meist waren es Übersetzungen – auf seichte humoristische Werke beschränkte. Trotzdem konnten die Druckereien das hohe technische Niveau ihrer Publikationen beibehalten, für das Ausgaben mit zahlreichen Illustrationen charakteristisch sind.

Um 1800 gab es in Petersburg nur eine einzige Zeitung: die »Sankt-Petersburger Nachrichten [Sankt-Peterburgskie vedomosti]«, die erstmals 1702, jedoch erst seit Januar 1703 regelmäßig erschien. Sie wurde von der Akademie der Wissenschaften nicht nur auf Russisch, sondern auch auf Deutsch unter dem Titel: »Sankt-Petersburgische Zeitung« herausgegeben, und zwar in einer für die damalige Zeit sehr

hohen Auflage von mehr als 2.500 Exemplaren. In dieser – als offiziell einzustufenden – Zeitung fand man Verlautbarungen zur Innen- und zur Außenpolitik, Beiträge über Fragen der Wirtschaft und der Kultur und dazu offizielle Mitteilungen des Staates. Als Beilage erschienen auch regelmäßig Ankündigungen und Reklameanzeigen, darunter nicht selten auch solche für neu erschienene oder andere zum Verkauf angebotene Bücher.

Während der unter Ekaterina II. und besonders unter Pavel I. verschärft durchgeführten Zensur erschienen kaum neue Werke russischer Autoren. Statt dessen wurden die bereits erwähnten Übersetzungen verlegt, die gegen Ende des Jahrhunderts ungefähr die Hälfte aller Publikationen ausmachten.

Nach dem Sturz Pavels I. verbesserte sich auch für das Buchwesen die Lage rasch. Schon bald nach seiner Thronbesteigung erlaubte 1801 Kaiser Aleksandr I. wieder die Einfuhr ausländischer Bücher, und 1802 wurden auch wieder private Druckereien zugelassen. Deshalb wurden bereits in den ersten Jahren der neuen Herrschaft in Petersburg mehrere Druckereien neu oder wieder eröffnet; von Ivan Petrovič Glazunov (1762–1831), dem Bruder des oben erwähnten Matvej, oder von Aleksandr Ivanovič Pljušar (1777–1827), der 1813 durch seine großangelegte und reich illustrierte »Galerie von gestochenen Porträts der Generäle, Offiziere und anderer, die durch ihren Mut, ihre militärischen Gaben und ihre Liebe zum Vaterlande den Erfolg der russischen Waffen im Laufe des 1812 begonnenen Krieges ermöglicht haben«, hervorgetreten ist. Als Neugründungen sind in diesem Zusammenhang auch noch die Betriebe von J. Iversen und F. Drechsler zu nennen, während Schnoor und Plavil'ščikov ihre Tätigkeit fortsetzen konnten. 1808 gab es in Petersburg bereits wieder elf private Druckereien, 1811 sogar bereits zwanzig. Mit ihnen wuchs auch rasch die Zahl der verlegten Bücher.

Der hauptsächliche Unterschied zwischen einem am Anfang des 19. Jahrhunderts veröffentlichten Buch und einem vom Ende des vorhergehenden liegt in seinen verstärkten humanistischen Tendenzen und seinem sowohl literarisch als auch weltanschaulich reicheren Inhalt. Dabei handelte es sich jetzt um Publikationen über Philosophie, Ökonomie, Geschichte und Rechtswissenschaften, hinzukommen eine wesentlich intensivere Publizistik und Kritiken von hohem Niveau. Dies hing mit den Zeitschriften zusammen, die unter Pavel I. eingestellt worden waren, jetzt eine Wiedergeburt erlebten und bald eine wesentlich wichtigere Rolle spielten als je zuvor. Überhaupt schlug sich nun das gesamte geistige, philosophische und gesellschaftliche Leben Petersburgs, sowie die zahlreichen jetzt dort auflebenden Ideen und Ideale zunehmend im Schaffen russischer Schriftsteller nieder und betraf damit auch die Verlage. Gerade in der Li-

teratur und der Poesie spielte sich der Kampf um jene Ideen ab, der diese Zeit kennzeichnet. All die zahlreichen damals entstandenen literarischen, künstlerischen oder politischen Zirkel und Gesellschaften suchten ihre Ansichten möglichst in eigenen Zeitschriften zu veröffentlichen. Nur einige von ihnen sollen hier namentlich genannt sein: der 1818 bis 1826 erschienene »Wohlgesinnte [Blagonamerennyj]«, die Zeitschrift der »Freien Gesellschaft der Freunde der russischen Literatur [Vol'noe obščestvo ljubitelej Rossijskoj slovesnosti]«, oder das 1823 bis 1825 dank der Initiative der Kunstakademie und der »Petersburger Gesellschaft zur Förderung der Künstler« publizierte »Journal der schönen Künste [Žurnal izjaščnych iskusstv]«. Besonders populär waren damals die sogenannten »Almanache«, deren Anfänge noch ins 18. Jahrhundert reichen. Durch ihren Inhalt unterschieden sich allerdings die russischen »Almanache« wesentlich von ihren europäischen Vorbildern. Im Anschluß an sie entwickelten die russischen Autoren dickleibige Sammelbände mit unterschiedlichen Artikeln, Werken der Poesie und mit kritischen Rezensionen. Ihre wohl repräsentativste Verkörperung fand diese Form des Almanachs im »Polarstern [Poljarnaja zvezda]«, den Organisatoren und späterer Teilnehmer des Dekabristenaufstandes von 1825, Kondrat Fedorovič Ryleev (1795–1826) und Aleksandr Aleksandrovič Bestužev (Marlinskij) (1797–1825), ediert haben und an dem so bedeutende russische Dichter wie V. A. Žukovskij, A. S. Puškin, A. S. Griboedov und I. A. Krylov mitarbeiteten. Der »Polarstern« wurde zum Vorbild für zahlreiche ähnliche Editionen.

Neben den mehr allgemein angelegten literarisch-künstlerischen Zeitschriften erschienen zu Beginn des 19. Jahrhunderts auch mehrere Fachzeitschriften zu Fragen der Landwirtschaft, der Wirtschaft, der Mode oder etwa der Kindererziehung.

Die Edition der mehrbändigen »Geschichte des rußländischen Staates [Istorija gosudarstva Rossijskogo]« von Nikolaj Michajlovič Karamzin (1766–1826, siehe Kat.-Nrn. 232, 519) war am Anfang des 19. Jahrhunderts nicht nur für die russische Geschichts-Wissenschaft, sondern auch für das Verlagswesen ein Hauptereignis. Da ihr erster Teil unmittelbar nach dem Krieg von 1812 erschien, wurden durch ihn zahlreiche und oft scharfe öffentliche Diskussionen hervorgerufen, in denen man sich um die richtige Bewertung der Vergangenheit und vor allem um mögliche sinnvolle Wege einer weiteren Entwicklung stritt. Die Petersburger Salons waren von solchen Gesprächen erfüllt und deshalb begegnen sie uns Seite für Seite auch in den einschlägigen Zeitschriften. Karamzins Werk hatte indessen weiteste Verbreitung gefunden. Seine für die damalige Zeit hohe Auflage von 3.000 Exemplaren war rasch vergriffen.

So wie im 18. wurde auch zu Beginn des 19. Jahrhunderts

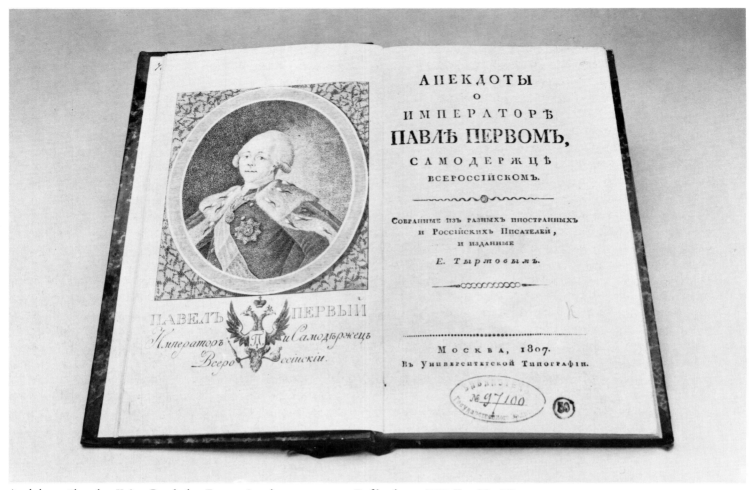

Anekdoten über den Kaiser Pavel, den Ersten, Autokrator von ganz Rußland, ... 1807. Kat.-Nr. 515

wissenschaftliche Literatur vor allem von Staatsverlagen und dort besonders von dem der Akademie der Wissenschaften publiziert. Daneben erschienen aber ein kleinerer Teil davon und außerdem einige Lehrbücher auch in privaten Verlagen. Eine Besonderheit dieser Gattung stellt das von Ivan Glazunov herausgegebene Monatsblatt mit dem Titel »Museum für Kinder oder Sammlung von Darstellungen der Tiere, Pflanzen, Blumen, Früchte, Mineralien ... [Detskij muzeum ili sobranie izobraženij životnych, rastenij, cvetov, plodov, mineralov ...]« dar, das für den häuslichen Unterricht der Kinder gedacht war. Der Text dieser bemerkenswerten und ganz eigenständigen »Kinder-Enzyklopädie« wurde parallel auf Russisch, Französisch und Deutsch gesetzt und mit zahlreichen kolorierten Stichen sehr anschaulich illustriert.

Zu Beginn des 19. Jahrhunderts erlebt das Buchgewerbe nicht nur ganz allgemein einen beachtlichen Aufschwung, sondern auch seine spezielle Bedeutung für das kulturelle

Leben des Landes nimmt deutlich zu. Mehrere Dichter und Schriftsteller edieren jetzt ihre literarischen Werke oder ihre wissenschaftlichen Arbeiten häufig selbst im Eigenverlag. Andere Verlage und Buchhandlungen erhöhen nicht nur die Anzahl der publizierten Bücher und deren jeweilige Auflage, sondern intensivieren auch ihre Kontakte zu Lesern und Autoren. Mehr und mehr findet man jetzt Buchhandelskataloge, mit Hilfe derer die Druckwerke weitergehende Verbreitung erlangen. Auch damit werden in den ersten Jahren des neuen Jahrhunderts mehrere Buchläden in Petersburg sehr populär, wie etwa die Handlungen von M. K. Ovčinnikov, von dem schon mehrfach erwähnten V. Plavil'ščikov oder von Vasilij Stepanovič Sopikov (1765–1818), der 1788 in Petersburg seinen Laden eröffnet und dort unter anderem Werke von Voltaire und Montesquieu angeboten hat.

Bei Sopikov erschien 1813 bis 1821 der fünfbändige »Versuch einer rußländischen Bibliographie« mit insgesamt 13249 Buch- und Zeitschriftentiteln, in dem alle ihm damals

XVI   Übertopf und Untersetzer, 1. Hälfte 19. Jahrhundert. Kat.-Nr. 320

erreichbaren Werke der russischen Literatur von den Anfängen der heimischen Druckkunst bis etwa 1816 erfaßt sind. Unter den bedeutenden Buchhandlungen ist ebenfalls noch die der Familie Glazunov zu nennen. – Alle diese privaten Händler konkurrierten erfolgreich mit den staatlichen Buchhandlungen, unter denen der Buchladen der Akademie der Wissenschaften wohl der bedeutendste war. Einige von ihnen beschränkten sich dabei aber nicht allein auf den Verkauf von Büchern, sondern entwickelten sich zu regelrechten Klubs für Liebhaber der Kunst. V. Plavil'ščikov eröffnete 1815 bei seiner Handlung die erste private Bibliothek, die bald eine der beliebtesten Treffpunkte für Bücherfreunde und Literaten wurde.

In den 20er Jahren zieht dann noch ein anderer bemerkenswerter Verlagsbuchhändler die Aufmerksamkeit des Publikums auf sich: Aleksandr Filippovič Smirdin (1795–1857), der fast sein ganzes Leben mit Büchern verbracht hat. Schon als Dreizehnjähriger arbeitete er in Buchhandlungen, und trat 1817 als Einkäufer in den Dienst von V. A. Plavil'ščikov, nach dessen Tod er 1825 – dem Wunsch des Verstorbenen folgend – Eigentümer dieses damals wohl bedeutendsten Verlages in Rußland (mit eigener Druckerei und eigener Handlung) wurde. Bei Smirdin erschienen die Werke von Puškin ebenso, wie die von Gogol', Žukovskij, Vjazemskij, Deržavin, Lomonosov und anderen bedeutenden Geistern Rußlands. Aber er beschränkte sich nicht allein auf den Buchhandel und auf seine Tätigkeit als Verleger, sondern baute außerdem eine bemerkenswerte Privatbibliothek auf, in der sich eine reiche Sammlung russischer Literatur befand. 1828 gab er ihren systematischen Katalog heraus, die »Beschreibung der rußländischen Bücher zum Lesen, die sich in der Bibliothek von A. Smirdin befinden

[Rospis' rossijskich knig dlja čtenija, iz biblioteki A. Smirdina]«, der rund 10.000 Titel umfaßt und eine direkte Fortsetzung des oben erwähnten Kataloges von V. S. Sopikov darstellt. Bibliothek und Handlung waren bald einer der bekanntesten literarisch-künstlerischen Salons Petersburgs.

Während der zweiten Hälfte des 18. und am Anfang des 19. Jahrhunderts war das Sammeln seltener und schöner Bücher in Petersburg eine weit verbreitete Liebhaberei. Dadurch gehörten zahlreiche Bibliotheken, neben den Architekturdenkmälern, zu den Sehenswürdigkeiten der Haupt- und Residenzstadt. In den Reiseführern wurde besonders die des Grafen A. S. Stroganov (siehe Kat.-Nr. 51) lobend erwähnt, die am Ende des 18. Jahrhunderts als beste in ganz Petersburg galt. Doch auch die Bibliotheken des Grafen N. P. Šeremetev und des Fürsten A. N. Golicyn waren durch ihren reichhaltigen Bestand besonders interessant. Ein erheblicher Teil dieser Sammlungen bestand aus fremdsprachichen Büchern, aus Handschriften und Werkausgaben antiker Autoren, die meist während der Auslandsreisen ihrer Besitzer in Westeuropa erworben worden waren. Doch nicht nur beim Hochadel fand man damals Bücher. Fast alle gebildeten Leute hatten mehr oder minder große Bibliotheken, auch wenn sich nur einige wenige unter ihnen den Luxus seltener oder besonders kostbarer Ausgaben erlauben konnten.

Die bekannteste und bedeutendste Sammlung solcher Vorzugs-Ausgaben besaß Kaiserin Ekaterina II. Man weiß, wie sehr sie Bücher liebte und mit welcher Kenntnis und Konsequenz sie deshalb nicht nur für ihre Privatbibliothek (die später den alten Bestand der Ermitage-Bibliothek bilden sollte), sondern auch für ihre Söhne und ihre beiden Enkel Bücher erwarb. Sie erwarb unter anderem die Bibliotheken der französischen Aufklärer Voltaire und Diderot sowie die des italienischen Schriftstellers Ferdinando Galiani (1728–1787). Außerdem erwarb sie die bedeutende Sammlung von Karten und geographischen Werken aus dem Besitz Anton Friedrich Büschings (1724–1793), des »Vaters der modernen Geographie«, sowie die Bibliotheken des Historikers Fürst Michail Michajlovič Ščerbatov (1733–1790) und des Diplomaten und Präsidenten der Akademie der Wissenschaften, Baron Johann Albert Korff (1697–1766). Über mehrere Jahre hin hat ebenfalls der Berliner Buchhändler H.-F. Nicolay (1733–1811) speziell für Ekaterina II. Bücher gesucht und gekauft. Eine ganz besonders wertvolle Erweiterung des Bestandes, vor allem durch Werke zu Fragen der Kunst, brachte die Bibliothek von Aleksandr Dmitrievič Lanskoj (1758–1784), das Vermächtnis eines Favoriten der Kaiserin. Es mag vielleicht überraschen, daß auch Kaiser Pavel I. Bücher durchaus liebte und sammelte. Mit besonderer Sorgfalt stellte er sich Bibliotheken im Winterpalast, in Gatčina und vor allem in Pavlovsk zusammen.

Die Bibliothek im Großen Palast von Pavlovsk

In der Regel repräsentierten Bibliotheken des 18. Jahrhunderts einen universellen Charakter, der dem enzyklopädischen Denken der Epoche der Aufklärung entsprach. Außerdem waren sie damals zugleich auch Museen, in denen man schon lange nicht nur Bücher, sondern auch Stiche, Münzen und Medaillen, Gemmen oder etwa Werke der Kleinplastik sammelte. Erst seit dem frühen 19. Jahrhundert verlor das Buch fortschreitend seinen »musealen« Charakter und wandelte sich vom Sammlerobjekt zum schlichten, ganz praktisch verstandenen Gebrauchsgegenstand; dem entsprechen die Buchsammlungen, die sich vom Museum zum Archiv entwickelten.

Die künstlerische Buchgestaltung stand auch im Rußland des 18. Jahrhunderts ganz deutlich unter französischem Einfluß. Denn die zahlreichen dorthin übergesiedelten ausländischen Drucker und Buchbinder hatten natürlich ihre europäischen Formen der Buchgestaltung mitgebracht und bedienten sich ihrer auch weiterhin. Dabei wurden auch für zahlreiche fremdsprachige Ausgaben häufig importierte Schrift-Typen verwendet. Besonders populär waren illustrierte Ausgaben mit möglichst vielen Illustrationen, die man damals – auch in wissenschaftlichen Ausgaben – noch zusätzlich kolorierte. Gern streute man auch noch zwischen den Text weitere dekorative Elemente in Form von unterschiedlichen Vignetten, Cul-de-lamps oder emblematischem Zierrat. Selbst in den »Sankt-Petersburger Nachrichten«, dem offiziellen Regierungsorgan der Hauptstadt, findet man solche Schmuckformen.

Zu Beginn des 19. Jahrhunderts wurde dann die klassizistische Buchgestaltung – besonders in wissenschaftlichen Ausgaben – wesentlich strenger und schlichter. Selbst das gestochene Frontispiz kommt wesentlich seltener vor. Bezeichnend für diesen Buchtyp aus aleksandrinischer Zeit sind etwa der Almanach »Für Wenige [Dlja nemnogich]« von V. A. Žukovskij von 1818 oder die »Geschichte des rußländischen Staates« von N. M. Karamzin von 1816.

Unter den Petersburger Verlagen gab es nicht wenige, die sich gut in der Kunst des Buchbindens auskannten, darunter einige besondere Meister ihres Faches, die vor allem in privatem Auftrag, nicht zuletzt etwa für Ekaterina II., arbeiteten. Genannt werden sollen hier H. Torneau, I. Suboc, G. H. Richter und Foconier. Ihre Einbände für wohlhabende und bedeutende Bibliotheksbesitzer sind Meisterwerke des Kunsthandwerks. Sie bestehen aus feinem, gut verarbeitetem Leder, das damals bevorzugt rot, braun, und grün gefärbt war und sind mit Goldpunzierungen verziert, die meist geometrische oder vegetabile Ornamente bilden. Daneben gibt es die Einbände aus Samt, Brokat oder Seide. Ihre Buchrücken zieren häufig antike Motive, wie Vasen, Urnen oder Blumengirlanden.

Während der ersten Hälfte des 19. Jahrhunderts wurde das russische Bibliothekswesen prinzipiell verändert. Aus dem alten Bestand der Sammlungen Ekaterinas II. wurden zehntausende von Bänden in die öffentliche Bibliothek überführt. Dazu gehörten unter anderem nahezu alle Handschriften, die gesamte Bibliothek Voltaires sowie ein bedeutender Teil der historischen Werke. Auf Grund ihres Testaments war vorher schon ein anderer Teil ihren Enkeln Aleksandr (dem späteren Kaiser Aleksandr I.) und Konstantin Pavlovič übereignet worden. Damit gab es diese berühmte Bibliothek in ihrer ursprünglichen Form praktisch nicht mehr. In der Mitte des 19. Jahrhunderts kam es zu einer weiteren Veränderung, als der bis dahin einheitlich verwaltete Sammlungsbestand der Ermitage in verschiedene Abteilungen aufgeteilt wurde: In die Sammlung griechisch-römischer Altertümer, der Medaillen und Münzen, skythischer und russischer Altertümer, der Kupferstiche und Zeichnungen und schließlich der Gemälde und Porträts der Romanov-Galerie. Auch die Bibliothek wurden dabei dementsprechend aufgeteilt. Nach 1917 wurden dazu dann auch noch die Bücher aus den Privatbibliotheken der russischen Kaiser und ihrer Familien ebenfalls in die Ermitage überführt, und später die konfiszierten Bibliotheken des Adels und anderer führender Gesellschaftsgruppen des Landes.

In den Privatbibliotheken der Grafen Stroganov, Šeremetev, Bobrinskoj und anderer, die nach 1917 in die Ermitage-Bibliothek überführt worden sind, befand sich jeweils ein bedeutender Anteil von Büchern zur Kunst. Hinzu kam später die Bibliothek der früheren Schule des Barons Štiglic für technisches Zeichnen und die des Staatlichen Museum für Ethnographie der Völker der UdSSR in Leningrad.

Bereits während des 19. Jahrhunderts war der Zuwachs an Büchern vor allem Spezialliteratur. Dadurch erhielt die Ermitage-Bibliothek schon damals ein deutliches Profil als eine auf Kunstwissenschaft ausgerichtete Buchsammlung. Später führte dann weiteres Anwachsen des Bestandes wiederum zu einer gewissen Zentralisation, die dann im 20. Jahrhundert die Form eines zentralen Bucharchivs mit einer Reihe angeschlossener Spezialbibliotheken erhielt.

So ist durch konsequentes Sammeln und durch Ergänzungen aus anderen Bibliotheken eine der bedeutendsten kunstwissenschaftlichen Spezialbibliotheken des Landes, die »Wissenschaftliche Bibliothek der Ermitage«, entstanden.

XVII   Ein Paar Vasen, 1. Viertel 19. Jahrhundert. Kat.-Nr. 300

XVIII L. A. Belousov, Ober-Offizier, Portopee-Unterleutnant, Feldwebel (Palast-Grenadiere), nach 1830. Kat.-Nr. 173

ZUR SAMMLUNG

Die Ausstellung »Sankt Petersburg um 1800« wurde von der Abteilung für russische Kulturgeschichte der Staatlichen Ermitage in Leningrad in Zusammenarbeit mit der Kulturstiftung Ruhr vorbereitet. Bei dieser Abteilung handelt es sich um die jüngste des berühmten Museums, die erst im Jahre 1941, im Zuge der damals durchgeführten Umgestaltung der Ermitage zu einem Museum der Weltkultur, eingerichtet worden ist. Da aber die 1764 gegründete Ermitage auch weiterhin im alten Gebäude blieb – mit der Inneneinrichtung der Säle und der dort befindlichen hochwertigen künstlerischen Ausstattung –, war sie damit selbst schon ein wesentlicher Bestandteil der russischen Kunst- und Kulturgeschichte.

Den Grundstock für die heutigen Bestände der Abteilung bildete die reiche Sammlung der Historisch-Volkskundlichen Abteilung, die 1918 im Russischen Museum in Leningrad (dem früheren Museum Kaiser Aleksandrs III. im Michail-Palast) eingerichtet worden war. Diese Abteilung, die man zunächst im Michail-Palast und danach in dem ehemaligen Palast der Grafen Bobrinskoj ausstellte, war stark angewachsen, da zahlreiche recht unterschiedliche Kunstschätze aus verschiedenen nach der Oktoberrevolution enteigneten Privatsammlungen in sie eingegangen waren; vor allem aus den Sammlungen der Grafen Stroganov, Šuvalov, der Fürsten Jusupov, Golicyn, Kurakin und der Grafen Bobrinskoj. Hinzugekommen waren ebenfalls die Kollektionen bekannter privater Sammler von Werken der Antike und des ostslavischen Altertums sowie von Erzeugnissen der angewandten Kunst; vor allem aus den Sammlungen I. A. Gal'nbek, F. M. Pljuškin und E. G. Švarc [Schwarz]. Mitte der 20er Jahre dieses Jahrhunderts erhielt die Abteilung noch einige Paläste als Filialen: den Menšikov-Palast, den Sommerpalast Petrs I. und das Museum für Volkskunde, das 1918 in dem ehemaligen Stadthaus der Grafen Stroganov eingerichtet worden war.

Zu Beginn der 30er Jahre besaß die Abteilung bereits auch zahlreiche Werke der russischen angewandten Kunst aus der Ermitage, aus anderen Museen sowie aus dem Staatlichen Museums-Fundus der UdSSR. Außerdem kamen im Mai 1930 die hervorragenden Stücke aus der ehemaligen Galerie Petrs des Großen hinzu, der ältesten musealen Sammlung unseres Landes, deren Anfänge in die Zeiten des Kaisers zurückreichen.

1934 wurde eine Neuordnung des Russischen Museums vorgenommen, bei der die Historisch-Volkskundliche Abteilung zunächst in den Bestand des Leningrader Revolutions-Museums überführt wurde (das damals in den Räumen des früheren Winter-Palastes untergebracht war) und danach in das Staatliche Museum für Ethnographie der Völker der UdSSR, ebenfalls in Leningrad, kam. Allerdings blieb die Abteilung dort nicht sehr lange, sondern wurde 1941 mit ihrem gesamten Bestand der Ermitage übergeben. Hier bildete sie dann, zusammen mit den mehreren Tausend kostbaren Objekten russischer Kultur und Geschichte, die sich seit langem in der Ermitage und dem Winterpalast befanden, den Grundstock der heutigen Abteilung für russische Kulturgeschichte [Otdel istorii russkoj kul'tury Gosudarstvennogo Ėrmitaža]. Damals ging auch die einzigartige Kollektion wissenschaftlicher Geräte und Instrumente in ihren Besitz über, die sich bis dahin im Institut für Wissenschafts- und Technikgeschichte der Akademie der Wissenschaften der UdSSR befunden hatte. 1950 kamen außerdem noch mehr als 6.000 Fahnen und Standarten aus dem 1872 gegründeten Artilleriegeschichtlichen Museum (in der Festung Kronverk) hinzu. Dem folgte schließlich ein reicher Bestand an Werken der bildenden Kunst und an Dokumenten zur gesellschaftspolitischen Geschichte sowie zum Dekabristen-Aufstand aus der Sammlung des Leningrader Revolutionsmuseums (seit 1957 in der Villa Ksešinskaja untergebracht).

Die wechselhafte Entstehungs-Geschichte der Abteilung und ihr fortschreitender Ausbau bestimmte auch weitgehend den Charakter ihrer wissenschaftlichen Arbeit und ihrer Ausstellungstätigkeit. Im Zentrum beider stand stets die Geschichte der russischen Kultur in all ihrer Vielschichtigkeit. Dabei enthält die Abteilung der Ermitage – im Unterschied zu anderen bedeutenden Sammlungen russischer Kunst – außerdem noch zahlreiche Zeugnisse volkskundlicher und militärgeschichtlicher Objekte, dazu wissenschaftliche Geräte und Instrumente. Diese Sammlungsstücke ergänzen die Werke der bildenden Kunst und des Kunstgewerbes aufs glücklichste und machen es erst möglich, solch ein einzigartiges kulturgeschichtliches Gesamtbild wie das hier gezeigte zusammenzustellen. Um das Thema »Sankt Petersburg um 1800« aber möglichst vielfältig und vollständig vorzuführen, wurden auch einige ergänzende Stücke aus anderen Sammlungen der Sowjetunion in die Ausstellung aufgenommen, nämlich aus der Abteilung für westeuropäische Kunst, aus der Abteilung für Numismatik und aus der Bibliothek der Ermitage, aber auch aus dem Staatlichen Russischen Museum in Leningrad, dem Palast-Museum in Pavlosk und dem Puškin-Literatur-Museum.

ZUM KATALOG – HINWEISE DER REDAKTIONEN

Die Wiedergabe russischer Begriffe, Zitate, Ortsnamen etc. folgt in diesem Katalog konsequent der Transliteration der ISO [International Organization for Standardization, Transliteration of Cyrillic Characters, September 1968] sowie der gängigen deutschen Bibliothekstransliteration (vgl. die nachstehende Tabelle). Ausgenommen bleiben nur solche Namen, von denen im Deutschen seit langem fest eingebürgerte Formen existieren, die nach allgemeiner Auffassung auch als Teil des deutschen Wortschatzes betrachtet werden können (also z. B. Zar statt Car', Moskau statt Moskva).

Entsprechend sind auch alle Eigennamen russischer Personen durchgängig nach der originalen russischen Namensform (nach Möglichkeit einschließlich des Patronymikons) wiedergegeben, die von nur zeitweise in Rußland lebenden Ausländern hingegen – soweit möglich – in den jeweiligen Muttersprachen; bei solchen Personen ausländischer Herkunft, die sich in die russische Kultur weitgehendst oder vollständig eingegliedert haben, steht die russische Namensform voran, die ursprüngliche aber zur besseren Orientierung zusätzlich in eckigen Klammern dahinter. Außerdem sind – wo irgend möglich – bei der Ersterwähnung einer Person im jeweiligen Artikel zusätzlich zur vollen Namensform auch die Lebensdaten zugesetzt; im Falle wiederholter Erwähnung derselben Person im gleichen Artikel sehe man bei deren erstem Auftauchen nach. Bei Personen aus dem Mönchsstand bezeichnet der in Klammern zugesetzte Name den der Familie.

Eigennamen nicht-russischer Personen aus der Antike – auch wenn sie (beispielsweise als Patronatsheilige von Kirchen) in russische Benennungen eingegangen sind – werden prinzipiell in ihrer ursprünglichen griechischen oder lateinischen Form wiedergegeben; wir sprechen daher von der (nach einer dortigen, dem kappadokischen Kirchenvater geweihten Kirche benannten) Basileios-Insel (für »Vasil'evskij ostrov«), vom Michaels-Schloß [Michajlovskij zamok], das ja den Namen des Erzengels trägt, wohl aber vom Michail-Palast [Michajlovskij dvorec], weil dieser nach dem Großfürsten Michail benannt ist.

Titel von Dichtwerken, von Einrichtungen des öffentlichen Lebens, auch geographische Bezeichnungen werden – wiederum unter Beachtung der vorstehend erläuterten Prinzipien – generell übersetzt; zur leichteren Orientierung ist hier ebenfalls zumeist die russische Originalbezeichnung bei der erstmaligen Erwähnung in eckigen Klammern zugesetzt. Auch solche russischen oder als Fremdworte ins Rus-

sische übernommenen Begriffe, die von der heute gängigen Terminologie abweichen oder nicht ganz eindeutig zu übersetzen (und damit gegebenenfalls rückzuübertragen) sind, wurden des öfteren in eckigen Klammern aufgeführt (beispielsweise Ortsnamen, bei denen am Ende des 18. und Anfang des 19. Jahrhunderts die aus dem Deutschen übernommene Form »plac« statt des heute üblichen »ploscad'« üblich war u. ä. m.).

Wenn bestimmte russische geographische Bezeichnungen in Petersburg auch im deutschen Sprachgebrauch (vor allem der Petersburger deutschen Bevölkerung) seit langem etabliert sind, wurden sie allerdings in einigen Fällen beibehalten (also beispielsweise »Nevskij Prospekt« statt eigentlich »Neva-Prospekt«). Eine Ausnahme bildet hier jedoch die Übersetzung von »sobor« mit »Dom« anstelle des weithin üblichen »Kathedrale«, denn ein »Sobor« ist in der russischen kirchlichen Terminologie einfach die Bezeichnung für eine besondere, große oder historische bedeutsame Kirche, auch die Hauptkirche eines Klosters (griech. Katholikon), eben ein »Dom«, nicht aber notwendigerweise den Sitz eines Bischof (griech. Kathedra), also eine Kathedrale (hierfür lautet der russische Ausdruck »kafedral'nyj sobor«). Daher wird durchgängig – in Abweichung von der auch in Reiseführern etc. gängigen Terminologie – in diesem Katalog beispielsweise vom Kazaner oder vom Isaakios-Dom gesprochen.

Noch eine weitere Besonderheit in der Übersetzung sei hier erläutert: für die Wiedergabe des Adjektivs »rossijskij« wurde die – zwar im Deutschen an sich ungebräuchliche – Form »rußländisch« (im Gegensatz zu »russkij« = russisch«) gewählt, da es nicht die ethnische Zugehörigkeit, sondern diejenige zu einem Staats- bzw. Kulturverband bezeichnet. In diesem Sinne waren die zahlreichen, gerade im 18. und frühen 19. Jahrhundert in Petersburg wirkenden Ausländer zwar »rußländische« Künstler, Architekten etc., aber eben keine »russischen«.

Auch sofern bereits vorliegende Übersetzungen russischer literarischer Werke Verwendung gefunden haben, sind die Namensformen entsprechend der obigen Regel angeglichen und vereinheitlicht worden.

Die Datenangaben folgen – soweit sie sich auf Rußland beziehen – generell dem Julianischen Kalender (dem sogenannten »Alten Stil«), der bis zum 31. Januar 1918 im Russischen Reich verwendet wurde. Um die Datierungen auf den Gregorianischen Kalender umzurechnen, sind im 16. und 17. Jahrhundert 10 Tage, im 18. Jahrhundert 11 Tage, im

XIX   Lory, Die große Parade auf dem Schloßplatz, nach 1800. Kat.-Nr. 206

XX   Lory, Blick auf das Marsfeld vom Michaels-Schloß aus, 1804. Kat.-Nr. 207

19. Jahrhundert 12 Tage und im 20. Jahrhundert 13 Tage zu den julianischen Daten hinzuzurechnen.

Einige Zitate aus mehrfach angeführten Werken der Literatur wurden folgenden deutschen Gesamtausgaben entnommen:

Griboedov, A. S.: »*Verstand schafft Leiden [Gore ot uma]*« nach der Übertragung von Arthur Luther in: Alexander S. Gribojedow, Verstand schafft Leiden, Leipzig 1970.

Puškin, A. S.: »*Der eherne Reiter [Mednyj vsadnik]*« nach der Übersetzung von W. Groeger, in: A. Ascherin u. a. (Hrsg.), Alexander Sergejewitsch Puschkin – Gedichte, Poeme, Eugen Onegin, Berlin 1947, S. 231 ff.

ders.: »*Evgenij Onegin*« nach: Rolf-Dietrich Keil (Hrsg.), Alexander Puschkin – Jewgenij Onegin, Gießen 1980.

Die deutsche Katalog-Fassung gibt den Text der russischen Original-Manuskripte in manchen Fällen nicht wörtlich, sondern sinngemäß, angeglichen an die dem deutschen Leser vertrautere Diktion wieder. Gelegentlich wurden auch von den Bearbeitern des deutschen Kataloges Ergänzungen und Erläuterungen in den Text eingefügt, die nicht eigens gekennzeichnet sind. Dies geschah dort, wo ein Wissen um bestimmte landeskundliche Gegebenheiten, Ereignisse aus der russischen Geschichte oder um bestimmte Persönlichkeiten des russischen Kulturlebens am Ende des 18. und Anfang des 19. Jahrhunderts zwar bei einem mit der Historie seines Landes vertrauten russischen Leser als bekannt vorausgesetzt werden konnte, bei einem nicht fachspezifisch vorgebildeten deutschen Ausstellungsbesucher aber nicht ohne weiteres vermutet werden durfte.

Im Katalogteil sind alle Objekte nach dem jeweiligen Werkcharakter in verschiedenen Gruppen zusammengefaßt, und zwar zuerst die Werke der bildenden Kunst (gegliedert nach: Malerei, Skulptur, Aquarellen, Miniaturen, Stichen und Lithographien), dann die Erzeugnisse der angewandten Kunst (mit verschiedenen Untergliederungen), schließlich die Fahnen, Medaillen und die Bücher. In dem Abschnitt über die bildende Kunst und die Medaillen folgt die Numerierung der alphabetischen Ordnung der Fami-

liennamen der jeweiligen Künstler (nach dem deutschen Alphabet, wobei die zur Umschrift des Russischen verwandten diakritischen Zeichen unberücksichtigt bleiben); die Werke unbekannter Meister sind jeweils am Ende dieser Abschnitte aufgeführt. In den Abschnitten zu den Werken der angewandten Kunst richtet sich die Gliederung nach den jeweils verwandten Werkstoffen (Glas, Stein, Metall usw.); darunter sind die Objekte mit einigen wenigen Ausnahmen nach den Namen der Werkstätten bzw. der Produktionszentren geordnet, innerhalb derselben aber in ungefährer chronologischer Reihenfolge. Eine Ausnahme bietet der Abschnitt über »Stoffe und Kostüme«: hier werden zuerst die Kleidungsstücke präsentiert (gegliedert nach ihrer Zweckbestimmung als bürgerliche, militärische, volkstümliche und kirchliche Gewänder), sodann die zu ihnen gehörigen Accessoires. Werke westeuropäischer Herkunft, die als inhaltlich sinnvolle und notwendige Ergänzung in den Bestand dieser Ausstellung aufgenommen worden sind, werden jeweils am Ende der entsprechenden Abschnitte des Kataloges aufgeführt.

Jede Katalognummer enthält biographische Angaben zu dem Künstler oder Werkmeister sowie technische Angaben (Material, Technik, Größe) der einzelnen Exponate und ihre Inventarnummer. Außerdem finden sich dort auch gegebenenfalls Erklärungen zum Inhalt der Darstellung (mit biographischen Skizzen zu den dargestellten Personen) bzw. zur Verwendung der Erzeugnisse der angewandten Kunst und Hinweise zur Herkunft der jeweiligen Kunstgegenstände. Wenn hier nicht die Übernahme aus einem anderen Museum oder einer früheren Privatsammlung vermerkt ist, sondern »alter Bestand der Ermitage«, so handelt es sich um Objekte, die schon nach ihrer Fertigstellung in die Ermitage gelangt sind bzw. sich dort bereits in der 2. Hälfte des 19. Jahrhunderts befanden und deren frühere Geschichte nicht mehr nachvollzogen werden kann. Es folgen dann noch Verweise auf Kataloge früherer Ausstellungen, bei denen die jeweiligen Stücke gezeigt worden sind, bzw. auf eine Publikation in der einschlägigen Literatur. Fehlt ein solcher Hinweis, so bedeutet dies, daß der Gegenstand in diesem Katalog zum ersten Male überhaupt publiziert worden ist.

Bei den hier gezeigten Leihgaben der Staatlichen Ermitage, Leningrad, wird auf die Angabe des Standortes verzichtet; bei den ergänzenden Werken aus anderen Sammlungen der Sowjetunion (siehe S. 134) ist er jeweils genannt.

RUSSISCHES
TRANSLITERATIONSSYSTEM

Russischer Buchstabe		Trans-literation	Aussprache etwa, wie
А	а	a	a in kann, man
Б	б	b	b in backen, Burg
В	в	v	v in Vase, Vogesen
Г	г	g	g in Garten, Golf
Д	д	d	d in Dank, Dorf
Е	е	e	je in jetzt
Ё	ё	ë	jo in Joch, Johann
Ж	ж	ž	j in Journal, Jalousie
З	з	z	s in Rose, Saft
И	и	i	i in Minute, Mitte
Й	й	j	i in Mai, Kaiser, Eis
К	к	k	k in Kreide, Krieg
Л	л	l	l in Liebe, Lilie oder in Lampe, Lot
М	м	m	m in Mann, Mutter
Н	н	n	n in nun, Norden
О	о	o	o in Sonne, Post
П	п	p	p in Paul, Lampe
Р	р	r	Zungen-R in Rat, rein
С	с	s	s in daß, Rast
Т	т	t	t in Titel, Tor
У	у	u	u in und, Futter
Ф	ф	f	f in Fahrt, Floh
Х	х	ch	ch in ach, Krach
Ц	ц	c	z in zu, Zar
Ч	ч	č	tsch in deutsch, Rutsche
Ш	ш	š	sch in Schule, schön
Щ	щ	šč	schtsch
Ъ	ъ	–	ohne eigenen Lautwert (vorhergehender Konsonant hart)
Ы	ы	y	i in Tisch, Schwimmer
Ь	ь	'	ohne eigenen Lautwert (vorhergehender Konsonant erweicht)
Э	э	ė	e in Ähre, Erbe
Ю	ю	ju	ju in Jugend, Justiz
Я	я	ja	ja in ja, Jakob

KATALOG DER AUSGESTELLTEN WERKE

F. J. Alekseev, Ansicht des Schloßufers von der Peter-und-Pauls-Festung aus, um 1795. Kat.-Nr. 1

FEDOR JAKOVLEVIČ ALEKSEEV

Petersburg 1753 (1754?) – 1824 Petersburg

Der bedeutendste russische Landschaftsmaler des 18. Jahrhunderts. Als Sohn eines Wächters an der Akademie der Wissenschaften lernte er zuerst in der Garnisonsschule, von 1766 bis 1773 an der Petersburger Kunstakademie. 1773 wurde er für drei Jahre nach Italien geschickt, um sich dort bei den venezianischen Perspektivisten und Bühnenbildnern D. Moretti und P. Gaspari als Theatermaler ausbilden zu lassen. Nach seiner Rückkehr nach Rußland wurde er zum Dekorateur der Kaiserlichen Theater ernannt und war von 1779 bis 1786 ebenfalls Maler an der Petersburger Theaterschule. 1794 wurde er zum Mitglied der Akademie gewählt, und zwar für das Fach Landschaftsmalerei; 1802 wurde er zum Rat der Kunstakademie ernannt, wo er seit 1803 perspektivische Malerei lehrte. Im letzten Jahrzehnt des 18. Jahrhunderts unternahm er eine Reise nach Süd-Rußland und auf die Krim. Dabei entstanden zahlreiche Skizzen nach der Natur, nach denen er in der Folgezeit eine Reihe von Gemälden mit Ansichten von Cherson, Nikolaev und Bachcisaraj schuf. Besonderen Erfolg brachten Alekseev seine Ansichten von Moskau, insbesondere des Kremls. Er ist einer jener Maler, die in Rußland die Grundlagen für die Darstellung von Stadtlandschaften geschaffen haben, weshalb er den Beinamen eines »russischen Canaletto« erhielt. Innerhalb seines Oeuvres sind die Ansichten von Petersburg besonders berühmt.

1

Ansicht des Schloßufers von der Peter-und-Pauls-Festung aus, um 1795

Öl auf Leinwand, 72 x 107 cm
Bezeichnet unten links
Staatliches Russisches Museum, Leningrad
Inv.-Nr. Ж-3292
Herkunft: 1930 aus der Staatlichen Ermitage, Leningrad
Literatur: 215; 216; 54 (S. 25, Nr. 72)

Auf dem Bild ist der östliche Teil des Palastufers auf dem linken Ufer der Neva dargestellt. Im Hintergrund sieht man die eisernen Gitter des Sommergartens. Rechts davon liegt das Haus des Präsidenten der Petersburger Akademie der Künste, I. I. Beckij, das in der Mitte der achtziger Jahre des 18. Jahrhunderts erbaut worden ist. Weiter dem Fluß der Neva folgend sieht man das Haus des Grafen Saltykov (erbaut 1784–1788 nach Plänen von D. Quarenghi). Das folgende zweistöckige Gebäude ist der Wirtschaftsflügel des Marmorpalastes (errichtet von dem Architekten P. E. Egorov 1780–1788). Dieses Gebäude ist durch ein Gitter mit dem Marmorpalast selbst, einem Hauptwerk des frühen russischen Klassizismus, 1768–1785 von Antonio Rinaldi erbaut, verbunden. Im linken Teil des Bildes erheben sich vorn die Mauern der Petrus-Bastion der Peter-und-Pauls-Festung, also des alten Stadtzentrums. Der Grundstein zur Festung selbst wurde schon 1703 auf der Hasen-Insel (Zajač'ij ostrov) gelegt. Seit 1706 hat man dann nach und nach ihre Erdwälle durch steinerne Befestigungsanlagen ersetzt, um den Bau in der ersten Hälfte des 18. Jahrhunderts zu vollenden. Seit 1718 diente er auch als Gefängnis für politische Gefangene. BK

NIKOLAJ IVANOVIČ ARGUNOV

Petersburg 1771 (?) – nach 1829

Argunov arbeitete besonders als Porträt- und Miniatur-Maler. Er war der Sohn und Schüler des Malers I. P. Argunov und Leibeigener des Grafen N. P. Šeremetev. 1801 wurde er von Petersburg auf das damals gerade im Bau befindliche Gut der Šeremetevs in Ostankino bei Moskau geschickt, wo er bei der Ausschmückung der Innenräume mitwirkte. Im Jahre 1806 leitete er die Ausmalungen des Fremdenhospizes, das den Grafen Šeremetev in Moskau gehörte. 1808 schuf er die Innenausstattung des »Fontänen-Hauses [Fontannyj dom]«, des Familienpalastes der Šeremetevs in Petersburg. 1816 wurde er im Alter von 45 Jahren, auf Anordnung Šeremetevs, aus der Leibeigenschaft entlassen und erhielt den Titel eines »approbierten Künstlers«. 1818 wurde er Mitglied der Kunstakademie, und zwar für das Fach Porträtmalerei.

2

Porträt des Grafen N. P. Šeremetev, um 1800

Öl auf Leinwand, 67 x 54 cm
Inv.-Nr. ЭРЖ-795
Herkunft: 1941 aus dem Staatlichen Museum für Ethnographie der Völker der UdSSR, Leningrad; stammt aus dem Palast der Grafen Šeremetev in Petersburg
Ausstellungen: 1959 Leningrad, Katalog S. 11

Nikolaj Petrovič Šeremetev (1751–1809) war Senator und Oberhofmarschall, Ritter der Orden des heiligen Andreas des Erstberufenen und des heiligen Johannes von Jerusalem, die er auch beide auf dem Porträt trägt. Im Jahre 1801 heiratete er die leibeigene Schauspielerin seines Haustheaters, Praskov'ja Ivanovna Kovalevaja-Žumžugova. Bekannt ist Šeremetev als Mäzen, Freund und Kenner der Musik und des Schauspiels sowie als Gründer des berühmten Leibeigenen-Theaters in Ostankino. Auch als Förderer von Wohlfahrtseinrichtungen trat er hervor. IK

2

3

4

PETR VASIL'EVIČ BASIN
Petersburg 1793–1877 Petersburg

Maler weltlicher und religiöser Historienbilder, sowie Landschafts-, Genre- und Porträtmaler. Sohn eines Beamten, seit 1811 externer Schüler der Petersburger Kunstakademie in der Klasse von Vasilij Šebuev. (Gleichzeitig war er als Kopist in der Schreibstube des Staatlichen Steueramtes tätig.) 1819 wurde er als Stipendiat der Akademie auf eine Reise nach Italien geschickt, wo er bis 1830 blieb. Nach seiner Rückkehr wurde er 1831 zunächst Mitglied der Akademie und von 1831 bis 1869 Professor der Klasse für Historien- und Porträtmalerei. Unter seinen Schülern waren N. N. Ge [Gay], P. P. Čistjakov, K. F. Gun [Huhn], G. I. Semiradskij, K. E. Makovskij und viele andere. Zu seinen Lebzeiten waren besonders seine religiösen Kompositionen für die Kirchen der Kunstakademie, den Winterpalast sowie die monumentalen Wandmalereien des Kazaner Domes und besonders des Isaakios-Domes bekannt.

3
Susanna und die beiden Alten, 1822

Öl auf Leinwand, 102,5 x 76,5 cm
Bezeichnet unten links
Staatliches Russisches Museum, Leningrad
Inv.-Nr. Ж-5072
Herkunft: 1897 aus der Staatlichen Ermitage, Leningrad
Literatur: 40 (S. 20); 140 (S. 27–30); 54 (S. 35, Nr. 231)

Das Bild wurde in Italien in einer außergewöhnlich kurzen Zeit (innerhalb von zwei bis drei Monaten) gemalt und als eine Art Reisebericht nach Rußland geschickt. Da es an der Petersburger Akademie keine Malklassen nach weiblichen Akten gab, versuchten die russischen Stipendiaten, sich diese Kenntnisse im Ausland anzueignen und wählten deshalb dementsprechende Bildthemen. Das Gemälde Basins ist ein sehr frühes Beispiel für die Behandlung dieses Sujets in der russischen Kunst.   BK

VLADIMIR LUKIČ
BOROVIKOVSKIJ
Mirgorod 1757–1825 Petersburg

Maler, besonders von Miniaturen, Ikonenmaler und zugleich hervorragender Porträtist. Sohn und Schüler des ebenfalls aus der Gegend von Mirgorod stammenden Ikonenmalers und Graveurs L. I. Borovikovskij. 1774–1783 Militärdienst; als Reservist widmete er sich der Malerei. Bis 1798 arbeitete er in Mirgorod, danach in Petersburg. Ab 1792 lernte er bei J. B. Lampi dem Älteren. 1794 erhielt er den Titel eines »approbierten Malers«, wurde bereits ein Jahr später Mitglied und 1802 Rat der Kunstakademie.

4
Porträt von P. S. Masjukov, 1817

Öl auf Leinwand, 81,5 x 61,5 cm
Fragmente der Bezeichnung und Datierung unten links

Auf der Rückseite der Leinwand: »Der Stabs-rittmeister des Leib-Garde-Husaren-Regiments Pavel Semenovič Masjukov, gemalt in S. Petersburg im Jahre 1817 vom Rat der Akademie, Vladimir Borovikovskij«.
Inv.-Nr. ЭРЖ-2619
Herkunft: 1963 aus dem Vermächtnis des Mitarbeiters der Ermitage A. I. Korsun
Ausstellungen: 1983 Caracas, Nr. 149; 1984 Mexico, Nr. 12; 1984 Habana, Nr. 12; 1987 Leningrad, Portret XVIII v., Nr. 11
Literatur: 4 (S. 392, Nr. 607)

Lebensdaten und Vita des Dargestellten sind unbekannt. IK

KARL PAVLOVIČ BRJULLOV
Petersburg 1799–1852 Marciano

Bekannter Historienmaler, Porträtist, Genremaler und Schöpfer monumentaler Bildkompositionen für Kirchen. Sohn eines Akademiemitgliedes für ornamentale Plastik. Von 1809–1821 studierte er an der Petersburger Kunstakademie bei so bedeutenden Meistern wie A. E. Egorov, A. I. Ivanov und V. K. Šebuev. Ab 1822 lebte Brjullov als Stipendiat der Gesellschaft zur Förderung der Künstler in Italien. 1836 erhielt er die Berufung zum Professor. Auf den Rat seiner Ärzte hin ging er jedoch 1849 erneut ins Ausland (Belgien, England, Insel Madeira, Spanien) und lebte seit 1850 wieder in Italien, wo zahlreiche Werke seiner Hand entstanden. Berühmt wurde er in ganz Europa durch sein Gemälde »Der letzte Tag von Pompeji«. Sein Schaffen hat die gesamte zeitgenössische russische Malerei stark beeinflußt.

5
Kaiserin Aleksandra Fedorovna mit ihrer Tochter Marija Nikolaevna während eines Spazierritts im Park zu Peterhof, 1837

Öl auf Leinwand, 89 x 70,5 cm
(Skizze für ein nicht ausgeführtes Porträt)
Staatliches Russisches Museum, Leningrad
Inv.-Nr. Э-3375
Herkunft: 1918 von P. Ju. Sjuzor
Literatur: 16 (S. 208); 54 (S. 62, Nr. 805)

Der Palast von Peterhof in dem Park mit mehr als hundert Fontänen war eine der Sommerresidenzen der russischen Kaiser, etwa 20 Verst (ca. 21,5 km) von Petersburg entfernt.
Aleksandra Fedorovna (1798–1860) war die Tochter des preußischen Königs Friedrich-Wilhelm III. und trug vor ihrer Konversion zum russisch-orthodoxen Glauben den Namen Friederike-Louise-Charlotte-Wilhelmine. Sie war seit 1817 die Gemahlin Kaiser Nikolaj I. und zeichnete sich durch besondere Wohltätigkeit aus. Marija Nikolaevna (1819–1876), die Tochter Nikolaj I. und Aleksandra Fedorovnas, heiratete 1839 den Herzog Maximilian von Leuchtenberg und nach dessen Tod, in zweiter Ehe den Grafen G. A. Stroganov. Sie war an der Leitung der Bildungsanstalt für Mädchen beteiligt und ebenfalls eine bedeutende Förderin der Künste. Als solche wurde sie Präsidentin der Petersburger Kunstakademie und Vorsitzende der Gesellschaft zur Förderung der Künstler. BK

GRIGORIJ GRIGOR'EVIČ ČERNECOV
Lucha, Gouvernement Kostroma 1802–1865 Petersburg

Maler, Zeichner, Lithograph, vor allem Porträtist und Landschaftsmaler; malte aber auch Figurenbilder und Interieurs. Sohn eines Ikonenmalers und älterer Bruder von Nikanor Grigor'evič und Polikarp Grigor'evič Černecov. 1819 wurde er Schüler von M. N. Vorob'ev, A. G. Varnek und S. F. Galaktionov an der Petersburger Kunstakademie. 1831 wurde er deren Mitglied und ebenfalls mit Arbeiten für den Zarenhof betraut. In diesem Zusammenhang arbeitete er 1831 bis 1837 an dem von Nikolaj I. in Auftrag gegebenen Monumental-Gemälde »Die Parade auf der Zarenaue in Petersburg am 6. Oktober 1831«, auf dem mehr als 250 Porträtdarstellungen bekannter Zeitgenossen zu sehen sind. 1838 unternahm er, zusammen mit seinen beiden Brüdern und dem Maler Antonij Ivanov, eine Fahrt auf der Volga, deren Eindrücke und Beobachtungen sich in zahlreichen Zeichnungen, Gemälden und Panoramen mit Motiven beider Ufer von Rybinsk bis hinunter nach Astrachan' niederschlugen. In den Jahren 1840 bis 1843 bereiste Grigorij Černecov, zusammen mit seinem Bruder Nikanor, Italien, Ägypten und in die Länder des Vorderen Orients (Syrien, Palästina, Türkei).

6 ABBILDUNG S. 108
Parade auf dem Schloßplatz in Petersburg, 1839

Öl auf Leinwand, 119,5 x 191 cm
Bezeichnet unten links
Staatliches Russisches Museum, Leningrad
Inv.-Nr. Э-6344
Herkunft: 1924 aus dem Staatlichen Museums-Fundus (Sammlung des Kovrigin-Museums für Volkskunde), Leningrad
Literatur: 54 (S. 338, Nr. 6065)

Der Blick geht hier von der Millionenstraße aus. Im Zentrum des Platzes sieht man die 1831–1834 nach Plänen des Architekten Auguste Montferrand errichtete Aleksandr-Säule, das Denkmal für den Sieg Rußlands über Napoleon. Im Vordergrund rechts ist der Bau des Winterpalastes (1754–1762 nach Entwürfen von B. F. Rastrelli erbaut) zu sehen, an dessen Auffahrt zum Kommandanteneingang eine Zuschauertribüne errichtet ist. Im Hintergrund ist das Gebäude des Hauptstabes zu erkennen (1819–1829 nach Plänen des Architekten Karl Rossi erbaut). Die gezeigte Parade fand 1832 anläßlich der Weihe der Aleksandr-Säule statt. BK

5

7

8

NICOLAS DE COURTEILLE
1768 – nicht vor 1830

Französischer Maler und Zeichner, vor allem Porträtist, malte aber auch allegorische, mythologische und volkstümliche Szenen. 1793, 1800 und 1804 stellte er im Pariser Salon aus, 1802 und 1813 in der Petersburger Kunstakademie. 1811 wurde er zum »approbierten Maler« und 1813 zum Mitglied der Akademie ernannt. Arbeitete auf dem Gut »Archangel'skoe« des Fürsten N. B. Jusupov bei Moskau und lehrte dort diejenigen Leibeigenen das Zeichnen, die für das »Jusupovsche Porzellan« arbeiteten.

7
Porträt der A. P. Majlevskaja mit ihrer Tochter, nach 1820

Öl auf Leinwand, 89 x 67 cm
Bezeichnet unten rechts
Inv.-Nr. ЭРЖ-2664
Herkunft: 1969 durch die Ankaufs-Kommission der Staatlichen Ermitage erworben
Ausstellungen: 1977 Leningrad, Novye postuplenija, Nr. 429; 1987 London, Nr. 195; 1989 Paris

A. P. Majlevskaja, über deren Lebensdaten nichts bekannt ist, war die Gemahlin des Offiziers A. M. Majlevskij (siehe Katalog-Nr. 8).

IK

8
Porträt A. M. Majlevskij, nach 1820

Öl auf Leinwand, 76,5 x 65 cm
Bezeichnet unten, auf dem Degen
Inv.-Nr. ЭРЖ-2665
Herkunft: 1969 durch die Ankaufs-Kommission der Staatlichen Ermitage erworben
Ausstellungen: 1977 Leningrad, Novye postuplenija, Nr. 422; 1987 London, Nr. 196; 1989 Paris

Pendant zu Katalog-Nr. 7. Es zeigt A. M. Majlevskij, einen unbekannten Oberoffizier des Leib-Garde-Husaren-Regiments zu Petersburg.

IK

9

10

GEORGE DAWE (Džordž Dou)
London 1781–1829 bei London

Englischer Maler und Porträtist; Schüler seines
Vaters, des Stechers Philip Dawe, dann der
Königlichen Kunstakademie in London. Er begann als Historienmaler. Seit 1814 war er Mitglied der Königlichen Akademie. Von 1819 bis
1829 arbeitete er in Petersburg und malte auf
Bestellung Aleksandr I. Porträts der Generäle
des Vaterländischen Krieges für die Kriegergalerie des Winterpalastes. 1820 wurde Dawe zum
Ehren-Mitglied der Petersburger Kunstakademie ernannt; außerdem war er Mitglied der
Akademien zu Florenz, Dresden, Stockholm
und Paris. In Rußland erhielt er außerdem den
Titel eines »Ersten Porträt-Malers des Kaiserlichen Hofes«. Im Mai 1829 verließ er auf Befehl
Nikolaj I. Petersburg.

9
Porträt des Grafen A. A. Arakčeev

Öl auf Leinwand, 87 x 60 cm
Bezeichnet unten links
Inv.-Nr. ЭРЖ-746
Herkunft: 1951 aus dem Museum für Artillerie-
geschichte, Leningrad; ursprünglich aus der
Sammlung des Großfürsten Nikolaj Michajlo-
vič, Petersburg
Ausstellungen: 1905 Petersburg, Nr. 1083

Aleksej Andreevič Arakčeev (1769–1834) war
General der Artillerie und seit 1808 Kriegsminister; später Direktor des Militär-Departements
des Staatsrates, stieg er zum einflußreichen
Günstling Aleksandrs I. auf. Bekannt wurde er
als Schöpfer der berüchtigten Militärsiedlungen. Obwohl er kein Kriegsteilnehmer war,
wurde Arakčeev trotzdem von Dawe für die
Kriegergalerie gemalt.   IK

10
Porträt der Kaiserin Marija Fedorovna im Trauergewand, 1825–1827

Öl auf Leinwand, 71 x 61 cm
Inv.-Nr. ГЭ-8271
Herkunft: 1923 aus dem Staatlichen Museums-
fundus der UdSSR; ursprünglich aus dem Palais
zu Pavlovsk
Literatur: Katalog Érmitaža – 2, Nr. 8271

Marija Fedorovna (1759–1829), geborene Prinzessin Sophia-Dorothea-Augusta-Louise von
Württemberg, wurde in Stettin geboren und
starb in Petersburg. Seit 1776 war sie die zweite
Frau des Großfürsten Pavel Petrovič, des späteren Kaisers Pavel I., und somit seit 1796 Kaiserin von Rußland. 1797 übernahm sie die Leitung aller Bildungsstätten und war wegen ihrer
intensiven Wohltätigkeitsarbeit besonders berühmt. Unter ihrer Schirmherrschaft wurden
mehrere Lehranstalten für Mädchen gegründet,
und zwar in Petersburg, Moskau, Char'kov,
Simbirsk und anderen Städten.   GP

11

GEORG DAWE (?)

11
Porträt des Großfürsten Nikolaj Pavlovič, nach 1820

Öl auf Leinwand, 77 x 61,5 cm
Inv.-Nr. ЭРЖ-620
Herkunft: 1941 aus dem Staatlichen Museum für Ethnographie der Völker der UdSSR, Leningrad; früher befand sich das Bild im Winterpalast

Nikolaj Pavlovič (1796–1855) war der Sohn Kaiser Pavels I. und der Kaiserin Marija Fedorovna und wurde 1825 selbst Kaiser von Rußland. Seit 1802 wurde er von General M. I. Lansdorf [Lambsdorff] erzogen, ein Mann strengen Charakters, der seinen Schüler sogar körperlich züchtigte. Weitere Lehrer waren aber auch bekannte Gelehrte und Fachleute, wie der Verleger, Historiker und Universalgelehrte F. P. Adelung; der Rektor der Sankt-Petersburger Universität, M. A. Balug'janskij; und der Wirtschaftswissenschaftler A. K. Štork [Storck], der seinen Schüler mit den Ideen von Adam Smith vertraut machte. Der junge Großfürst interessierte sich allerdings vor allem für militärische Dinge. 1817 heiratete er die Tochter des preußischen Königs Friedrich-Wilhelm III., Friederike-Louise-Charlotte, die nach ihrer Konversion zum orthodoxen Glauben den Namen Aleksandra Fedorovna (1798–1860) annahm. Großfürst Nikolaj Pavlovič wurde 1817 Generalinspekteur der Ingenieur-Truppen der russischen Armee und Kommandeur der Garde-Division. Auf seine Initiative hin wurden für die Ingenieur-Abteilungen Rotten- und Bataillons-Schulen eingerichtet und 1819 sogar eine Haupt-Ingenieur-Schule. 1819 teilte Kaiser Aleksandr I. seinem Bruder Nikolaj Pavlovič in einem vertraulichen Gespräch mit, daß er sich zurückziehen wolle und somit der Thron Rußlands dem jüngsten Bruder zufallen würde. (Der dritte Sohn Kaiser Pavels I., der Großfürst Konstantin Pavlovič, hatte dem Thron bereits entsagt.) Deshalb signierte Aleksandr I. 1823 ein entsprechendes Schreiben, das aber erst nach seinem Tode veröffentlicht wurde. Nachdem Konstantin Pavlovič erneut seinen Thronverzicht bestätigt hatte, erließ Nikolaj Pavlovič, nun Kaiser Nikolaj I., am 12. Dezember 1825 das Manifest seiner Thronbesteigung.   AP

AUGUST JOSEPH I. DESARNOD
[Avgust Osipovič Dezarno d. Ä.]
Frankreich 1788–1840 Petersburg

Maler, Radierer, Lithograph, besonders von Schlachten und Porträts. Er lernte in Paris bei A. J. Gros, war dann Offizier in der Grand Armée Napoleons, fiel aber 1812 in russische Kriegsgefangenschaft und blieb seitdem in Rußland. 1815 erhielt er die Ernennung zum »Ap-

probierten«, 1827 zum Mitglied der Petersburger Kunstakademie. Vor allem malte er Schlachtenbilder mit Szenen aus dem Vaterländischen Krieg von 1812 und Uniformen der Garde-Regimenter. 1829/30 begleitete er die Truppen von I. I. Dibič-Zabalkanskij [Diebitsch dem Balkanbezwinger] in die Türkei und gab nach seiner Rückkehr ein Album mit Darstellungen der dortigen Schlachten heraus.

12
Der Angriff der Kavallerie F. P. Uvarovs in der Schlacht von Borodino, nach 1812

Öl auf Leinwand, 105 x 141 cm
Inv.-Nr. ЭРЖ-2217
Herkunft: 1953 aus dem Staatlichen Russischen Museum, Leningrad; davor befand sich das Gemälde schon einmal in der Staatlichen Ermitage
Literatur: 132 (S. 20, 21); 49 (Nr. 54)   AP

C. D. Friedrich, Auf dem Segelboot, 1819. Kat.-Nr. 13

S. F. Galaktionov, Ansicht der Petersburger Schleiffabrik, 1808. Kat.-Nr. 14

CASPAR DAVID FRIEDRICH
Greifswald 1774–1840 Dresden

Studierte 1774–1798 an der Akademie der Künste zu Kopenhagen. Seit 1798 lebte und arbeitete er in Dresden und verließ diese Stadt lediglich, um einige Reisen nach Süd- oder Norddeutschland zu unternehmen.

13 FARBTAFEL S. 148
Auf dem Segelboot

Öl auf Leinwand, 71 x 56 cm
Inv.-Nr. ГЭ-9773
Herkunft: 1945 aus dem Zentraldepot des Museums-Fundus in Pavlovsk. Bis 1941 befand sich das Bild in Peterhof. Es wurde 1820 von Großfürst Nikolaj Pavlovič (seit 1825 Kaiser Nikolaj I.) bei einem Atelierbesuch in Dresden erworben.
Ausstellungen: 1965 Berlin, Deutsche Romantik, Nr. 62; 1974 Leningrad, Kaspar David Friedrich i romantičeskaja živopis' ego vremeni, Nr. 1; 1974 Hamburg, K. D. Friedrich 1774–1840, Nr. 139; 1974 Dresden, C. D. Friedrich und sein Kreis, Nr. 26; 1976/77 Paris, La peinture allemande à l'époque du Romantisme, Nr. 66; 1978 Tokyo, C. D. Friedrich und sein Kreis, Nr. 12; 1980 Oslo, Dahls Dresden, Nr. 155; 1981 Stockholm, Romantiken i Dresden – C. D. Friedrich och hans samtida 1800–1850, Nr. 74; 1985 München, Deutsche Romantiker – Bildthemen der Zeit von 1800 bis 1850, Nr. 100; 1985 Moskau, Mir romantisma; 1987 Hamburg, Deutsche Malerei aus der Ermitage, S. 32
Literatur: B. Asvarishch, Caspar David Friedrich, Leningrad 1985; H. Börsch-Supan, Caspar David Friedrich, München 1983, Nr. 256; Gosudarstvennyj Ėrmitaž – Zapadnoevropejskaja živopis', Katalog, Bd. 2, Leningrad 1981, S. 225

In der bedeutenden Sammlung deutscher Malerei des 19. Jahrhunderts in der Ermitage befinden sich neun Gemälde von Caspar David Friedrich. Die meisten von ihnen kamen durch V. A. Žukovskij nach Petersburg, der über viele Jahre hin, bis zu des Künstlers Tod, mit ihm befreundet war. 1821 besuchte der russische Dichter und Übersetzer zum ersten Mal die Werkstatt Friedrichs. Er schätzte das Werk des deutschen Romantikers, der ihm geistig sehr verwandt erschien, außerordentlich. Deshalb kaufte Žukovskij nicht nur für sich Arbeiten des Künstlers, sondern vermittelte einige auch an den russischen Hof. (Schließlich war Žukovskij der Russischlehrer der Frau Kaiser Nikolajs I. und der Erzieher des Thronfolgers.) Für Frie-

drich wurde diese Verbindung allmählich immer bedeutender: In dem Maße, wie das Interesse für die Romantik in Deutschland langsam abnahm – und in solchem Zusammenhang auch die Bilder dieses Künstlers das Publikum nicht mehr interessierten – wurden die Ankäufe des russischen Hofes und die ihm von Petersburg aus gezahlte monatliche Rente (die wiederum auf eine Initiative Žukovskijs zurückging), zur wichtigsten Grundlage für die Existenz seiner Familie.
Das Gemälde entstand kurz nach der Heirat des Künstlers und der anschließenden Reise, die er im Sommer 1818 mit seiner Frau in seine Geburtsstadt Greifswald sowie auf die Insel Rügen unternommen hatte. Man nimmt daher an, daß es sich bei den Personen, die Hand in Hand am Bug des Schiffes sitzen, das dem in der Ferne auftauchenden Ufer zustrebt, wohl um Portraits von Friedrich und seiner Frau handelt. BIA

STEPAN FILIPPOVIČ GALAKTIONOV
Petersburg 1779–1854 Petersburg

Stecher, Lithograph, Zeichner und Maler: als Porträtist, Landschafter und Illustrator. Als Sohn eines Beamten geboren, trat er 1785 in die Petersburger Kunstakademie ein und studierte Malerei bei M. M. Ivanov und S. F. Ščedrin; Graphik jedoch bei S. F. Ivanov und I. S. Klauber. Seit 1806 arbeitete er als »Approbierter« in der Akademie und wurde 1808 zum Mitglied der Akademie gewählt. Von 1831 an unterrichtete er in der Klasse für Stiche. 1851 erhielt er die Berufung zum »Professor für Kupferstich«. Als einer der ersten in Rußland arbeitete er auch Lithographien. Bekannt wurde er durch seine Stiche mit Ansichten von Petersburg und dessen Umgebung sowie einer Reihe anderer russischer Städte; auch durch Illustrationen zu den Werken von A. Puškin, N. Gnedič, I. Krylov, F. Bulgarin und anderen.

14 FARBTAFEL S. 149
Ansicht der Petersburger Schleiffabrik, 1808

Öl auf Leinwand, 95 x 109,5 cm
Auf der Rückseite eigenhändige Aufschrift
Staatliches Russisches Museum, Leningrad
Inv.-Nr. Ж-3251
Herkunft: 1897 aus der Akademie der Künste
Literatur: 40 (S. 133, 134, 138); 54 (S. 90, Nr. 1349)

Für dieses Gemälde erhielt Galaktionov im Jahre 1808 den Ruf zum Mitglied der Akademie. Das Gebäude der Schleiffabrik in Peterhof (bei Petersburg) wurde 1777 nach Plänen des Architekten Ju. M. Fel'ten errichtet und dann im Laufe des 19. und 20. Jahrhunderts mehrfach umgebaut. Hier wurden Steinplatten und Blöcke geschliffen, aber auch Gegenstände der angewandten Kunst hergestellt. BK

FRANÇOIS GERARD (?)
Rom 1770 – 1837 Paris

Maler und Graphiker, vor allem Porträtist. Studierte bei dem französischen Bildhauer Augustin Pajou (1730–1809) und bei Jacques-Louis David (1748–1825). Seit 1795 stellte er im Pariser Salon aus. Außer den von ihm bekannten Porträts malte er auch eine Anzahl mythologischer und historischer Bilder.

15
Porträt des Kaisers Aleksandr I., nach 1810

Öl auf Leinwand, 244 x 164 cm
Inv.-Nr. ЭРЖ-П-686
Herkunft: Alter Bestand der Sammlung der Staatlichen Ermitage

Aleksandr I. (1777–1825), der älteste Sohn Pavels I., war seit 1793 mit der Prinzessin Louise-Maria-Auguste von Baden verheiratet, die nach ihrer Konversion zum orthodoxen Glauben den Namen Elizaveta Alekseevna trug. Am 12. März 1801 bestieg Aleksandr nach der Ermordung seines Vaters den Thron des rußländischen Kaiserreiches. Er führte eine Reihe von Reformen innerhalb der staatlichen Verwaltung durch, gründete den Staatsrat und gestaltete den Senat sowie zahlreiche Ministerien um.

15

16

1801 erließ er einen Erlaß, der es den Gutsbesitzern erlaubte, ihre leibeigenen Bauern gegen eine Freikaufsumme aus der Bindung an die Scholle zu entlassen. Der Kaiser stand sogar liberalen Ideen einer allgemeinen Bauernbefreiung aus der Leibeigenschaft nahe, vermochte sie jedoch nicht durchzuführen. Während seiner Herrschaft wurden in Petersburg die Universität, das Ingenieur-Corps für Verkehrswege, das Lyzeum von Carskoe Selo, die Geistliche Akademie, die Öffentliche Bibliothek und einige weitere Bildungseinrichtungen gegründet. Auch in der Außenpolitik wurde Aleksandr I. aktiv. Die Machterweiterung und die Eroberungspläne Napoleons zwangen ihn zur Teilnahme an der antinapoleonischen Koalition und den Feldzügen von 1805 bis 1807. Während des Vaterländischen Krieges von 1812 war Aleksandr I. allerdings nur zu Beginn der Kampfhandlungen bei der russischen Armee. Danach reiste er nach Petersburg, wo er bis zur Vertreibung Napoleons aus Rußland blieb. Da-

gegen beteiligte er sich persönlich an den ausländischen Feldzügen 1813/14 und nahm am Wiener Kongreß teil, auf dem er zum Initiator der »Heiligen Allianz« wurde. In seinen letzten Lebensjahren verstärkten sich bei ihm allerdings reaktionäre Tendenzen, sowohl in der Innen- als auch in der Außenpolitik. Er starb in Taganrog, wohin er die Kaiserin Elizaveta Alekseevna zu einem Kuraufenthalt begleitet hatte. AP

JAN GLADYSZ
Posen 1762 – 1830 Warschau

Polnischer Maler und Porträtist. Er studierte in Dresden und Paris, arbeitete ab 1811 in Warschau und seit Anfang des 19. Jahrhunderts in Petersburg.

16
Porträt F. F. Šubert, 1806

Öl auf Leinwand, 63,5 x 48,5 cm
Inv.-Nr. ЭРЖ-151
Herkunft: 1941 aus dem Staatlichen Museum für Ethnographie der Völker der UdSSR, Leningrad
Literatur: 48 (S. 320–335); 49 (Nr. 36)

Fedor Fedorovič Šubert [Schubert] (1789–1865) war General der Infanterie, Kartograph und

17

PETER VON HESS

Düsseldorf 1792–1871 München

Sohn des Mitgliedes der Akademie F. I. Šubert. Er diente als Leutnant im Generalstab und nahm schon 1805, zusammen mit seinem Vater, an der diplomatischen Mission des Grafen Ju. A. Golovkin nach China teil. Nach seiner Rückkehr nach Petersburg beteiligte er sich 1807 am Feldzug gegen Napoleon, wurde in dem Treffen bei Preußisch Eylau schwer verwundet und mit dem Orden des heiligen Vladimir ausgezeichnet. Šubert nahm auch am Russisch-Türkischen Krieg von 1806 bis 1812 teil, ferner am Vaterländischen Krieg gegen die französischen Invasoren 1812 und den nachfolgenden Auslandsfeldzügen 1813/14. Seit 1822 war er Leiter des Corps der Militärtopographen und des sogenannten »Hydrographischen Depots«. Er wirkte bei einer Reihe astronomischer und geodetischer Arbeiten mit und veröffentlichte etliche wissenschaftliche Werke zu diesen Fragen.   AP

Peter von Hess war ein Schüler seines Vaters, des Graveurs K. E. H. Hess. 1808 studierte er an der Münchener Kunstakademie. Während der Kämpfe gegen Napoleon durfte er, im Gefolge des Fürsten Wrede, die militärischen Aktionen beobachten. 1817/18 und 1830 reiste er nach Italien; 1833, im Auftrag des neu ernannten griechischen Königs Otto (eines Wittelsbachers) nach Griechenland. Sonst arbeitete er meist in München und wurde zu einem der bekanntesten Schlachtenmaler seiner Zeit.

17
Die Schlacht bei Smolensk am 5. September 1812

Öl auf Leinwand, 224 x 356 cm
Bezeichnet und datiert unten rechts
Inv.-Nr. ГЭ-5905

Napoleon hielt diese Schlacht, zu der er den Gegner am 5. und 6. September 1812 gezwungen hatte, für besonders wichtig, weil er annahm, daß ihr Ausgang über den weiteren Verlauf seines gesamten Feldzuges entscheiden würde. Doch die Verteidigung der Stadt war lediglich eine unbedeutende Routine-Aktion während des Rückzuges der russischen Streitkräfte.

In der Gruppe der Generäle, die in der Bildkomposition durch den vereinzelten Baum vertikal unterteilt wird, befinden sich unter anderem der Kommandeur der I. Armee, M. B. Barclay de Tolly (sitzend), sein Stabschef A. P. Ermolov (mit der Karte), der Kosakengeneral M. I. Platov und General N. N. Raevskij.   BIA

18

18
Die Schlacht bei Tarutino
am 6. Oktober 1812, 1847

Öl auf Leinwand, 220 x 353 cm
Bezeichnet und datiert unten rechts
Inv.-Nr. ГЭ-5909
Herkunft: Alter Bestand der Sammlung der
Staatlichen Ermitage
Literatur: 13; B. Reinhardt, Der Münchner
Schlachten- und Genremaler Peter von Hess,
in: Oberbayerisches Archiv, Bd. 102, 1977, Nr.
101, 102

Am 2. September gaben die russischen Truppen
Moskau auf und bezogen am 21. September
1812 etwa 80 km südlich bei Tarutino erneut
Stellung, um die noch nicht zerstörten, reichen
und fruchtbaren (und damit für die Versorgung
der Invasoren so eminent wichtigen) südlichen
Gebiete vor dem Einfall der Franzosen zu
schützen. Als diese trotzdem nach Südrußland
vorzudringen versuchten, wurde die Vorhut
Murats am 6. Oktober bei Tarutino vernich-

tend geschlagen, was mit den Ausschlag dazu
gab, daß sich Napoleon aus Moskau zurückzog.
Dargestellt ist die entscheidende Gefechts-Phase
nach dem Angriff der zehn Kosaken-
Regimenter unter dem Kommando von V. V.
Orlov-Denisov. Links sieht man unter den Bäumen General L. L. Benningsen in Begleitung
seines Stabes. Zu ihm eilt V. V. Orlov-Denisov
auf einem grauen Pferd.
Am Ende der 30er Jahre des 19. Jahrhunderts
feierte man in Rußland das 25jährige Jubiläum
der Vertreibung und Niederwerfung Napoleons. In diesem Zusammenhang wurde beschlossen, eine Galerie des Winterpalastes mit Darstellungen der wichtigsten Schlachten des Vaterländischen Krieges auszuschmücken. Kaiser
Nikolajs I. Vorliebe für die zeitgenössische
Kunst bezog sich vor allem auf die Malerei in
Berlin und München. Deshalb fand er unter
den russischen Malern niemanden, der seiner
Ansicht nach eine solche verantwortungsvolle
Aufgabe hätte übernehmen können. Die bedeutendsten Schlachtenmaler waren damals zwar
Franzosen; aber es wäre taktlos gewesen, gerade

sie aufzufordern, jene Gefechte darzustellen, in
denen ihre Landsleute unterlegen waren. Daher
wurde Hess an den Arbeiten für die Galerie beteiligt, da Nikolaj I. 1838 bei einem Besuch in
München Arbeiten von ihm gesehen hatte.
1839 wurde der Künstler nach Rußland eingeladen, hatte dort die Möglichkeit, die Schlachtfel-
der zu besuchen, notwendiges Material zu sammeln, die erforderlichen Studien anzufertigen
und genaue topographische Aufnahmen vor
Ort zu machen. So wurde es ihm möglich, vergangene Ereignisse, deren Augenzeuge er nicht
sein konnte, wahrheitsgetreu wiederzugeben.
Jedes dieser Bilder hat die Überzeugungskraft
eines historischen Dokumentes (z. B. durch die
präzise Wiedergabe der Stadtansicht von Smolensk).
Im Oktober 1839 präsentierte Hess in Petersburg dem Kaiser seine Skizzen. Nach dessen Be-
gutachtung und Billigung wurde ein offizieller
Vertrag geschlossen: Der Künstler verpflichtete
sich, acht große Kompositionen im Laufe von
sieben Jahren fertigzustellen. Dafür erhielt er
monatlich 217 Červoncen, insgesamt also

20

19.200 Červoncen (1 Goldčervonce entsprach 3 Rubeln). Da man von ihm jedoch absolute Genauigkeit, auch in den kleinsten Details, forderte (vor allem bei der Darstellung der Uniformen), konnte er die Arbeit nicht in der vereinbarten Zeit fertigstellen. Weil er 1847 außerdem vorgeschlagen hatte, noch vier weitere Bilder kleineren Formates (für weitere 6.000 Červoncen) zu malen, konnte die gesamte Serie von 12 Gemälden erst 1842 bis 1856 ausgeführt werden. Später stützte er sich immer wieder dann auf diese Werke, wenn er historische oder volkstümliche Abhandlungen über den Vaterländischen Krieg zu illustrieren hatte.   BIA

KARL-FRIEDRICH KNAPPE
[Karl Ivanovič]
Petersburg 1745 –1808 Petersburg

Der deutschstämmige Maler unterrichtete an der Petersburger Kunstakademie »Pflanzen- und Blumenmalerei«. 1773 zum »approbierten« Maler berufen, wurde er 1774 Mitglied und 1785 Rat der Akademie. 1795 wurde er jedoch wegen der Auflösung der Klasse für Tier- und Vogelmalerei entlassen.

19   FARBTAFEL S. 156

In der Umgebung von Petersburg, 1799

Öl auf Karton, 36,5 x 62,5 cm
Inv.-Nr. ЭРЖ-1912
Herkunft: 1941 aus dem Staatlichen Museum für Ethnographie der Völker der UdSSR, Leningrad; stammt ursprünglich aus der Sammlung der Grafen Ferzen

Die Umgebung der Hauptstadt nahe der Fontanka, die bis zum Ende des 18. Jahrhunderts die Stadtgrenze bildete. Im Vordergrund sieht man am Ufer private Häuser und eine Brücke; dazu charakteristische Genreszenen: einen Wächter neben seinem Schilderhaus und einen Stutzer, der in einer leichten Equipage mit einem Lakaien auf dem Wagentritt vorbeifährt.
IK

20

Die Symeons-Brücke über die Fontanka, ca. 1799

Öl auf Karton, 35,8 x 61,5 cm
Inv.-Nr. ЭРЖ-1911
Herkunft: 1941 aus dem Staatlichen Museum für Ethnographie der Völker der UdSSR, Leningrad; stammt ursprünglich aus der Sammlung der Grafen Ferzen

Dargestellt ist eine (heute nicht mehr erhaltene) der sieben dreibögigen steinernen Brücken über die Fontanka, die in den Jahren 1785 bis 1788 errichtet worden sind. Rechts steht die Kirche der heiligen Symeon und Anna (1731–1734 von dem Architekten M. G. Zemcov erbaut), nach der die Brücke genannt wurde. Im Vordergrund sieht man Genre-Szenen und Typen städtischer Bewohner. IK

21

21
Der Senatsplatz, 1799

Öl auf Karton, 36,5 x 62 cm
Bezeichnet unten rechts
Inv.-Nr. ЭРЖ-1910
Herkunft: 1941 aus dem Staatlichen Museum für Ethnographie der Völker der UdSSR, Leningrad; stammt ursprünglich aus der Sammlung der Grafen Ferzen

Dargestellt ist das berühmte Denkmal für Petr I., der »Eherne Reiter«, das 1768–1779 nach dem Entwurf des französischen Bildhauers E.-M. Falconet errichtet und 1782 enthüllt worden ist. Unser Bild zeigt das Denkmal vor der Seitenfassade des Barockpalastes des Kanzlers A. P. Bestužev-Rjumin. Zum Zeitpunkt der Denkmals-Enthüllung wurde das Gebäude – unter der Leitung des Architekten I. E. Starov – als Sitz des Senats umgestaltet (ab 1780). Rechts, zur Neva hin, steht das Gebäude der Kunstakademie, das die Architekten A. F. Kokornikov und J.-B. Vallin de la Mothe 1764–1788 erbaut haben. IK

22
Wachposten vor der Stadtgrenze von Petersburg, 1799

Öl auf Karton, 36,5 x 62,5 cm
Bezeichnet und datiert unten rechts
Inv.-Nr. ЭРЖ-1909
Herkunft: 1941 aus dem Staatlichen Museum für Ethnographie der Völker der UdSSR, Leningrad; stammt ursprünglich aus der Sammlung der Grafen Ferzen

Dargestellt ist ein Tor mit dem Staatswappen, dem doppelköpfigen Adler und vier klassizistischen Vasen auf der Attika. Der Schlagbaum wird hochgezogen. Von beiden Seiten nähern sich Kutschen, die auf Winterkufen montiert sind. Links steht ein klassizistischer Pavillon mit einem Belvedere. Das gezeigte Tor ist nicht zu identifizieren. IK

K.-F. Knappe, In der Umgebung von Petersburg, 1799. Kat.-Nr. 19

J. Kreutzinger, Porträt des Feldmarschalls A. V. Suvorov, 1799. Kat.-Nr. 24

EVGRAF FEODOROVIČ KRENDOVSKIJ

Arzamas 1810 – nach 1854 (Dorf im Gebiet von Izmailovo, Kreis Arzamas, Gouvernement von Nižnij Novgorod)

Maler und Ikonenmaler; Aquarellist und Miniaturist. Erhielt seine erste künstlerische Ausbildung in der Malschule A. V. Stupins zu Arzamas, lernte danach 1830–1835 bei A. G. Venecianov und ebenfalls in den Zeichenklassen der Petersburger Kunstakademie. Zusammen mit anderen Schülern Venecianovs malte er Innenräume im Winterpalast und in der Ermitage aus. Mit seinen realistischen Schilderungen wurde Krendovskij zum Nachfolger seines Lehrers. 1839 erhielt er den Titel eines »Freien Künstlers für Porträt- und Miniaturmalerei«.

23 FARBTAFEL IV

Ansicht des Thronsaales der Kaiserin Marija Fedorovna im Winterpalast, um 1831

Öl auf Leinwand, 91,5 x 120 cm
Inv.-Nr. ЭРЖ-2435
Herkunft: 1956 aus dem Zentraldepot der Palastmuseen in der Umgebung von Leningrad; früher befand sich das Bild im Ekaterinenpalast bzw. im Aleksandr-Palast in Carskoe Selo
Ausstellungen: 1985 Leningrad, Inter'er v russkoj živopisi, Nr. 11
Literatur: 5 (S. 236); 124 (S. 31); 147 (Bd. XI, S. 190–197)

Die künstlerische Ausgestaltung des Thronsaales der verwitweten Kaiserin Marija Fedorovna (1759–1829) wurde, nach Entwürfen des Architekten Auguste Montferrand, 1817/1828 vorgenommen. Das Deckengemälde wurde von

Giovanni-Battista [Ivan Karlovič] Scotti (1776–1830) entworfen. Die Modellierarbeiten stammen von dem heimischen Bildhauer Stepan Stepanovič Pimenov (1784–1833). Die silbernen Leuchter entstanden in der Petersburger Werkstatt von I. V. Buch. Die Wände sind mit rotem Samt bespannt, mit Adlern aus vergoldetem Silber geschmückt. Rechts vorn und im Hintergrund halblinks sieht man einige Offiziere und Soldaten der Hofgrenadierkompanie, links vorn einen Kammerfourier und einen Lakaien in ihren typischen Uniformen. Die gezeigte Innenausstattung des Saales ist heute nicht mehr erhalten. AP

JOSEPH KREUTZINGER
Wien 1757–1829 Wien

Wiener Maler, Graveur und Miniaturist. Hofkünstler des österreichischen Kaisers Franz I. Arbeitete in Wien und München, besonders als Porträtmaler, und kam 1793 nach Petersburg.

24 FARBTAFEL S. 157

Porträt des Feldmarschalls A. V. Suvorov, 1799

Öl auf Leinwand, 40 x 32,5 cm
Inv.-Nr. ЭРЖ-1916
Herkunft: 1949 durch die Aufkaufs-Kommission der Staatlichen Ermitage erworben. Mitte des 19. Jahrhunderts befand sich das Bild in der Sammlung des Fürsten M. A. Obolenskij.
Ausstellungen: 1905 Petersburg, Nr. 1998
Literatur: 150 (S. 60–62, 162); 49 (Nr. 26)

Aleksandr Vasil'evič Suvorov (1730–1800), Graf von Rîmnic, Fürst von Italien, Generalissimus der russischen Armee, war der mächtigste russische Feldherr des ausgehenden 18. Jahrhunderts. Er begann seinen Dienst im Jahre 1742 als Musketier des Leib-Garde-Regiments »Semenovo« und nahm am Siebenjährigen, sowie am Russisch-Türkischen Krieg teil. 1774 wurde er Generalleutnant, 1786 General-en-Chef, 1794 Generalfeldmarschall. 1795 vollendete er sein Buch »Die Wissenschaft zu siegen [Nauka pobeždat']«. 1796 wurde er in den Ruhestand versetzt und auf sein heimisches Gut Končanskoe im Gouvernement von Novgorod verbannt, da er es gewagt hatte, die von Kaiser Pavel I. zwangsweise in die Armee eingeführte »preußische« Ordnung zu kritisieren. 1799 wurde er jedoch wiederum für die Feldzüge in

Italien und in der Schweiz (Überquerung des Großen St.-Bernhard) reaktiviert und zum Oberkommandierenden ernannt. Suvorov war Ritter sämtlicher rußländischer und einer Vielzahl ausländischer Orden. Er starb in Petersburg. IK

NIKIFOR STEPANOVIČ KRYLOV
Kaljazin (?) 1802–1831 Petersburg

Maler und Ikonenmaler, vor allem Porträtist und Landschafter. Stammt aus einer kleinbürgerlichen Familie im Gouvernement Tver' (heute: Kalinin). Lernte und arbeitete in umherziehenden Malergruppen. Seit 1825 Schüler von A. G. Venecianov in Petersburg. Besuchte dort als Externer die Zeichenklassen der Kunstakademie. 1830 erhielt er den Titel eines »approbierten Malers« und malte im gleichen Jahr ein Porträt des Bildhauers I. I. Martos. Wurde daraufhin zum Mitglied der Akademie berufen und starb an der Cholera.

25 FARBTAFEL S. 161

Porträt des Grafen V. S. Apraksin, 1829

Öl auf Leinwand, 118 x 98 cm
Bezeichnet und datiert unten rechts
Inv.-Nr. ЭРЖ-2477
Herkunft: 1958 aus dem Palastmuseum von Pavlovsk; stammt ursprünglich aus dem Museum des Leib-Garde-Kavallerie-Regiments
Ausstellungen: 1989 Athen, Nr. 3
Literatur: 135 (Nr. 118); 5 (S. 153–160); 49 (Nr. 65)

Vladimir Stepanovič Apraksin (1796–1833) war Oberst des Leib-Garde-Kavallerie-Regimentes und Teilnehmer des Vaterländischen Krieges von 1812 und der 1813/14 nachfolgenden Feldzüge in Mittel- und Westeuropa. IK

GERHARD VON KÜGELGEN
Bacharach 1772–1820 Dresden

Schüler von Januarius Zick (1730–1797) in Koblenz und Christian Schütz in Frankfurt a. M., der erst in Deutschland und dann in Petersburg vor allem als Porträtmaler arbeitete. 1795 kam er nach Riga, 1798 nach Petersburg, wo er Hofmaler Pavels I. wurde. 1804 kehrte Kügelgen nach Deutschland zurück, wo er im Jahre 1813 Professor an der Dresdener Akademie der Künste wurde.

26   FARBTAFEL S. 162
Kaiser Pavel I. mit seiner Familie, 1800

Öl auf Leinwand, 146 x 215 cm
Bezeichnet und datiert unten links
Inv.-Nr. ЦХ-3589-III
Herkunft: Alter Bestand des Schloßmuseums von Pavlovsk
Ausstellungen: 1902 St.-Petersburg, Katalog S. 58, 59, Nr. 115; 1905 St.-Petersburg, Nr. 272
Literatur: E. R. Jazvinskaja, K istorii gruppovogo portreta sem'i Pavla I. v Pavlovskom dvorce, in: Pamjatniki kul'tury – Novye otkrytija 1981, Leningrad 1983, S. 284; T. A. Ilatovskaja, Rusinki brat'ev Kjugel'chen v sobranii Ėrmitaža, in: Zapadnoevropejskaja grafika XV–XX vekov, Leningrad 1985, S. 125

Von links nach rechts sind hier dargestellt: Großfürst Aleksandr Pavlovič, der spätere Kaiser Aleksandr I., in der Uniform des Leib-Garde-Regiments »Semenovo«, der sich an ein Piedestal mit der Büste Petrs I. lehnt; neben ihm sein Bruder, der Großfürst Konstantin Pavlovič in der Uniform des Leib-Garde-Kavallerie-Regimentes; der dritte, wesentlich jüngere Bruder, nämlich der damalige Großfürst Nikolaj Pavlovič (der spätere Kaiser Nikolaj I.) steht im Vordergrund zu Füßen seiner Mutter, der Kaiserin Marija Fedorovna. Hinter der Sitzenden steht die Großfürstin Ekaterina Pavlovna. Im Zentrum der gesamten Komposition mit einer Harfe ihre Schwester, die Großfürstin Marija Pavlovna. Hinter ihr im Schatten der Bäume eine Säule mit einer kleinen Büste der schon im Kindesalter verstorbenen Großfürstin Ol'ga Pavlovna. Weiter nach rechts sehen wir als nächste – an die Knie ihres Vaters, Kaiser Pavels I. (in der Uniform des Leib-Garde-Regiments Preobraženskoe gekleidet), gelehnt – die jüngste Tochter des Kaiserpaares,

die Großfürstin Anna Pavlovna. Neben dem roten Sessel, in dem der Kaiser sitzt, ist noch ein kleines Kind zu sehen: der Großfürst Michail Pavlovič, der jüngste der vier Kaisersöhne. Am rechten Bildrand stehen – zärtlich umschlungen – die Großfürstinnen Aleksandra Pavlovna und Elena Pavlovna.

Die weiblichen Personen wurden hier offenbar vom Maler so weitgehend idealisiert, daß man nicht mehr von Porträtähnlichkeit sprechen kann. Deshalb sind manche kaum sicher zu identifizieren. So hat beispielsweise N. Vrangel' 1905, bei seiner Beschreibung für die Ausstellung »150 Jahre russische Porträtmalerei«, die im Zentrum des Bildes Harfe Spielende als Großfürstin Elena Pavlovna und die am rechten Bildrand als Großfürstinnen Elizaveta Alekseevna und Anna Fedorovna, Nichten des Kaisers, benannt.

1983 hat andererseits E. R. Jazvinskij in seiner Publikation zur Geschichte dieses Porträts geäußert, daß (im Gegensatz zu der Meinung N. F. Findejzens aus den 20er Jahren dieses Jahrhunderts) an der Harfe nicht die Großfürstin Elizaveta Alekseevna, sondern die Großfürstin Ekaterina Pavlovna dargestellt sei.

Offenbar ist aber die zuerst wiedergegebene traditionelle Beschreibung der Personen richtig. Zählt man sie also ihrem Alter nach auf, dann handelt es sich um folgende Personen, die die europäischen Beziehungen – besonders zu deutschen Herrscherhäusern – verkörpern:

1. Pavel I. (1754–1801), der Sohn Kaiser Petrs III. und Ekaterinas II. Er heiratete 1773 in erster Ehe die Prinzessin Augustine-Wilhelmine von Hessen-Darmstadt (1755–1773), die bei ihrem Übertritt zum orthodoxen Glauben den Namen einer Großfürstin Natal'ja Alekseevna annahm. 1776 ging der nun verwitwete Großfürst eine zweite Ehe mit der Prinzessin Sophie-Dorothea von Württemberg ein, die nach ihrer Konversion den Namen Marija Fedorovna annahm. 1796 wurde Pavel I. Kaiser von Rußland und bereits fünf Jahre später, bei einer Palastrevolution, ermordet.
2. Marija Fedorovna (1759–1828) (siehe oben).
3. Aleksandr Pavlovič (1777–1825) (siehe Kat.-Nr. 15).
4. Konstantin Pavlovič (1779–1831), der zweite Sohn Pavels I. Von 1796 bis 1820 war er mit der Herzogin Juliane-Henriette von Sachsen-Coburg verheiratet, die, konvertiert, den Namen Anna Fedorovna annahm. 1820 heiratete Konstantin die römisch-katholische Polin Joanna Grudzinska, Fürstin von Lowecz, um deretwillen er auf sein Thronfolgerecht zugunsten seines jüngeren Bruders Nikolaj verzichtete. 1816 wurde Konstantin Vizekönig von Polen und Oberkommandierender der polnischen Truppen.

5. Aleksandra Pavlovna (1783–1801) war die älteste Tochter Pavels I. und heiratete 1799 Erzherzog Joseph von Österreich.
6. Elena Pavlovna (1784–1803) heiratete 1799 den Prinzen Friedrich von Mecklenburg-Schwerin.
7. Marija Pavlovna (1786–1859) heiratete 1804 den Großherzog Karl Friedrich von Sachsen-Weimar.
8. Ekaterina Pavlovna (1788–1819) war die Lieblingsschwester Aleksandrs I. und wurde Herzogin von Oldenburg. Sie heiratete 1809 den Prinzen Georg von Holstein-Oldenburg, der Generalgouverneur von Tver', Novgorod und Jaroslavl' war. 1812 verwitwete sie. 1816 heiratete die Großfürstin ein zweites Mal, und zwar den Erbprinzen von Württemberg. Aus der ersten Ehe hatte sie bereits zwei Söhne, aus der zweiten zwei Töchter. Lange Zeit lebte das Andenken an ihre große Wohltätigkeit in Württemberg weiter; eine der ältesten russischen Kirchen auf deutschem Boden ist die ihr 1820/24 errichtete Grabkapelle auf dem Rotenberg bei Untertürkheim.
9. Ol'ga Pavlovna (1792–1795).
10. Anna Pavlovna (1795–1865) heiratete 1816 den damaligen Prinzen Willem von Oranien, den späteren König der Niederlande.
11. Nikolaj Pavlovič (1796–1855) (siehe Kat.-Nr. 11).
12. Michail Pavlovič (1798–1848) war der jüngste Sohn Pavels I. 1824 heiratete er die Prinzessin Friederike-Charlotte-Maria von Württemberg, die nach ihrer Konversion den Namen Elena Pavlovna annahm. Seit 1828 residierte das Paar in Pavlovsk.

Kügelgen arbeitete 1799/1800 an diesem Gruppenporträt. In der Ermitage findet man Vorzeichnungen und Detailstudien zu dem Gemälde (Inv.-Nr. 40419). Eine der endgültigen Komposition sehr nahe kommende Fassung wurde 1911 in Riga ausgestellt, ist heute aber verschollen. Das Gruppenporträt war für die privaten Gemächer des Kaisers in Pavlovsk bestimmt.

IS

27

ADOLPHE LADURNER
[Adolf Ignat'evič]
Paris 1798–1856 Petersburg

Französischer Künstler, vor allem Schlachten-
maler, Schüler von Horace Vernet (1789–1863).
Stellte 1824 und 1827 im Pariser Salon aus und
kam 1830 nach Petersburg, wo er bis zu seinem
Lebensende blieb und Hofkünstler Nikolajs I.
wurde. Außer Schlachtenszenen, Paraden und
Festzügen malte Ladurner auch Porträts und
Genrebilder.

27
Ansicht des Weißen (Wappen-) Saales im Winterpalast, 1838

Öl auf Leinwand, 69 x 96 cm
Bezeichnet unten links
Inv.-Nr. ЭРЖ-2436
Herkunft: 1956 aus dem Zentraldepot der
Schloß-Museen der Umgebung Leningrads; frü-
her befand sich das Bild im Aleksandr-Palais in
Carskoe Selo
Ausstellungen: 1985 Leningrad, Inter'er v russ-
koj živopisi, Nr. 13; 1987 London, Nr. 200;
1989 Paris
Literatur: Ėrmitaž – Istorija i architektura zda-
nija, Leningrad 1974, S. 77; 49 (Nr. 74)

Die innenarchitektonische Gestaltung des
Weißen Saales erfolgte im letzten Viertel des
18. Jahrhunderts nach Entwürfen des Architekten
Ju. M. Fel'ten und ersetzte eine von F. B. Rastrelli entworfene Galerie. Unser Bild zeigt den
Zustand des Saales vor dem großen Brand des
Winterpalastes von 1837, denn nach diesem
wurde der Raum von V. P. Stasov vergrößert
und in seinen Details umgestaltet. »Wappen-
saal« nannte man ihn wegen der in ihm angebrachten Wappen der russischen Gouvernements.
In der Mitte des Bildes steht der Generalfeldmarschall (und seit 1826 Kaiserliche Minister)
Fürst Petr Michajlovič Volkonskij (1776–1852);
vor ihm stehen drei Offiziere, rechts einige Soldaten aus der Palast-Grenadier-Kompanie [Rota
dvorcovych grenader], die durch ihre hohen Bä-
renfellmützen gekennzeichnet sind. Links vor
den Türen zum angrenzenden Saal eine Gruppe
von Hofdamen.   AP

N. S. Krylov, Porträt des Grafen V. S. Apraksin, 1829. Kat.-Nr. 25

G. v. Kügelgen, Kaiser Pavel I. mit seiner Familie, 1800. Kat.-Nr. 26

B. Patersson, Das Neva-Tor der Peter-und-Pauls-Festung und die Anlegestelle des Kommandanten, vor 1797. Kat.-Nr. 32

F. M. Matveev, Ansicht der Umgebung von Bern, 1817. Kat.-Nr. 28

FEDOR MICHAJLOVIČ MATVEEV

Petersburg (?) 1758–1826 Italien

Maler. Einer der bedeutendsten Vertreter der klassizistischen russischen Landschaftsmalerei. Sohn eines Soldaten des Leib-Garde-Izmajlovo-Regimentes. Von 1764 bis 1778 Schüler der Petersburger Kunstakademie. Abschluß mit der Auszeichnung einer Goldmedaille erster Klasse. Seit 1779 als Stipendiat der Akademie im Ausland, vor allem in Italien, wo er bis zum Ende seines Lebens blieb. Er verlor jedoch niemals den Kontakt zu seiner Heimat: 1807 wurde er Mitglied der Petersburger Akademie für Landschaftsmalerei und 1819 ebenfalls Mitglied der St. Lucas-Akademie in Rom.

28
Ansicht der Umgebung von Bern, 1817

Öl auf Leinwand, 111 x 159 cm
Bezeichnet und datiert unten links auf einem Stein
Staatliches Russisches Museum, Leningrad
Inv.-Nr. Ж-6263
Herkunft: 1897 aus der Staatlichen Ermitage, Leningrad
Literatur: 199 (S. 21, Nr. 1598); 40 (S. 278); 177 (S. 10); 215 (S. 180); 54 (S. 201, Nr. 3229)

Das Bild entstand während einer Reise in die Schweiz als klassizistisch stilisierte Naturdarstellung mit einem streng komponierten Aufbau. Ihre ausgewogenen Akzente und die strenge Geometrie, die ihr zugrundeliegen, verleihen ihr den Charakter des Erhabenen. BK

BENOIS CHARLES MITOIRE

17?? – nicht vor 1830

Französischer Maler und Lithograph, besonders Porträtist. Arbeitete seit 1801 in Rußland. 1813 wurde ihm der Titel eines »approbierten Malers« verliehen. Für sein Porträt des Bildhauers F. F. Scedrin wurde er zum Mitglied der Petersburger Kunstakademie berufen.

29
FARBTAFEL III
Porträt der Gräfin Ju. P. Samojlova, nach 1820

Öl auf Leinwand, 103 x 83,5 cm
Inv.-Nr. ЗРЖ-1191
Herkunft: 1941 aus dem Staatlichen Museum für Ethnographie der Völker der UdSSR, Leningrad; früher befand sich das Bild in der Sammlung des Grafen A. A. Bobrinskoj in Petersburg
Ausstellungen: 1905 Petersburg, Kat.-Nr. 1491

Julija Pavlovna Samojlova (1775–1834) war die Tochter des Grafen Pavel Petrovič Palen aus dessen erster Ehe mit der Gräfin Marija Pavlovna Skavronskaja. Julija wurde Hoffräulein und heiratete 1825, bereits fünfzigjährig, den Kaiserlichen Flügel-Adjutanten Graf Nikolaj Aleksandrovič Samojlov. Sie trennte sich aber bald wieder von ihrem Gemahl und lebte auf ihrem Landgut »Slavjanka« bei Petersburg, wo sich um sie die Spitzen der Petersburger Gesellschaft versammelten. Sie war eine bekannte Schönheit, geistreich, liebenswürdig und unabhängig. Sie war eng mit dem Maler K. P. Brjullov befreundet, der sie mehrfach porträtiert hat. Viele Jahre lebte sie in Italien und Frankreich und war mit Komponisten wie Rossini, Bellini und Donicetti befreundet. Sie starb in Paris. IK

ANDREJ FILIPPOVIČ MITROCHIN

Toropec, Gouvernement Pskov 1766 – 1845 Petersburg

Restaurator und Maler, besonders Porträtist. Erlernte die Malerei bei dem Russen G. M. Lochov. Seit 1792 in Petersburg als Lakai im Winterpalast. 1801 wurde er als technischer Restaurator in die Kaiserliche Ermitage übernommen. Von 1816 bis 1845 leitete er die Restaurierungswerkstatt des Museums und unterrichtete dort auch in seinem Fach.

30
ABBILDUNG S. 166
Porträt Kaiser Pavels I., 1797

Öl auf Leinwand, 74 x 60 cm
Bezeichnet auf der Rückseite (jetzt unter der Doublierung)
Inv.-Nr. ЗРЖ-3012

Herkunft: 1983 aus dem A. V. Suvorov-Museum in Leningrad; früher befand sich das Bild in der Sammlung des Museums für Artillerie-Geschichte in Petersburg
Literatur: 128 (S. 31–32)

Zu den biographischen Daten Pavels I. (1754–1801) siehe Kat.-Nr. 26. IK

IOSIF IVANOVIČ OLEŠKEVIČ

Szydlow 1777–1830 Petersburg

Historienmaler und Porträtist. 1798–1802 studierte er an der Universität Wilna bei F. Smugliewicz. Seit 1803 vervollkommnete er seine Kenntnisse in Dresden, danach in Paris bei Jacques-Louis David (1748–1825). Nach seiner Rückkehr lebte er in Wilna [Vil'no] und Pekalov. 1810 siedelte er nach Petersburg über, wo er 1812 Mitglied der Akademie wurde.

31
Porträt M. I. Kutuzov, um 1813/14

Öl auf Leinwand, 142 x 115 cm
Bezeichnet unten rechts auf dem Sessel
Inv.-Nr. ЗРЖ-2229
Herkunft: 1941 aus dem Staatlichen Museum für Ethnographie der Völker der UdSSR, Leningrad; früher befand sich das Bild in der Sammlung des Grafen D. M. Tolstoj
Literatur: 119 (S. 16–18)

Michail Illarionovič Kutuzov [eigentlich: Goleniščev-Kutuzov] (1745–1813), der später den Titel eines Durchlauchtigsten Fürsten von Smolensk erhielt, war der bedeutendste russische Heerführer des Vaterländischen Krieges gegen Napoleon. Er hat das Artillerie-Kadetten-Corps und das der Ingenieurtruppen absolviert und im ersten Russisch-Türkischen Krieg von 1768–1774 an der Schlacht bei Larga und Kagula teilgenommen. 1774 wurde er beim Sturm auf die Festung bei Alušta schwer verwundet und verlor das rechte Auge. 1776 wurde er auf die Krim abkommandiert, wo er zu einem der engsten Mitarbeiter des berühmten A. V. Suvorov aufstieg und den Titel eines Generalmajors erhielt. Auch am zweiten Russisch-Türkischen Krieg von 1787–1791 nahm Kutuzov teil, wurde bei der Belagerung der Festung Očakov 1788

30

erneut schwer verwundet, war aber trotzdem dann an den Angriffen auf Akkerman, Bender und Izmail beteiligt, wo er stets seine herausragenden Führungsqualitäten und seine persönliche Tapferkeit unter Beweis stellte. Nach Abschluß des Friedens von Iaşi [Jassy] wurde Kutuzov als außerordentlicher und bevollmächtigter Gesandter nach Konstantinopel geschickt. Schließlich wurde er General-Gouverneur von Litauen und Petersburg. Da er dem neuen Kaiser Aleksandr I. nicht besonders sympathisch war, wurde er 1802 in den Ruhestand versetzt. 1805, nach dem Ausbruch erneuter Kampfhandlungen gegen Napoleon, wurde Kutuzov aber reaktiviert und an die Spitze der russischen Armee gestellt. Mit ihr zog er nach Bayern, um sich dort mit den österreichischen Truppen zu vereinigen und den Vormarsch Napoleons aufzuhalten. Nach der unglücklich verlaufenen

»Drei-Kaiser-Schlacht« von Austerlitz 1806 wurde Kutuzov auf den Posten eines General-Gouverneurs von Kiev abgeschoben. Doch schon 1811 wurde er erneut Oberkommandierender der russischen Armee und zog an die Donau, wo er wiederum Krieg gegen die Türken führte. Nach einer Reihe erfolgreicher militärischer Aktionen schloß Kutuzov den Frieden von Bukarest, durch den Bessarabien, das heutige Moldawien [Moldavskaja SSR], an Rußland kam. Zur Zeit des Vaterländischen Krieges von 1812 war Kutuzov ebenfalls Oberkommandierender der russischen Armee und erhielt den Titel eines Feldmarschalls. Nach der Vertreibung der Franzosen aus Rußland wurde er zum Fürsten von Smolensk erhoben. Im April 1813 starb er in der schlesischen Stadt Bunzlau; seine sterblichen Überreste wurden nach Petersburg überführt und feierlich im Kazaner Dom beigesetzt.   AP

BENJAMIN PATERSSON
Varberg/Schweden 1750–1815 Petersburg

Schwedischer Maler, Aquarellist und Radierer. Von 1765 an war er Schüler von S. Frik in der Malergilde von Göteborg, seit dem Ende der 70er Jahre jedoch im Baltikum tätig. Etwa 1787 kam er nach Petersburg, wo er bis zu seinem Lebensende blieb. Bis 1793 arbeitete er vornehmlich als Porträtist und Historienmaler, danach malte er auch Stadtansichten, vor allem Gemälde, Aquarelle und Stiche mit Ansichten Petersburgs. 1798 wurde Patersson Mitglied der Stockholmer Akademie.

34

32   FARBTAFEL S. 163
**Das Neva-Tor der Peter-und-Pauls-
Festung und die Anlegestelle des
Kommandanten, vor 1797**

Öl auf Leinwand, 68,5 x 85 cm
Inv.-Nr. ЗРЖ-1671
Herkunft: Alter Bestand der Sammlung der
Staatlichen Ermitage, Leningrad
Ausstellungen: 1972 Leningrad, Patersson, Kata-
log-Nr. 6
Literatur: 137 (Tafeln 11, 12); Katalog Ėrmitaža
– 2, S. 281

Das auf die Neva führende Tor der Peter-und-
Pauls-Festung wurde in den 30er Jahren des

18. Jahrhunderts errichtet und von 1784–1787
nach Plänen des Architekten Nikolaj Aleksandrovič L'vov (1751–1803) noch einmal umgestaltet. Die Anlegestelle für den Festungs-
Kommandanten wurde nach Plänen des Architekten D. Smol'janinov und des Ingenieurs Murav'ev in den Jahren 1774/75 als Anlage mit
drei Granitrampen erbaut. Links sind die 1779–
1787 mit Granit bedeckten Wälle der Festung
und die Bastion Petrs I. sichtbar, die 1779–1783
ebenfalls eine Granitverkleidung erhalten hatte.
                                                    AP

33   ABBILDUNG S. 167
**Uferstraße auf der Basileios-Insel
[Vasil'evskij ostrov] an der
Akademie der Künste, um 1799**

Öl auf Leinwand, 64 x 100 cm
Inv.-Nr. ЗРЖ-1901
Herkunft: Alter Bestand der Sammlung der
Staatlichen Ermitage, Leningrad
Ausstellungen: 1972 Leningrad, Patersson, Kata-
log-Nr. 10
Literatur: 137 (Tafeln 31, 32); Katalog Ėrmitaža
– 2, S. 281

Im Vordergrund die Uferstraße. Rechts an der
Ecke das Gebäude der Vereinigung des Land-

adels, das schon in den 20er Jahren des 18. Jahrhunderts, nach Plänen des Architekten Gottfried Johann Schedel [Ivan Ivanovic Šedel'] (ca. 1680–1752), erbaut worden ist. Dahinter steht die Kunstakademie, ein Werk der Architekten Aleksandr Filippovič Kokorikov (1726–1772) und J.-B. Vallin de la Mothe (1729–1800) aus den Jahren 1764–1788. Links sieht man auf dem gegenüberliegenden Ufer der Neva die Fassaden der Gebäude am »Englischen Uferkai [Anglijskaja nabereznja]«.   AP

34
Uferkai der Fontanka bei der Symeons-Brücke, vor 1797

Öl auf Leinwand, 67,5 x 84,5 cm
Inv.-Nr. ЗРЖ-1673
Herkunft: Alter Bestand der Sammlung der Staatlichen Ermitage, Leningrad
Ausstellungen: 1972 Leningrad, Patersson, Katalog-Nr. 8
Literatur: 137 (Tafeln 57–60); Katalog Ėrmitaža – 2, S. 281

Im Vordergrund der 1780–1789 mit Granit befestigte Uferkai. Dahinter – in der Mitte des Bildes – die steinerne Symeons-Brücke, die noch bis zum Anfang dieses Jahrhunderts stand; eine der sieben gleichartigen dreibögigen Steinbrücken über die Fontanka, die alle in den Jahren 1785–1788 erbaut worden sind. Am rechten Bildrand sieht man im Hintergrund die barocke Zwiebelkuppel und die Spitze des Glockenturms der Kirche der heiligen Symeon und Anna, die der Brücke ihren Namen gegeben hat. Das Gotteshaus wurde 1731–1734 nach Plänen des Architekten Michail Grigor'evič Zemcov (1688–1743) erbaut und danach einige Male umgestaltet.   AP

36

35

ABBILDUNG S. 169

Uferkai der Fontanka bei der Aničkov-Brücke, 1793

Öl auf Leinwand, 67 x 84,5 cm
Bezeichnet und datiert unten links
Inv.-Nr. ЗРЖ-1908
Herkunft: Alter Bestand der Sammlung der
Staatlichen Ermitage, Leningrad
Ausstellungen: 1972 Leningrad, Patersson, Kata-
log-Nr. 2
Literatur: 137 (Tafeln 61–64); Katalog Ėrmitaža
– 2, S. 280

Im Vordergrund sieht man den Uferkai, der
1780–1789 mit Granit verkleidet worden ist.
Ganz rechts sieht man die klassizistische Fassade des Palais der Gräfin Voroncov, in den 90er
Jahren des 18. Jahrhunderts erbaut, aber heute
nicht mehr erhalten. Im Hintergrund steht die
1782–1787 erbaute Aničkov-Brücke, die heute
noch – in veränderter Form – erhalten ist.   IK

36

Die Obuchov-Brücke über die Fontanka, vor 1797

Öl auf Leinwand, 57,5 x 90 cm
Inv.-Nr. ЗРЖ-1905
Herkunft: Alter Bestand der Sammlung der
Staatlichen Ermitage, Leningrad
Ausstellungen: 1972 Leningrad, Patersson, Kata-
log-Nr. 13
Literatur: 137 (Tafeln 67–70); Katalog Ėrmitaža
– 2, S. 281

In der Bildmitte sieht man hinten die steinerne
Brücke, die 1795–1786 erbaut worden ist und
deren Konstruktion der Symeons- oder der
Aničkov-Brücke entspricht. Rechts davon erhebt sich das Landhaus des bekannten Petersburger Kaufmanns S. Ja. Jakovlev, das in den
60er Jahren des 18. Jahrhunderts, vor allem
nach Plänen des Architekten F. B. Rastrelli erbaut worden ist.   AP

37

Der Platz am Heumarkt [Sennoj rynok], vor 1797

Öl auf Leinwand, 57,5 x 89,5 cm
Inv.-Nr. ЗРЖ-1904
Herkunft: Alter Bestand der Sammlung der
Staatlichen Ermitage, Leningrad
Ausstellungen: 1972 Leningrad, Patersson, Kata-
log-Nr. 12
Literatur: 137 (Tafeln 81–84); Katalog Ėrmitaža
– 2, S. 281

In der Bildmitte reges Leben auf dem Markt,
der 1737 eingerichtet worden war, um den
Heuverkauf in Petersburg zu regeln. Im Hintergrund erhebt sich die fünfkuppelige Kirche zum
Tode der Gottesmutter mit ihrem Glockenturm über dem Eingang (vor allem nach Plänen
des Architekten M. G. Zemcov in der Mitte des
18. Jahrhunderts gebaut). Links vorn sieht man
das Gebäude des sog. »Steinernen Marktes«, der

in der zweiten Hälfte des 18. Jahrhunderts erbaut wurde; rechts gegenüber dreistöckige Wohnhäuser der Zeit. AP

38 ABBILDUNG S. 172

Die Gartenstraße [Sadovaja ulica] beim St.-Nikolaus-Dom und dem dortigen Markt, um 1800

Öl auf Leinwand, 68 x 86 cm
Bezeichnet unten rechts
Inv.-Nr. ЗРЖ-1906
Herkunft: Alter Bestand der Sammlung der Staatlichen Ermitage, Leningrad
Ausstellungen: 1972 Leningrad, Patersson, Katalog-Nr. 14
Literatur: 137 (Tafeln 87, 88); Katalog Ėrmitaža – 2, S. 281

Im Vordergrund links der Uferkai des Katharinen-Kanals, der seit 1764 mit Granit befestigt worden ist, und die Pikolov-Brücke mit den Obelisken (80er des 18. Jahrhunderts). Hinter dem Kanal erhebt sich der Bau des St.-Nikolaus-Domes der Marine, der nach Plänen des Architekten Savva Ivanovic Cevakinskij (1713–1780) in den Jahren 1753–1762 erbaut worden und bis heute eine der Kathedralkirchen der Stadt ist. Rechts kann man, wenn man die Gartenstraße entlang blickt, hinter dem Nikolaus-Dom das Gebäude des »Nikolaus-Marktes« sehen, das 1788/89 erbaut wurde (dessen Baumeister uns aber nicht bekannt ist). AP

39 ABBILDUNG S. 172

Bei der Porzellan-Fabrik in der Umgebung von Petersburg, 1793

Öl auf Leinwand, 64,5 x 102 cm
Bezeichnet und datiert unten Mitte
Inv.-Nr. ЗРЖ-1676
Herkunft: Alter Bestand der Sammlung der Staatlichen Ermitage, Leningrad
Ausstellungen: 1972 Leningrad, Patersson, Katalog-Nr. 3
Literatur: 137 (Tafel 101); Katalog Ėrmitaža – 2, S. 281

Das linke Ufer der Neva und die dort verlaufende Straße, die vom Vordergrund nach hinten führt. Auf Grund alter Beschreibungen und Pläne kann man die rechts des Weges gelegenen Gebäude wohl als die der Kaiserlichen Porzellanfabrik und des »steinernen Palais der Zolleinnehmer« identifizieren. AP

38

39

40

41

40 ABBILDUNG S. 173

Das Smolna-Kloster von der Ochta aus gesehen, um 1800

Öl auf Leinwand, 68 x 85 cm
Inv.-Nr. ЗРЖ-1674
Herkunft: Alter Bestand der Sammlung der Staatlichen Ermitage, Leningrad
Ausstellungen: 1972 Leningrad, Patersson, Katalog-Nr. 15
Literatur: 137 (Tafeln 105, 106); Katalog Ėrmitaža – 2, S. 281

Im Vordergrund sieht man das rechte Ufer der Neva im Gebiet der Ochta mit den damaligen hölzernen Wohngebäuden. Links erhebt sich auf dem gegenüberliegenden Ufer das Smolna-Kloster, das 1748–1764 nach Plänen des Architekten F.-B. Rastrelli erbaut worden ist. Dahinter sieht man das Aleksandr-Institut, das 1765–1775 zuerst durch Ju. M. Fel'ten und dann vor allem durch V. I. Baženov gestaltet wurde. Im Hintergrund erkennt man am rechten Neva-Ufer den Landsitz von A. A. Bezborodko, den 1773–1777 ebenfalls Baženov begonnen und 1783/84 D. Quarenghi vollendet hat. AP

BENJAMIN PATERSSON (?)

41 ABBILDUNG S. 173

Die Isaakios-Ponton-Brücke und der Senatsplatz mit der Basileios-Insel im Jahre 1803, am Tage des Zentenariums der Gründung Petersburgs

Öl auf Leinwand, 66,5 x 100 cm
Inv.-Nr. ЗРЖ-1677
Herkunft: 1941 aus dem Staatlichen Museum für Ethnographie der Völker der UdSSR, Leningrad
Ausstellungen: 1979 Hamburg, Nr. 38

Die Ponton-Brücke war eine der Hauptbrücken über die Neva. Von 1727 bis zur Mitte des 19. Jahrhunderts wurde sie alljährlich neu gebaut. Sie bestand aus großen Booten mit einem nur geringen Tiefgang, die mit Tauen und verstärkten Ankern festgemacht waren. Auf ihnen lagen hölzerne Planken. Die Brücke führte vom linken Neva-Ufer an der Basileios-Insel über den Fluß zum Petr-Platz (später: Senats-Platz), auf dem man 1782 das Denkmal für Petr I. (den »Ehernen Reiter«) errichtet hatte, das in der Bildmitte hinter der Brücke zu sehen ist. Hinter ihm erhebt sich der Isaakios-Dom, nach dem

die Brücke benannt war. Der nach Plänen des Architekten A. Rinaldi errichtete Bau war zum Zeitpunkt der Entstehung des Bildes allerdings erst bis zum Gebälk fertiggestellt; den Rest hat Paterssen ergänzt – wohl nach den vorliegenden Entwürfen des Architekten V. Brenna. Folgt man links dem Ufer der Neva, so sieht man die Admiralität, die schon von Petr I. 1704 begründet und danach 1727–1738 von dem Architekten Ivan Kuzmic Korobov (1700–1747) erbaut worden ist. Ihre Werft existierte bis zur Mitte des 19. Jahrhunderts. Rechts der Brücke liegt ein großes Kriegsschiff mit drei Batteriedecks vor Anker.
Das Bild zeigt die Feierlichkeiten des 100jährigen Gründungsjubiläums von Petersburg: Dem Dom gegenüber ist ein Festzelt für hochgestellte Persönlichkeiten errichtet. Im Vordergrund flanieren festlich gekleidete Bürger und Militärs; auf der Brücke marschierende Soldaten. Die Schiffe sind beflaggt und feuern Salut. AP

JOHANN [JANOS] ROMBAUER

Leutschau [Löcse/Levoča] 1782–1849 Preschau [Eperjes/Prešov]

Der vor allem als Porträtist bekannt gewordene Künstler stammt aus der deutschen Enklave der Zips im damaligen Ungarn (heute: nördliche Slowakei). Er studierte in Pest bei J. J. Stunder und arbeitete von 1806 bis 1824 in Petersburg.

42

Porträt des Grafen P. A. Bobrinskoj (?), 1821

Öl auf Leinwand, 35,5 x 28,5 cm
Bezeichnet und datiert unten links
Inv.-Nr. ЗРЖ-153
Herkunft: 1941 aus dem Staatlichen Museum für Ethnographie der Völker der UdSSR, Leningrad; früher befand sich das Bild in der Sammlung der Grafen Bobrinskoj in Petersburg
Literatur: 238 (S. 5–36); 47 (S. 20–21)

Pavel Alekseevič Bobrinskoj (1800–1830) war ein Enkel der Kaiserin Ekaterina II. und ihres Favoriten, des Grafen G. G. Orlov; er diente als Kornett beim Leib-Garde-Husaren-Regiment. AP

VASILIJ KUZ'MIČ ŠEBUEV
Kronstadt 1777–1855 Petersburg

Maler und Zeichner, besonders historischer und religiöser Themen. Als Sohn eines Beamten trat er 1782 in die Petersburger Kunstakademie ein, wo er bei I. A. Akimov und G. I. Ugrjumov studierte. 1800 wurde er zum »approbierten akademischen Maler« ernannt und 1803, zur Vervollkomnung seiner Ausbildung nach Rom geschickt. 1807 nach Petersburg zurückgekehrt, wurde er Mitglied der Akademie, und zwar für Historienmalerei, noch im gleichen Jahr Hilfsprofessor und 1812 Professor. 1821 wurde er außerdem Direktor der Petersburger Tapeten-Manufaktur und 1823 zum Hofmaler ernannt. Weitere Ämter folgten: 1832 Rektor der Kunstakademie, 1835 dort Rektor für Malerei und Bildhauerei, 1842 »Verdienter Rektor«. 1844 wurde Šebuev die Gesamtleitung der Ausmalung des Isaakios-Dom in Petersburg übertragen. Ab 1845 war er außerdem zeitweilig Vize-Präsident der Kunstakademie.

43

Der heilige Aleksandr von der Neva, 1819

Öl auf Leinwand, 165 x 67 cm
Bezeichnet unten rechts
Staatliches Russisches Museum, Leningrad, Inv.-Nr. З-3303
Herkunft: Ursprünglich befand sich das Gemälde in der alten Kirche der Kunstakademie
Ausstellungen: 1820 in der Akademie der Künste
Literatur: Otečestvennye zapiski, 1820, Teil III, S. 280; Syn Otečestva, 1820, XIV, S. 275–277; 40 (Bd. II, S. 446); 54 (S. 347, Nr. 6203); 90 (S. 121)

Der Novgoroder Fürst Aleksandr Jaroslavič (1220–1263), der später, nach einem seiner größten Siege, den Beinamen »von der Neva« [Nevskij] erhalten sollte, war ein bedeutender Heerführer, Staatsmann und Diplomat. In der für die russischen Fürstentümer schweren Zeit der Zersplitterung und des Bürgerkrieges verstand er es, die Kräfte seines Volkes zu einen. Er brachte ein Heer zusammen, mit Hilfe dessen er die Invasoren zurückschlagen konnte, die Teile des geschwächten russischen Landes zu erobern suchten. 1240 schlug Aleksandr an der Spitze des Novgoroder Landsturms, einem zahlenmäßig unterlegenen Heer, die Schweden an der Mündung der Izora in die Neva (daher sein Beiname); 1241 den Livländischen Schwertbrüderorden und den Deutschen Ritterorden, die

42

43

begonnen hatten, sich das Pleskauer und Novgoroder Land zu unterwerfen, auf dem Eis des
Peipussees; 1245 brachte er den Vorstoß der Li-
tauer unter Mindaugas durch drei siegreiche
Schlachten zum Stillstand. In seiner ca. 1270/80
entstandenen Vita wird er als Ideal eines christlichen Fürsten und Gottesstreiters geschildert,
der als Verteidiger seines Volkes Blutvergießen
und Versklavung verhindert hat. Nachdem er
der weltlichen Herrschaft entsagt und das
Mönchsgelübde abgelegt hatte, starb er in Go-
rodec. Aleksandr wurde seit dem 14. Jahrhundert nachweislich verehrt und von (endgültig
1546) den Heiligen der Russisch-Orthodoxen
Kirche zugeordnet. Seine Gebeine, die ur-

sprünglich im Geburts-Kloster in Vladimir ruhten, wurden von Petr I. 1724, als Dank für den
mit Schweden abgeschlossenen Frieden von Ni-
stadt, nach Petersburg überführt und in die
Aleksandr-von-der-Neva-Lavra, das dem Heiligen geweihte Kloster, überführt. Dort werden
sie noch heute verehrt. Rechts neben dem Heiligen der großfürstliche Hut auf einer Brokat-
decke. Hinter einer Brüstung sieht man die Neva und den Dreieinigkeits-Dom der Lavra.   BK

SEMEN FEDOROVIČ ŠČEDRIN

Petersburg? 1745–1804 Petersburg

Maler, Zeichner. Der Begründer der russischen
Landschaftsmalerei war vor allem auf die Darstellung von Parkanlagen spezialisiert. Der
Sohn eines Soldaten des Leib-Garde-Regiments
»Preobraženskoe« studierte von 1759 bis 1767
an der Petersburger Kunstakademie und wurde
danach einige Jahre als Stipendiat der Akademie
auf eine Studienreise nach Paris und Rom geschickt. Seit 1779 war er deren Mitglied, seit

45

1798 Hilfsprofessor und dann Direktor der Akademie. Ščedrin war der erste russische Professor für Landschaftsmalerei. Achtundzwanzig Jahre lang, von 1776 bis 1804, leitete er die entsprechende Klasse der Kunstakademie; seit 1799 zusätzlich eine Klasse für Landschafts-Radierung. In der Ermitage war er als Restaurator tätig. Bekannt wurde er als Maler zahlreicher Ansichten der kaiserlichen Residenzen in der Umgebung von Petersburg, wie Carskoe Selo, Pavlovsk, Gatčina und Peterhof.

44   FARBTAFEL V
Der Palast auf der Steinernen Insel und die von Booten getragene Brücke über die Große Nevka vom Stroganov-Uferkai gesehen, nach 1800

Öl auf Leinwand, 56 x 71,5 cm
Staatliches Russisches Museum, Leningrad, Inv.-Nr. Ж-5040
Herkunft: 1925 aus dem Suvalov-Schloßmuseum in Leningrad
Literatur: 79 (Bd. I, S. 143–160); 215 (S. 98); 54 (S. 354, Nr. 6344)

Der Palast auf der Steinernen Insel [Kamennoostrovskij dvorec] im Norden Petersburgs ist eines der bedeutendsten Zeugnisse der russischen Architektur des 18. Jahrhunderts. Er liegt auf der östlichen Insel-Spitze, an der sich die Nevka (also der nördliche Arm der Neva) in die Kleine und die Große Nevka teilt. Errichtet wurde er 1776 bis 1780 von Ju. M. Fel'ten. Er diente Pavel I., als er noch Thronfolger war, als zweite, außerhalb der Stadt gelegene, Residenz.
BK

STEPAN SEMENOVIČ ŠČUKIN
Moskau 1762–1828 Petersburg

Maler, vor allem Porträtist. Als Waise kam er 1765 in eine Moskauer Erziehungs-Anstalt, wo er auch seinen ersten Malunterricht erhielt. Von 1776 bis 1782 studierte er an der Petersburger Kunstakademie bei D. G. Levickij, von 1782 bis 1786 als Stipendiat der Akademie in Paris. Nach seiner Rückkehr erhielt er 1786 den Titel eines »approbierten Malers« und wurde 1788, an Stelle des in den Ruhestand getretenen Levickij, Leiter der Klasse für Porträtmalerei. 1797 wurde er, aufgrund seines Porträts Pavels I., zum Mitglied, 1802 zum Rat der Akademie ernannt. Zu seinen zahlreichen Schülern gehörten unter anderem A. G. Varnek, V. A. Tropinin und M. I. Terebenev.

45

Porträt Kaiser Pavels I. in ganzer Figur, nach 1800

Öl auf Leinwand, 241 x 139 cm
Staatliches Russisches Museum, Leningrad,
Inv.-Nr. Ж-3226
Herkunft: 1902 aus dem Besitz des Heiligsten
Synods in Petersburg
Ausstellungen: 1902 Petersburg, Katalog S. 136
Literatur: 40 (Bd. II, S. 463); 223 (S. 218, Nr.
39); 54 (S. 357, Nr. 6393)

Ščukin hat, auf Bestellung verschiedener Institutionen, mehrere Kaiserporträts gemalt. Das
hier ausgestellte Bild geht auf das 1797 entstandene preisgekrönte Porträt Pavels I. zurück,
von dem zahlreiche Kopien existieren. Es zeigt
jedoch einen anderen Gesichtsausdruck des
Dargestellten. Zu den biographischen Daten
Pavels I. (1754–1801) siehe Kat.-Nr. 26.   BK

GEORGE WILHELM [VASILIJ FEDOROVIČ] TIMM
Riga 1820–1895 Berlin

Maler, Zeichner und Lithograph, der besonders
als Schlachten- und Genremaler hervorgetreten
ist. Der Sohn des Bürgermeisters von Riga studierte 1834–1839 an der Petersburger Kunstakademie in der Klasse für Schlachtenmalerei von
A. Sauerwaid [Zauervejd]. 1844–1849 unternahm Timm eine Auslandsreise, auf der er seine
Fähigkeiten – zeitweilig unter Anleitung von
Horace Vernet – vervollkommnen konnte. In
den 50er Jahren arbeitete er dann wieder in Petersburg als Illustrator, Genremaler und Karika-
turist für Editionen wie etwa »Die Unseren –
nach der Natur von Russen gemalt« oder »Emp-
findungen und Bemerkungen der Frau Kudrjukova«. 1855 wurde Timm Mitglied der Akademie für Schlachtenmalerei. 1851–1862 war er

Herausgeber der verbreiteten illustrierten Wo-
chenzeitschrift »Russisches Kunstblatt«. 1867
siedelte er nach Berlin über, wo er sich mit Ke-
ramikmalerei beschäftigte.

46

Der Aufstand vom 14. Dezember 1825, 1853

Öl auf Leinwand, 129 x 196 cm
Bezeichnet und datiert unten Mitte
Inv.-Nr. ЗРЖ-2379
Herkunft: 1954 aus dem Staatlichen Revolu-
tions-Museum in Leningrad; früher befand sich
das Bild im Museum des Leib-Garde-Kavellerie-
Regimentes
Ausstellungen: 1978 Minneapolis, Nr. 50; 1985
Leningrad, Vosstanie dekabristov, Kat.-Nr. 7
Literatur: 155 (S. 24, 25); 157 (S. 29–36)

Timms Gemälde ist die einzige vor 1917 entstandene Darstellung der Ereignisse des 14. Dezember 1825, jenes Tages, an dem der erste bewaffnete Aufstand gegen Autokratie und Leibeigenschaft in Rußland stattfand. In Gang gesetzt wurde er durch fortschrittliche Vertreter des Adels. Petersburg bildete das Zentrum der Bewegung, wo an diesem Tage revolutionär gesinnte Offiziere die Soldaten dreier Garde-Regimenter auf den Senatsplatz führten, um dort die demokratische Abschaffung der Autokratie, der Leibeigenschaft und der langdauernden harten Militärpflicht zu fordern.

Da der Aufstand im Dezember stattfand, bezeichnete man später seine Teilnehmer und die Mitglieder der sie tragenden geheimen Gesellschaften (und dann auch ganz allgemein die Protagonisten revolutionärer Umstürze als »Dezemberleute«) nach dem russischen Wort »Dekabr'« für »Dezember«, als »Dekabristen [dekabristy]«.

Der Zeitpunkt des Aufstands war günstig, weil damals schon fast einen Monat lang ein Interregnum herrschte: Zwar galt der älteste lebende Bruder des am 19. November 1825 verstorbenen Kaisers Aleksandr I., Großfürst Konstantin Pavlovič, offiziell noch als Nachfolger des Kaisers; aber insgeheim hatte er dem Thron bereits entsagt, so daß nun an diesem 14. Dezember Großfürst Nikolaj, der jüngste Sohn Pavels, als Kaiser vereidigt werden sollte. Die Dekabristen sahen in der mit diesem Wechsel verbundenen Unsicherheit eine günstige Voraussetzung für die Revolution der Soldaten, die keinem Kaiser verpflichtet waren: Aleksandr I. war tot, Konstantin hatte verzichtet, und der Eid auf den Thronfolger Nikolaj war noch nicht geleistet. Organisiert wurde der Aufstand in der sogenannten »Nördlichen Gesellschaft« von folgenden Offizieren: den Brüdern Nikolaj, Aleksandr und Michail Bestužev; Oberst Fürst S. P. Trubeckoj; Oberleutnant Fürst E. P. Obolenskij; Reserve-Oberleutnant P. G. Kachovskij; hinzu kamen der Hofrichter I. I. Puščin (ein Freund Puškins) und der Dichter K. F. Ryleev. Der Aufstand wurde jedoch niedergeschlagen, seine Anführer hingerichtet, die Mehrzahl seiner Teilnehmer zur Zwangsarbeit nach Sibirien verschickt oder degradiert. Doch trotz seines Scheiterns bildet dieser Aufstand eines der interessantesten Kapitel der russischen Geschichte der Zeit.

Das vorliegende Bild entstand im Auftrag Kaiser Nikolajs I. für dessen Leib-Garde-Kavallerie-Regiment, und zwar zur Erinnerung an dessen Einsatz bei der Niederwerfung des Aufstandes. Es zeigt Ankunft und Aufstellung der Eskadrons auf dem Admiralitäts-Platz vor Beginn seines Angriffs. Das Carrée der Aufständischen auf dem Senatsplatz ist jedoch auf dem Bild nicht zu sehen.   GP

47

VASILIJ ANDREEVIČ TROPININ

Karpovka, Gouvernement Novgorod
1776/1780–1857 Moskau

Maler und Zeichner; einer der führenden Porträtisten seiner Zeit, aber auch Genre- und Landschaftsmaler. War ursprünglich Leibeigener des Grafen A. N. Minich [Münnich], dann von I. I. Morkov. Die ersten Anleitungen gab ihm ein unbekannter heimischer Maler. Von 1799 bis 1804 studierte er als Externer der Klasse für Porträtmalerei an der Petersburger Kunstakademie, die damals S. S. Ščukin leitete. 1823 wurde er aus der Leibeigenschaft entlassen und erhielt im gleichen Jahr den Titel eines »approbierten Malers«. 1824 wurde er Mitglied der Akademie und 1843 Ehrenmitglied der Moskauer Künstlerischen Gesellschaft.

47
Porträt des Fürsten
S. G. Volkonskij, um 1824

Öl auf Leinwand, 72,5 x 57,5 cm
Bezeichnet unten rechts
Inv.-Nr. ЗРЖ-180

Herkunft: 1941 aus dem Staatlichen Museum für Ethnographie der Völker der UdSSR, Leningrad; bis 1912 befand sich das Bild in der Sammlung des Pleskauer Kunstsammlers und Kaufmanns F. M. Pljuškin
Ausstellungen: 1985 Leningrad, Vosstanie dekabristov, Kat.-Nr. 8
Literatur: 87 (S. 207–222)

Fürst Sergej Grigor'evič Volkonskij (1788–1865) war Generalmajor und Brigade-Kommandeur der 19. Infanterie-Division. Er war der Sohn des Fürsten Grigorij Semenovič Volkonskij und der Fürstin Aleksandra Nikolaevna, geborene Repnina. 1805 trat er als Oberleutnant des Kavallerie-Garde-Regiments zum Militärdienst an. Er nahm an den Campagnen von 1806/07 und dem Vaterländischen Krieg von 1812 ebenso teil wie an den Auslandsfeldzügen von 1813/14 und zeichnete sich bei nahezu allen bedeutenden Treffen durch besondere Leistungen aus. 1819 wurde er Mitglied im »Wohlfahrtsbund«, 1821 auch in der »Südlichen Gesellschaft« der Dekabristen. Nach dem fehlgeschlagenen Aufstand vom 14. Dezember 1825 wurde er zu 20 Jahren Zwangsarbeit in Sibirien und danach auch weiterhin zu Verbannung verurteilt. Erst 1856 wurde er amnestiert und lebte seitdem in Moskau und im Ausland. Er starb in dem Dorf Voronka im Gouvernement von Černigov.　　　　IK

EFIM TUCHARINOV

In der ersten Hälfte des 19. Jahrhunderts als Maler nachzuweisen; geboren in Vjatka (Daten sind nicht bekannt). Der Maler von Porträts und Interieur-Darstellungen war seit 1831 Schüler von A. G. Venecianov. Zusammen mit anderen Schülern dieses Meisters schuf er – vor dem Motiv – Ansichten von Sälen des Winterpalastes. Für seine »Rotunde« wurde ihm ein Ring als Geschenk der Kaiserin überreicht. Seit 1832 war er zudem noch Schüler der Petersburger Kunstakademie. Über sein Leben nach 1837 ist uns nichts bekannt. Nur einige seiner Arbeiten sind überliefert.

48
Ansicht der Rotunde im Winterpalast, 1834

Öl auf Leinwand, 104 x 81 cm
Bezeichnet unten rechts
Inv.-Nr. ЗРЖ-2434
Herkunft: 1956 aus dem Zentraldepot der Schloß-Museen der Umgebung von Leningrad; früher befand sich das Bild im Ekaterinen-Palast zu Carskoe Selo
Ausstellungen: 1985 Leningrad, Inter'er v russkoj živopisi, Nr. 41; 1986 Leningrad, Monferran, Nr. 42
Literatur: 118 (S. 70 –71); 124 (S. 27–31); 190 (S. 71, 72); 5 (S. 196)

Die Rotunde wurde im Jahre 1830, nach Plänen des Architekten Auguste Montferrand, im nordwestlichen Teil des Winterpalastes errichtet. Ursprünglich befand sich dort ein dunkler quadratischer Saal, der zwei Fluchten von Wohnräumen miteinander verband. Nach dem Brand von 1837 restaurierte A. P. Brjullov die Rotunde und veränderte sie dabei etwas.　　　AP

ALEKSEJ VASIL'EVIČ TYRANOV
Bezeck 1808–1859 Kasin

Maler, vor allem von Interieurs und Porträts. Einer der ersten Schüler A. G. Venecianovs, studierte seit 1824 daneben auch an der Petersburger Kunstakademie und besuchte dort die Klasse von K. P. Brjullov. Interieurs sind besonders für die Frühzeit seines Schaffens typisch. Das erste dieser Reihe war »Das Arbeitszimmer Venecianovs«. 1816 malte er »Die Werkstatt der Brüder Černecov«. Für die »Perspektivische Ansicht der Ermitage-Bibliothek« erhielt er von der Gesellschaft zur Förderung der Kunst eine kleine, für die »Innenansicht der Großen Kirche des Winterpalastes« eine große Goldmedaille. Später wurde er auch als Porträtmaler bekannt. 1832 erhielt er den Titel eines »freien Künstlers«. 1839 wurde er Mitglied der Akademie. Von 1839 bis 1843 lebte er in Italien.

49   FARBTAFEL S. 181
Perspektivische Ansicht der Ermitage-Bibliothek, 1826

Öl auf Leinwand, 93,5 x 73 cm
Inv.-Nr. ЗРЖ-2430
Herkunft: 1956 aus dem Zentraldepot der Schloß-Museen der Umgebung von Leningrad; früher befand sich das Bild in der Kaiserlichen Ermitage, dann im Taurischen Palais, im Ekaterinen-Palais zu Carskoe Selo und schließlich im Schloß zu Gatčina
Ausstellungen: 1983 Caracas, Nr. 152; 1984 Mexico, Nr. 15; 1984 Habana, Nr. 15; 1985 Leningrad, Inter'er v russkoj živopisi, Nr. 42
Literatur: 36 (S. 19); 44 (S. 611); 124 (S. 29, 30); 190 (S. 36); 5 (S. 152, 156)

Die Bibliothek wurde seit 1784 nach Plänen des Architekten G. Quarenghi gebaut. Sie bestand aus einer langen Galerie über den Loggien und drei Sälen, deren mittlerer auf dem Bild gezeigt wird. Im Hintergrund ist Houdons großes Voltaire-Denkmal sichtbar; denn in diesem Saal war die Privat-Bibliothek des französischen Philosophen untergebracht, die Ekaterina II. erworben hatte. (Seit 1833 hat übrigens Puškin in dieser Bibliothek gearbeitet.) Mitte des 19. Jahrhunderts wurde beim Bau der Neuen Ermitage die ursprüngliche Inneneinrichtung der Bibliothek vollständig vernichtet.   AP

50

ALEKSANDR GRIGOR'EVIČ VARNEK
Petersburg 1782–1843 Petersburg

Maler und Zeichner, einer der besten Porträtisten der Zeit. Sohn eines Möbeltischlers; trat 1795 in die Petersburger Kunstakademie ein (Schüler von S. S. Ščukin), die er 1803 als ausgebildeter Künstler verließ. Von 1804 bis 1810 war er als Stipendiat der Akademie in Italien. Nach seiner Rückkehr wurde er 1810 zu deren Mitglied berufen und zwar für Porträtmalerei. Seitdem lehrte er dort und wurde 1814 Akademischer Rat als Leiter der Klasse für Porträtmalerei. Neben seiner Lehrtätigkeit war Varnek außerdem seit 1824 Kustos für Zeichnungen und Drucke an der Ermitage. 1831 erhielt er den Ruf zum Professor und 1834 den Titel eines Honorarprofessors.

50
Porträt der E. I. Kolosova, nach 1800

Öl auf Leinwand, 69 x 52,5 cm
Staatliches Russisches Museum, Leningrad
Inv.-Nr. Ж-5231
Herkunft: 1912 von A. V. Jur'eva
Literatur: 54 (S. 68, Nr. 903); 212 (S. 16, 110)

Evgenija (oder: Evdokija) Ivanovna Kolosova (1782–1869), die Tochter des Ballettmeisters I. Neelov, war eine bekannte russische Tänzerin und Schauspielerin. Den Tanz erlernte sie in der Petersburger Theaterschule, nach deren Abschluß sie den Musiker M. Kolosov heiratete. Sie war die Mutter der Schauspielerin A. M. Kolosova-Karatygina.
Wahrscheinlich ist sie hier als Diana dargestellt, worauf Bogen und Köcher hinweisen. Andererseits könnte das Gewand aus Leopardenfell darauf hinweisen, daß die Schauspielerin hier als Bacchantin gezeigt wird, also in jener Rolle, die sie in dem Ballett »Ariadne begegnet Theseus auf der Insel Skyros« getanzt hat.   BK

51   FARBTAFEL I
Porträt des Grafen A. S. Stroganov, 1814

Öl auf Leinwand, 251 x 184 cm
Bezeichnet unten links
Staatliches Russisches Museum, Leningrad
Inv.-Nr. Ж-5497
Herkunft: 1930 aus der Sammlung des Stroganov-Palastes in Leningrad
Literatur: 54 (S. 68, Nr. 908); 212 (S. 44, 120)

Baron (bzw. seit 1761 Graf) Aleksandr Sergeevič Stroganov (1733–1811) war Kammerherr und Wirklicher Geheimrat, Mitglied des Staatsrates und Gouvernementsvertreter des Adels von Petersburg; ferner Präsident der Petersburger Akademie der Künste (1800–1811) und ein bedeutender Mäzen. Als bedeutender Kunstsammler besaß er eine reiche Kollektion von Gemälden, Stichen und Münzen. 1801 war ihm die Überwachung der Bauarbeiten am Kazaner Dom zu Petersburg übertragen worden, dessen Pläne von Andrej Nikiforovič Voronichin, seinem früheren Leibeigenen, stammten.
Hier ist Graf Stroganov vor dem Hintergrund des Kazaner Domes und mit den Plänen für den Bau der Petersburger Akademie der Künste in der Hand dargestellt, und zwar als Ritter des Ordens des heiligen Andreas des Erstberufenen, des höchsten Ordens Rußlands.   BK

A. V. Tyranov, Perspektivische Ansicht der Ermitage-Bibliothek, 1826. Kat.-Nr. 49

T. A. Vasil'ev, Der Nevskij Prospekt bei der Stadtduma, nach 1810. Kat.-Nr. 52

T. A. Vasil'ev, Ansicht der Inseln in Petersburg, nach 1820. Kat.-Nr. 54

Porträt V. A. Murav'ëva, nach 1820. Kat.-Nr. 67

TIMOFEJ ALEKSEEVIČ VASIL'EV

Petersburg 1783–1838 Petersburg

Maler, Graphiker, Zeichner, Schüler der Petersburger Kunstakademie, die er 1803 mit höchsten Auszeichnungen verließ. 1806–1807 begleitete er als Künstler die Gesandtschaft des Grafen Ju. A. Golovkin nach China. Nach seiner Rückkehr entstand die »Ansicht der Stadt Selenginsk«, wofür er den Titel eines Mitgliedes der Akademie erhielt. Er reiste auch weiterhin viel, malte Landschaften und Stadtansichten, vor allem von Petersburg und seiner Umgebung.

52 FARBTAFEL S. 182
Der Nevskij Prospekt bei der Stadtduma, nach 1810

Öl auf Leinwand, 76,2 x 107,5 cm
Bezeichnet auf dem Sockel des Portikus
Inv.-Nr. ЭРЖ-1678
Herkunft: 1941 aus dem Staatlichen Museum für Ethnographie der Völker der UdSSR, Leningrad (bis 1930 befand sich das Bild im Museum für Volkskunde der Leningrader Bezirksabteilung für Volksbildung)
Ausstellungen: 1978 Leningrad, Nr. 1; 1983 Leningrad, S. 62; 1984 Leningrad, Peterburg gogolevskogo vremeni, Nr. 1; 1985/86 Dipoli, Nr. 14; 1988 Odessa, Izmail, Nr. 1
Literatur: 216 (S. 74); 135 (S. 116, 200)

Der Nevskij Prospekt ist die zentrale Verkehrsader Petersburgs. Auf der rechten Seite des Bildes sieht man den Eingangsbogen und die Kuppel der römisch-katholischen Kirche der heiligen Katharina, die 1762–1783 von dem Architekten Vallin de la Mothe erbaut worden ist, da, nach dem Befehl Petr I., die verschiedenen Konfessionen ihre eigenen Kirchen haben sollten. In der Mitte des Bildes erhebt sich der Uhrenturm, 1799–1804 von L. Ferrari erbaut. Daran schließt sich das Gebäude der Stadtduma, der städtischen Ratsversammlung, errichtet 1802–1806 nach Plänen von Luigo Ruska. AP

53
Ansicht des Kazaner Domes von der Seite des Katharinen-Kanals in Petersburg, kurz vor 1820

Öl auf Leinwand, 67,3 x 94,5 cm
Bezeichnet unten links
Inv.-Nr. ЭРЖ-1679

53

Herkunft: 1941 aus dem Staatlichen Museum für Ethnographie der Völker der UdSSR, Leningrad (bis 1930 befand sich das Bild im Museum für Volkskunde der Leningrader Bezirksabteilung für Volksbildung)
Ausstellungen: 1978 Leningrad, Nr. 2; 1984 Leningrad, Peterburg gogolevskogo vremeni, Nr. 2; 1985/86 Dipoli, Nr. 15; 1986 Leningrad, Voronichin, Thomon, Zacharov, Nr. 111
Literatur: 216 (S. 74)

Dargestellt ist der Katharinen-Kanal mit seinem kunstvollen Brüstungsgitter; rechts am Kanal eine Reihe zwei- bis dreistöckiger Wohnhäuser. Ferner sieht man das Tor der Staatlichen Assignaten-Bank. Am linken Ufer erblickt man (etwa in der Mitte des Bildes) den östlichen Flügel der Kolonnaden des Kazaner Domes, der 1801–1811 vom Architekten Voronichin errichtet worden ist; in der Ferne wird noch die Kazaner Brücke sichtbar. AP

54 FARBTAFEL S. 183
Ansicht der Inseln in Petersburg, nach 1820

Öl auf Leinwand, 83 x 114 cm
Inv.-Nr. ЭРЖ-1680
Herkunft: 1941 aus dem Staatlichen Museum für Ethnographie der Völker der UdSSR, Leningrad
Ausstellungen: 1989 Hamburg, Nr. 42
Literatur: 165 (Tafel 89)

Auf den zahlreichen Inseln in der Umgebung von Petersburg befanden sich die Sommerhäuser der russischen Aristokratie und der reichen Kaufleute. Außerdem waren die Inseln im Sommer ein beliebter Ausflugsort der Petersburger; hier gab es Karussels, Rutschbahnen und viele andere Zerstreuungen. Die Besucher kamen mit Vergnügungsbooten oder Jachten aus der Stadt hierher, seit Anfang des 19. Jahrhunderts aber auch mit kleinen Ruderbooten. Das erste Dampfboot wurde 1815 in Rußland erbaut, trug den Namen »Elizaveta«, und verkehrte zwischen Petersburg und Kronstadt. Auf dem Gemälde ist ein solches Boot zu sehen. AP

55

MAKSIM NIKIFOROVIČ
VOROB'EV
Pskov 1787–1855 Petersburg

Landschafts- und Theatermaler, mit dessen Namen ein wichtiger Abschnitt der Entwicklung
russischer Landschaftsmalerei (besonders von
Stadtansichten) verbunden ist. Sohn eines Soldaten, studierte er 1797 bis 1809 an der Kunstakademie bei Alekseev, Ivanov und Thomas de
Thomon. 1814 wurde er Mitglied und 1823
Professor der Akademie. Er leitete die Klasse
für Landschaftsmalerei und wurde so zum Lehrer zahlreicher Landschaftsmaler, darunter der
Brüder Cernov, A. Ajvazovskijs, Lebedevs,
Vorob'evs, Bogoljubovs, L. Lagorios und anderer. Er reiste viel und nahm auch 1813/14 im

Hauptquartier der russischen Armee am Feldzug nach Deutschland und Frankreich teil. In
den Jahren 1820/21 unternahm er, auf Anordnung der Regierung, mit einer diplomatischen
Mission eine Reise in die Türkei, nach Syrien
und Palästina. 1828, während des Krieges gegen
die Türkei, befand er sich auf dem Balkan.
1844/45 unternahm er eine Reise nach Italien.

55
Parade auf dem Schloßplatz
in Petersburg, 1817

Öl auf Leinwand, 47,5 x 65,6 cm
Bezeichnet unten links
Staatliches Russisches Museum, Leningrad,
Inv.-Nr. Ж-6315

Herkunft: nicht später als 1930 aus dem früheren Aničkov-Palais in Leningrad
Literatur: 188 (S. 16); 54 (S. 84, Nr. 1229)

Auf der linken Seite des Bildes sieht man den
Palast, der in den 80er Jahren des 18. Jahrhunderts nach Plänen von Ju. M. Fel'ten errichtet
und 1819–1829 von K. I. Rossi für den Generalstab und die angegliederten Ministerien umgebaut worden war. In der Mitte des Gemäldes
steht das von der berühmten »Nadelspitze« gekrönte Gebäude der Haupt-Admiralität (errichtet 1806–1823 von Zacharov), rechts der Winterpalast, die Residenz der russischen Kaiser
(ein Werk von Rastrelli aus den Jahren 1754 bis
1762).   BK

SERGEJ KONSTANTINOVIČ ZARJANKO

Ljady, Gouvernement Mogilev 1818–1870 Moskau

Maler und Porträtist. Studierte seit 1830 bei A. G. Venecianov und daneben seit 1834 an der Petersburger Kunstakademie bei M. N. Vorob'ev. Für sein Gemälde »Perspektivische Ansicht des Feldmarschallsaales im Winterpalast« erhielt er 1836 eine Silbermedaille, für die Arbeit »Ansicht des Petrinischen (Kleinen Thron-) Saales« 1838 ebenfalls offizielle Anerkennung. 1843 wurde er aufgrund seiner »Innenansicht des St.-Nikolaus-Domes der Marine« Mitglied der Akademie. Später wandte er sich von dem bisher bevorzugten Genre der Innenansichten ab und malte vor allem Porträts, die ihm ebenfalls

großen Erfolg einbrachten. Seit 1850 war er Professor der Akademie der Künste und stellte in Petersburg, Moskau, sowie auch in zahlreichen internationalen Ausstellungen aus.

56
Perspektivische Ansicht des Feldmarschall-Saales im Winterpalast, 1836

Öl auf Leinwand, 81 x 109 cm
Inv.-Nr. ЭРЖ-2437
Herkunft: Erworben 1950 durch die Staatliche Ankaufkommission, Leningrad
Ausstellungen: 1985 Leningrad, Inter'er v russkoj živopisi, Nr. 9; 1986 Leningrad, Monferran, Nr. 39
Literatur: 189 (S. 5); 124 (S. 28); 5 (S. 252)

Dieser erste Prunksaal des Winterpalastes an der sogenannten »Jordan-« oder auch »Gesandtentreppe« (weil hier die Kaiserliche Familie zur Jordan- oder Wasserweihe am 6. Januar an die Neva ging, andererseits die Gesandten über diese Treppe geleitet wurden) wurde 1833/34 nach Plänen des Architekten Auguste de Montferrand (1786–1858) erbaut und ersetzte drei vorher hier befindliche kleinere Räume. Dem Umbau wichen auch die darüber liegenden Zimmer der dritten Etage, um die Höhe des Saales anheben zu können. Die klassizistische Ausgestaltung des Neubaus entsprach dem Zeitstil. In flachen Nischen zwischen den Pilastern wurden Porträts der russischen Feldmarschälle Potemkin, Rumjancev, Suvorov, Kutuzov, Dibič, Paskevin plaziert, wonach der Saal seinen Namen bekommen hat.   AP

57

Ansicht des Petrinischen (Kleinen Thron-) Saales im Winterpalast

Öl auf Leinwand, 86 x 109,5 cm
Bezeichnet oben links
Inv.-Nr. ЭРЖ-2438
Herkunft: 1937 aus dem Staatlichen Museumsfundus; früher befand sich das Bild im Großen Palast zu Peterhof
Ausstellungen: 1983 Caracas, Nr. 154; 1984 México, Nr. 17; 1984 Habana, Nr. 17; 1985 Leningrad, Inter'er v russkoj zivopisi, Nr. 10; 1986 Leningrad, Monferran, Nr. 40
Literatur: 186; 189 (S. 5); 124 (S. 28, 30); 5 (S. 252)

Dieser Saal wurde nach den Plänen und unter der Leitung von Auguste Montferrand, gleichzeitig mit dem Feldmarschall-Saal, gestaltet. Die Wände sind mit rotem Samt aus Lyon bespannt und mit silbernen doppelköpfigen Adlern bestickt. In der Nische befindet sich ein Bildnis Petrs I. von J. Amiconi (1675–1752), der von Minerva geführt wird. Auf den beiden Seitenwänden befinden sich im oberen Teil Darstellungen der zwei bedeutendsten Schlachten des Nördischen Krieges: der »Schlacht von Poltava« und der »Schlacht bei Lesna«.
Da man den Saal sehr rasch errichtet hat, wurde ein Großteil der Konstruktion und der Zierformen in Holz ausgeführt. Deshalb konnte sich das Großfeuer im Winter 1837 zwischen der

Wand und den hölzernen Einbauten rasch ausbreiten und den ganzen Winterpalast in Brand setzen. Danach wurden der Petrinische und der Feldmarschallsaal dem Architekten V. N. Stasov wiederhergestellt und dabei in der Ausgestaltung etwas verändert.   AP

58

59

ANONYME KÜNSTLER
DER ZEIT

58
Porträt des Grafen Ju. P. Litta, um 1800

Öl auf Leinwand, 77 x 110 cm
Inv.-Nr. ЭРЖ-126
Herkunft: 1941 aus dem Staatlichen Museum für Ethnographie der Völker der UdSSR, Leningrad; früher befand sich das Bild in der Kunstabteilung des Staatlichen Russischen Museums, wohin es 1931 bei der Überführung der Ausstattung der Maltesischen Kapelle gelangt war

Julij Pompeevič [Giulio] Litta (1765–1839) war geborener Italiener, Sohn eines Generals der österreichischen Armee und einer Mutter aus dem alten Adelsgeschlecht der Visconti. Schon mit 17 Jahren wurde er Ritter des Malteserordens, dessen Großmeister ihn 1789 nach Rußland schickte. In russischen Diensten erreichte Litta den Rang eines Hauptmann-Kommandeurs. Für seine Teilnahme am Krieg mit

Schweden wurde er zum Konteradmiral ernannt, mit dem Orden des heiligen Georg III. Klasse und einen goldenen Ehrensäbel ausgezeichnet. 1792 wurde er in Petersburg Gesandter des Souveränen Malteser-Ordens und dessen Minister. 1798 nahm er die russische Staatsbürgerschaft an und wurde daraufhin zum Chef des Kavallerie-Garde-Regimentes ernannt. 1810–1817 leitete er das Kontor des Hofintendanten. 1811 wurde er Mitglied des Staatsrates, 1826 Oberkammerherr und Ritter vom Orden des heiligen Andreas des Erstberufenen; außerdem 1830 Vorsitzender des Wirtschaftsressorts.   IK

59
Porträt der Gräfin P. I. Šeremeteva, nach 1800

Öl auf Leinwand, 72 x 58 cm
Inv.-Nr. ЭРЖ-1885
Herkunft: 1941 aus dem Staatlichen Museum für Ethnographie der Völker der UdSSR, Leningrad; früher befand sich das Bild im Besitz der Grafen Šeremetev in Petersburg
Literatur: 84 (S. 72 Anm. 2, Nr. 3); 173 (S. 17, dort fälschlich als Arbeit von N. I. Argunov ausgewiesen)

Praskov'ja Ivanovna Šeremeteva (1768–1803) war eine geborene Kovaleva, führte aber den Künstlernamen Žemžugova. Sie war die bedeutendste russische Schauspielerin aus dem Leibeigenenstand und spielte am Hoftheater der Grafen Šeremetev Hauptrollen des Opernrepertoires ihrer Zeit. 1801 wurde sie die Frau des Grafen N. P. Šeremetev.   IK

60

61

60
Porträt des Großfürsten Aleksandr Pavlovič, um 1800

Öl auf Leinwand, 81,3 x 63 cm
Inv.-Nr. ЭРЖ-607
Nach einem Porträt aus den 90er Jahren des 18. Jahrhunderts

Die biographischen Daten zu Aleksandr Pavlovič, dem späteren Kaiser Aleksandr I. (1777–1825), siehe Kat.-Nr. 15

61
Porträt V. A. Ozerov, nach 1800

Öl auf Leinwand, 76 x 60 cm
Inv.-Nr. ЭРЖ-830
Herkunft: 1947 aus dem Museum für Artillerie-Geschichte, Leningrad

Vladislav Aleksandrovič Ozerov (1769–1816) war Dramatiker und Dichter. Seine Ausbildung erhielt er im Landadels-Korps zu Petersburg und wurde im Rang eines Lieutenants sowie mit der Auszeichnung einer Goldmedaille entlassen. Er ging dann zur Südlichen Armee und nahm 1789 im Zweiten Russisch-Türkischen Krieg (1787–1791) an der Eroberung von Bender teil. Sein erster literarischer Versuch war die Übersetzung von Rousseaus »Héloise« aus dem Französischen. Es folgte 1798 die Tragödie »Jaropolk und Oleg«, die deutlich unter dem Einfluß von A. P. Sumarakov und Ja. B. Knjaznin geschrieben ist. Ein weiteres Werk, nämlich »Ödipus in Athen«, wurde 1804 im Ermitage-Theater aufgeführt. 1805 schrieb Ozerov die Tragödie »Fingal«, die auch ins Deutsche und ins Französische übersetzt worden ist. Besonderen Erfolg errang er mit der Tragödie »Dmitrij vom Don« 1807, vor allem mit deren patriotischen – in dieser Zeit der Auseinandersetzungen mit Napoelon – besonders aktuellen Tendenzen. Das Leben des Dramendichters endete allerdings tragisch: Nach seinem Stück »Philoxene«, von 1809, das er für sein bestes Werk hielt, verließ ihn der Erfolg. Ozerov fiel in Depressionen und verlor schließlich den Verstand.

AP

62
Porträt L. I. Depreradović, nach 1800

Öl auf Leinwand, 62 x 48 cm
Inv.-Nr. ЭРЖ-742
Herkunft: 1951 aus dem Museum für Artillerie-Geschichte, Leningrad; ursprünglich stammt das Bild aus dem Museum des Leib-Garde-Regiments »Semenovo«
Literatur: 49 (Nr. 35)

General-Major Leontije Ivanovič Depreradović (1766–1844) war gebürtiger Serbe, trat aber 1771 in das Bachmutsche Husaren-Regiment

62

63

ein, in dem er rasch zum Offizier befördert wurde. Später diente er in den Husaren-Regimentern Volos und Ukraine, danach bei den Smolensker Dragonern, bei denen er den Rang eines Obersten erhielt; und schließlich im Grenadier-Regiment »Astrachan«. Ebenfalls nahm er 1771–1774 auf der Krim am Feldzug gegen die Türken teil; an den Feldzügen in Polen von 1783, 1784 und 1794, sowie am Türkischen Krieg von 1788. Für seine Tapferkeit beim Sturm auf die Festung Ocakov wurde er mit einem goldenen Kreuz und dem Rang eines Seconde-Majors ausgezeichnet; während des Sturms auf Praga 1794 wurde er schwer verwundet, erhielt erneut die Auszeichnung eines goldenen Kreuzes, den Rang eines Premier-Majors, sowie des Ordens des heiligen Georg IV. Klasse. 1799 wurde er Generalmajor und Kommandeur des Leib-Garde-Regiments »Semenovo«, das dem Großfürsten und späteren Thronfolger Aleksandr Pavlovič direkt unterstellt war. Depreradović nahm deshalb auch an dem Umsturz vom 11. März 1801 teil, als Pavel I. ermordet wurde. Für seinen Einsatz in der

Schlacht von Austerlitz erhielt er den Orden des heiligen Georg, III. Klasse. Seine Karriere endete aber bereits 1807 unerwartet abrupt: Während der Schlacht bei Friedland hatte er sich – anstatt sein Regiment anzuführen – hinter den kämpfenden Linien gehalten. Darauf wurde er in den Ruhestand versetzt. AP

63
Porträt P. Ja. Gamaleja, nach 1810

Öl auf Leinwand, 79 x 62 cm
Inv.-Nr. ЭРЖ-24
Herkunft: 1941 aus dem Staatlichen Museum für Ethnographie der Völker der UdSSR, Leningrad; früher befand sich das Bild in der Sammlung des Kriegsmarine-Museums in Leningrad

Das Akademie-Mitglied Platon Jakovlevič Gamaleja (1766–1817) ist als Marinetheoretiker bekanntgeworden. Bereits als Dreizehnjähriger trat er in das Marine-Kadetten-Korps ein und segelte, nach Beendigung seiner Ausbildung, mit dem Geschwader des Admirals V. Ja. Čičagov von Kronstadt nach Livorno (1782–1784). Bis 1788 befuhr er dann auf dem Dreimaster »Rostislav« die Ostsee. Seit 1789 war er Kommandant des Einmasters »Jagdfalke [Krečet]«. Mit beiden Schiffen nahm er an Gefechten im Russisch-Schwedischen Krieg von 1788/90 teil und geriet dabei sogar einmal in Gefangenschaft. Seit 1799 lehrte er marinetechnische Praxis und Theorie beim Marine-Kadetten-Korps und gab 1801–1808 sein Handbuch »Die hohe Theorie der Marinekunst [Vysšaja teorija morskogo iskusstva]« heraus. Schon 1799 war er in den Rang eines Kapitäns I. Klasse erhoben worden, 1804 zum Kapitän-Commander, 1815 zum Ständigen Mitglied des Staatlichen Admiralitäts-Departements. 1808 wurde Gamaleja außerdem Wirkliches Mitglied der Rußländischen Akademie. AP

64

65

64
Porträt A. Z. Murav'ëv, 1822–24

Öl auf Leinwand, 63 x 51 cm
Inv.-Nr. ЭРЖ-2350
Herkunft: 1954 aus dem Staatlichen Revolutions-Museum in Leningrad
Ausstellungen: 1985, Leningrad, Vosstanie dekabristov, Nr. 11
Literatur: 157 (S. 22, 23)

Oberst Artamon Zacharovič Murav'ëv (1794–1846) war Kommandeur des Husaren-Regimentes »Achtyrka«. Seit 1807 studierte er als Stipendiat an der Moskauer Universität, danach an der Murav'ëv-Schule für Kolonnenführer, dem »Guiden-Korps«. Seinen eigentlichen Heeresdienst trat er 1811 an, und zwar im Quartiermeisterstab der Suite Seiner Majestät. Als solcher war er auch Teilnehmer des Vaterländischen Krieges von 1812 und der anschließenden Feldzüge im Ausland. 1820 wurde er Oberst, 1822 Kommandeur des Husaren-Regimentes »Achtyrka«. Zugleich hatte er intensive Verbindungen zu liberalen Kreisen, gehörte dem Bund des Heils, dem Bund für Wohlfahrt und der

Südlichen Gesellschaft der Dekabristen an. Nach dem fehlgeschlagenen Aufstand vom 14. Dezember 1825 wurde er zu 20 Jahren Zwangsarbeit in Sibirien verurteilt; schon 1839 aber wieder begnadigt und im Dorfe Elan' im Gouvernement Irkutsk angesiedelt. Er starb einige Jahre später im Dorfe Malaja Razvodnaja bei Irkutsk (Sibirien). IK

65
Porträt des Admirals
P. V. Čičagov, 1824

Öl auf Leinwand, 66,5 x 58 cm
Bezeichnet auf der Rückseite
Inv.-Nr. ЭРЖ-18
Herkunft: 1941 aus dem Staatlichen Museum für Ethnographie der Völker der UdSSR, Leningrad; früher befand sich das Bild in der Sammlung des Kriegsmarine-Museums

Pavel Vasil'evič Čičagov (1765–1849) war der Sohn des Admirals Vasilij Ja. Čičagov. Mit 14 Jahren wurde er zum Militärdienst eingezogen und nahm im Geschwader seines Vaters

1789/90 an mehreren Gefechten mit den Schweden teil, in denen die russische Flotte mehrere Siege über einen sonst deutlich überlegenen Gegner erringen konnte. 1793–94 weilte der junge Čičagov in England, lernte dort die Sprache und die dortige Praxis des Marinewesens. Als Kaiser Pavel I. den Thron bestieg, wurde Čičagov bei ihm verleumdet. Das Recht, Uniform und Ehrenzeichen zu tragen, wurde ihm aberkannt, und er wurde in der Peter-und-Pauls-Festung inhaftiert. Doch wurde er bereits 1799 wieder freigelassen. Aleksandr I. übertrug ihm mehrere Aufgaben, betraute ihn mit dem Amt eines Marine-Ministers und berief ihn in den Staatsrat. Seine Tätigkeit als Marine-Minister war durch umfassende Umgestaltungen des Ressorts gekennzeichnet, die den längst überfälligen Ausbau der russischen Flotte eigentlich erst ermöglichte. 1811 wurde er zum General-Gouverneur von Moldawien und der Walachei, sowie zum Oberkommandierenden der Schwarzmeerflotte und der Donau-Armee ernannt. Damit fiel ihm die Sicherung der Südgrenze gegen die Türkei zu. Während des Vaterländischen Krieges mit Napoleon wurde ihm die Verfolgung der feindlichen Armee übertragen, der es jedoch gelang, über die Berezina zu

entkommen. Man warf Čičagov zögerndes Handeln vor und sprach sogar von Hochverrat. Deshalb ließ er sich 1814 unbefristet beurlauben, lebte seitdem im Ausland, vor allem in Italien und Frankreich. 1816 begann er, seine Memoiren zu schreiben, die wertvolle Materialien zur russischen Geschichte und interessante Charakterisierungen der damaligen Staatsmänner Rußlands beinhalten. AP

leistete einen wichtigen Beitrag zur Fortentwicklung der medizinischen Ausbildung in Rußland. Zusammen mit Kaiser Aleksandr nahm er an dessen Feldzügen teil, begleitete den Herrscher auf seinen Reisen und Kongressen. Zugleich war er Inspekteur der Militär-Sanitäts-Verwaltung der russischen Armee und Autor zahlreicher medizinischer Fachbücher. Ihm ist auch der Bau des Klinikums der Medizinischen Akademie zu verdanken. AP

69

66
Porträt des Baronets J. Villiet, 1824

Öl auf Holz, 35,3 x 26,5 cm
Inv.-Nr. ЭРЖ-747
Herkunft: 1941 aus dem Staatlichen Museum für Ethnographie der Völker der UdSSR, Leningrad; früher befand sich das Bild in der Kollektion des Pleskauer Sammlers F. M. Pljuškin

James Villiet [Jakov Vasil'evič Villie] (1765–1854) war der Leibarzt [lejb-medik] Aleksandrs I. In Schottland geboren, erhielt er seine Ausbildung in Edinburgh und kam 1790 nach Rußland, wo er zuerst als Regimentsarzt diente, bis er 1799 zum Leibchirurgen des damaligen Großfürsten Aleksandr Pavlovič ernannt wurde. Von 1809 bis 1838 war er zugleich Präsident der Medizinisch-Chrirurgischen Akademie und

67   FARBTAFEL S. 184
Porträt V. A. Murav'eva, nach 1820

Öl auf Leinwand, 64 x 52 cm
Inv.-Nr. ЭРЖ-2352
Herkunft: 1954 aus dem Staatlichen Revolutionsmuseum in Leningrad
Ausstellungen: 1959 Leningrad, S. 26; 1985 Leningrad, Vosstanie dekabristov, Nr. 12

Vera Alekseevna Murav'ëva (1790–1867), geborene Gorjainova, war seit 1818 die Ehefrau des Oberst – und späteren Dekabristen – Artamon Murav'ev (1794–1846). Die biographischen Daten zu ihm siehe Kat.-Nr. 64. IK

69
Porträt des Grafen M. M. Speranskij, nach 1820

Öl auf Leinwand, 130 x 102 cm
Inv.-Nr. ЭРЖ-1505
Herkunft: 1941 aus dem Staatlichen Museum für Ethnographie der Völker der UdSSR, Leningrad

Michail Michajlovič Speranskij (1772–1839) war einer der bedeutendsten russischen Staatsmänner und Juristen am Beginn des 19. Jahrhunderts. Er studierte im Seminar der Aleksandr-von-der-Neva-Lavra, der bevorzugten Ausbildungsstätte für Kinder aus dem geistlichen Stande. Nach Beendigung seines Studiums unterrichtete er Mathematik, Physik, Philosophie und Rhetorik. Unter Pavel I. diente er in der Kanzlei des Generalstaatsanwaltes. Unter Aleksandr I. zunächst im Ministerium für auswärtige Angelegenheiten beschäftigt, arbeitete er Pläne zur Struktur verschiedener Regierungs- und Justiz-Einrichtungen des Landes aus. 1808 wurde er Staatssekretär und befand sich daher auch während des Treffens mit Napoleon in Erfurt im unmittelbaren Gefolge Aleksandr I. In Erfurt sollten nach den Niederlagen Österreichs und Preußens die Interessenssphären der beiden kontinentalen Großmächte, der Kaiserreiche Rußland und Frankreich, neu ausgewogen und geregelt werden. Im selben Jahr verfaßte Speranskij ebenfalls sein »Neues bürgerliches Gesetzbuch«.
1812 wurde er jedoch wegen Hochverrates angeklagt und verbannt – zuerst nach Nižnij Novgorod (heute: Gor'kij), dann nach Perm'. 1814

66

68   FARBTAFEL S. 201
Porträt der Gräfin N. P. Stroganova, nach 1820

Öl auf Leinwand, 29,5 x 25,5 cm
Inv.-Nr. ЭРЖ-1171
Herkunft: 1941 aus dem Staatlichen Museum für Ethnographie der Völker der UdSSR, Leningrad; früher befand sich das Bild auf dem Gut der Familie Stroganov in Mar'ino im Gouvernement Novgorod
Ausstellungen: 1989 Paris

Natal'ja Pavlovna Stroganova (1796–1872) war die älteste der vier Töchter des Grafen Pavel Aleksandrovič Stroganov und seiner Gemahlin Sof'ja Vladimirovna. Nachdem ihr einziger Bruder Aleksandr Pavlovič Stroganov 1814 umgekommen war, wurde Natal'ja Pavlovna, auf Wunsch ihres Vaters, als Erbin des Stroganovschen Vermögens eingesetzt und ihr zugleich das Recht verliehen, den Grafen-Titel ihrem zukünftigen Mann zu übertragen. 1817 heiratete sie einen Vetter ihres Vaters aus einer Seitenlinie des Hauses, Grigorij Aleksandrovič Stroganov. IK

70

71

durfte er sich danach auf seinem Gut in Penza ansiedeln. Auch in der Verbannung arbeitete Speranskij unermüdlich an seinen Plänen zur Umstrukturierung Rußlands weiter, dem er eine konstitutionelle Ordnung zu geben wünschte. 1819 wurde er erneut in den Staatsdienst aufgenommen und zum General-Gouverneur von Sibirien ernannt. 1821 kehrte er nach neunjähriger Abwesenheit nach Petersburg zurück und wurde dort zum Mitglied des Staatsrates ernannt. Jetzt arbeitete er hauptsächlich an der »Vollständigen Gesetz-Sammlung des Rußländischen Reiches« und an dem »Gesetzeskodex des Rußländischen Reiches«. 1839 wurde Speranskij in den Grafenstand erhoben.

Das Porträt zeigt ihn offensichtlich als Gouverneur in Sibirien: Speranskij sitzt in einem Sessel und trägt auf schwarzem Gehrock die Orden des heiligen Aleksandr-von-der-Neva und des heiligen Vladimir; die Rechte ruht auf einem Tisch, auf dem eine Karte und ein Buch mit der Aufschrift »Einrichtungen für Sibirien« liegen. Im Hintergrund sieht man durch ein Fenster das Panorama von Irkutsk mit seiner charakteristischen Domkirche.   AP

70
Porträt der Kaiserin
Elizaveta Alekseevna,
1. Viertel des 19. Jahrhunderts

Öl auf Leinwand, 78 x 60,3 cm
Inv.-Nr. ЭРЖ-613
Herkunft: 1941 aus dem Staatlichen Museum für Ethnographie der Völker der UdSSR, Leningrad
Ausstellungen: 1989 Paris

Elizaveta Alekseevna (1779–1826) – vor ihrer Konversion zum orthodoxen Glauben Prinzessin Louise-Maria-Augusta von Baden-Durlach – heiratete 1793 den Großfürst-Thronfolger Aleksandr Pavlovič, seit 1801 Kaiser Aleksandr I. Nach einem Bildnis von Elisabeth Vigée-Lebrun (1755–1842).   AP

71
Porträt der Kaiserin Elizaveta
Alekseevna vor dem Park von
Carskoe Selo,
1. Viertel 19. Jahrhundert

Öl auf Leinwand, 86,8 x 59,5 cm
Inv.-Nr. ЭРЖ-611
Herkunft: 1941 aus dem Staatlichen Museum für Ethnographie der Völker der UdSSR, Leningrad

Nach einem Bildnis von D. Dawe (biographische Daten siehe Kat.-Nr. 9.) Die biographischen Daten zu Kaiserin Elizaveta Alekseevna siehe Kat.-Nr. 70.   AP

72

73

72

Porträt der Großfürstin Ekaterina Pavlovna, 1. Viertel des 19. Jahrhunderts

Öl auf Leinwand, 67,5 x 53 cm
Inv.-Nr. ЭРЖ-598
Herkunft: 1941 aus dem Staatlichen Museum für Ethnographie der Völker der UdSSR, Leningrad; früher befand sich das Bild in der Sammlung im Elagin-Palast

Die biographischen Daten zu Ekaterina Pavlovna (1788–1818) siehe Kat.-Nr. 26.   AP

73

Porträt A. N. Voronichin, 1. Viertel des 19. Jahrhunderts

Öl auf Leinwand, 37,2 x 29 cm
Inv.-Nr. ЭРЖ-2673
Herkunft: 1970 durch die Ankaufs-Kommission der Staatlichen Ermitage erworben

Andrej Nikiforovič Voronichin (1760–1814) wirkte als Architekt und Maler. Zuerst war er Leibeigener des Grafen A. S. Stroganov, der ihn aber 1786 freigegeben hat. Voronichin studierte sowohl in Rußland als auch im Ausland. Sein bedeutendstes Petersburger Bauwerk ist der Kazaner Dom am Nevskij-Prospekt, besonders wegen dessen großartiger Kuppelkonstruktion, für die er sich alle nur denkbaren Errungenschaften der Bautechnik zunutze machte. Außerdem errichtete er in der Stadt das Institut für Bergbau, das Landhaus der Stroganovs am Ufer der Großen Nevka und eine Reihe anderer Gebäude.
Die vorliegende Arbeit ist eine Variante des Selbstporträts Voronichins, das im Staatlichen Russischen Museum in Leningrad aufbewahrt wird.   AP

74

Porträt N. N. Bantyš-Kamenskij, nach 1810

Öl auf Leinwand, 83 x 65 cm; oval
Inv.-Nr. ЭРЖ-803
Herkunft: 1941 aus dem Staatlichen Museum für Ethnographie der Völker der UdSSR, Leningrad

Nikolaj Nikolaevič Bantyš-Kamenskij (1737–1814) ist als Archäograph und Historiker bekannt geworden. Er absolvierte die Griechische Schule in Nežinsk, studierte danach an der Kiever und später an der Moskauer Geistlichen Akademie und hörte gleichzeitig Vorlesungen an der Moskauer Universität. 1762 wurde er beim Archiv des Ministeriums für auswärtige Angelegenheiten angestellt und schon 1765 Assistent seines Verwalters, des Historikers F. I. Miller. In dieser Eigenschaft mußte er für Ekaterina II. sechs historisch-diplomatische Traktate verfassen. Während seiner Tätigkeit im Archiv hat Bantyš-Kamenskij zahlreiche Untersuchungen der diplomatischen Beziehungen zwi-

74

75

schen Rußland und anderen Staaten durchgeführt, so z. B. in seiner »Sammlung diplomatischer Vorgänge zwischen dem Rußländischen
und dem Polnischen Hof ... bis 1700« (fünf
Bände), in der »Sammlung diplomatischer Vorgänge zwischen dem Rußländischen und dem
Chinesischen Staat von 1619 bis 1792« oder in
den »Verfahren zur Einreise von Ausländern
nach Rußland«. Im Jahre 1800 wurde er Verwalter des Moskauer Archivs des Kollegiums
für auswärtige Angelegenheiten, wie das Au-
ßenministerium damals hieß. Dort hat er in 94
Büchern ein »Alphabet aller ein- und ausgehenden Archiv-Akten von 1720 bis 1811« erarbeitet. Sein letztes Werk war die Publikation der
»Staatsurkunden und Verträge«, deren erster
Teil noch zu seinen Lebzeiten 1813 erschienen
ist.   AP

75
Porträt I. P. Glazunov,
1. Viertel des 19. Jahrhunderts

Öl auf Leinwand, 80,2 x 64,5 cm
Inv.-Nr. ЭРЖ-358
Herkunft: 1941 aus dem Staatlichen Museum für
Ethnographie der Völker der UdSSR, Lenin-
grad

Ivan Petrovič Glazunov (1762–1831) war um
1800 ein bekannter Petersburger Verleger und
Buchhändler. Der Gründer der Firma Glazunov war bereits sein älterer Bruder, der Kaufmann Matvej Petrovič Glazunov (1757–1830)
aus Serpuchovo, der das Unternehmen gemeinsam mit seinen Brüdern Ivan und Vasilij führte.
1782 eröffneten sie ihren Buchhandel zunächst
an der Erlöser-Brücke in Moskau. Um das Geschäft zu beleben, wurde Ivan Petrovič nach Petersburg geschickt, wo er 1788 einen Laden im
Aničkov-Haus eröffnete, das damals Potemkin
gehörte. Seit 1790 war er dort aber nicht nur als
Buchhändler, sondern auch als Verleger tätig
und eröffnete deshalb 1803 noch eine eigene
Druckerei. Während seiner vierzigjährigen Tä-

tigkeit gab er 441 belletristische Werke, sowie
37 historische Publikationen heraus. Außerdem
verlegte er Veröffentlichungen der Moskauer
Universität und der Akademie der Wissenschaften. Auch sein Sohn, seine Enkel und Urenkel
führten den Verlag mit Erfolg weiter, der in Petersburg bis 1917 existierte.   AP

76   FARBTAFEL II
Porträt A. S. Puškin, um 1840

Öl auf Leinwand, 63,4 x 54,6 cm
Bezeichnet und datiert unten links
Puškin-Literatur-Museum, Leningrad
Inv.-Nr. КП-567/Ж-17
Herkunft: 1938 aus der Staatlichen Lenin-
Bibliothek der UdSSR in Moskau; früher be-
fand sich das Bild auf dem Gut der Fürsten
Vjazemskij-Ostaf'evo
Ausstellungen: 1978 Minneapolis, Nr. 1, S. 45
Nach dem Porträt von O. A. Kiprenskij aus
dem Jahre 1827

Kiprenskijs Gemälde befindet sich heute in der Tret'jakov-Galerie zu Moskau. Kiprenskij hat dieses Porträt auf Bestellung des Dichters A. Del'vig, eines Freundes von Puškin, in Petersburg gemalt, nachdem dieser aus der Verbannung heimgekehrt war. Nach dem Tode Del'vigs 1831 kaufte Puškin selbst von dessen Witwe sein Porträt, das in Familienbesitz verblieb, bis es der älteste Sohn des Dichters, Aleksandr Aleksandrovič, der Tret'jakov-Galerie übereignete. Der Dargestellte schätzte es selbst sehr, denn - nach Meinung der Zeitgenossen, besonders des Vaters des Dichters - brachte es nicht nur sein Äußeres sondern auch seinen Charakter und seine poetische Individualität sehr sprechend zum Ausdruck. So ist es selbstverständlich, daß gerade nach diesem Porträt zahlreiche Kopien angefertigt wurden. Über die Geschichte der hier gezeigten gibt eine Inschrift auf dem Keilrahmen Aufschluß: »Dieses Porträt A. S. Puškins wurde von mir von der Familie Arbenev erworben, und zwar für das Geld, das mir, dank der Protektion des Fürsten Petr Andreevič Vjazemskij, die (verstorbene Kaiserin) Marija Aleksandrovna als Anerkennung für das Ihrer Majestät übersandte und von mir 1874 edierte ‚Tagebuch des A. V. Chrapovickij' gewährte. Jetzt übergebe ich dieses für mich so kostbare Porträt dem Fürsten Pavel Petrovič Vjazemskij zur Aufbewahrung in der Puškin-Sammlung des Dorfes Ostaf'evo. Nikolaj Barsukov. 9. Juli 1880. St. Petersburg.«
Aleksandr Sergeevič Puškin (1799–1837), der wohl genialste russische Lyriker, Prosaschriftsteller, Kritiker, Historiker und Schöpfer einer vollkommen neuen literarischen Sprache, hat die russische Literatur durch die Qualität einer vertieften Menschlichkeit bereichert und in ihr dabei zugleich die Kräfte einer realistischen Schilderung geweckt und verstärkt. Als Meister der Sprache und höchst schöpferischer Autor wurde er weltbekannt; durch seine romantische Lyrik, wie etwa »Ruslan und Ljudmila« (1820) oder den »Kaukasischen Gefangenen« (1820/21); durch Versromane, wie »Evgenij Onegin« (1823–1831); durch Dramen, wie »Boris Godunov« oder »Rusalka« (1829–1832), oder die »Geschichte Pugačevs« (1834). 1836 übernahm Puškin die Redaktion der Literaturzeitschrift »Der Zeitgenosse [Sovremmenik]«, in der sich die besten russischen Schriftsteller und Dichter geäußert haben. AIM

77
Porträt des Grafen M. F. Orlov, 1. Viertel des 19. Jahrhunderts

Öl auf Holz, 18,5 x 15 cm
Inv.-Nr. ЭРЖ-2359
Herkunft: 1954 aus dem Staatlichen Revolution-Museum in Leningrad
Ausstellungen: 1985 Leningrad, Vosstanie dekabristov, Nr. 10
Literatur: 157 (S. 18, 19)
Nach dem Bildnis von A. Rizener aus dem Jahre 1814

Michail Fedorovič Orlov (1788–1842), der spätere General-Major, war ein unehelicher Sohn des Grafen Fedor Grigor'evič Orlov. 1805 wurde er Junker im Kavallerie-Garde-Regiment und nahm 1805–1807 am Krieg gegen das napoleonische Frankreich teil; ebenso am Vaterländischen Krieg von 1812 und den anschließenden Feldzügen im Ausland 1813/14. Seit 1817 war er Mitglied der Literaturgesellschaft »Arzamas« in Petersburg, seit 1818 des Zentralrates des Wohlfahrtsbundes. 1820 wurde er Kommandeur der 16. Infanterie-Division in Kišinev. Nach dem Dekabristenaufstand vom 14. Dezember 1825 wurde zwar auch er zunächst verhaftet, aber, dank der Protektion seines Bruders A. F. Orlov, bald wieder aus der Haft in der Peter-und-Pauls-Festung entlassen und in das Dorf Miljatino bei Kaluga gebracht, wo er der geheimen Beobachtung durch die Behörden unterstand. Seit 1831 lebte er in Moskau, wo er auch starb. IK

78

78
Porträt des Grafen D. A. Gur'ev, 1. Viertel des 19. Jahrhunderts

Öl auf Leinwand, 82 x 65 cm
Inv.-Nr. ЭРЖ-2582
Herkunft: 1941 aus dem Staatlichen Museum für Ethnographie der Völker der UdSSR, Leningrad; früher befand sich das Bild in der Sammlung des Schlosses zu Gatčina

Dmitrij Aleksandrovič Gur'ev (1751–1825) war unter Aleksandr I. Finanzminister. Doch schon seit 1772 übte er verschiedene Tätigkeiten aus und machte unter der Protektion von G. A. Potemkin und P. M. Skavronskij, dem Großneffen Ekaterinas I., rasch Karriere. Dank seiner Frau, einer geborenen Saltykova, fand er Zugang zu den Kreisen der höchsten Aristokratie und kam so auch in die Umgebung des Großfürsten Aleksandr Pavlovič und M. M. Speranskijs (biographische Angaben siehe Kat.-Nr. 69). Nach dem Regierungswechsel wurde Gur'ev 1802 zuerst Mitarbeiter des Finanzministers und später selbst Minister. In dieser Zeit der Kriegs-Vorbereitung gegen Napoleon bemühte er sich, die Einkünfte des Staates durch Zolleinnahmen zu erhöhen und zugleich die Steuern anzuheben. In diesem Zusammenhang wurde etwa auch der Weinverkauf in 20 Gouvernements verstaatlicht. Gur'evs Wirken erweckte in unterschiedlichsten Kreisen der Gesellschaft verständlicherweise Unzufriedenheit. 1823 wurde er deshalb in den Ruhestand versetzt. Während seiner Amtszeit wurde auch die Staatliche Kommerz-Bank in Rußland gegründet.
AP

77

79

79
Porträt des Petersburger Metropoliten Michail, 1. Viertel des 19. Jahrhunderts

Öl auf Leinwand, 89 x 71 cm
Inv.-Nr. ЭРЖ-665
Herkunft: 1941 aus dem Staatlichen Museum für Ethnographie der Völker der UdSSR, Leningrad; früher befand sich das Bild in der Staatlichen Öffentlichen Bibliothek

Metropolit Michail von Petersburg (sein weltlicher Name lautete: Matvej Michajlovič Desnickij; 1781–1821) wurde als Sohn eines Küsters geboren. Er besuchte zunächst das Moskauer Dreieinigkeits-Seminar (in der Lavra des ehrwürdigen Sergij), dann das Philologische Seminar bei der »Gelehrten Freundes-Gesellschaft«, die von N. I. Novikov und I. G. Švarc [Schwarz] zur Verbreitung der Bildung in Rußland gegründet worden war. Außerdem hörte er Vorlesungen in der Geistlichen Akademie und der Moskauer Universität. 1785 wurde er zum Priester geweiht und Geistlicher an der Kirche des heiligen Johannes des Kriegers in Moskau. 1796 wurde er zum Hofgeistlichen ernannt und kam deshalb nach Petersburg. Nach dem Tode seiner Frau legte er die Mönchsgelübde ab und erhielt dabei den Namen Michail. Am 6. Dezember 1799 wurde er Archimandrit und zugleich Vorsteher des traditionsreichen St.-Georgs-Klosters [Jur'ev monastyr'] in Novgorod. Bereits am 20. Juli 1802 wurde er Vikar von Novgorod mit dem Titel eines Bischofs von Staraja Russa, und erhielt am 18. Dezember 1803 seine eigene Diözese von Černigov und Nežinsk. 1806 wurde ihm der Titel eines Erzbischofs verliehen und am 26. März 1818 bestieg er den Stuhl des Metropoliten von St.-Petersburg und Novgorod. Seine Predigten und Ansprachen machten ihn sehr beliebt. Er starb am 24. März 1821 und wurde in der Lavra des heiligen Aleksandr-von-der-Neva beigesetzt.
Als Mitglied einer Freimaurerloge hatte er Beziehungen zum Kreis des bekannten russischen Aufklärers und Verlegers N. I. Novikov. Dort verkehrte auch der Maler und Porträtist Vladimir Lukič Borovikovskij (1757–1825), der Michail Desnickij mehrfach porträtiert hat. Ein solches Porträt, das den Hierarchen als Bischof von Černigov zeigt und bis in kleinste Details mit dem vorliegenden unsignierten Gemälde übereinstimmt, befindet sich heute im Staatlichen Russischen Museum (Inv.-Nr. Z-3158).
AP/NT

80
Porträt I. F. Kruzenštern, 1849

Öl auf Leinwand, 103 x 80 cm
Auf der Rückseite der Leinwand findet sich das
(nicht identifizierte) Monogramm: C. W. P.
1849
Inv.-Nr. ЭРЖ-11
Herkunft: 1941 aus dem Staatlichen Museum für
Ethnographie der Völker der UdSSR, Lenin-
grad; früher befand sich das Bild in der Samm-
lung des Kriegsmarine-Museums
Ausstellungen: 1989 Hamburg, Nr. 50

Admiral Ivan Fedorovič Kruzenštern [Adam
Krusenstern] (1770–1846) war der erste russi-
sche Weltumsegler, außerdem ein bedeutender
Wissenschaftler und Schriftsteller.
Er absolvierte das Marine-Kadetten-Korps im
Jahre 1788 und ging dann als Garde-Marine-
Soldat auf den Dreimaster »Mstislav«. Schon
der Kapitän dieses Schiffes plante eine Weltumseglung, die aber – wegen des Kriegsausbruchs
gegen Schweden – nicht in Angriff genommen
werden konnte. Während des Krieges nahm
Kruzenštern an zahlreichen Schlachten teil.
1793 wurde er – auf Grund seiner besonderen
Fähigkeiten – als einer von 12 ausgewählten
russischen Seeleuten nach England geschickt,
um dort eine weiterführende Spezialausbildung
zu erhalten. In dieser Zeit hat Kruzenštern auch
auf englischen und anderen Schiffen weitere
Fahrten unternommen. Als er nach einer sechs-
jährigen ununterbrochenen Fahrt wieder in die
Heimat zurückkehrte, war in ihm der Plan zu
einer Weltumseglung vollends gereift. Mit den
beiden Schiffen »Nadežda [Hoffnung]« und
»Neva«, die beide in England gekauft worden
waren, verließ er am 26. Juli 1803 den Hafen
von Kronštadt und kehrte nach glücklicher
Vollendung des Unternehmens am 7. August
1806 dorthin zurück. Die Beschreibung der Reise füllt drei große Bände. Sie wurden erstmals
1809 in Petersburg ediert und danach auch bald
in zahlreiche andere Sprachen übersetzt.
Nach seiner Rückkehr hatte Kruzenštern verschiedene hohe Ämter inne – auch das eines Di-
rektors des Marine-Korps – und beschloß
schließlich sein Leben als Admiral und Ritter
aller hohen Orden Rußlands. Auf dem Porträt
wird er in Uniform mit seinen Orden und der
Auszeichnung für seinen 50jährigen untadeli-
gen Dienst gezeigt. Vor ihm liegt die Karte von
Sachalin.   AP

81

82

81
Porträt Admiral F. F. Bellingsgauzen,
1. Viertel des 19. Jahrhunderts

Öl auf Leinwand, 34,5 x 26,5 cm
Inv.-Nr. ЭРЖ-730
Herkunft: 1951 aus dem Museum für Artillerie-
Geschichte, Leningrad; früher befand sich das
Bild in der Sammlung des Großfürsten Nikolaj
Michajlovič in St.-Petersburg

Admiral Faddej Faddeevič Bellingsgauzen [Bel-
lingshausen] (1779–1852) war Oberkommandierender des Hafens von Kronštadt, Teilnehmer der Weltumseglung Kruzenšterns (vgl. Kat.-
Nr. 80) und Ju. F. Lisjanskijs auf der »Neva« in
den Jahren 1803–1806. Er nahm auch am
Russisch-Türkischen Krieg von 1828/29 teil.

                                                        IK

82
Porträt E. F. Murav'ëva
mit ihrem Sohn Nikita,
2. Viertel des 19. Jahrhunderts

Öl auf Leinwand, 98 x 75 cm, oval
Inv.-Nr. ЭРЖ-2354
Herkunft: 1954 aus dem Staatlichen Revolutions-
Museum in Leningrad
Nach dem Bildnis von J.-L. Monie, 1799/1800

Ekaterina Fedorovna Murav'ëva (1771–1848),
eine geborene Baronesse Kolokol'cova, war die
Frau von M. N. Murav'ëv, eines Schriftstellers
und Politikers, Senators und Mäzens der Moskauer Universität, sowie Mitglied der Rußländischen Akademie. Sie war die Mutter der Dekabristen Nikita und Aleksandr Murav'ëv. Daher
setzte sie sich nach dem Scheitern des Aufstandes intensiv für die verbannten Rebellen ein
und suchte, deren Schicksal zu erleichtern. Die
Häuser der Murav'ëvs in Petersburg und Moskau wurden zu Zentren einer progressiven Kultur, in denen alle Nachrichten über die verbannten Dekabristen zusammenliefen.
Dargestellt wird hier die Murav'ëva mit ihrem
ältesten Sohn, dem damals vierjährigen Nikita
Michajlovič (1796–1843), dem zukünftigen Dekabristen, der später als Organisator und leiten-
der Kopf der Nördlichen Gesellschaft, sowie als
Verfasser der Entwürfe für eine demokratische
»Konstitution« bekannt geworden ist.   GP

Porträt der Gräfin N. P. Stroganova, nach 1820. Kat.-Nr. 68

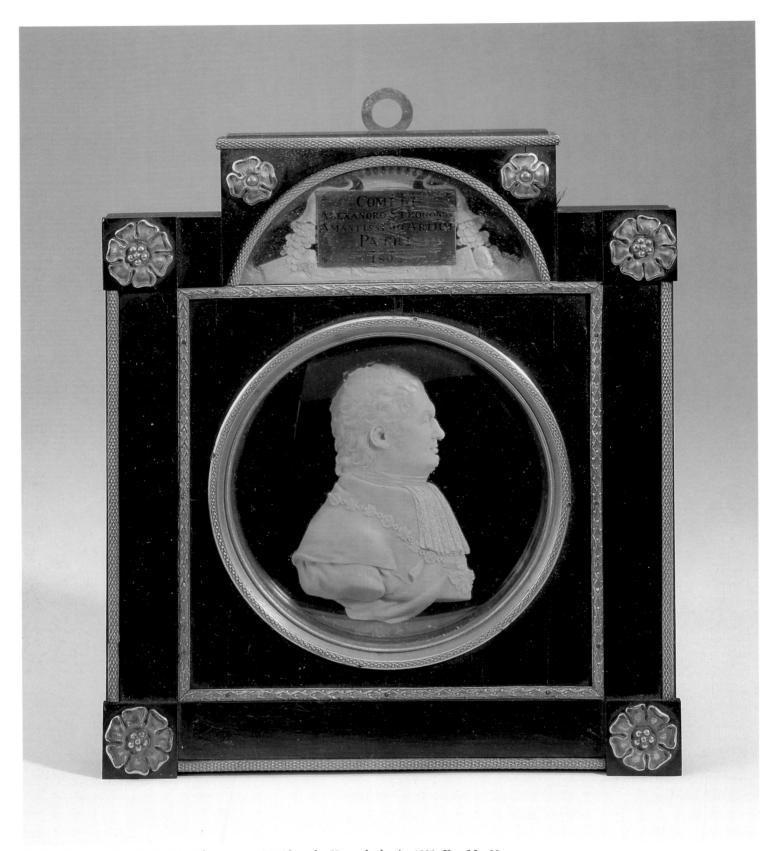

K. A. Leberecht, Porträt Graf A. S. Stroganov, Präsident der Kunstakademie, 1803. Kat.-Nr. 88

83
Ikone mit der Synaxis des Erzengels Michael, 1833, St.-Petersburg

Ei-Tempera auf Holz, 90 x 70,5 cm
Inv.-Nr. ЭРЖ-2555
Herkunft: 1959 aus dem Staatlichen Museums-Fundus; früher befand sich die Ikone in der Großen Kirche (dem sogenannten »Dom«) des Winterpalastes

Synaxis = griechisch »Versammlung«; das ihr geweihte Fest wird von der Orthodoxen Kirche jeweils am 8. November gefeiert.
In der oberen Bildhälfte sieht man den jugendlichen Christus-Emmanuel, der über den Köpfen einer dichtgedrängten Engelschar thront. In seiner Rechten hält er die Weltkugel und das Szepter, in der hoch erhobenen Linken das Kreuz. In der unteren Hälfte des Bildes stehen, Christus zugewandt, sieben Erzengel mit den sie kennzeichnenden Attributen in Händen. Deutlich zu erkennen ist vorne links der gerüstete Michael mit der Kreuzesfahne, ihm gegenüber steht wohl – mit der Lilie als Symbol der Jungfräulichkeit in seiner Rechten – Gabriel, der Engel der Verkündigung. Dazwischen steht wohl der durch einen Kelch gekennzeichnete Raffael. Er hält ein entrolltes Schriftband, auf dem folgender kirchenslavischer Text steht: »Laßt uns wachsam sein! Laßt uns würdig stehen vor dem, der uns erschaffen, und laßt uns einstimmig das Lied singen: Heilig, heilig, heilig, erfüllt sind Himmel und Erde von deiner Herrlichkeit!« (vgl. Jes. 6,3).
Die Ikone setzt die überlieferte Ikonographie – in deutlicher Anlehnung an den akademischen Malstil und an entsprechende Vorlagen der westeuropäischen religiösen Kunst – ins Bild. Auf ihrer Rückseite ist mit Tinte folgendes über ihre Entstehung vermerkt: »Im Jahre 1833, im Monat Mai am 4. Tage, wurde diese Ikone aus den Gemächern Seiner Kaiserlichen Majestät in die Hofdomkirche vom Sakristan Erzpriester Efimij Levitskij überführt. Gemalt wurde diese heilige Ikone, auf Grund der segensreichen Anordnung von Vater Archimandrit Fotij, im Jahre 1833 im März am 25. Tag.« (Gemeint ist damit wohl der seit 1822 amtierende Vorsteher des St.-Georgs [Jur'ev-]Klosters in Novgorod, Archimandrit Fotij (mit weltlichem Namen: Petr Nikitič Spasskij, 1792–1838), der besonders in den späten Jahren Aleksandrs I., zusammen mit A. A. Arakčeev, einen starken konservativen Einfluß auf den Kaiser ausgeübt hatte.)
AP/NT

83

84

85

IOHANN HEINRICH VON DANNECKER
Stuttgart 1758–1841 Stuttgart

Führender Bildhauer des deutschen Klassizismus. Als Sohn eines Pferdeknechtes kam Dannecker 1771 in die neu gegründete Militärschule, die bereits nach zwei Jahren zur Akademie umgewandelt wurde. Nach Abschluß seiner dortigen Ausbildung setzte er seine Studien bei Augustin Pajou in Paris fort. Von 1785 bis 1790 lebte er in Rom, wo er in enge Beziehungen zu A. Canova trat. 1790, nach seiner Rückkehr in die Heimat, wurde Dannecker in Stuttgart Professor für Bildhauerei. Mit seinen Skulpturen in ganz Europa bekannt, wurde er zum Ehrenmitglied der Kunstakademien von Bologna, Modena und Petersburg ernannt.

84
Porträt Königin Katharina von Württemberg, 1818

Marmor, 60 x 40 cm
Bezeichnet und datiert auf der Rückseite
Inv.-Nr. ЭРСК-34
Herkunft: 1941 aus dem Staatlichen Museum für Ethnographie der Völker der UdSSR, Leningrad
Literatur: 240 (Nr. 149–150, S. 385–392)

Die biographischen Daten zur württembergischen Königin Katharina, der vormaligen Großfürstin Ekaterina Pavlovna von Rußland, siehe Kat.-Nr. 26. LT

VASILIJ IVANOVIČ DEMUT-MALINOVSKIJ
Petersburg 1779–1846 Petersburg

Bildhauer. Sohn eines Zimmermanns auf der Admiralitätswerft. Studierte 1785–1800 an der Kunstakademie bei M. I. Kozlovskij (siehe Kat.-Nr. 87) und blieb auch noch danach an diesem Institut, um seine Fähigkeiten zu vervollkommnen. 1802 wurde er für sein Grabdenkmal Kozlovskijs mit einer Goldmedaille ausgezeichnet. 1803 bis 1807 war er als Stipendiat der Akademie in Italien und arbeitete dort bei Antonio Canova. Nach seiner Rückkehr wurde Demut-Malinovskij 1807 Mitglied der Akademie, 1813 Professor und schließlich 1836 Rektor. Sein wohl bekanntestes Werk ist die Statue »Der russische Scaevola« von 1813 (Gips und Bronze; heute im Staatlichen Russischen Museum). Als einer der bedeutendsten russischen Bildhauer

für monumentale Skulpturen war er auch an den Dekorationen des Bergbau-Institutes, des Kazaner Domes, der Admiralität, des Generalstabs-Bogens sowie des Winterpalastes beteiligt.

85
Porträt A. V. Suvorov, 1814

Gips, 62 x 36 x 32 cm
Inv.-Nr. ЭРСк-113
Herkunft: 1953 aus dem Staatlichen Russischen Museum, Leningrad; bis 1925 befand sich die Skulptur in der Akademie der Künste
Ausstellungen: 1814 Petersburg, Vystavka Imperatorskoj Akademii chudožestv; 1961–1963 Leningrad, Vystavka portretov russkich voennych dejatelej
Literatur: 149 (S. 24–27); 150 (S. 86–91)

Die biographischen Daten zu Feldmarschall Suvorov siehe Kat.-Nr. 24.
Dargestellt ist hier der Feldherr mit dem Orden der heiligen Anna I. Klasse am Bande; auf dem Sockel als Flachreliefs weitere russische und ausländische Orden, die ihm verliehen worden waren. Bei der Erarbeitung seiner Büste hat sich der Bildhauer auf ein Porträt bezogen, das I. G. Schmidt im Jahre 1800 nach dem Modell gemalt hat.   LT

LOUIS-MARIE GUICHARD
Paris nach 1770 – nach 1831 Paris

Französischer Bildhauer, Schüler von Augustin Pajou und François André Vincent. Arbeitete 1802 bis 1812 in Rußland. Nach seiner Rückkehr nach Frankreich stellte er bis 1831 im Pariser Salon aus. Er war besonders als Porträtist beliebt.

86
Porträt Kaiserin Elizaveta Alekseevna, 1808

Marmor, 75,5 x 42 cm
Bezeichnet und datiert auf der Rückseite
Inv.-Nr. ЭРСк-149
Herkunft: 1960 erworben durch die Ankaufs-Kommission der Staatlichen Ermitage
Literatur: Thieme-Becker, Allgemeines Lexikon der Bildenden Künstler von der Antike bis zur Gegenwart, Leipzig 1907–1950, S. XV, S. 270; 141 (S. 5)

Die biographischen Daten zu Kaiserin Elizaveta Alekseevna siehe Kat.-Nr. 70.   LT

86

MICHAIL IVANOVIČ KOZLOVSKIJ
Petersburg 1753–1802 Petersburg

Wichtiger Bildhauer, sowohl für den Bereich der Monumentalskulptur als auch für den dekorativen Bereich. Der Sohn eines Trompeters von der Galeerenflotte studierte 1764–1773 an der Kunstakademie bei N.-F. Gillet. Mehrfach wurde er mit Goldmedaillen ausgezeichnet (1770, 1772, 1773) und 1773–1779 als Stipendiat der Akademie nach Italien geschickt. Dort besuchte er in Rom die St. Lucas-Akademie, sowie die Französische. 1780 wurde er Mitglied der Akademie von Marseille für Malerei, Bildhauerei und Architektur. 1788–1790 schickte ihn die Petersburger Kunstakademie zur Betreuung der dortigen russischen Stipendiaten nach Paris. 1872 erhielt er den Rang eines »approbierten Künstlers«, 1794 den Ruf zum Akademiemitglied in Petersburg. Er lehrte dort Bildhauerei und Malen nach der Natur. 1795 wurde er Professor, 1799 Senior-Professor. Zu seinen bekanntesten Werken zählen das Denkmal für A. V. Suvorov in Petersburg (1799–1801; Bronze und Granit); die Gruppe »Samsons Kampf mit dem Löwen« für den großen Wasserfall in Peterhof (1800–1801, vergoldete Bronze); und

einige Grabmäler für den Lazarus-Friedhof der Aleksandr-von-der-Neva-Lavra, ebenfalls in Petersburg.

87
Modell des Denkmals für Generalissimus Suvorov, 1801

Bronze und Granit, 69 x 22 x 22 cm
Auf dem Piedestal steht die Inschrift:
КНЯЗЬ ИТАЛIЙСКОЙ ГРАФЪ СУВОРОВЪ РЫМНИКСКОЙ 1801
Inv.-Nr. ЭРСк-163
Herkunft: Alter Bestand der Sammlung der Staatlichen Ermitage
Ausstellungen: 1905 Petersburg, Kat.-Nr. 2212
Literatur: 81 (S. 446–448); 98 (S. 81, Nr. 12); 142 (S. 102); 143 (S. 179–190); 154 (S. 6, 11, 12)

Die biographischen Daten zu Suvorov siehe Kat.-Nr. 24. Man sieht den Feldherrn als antiken Krieger mit gezogenem Schwert in der Rechten und dem Schild in der Linken, der mit einem Doppeladler, dem russischen Staatswap-

87

pen, geschmückt ist. Er steht an einem Opferaltar, auf dessen drei Seiten Flachreliefs mit den allegorischen Figuren des Glaubens, der Hoffnung und der Liebe, sowie eine päpstliche Tiara und zwei Kronen, angebracht sind. Auf dem aus Granit gefertigten Piedestal sind ein Schild mit der Inschrift »Der Fürst von Italien, Graf Suvorov von Rîmnic«, zwei Genien und Trophäen in Bronze angebracht.

Das Denkmal nach diesem Modell wurde am 5. Mai 1801 enthüllt und stand ursprünglich auf dem Marsfeld in der Nähe des Michaels-Schlosses. 1820 wurden die dortigen Gebäude durch Karl Rossi vollkommen umgestaltet, und in diesem Zusammenhang kam auch das Denkmal auf seinen Platz am Uferkai der Neva.   LT

KARL ALEKSANDROVIČ LEBERECHT
Meiningen 1755–1827 Petersburg

Arbeitete vor allem als Medailleur und Steinschneider. Die erste künstlerische Ausbildung erhielt er in Deutschland, arbeitete seit 1778 in der Petersburger Münze; seit 1799 dort als Hauptmedailleur. 1794 wurde er Mitglied der Akademie und leitete dort von 1800–1827 die Klasse für Medaillenentwürfe. Der Urheber zahlreicher Medaillen, Münzen und Steinschneidearbeiten war Ehrenmitglied der Berliner und der Stockholmer Kunstakademie.

88   FARBTAFEL S. 202
Porträt Graf A. S. Stroganov, Präsident der Kunstakademie, 1803

Basrelief in getöntem Wachs auf geschwärztem Glas; in hölzernem Rahmen mit Bronzeverzierungen; verglast
10,8 cm im Durchmesser; 22,1 x 19,3 cm mit Rahmen
Bezeichnet und datiert auf der Rückseite des Rahmens
Inv.-Nr. ЭРСк-144
Herkunft: Alter Bestand der Sammlung der Staatlichen Ermitage, bisher noch nicht publiziert

Oben eine Vignette mit Füllhörnern, den Attributen der »freien Künste« und der Grafenkrone; darin ein Bronzetäfelchen mit der Aufschrift: »Comiti Alexandro Strogonov Amantissimo Artium Patri 1803«

Die biographischen Daten zu Graf Stroganov siehe Kat.-Nr. 51.
Das Basrelief diente als Modell für eine Portrait-Medaille, die 1807 von I. A. Šilov im Auftrag der Petersburger Akademie der Künste anläßlich des 50jährigen Dienstjubiläums ihres Präsidenten angefertigt worden ist.   LT

BORIS IVANOVIČ ORLOVSKIJ (SMIRNOV)
Dorf Bol'šoe Stolbeckoe, Gouvernement Orel 1797–1837 Petersburg

Bildhauer. War Leibeigener der Großgrundbesitzerin N. M. Manceva, dann des Grundherrn V. A. Satilov aus Tula. Die erste berufliche Ausbildung erhielt er bei den italienischen Marmorbildhauern S. Campioni in Moskau (1801–1817) und A. Triscorni in Petersburg (1818–1822). 1822 wurde er aus der Leibeigenschaft entlassen und studierte an der Kunstakademie in Petersburg bei I. P. Martos (sein Name bezeichnete seine Herkunft – »der aus Orel«). Von 1823 bis 1829 ging er als Stipendiat der Akademie nach Italien, um dort seine Kenntnisse der Bildhauerkunst zu erweitern. In dieser Zeit arbeitete er auch in der Werkstatt von Thorwaldsen. Auf Grund seiner in Rom entstandenen Arbeiten wurde Orlovskij nach seiner Rückkehr 1831 Mitglied der Akademie und unterrichtete dort die Bildhauer-Klasse. 1836 wurde er zum Professor ernannt. Vor allem schuf er Monumentalskulpturen, wie die in Bronze gegossenen Denkmäler der Feldherren Kutuzov und Barclay de Tolly vor dem Kazaner Dom (1829–1837), die Statue des Engels auf der Aleksandr-Säule (1832–1834; ebenfalls Bronze) und die Dekorationen am Moskauer Triumphbogen in Petersburg (1835–1836; Gußeisen und Kupfer).

89
Porträt Kaiser Aleksandr I., 1822

Marmor, 61 x 40 x 29 cm
Bezeichnet auf der Rückseite
Inv.-Nr. ЭРСк-201
Herkunft: Alter Bestand der Sammlung der Staatlichen Ermitage
Literatur: Dva novych russkich chudožnika, in: Otečestvennye zapiski, 1822, Teil X, Nr. 25, S. 288; Ja. I. Ščurygin, Boris Ivanovič Orlovskij 1792–1837, Leningrad-Moskau 1962, S. 9, 10

89

Die biographischen Daten zu Aleksandr I. siehe Kat.-Nr. 15.
Die Büste zeigt den Kaiser in antikem Harnisch und mit einem Lorbeerkranz. Da sie Aleksandr I. außerordentlich gut gefiel, ordnete er die Befreiung ihres Urhebers aus der Leibeigenschaft an, um ihm das Studium an der Kunstakademie und eine anschließende Stipendiaten-Reise nach Italien zu ermöglichen.   LT

90
Modell für das Denkmal M. I. Kutuzovs in Petersburg, 1829–1837

Bronze auf Marmorsockel,
50,5 x 15,5 x 17,5 cm
Inv.-Nr. ЭРКм-211
Herkunft: 1941 aus dem Staatlichen Museum für Ethnographie der Völker der UdSSR, Leningrad
Literatur: Boris Ivanovič Orlovskij – Chudožestvennaja gazeta, 1838, 15. Januar, Nr. 1 (Nekrolog); 170, S. 14, 16–17; Ja. I. Ščurygin, Boris Ivanovič Orlovskij, Leningrad-Moskau 1962, S. 33–47

Die biographischen Daten zu Kutuzov siehe Kat.-Nr. 31.

Hier ist er in der Paradeuniform eines Generals mit großer Ordensschnalle, in einen Militärmantel mit Pelerine gehüllt, dargestellt. Am 25. Dezember 1837 wurden Denkmäler für die russischen Heerführer des Vaterländischen Krieges von 1812 auf dem Platz vor dem Kazaner Dom aufgestellt. Anläßlich dieses Ereignisses fand am 29. Dezember eine Truppenparade der Petersburger Garnison mit Kaiser Nikolaj I. an der Spitze statt. Die ausgestellte Skulptur ist ein Modell für jene Denkmäler. LT

90

JACQUES-DOMINIQUE RACHETTE
Kopenhagen 1744–1809 Petersburg

Bildhauer. Als Sohn eines französischen Emigranten in Kopenhagen geboren, studierte Rachette an der dortigen Kunstakademie und wurde 1762–1763 mit Anerkennungsmedaillen, 1764 mit einer Goldmedaille ausgezeichnet. 1765 wurde er jedoch verhaftet. Man warf ihm vor, dem russischen Minister S. R. Voroncov, bei der Anwerbung französischer Künstler geholfen zu haben, um sie nach Rußland zu bringen. Nach seiner Entlassung ging er 1776 nach Hamburg und nahm 1779 den Ruf an, als Modellmeister in der Kaiserlichen Porzellanfabrik in Petersburg zu arbeiten. Dort wirkte er 25 Jahre. Unter seiner Leitung entstand das berühmte »Arabesken-Service«, für das er selbst zahlreiche Entwürfe machte; ferner eine Serie von Porzellanfigürchen, die verschiedene Typen der Völker Rußlands darstellten. 1785 wurde er Mitglied der Akademie. Auch bei der Ausgestaltung des Taurischen Palastes und des Kazaner Domes, sowie der Großen Kaskade in Peterhof wirkte er mit. Zu seinen bedeutendsten Arbeiten gehören die – nicht erhaltene – Bronze-Statue der Kaiserin Ekaterina II. in Carskoe Selo (1789); das Modell für das Denkmal P. A. Rumjancev-Zadunajskijs in Gluchov (1793, Marmor, heute: Staatliches Russisches Museum) sowie das Grabmal des Fürsten A. A. Bezborodko in der Verkündigungs-Grabkapelle der Aleksandr-von-der-Neva-Lavra in Petersburg (1801, Bronze und Marmor). Auch zahlreiche Porträtbüsten und Medaillons hat Rachette in Rußland gearbeitet.

91
Porträt des Kaisers Pavel I., nach 1790

Bronze, 73 x 50 cm
Auf dem Fuß ist der Gießer N. Stange vermerkt
Inv.-Nr. ЭРСк-13
Herkunft: 1946 aus dem Militäringenieur-Museum (heute: Militärhistorisches Museum der Artillerie, der Ingenieurtruppen und der Train-Truppen)
Literatur: 55 (S. 132, Nr. 1059)

Die biographischen Daten zu Kaiser Pavel I. siehe Kat.-Nr. 26. LT

91

FEDOR PETROVIČ GRAF TOLSTOJ
Petersburg 1783–1873 Petersburg

Medailleur, Bildhauer, Künstler, Zeichner, Dekorateur aber auch Autor von Balletten und Erzählungen; ein vielseitiger Repräsentant der russischen Kunstszene seiner Zeit. Er studierte 1800–1802 im Marine-Kadetten-Korps, wurde danach Reservist und begann 1804 an der Kunstakademie zu studieren, vor allem Bildhauerei bei I. P. Prokof'ev. 1806 trat er in den Dienst der Ermitage, wurde 1809 Ehren-Mitglied der Akademie und ging ein Jahr später als Medailleur an die Petersburger Münze. 1825 unterrichtete er die Klasse der Medailleure an der Kunstakademie, wurde dafür dort 1842 Professor und 1849 Professor für Bildhauerei. Von 1828 bis 1859 war Tolstoj Vize-Präsident der Akademie, außerdem Ehren-Mitglied der Preußischen (1822), Österreichischen (1836) und der Florentiner (1846) Akademie. 1836–1838 schuf er in Wachs und Gips mehrere Relief-Medaillons zum Vaterländischen Krieg von 1812 und zu den europäischen Feldzügen der russischen Armeen von 1813/14. Ebenfalls in dieser Zeit entstanden in Kupfer solche Reliefs zum Krieg mit Persien und dem Osmanischen Reich der Jahre 1826–1829. Berühmt war er schon durch die

92

94

95

1810–1815 gefertigten Basreliefs in Wachs geworden, die Themen aus der »Odyssee« zeigten.
Zu den Hauptwerken des Künstlers gehören
noch die Wachsporträts, die er in den Jahren
1805 bis 1820 schuf: das malerische »Familien-
porträt« von 1830 und schließlich die graphischen Illustrationen zu dem Gedicht
»Dušen'ka« von I. B. Bogdanovič (1820–1833).

92–95
Medaillons aus einer Serie zum Vaterländischen Krieg von 1812 und zu den folgenden europäischen Feldzügen

Basreliefs aus Gips in achteckigen Bronze-
rahmen
Literatur: P. Kaminskij, Graf F. P. Tolstoj, in
Otečestvennye zapiski, 1839, Bd. 3, Buch 4,
S. 8–10; Obšee godičnoe sobranie Imperatorskoj Akademii chudožestv i prazdnestvo pjati-
desjatiletnego jubileja vice-prezidenta ee, grafa
F. P. Tolstogo, 10. Okt. 1854, St.-Petersburg
1855, S. 49–51; Graf F. P. Tolstoj – Obzor chudožestvennoj dejatel'nosti 1783–1873, in: Russ-
kaja starina, 1873, April, S. 527; 93, S. 55–80,
310–312

92

Der Rodomysl des 19. Jahrhunderts

Abguß von 1814, Durchmesser 19 cm
Inv.-Nr. ЭРСк-150
Aufschrift am Rand: Родомыслъ девятого
на десять вѣка
Unterhalb des Bildes: Theodorus comes de Tol-
stoy formabat et scalpebat MDCCCXIV

Eine allegorische Darstellung Kaiser Aleksandrs
I. in Gestalt Rodomysls, des Kriegsgottes der
alten Slaven. LT

93 OHNE ABBILDUNG

Die Schlacht von Borodino, 1812

Abguß von 1816, Durchmesser 20 cm
Inv.-Nr. ЭРСк-152
Aufschrift unten: Изобръ . . . ъ и работалъ
графъ Ѳеодо . . . Толстой 1817
Unterhalb des Bildes: Битва Бородинская
181

94

Die Befreiung Moskaus, 1812

Abguß von 1819, Durchmesser 20 cm
Inv.-Nr. ЭРСк-153
Aufschrift unten in der Sockelplatte: Изобрълъ
и рабо. гр: Ѳеод . . . Толстой 1819
Unterhalb des Bildes: Освобожд . . . е Москвы
1812

Die sitzende Gestalt im Hintergrund symbolisiert das gefangene Moskau (der fast verdeckte
Schild zu ihren Füßen zeigt das Stadtwappen,
den heiligen Georg als Drachentöter). Der Krieger mit dem slavischen Helm und dem Strah-
lenkreuz auf seinem Schild steht für das recht-
gläubige Rußland. Die niedergeworfenen Feinde sind die französischen Eindringlinge. LT

95

Die Schlacht bei Leipzig, 1813

Abguß von 1823, Durchmesser 20 cm
Inv.-Nr. ЭРСк-154
Aufschrift unten in der Sockelplatte: изобрълъ
и работалъ гра . . . Ѳеодоръ Толстой 1824
Unterhalb des Bildes: Битва при Лейпциге
1813

Über den getöteten Feinden steht siegreich der
russische Krieger, gestützt auf die antiken Fas-
ces, das Symbol der Gerechtigkeit. Auf seinem
Schild hat sich der doppelköpfige Adler des
rußländischen Reiches niedergelassen. LT

96

97

96 ABBILDUNG S. 209

Porträt der Kaiserin Marija Fedorovna, Petersburg, 1. Drittel des 19. Jahrhunderts

Gips, 68 x 40 x 31 cm
Inv.-Nr. ЭРСк-14
Herkunft: Grundbestand der Sammlung der Staatlichen Ermitage
Literatur: 55 (S. 177, 178, Nr. 1562)

Die biographischen Daten zur Kaiserin Marija Fedorovna vgl. unter Kat.-Nr. 10. LT

97

Porträt des Kaisers Konstantin I. Petersburg, 1825

Bronze auf Malachit-Sockel mit Vergoldung, Gravur und Mosaik, 31,5 x 15,1 x 10,9 cm
Inv.-Nr. ЭРКм-319
Herkunft: 1941 aus dem Staatlichen Museum für Ethnographie der Völker der UdSSR, Leningrad; die Büste stammt aus dem alten Bestand der Ermitage und wird hier erstmals publiziert. Auf dem Malachit-Sockel befindet sich das Monogramm Konstantins I. unter der russischen Kaiserkrone

Die allgemeinen biographischen Daten zu Konstantin Pavlovič siehe Kat.-Nr. 26. Der Großfürst war seinem älteren Bruder, Kaiser Aleksandr I., besonders eng verbunden, da beide von ihrer Großmutter, Kaiserin Ekaterina II., aufgezogen worden waren. Konstantin wußte, daß sein kaiserlicher Bruder dem Thron entsagen wollte, entschloß sich aber noch zu Lebzeiten Aleksandr I. ebenfalls zum Thronverzicht, zugunsten des jüngeren Bruders, Großfürst Nikolaj Pavlovič (der spätere Kaiser Nikolaj I.). Als in Petersburg die Nachricht vom Tode Aleksandr I. (am 27. November 1825 in Taganrog) eintraf, leisteten Nikolaj Pavlovič (der von Konstantins Verzicht nichts wußte) und seine Gefolgsleute zunächst den Eid auf Konstantin während dieser in Warschau seinerseits den Eid auf Nikolaj I. leisten ließ. Da das hier gezeigte Porträt die Insignien des Kaisers zeigt, muß es während des kurzen Interregnums vom 27. November bis zum 14. Dezember 1825 entstanden oder zum Kaiserbildnis umgestaltet worden sein. LT

JOHANN WILHELM GOTTFRIED BARTH
Magdeburg 1779–1852 Rheinsberg

Maler und Graphiker; vor allem Landschafts-maler. Seit 1796 arbeitete er für die Königliche Porzellan-Manufaktur in Berlin. 1809–1810 als Maler in Riga, wo er mehr als sechsundvierzig Ansichten der Stadt und ihrer Umgebung schuf. Von 1811 bis 1822 arbeitete und lebte er zusammen mit Frau und Sohn Eduard in Petersburg, wo er auch einige russische Schüler unterrichtete. In dieser Zeit entstanden Architekturdarstellungen der Stadt und Ansichten ihrer Umgebung, klein- und großformatige Gouache-Bilder im Auftrag des Hofes, sowie zum freien Verkauf. Anfang der 20er Jahre brachte er auch eine Reihe Petersburger Stadt-

ansichten an den Berliner Hof. 1825 verlieh ihm der preußische König Friedrich-Wilhelm III. den Titel eines »Hofkünstlers«. 1800, 1804, 1830 und 1840 zeigte er in Ausstellungen der Berliner Akademie seine Bilder. Gerade in unserer Zeit hat Barth wieder besonderes Interesse erweckt, vor allem mit seinen Ansichten von deutschen Städten und Parkanlagen. 1981 fand eine Ausstellung seiner Werke im Schloß Sanssouci in Potsdam statt, 1982–1983 in Hamburg und 1987 in Berlin.

98
Der Aničkov-Palast, nach 1810

Gouache und Tusche auf Karton, 15,8 x 21,2 cm
Monogrammiert unten Mitte
Inv.-Nr. ЭРР-6778
Herkunft: 1927, zuvor (bis 1917) in der Bibliothek Kaiser Aleksandrs II. im Winterpalast
Ausstellungen: 1978 Leningrad, S. 27, Nr. 5, Ill. 11; 1983 Leningrad
Literatur: 172 (S. 149, Nr. 44, Ill. 44)

Ein Blatt aus einer Serie kleinformatiger Ansichten von Petersburg, die Barth entweder als Vorlage für die Porzellanmalerei oder für den Verkauf gemalt hat. Eine vergleichbare Serie befindet sich im Schloß-Museum zu Pavlovsk. Ihre Zuschreibung und Datierung verdanken wir

101

Renate Krol (Kupferstichkabinett und Sammlung der Zeichnungen, Staatliche Museen, Berlin).

In der Bildmitte sieht man den Aničkov-Palast, der von 1741 bis zum Ende der 50er Jahre zuerst von dem Architekten M. H. Zemcov, nach dessen Tod aber von G. D. Dmitriev und F. B. Rastrelli erbaut worden ist. 1778/79 brachte ein Umbau nach den Plänen von I. E. Starov die Neugestaltung der Fassaden. Das Gebäude wurde an Stelle einer früheren Siedlung für die Kaiserin Elizaveta Petrovna für das Regiment »Preobraženskoe« errichtet und Mitte des 18. Jahrhunderts dem Günstling der Kaiserin, dem Fürsten A. G. Razumovskij, geschenkt. Nach 1770 gehörte es dem Fürsten G. A. Potёmkin und am Ende des Jahrhunderts zum Grundbesitz des Kaiserlichen Kabinetts.

Links sieht man noch eine Ecke jenes Gebäudes, das 1803–1806 nach Plänen von G. Quarenghi entstand. Es ersetzte die dort ursprünglich angelegten hölzernen Kolonnaden. 1809–1811 wurden noch zwei weitere Flügel mit Diensträumen durch L. Ruska angebaut.   GP

99   FARBTAFEL S. 219

Das Landhaus der Grafen Laval auf der Apotheker-Insel in Petersburg, um 1816

Gouache und Tusche auf Karton, 58,7 x 79 cm
Inv.-Nr. ЭPP-8009
Herkunft: 1978 als Geschenk von Professor V. I. Piljavskij (Leningrad)
Ausstellungen: 1982 Leningrad, Ermitaž, S. 26, Nr. 4; 1984 Leningrad, Restavracii pamjatnikov, S. 26, Nr. 33

Ein Blatt aus einer großformatigen Serie, die möglicherweise im Auftrag des Hofes entstanden ist. Die meisten Blätter dieser Serie befinden sich im Staatlichen Russischen Museum, Leningrad; einige tragen das Datum »1816«, woran sich auch die Datierung des vorliegenden Blattes orientiert. Das dargestellte Landhaus (Dača) wurde 1806 – vermutlich von Thomas de Thomon – auf der im Norden von Petersburg gelegenen Apotheker-Insel [Aptekarskij ostrov] erbaut.   GP

100   FARBTAFEL S. 219

Der Uferkai der Kreuzes-Insel [Krestovskij-Ostrov] in Petersburg, um 1816

Gouache und Tusche auf Karton, 57,5 x 78 cm
Inv.-Nr. ЭPP-8008
Herkunft: 1978 als Geschenk von Professor V. I. Piljavskij (Leningrad)
Ausstellungen: 1982 Leningrad, Ermitaž, S. 26, Nr. 3; 1984 Leningrad, Restavracii pamjatnikov, S. 26, Nr. 34

Es handelt sich ebenfalls um ein Blatt aus der großformatigen Serie (vgl. Kat.-Nr. 99). Auf dem dargestellten Kai wurden im Sommer Schaukeln und sonstige Vergnügungseinrichtungen zur Volksbelustigung aufgebaut.   GP

101
Das Landhaus von D. L. Naryškin
am Koltover Uferkai der
Petersburger Insel, um 1813

Gouache und Tusche auf Karton, 22,5 x 31 cm
Inv.-Nr. ЭРР-6763
Herkunft: 1927, zuvor (bis 1917) in der Bibliothek Kaiser Aleksandrs II. im Winterpalast
Ausstellungen: 1983 Leningrad, S. 64 (dort allerdings fälschlich als Landhaus Dolgorukovs auf
der Steinernen Insel ausgewiesen)

Hier handelt es sich wieder um ein Blatt aus der
kleinformatigen Serie (vgl. Kat.-Nr. 98). Zahlreiche stilistische Merkmale sprechen für die
Zuschreibung an Barth.
Das Landhaus des Ober-Jägermeisters D. L. Naryškin wurde am Anfang des 2. Jahrzehnts des
19. Jahrhunderts von einem unbekannten Architekten in klassizistischem Stil errichtet.   GP

AUS DER WERKSTATT
WILHELM BARTHS

102
Der Palast in Pavlovsk vom Fluß
Slavjanka aus gesehen, nach 1810

Gouache und Tusche auf Karton, 23 x 32,1 cm
Inv.-Nr. ЭРР-5585
Herkunft: 1927, zuvor (bis 1917) in der Biblio-
thek Kaiser Aleksandr II. im Winterpalast
Ausstellungen: 1983 Leningrad, S. 64
Literatur: 172 (Nr. 45)

Der Palast wurde 1782–1785 von Carles Cameron errichtet und in den Jahren 1797 bis 1799
unter Pavel I. nach Plänen des Architekten V.
Brenna zur kaiserlichen Prachtresidenz umgebaut. Nach einem großen Brand von 1803 wurde er bis 1805 von A. N. Voronichin erneut aufgebaut.   GP

103

103

Blick in den Ekaterinen-Park von Carskoe Selo, nach 1810

Gouache und Tusche auf Papier, 23,5 x 31 cm
Inv.-Nr. ЭPP-6780
Herkunft: 1927, zuvor (bis 1917) in der Bibliothek Kaiser Aleksandrs II. im Winterpalast

Links, am Ufer des Großen Teiches, sieht man die von Charles Cameron 1783–1786 errichtete (und nach ihm benannte) Galerie, rechts den Gartenpavillon, den F. B. Rastrelli 1749–1761 erbaut hat. GP

104

104

Der Uferkai der Neva beim Bergbau-Institut, nach 1810

Gouache und Tusche auf Papier, 23,2 x 31,7 cm
Inv.-Nr. ЭPP-6779
Herkunft: 1927, zuvor (bis 1917) in der Bibliothek Kaiser Aleksandrs II. im Winterpalast

Im Hintergrund sieht man rechts den Säulenportikus des Bergbau-Institutes, das A. N. Voronichin 1806–1808 erbaut hat. GP

105

105

Die Lavra des heiligen Aleksandr-von-der-Neva, Ende des 2. Jahrzehnts des 19. Jahrhunderts

Gouache und Tusche auf Papier, 15,5 x 21 cm
Inv.-Nr. ЭPP-6775
Herkunft: 1924 aus der Sammlung V. N. Argutinskij-Dolgorukij
Ausstellungen: 1978 Leningrad, Kat.-S. 27, 28, Nr. 6

Dem Kloster des heiligen Aleksandr-von-der-Neva wurde 1797 der nur wenigen großen und bedeutenden Konventen vorbehaltenen Titel einer »Lavra« (von griechisch »Laura«) verliehen. 1713 gegründet, bewahrte es die Gebeine seines Patrons, des heiligen Fürsten Aleksandr-von-der-Neva auf (vgl. Kat.-Nr. 55), die Kaiser Petr I. überführen ließ. Aber erst 1715 wurde der erste Bauabschnitt der Klostergebäude nach Plänen der Architekten D. Trezzini und T. Schwertfeger in Angriff genommen. In den

40er und 50er Jahren setzte dann P. A. Trezzini zusammen mit M. D. Rastorguev die Arbeiten fort und errichteten den Theodoros-Flügel
und die Theodoros-Kirche. 1776–1790 folgte
nach Plänen von I. E. Starov der Bau des Dreie-
nigkeitsdomes, der Hauptkirche der Lavra. Auf
unserem Bild sind deren auf einem Säulenkranz
ruhende Kuppel und die beiden mächtigen Türme über dem Eingangsportal gut erkennbar.
Schon 1717 entstand nach Plänen des Architekten D. Trezzini der Heilig-Geist-Flügel, der
1820–1822 von V. P. Petrov bereits wieder umgebaut wurde. Auch die Verkündigungskirche,
die ebenfalls Trezzini errichtete, stammt schon
aus den Jahren 1717–1722, der Anbau mit der
Freitreppe von M. D. Rastorguev von 1764/65.
Das Kloster wurde in den 20er Jahren unseres
Jahrhunderts aufgelöst. Der Dreieinigkeits-
Dom ist aber bis heute eine der Kathedralen des
Metropoliten von Leningrad und Novgorod.

GP

106   FARBTAFEL S. 220
Der Kazaner Dom vom Nevskij-Prospekt aus gesehen, Ende des 2. Jahrzehnts des 19. Jahrhunderts

Gouache und Tusche auf Papier, 22,7 x 30,5 cm
Inv.-Nr. ЭPP-6769
Herkunft: 1927, zuvor (bis 1917) in der Biblio-
thek Kaiser Aleksandrs II. im Winterpalast
Ausstellungen: 1978 Leningrad, Kat.-S. 27

Dem Nevskij-Prospekt ist die nördliche Fassade
der Domkirche zu Ehren der Ikone der Gottesmutter von Kazan' zugewandt, die der Architekt A. N. Voronichin 1801–1811 erbaut hat.

GP

107
Der Admiralitäts-Platz, um 1822

Gouache und Tusche auf Papier, 23,3 x 31,5 cm
Inv.-Nr. ЭPP-5579
Herkunft: 1927, zuvor (bis 1917) in der Biblio-
thek Kaiser Aleksandrs II. im Winterpalast
Ausstellungen: 1978 Leningrad, Kat.-S. 27, Nr. 6
Literatur: 157 (S. 32, Ill. 15); 172 (S. 149, Nr. 44,
Ill. 44)

In der Mitte des Platzes steht die Admiralität,
die 1704 nach den Vorstellungen Kaiser Petr I.
gegründet worden ist. 1711 wurde ihr Mittelteil
mit dem Turm errichtet, 1732–1738 das Haupt-
gebäude, das von I. K. Korobov noch einmal
umgebaut wurde. 1806–1823 fand noch einmal
ein weitgehender Umbau der ganzen Anlage
statt, den zuerst A. D. Zacharov, nach dessen
Tode D. M. Kalašnikov, I. G. Gomzin und andere leiteten. Gegen 1812 wurden noch der Ost-
flügel und der Turm neu errichtet. Gegen 1823
wurden die Bauarbeiten aber wieder eingestellt.

GP

108

Der Uferkai der Neva an der Alten Ermitage und am Ermitagetheater, 1824

Gouache und Aquarell auf Papier,
62,5 x 84,6 cm
Bezeichnet und datiert unten rechts
Inv.-Nr. ЭPP-7188
Herkunft: 1965 durch die Ankaufs-Kommission der Staatlichen Ermitage
Ausstellungen: 1972 Leningrad, S. 12, Nr. 1; 1978 Minneapolis, S. 68, Nr. 70; 1980 Leningrad, Peterburg-Petrograd-Leningrad, S. 49; 1983 Moskau, S. 77
Literatur: 165 (Tafel 136); 157 (S. 37, Ill. 19); 135 (S. 202, Tafel 126)

Die Alte Ermitage (im Vordergrund der Darstellung) wurde 1771–1787 von Ju. M. Fel'ten erbaut. Im Hintergrund sieht man das Theater, das 1783–1787 von G. Quarenghi erbaut wurde. Der Kai des Palastufers wurde 1763–1767 mit Granit verkleidet, die einbögige Ermitage-Brücke, 1763–1766 – ebenfalls aus Granit – erbaut.   GP

CARL JOACHIM BEGGROW
Riga 1799–1875 Petersburg

Maler, Aquarellist und Lithograph von Porträts, Genre-Szenen und Landschaftsbildern. Er studierte 1818–1821 an der Petersburger Kunstakademie bei M. N. Vorob'ëv in dessen Klasse für Landschaftsmalerei. Seit 1825 arbeitete er als Lithograph bei der Hauptverwaltung für die Verkehrswege. 1831 erhielt er den Titel eines »approbierten Malers«, 1832 den eines Mitgliedes der Akademie. Er führte besonders viele Aufträge für die Gesellschaft zur Förderung der Künstler aus, darunter zahlreiche Ansichten von Petersburg. So stellte er die Händler und allerlei Volk auf den Straßen dar, malte andererseits aber auch Schlachtenszenen und Porträts bekannter Zeitgenossen.

108
Der Elagin-Palast, 1823

Gouache auf Papier, 39,6 x 50,6 cm
Bezeichnet und datiert unten rechts
Inv.-Nr. ЭPP-5563
Herkunft: 1934 aus dem Staatlichen Museums-Fundus der UdSSR
Ausstellungen: 1980 Leningrad, Peterburg-Petrograd-Leningrad, Kat.-S. 49; 1983 Leningrad, Kat.-S. 64
Literatur: 34 (S. 97)

Der Palast liegt auf der gleichnamigen Insel. Ursprünglich hieß sie »Bären-Insel« (Mišinyj ostrov; nach »Miša«, der volkstümlichen russischen Bezeichnung für Bär), wurde aber 1770 von Ekaterina II. ihrem Oberhofmeister Elagin geschenkt. Nach dessen Tod ging sie 1794 in den Besitz der Grafen Orlov über. 1817 kaufte sie Aleksandr I. als Sommerresidenz für seine Mutter Marija Feodorovna. Für sie errichtete Carlo Rossi hier 1818–1822 den Palast als eine der außerhalb der Stadt gelegenen Residenzen der kaiserlichen Familie.   GP

Der Park des Elagin-Palastes bei den Dienstgebäuden, 1823

Gouache auf Papier, 38 x 50,3 cm
Bezeichnet und datiert unten rechts
Inv.-Nr. ЭPP-6421
Herkunft: 1934 aus dem Staatlichen Museums-Fundus der UdSSR
Ausstellungen: 1983 Leningrad, Kat.-S. 64

Links ist die Große Orangerie des Palastes zu sehen, die Carlo Rossi 1818–1822 erbaut hat.   GP

GRIGORIJ GRIGOR'EVIČ GAGARIN
Petersburg 1810–1893 Chatelreau/Frankreich

Maler, Zeichner, Lithograph, Illustrator und Architekt, sowie Autor von Werken zur russischen Kunstgeschichte. Er schuf Portraits sowie Genre-, Schlachten- und Landschaftsbilder.
Gagarin war der Sohn des Diplomaten G. I. Gagarin, eines bekannten Kunstmäzens. Eine professionelle künstlerische Ausbildung hat er nie erhalten, studierte aber in den 20er Jahren des 19. Jahrhunderts einige Zeit bei Brjullov in Rom. Bis 1821 lebte er im Ausland, vor allem in Italien und Frankreich. Von 1832 bis 1839 stand er in diplomatischen, 1841–1864 in militärischen Diensten. Auch später noch reiste Gagarin viel und lebte außerdem eine Zeitlang im Kaukasus (1848–1854 in Tiflis), wo er sich auch an militärischen Aktionen beteiligte. Von 1859 bis 1872 war er Vize-Präsident der Petersburger Kunstakademie.

111 FARBTAFEL S. 223

Die eingerüstete Aleksandr-Säule, 1832–1833

Aquarell auf Papier, 20,4 x 26,2 cm
Bezeichnet unten links
Inv.-Nr. ЭPP-5578
Herkunft: 1927; zuvor bis 1917 befand sich das
Blatt in der Bibliothek Kaiser Aleksandrs II. im
Winterpalast
Ausstellungen: 1984 Leningrad, Peterburg gogo-
levskogo vremeni, Nr. 6; 1988 Odessa, Izmail,
Nr. 8
Literatur: 245 (Tafel 103)

Die aus finnischem Granit gefertigte Aleksandr-
Säule wurde 1830–1834 nach dem Entwurf von
Auguste Montferrand zu Ehren des Sieges über
Napoleon in der Mitte des Schloßplatzes errichtet. Mit ihrer Gesamthöhe von 47,5 m ist sie die
höchste Triumphsäule der Welt. Ihr Durchmesser beträgt 3,66 m. Allein ihr Eigengewicht von
704 Tonnen verleiht ihr Standfestigkeit. In ein-
dreiviertel Stunden wurde der Monolith von
2000 Soldaten und 400 Arbeitern aufgestellt.
GP

KARL FRIEDRICH KNAPPE
Petersburg 1745–1808 Petersburg

Die biographischen Daten zu diesem Künstler
siehe Kat.-Nr. 21.

112

Garten-Parloir beim Hause der Grafen Bobrinskoj in Petersburg, 1799

Gouache auf Papier, 38,3 x 63,2 cm
Bezeichnet und datiert unten rechts
Inv.-Nr. ЭPP-8048
Herkunft: Alter Bestand der Sammlung der
Staatlichen Ermitage

Rechts der kleine, Ende des 18. Jahrhunderts
von L. I. Ruska erbaute Pavillon (das Parloir);
links eine Kettenbrücke über den Krustejn-
Kanal.
In der Sammlung der Staatlichen Ermitage befindet sich noch eine zweite aquarellierte Fassung des Motivs von Knappe. GP

112

ANDREJ EFIMOVIČ MARTYNOV
Petersburg 1768–1826 Italien

Maler, Aquarellist, Zeichner, Radierer und Lithograph, der als Landschafter tätig war.
Der Sohn eines Sergeanten des Regiments »Preobraženskoe« studierte 1773–1788 an der Kunstakademie in der Klasse von Sem. F. Ščedrin.
1788 bis 1794 war er als Stipendiat der Akademie in Rom, wo er bei J. Ph. Hackert studierte.
1795 erhielt er den Titel eines »approbierten
Malers«, wurde noch im gleichen Jahr Mitglied
und 1802 Rat der Akademie. Vor allem arbeitete er im Auftrag des Hofes. 1805–1806 begleitete er als Künstler eine von Ju. A. Golovkin geleitete russische Gesandtschaft nach China.
1808–1821 arbeitete er als Dekorateur für die
Direktion der Kaiserlichen Theater. 1824 bis zu
seinem Tode lebte er in Italien. Von ihm stammen zahlreiche Aquarelle, Stiche und Lithographien mit Ansichten russischer Städte und Ort-
schaften, Landschaften des Baltikums und der
Mongolei. Zugleich war er einer der wichtigsten Künstler, die das Petersburg der Puškin-
Zeit beobachtet und dargestellt haben.

113 FARBTAFEL VIII

Palast Petrs I. im Wintergarten, 1809–1810

Tusche und Aquarell auf Papier, 61,5 x 87 cm
Bezeichnet unten links. Auf der Rückseite beti-
telt
Inv.-Nr. ЭPP-5553

Herkunft: Alter Bestand der Staatlichen Ermitage (stammt aus jenen Zeichnungen des Künstlers, die 1810 Kaiser Aleksandr I. geschenkt
worden sind)
Ausstellungen: 1972 Leningrad, Aquarell, Nr. 46;
1977 Leningrad, Martynov, S. 20, Nr. 41; 1983
Leningrad, S. 70
Literatur: 172 (S. 148, Abb. 33)

Ein Blatt aus einer Aquarell-Serie mit Peters-
burger-Ansichten, die in den Jahren 1807–1817
entstanden ist. Andere Fassungen dieser Motive
finden sich in der Tret'jakov-Galerie und dem
Staatlichen Historischen Museum, Moskau; ein
entsprechendes Öl-Bild im Staatlichen Russischen Museum, Leningrad.
Im Vordergrund steht der Sommerpalast Petrs I.,
den Domenico Trezzini und Andreas Schlüter
in den Jahren 1710–1712 erbaut haben, und der
ein 1703 an dieser Stelle errichtetes Holzhaus
ersetzte. An der Innenausstattung des Neubaus
wurde bis 1717 gearbeitet. Sein Erdgeschoß be-
wohnte der Kaiser; dessen Gemahlin Ekaterina
den 1. Stock. Im Hintergrund sieht man die
Peter-und-Pauls-Festung. GP

114   FARBTAFEL S. 224

Ansicht des Nevskij-Prospektes von der Fontanka aus zur Admiralität hin, 1809–1810

Tusche und Aquarell auf Papier, 60,7 x 86 cm
Auf der Rückseite betitelt
Inv.-Nr. ЭPP-5552
Herkunft: siehe Kat.-Nr. 113
Ausstellungen: 1972 Leningrad, Aquarell, Nr. 45; 1977 Leningrad, Martynov, Nr. 42; 1978 Leningrad, Nr. 12, S. 29; 1983 Leningrad, S. 70; 1983 Moskau, S. 320, 321
Literatur: 215 (Tafel 161)

Ein Blatt aus der unter Kat.-Nr. 113 beschriebenen Serie. Weitere Fassungen des Motivs befinden sich in der Staatlichen Tret'jakov-Galerie, dem Staatlichen Historischen Museum und der Staatlichen Lenin-Bibliothek der UdSSR in Moskau. Die hier gezeigte Aničkov-Brücke wurde 1715 als erste (zunächst hölzerne) Brücke über die Fontanka unter dem Kommando M. O. Aničkovs von Soldaten erbaut. 1782–1787 wurde sie durch eine steinerne Brücke ersetzt, ihr ursprünglicher Name aber beibehalten. Dahinter sieht man das »Kabinett«; ein Gebäude für die von Petr I. 1718 – nach dem Vorbild anderer westeuropäischer Kabinette – ins Leben gerufene Institution, die bis zur Einrichtung der Ministerien am Anfang des 19. Jahrhunderts existiert hat. (1803–1805 errichtete G. Quarenghi den Bau an der Fontanka.) Daneben liegt der Aničkov-Palast, der nach der gleichnamigen Brücke neben ihm genannt wurde (vgl. dazu Kat.-Nr. 98). Im Hintergrund erscheinen noch die Gebäude der Öffentlichen Bibliothek (1796–1801 von E. T. Sokolov erbaut) und der Stadtduma mit ihrem Turm (1799–1804 nach Entwürfen von F. Ferrara), sowie die Kuppel des Kazaner Domes. Rechts am Uferkai liegt ein Wohnhaus und ganz im Hintergrund wird noch die Admiralität sichtbar (vgl. dazu Kat.-Nr. 107).   GP

115   FARBTAFEL IX

Ansicht der Mojka beim Gebäude der Marstall-Verwaltung, 1809

Tusche und Aquarell auf Papier, 60 x 86 cm
Bezeichnet und datiert unten rechts
Inv.-Nr. ЭPP-5554
Herkunft: siehe Kat.-Nr. 113
Ausstellungen: 1977 Leningrad, Martynov, S. 20, Nr. 42; 1983 Leningrad, S. 70
Literatur: 6 (S. 31); 172 (S. 148, Nr. 34); 215 (Tafel 161); 245 (Tafel 54)

Ein Blatt aus der Kat.-Nr. 113 beschriebenen Serie.
Eine weitere Fassung des Motivs befindet sich in der Sammlung der Staatlichen Tret'jakov-Galerie; ein entsprechendes Ölgemälde im Puškin-Museum zu Moskau.
Rechts sieht man das Gebäude der Marstall-Verwaltung [konjušennoe vedomstvo], das 1720–1723 von N. F. Härbel [Gerbel'] errichtet und 1817–1823 von V. P. Stasov noch einmal vollkommen umgestaltet worden ist. Links erblickt man den »Runden Markt« (in den 90er Jahren des 18. Jahrhunderts von Quarenghi erbaut); im Hintergrund das Michaels-Schloß, wie es 1797–1800 für Kaiser Pavel I. von den Architekten V. I. Baženov und V. Brenna errichtet worden ist.   GP

116

116

Neva-Panorama vom Fluß aus gesehen, 1809–1810

Tusche und Aquarell auf Papier, 62 x 86,8 cm
Bezeichnet und datiert unten rechts. Auf der Rückseite betitelt
Inv.-Nr. ЭPP-5551
Herkunft: siehe Kat.-Nr. 113
Ausstellungen: 1977 Leningrad, Martynov, Nr. 43; 1980 Leningrad, Peterburg-Petrograd-Leningrad, S. 66

Auch dieses Blatt entstammt der bei Kat.-Nr. 113 beschriebenen Serie. Links sieht man den Uferkai mit dem Marmorpalast (1768–1785 von A. Rinaldi) und dessen Dienstgebäude (1780–1788 nach Plänen des Architekten P. E. Egorov); weiter rechts die Naryškin- (oder: Ekaterinen-) Bastion der Peter-und-Pauls-Festung, die bereits 1725 errichtet, aber erst 1780 – unter Leitung D. Trezzinis – mit Granit verkleidet worden ist. In der Bildmitte sieht man im Hintergrund die Spitze der Basileios-Insel mit der Börse (1805–1810 von Thomas de Thomon).   GP

J. W. G. Barth, Das Landhaus
der Grafen Laval auf der
Apotheker-Insel in Petersburg,
um 1816. Kat.-Nr. 99

J. W. G. Barth, Der Uferkai der
Kreuzes-Insel [Krestovskij-
Ostrov] in Petersburg, um 1816.
Kat.-Nr. 100

Werkstatt W. Barths, Der Kazaner Dom vom Nevskij-Prospekt aus gesehen, Ende des 2. Jahrzehnts des 19. Jahrhunderts. Kat.-Nr. 106

C. J. Beggrow, Der Park des Elagin-Palastes bei den Dienstgebäuden, 1823. Kat.-Nr. 109

M. N. Vorob'ev, Die Nevka bei der Elagin-Insel, 1829. Kat.-Nr. 134

C. J. Beggrow, Der Uferkai der Neva an der Alten Ermitage und am Ermitagetheater, 1824. Kat.-Nr. 110

G. G. Gagarin, Die eingerüstete Aleksandr-Säule, 1832–1833. Kat.-Nr. 111

A. E. Martynov, Ansicht des Nevskij-Prospektes von der Fontanka aus zur Admiralität hin, 1809–1810. Kat.-Nr. 114

FEDOR KUZ'MIČ NEELOV
1782/83–1832

Aquarellist, Zeichner und Landschaftsmaler, außerdem Militärtopograph. Neelov erlernte Topographie und Zeichenkunst in der Kadetten-Kompanie des Regiments »Preobraženskoe«. 1796/97 nahm er an der Expedition des Grafen V. A. Zubov nach Persien teil, während der er speziell »für die Erstellung von Landschaftsbildern und -ansichten« tätig war. Anschließend diente er im Ingenieur-Korps und am Militär-Topographischen Depot 1818 bis 1826 auch bei den Ingenieur-Truppen selbst. 1930 wurde er Oberstleutnant und arbeitete seit 1831 in der Kanzlei des Generalstabes. Von seiner Hand stammen vor allem Ansichten von Petersburg und seinen Vorstädten sowie aus dem Kaukasus und Persien.

117

Neva-Panorama, vom Fluß aus, zum Kloster des heiligen Aleksandr-von-der-Neva hin gesehen, 1804

Tusche und Aquarell auf Papier, 51,5 x 82,8 cm
Bezeichnet und datiert unten rechts
Inv.-Nr. ЭPP-6392
Herkunft: Alter Bestand der Staatlichen Ermitage (Anfang des 19. Jahrhunderts aufgenommen)

Rechts hinten liegt die Lavra des heiligen Aleksandr-von-der-Neva mit dem mächtigen Dreieinigkeits-Dom in der Mitte (vgl. Kat.-Nr. 105), links des Flusses sieht man die Ortschaft Ochta mit der Kirche der heiligen Maria Magdalena.   GP

118   ABBILDUNG S. 226

Der Nevskij-Prospekt bei der Domkirche der Gottesmutter von Kazan', 1812–1816

Aquarell auf Papier, 48,4 x 63,2 cm
Inv.-Nr. ЭPP-6394
Herkunft: 1934 aus dem Staatlichen Museums-Fundus der UdSSR
Ausstellungen: 1978 Leningrad, Nr. 14
Literatur: 172 (S. 149, Nr. 41)

Links liegt der 1801–1811 von A. N. Voronichin erbaute Kazaner Dom, dessen nördliche Kolonnaden auf den Nevskij-Prospekt hin ausgerichtet sind. Im Hintergrund sieht man ganz rechts, am Ende der Straße, die Spitze der Admiralität.   GP

Видъ церкви Казанской Богоматери.

Его Императорскому Величеству Всемилостивѣйшей Государынѣ Императрицѣ Маріи Ѳеодоровнѣ

118

Видъ Гатчинскаго дворца отъ Бѣлаго озера

119

119

Der Palast von Gatčina, vom Weißen See aus gesehen, nach 1810

Aquarell auf Papier, 48 x 83 cm
Bezeichnet und datiert unten rechts
Inv.-Nr. ЭPP-767
Herkunft: 1941 aus dem Staatlichen Museum für Ethnographie der Völker der UdSSR, Leningrad; bis 1917 befand sich das Blatt in der Sammlung der Grafen Šeremetev in Petersburg
Literatur: 172 (S. 149, Nr. 42)

Ekaterina II. hatte ihrem Favoriten Grigorij Orlov ein ausgedehntes Gelände westlich der Stadt geschenkt, auf dem Antonio Rinaldi in den Jahren 1766 bis 1781 den hier gezeigten Palast errichtete. 1784, nach Orlovs Tod, schenkte die Kaiserin Palast und Park ihrem Sohn Pavel, für den 1796 Vincenzo Brenna weitgehende Umbauten durchführen mußte: Pavel forderte für Gatčina einen Exerzierplatz, um dort Truppenparaden nach preußischem Vorbild abhalten zu können.   GP

ALEKSANDR OSIPOVIČ ORLOVSKIJ
Warschau 1777–1832 Petersburg

Maler, Zeichner, Aquarellist, Radierer und Lithograph; schuf Porträts, Genre- und Schlachtenszenen, aber auch Tierbilder.
Orlovskij war im ersten Drittel des 19. Jahrhunderts einer der beliebtesten Künstler Rußlands. Er wurde als Sohn eines kleinen Gasthof-Besitzers geboren und studierte zuerst in Warschau bei den Malern J.-P. Norblin, M. Bacciarelli und den Radierern B. Folino und V. Lesière. 1794 beteiligte er sich am erfolglosen Aufstand des Taddeusz Kosciuszko gegen die russische Herrschaft. Danach lebte er als wandernder Maler, bis er 1802 nach Petersburg kam und dort in den Dienst des Großfürsten Konstantin Pavlovič trat. 1809 wurde Orlovskij Mitglied der Akademie, seit 1819 diente er als Zeichner bei der Topographie-Abteilung des Hauptstabes und konnte in dieser Funktion ausgiebig in Rußland umherreisen. Damals entstanden zahlreiche Genrebilder und Schlachtenszenen, aber auch Porträts berühmter Zeitgenossen.

120

120

Satirisches Porträt des Architekten Giacomo Quarenghi, Anfang des 19. Jahrhunderts

Kohle und Rötel auf Papier, 35,2 x 26,5 cm
Inv.-Nr. ЭPP-5979
Herkunft: Alter Bestand der Staatlichen Ermitage
Ausstellungen: 1958 Warschau, Moskau, Nr. 674

Giacomo Quarenghi (1744–1817) wurde in dem Städtchen Valla Imagna bei Rom geboren und starb in Petersburg. Er war Architekt, Maler und Graphiker, studierte zunächst in Bergamo und danach, seit 1763, in Rom bei A. R. Mengs und S. Pozzi. Architektur studierte er vor allem bei Vincenzo Brenna, P. Sanese und N. Giansimoni. In Rom begann auch seine eigene Tätigkeit als Architekt. Nach zahlreichen Reisen durch ganz Italien kommt er 1799 nach Rußland, um dort einer der führenden Architekten Petersburgs zu werden. Aber auch in anderen russischen Städten – wie in Moskau oder Kursk – hat er interessante Bauten errichtet. Außerdem war er als Graphiker und Maler tätig. Quarenghi war ein enger Freund Orlovskijs, der ihn mehrfach karikiert hat.   GP

121

BENJAMIN PATERSSON
Varberg/Schweden 1750–1815 Petersburg

Die biographischen Daten zu diesem Künstler
siehe Kat.-Nr. 32.

121
Blick von der Ochta auf den
Taurischen Palast, 1799

Tusche und Aquarell auf Papier, 62,5 x 96,5 cm
Bezeichnet und datiert unten links
Inv.-Nr. ЭPP-3331
Herkunft: 1941 aus dem Staatlichen Museum für
Ethnographie der Völker der UdSSR, Lenin-
grad; bis 1917 befand sich das Blatt in der
Sammlung der Grafen Palen in Carskoe Selo
Ausstellungen: 1972 Leningrad, Patersen, Nr. 20
Literatur: 137 (Tafeln 33–36)

Rechts am Neva-Ufer liegen Landhäuser wohlhabender Bürger aus der zweiten Hälfte des 18.
Jahrhunderts. Links, jenseits des Flusses, sieht
man am Horizont den Taurischen Palast, der
1783–1789 im Auftrag Ekaterinas II. und nach
Plänen des Architekten I. E. Starov für ihren
Günstling Grigorij A. Potemkin errichtet worden ist. Potemkin war seit 1784 Generalgouverneur der 1783 von den Tataren eroberten Krim,
der man damals wieder ihre ursprüngliche Bezeichnung »Taurien« gab. Aus diesem Grunde
erhielt auch der Palast seinen Namen. Heute
sind nur noch Partien des Außenbaus erhalten,
denn nach dem Tode Ekaterinas II. (Potemkin
war schon 1791 gestorben) ließ Kaiser
Pavel I. die Ausstattung in sein neues Michaels-
Schloß bringen, um im Taurischen Palast die
Kaserne der Garde-Kavallerie einzurichten.

GP

122
Der Uferkai der Neva beim Senats-
Gebäude, 1801

Tusche und Aquarell auf Papier, 60 x 94,8 cm
Bezeichnet und datiert unten rechts
Inv.-Nr. ЭPP-3335
Herkunft: siehe Kat.-Nr. 121
Ausstellungen: 1972 Leningrad, Aquarell, Nr. 63;
1972 Leningrad, Patersen, Nr. 25
Literatur: 137 (Tafeln 33–36)

Links sieht man den Englischen (oder auch
Galeeren-) Uferkai, der 1767–1788 mit Granit
verkleidet wurde; ferner das Gebäude des Senats, zu dem nach 1780 das frühere Wohnhaus
des Kanzlers Bestužev-Rjumin umgebaut worden war (vor allem nach Entwürfen des Architekten I. E. Starov). Dahinter erkennt man ein
davon abgesetztes Gebäude: das Haus der Stroganovs, das in den 90er Jahren des Jahrhunderts

von Voronichin durch Umbau eines bereits vorhandenen (vorher im Besitz A. K. Ostermans, danach V. F. Saltykovs) erstellt worden ist. GP

123 FARBTAFEL VI

Das Michaels-Schloß vom Konnetabel-Platz aus gesehen, um 1801

Tusche und Aquarell auf Papier, 57,5 x 94,2 cm
Inv.-Nr. ЭPP-3332
Herkunft: siehe Kat.-Nr. 121
Ausstellungen: 1972 Leningrad, Patersen, Nr. 23
Literatur: 137 (Tafeln 75–78)

In der Mitte des Bildes liegt das Michaels-Schloß [Michajlovskij zamok], das Pavel I. von den Architekten V. I. Baženov und V. Brenna (an Stel-

le eines vorher von Rastrelli für Elizaveta Petrovna erbauten Sommerpalastes) errichten ließ. Es wurde nach dem heiligen Erzengel Michael, dem Schutzpatron des Kaisers, benannt. Nach der Ermordung Pavels I. im März 1801 stand das – wie Puškin es formuliert hat – »leere Denkmal des Tyrannen, der der Vergessenheit überlassene Palast« lange Zeit leer, bis dort 1823 die Haupt-Ingenieurs-Schule eingerichtet wurde. Deshalb wird es heute auch als »Ingenieurs-Schloß« bezeichnet. Vor dem Schloß rechts das Reiterstandbild Petr I. Dessen Modell von Carlo Rastrelli, des Vaters des Architekten, entstand bereits zu Lebzeiten des Dargestellten. Seine Tochter, Elizaveta Petrovna, ließ es 1745–1747 in Bronze gießen. Aber erst unter Pavel I. wurde es aufgestellt. GP

124 FARBTAFEL VII

Das Michaels-Schloß vom Uferkai der Fontanka aus gesehen, 1801

Tusche und Aquarell auf Papier, 57,7 x 94,2 cm
Bezeichnet und datiert unten rechts
Inv.-Nr. ЭPP-3333
Herkunft: siehe Kat.-Nr. 121
Ausstellungen: 1972 Leningrad, Patersen, Nr. 24
Literatur: 137 (Tafeln 79–80); 172 (S. 146, Nr. 20)

Rechts hinten das Schloß (siehe Kat.-Nr. 123); ganz hinten einer der beiden Pavillons, die den Eingang zum Schloßgelände flankieren (1798–1800 ebenfalls von V. I. Baženov erbaut). Der nach vorn verlaufende Uferkai der Fontanka wurde in den Jahren 1780–1789 mit Granit verkleidet. GP

126

125

JOHANN FRIEDRICH
REIMERS
Bremen 1775–1846 Petersburg

Porträtmaler (weitere biographische Daten sind
nicht bekannt).

125
Porträt V. A. Žukovskij, 1835

Aquarell auf Papier, auf Karton geklebt,
33,5 x 26,8 cm
Inv.-Nr. ЭРР-5590
Herkunft: aus der Bibliothek Kaiser Aleksandrs
II. im Winterpalast; früher befand sich das Blatt
im Schlafzimmer des Kaisers
Ausstellungen: 1984 Leningrad, Peterburg gogo-
levskogo vremeni, Nr. 27; 1988 Odessa, Izmail,
Nr. 19

Ein Blatt aus einer Serie von Aquarellporträts
mit Darstellungen der Erzieher und Lehrer des

Großfürsten und Thronfolgers Aleksandr Nikolaevič, des späteren Kaisers Aleksandr II.
(1818–1881). Die bei Reimers in Auftrag gege-
bene Folge entstand 1835–1839 und umfaßt 31
Aquarelle, die die damals bedeutendsten Pädagogen, Schriftsteller, Künstler, Staatsmänner,
Hofbeamten und Priester zeigen. Der Auftrag
an Reimers wurde offenbar durch Graf K. K.
Merder, einen Erzieher des Thronfolgers, vermittelt. Vasilij Andreevič Žukovskij (1738–
1852) war ein bedeutender Dichter und Übersetzer und wurde damit zu einem Bahnbrecher
der russischen Romantik. Daneben wirkte er
als Politiker und Erzieher. Er wurde in dem
Dorf Mišenskoe im Gouvernement Tula geboren und starb in Baden-Baden. Als unehelicher
Sohn des Grundbesitzers A. I. Bunin und
Sal'cha, einer gefangenen Türkin, erhielt das
Kind den Namen seines Taufpaten, eines armen
Gutsbesitzers aus der Nachbarschaft. 1815 wurde er Hoflektor, 1817 Lehrer der Großfürstin
Aleksandra Fedorovna, der Gemahlin des zukünftigen Zaren Nikolaj I. Danach, 1826 bis
1839, war er Erzieher und Lehrer ihres Sohnes,

des Großfürsten Aleksandr Nikolaevič. Ab
1802 veröffentlichte Žukovskij in verschiedenen Zeitschriften Gedichte und romantische
Balladen und beschäftigte sich seitdem ständig
mit literarischen Arbeiten. Besonders bekannt
wurde er als Übersetzer ausländischer Autoren,
vor allem von Werken Schillers, Goethes, Byrons oder Thomas Moores. Er war mit Puškin
und zahlreichen anderen führenden Literaten
seiner Zeit eng befreundet. Nach Puškins Tod
lebte er seit 1838 fast ausschließlich im Ausland.
1841, nach seiner Heirat, wohnte er zuerst in
Düsseldorf und danach in Frankfurt am Main.
Beigesetzt wurde er in Petersburg. GP

126
Porträt P. A. Pletnev, 1837

Aquarell auf Papier, auf Karton geklebt,
33,5 x 26,8 cm
Inv.-Nr. ЭРР-5590

Herkunft: aus der Bibliothek Kaiser Aleksandrs II. im Winterpalast; früher befand sich das Blatt im Schlafzimmer des Kaisers
Ausstellungen: 1984 Leningrad, Peterburg gogolevskogo vremeni, Nr. 28; 1988 Odessa, Izmail, Nr. 20

Petr Aleksandrovič Pletnev (1792–1865) war Dichter, Kritiker und Journalist; später auch Mitglied der Rußländischen Akademie. Mitglied einer Familie aus geistlichem Stand, unterrichtete er an Lehranstalten für Mädchen und am Petersburger Kadetten-Korps russische Literatur. Seit 1832 hatte er an der Universität den Lehrstuhl für russische Literatur inne und war von 1840 bis 1861 auch deren Rektor. Den Thronfolger Großfürst Aleksandr Nikolaevič, den späteren Kaiser Aleksandr II., unterrichtete Pletnev in russischer Sprache und Literatur. Mit Puškin war er so eng befreundet, daß dieser ihm seinen »Evgenij Onegin« widmete. Andererseits hat wiederum Pletnev Werke Puškins ediert. GP

VASILIJ SEMENOVIČ SADOVNIKOV
1800–1879

Aquarellist, Landschafts- und Genre-Maler. Ursprünglich Leibeigener der Fürstin N. P. Golicyna, wurde er 1838 – schon als Künstler bekannt – von dieser Abhängigkeit befreit. Im gleichen Jahr erhielt er den Titel eines »freien Künstlers außerhalb der Rangordnung«, weil er nie an der Kunstakademie studiert, sondern »sich selbst die perspektivische Malerei beigebracht« hatte. Vor allem arbeitete er für den Hof und für Mäzene. Besonders bekannt wurde er durch seine Serie von Aquarellen mit Ansichten Petersburgs und seiner Umgebung, die zwischen 1830 und 1850 entstanden; aber auch als Innenausstatter Petersburger Paläste war er gefragt. 1830–1835 schuf er ein in Rußland sehr beliebtes »Panorama des Nevskij-Prospektes«, eine Darstellung aller Gebäude entlang der Petersburger Prachtstraße.

127
Der Bogen des Hauptstabes, nach 1830

Aquarell auf Papier, 23,5 x 38 cm
Bezeichnet unten
Inv.-Nr. ЭPP-5572
Herkunft: 1927; bis 1917 befand sich das Blatt in der Bibliothek Kaiser Aleksandrs II. im Winterpalast
Ausstellungen: 1984 Leningrad, Peterburg gogolevskogo vremeni, Nr. 31; 1988 Odessa, Izmail, Nr. 25
Literatur: 172 (Nr. 82)

Der Triumphbogen des Hauptstabes [Glavnyj štab], wie man damals den späteren Generalstab nannte, verbindet zwei Baukörper, die den Schloßplatz beherrschen, den eigentlichen Hauptstab selbst im westlichen und das Ministerium für auswärtige Angelegenheiten und Finanzen im östlichen Trakt. Der gesamte Kom-

128

plex wurde 1819–1829 von Carlo Rossi errichtet. Unser Bild zeigt den Blick durch den Bogen auf den Schloßplatz mit der Aleksandr-Säule in der Mitte, wie er sich dem Betrachter bot, der von der Kleinen-Millionen-Straße kam. Von dort aus sieht man sowohl den sechsspännigen Triumphwagen (der von Stepan Pimenov und Vasilij Demut-Malinovskij gegossen worden ist), als auch von hinten den Engel auf der Säule. Ganz hinten erscheint der Winterpalast. GP

128
Blick auf den im Bau befindlichen Isaakios-Dom, Ende der 30er Jahre des 19. Jahrhunderts

Aquarell auf Papier, 31,3 x 43,1 cm
Inv.-Nr. ЭPP-5567

Herkunft: Alter Bestand der Staatlichen Ermitage
Ausstellungen: 1984 Leningrad, Peterburg gogolevskogo vremeni, Nr. 30; 1988 Odessa, Izmail, Nr. 24
Literatur: 85 (S. 10, Abb. 5)

Links hinten sieht man den Dom des heiligen Isaakios von Dalmatien mit Baugerüsten. Die erste Holzkirche, die hier 1710 nahe der Admiralität auf Befehl Petr I. errichtet wurde, war bereits diesem relativ unbekannten Heiligen geweiht, dessen Gedenktag mit dem Geburtstag des Zaren (am 30. Mai) zusammenfiel. In dieser Kirche heiratete Petr I. Ekaterina I. Seit 1717 entstand hier am Ufer der Neva, nach Plänen des Architekten G. J. Mattarnovič, eine große Steinkirche, die aber schon Mitte des 18. Jahrhunderts wieder abgerissen wurde. 1768 begann man, an der Stelle des heutigen Domes, nach Entwürfen Rinaldis, eine neue Isaakios-Kirche

zu bauen. Von dort ließ jedoch Pavel I. mehrere Säulen und Marmorverkleidungen für sein Michaels-Schloß abtragen. Das Kirchengebäude wurde dadurch so stark beeinträchtigt, daß Aleksandr I. 1815 dessen Neubau beschloß. Der kurz zuvor zum Hofarchitekten ernannte Auguste Montferrand begann ihn 1818, doch mußte der Bau schon 1822 unterbrochen werden, weil sich das Fundament als zu schwach erwies. Erst 1825 wurden die Arbeiten, nach langwierigen Erörterungen, fortgesetzt, so daß man schließlich 1831 mit den Außenmauern beginnen konnte. Rechts im Bild liegt das Gebäude des Kriegsministeriums – vorher das Haus des Fürsten A. Ja. Lobanov-Rostovskij –, das in den Jahren 1817–1820, ebenfalls von Montferrand, umgebaut wurde. GP

P. B. SALTYKOV

Autodidakt, dessen biographische Daten nicht überliefert sind.

129
Elefanten auf einer Uferstraße in Petersburg, 1816

Aquarell auf Papier, 47,3 x 63,3 cm
Bezeichnet und datiert unten rechts
Inv.-Nr. ЭРР-965
Herkunft: 1941 aus dem Staatlichen Museum für Ethnographie der Völker der UdSSR, Leningrad; früher befand sich das Blatt in der Sammlung der Grafen Bobrinskoj in St.-Petersburg

Nach der Kleidung der Elefantenführer und der begleitenden Eskorte zu urteilen, handelt es sich hier offenbar um eine persische Gesandtschaft, die gerade in Petersburg einzieht. Im Hintergrund ist die Peter-und-Pauls-Festung mit ihren beflaggten Bastionen und der Turmspitze des Domes zu erkennen.   GP

VASILIJ KUZ'MIČ ŠEBUEV
Kronstadt 1777–1855 Petersburg

Die biographischen Daten zu dem Künstler siehe unter Kat.-Nr. 43.

130
Entwürfe für eine tragbare Ikonostase, 1826

Tusche und Aquarell über Bleistift auf Papier, 54,5 x 42 x 1,5 cm
Inv.-Nr. ЭРР-6078-6099
Herkunft: Aus der Bibliothek des Strelna-Palastes bei Petersburg

Roter Saffian-Einband mit Goldprägung mit der Aufschrift: »Feld-Ikonostase«. Er enthält –

130

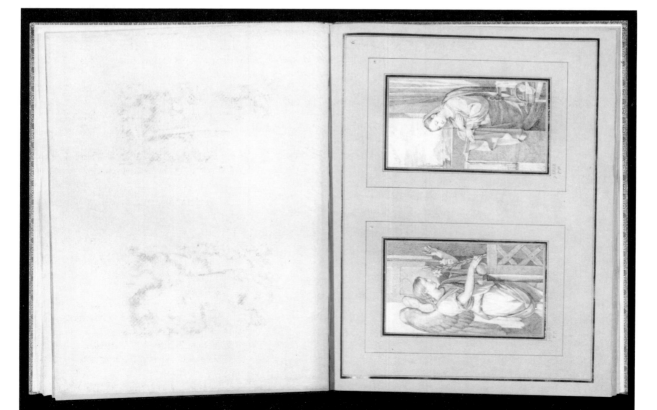

130

einschließlich des Titelblattes und einer Widmung an Kaiser Nikolaj I. – 21 Blatt mit der Beschreibung der Ikonostase, sowie 15 Blatt mit insgesamt 26 Zeichnungen und Skizzen des Künstlers.

Auf dem Titelblatt: »Diese Feld-Ikonostase hat Vasilij Šebuev entworfen, der Maler an der Kaiserlichen Tapetenfabrik der Kaiserlichen Akademie der Künste und Ritter der Orden des heiligen apostelgleichen Fürsten Vladimir 4. Klasse und der heiligen Anna 2. Klasse ist. In Sankt Petersburg MDCCCXXVI.«

Auf dem folgenden Blatt die Widmung: »Seiner Kaiserlichen Majestät, dem allergnädigsten Herrscher und Kaiser Nikolaj Pavlovič, Autokrator über ganz Rußland.«

Es handelt sich hier um Entwürfe für eine tragbare Ikonostase, wie sie von Regimentsgeistlichen während der Feldzüge, aber sonst auch während langer Reisen benutzt wurden. Sie war zerlegbar und wurde bei Bedarf aus ihren Einzelteilen zusammengesetzt. Die hier abgebildete Planskizze zeigt, daß sie aus sechs Teilen bestand: der zweiteiligen Königstür mit der Darstellung der Verkündigung, den Ikonen der Gottesmutter mit dem Kind und des Pantokrators sowie aus den beiden Seitentüren und dem Strahlenmedaillon über der Königstür. Auf dem oberen Gesims stehen in kirchenslavischer Sprache die Worte des Propheten Jesaja: »Mit uns ist Gott, versteht dies, ihr Völker, und unterwerfet euch, denn mit uns ist Gott!« Über der linken Hauptikone findet sich ein Zitat aus dem Lukasevangelium: »Ehre sei Gott in der Höhe und auf Erden Friede!« Über der rechten: »Gebenedeit, der da kommt im Namen des Herrn!« Das Blatt mit der ganz an westlichakademischen Vorbildern orientierten Verkündigung ist hier ebenfalls abgebildet. GP/NT

ALEKSEJ GAVRILOVIČ VENECIANOV

Moskau 1780–1847 Dorf Safonkovo im Gouvernement Tver'

Maler und Graphiker. Gilt mit Recht als Begründer der russischen Genre-Malerei, wurde aber auch durch Porträts und Landschaften bekannt. Der Sohn eines nicht sehr begüterten Kaufmanns beschäftigte sich zunächst nur als Autodidakt mit Malerei. 1807 siedelte er nach Petersburg über, studierte bei V. L. Borovikovskij und kopierte Bilder in der Ermitage. 1811 wurde er zum »approbierten Maler« ernannt,

noch im gleichen Jahr zum Mitglied der Akademie, und zwar für Porträtmalerei. 1790 bis 1810 hat Venecianov vor allem Porträts – in Öl oder Pastell – gemalt. Aber auch als Lithograph war er sehr erfolgreich: So gab er ein »Karikaturen-Journal von Persönlichkeiten des Jahres 1808« heraus, eine satirische Folge von Genre-Szenen und Porträts zu Ereignissen des Vaterländischen Krieges. 1819 gründete er auf seinem Gut Safonkovo eine Malerschule und widmete sich dort, nach einem von ihm entwickelten neuartigen System, pädagogischer Tätigkeit. (Insgesamt hatte er mehr als 70 Schüler.) Mehrere seiner Bilder sind dem Leben und der Arbeit der Bauern gewidmet.

131   FARBTAFEL S. 241
Porträt Oberst P. A. Čičerin, 1809–1812

Pastell auf Pergament, 61 x 46,8 cm
Inv.-Nr. ЭPP-7388
Herkunft: 1968 durch die Ankaufs-Kommission der Staatlichen Ermitage
Ausstellungen: 1972 Leningrad, Aquarell, Nr. 56; 1977 Leningrad, Novye postuplenija, Nr. 144
Literatur: 49 (Nr. 44)

Petr Aleksandrovič Čičerin (1778–1845) war General der Kavallerie und Kaiserlicher General-Adjutant. Zuvor hatte er im Leib-Garde-Regiment »Preobraženskoe« gedient, seit 1803 als dessen Oberst. 1809 wurde er danach Kommandeur des Leib-Garde-Dragoner-Regimentes. 1805–1807 war er Teilnehmer am Krieg mit Frankreich, am Vaterländischen Krieg und den 1812–1814 anschließenden europäischen Feldzügen. Seit 1826 war er Kommandeur der Ersten Garde-Kavallerie-Division, seit 1838 General. GP

MAKSIM NIKIFOROVIČ VOROB'EV

Pskov 1787–1855 Petersburg

Die biographischen Daten zu diesem Künstler siehe Kat.-Nr. 55.

132   ABBILDUNG S. 236
Der Uferkai der Neva beim Winterpalast, 1817

Tusche und Aquarell auf Papier, 19,2 x 29,7 cm
Bezeichnet und datiert unten
Inv.-Nr. ЭPP-5577
Herkunft: Alter Bestand der Sammlung der Staatlichen Ermitage
Ausstellungen: 1978 Minneapolis
Literatur: 135 (S. 202, Tafel 127)

Der 1754–1762 von F. B. Rastrelli erbaute und auch innen ausgestaltete Winterpalast war die Stadtresidenz der russischen Kaiser. Beim heutigen Bau handelt es sich bereits um den fünften an dieser Stelle (Petr I. ließ den ersten bereits 1711 errichten). GP

133   ABBILDUNG S. 236
Blick von der Terrasse des Elagin-Palastes, 1823

Aquarell auf Papier, 39,1 x 53,1 cm
Bezeichnet und datiert unten rechts
Inv.-Nr. ЭPP-5562
Herkunft: 1934 aus dem Staatlichen Museums-Fundus der UdSSR
Ausstellungen: 1972 Leningrad, Aquarell, Nr. 13
Literatur: 121 (S. 20)

Von der Terrasse des 1818–1822 von Carlo Rossi erbauten Elagin-Palastes (zu diesem Bau siehe Kat.-Nr. 108) blickt man auf die Mittlere Nevka und die Kreuzes-Insel. GP

134   FARBTAFEL S. 221
Die Nevka bei der Elagin-Insel, 1829

Aquarell auf Papier, 18,7 x 28,5 cm
Bezeichnet unten links, datiert unten rechts
Inv.-Nr. ЭPP-6397
Herkunft: 1927; vor 1917 befand sich das Bild in der Bibliothek Kaiser Aleksandrs II. im Winterpalast
Ausstellungen: 1972 Leningrad, Aquarell, Nr. 14; 1983 Leningrad, S. 66
Literatur: 245 (Tafel 91); 34 (S. 49, 94)

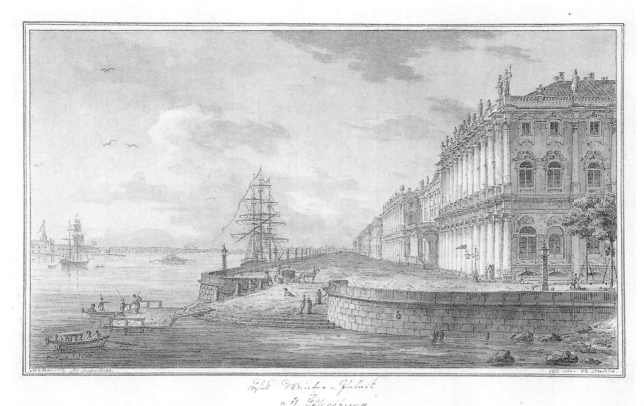

Die Winter-Palast
St. Petersburg

132

133

Aquarelle, Gouachen, Zeichnungen

UNBEKANNTER KÜNSTLER DES 1. DRITTEL DES 19. JAHRHUNDERTS

135
Porträt A. N. Olenin, 1833

Farbige Kreide und Pastell auf Papier,
43,7 x 37,2 cm
Bezeichnung, Datierung und Widmung auf der
Rückseite
Inv.-Nr. ЭРР-6235
Herkunft: 1923 aus dem Michaels-Schloß in Petrograd

Nach einem Porträt Olenins, das A. G. Varnek Anfang der 20er Jahre des 18. Jahrhunderts gemalt hat.
Aleksej Nikolaevič Olenin (1763–1843) war Historiker, Archäologe, Kunstkenner und Liebhaber-Maler. 1811 wurde er in Petersburg Direktor der Öffentlichen Bibliothek, 1817 Präsident der Kunstakademie. Als herausragender Kenner der altrussischen Kultur hat sich Olenin einen besonderen Namen gemacht, hatte zahlreiche wichtige Ämter im Staatsdienst inne und war außerdem Mitglied des Staatsrates. Sein Haus in der Stadt, sowie seine ländliche Besitzung in Prijutino waren Zentren des literarischen und künstlerischen Lebens. Im berühmten »Olenischen Kreis« versammelten sich damals die wichtigsten Vertreter russischer Kultur. GP

135

136

JOHANN-FRIEDRICH
ANTING
Gotha 1753–1805 Petersburg

Silhouettist. Der Sohn eines evangelischen Gar-
nisonsgeistlichen studierte an der Universität
Jena. Wo er Zeichnen und das Erstellen von
Schattenrissen erlernte, ist nicht bekannt. 1784
bis 1786 arbeitete er in Petersburg, Moskau und
anderen Städten Rußlands; danach in Kopenhagen, Stockholm, Wien, Paris und London. 1791
gab er eine »Sammlung von Schattenrissen bekannter und berühmter Persönlichkeiten, nach
der Natur gezeichnet« heraus. 1791–1793 war
er erneut in Petersburg, trat 1793 in russische
Dienste und wurde Adjutant von A. V. Suvorov. Unter Pavel I. wurde er jedoch nicht nur
in den Ruhestand versetzt, sondern auch in die
Verbannung geschickt. 1804 edierte er »Leben
und Kriegstaten des Generalissimus Graf
Suvorov-Rîmnic, des Fürsten von Italien«.

136
Pavel I. und die Kaiserin Marija
Fedorovna mit ihren Söhnen im
Park, nach 1780

Schwarze Tusche und Goldbronze auf Glas,
12 x 16,3 cm
Bezeichnet unten links in Spiegelschrift
Inv.-Nr. ЭPP-6366
Herkunft: 1960 erworben durch die Ankaufs-
Kommission der Staatlichen Ermitage, Lenin-
grad
Literatur: Russlij bibliofil, 1915, Nr. 1, S. 13;
224 (S. 606)

Man sieht den Kaiser mit seiner Gemahlin und
seinen zwei ältesten Söhnen (den Großfürsten,
später Kaiser Aleksandr I. und Konstantin Pavlovič) im Park, die vor der Büste ihrer Großmutter, der Kaiserin Ekaterina II., ein Bäum-
chen pflanzen. (Die biographischen Daten zu

den dargestellten Personen siehe Kat.-Nr. 26.)
Das Sujet war am Ende des 18. Jahrhunderts
sehr beliebt und wurde von Anting und anderen – auf Glas oder auf Papier – mehrfach wiederholt und variiert. Die Szene soll die konti-
nuierliche Herrschaft der Familie Holstein-
Gottorp versinnbildlichen, die von der Großmutter über das damalige Herrscherpaar auf die
Thronfolger übergeht.
Der Überlieferung nach gehörte dieser Schattenriß zuletzt dem Sohn Kaiser Nikolaj II.
(1894–1917), dem Thronfolger Aleksej Nikolaevič.   GP

NIKOLAJ ALEKSANDROVIČ BESTUŽEV

Petersburg 1791–1855 Selinginsk (Transbajkalien)

Aquarell- und Miniaturmaler. Bestužev absolvierte 1809 das Marine-Kadetten-Korps und war danach Hospitant an der Kunstakademie. 1825 wurde er Gründungsdirektor des Petersburger Marine-Museums in der Admiralität. Wegen seines politischen Engagements als führender Kopf der »Nördlichen Gesellschaft« der Dekabristen und als Organisator des Aufstandes am 14. Dezember 1825 wurde er – nach dessen Scheitern – zu zwanzig Jahren Zwangsarbeit verurteilt. Auch danach durfte er sich nur in Sibirien ansiedeln, wo er schließlich auch starb. In Sibirien schuf er zahlreiche Aquarellporträts der verbannten Dekabristen, sowie Ansichten von Stätten seines Exils und der Zeit seiner Zwangsarbeit. In seiner frühen Schaffensperiode arbeitete er auch als Miniaturmaler.

137
Selbstporträt, 1825

Aquarell, Gouache und Lack auf Papier; im Medaillon gefaßt, 14,9 x 12 cm, oval
Inv.-Nr. ƏPP-5252
Herkunft: 1954 aus dem Staatlichen Revolution-Museum in Leningrad; vor 1917 befand sich die Miniatur in der Sammlung des Historikers M. I. Semevskij
Ausstellungen: 1905 Petersburg, Lieferung 7, Nr. 1820, Lieferung 8, S. 13; 1941 Leningrad, Kat.-S. 53, 54; 1981 Leningrad, Miniatjura, Nr. 45
Literatur: 157 (S. 11, 12); 67 (S. 80–82); 135 (S. 132, 203); 152 (S. 264, 265, Abb. 172)   GP

137

VLADIMIR LUKIČ BOROVIKOVSKIJ

Mirgorod 1757–1825 Petersburg

Die biographischen Daten zu diesem Künstler siehe Kat.-Nr. 4.

138   ABBILDUNG S. 240
Porträt des Freimaurers T. Grabianko, um 1800

Aquarell und Gouache auf Bein; im Medaillon gefaßt, 7 x 6,8 cm, oval
Inv.-Nr. ƏPP-8646
Herkunft: 1985 erworben durch die Ankaufs-Kommission der Staatlichen Ermitage, Leningrad, aus der Sammlung von V. S. Popov in Moskau
Ausstellungen: 1986 Leningrad, Ėrmitaž, Nr. 13

Die Zuschreibung des nicht signierten Porträts an Borovikovskij stützt sich auf stilistische Merkmale.

Dargestellt ist der polnische Freimaurer und Mystiker Taddeusz Grabianko, der zu Beginn des 19. Jahrhunderts in Petersburg lebte und mit A. F. Labzin, dem Vize-Präsidenten der Kunstakademie, sowie mit Borovikovskij selbst gut bekannt war und wohl überhaupt zu Freimaurerkreisen der Stadt gute Verbindungen hatte. Sonst ist über den Dargestellten nichts bekannt.   GP

Von links nach rechts: 139, 138, 160, 141

LE CHEVALIER DE CHATEAUBOURG
Nantes um 1765 – nach 1837

Miniaturmaler. Er lernte bei Jean-Baptiste Isabey (1767–1855), stellte 1798 in der Kunstakademie zu Berlin, sowie 1801, 1808 und 1812 im Pariser Salon aus. Seit 1799 arbeitete er einige Jahre in Petersburg und Moskau, vor allem im Auftrag des Grafen N. P. Šeremetev. 1809 bis 1817 lebte und arbeitete er wieder in Nantes.

139
Porträt V. N. Karazin, 1803

Aquarell und Gouache auf Bein; als Miniatur gerahmt, 7,3 x 6,5 cm, oval
Bezeichnet unten auf dem Sockel
Inv.-Nr. ЭРР-5201
Herkunft: 1985 erworben durch die Ankaufs-Kommission der Staatlichen Ermitage, Leningrad
Ausstellungen: 1981, Leningrad, Miniatjura, S. 14, Nr. 104; 1984 Leningrad, Restavracija pamjatnikov, S. 25, Nr. 32
Literatur: 152 (S. 306, Nr. 119)

Vasilij Nazarovič Karazin (1773–1842), ein zu seiner Zeit bekannter Privatgelehrter, war als Politiker vor allem im Bereich der Volksbildung tätig und gründete in dieser Funktion auch die Universität zu Char'kov. 1802–1804 war er beim Bildungsministerium Beamter der Schulhauptverwaltung. GP

DMITRIJ IVANOVIČ EVREINOV
1742–1814 Petersburg

Miniaturen- und Schattenrißmaler. Wahrscheinlich erhielt er seine erste Ausbildung in Genf. Seit 1776 war er in Petersburg Mitglied der Kunstakademie, seit 1780 dort Hofkünstler. Zu Beginn des 19. Jahrhunderts arbeitete er für A. S. Stroganov, den Präsidenten der Kunstakademie. Besonders bekannt wurde er durch sein Porträt Stroganovs und die Emailminiaturen für den Gabenschrein (Tabernakel) im Kazaner Dom.

140   FARBTAFEL S. 242
Porträt des Grafen A. S. Stroganov, 1806–1807

Email auf Kupfer; als Miniatur gerahmt, 8,2 x 7 cm, oval
Inv.-Nr. ОЗЕИ-1231
Herkunft: 1928 aus dem Stroganov-Palast-Museum in Leningrad; früher befand sich die Miniatur in der Privatsammlung der Grafen Stroganov in Petersburg
Ausstellungen: 1981, Leningrad, Miniatjura, S. 14, Nr. 5
Literatur: 76 (S. 276–288); 152 (S. 273, 274, Nr. 27, Abb. 91); 176 (S. 239, Abb. 81)

Nach einem Gemälde von J. L. Mosnier (1743–1808) aus dem Jahre 1806. Graf Aleksandr Sergeevič Stroganov war Ober-Kammerherr und Senator. (Die näheren biographischen Daten siehe unter Kat.-Nr. 51.) GP

A. G. Venecianov, Porträt Oberst P. A. Čičerin, 1809–1812. Kat.-Nr. 131

links: Porträt S. N. Marin, 1802–1806. Kat.-Nr. 155; Mitte: D. I. Evreinov, Porträt des Grafen A. S. Stroganov, 1806–1807. Kat.-Nr. 140; rechts: S. S. Ščukin (?), Porträt Kaiser Pavels I. in der Gewandung eines Großmeisters des Malteser-Ordens, 1799. Kat.-Nr. 142

von links nach rechts: P. G. Žarkov, Porträt der Großfürstin Elena Pavlovna, nach 1791. Kat.-Nr. 153; Porträt eines Mädchens aus der Familie Lopuchin, nach 1810. Kat.-Nr. 158; Porträt der Gräfin N. A. Zubova, um 1810. Kat.-Nr. 156; Porträt der Gräfin E. V. Zubova, 1814. Kat.-Nr. 157

G.-F. Weckler, Blick auf den Palast von Gatčina vom Weißen See aus, um 1825. Kat.-Nr. 149

K. P. Beggrow, Der Bogen des Hauptstabs-Gebäudes, 1822. Kat.-Nr. 163

K. P. Beggrow, Die Panteleimon-Brücke, 1822. Kat.-Nr. 164

PAVEL ALEKSEEVIČ IVANOV
Petersburg 1776–1813 Petersburg

Miniaturmaler. Als Sohn eines Professors der Kunstakademie war Ivanov seit 1789 selbst Zögling der Akademie. Seit 1790 in der Klasse für Miniaturmalerei bei P. G. Zarkov, schloß er diese 1797 ab. Er blieb der Akademie auch weiterhin verbunden, zunächst als Stipendiat, seit 1800 als »approbierter Maler« und schließlich, seit 1802, als ihr Mitglied. 1803 bis 1813 leitete er dort die Klasse für Miniaturmalerei. Nicht viele, aber äußerst qualitätvolle Arbeiten – darunter auch einige Emailminiaturen – sind von ihm überliefert.

141   ABBILDUNG S. 240

Porträt des Grafen
M. M. Speranskij, 1806

Aquarell und Gouache auf Bein; im Medaillon gefaßt, 7,5 x 6,3 cm, oval
Inv.-Nr. ЭPP-7753
Herkunft: Alter Bestand der Staatlichen Ermitage, Leningrad; früher (nachweislich Mitte des 19. Jahrhunderts) befand sich die Miniatur im Besitz des Schriftstellers K. P. Masal'skij
Ausstellungen: 1904 Petersburg, S. 69, Nr. 53; 1981, Leningrad, Miniatjura, S. 17, Nr. 61
Literatur: M. A. Korf, Žizn' grafa Speranskogo, Bd. 1, St.-Petersburg 1861, S. 12; 135 (S. 135, 204); 152 (S. 277, Nr. 24, Abb. 87)

Das Bild trägt einen datierten Eigentumsvermerk von M. A. Korf, dem Sekretär und Freund M. M. Speranskijs.
Die biographischen Daten zu Michail Michajlovič Speranskij siehe Kat.-Nr. 69.   GP

STEPAN SEMENOVIČ ŠČUKIN (?)
Moskau 1762–1828 Petersburg

Die biographischen Daten zu diesem Künstler siehe unter Kat.-Nr. 45.

142   FARBTAFEL S. 242

Porträt Kaiser Pavels I. in der Gewandung eines Großmeisters des Malteser-Ordens, 1799

Aquarell und Gouache auf Bein; als Miniatur gerahmt, 15,4 x 12 cm ohne Rahmen
Inv.-Nr. ЭPP-8647

Herkunft: 1985 erworben durch die Ankaufs-Kommission der Staatlichen Ermitage, Leningrad, aus der Sammlung von V. S. Popov in Moskau
Ausstellungen: 1902 Petersburg, Kat.-S. 7–8 (dort ausgewiesen als eine Arbeit von V. L. Borovikovskij?)

Die biographischen Daten zu Kaiser Pavel I. siehe Kat.-Nr. 26.   GP

PETR FEDOROVIČ SOKOLOV
Moskau 1778–1848 Gut Mečik bei Char'kov

Porträtist, Aquarell- und Miniaturmaler. 1800 bis 1810 studierte er an der Kunstakademie und war seit 1839 deren Mitglied. Er arbeitete in Petersburg und Moskau; 1842/43 auch in Paris. Von ihm stammen zahlreiche Aquarellporträts seiner Zeitgenossen, besonders bedeutender Vertreter der russischen Wissenschaft, Kultur und Kunst.

144

145

143 ABBILDUNG S. 245

Porträt A. G. Murav'ëva, Dezember 1825 – Januar 1826

Aquarell auf Papier, 14 x 11,2 cm
Auf der Rückseite des Passepartouts in der Mitte steht die Widmung: Pour mon cher Nikita
Inv.-Nr. ЭPP-5271
Herkunft: 1954 aus dem Staatlichen Revolution-Museum in Leningrad; früher (bis etwa in die 20er Jahre dieses Jahrhunderts) befand sich das Blatt im Besitz der Familie Bibikov, der Nachfahren der Murav'ëvs
Ausstellungen: 1972 Leningrad, Aquarell, Nr. 76; 1978 Minneapolis, Kat.-S. 75, Nr. 106; 1981, Leningrad, Miniatjura, Kat.-S. 19, 20, Nr. 92
Literatur: 67 (S. 107–109); 135 (S. 133, 203); 152 (S. 299–300, Nr. 105, Abb. 176); 157 (S. 60–63); 158 (S. 305–319)

Aleksandra Grigor'evna Murav'ëva (1804–1832), eine geborene Gräfin Černyšev, war die Frau von Nikita M. Murav'ëv, eines der führenden Mitglieder der »Nördlichen Gesellschaft«. Sie gehörte zu jenen selbstlosen Frauen, die ihren – wegen des Aufstandes vom 14. Dezember 1825 zur Zwangsarbeit verurteilten – Männern nach Sibirien folgten.
Das Porträt entstand im Auftrag des damals inhaftierten Dekabristen und wurde ihm am 5. Januar 1826 in der Peter-und-Pauls-Festung übergeben. Auch während seiner Verbannung nach Sibirien befand es sich in dessen Besitz und wurde später in der Familie seiner Tochter aufbewahrt. 1826 schuf A. Vasil'ev nach dieser Miniatur eine Lithographie. GP

144

Porträt des Grafen V. N. Kočubej, nach 1820

Aquarell und Lack auf Karton; als Miniatur gerahmt, 14,5 x 10,5 cm, oval
Bezeichnet links auf dem Oval
Inv.-Nr. ОЗЕИ-2967
Herkunft: 1951 aus einer Privatsammlung in Leningrad
Literatur: 152 (S. 300, Nr. 104)

Graf Viktor Pavlovič Kočubej (1768–1834) war Staatsmann unter den Kaisern Aleksandr I. und Nikolaj I. 1802 bis 1807 und erneut 1819 bis 1823 war er Innenminister, seit 1827 Vorsitzender des Ministerkommitees und des Staatsrates, seit 1834 Kanzler. GP

MICHAIL IVANOVIČ TEREBENEV

1795–1864 Petersburg

Maler, vor allem Miniaturist und Aquarellist. 1803 bis 1815 Schüler der Kunstakademie, wurde er 1824 zum »approbierten Maler« und 1830 zu deren Mitglied ernannt. In den 30er und 40er Jahren war er Zeichenlehrer an der Artillerie-Ingenieur-Schule in Petersburg, arbeitete gleichzeitig aber vor allem als Porträtist.

145

Porträt einer jungen Dame in blauem Kleid mit weißem Schal, nach 1830

Aquarell auf Papier; als Miniatur gerahmt, 14,3 x 11 cm, oval
Inv.-Nr. ЭPP-3871
Herkunft: 1985 erworben durch die Ankaufs-Kommission der Staatlichen Ermitage, Leningrad, aus einer dortigen Privatsammlung
Ausstellungen: 1972 Leningrad, Aquarell, Nr. 86; 1978 Minneapolis, Kat.-S. 76, Nr. 113; 1981, Leningrad, Miniatjura, Kat.-S. 19, Nr. 96
Literatur: 135 (S. 134, 204); 152 (S. 302, Nr. 109)
GP

FEDOR PETROVIČ TOLSTOJ

Petersburg 1783–1873 Petersburg

Die biographischen Daten zu diesem Künstler siehe Kat.-Nr. 92.

146

Parade des Leib-Garde-Regimentes »Pavel« auf dem Marsfeld vor dem Denkmal A. V. Suvorovs, 1816

Schattenriß aus schwarzem Papier, 10,5 x 20,5 cm
Inv.-Nr. ЭPP-264
Herkunft: 1941 aus dem Staatlichen Museum für Ethnographie der Völker der UdSSR, Leningrad; bis 1917 befand sich der Schattenriß in der Sammlung des Pleskauer Kunstmäzens und Kaufmanns F. M. Pljuskin
Literatur: 92 (S. 21); 125 (S. 8, Abb. 17); 165 (Tafel 39)

Man sieht das 1801 enthüllte Denkmal für Feldmarschall Suvorov (siehe Kat.-Nr. 87), das der Bildhauer M. I. Kozlovskij entworfen und V. P. Ekimov gegossen haben. Rechts vor dem Denkmal fährt in einer zweispännigen Droschke der Großfürst Michail Pavlovič, der jüngste der Söhne Pavels I. Links marschiert das Leib-Garde-Regiment seines Vaters mit den charakteristischen, nach preußischem Vorbild gearbeiteten, hohen Grenadiermützen.
GP

Von oben nach unten: 194, 147, 150, 152

GEORGE-FERDINAND WECKLER

Riga 1800–1861 Petersburg

Mosaizist und Miniaturenmaler. Weckler war
der Sohn eines Lehrers; seit 1810 lebte er in
Petersburg, wo er auch seine Ausbildung erhielt.
Berufserfahrung sammelte er dann in den Jahren 1816 bis 1819 bei den römischen Mosaizi-
sten Domenico Moglia und Michelangelo Barberi, die in Petersburg und Moskau arbeiteten.
Dabei spezialisierte er sich auf Mosaik-
Miniaturen in römischer Technik. 1822 wurde
er als Meister dieser Technik an die Kunstakademie berufen. 1824/25 arbeitete er im Auftrag
Kaiser Aleksandrs I. in dieser Technik Darstellungen der Schlösser und Parkpavillons in der
Umgebung von Petersburg. 1834–1837 war er
Stipendiat in Italien. Für seine Mosaikkopie
von Raffaels »Verklärung Christi« wurde er im
Vatikan mit einer Silbermedaille ausgezeichnet und erhielt nach seiner Rückkehr nach
Rußland 1838 den Titel des Mitgliedes der Akademie.

147
Blick auf das Elagin-Schloß von der Neva aus, 1823

Römisches Mosaik in Kupfer gefaßt, 13,5 x 20,1 cm
Inv.-Nr. ЭРКМ-1048

Die Darstellung geht auf eine Lithographie Beg-
grows von 1823 nach der Zeichnung von A. F.
Schuch zurück. Zum Schloß siehe Kat.-Nr. 108.
LT

148

148
Kaiser Aleksandr I. im Manöver, um 1825

Römisches Mosaik in Kupfer gefaßt, 8 x 5,7 cm
Inv.-Nr. ЭРКМ-1054

Die Darstellung geht auf eine Lithographie S. P.
Šifljars von 1825 nach einem Aquarell L. I.
Kiels von 1815 zurück.   LT

149   FARBTAFEL S. 243
Blick auf den Palast von Gatčina vom Weißen See aus, um 1825

Römisches Mosaik in Kupfer gefaßt, 5,3 x 7,9 cm
Inv.-Nr. ЭРКМ-1047

Die Darstellung geht auf ein Gemälde S. F. Ščedrins von 1803 zurück.   LT

150
Das Grabdenkmal für den Fürsten Kurakin und die Kirche auf dem Smolensker Friedhof in Petersburg, nach 1820

Römisches Mosaik in Kupfer gefaßt, Durchmesser 6,5 cm
Inv.-Nr. ЭРКМ-1066   LT

151

154
Porträt Kaiser Pavel I.,
Ende 18. Jahrhundert

Schwarze Tusche, Gouache und Goldbronze
auf Glas, 14 x 10,4 cm
Inv.-Nr. ЭPP-202
Herkunft: 1941 aus dem Staatlichen Museum für
Ethnographie der Völker der UdSSR, Leningrad; bis 1917 befand sich das Bild in der Sammlung der Grafen Šeremetev in Petersburg

Die biographischen Daten zu Kaiser Pavel siehe
Kat.-Nr. 26.   GP

ANONYME MEISTER DER ZEIT

155   FARBTAFEL S. 242
Porträt S. N. Marin, 1802–1806

Aquarell, Gouache und Kreide auf Bein; in ein
Futteral für Kutschenuhren eingesetzt,
Durchmesser 7 cm
Inv.-Nr. ЭPP-8651
Herkunft: 1985 erworben durch die Ankaufs-
Kommission der Staatlichen Ermitage, Lenin-
grad, aus der Sammlung V. S. Popov in Moskau
Ausstellungen: 1986 Leningrad, Ėrmitaž, Nr. 19,
S. 13

Sergej Nikiforovič Marin (1776–1813) war ein
bedeutender Satiriker und Dramatiker seiner
Zeit. Politisch war er beim Regierungsumsturz
von 1801 engagiert. 1805–1807 nahm er als
Frontoffizier am Krieg gegen das napoleonische
Frankreich teil und 1812 am Vaterländischen
Krieg.   GP

151
Kutscher an einer städtischen
Haltestelle im Winter,
1. Drittel 19. Jahrhundert

Römisches Mosaik in Kupfer gefaßt, 6 x 4 cm
Inv.-Nr. ЭPKM-1064   LT

152   ABBILDUNG S. 248
Blick von der Neva auf den
Isaakios-Platz mit der Isaakios-
Brücke, 1. Drittel 19. Jahrhundert

Römisches Mosaik in Kupfer gefaßt, 7,6 x 10,7 cm
Inv.-Nr. ЭPKM-1055
Herkunft: 1985 erworben durch die Ankaufs-
Kommission der Staatlichen Ermitage, Lenin-
grad, aus der Sammlung des Mosaikkünstlers V.
A. Frolov, Leningrad
Literatur: 144; 207 (S. 58–65)

Nach dem Stich eines unbekannten Meisters
vom Ende der 20er Jahre des 19. Jahrhunderts
wird der Isaakios-Dom so gezeigt, wie er dem
ursprünglichen Entwurf von Auguste Montferrand entsprochen hätte. Die Realisierung
weicht deutlich davon ab.   LT

PETR GERASIMOVIČ ŽARKOV
1742–1802 Petersburg

Miniaturmaler. Er studierte wahrscheinlich bei
A. P. Antropov. Seit 1777 war er Mitglied der
Petersburger Kunstakademie und leitete 1799
bis 1798 dort die Klasse für Miniaturmalerei,
seit 1790 außerdem die Klasse für Porzellanmalerei. Von ihm stammen zahlreiche Emailpor-
träts und Miniaturkopien nach Werken westeuropäischer Meister.

153   FARBTAFEL S. 242
Porträt der Großfürstin
Elena Pavlovna, nach 1791

Aquarell und Gouache auf Bein; als Miniatur
gerahmt, 6,4 x 5,2 cm
Inv.-Nr. ЭPP-6652
Herkunft: 1985 erworben durch die Ankaufs-
Kommission der Staatlichen Ermitage, Lenin-
grad, aus der Sammlung V. S. Popov in Moskau

Nach einem Gemälde von D. G. Levickij aus
dem Jahre 1791.
Großfürstin Elena Pavlovna (1784–1803) war
die zweite Tochter Kaiser Pavels I. Im Jahre
1799 heiratete sie den Erbherzog Friedrich von
Mecklenburg-Schwerin.   GP

156   FARBTAFEL S. 242
Porträt Gräfin N. A. Zubova,
um 1810

Aquarell und Gouache auf Bein; als Miniatur in
silbernem Rahmen mit Straß-Steinen gerahmt,
6,2 x 4,8 cm, oval
Inv.-Nr. ЭPP-8675
Herkunft: 1986 erworben durch die Ankaufs-
Kommission der Staatlichen Ermitage, Leningrad, aus der Sammlung V. S. Popov in Moskau

154

Gräfin Natalija Aleksandrovna Zubova (1775–1844) war eine geborene Suvorova, die Lieblingstochter des großen russischen Feldherrn A. V. Suvorov. Sie wurde im Smolna-Institut für adelige Mädchen erzogen und 1791 Hoffräulein Ekaterinas II. 1795 heiratete sie den Grafen N. A. Zubov, den Bruder des letzten Favoriten der Kaiserin. Im Jahre 1800 siedelte sie nach Moskau über und lebte dort von ihrem Mann getrennt. GP

157 FARBTAFEL S. 242
Porträt der Gräfin E. V. Zubova, 1814

Aquarell und Gouache auf Bein; als Miniatur gerahmt, 71,1 x 7 cm
Datiert rechts vom Rand
Inv.-Nr. ЭPP-8671
Herkunft: 1986 erworben durch die Ankaufs-Kommission der Staatlichen Ermitage, Leningrad, aus der Sammlung V. S. Popov in Moskau

Gräfin Elizaveta Vasil'evna Zubova (1742–1813) war eine geborene Vornova; 1759 heiratete sie A. N. Zubov, wurde 1793 Gräfin, 1795 Staatsdame [statsdama] und 1797 als Ritterdame [kavalerstvennaja dama] in den Orden der heiligen Katharina aufgenommen. Sie war die Mutter des Grafen P. A. Zubov, des letzten Favoriten der Kaiserin Ekaterina II. GP

158 FARBTAFEL S. 242
Porträt eines Mädchen aus der Familie Lopuchin, nach 1810

Aquarell und Gouache auf Bein; im Medaillon gefaßt, 6,4 x 5,3 cm, achteckig
Inv.-Nr. ЭPP-8674
Herkunft: 1986 erworben durch die Ankaufs-Kommission der Staatlichen Ermitage, Leningrad, aus der Sammlung V. S. Popov in Moskau

Das wohl bekannteste Mitglied der Familie war damals der Mystiker und Schriftsteller Ivan Vladimirovič Lopuchin (1756–1816). Ihr entstammte ebenfalls Evdokija Fedorovna (1669–1731), die erste Frau Petr I., die er 1689 geheiratet hatte, von der er sich aber schon bald wieder trennte. GP

159
M. I. Kutuzov vor dem Porträt A. V. Suvorovs, 1813/14

Aquarell und Gouache auf Bein, 6,2 x 6,9 cm, oval. Eingesetzt in den Deckel einer schwarzlackierten Tabakdose mit den Ausmaßen 8 x 10 x 2 cm.
Inv.-Nr. ЭPP-7741
Herkunft: 1938 aus der Sammlung der Nachkommen Kutuzovs, der Familie Opocinin-Tuckov

Ausstellungen: 1978 Minneapolis, S. 65, Nr. 61; 1972 Leningrad, Aquarell, Nr. 141
Literatur: 150 (S. 78–80, 166); 152 (S. 319, Nr. 180, Abb. 113)

Die biographischen Daten zu den beiden Feldherren siehe Kat.-Nr. 31 und 24. GP

160 ABBILDUNG S. 240
Porträt I. V. Kusov, 1818/19

Nach einem Gemälde von O. A. Kiprenskij aus dem Jahre 1808.

Aquarell und Gouache über Bleistift auf Bein, 7,5 x 6,5 cm
Inv.-Nr. ЭPP-59
Herkunft: 1941 aus dem Staatlichen Museum für Ethnographie der Völker der UdSSR, Leningrad; bis 1929 befand sich das Bild in der Sammlung von A. A. Doroševskij in Leningrad
Ausstellungen: 1981, Leningrad, Miniatjura, Nr. 150
Literatur: 152 (S. 322, 323, Nr. 194)

Kommerzienrat Ivan Vasil'evič Kusov (1750–1819) war als Petersburger Kaufmann einer der Gründer der Russisch-Amerikanischen Kompanie. GP

159

Князь П. А. Вяземскій

161

KONSTANTIN JAKOVLEVIČ AFANAS'EV
Petersburg 1793–1857 Petersburg

Erster Meister des Stahlstichs in Rußland, vor allem Porträtist. Der Sohn eines Beamten der Petersburger Münze studierte 1803 bis 1808 an der Kunstakademie bei I. S. Klauber und N. I. Utkin. 1838 wurde er selbst Mitglied der Akademie. Von ihm stammen rund 450 Stiche, darunter Porträts aller bedeutenden Männer der russischen Kultur in der ersten Hälfte des 19. Jahrhunderts sowie zahlreiche Vignetten und Illustrationen. Aber auch seine Aquarelle und Lithographien verdienen Beachtung.

161
Porträt Fürst P. A. Vjazemskij, 1826

Stahlstich, 17 x 11 cm (Blattgröße)
Betitelt unten
Inv.-Nr. ЭРГ-29905
Herkunft: Alter Bestand der Sammlung der Staatlichen Ermitage, Leningrad
Literatur: 168 (Bd. 1, Sp. 49, Nr. 2); 169 (Bd. 1, Sp. 542, Nr. 1)

Fürst Petr Andreevič Vjazemskij (1792–1878) war Lyriker und Kritiker, ein Freund A. S. Puškins und Mitglied des literarischen Kreises »Arzamas«. Seit 1808 veröffentlichte er satirische Epigramme, Parodien, anakreontische Gedichte und Briefe an Freunde. Zwischen 1810 und 1830 schuf er hervorragende Werke russischer Poesie. Danach wirkte er vor allem als Literaturkritiker. 1856–1858 war er Assistent des Ministers für Volksbildung. Seit 1863 lebte er meist im Ausland. GM

JOHN AUGUSTUS ATKINSON
London 1775 – nach 1831 London (?)

Englischer Maler, Aquarellist und Radierer, schuf Porträts, Genre- und Landschaftsbilder. 1784 kam er mit dem Graveur John Walker, seinem Onkel und zukünftigen Schwiegervater, nach Petersburg und lebte dort 18 Jahre. Im Auftrag von Ekaterina II. und Pavel I. schuf er Porträts und Historienbilder, aber auch Ansichten russischer Städte und Szenen aus dem Volksleben. 1801 kehrte er nach London zurück, wo auch noch seine Stichfolgen mit russischen Stadtansichten und Genre-Szenen erschienen.

PANORAMIC VIEW OF S. PETERSBURG Dedicated by permission TO HIS IMPERIAL MAJESTY, ALEXANDER I.st   VUE PANORAMIQUE DE S. PETERSBOURG Dédiée avec permission À SA MAJESTE IMPERIALE ALEXANDRE I.er

162 (1. Blatt)

162 (2. Blatt)

PANORAMIC VIEW OF S. PETERSBURG Dedicated by permission TO HIS IMPERIAL MAJESTY, ALEXANDER I.st   VUE PANORAMIQUE DE S. PETERSBOURG Dédiée avec permission À SA MAJESTE IMPERIALE ALEXANDRE I.er

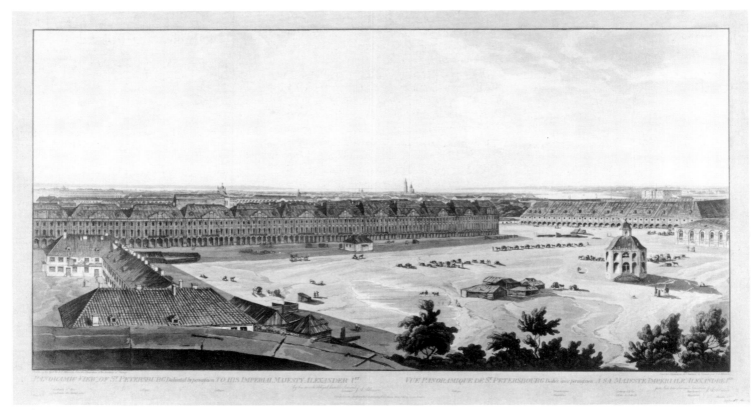

162 (3. Blatt)

162 (4. Blatt)

254

162
Panorama von Petersburg, 1805–1807

Die Gesamtansicht besteht aus vier Blättern nach Zeichnungen des Künstlers.

Aquarellierte Aquatinta, je 57 x 94 cm (Blatt); 43,5 x 57,2 cm (Darstellung)
Bezeichnet, betitelt und Widmung an Kaiser Aleksandr I. jeweils unten
Inv.-Nr. ЭРГ-20024, 20026, 20027, 20029
Herkunft: 1941 aus dem Staatlichen Museum für Ethnographie der Völker der UdSSR, Leningrad

Wie die Beischrift besagt, zeigt das Panorama einen Rundblick vom Observatoriums-Turm der Akademie der Wissenschaften.
Auf dem ersten Blatt ist vorn der breite Flußlauf der Neva mit verschiedenen Lastschiffen und einem Floß zu sehen, links am Horizont eine Ponton-Brücke (die Dreieinigkeitsbrücke) und dahinter der Dom der Lavra des heiligen Aleksandr-von-der-Neva. In der Bildmitte der Palastufer-Kai mit den Gebäuden (von links nach rechts) des Ermitage-Theaters (1783–1789 von G. Quarenghi erbaut), der Alten Ermitage (1771–1787 von Ju. M. Fel'ten erbaut), des Kleinen Ermitage (1764–1775 von J. B. Vallin de la Mothe erbaut) und des Winterpalastes (1754–1762 von F. B. Rastrelli erbaut). Es folgt der Übergang zur Admiralität und – am rechten Bildrand – einer ihrer Seitenflügel, der schon 1728–1738 von I. K. Korobov errichtet worden ist.
Das zweite Blatt schließt direkt an: Links die Admiralität mit ihrem berühmten »Nadel«-Turm; etwas weiter rechts der Bau des alten Domes zum heiligen Isaakios, den A. Rinaldi und V. Brenna 1766–1801 errichtet haben (vor dem Umbau von A. de Montferrand von 1818–1858, der der Kirche ihre heutige Gestalt gab). Daran schließt sich der zur Neva hin offene Isaakios-Platz an (später Senats- und heute Dekabristen-Platz), mit Falconets Denkmal für Kaiser Petr I. (1768–1778 im Auftrag Ekaterinas II. geschaffen). Weiter rechts liegt der alte Bau des Senats, den wohl I. E. Starov Ende des 18. Jahrhunderts errichtet hat. Vor ihm führt eine weitere Ponton-Brücke über die Neva (die Isaakios-Brücke) zum Englischen Ufer rechts. Dort sieht der Betrachter von oben auf die Akademie der Wissenschaften, 1783–1789 nach Plänen des Architekten G. Quarenghi errichtet.
Das dritte Blatt zeigt das langgestreckte Gebäude der Zwölf Kollegien (von dem italienischen Architekten D. Trezzini 1722–1741 in der Frühzeit der Petersburger Baugeschichte errichtet), an dessen Stelle später die Bauten für die Ministerien errichtet werden sollten. Ganz

rechts der Handelshof bei der Neuen Börse (Anfang des 19. Jahrhunderts von einem unbekannten Architekten erbaut) und der große Platz der Basileios-Insel.
Das vierte Blatt zeigt im Vordergrund die Spitze dieser Insel mit dem noch unvollendeten Bau der Börse, der 1783 von Quarenghi begonnen, 1804 aber wieder unterbrochen worden ist. Rechts im Hintergrund liegt die Peter-und-Pauls-Festung, deren Anfänge in das Jahr 1703 zurückreichen. Sie bestand damals noch aus Erdwällen und Holzhäusern, denn erst 1706–1734 wurden unter Leitung von Trezzini die Steinbauten der Festung errichtet. Am Horizont rechts hinten ist wieder die Dreieinigkeits-Brücke bei der Lavra zu erkennen; der Rund-Blick über Petersburg kehrt damit zu seinem Ausgangspunkt zurück. GK

KARL PETROVIČ BEGGROW
Riga 1799–1875 Petersburg

Die biographischen Daten zu diesem Künstler siehe Kat.-Nr. 108.

163
FARBTAFEL S. 244
Der Bogen des Hauptstabs-Gebäudes, 1822

Aquarellierte Lithographie, 58,5 x 85,5 cm (Blatt); 46 x 74,3 cm (Darstellung)
Bezeichnet und datiert unten rechts
Inv.-Nr. ЭРГ-20032
Herkunft: Alter Bestand der Sammlung der Staatlichen Ermitage, Leningrad
Ausstellungen: 1960 Leningrad, Nr. 122; 1976 Leningrad, Rannjaja litografija, Nr. 6
Literatur: 168 (Bd. 1, Sp. 65, Nr. 4)

Das Blatt zeigt – zu einer Zeit, als sie noch nicht vollendet waren – die Verwaltungsgebäude am Schloßplatz, die 1819–1829 nach Plänen des Architekten K. I. Rossi erbaut worden sind. Der Triumphbogen überwölbt den traditionellen Zugang zum Schloßplatz, der durch die Große Meeres-Straße [Bol'šaja Morskaja ulica], die heutige Gercen-Straße, führt, und vereint die neu errichteten Gebäude des Ministeriums für Inneres und für Finanzen (links) und des Hauptstabes, des späteren Generalstabes (rechts). Der hier dargestellte obere Abschluß des Bogens, seine Bekrönung durch das Staatswappen und Trophäen, ist niemals ausgeführt worden. GM

164
FARBTAFEL S. 244
Die Panteleimon-Brücke, 1822

Aquarellierte Lithographie, 37 x 60,5 cm (Blatt); 36 x 56 cm (Darstellung)
Bezeichnet unten rechts und links; außerdem unten betitelt
Inv.-Nr. ЭРГ-7525
Herkunft: 1941 aus dem Staatlichen Museum für Ethnographie der Völker der UdSSR, Leningrad
Literatur: 210 (S. 43, Nr. 64)

Ein Blatt aus dem Album: Collection des plans et vues perspectives des nouveaux ponts, projetés et construits sur la nouvelle chaussée de Moscou . . ., 1823; nach einer Zeichnung von G. Tretter
Die Panteleimon-Brücke, eine Kettenzugbrücke über die Fontanka, wurde 1824 von dem Ingenieur G. Tretter nach Entwürfen des Architekten P. S. Christianov erbaut. Sie bestand bis 1907 und wurde danach durch eine heute noch existierende, bis 1914 errichtete neue Brücke ersetzt. Im Hintergrund sieht man Häuser auf dem rechten Ufer der Fontanka und die Kirche des heiligen Großmartyrers Panteleimon (oder: Pantaleon), die 1735–1739 von I. K. Korobov erbaut worden ist. Nach dieser Votiv-Kirche für die russischen Siege im Nordischen Krieg gegen Schweden wurde die Brücke benannt. GM

165
Ansicht des Smol'na-Institutes, 1822

Aquarellierte Lithographie, 40,5 x 54,5 cm (Blatt); 29 x 42 cm (Darstellung)
Bezeichnet unten rechts und links; außerdem unten betitelt
Inv.-Nr. ЭРГ-6220
Herkunft: Alter Bestand der Sammlung der Staatlichen Ermitage, Leningrad
Literatur: 77 (S. 30); 115 (S. 34); 168 (Bd. 1, Sp. 65, Nr. 22); 210 (S. 34)

Das nach einer Zeichnung von S. F. Galaktionov entstandene Blatt stammt aus der Serie »Ansichten von Sankt-Petersburg und seiner Umgebung«, die 1820–1826 von der Gesellschaft zur Förderung der Künstler in Petersburg herausgegeben, in Heften zu je vier Blättern oder auch als Einzelblatt verkauft worden sind. Insgesamt erschienen 45 Lithographien, äußerst wertvolle Bilddokumente, die uns heute

ВОСПИТАТЕЛЬНОЕ ОБЩЕСТВО БЛАГОРОДНЫХЪ ДѢВИЦЪ.

Communauté des Demoiselles Nobles.

165

166

wichtige Aufschlüsse über das Petersburg der Zeit Puškins geben. Sie entstanden nach Zeichnungen so hervorragender Veduten- und Landschaftsmaler, wie M. N. Vorob'ev, A. P. Brjullov, S. F. Galaktionov, E. I. Esakov, Alexander A. Thon, K. F. Sabat und andere.

Das Smol'na-Institut für adelige Mädchen wurde 1806–1808 nach Entwürfen des Architekten G. Quarenghi erbaut. Das Internat war jedoch bereits 1766 von Ekaterina II. für Adelige und Töchter aus vornehmen Familien gegründet worden, als erste russische Lehranstalt, die auch Frauen eine höhere Ausbildung vermittelte. Bereits während der 2. Hälfte des 19. Jahrhunderts konnten sie hier als Pädagogin oder Ärztin ihre Ausbildung abschließen. Seinen Namen erhielt das Institut nach dem nahegelegenen Smol'na-Kloster, das in der Mitte des 18. Jahrhunderts am linken Neva-Ufer gegründet worden ist.

Nach der Februar-Revolution von 1917 mußte das Institut seine Tätigkeit einstellen.   GM

166
Die Fontanka an der Izmajlovo-Brücke, 1823

Farbige Lithographie (Druck von zwei Steinen), 48,2 x 60 cm (Blatt)
Bezeichnet unten rechts und links; unten Mitte Angabe der lithographischen Anstalt
Inv.-Nr. ЭРГ-17631
Herkunft: Alter Bestand der Sammlung der Staatlichen Ermitage, Leningrad
Ausstellungen: 1976 Leningrad, Rannjaja litografija, Nr. 9
Literatur: 77 (S. 28–33, Tafel 18); 115 (S. 36); 168 (Bd. 1, Sp. 65, Nr. 3); 210 (S. 39, Nr. 5)

Das nach einer Zeichnung von E. J. Esakov entstandene Blatt stammt aus der Serie »Ansichten von Sankt-Petersburg und seiner Umgebung« (siehe Kat.-Nr. 165).

Von der Izmajlovo-Brücke aus blickt man über die Fontanka. Im Hintergrund sieht man die Obuchov-Brücke (1784–1787, nach 1840 umgebaut). Am Uferkai liegt rechts hinten das Kasernengebäude des Leib-Garde-Regiments »Izmajlovo«, ein Bau, der bis in die 90er Jahre des 18. Jahrhunderts M. Garnovskij, dem Verwalter des Fürsten G. A. Potemkin, gehörte. Weiter sieht man das Haus des Dichters G. P. Deržavin (1790–1791 nach Entwürfen des Architekten N. A. L'vov erbaut), links das Institut für die Ingenieure des Verkehrswesens (nach 1790 errichtet von G. Quarenghi).   GM

167
Porträt I. A. Dmitrevskij, 1822

Lithographie, 33 x 25,5 cm (Blatt)
Bezeichnet in der Darstellung unten rechts; außerdem betitelt; darunter die Datierung des Druckes und Adresse der lithographischen Anstalt
Inv.-Nr. ЭРГ-18133
Herkunft: Alter Bestand der Sammlung der Staatlichen Ermitage, Leningrad
Ausstellungen: 1960 Leningrad, Nr. 121; 1976 Leningrad, Rannjaja litografija, Nr. 5
Literatur: 2 (S. 290, Nr. 1); 168 (Bd. 1, Sp. 66, Nr. 11)

Ivan Afanas'evič Dmitrevskij (1734–1821) war als bedeutender Schauspieler und Regisseur für das Theater tätig und wirkte zugleich als Pädagoge und Autor literaturwissenschaftlicher Arbeiten. Er war ein vielseitig gebildeter Verfechter des klassischen Repertoirs und zugleich ein wichtiger Protagonist der nationalen Schule. Mit dem Schauspiel kam er im Petersburger Adels-Korps in Kontakt. 1756 kam er an das erste permanent spielende Theater in Petersburg, das von dem Schriftsteller A. P. Sumarakov und dem Schauspieler F. G. Volkov geleitet wurde. 1782 brachte Dmitrevskij dort die satirische Komödie D. I. Fonvizins »Der Landjunker [Nedorosl']« zur Aufführung. 1774 wurde er Leiter der Petersburger Theater-Schule und damit Lehrer bedeutender russischer Schauspieler, wie A. S. Jakovlev, V. P. Karatygin, der E. S. Semenova. 1802 wurde er wegen seiner Verdienste für das russische Theater und die Literatur zum Wirklichen Mitglied der Rußländischen Akademie gewählt.   GM

168

168

Der Nevskij-Prospekt bei der Polizei-Brücke, 1823

Farbige Lithographie (Druck von zwei Steinen), 46,5 x 59,5 cm (Blatt); 29 x 40,5 cm (Darstellung)
Bezeichnet unten rechts und links; unten Mitte Angabe der lithographischen Anstalt
Inv.-Nr. ЭРГ-20213
Herkunft: Alter Bestand der Sammlung der Staatlichen Ermitage, Leningrad
Ausstellungen: 1978 Leningrad, Nr. 29
Literatur: 77 (S. 28–33); 115 (S. 33); 168 (Bd. 1, Sp. 65, Nr. 19); 210 (S. 39, Nr. 19)

Das nach einer Zeichnung von Forlop entstandene Blatt stammt aus der Serie »Ansichten von Sankt-Petersburg und seiner Umgebung« (siehe Kat.-Nr. 165).

Links vom Bildrand sieht man die Westfassade des Palastes der Grafen Stroganov am Nevskij-Prospekt (1752–1754 von F. B. Rastrelli erbaut), dahinter die Hofeinfassung des Erziehungshauses, vormals Palast des Grafen K. G. Razumovskij. Erbaut wurde es von einem unbekannten Architekten in der Mitte des 18. Jahrhunderts. Nach 1830 wurde es von P. S. Pavlov umgestaltet. (Heute befindet sich darin das Pädagogische Institut »A. I. Gercen«.) Ganz rechts erscheint das Haus des Kaufmanns A. I. Kosikovskij (1768–1771 nach Entwürfen des Architekten A. F. Kokorinov erbaut).   GM

169   FARBTAFEL S. 261

Spaziergang auf der Zaren-Aue, 1823

Aquarellierte Lithographie, 48,5 x 60 cm (Blatt); 29 x 40 cm (Darstellung)
Bezeichnet unten rechts und links
Inv.-Nr. ЭРГ-6110
Herkunft: Alter Bestand der Sammlung der Staatlichen Ermitage, Leningrad
Ausstellungen: 1984 Leningrad, Petersburg gogolevskogo vremeni, Nr. 41; 1988 Odessa, Izmail, Nr. 53
Literatur: 77 (S. 28–30); 115 (S. 32–33); 168 (Bd. 1, Sp. 65, Nr. 26); 210 (S. 40, Nr. 41)

Ein Blatt aus der Serie »Ansichten von Sankt-Petersburg und seiner Umgebung« (siehe Kat.-Nr. 165).

Die Zaren-Aue [caricyn lug] (das heutige Marsfeld) war am Ende des 18. Jahrhunderts einer
der schönsten Plätze im Zentrum der Stadt. Er
erstreckte sich von den Kasernen des Leib-
Garde-Regiments »Pavel« (errichtet 1817–1819
nach Entwürfen des Architekten V. P. Stasov;
links im Bild) bis zu dem Bedienstetenflügel des
Marmorpalastes (erbaut 1780–1788 von N. E.
Egorov; hinten in der Mitte). Der 1768–1785
von Antonio Rinaldi erbaute Palast selbst ist
links im Hintergrund zu erkennen. Rechts lag
der Schwanenkanal [lebjaz'ja kanavka], der
1720 angelegt worden war, um die Neva mit
der Mojka zu verbinden. Weil es so groß war,
nutzte man das Feld bevorzugt für Militärparaden und Volksbelustigungen. An Feiertagen
wurden hier Bühnen für Theateraufführungen
sowie Buden für den Verkauf von Erfrischun-
gen oder kleinen Geschenken aufgebaut. Dazwischen boten alle möglichen Straßenhändler
und ambulanten Getränkeverkäufer ebenfalls
ihre Waren feil. Im Winter errichtete man hier
Rutschbahnen aus Eis, damals äußerst beliebte
Vergnügen für die Stadtbewohner. GM

170
Porträt A. Ch. Vostokov, 1824

Lithographie, 36 x 24 cm
Nach der Beschriftung mit Tinte am unteren
Rande des Blattes wurde das Porträt von einem
Absolventen der Kunstakademie, M. I. Belou-
sov, 1821 gezeichnet und danach von Beggrow
gestochen
Inv.-Nr. ЭРГ-18023
Herkunft: Alter Bestand der Sammlung der
Staatlichen Ermitage, Leningrad
Literatur: 2 (S. 194, Nr. 1)

Aleksandr Christoforovič Vostokov (1781–
1864) war Schriftsteller, Lyriker, Philologe und
Sprachwissenschaftler, der sich besonders durch
seine Studien zur russischen Grammatik und zu
anderen slavischen Sprachen ausgezeichnet hat.
Er war Mitglied der 1816 in Petersburg gegründeten »Freien Gesellschaft der Freunde der russischen Literatur, Wissenschaften und Künste«
und der Rußländischen Akademie der Wissenschaften. Seit 1821 arbeitete er in der Öffentlichen Bibliothek der Stadt. Er war der erste Forscher, der altrussische Manuskripte mit sprach-
wissenschaftlichen Kommentaren edierte.
GM

170

171

171
Der Uferkai am Winterpalast, 1826

Aquarellierte Lithographie, 42,5 x 54,6 cm
(Blatt); 30 x 43,5 cm (Darstellung)
Bezeichnet unten
Inv.-Nr. ЭРГ-20221
Herkunft: Alter Bestand der Sammlung der
Staatlichen Ermitage, Leningrad
Ausstellungen: 1960 Leningrad, Nr. 123; 1976
Leningrad, Rannjaja litografija, Nr. 11; 1984
Leningrad, Petersburg gogolevskogo vremeni,
Nr. 42; 1988 Odessa Izmail, Nr. 54
Literatur: 77 (S. 34); 115 (S. 38); 168 (Bd. 1, Sp.
65, Nr. 3); 210 (S. 40, Nr. 16)

Das nach einer Zeichnung von K. F. Sabath
und S. P. Sifljar entstandene Blatt stammt aus
der Serie »Ansichten von Sankt-Petersburg und
seiner Umgebung« (siehe Kat.-Nr. 165).
Dargestellt ist der Gebäudekomplex an der Neva, der im 18. Jahrhundert sowohl als Samm-
lungsort für Kunstschätze als auch als Winterpalast benutzt wurde. Von links nach rechts
sieht man folgende Gebäude: das Ermitage-
Theater (1783–1787 von G. Quarenghi erbaut),
nach der Brücke die Alte Ermitage (1771–1787
von Ju. M. Fel'ten erbaut), die Kleine Ermitage
(1764–1775 von J.-B. Vallin de la Mothe erbaut)
und schließlich als Abschluß der Gebäudefront
den Winterpalast (1754–1762 von F. B. Rastrelli
erbaut). GM

172   ABBILDUNG S. 263
Die Werft der Admiralität, 1826

Lithographie, 30,5 x 43,5 cm (Blatt);
29,5 x 42,5 cm (Darstellung)
Bezeichnet unten rechts und links
Inv.-Nr. ЭРГ-6225
Herkunft: 1941 aus dem Staatlichen Museum für
Ethnographie der Völker der UdSSR, Lenin-
grad
Literatur: 77 (S. 28–30); 115 (S. 38); 210 (S. 40,
Nr. 27)

Das nach einer Zeichnung von K. F. Sabath
und S. P. Sifljar entstandene Blatt stammt aus

K. P. Beggrow, Spaziergang auf der Zaren-Aue, 1823. Kat.-Nr. 169

I. V. Českij, Ansicht der Großen Kaskade mit der Samson-Fontäne und dem Großen Palast in Peterhof, 1805–1806. Kat.-Nr. 182

der Serie »Ansichten von Sankt-Petersburg und seiner Umgebung« (siehe Kat.-Nr. 165).
Links sieht man die Neva und im Hintergrund links die Peter-und-Pauls-Festung. Rechts der Hof der Admiralität mit in Docks liegenden im Bau befindlichen Schiffen. Die Admiralität und die dort befindliche Werft wurden auf Befehl Petr I. bereits 1704, also ein Jahr nach der Stadtgründung, am linken Ufer der Neva errichtet. Sie war die bedeutendste Schiffswerft des Landes. Den ersten Bauten als Blockhütten folgten 1732–1738 steinerne Gebäude. 1806–1823 wurde ein vollständiger Neubau durch den Architekten A. D. Zacharov durchgeführt. Dabei wurde der Werft-Betrieb nun an andere Orte der Stadt und ihrer Umgebung verlegt. Seit Mitte des 19. Jahrhunderts ist die Admiralität ausschließlich Marine-Amt und Lehranstalt für Seeleute.   GM

LEV ALEKSANDROVIČ BELOUSOV
1806–1854

Lithograph; Absolvent der Petersburger Kunstakademie. Bekannt wurde seine mehr als zweihundert Blatt umfassende Serie »Die Kaiserlich-Russische Armee 1828–1844«. Deren Lithographien entstanden nach Zeichnungen von A. I. Zauervejd, S. P. Šifljar und A. O. Orlovskij. Daneben schilderte er Szenen aus dem russischen Volksleben und arbeitete Lithographien nach Gemälden bekannter Künstler, wie z. B. O. A. Kiprinskij und A. G. Venecianov.

173   FARBTAFEL XVIII
Ober-Offizier, Portopee-Unterleutnant [portupej-praporščik] und Feldwebel der Abteilung der Palast-Grenadiere, nach 1830

Aquarellierte Lithographie, 41 x 30,3 cm
Inv.-Nr. ВГ-213899

Die Abteilung (eigentlich: Rotte [rota]) der Palast-Grenadiere wurde – vornehmlich für die Repräsentation bei Hofe – aus Gardisten gebildet, die am Vaterländischen Krieg von 1812 und den anschließenden Feldzügen im Ausland teilgenommen hatten. Das ihr 1830 verliehene Banner trug die Aufschrift »Zur Erinnerung an die Heldentaten der Rußländischen Garde«. Da ihre Uniformen reich mit Goldtressen verziert

Die feierliche Eröffnung der Galerie fand am 25. Dezember 1826 statt, am Gedenktag der Vertreibung der französischen Armee, den man mit feierlichen Dankgottesdiensten in allen Kirchen Rußlands beging. GV

174

174
Unter-Offizier und Gemeiner des Leib-Garde-Regiments »Preobraženskoe«, nach 1830

Aquarellierte Lithographie, 41 x 30,3 cm
Bezeichnet unten rechts
Inv.-Nr. BГ-213902
Herkunft: Alter Bestand der Sammlung der Staatlichen Ermitage, Leningrad

Die Geschichte des Leib-Garde-Regimentes »Preobraženskoe« beginnt am Ende des 17. Jahrhunderts. Damals hielt sich der junge Zar Petr, der spätere Kaiser Petr I., häufig in zwei Dörfern bei Moskau auf, die – wie damals vielfach der Fall – ihren Ortsnamen von den Patronen der jeweiligen Dorfkirche erhalten hatten: »Semënovskoe« (nach dem heiligen Semën = Symeon) und »Preobraženskoe« (von russisch »preobraženie« = Verklärung Christi). Mit denselben Namen wurden auch die zwei sogenannten »Spielgefährten-Regimenter« benannt: Einheiten aus jungen Leuten, die dem Zaren bei seinen Militärspielen dienten. Im Gegensatz zu den anderen damaligen russischen Soldaten - besonders zu den russisch »Strelitzen [strel'cy]« genannten Schützen - wurden die beiden hier behandelten Regimenter von Ausländern nach den Regeln westeuropäischer Militärtaktik ausgebildet. – Schon 1695 waren sie an der Belagerung der Festung Azov beteiligt. Als sie danach im Jahre 1700 während des Nordischen Krieges am Sturm auf die schwedische Festung Narva teilnahmen, wurden beide Regimenter erstmals als »Leib-Garde« bezeichnet. Das Leib-Garde-Regiment »Preobraženskoe« hat seitdem an zahlreichen Schlachten teilgenommen und sich besonders in den Kriegen mit dem napoleonischen Frankreich ausgezeichnet. Für seine Tapferkeit in der Schlacht bei Kulm 1813 wurde ihm der Georgs-Orden verliehen; außerdem den Soldaten und Offizieren vom preußischen König der Orden des Eisernen Kreuzes (deshalb

waren, wurden sie in Petersburg auch die »goldene Abteilung« genannt.
Auf der Lithographie sind die Grenadiere in der Militärgalerie des Winterpalastes dargestellt. Diese Galerie stellt schon für sich allein ein eigenwilliges Denkmal des Sieges gegen Napoleon dar, denn in ihr befinden sich 332 Porträts von russischen Generälen, die in den Jahren 1812–1814 Truppen kommandiert haben. Die Porträts wurden von dem englischen Porträt-

Maler George Dawe (siehe Kat.-Nr. 9) und seinen Assistenten A. V. Poljakov und V. A. Golika gefertigt. Der Bau der Galerie selbst ist nach Entwürfen des Architekten R. Kossi gestaltet worden. Außer den Porträts der kommandierenden Generäle befinden sich in der Galerie noch die Bilder des russischen Kaisers Aleksandr I. (von F. Krüger), des preußischen Königs Friedrich-Wilhelm III. (ebenfalls von Krüger) und des österreichischen Kaisers Franz I.

damals in Rußland »Kulmer Kreuz« genannt).
Dargestellt sind hier ein Unter-Offizier und ein
Gemeiner, und zwar wohl vor dem Verklärungs-
Dom [Preobraženskij sobor], also der im Bau
befindlichen Garnisonskirche des Regiments,
nach Entwürfen des Architekten V. P. Stasov
1827–1829 errichtet. Auf dem linken Ärmel
des Gemeinen sieht man drei gelbe Chevrons
als Zeichen für 20jährigen Dienst ohne Tadel.
Auf seiner Brust trägt er drei silberne Verdienst-
Medaillen: 1. für den Vaterländischen Krieg
(1812) am blauen Bande, 2. für den Krieg mit
Schweden (1808/1809), ebenfalls am blauen
Bande und 3. »Für die Teilnahme am türkischen Krieg« (1828/1829) am orange-schwarz
gestreiften Georgsbande. Außerdem trägt er
den Orden des Eisernen Kreuzes; er war also
Teilnehmer der Schlacht von Kulm.   GV

175

175
Adjutant und Fahnenreihen des Leib-Garde-Regiments »Izmajlovo«, nach 1830

Aquarellierte Lithographie, 41 x 30,3 cm
Bezeichnet unten rechts in der Ecke
Inv.-Nr. БГ-213907
Herkunft: Alter Bestand der Sammlung der
Staatlichen Ermitage, Leningrad

Das Leib-Garde-Regiment »Izmajlovo« wurde
1730 gegründet. Wie die Regimenter »Preobraženskoe« und »Semenovskoe« wurde es ebenfalls nach einem Dorf (in der Nähe von Moskau) benannt. Während des Vaterländischen
Krieges erwarb es sich vor allem in der Schlacht
bei Borodino besondere Verdienste, als es – unter ständigem gegnerischen Beschuß – zahlreiche Attacken der französischen Kavallerie ab-
wehrte. Für seine Tapferkeit wurden ihm mehrere Georgs-Banner verliehen; d. h. besondere
Fahnen, die in der russischen Armee bis zum
Ersten Weltkrieg für herausragende Einsätze
verliehen wurden. Die Spitze ihrer Stange ziert
das Georgskreuz. Hinzu kommen Fahnen-
Bänder, die in diesem Falle mit ihrem Blau dem
Band des Andreasordens entsprechen. Für die
Teilnahme an der Schlacht von Kulm 1813
wurde das Regiment außerdem noch mit silbernen Georgs-Fanfaren ausgezeichnet.   GV

176

177

176
Stabs-Offizier und Ober-Offizier des Leib-Garde-Regiments »Moskau«, nach 1830

Aquarellierte Lithographie, 41 x 30,3 cm
Bezeichnet unten rechts
Inv.-Nr. БГ-213910
Herkunft: Alter Bestand der Sammlung der Staatlichen Ermitage, Leningrad

Das Leib-Garde-Regiment »Litauen« wurde erst 1811 gebildet. Doch schlug es sich schon wenig später sehr tapfer in den Schlachten des Vaterländischen Krieges und zeichnete sich dabei besonders bei Borodino aus. Dafür wurde es mit dem Georgs-Banner ausgezeichnet (siehe Kat.-Nr. 175). 1817 wurde es dann in Leib-Garde-Regiment »Moskau« umbenannt.   GV

177
Gemeiner des Leib-Garde-Jäger-Regiments, nach 1830

Aquarellierte Lithographie, 41 x 30,3 cm
Bezeichnet unten rechts
Inv.-Nr. БГ-213922
Herkunft: Alter Bestand der Sammlung der Staatlichen Ermitage, Leningrad
Literatur: 120 (S. 34–35)

Im November 1796 wurde in Pavlovsk, der Residenz Kaiser Pavels I. vor der Stadt, ein Leib-Garde-Jäger-Batallion [Lejb-gvardii-Egerskij-batal'on] gebildet, das 1806 neu formiert und in ein Jäger-Regiment verwandelt wurde. Für seinen Einsatz im Vaterländischen Krieg von 1812 wurde es mit dem Georgs-Banner ausgezeichnet (siehe Kat.-Nr. 175), für den in der Schlacht bei Kulm (1813) mit zwei Georgs-Fanfaren.   GV

178

179

178
Fahnenträger und Hornist des
Leib-Garde-Grenadier-Regiments,
nach 1830

Aquarellierte Lithographie, 41 x 30,3 cm
Bezeichnet unten rechts
Inv.-Nr. BГ-213925
Herkunft: Alter Bestand der Sammlung der
Staatlichen Ermitage, Leningrad

Die Geschichte dieses Regiments beginnt 1756,
als es als »Erstes Grenadier-Regiment« formiert
wurde. 1775 beschloß Kaiserin Ekaterina II.,
daß »zu Ruhm und Ehre des Rußländischen
Fuß-Heeres das Regiment, das seinem Rang
nach das erste ist und sich auch immer durch
militärische Disziplin und Tapferkeit ausgezeichnet hat . . . nunmehr Leib-Grenadier-Regi-
ment genannt werden soll«. Zugleich erklärte
sich die Kaiserin bereit, den Rang eines Ober-

sten dieses Regiments anzunehmen. 1813 wur-
de es wegen seines Einsatzes im Vaterländischen
Krieg zur Garde erhoben und mit dem Georgs-
Banner ausgezeichnet (siehe Kat.-Nr. 175).
GV

179
Gemeine der Leib-Garde-Artillerie-
Brigade, nach 1830

Aquarellierte Lithographie, 41 x 30,3 cm
Bezeichnet unten rechts
Inv.-Nr. BГ-213928
Herkunft: Alter Bestand der Sammlung der
Staatlichen Ermitage, Leningrad

Die Geschichte der Garde-Artillerie begann
1693 (also gleichzeitig mit der der Leib-Garde-
Regimenter »Preobraženskoe« und »Semenovskoe«). Es wurde mit einer – wie man es damals
nannte – Bombardierabteilung [bombardirskaja
rota] ausgerüstet, aus der sich später als selbständiger Truppenteil die Artillerie entwickelte.
GV

180

Aquarellierte Lithographie, 41 x 30,3 cm
Bezeichnet unten rechts
Inv.-Nr. ВГ-213933
Herkunft: Alter Bestand der Sammlung der
Staatlichen Ermitage, Leningrad

In Moskau wurde 1790 ein Infanterie- (wörtlich: Fuß) Regiment [pechotnyj polk] gebildet,
das 1796, zu Ehren des neuen Kaisers,
Grenadier-Regiment »Pavel« [Pavlovskij grenaderskij polk] genannt wurde. Es nahm damals
an allen Feldzügen gegen die Franzosen teil.
Deshalb beschloß Kaiser Aleksandr I. 1808 »wegen der ausgezeichneten Mannhaftigkeit, Tapferkeit und Unerschütterlichkeit in den Gefechten mit den Franzosen in den Jahren 1806 und
1807, zu Ehren dieses Regiments« die hohen
Grenadiermützen beizubehalten, die Pavel I.,
nach preußisch-friederizianischem Vorbild des
18. Jahrhunderts, eingeführt hatte. Auch jene
Mützen, die von feindlichen Kugeln und Kar-
tätschen durchbohrt worden waren, wurden –
als stolze Zeichen für frühere Heldentaten –
weiterhin benutzt. Wenig später wurde angeordnet, in sie die Namen ihrer Träger während
der vergangenen Schlachten einzugravieren.
Für seinen Einsatz während des Vaterländischen Krieges von 1812 wurde das Regiment
zur Garde erhoben und mit dem Georgs-
Banner ausgezeichnet (siehe Kat.-Nr. 175).

GV

ANDREJ SEMENOVIČ BEZLJUDNYJ

Geb. auf dem Gut Vorwerk Alekseevka, Gouvernement Voronez 1813

Maler und Lithograph, vor allem Porträtist. Er
war Leibeigener des Grafen D. N. Šeremetev,
wurde aber 1835, aufgrund einer Intervention
der Gesellschaft zur Förderung der Künstler,
freigelassen und besuchte seitdem die Kunstakademie. Schon seit dem Ende der 20er Jahre
schuf er vor allem Lithographien, die nach den
Gemälden von O. A. Kiprenskij im Auftrag der
Gesellschaft zur Förderung der Künstler entstanden.

181
Porträt A. S. Puškin

Lithographie, 57,2 x 45,5 cm (Blatt);
26,3 x 22 cm (Darstellung)
Bezeichnet unten rechts und links; außerdem
betitelt
Inv.-Nr. ЭРГ-1399
Herkunft: 1941 aus dem Staatlichen Museum für
Ethnographie der Völker der UdSSR, Lenin-
grad
Ausstellungen: 1976 Leningrad, Rannjaja litogra-
fija, Nr. 16; 1984 Leningrad, Petersburg gogo-
levskogo vremeni, Nr. 43; 1988 Odessa, Izmail,
Nr. 55

Nach einem Gemälde von O. Kiprenskij. Die
biographischen Daten zu Aleksandr Sergeevič
Puškin (1799–1837) siehe Kat.-Nr. 76. GM

IVAN VASIL'EVIČ ČESKIJ
Mogilev (?) 1779/1780–1848 Petersburg

Kupferstecher und Zeichner. Seit 1791 studierte
er an der Kunstakademie in der Klasse für Kupferstich bei A. Radigues und I. S. Klauber (siehe
Kat.-Nr. 203), 1799 bis 1803 in der Klasse für
Landschaftsstiche und arbeitete danach selbständig für private Auftraggeber. 1807 wurde
der Mitglied der Akademie. Er stach vor allem
Porträts, Ansichten von Petersburg und seiner
Umgebung sowie Blätter für den Reise-Atlas G.
A. Saryčevs und I. F. Kruzenšterns. Außerdem
hat er zahlreiche Buchillustrationen und Stiche
nach berühmten Gemälden geschaffen.

182   FARBTAFEL S. 262
Ansicht der Großen Kaskade mit der Samson-Fontäne und dem Großen Palast in Peterhof, 1805–1806

Kupferstich und Radierung, aquarelliert,
54,2 x 69,8 cm (Platte)
Bezeichnet unten links auf Russisch und unten
rechts auf Französisch. Unten ebenfalls zweisprachig betitelt und Widmung an Kaiser Aleksandr I.
Inv.-Nr. ЭРГ-6252

А. С. ПУШКИНЪ.

181

Herkunft: 1929 aus dem Stroganov-Palast-
Museum in Leningrad; früher befand sich das
Blatt in der Sammlung der Grafen Stroganov in
Petersburg
Ausstellungen: 1960 Leningrad, Nr. 66; 1966
Novi Sad, Nr. 38; 1985 Habana, Nr. 12
Literatur: 110 (S. 53 u. a.); 77 (S. 19–30); 168
(Bd. 1, Sp. 190, Nr. 16/17, Bd. 2, Sp. 1131–
1132, Nr. 29); 169 (Bd. 1, Sp. 142, Nr. 592)

Nach einer Zeichnung von Michail Ivanovič
Šotošnikov, nach 1800.
Einer der seltenen kolorierten Abzüge aus der
unter Kat.-Nr. 191 beschriebenen Serie. Die Datierung des Blattes ergibt sich aus der Chronolo-
gie der Umbauarbeiten an der Großen Kaskade.
Zum Teil sieht man einerseits noch die alten
vergoldeten Bleifiguren des 18. Jahrhunderts,
andererseits aber auch schon neue Figuren aus

183

vergoldeter Bronze. Vermutlich entstand die Vorzeichnung unmittelbar am Beginn des 19. Jahrhunderts. Bei ihrer offensichtlich späteren Umsetzung im Stich wurde sie jedoch – den inzwischen an der Kaskade vorgenommenen Umbauten entsprechend – verändert.

Man sieht den Großen Palast, der, am Rand der 16 m hohen Terrasse eines zum Meer hin abfallenden Plateaus gelegen, das Zentrum der gesamten Schloßanlage bildet. Er wurde in zwei Bauabschnitten, 1714–1732 und 1745 bis in die 60er Jahre, unter der Leitung zahlreicher so bedeutender Baumeister, wie J. B. Leblond, J. F. Braunstein, N. Michetti, M. G. Zemcov und schließlich B. F. Rastrelli errichtet.

Vor ihm die Große Kaskade mit der Grotte. Ihr zentrales Becken wird durch einen Kanal mit dem Meer verbunden, der zugleich als Paradeeinfahrt zum Palast diente. Die Kaskade schufen 1714–1722 die bereits erwähnten Leblond, Braunstein, Michetti und Zemcov. Mit ihren 64 Fontänen und 225 vergoldten Skulpturen, Bas-

reliefs, Masken und anderen dekorativen Details zählt sie zu den größten Brunnenanlagen der Welt. Eine Grotte verbindet die Doppelkaskade in der Mitte. Im Marmorbecken befindet sich die Samson-Fontäne, aus deren Löwenrachen ein armdicker Wasserstrahl 23 m hoch aufschießt. Die erste »Samson-Gruppe« stammte von Rastrelli und wurde 1735, zum 25. Jahrestag des Sieges von Poltava, aufgestellt (dem Festtag des heiligen Samson). Ende des 18. Jahrhunderts waren bereits zahlreiche Statuen und andere Bauteile verwittert und mußten dringend erneuert werden. So wurde 1802 auch der neue »Samson-Gruppe« aufgestellt, die der Bildhauer M. I. Kozlovskij ein Jahr zuvor erarbeitet hatte. Andere damals neu geschaffene Statuen stammen unter anderem von F. F. Ščedrin, J. Rachette und F. I. Šubin.

Rechts sieht man einen Teil der 1800–1803 von Voronichin erbauten Kolonnaden.

Im Vordergrund stehen Kaiser Aleksandr I. in der Uniform eines Generals des Leib-Garde-

Regiments »Preobraženskoe«, Großfürst Konstantin Pavlovič in der Uniform des Leib-Garde-Kavallerie-Regimentes und einige Begleitoffiziere. GK

183
Ansicht der Landzunge der Basileios-Insel in Petersburg, von der Neva aus gesehen, 1816

Radierung und Aquatinta, aquarelliert,
56,6 x 80,8 cm (Blatt)
Bezeichnet unten links auf Russisch und unten rechts auf Französisch. Unten, ebenfalls zweisprachig, betitelt und Widmung an Kaiser Aleksandr I.
Inv.-Nr. ЭРГ-17336
Herkunft: 1934 aus dem Staatlichen Museums-Fundus der UdSSR, Leningrad
Ausstellungen: 1960 Leningrad, Nr. 69; 1966 Novi Sad, Nr. 39, 1978 Minneapolis, Nr. 78
Literatur: 1; 169 (Bd. 2, Sp. 1132, Nr. 37)

Nach einer Zeichnung von Michail Ivanovič Šotošnikov, nach 1800.
Im Vordergrund die Neva mit der halbkreisförmigen Landzunge, wie sie 1804–1810 von Thomas de Thomon angelegt worden ist. Im Zentrum liegt die nach dem Vorbild eines antiken Tempels erbaute Börse, die Thomon 1804–1810 errichtet hat und die 1816 offiziell eröffnet wurde. Sie wird von den beiden als Leuchttürme dienenden Rostra-Säulen flankiert.   GK

184
Porträt K. N. Batjuškov, 1821–1822

Kupferstich und Punktiermanier, 21 x 15,5 cm (Blatt), 10,5 x 8,6 cm (Platte)
Inv.-Nr. ЭРГ-12481
Herkunft: Alter Bestand der Sammlung der Staatlichen Ermitage, Leningrad
Literatur: 168 (Bd. 2, Sp. 1128, Nr. 3); 169 (Bd. 1, Sp. 378, Nr. 2)

Nach O. A. Kiprenskij, 1814.
Konstantin Nikolaevič Batjuškov (1787–1855) war als bekannter russischer Dichter ein Freund Puškins. Er publizierte seit 1802. 1812 bis 1814 nahm er am Vaterländischen Kriege und an den Auslandsfeldzügen der russischen Armee teil. 1815 wurde er Mitglied des literarischen Zirkels »Arzamas«. 1817 edierte er seine Sammlung »Versuche in Versen und Prosa«, mit der er seine Dichtung in die Tradition der alten Epikuräer stellte. Gegen 1820 wird seine Dichtung jedoch fortschreitend von Verzweiflungs- und Leidmotiven geprägt. 1821 erkrankte er schließlich an einer unheilbaren psychischen Krankheit.   GM

184

185

Porträt F. A. Gebhard, nach 1820

Punktierstich, 26 x 19 cm (Blatt),
23 x 17 cm (Platte)
Unten bezeichnet und auf Deutsch betitelt
Inv.-Nr. ЭРГ-12916
Herkunft: Alter Bestand der Sammlung der
Staatlichen Ermitage, Leningrad
Literatur: 168 (Bd. 2, Sp. 1128, Nr. 6); 169 (Bd. 1,
Sp. 552, Nr. 1)

Nach einem Gemälde von I. Rombauer.
Friedrich Albert Gebhard (1781 – nach 1837)
war während der ersten Jahrzehnte des 19. Jahrhunderts russischer Hofschauspieler und Regisseur des Kaiserlich Deutschen Theaters zu Petersburg. Er war mit dem Pianisten J. Field (siehe Kat.-Nr. 200) eng befreundet.   GM

KUZ'MA VASIL'EVIČ ČESKIJ
Mogilev 1776–1813 Petersburg

Kupferstecher und Zeichner. 1793 bis 1797 studierte er als Stipendiat des Kabinetts seiner Kaiserlichen Majestät an der Kunstakademie in der
Klasse für Kupferstich bei A. Radigues und I. S.
Klauber, 1799 bis 1803 arbeitete er in der Klasse
für Landschaftsstiche, danach selbständig für
private Auftraggeber. 1811 wurde er Mitglied
der Akademie. Von ihm stammen Porträts,
Landschaften und Ansichten russischer Städte
sowie Illustrationen zum Reiseatlas G. A. Saryčevs und I. F. Kruzenšterns.

186
Ansicht des Sägemühlen-Turmes im Park von Pavlovsk, 1800–1803

Kupferstich und Radierung, 40,5 x 51 cm
Bezeichnet unten links auf Russisch und unten rechts auf Französisch. Darunter, ebenfalls zweisprachig, betitelt und Widmung an Kaiserin Marija Fedorovna, die Gemahlin Pavels I.
Inv.-Nr. ЭРГ-6239

Herkunft: 1941 aus dem Staatlichen Museum für Ethnographie der Völker der UdSSR, Leningrad
Ausstellungen: 1976 Leningrad, Rannjaja litografija, Nr. 85; 1966 Novi Sad, Nr. 44
Literatur: 77 (S. 19–30); 169 (Bd. 1, Sp 189, Nr. 15/12; Bd. 2, Sp. 1143, Nr. 6); 215 (S. 106–112 u. a.)

Nach einem Gemälde von F. Ščedrin (siehe Kat.-Nr. 44).
Ein Blatt der unter Kat.-Nr. 191 genannten Serie.

Dargestellt ist der sogenannte Säge-Turm [Pil'bašnja] oder die Säge-Mühle am Ufer der Slavjanka. Bei ihm handelt es sich nicht um einen wirklichen Mühlenturm, sondern um einen turmartigen Pavillon mit strohgedecktem Kegeldach und elegantem Salon, den Vincenzo Brenna 1795–1797 errichtet hat. Seine Architektur und die im Inneren angebrachten Fresken von P. Gonzago sollen – dem Zeitgeschmack entsprechend – die Illusion eines verfallenen Gebäudes erwecken.
Zu Füßen des Turmes sieht man eine Brücke über die Slavjanka, die C. Visconti 1795/96 erbaut hat, und dahinter die malerische alte Wassermühle, die 1808 entfernt worden ist.   GK

Tab. XXXIV.

Сцена Приезда Сансодаиси, на котораго Российской Посланникъ поехалъ съ картины санодорио

187

Tab. VII.

Изображение Нукагивца, покрытаго другому на тила узоры.

188

187

Darstellung der Dschunke des Prinzen Tschin-Go-Dzin am Ufer der Insel Sachalin im Stillen Ozean, 1812

Kupferstich und Radierung, 49,5 x 56 cm
(Blatt), 30 x 53 cm (Platte)
Unten betitelt
Inv.-Nr. ЭРГ-9366
Herkunft: 1941 aus dem Staatlichen Museum für Ethnographie der Völker der UdSSR, Leningrad
Literatur: 168 (Bd. 2, Sp. 502, Nr. 69)

Blatt 54 aus dem Atlas zu I. F. Kruzenšterns »Reise um die Welt auf den Schiffen 'Hoffnung' und 'Neva' in den Jahren 1803, 1804, 1805 und 1806«, für den er insgesamt acht Blätter gearbeitet hat. Dafür erhielt er 1811 den Ruf zum Mitglied der Akademie.
Man sieht die Überfahrt der Dschunke mit dem russischen Gesandten zum Ufer der Insel. Am Heck des Bootes sieht man neben dem Stander des Prinzen die russische Flagge mit dem doppelköpfigen Adler.   GM

KUZ'MA VASIL'EVIČ ČESKIJ UND I. S. KLAUBER

Die biographischen Daten zu diesen Künstlern siehe Kat.-Nr. 186 bzw. 203.

188

Darstellung der tätowierten Ureinwohner der Insel von Hawai, 1812

Kupferstich und Radierung, 49,5 x 56 cm
(Blatt), 33 x 76,5 cm (Platte)
Unten betitelt
Inv.-Nr. ЭРГ-9349
Herkunft: 1941 aus dem Staatlichen Museum für Ethnographie der Völker der UdSSR, Leningrad
Literatur: 168 (Bd. 2, Sp. 503, Nr. 69)

Nach einer Zeichnung von D. Tilesius.
Ein Blatt des unter Kat.-Nr. 187 genannten Atlanten.   GM

189

IVAN PAVLOVIČ FRIDRIC [FRIEDRITZ]
Petersburg 1803 – um 1860 Petersburg (?)

Kupferstecher, Lithograph für Porträt-Darstellungen. Er stammte aus einer Familie unbegüterter Deutschbalten und studierte 1815 bis 1824 auf Kosten des Barons A. F. Korff an der Kunstakademie in der Klasse für Kupferstich bei N. I. Utkin (biographische Daten zu diesem Künstler siehe Kat.-Nr. 230). Seit 1825 arbeitete er vor allem als Lithograph und schuf zahlreiche Porträts als Auftragsarbeiten, so für den Historiker N. N. Bantyš-Kamenskij (siehe Kat.-Nr. 74), den Fabeldichter I. A. Krylov (siehe Kat.-Nr. 210), den Präsidenten der Kunstakademie A. N. Olenin (siehe Kat.-Nr. 135 und 237) und andere berühmte Persönlichkeiten seiner Zeit. 1839 trat er in den Dienst des Departe-

ments für Militärsiedlungen, um an der mehrbändigen »Historischen Beschreibung der Gewandung und Bewaffnung der Heere Rußlands [Istoričeskoe opisanie odeždy i vooruženija rossijskich vojsk]« mitzuwirken, die 1841–1862 in St.-Petersburg erschien.

189

Porträt N. S. Semenova, 1821

Kupferstich, 25,2 x 18,5 cm (Blatt),
23,5 x 16 cm (Platte)
Datiert unten
Inv.-Nr. ЭРГ-15683
Herkunft: Alter Bestand der Sammlung der Staatlichen Ermitage, Leningrad
Literatur: 168 (Bd. 2, Sp. 1058, Nr. 55); 169 (Bd. 3, Sp. 1906, Nr. 1)

190

Nach A. G. Varnek, 1819.
Nimfodora Semenovna Semenova (1787/88–
1876) war eine bekannte russische Schauspielerin und Sängerin (die Schwester von E. S. Semenova, siehe Kat.-Nr. 231). Sie lernte an der Petersburger Schauspielschule bei A. A. Sachovs-
koj und hatte 1807 ihr Bühnendebut. Bald danach wechselte sie zur Oper über. Als offenbar
bezaubernde Erscheinung mit einem klangvol-
len lyrischen Sopran hat sie die führenden Partien in Opern von Mozart, Rossini und Cima-
rosa gesungen. Wie ihre ältere Schwester war
auch sie bei ihrem Publikum äußerst beliebt
und wurde durch Graf V. V. Musin-Puškin, einem einflußreichen Mäzen der russischen
Kunst, geschätzt und gefördert. Bis 1831 trat sie
in Petersburg auf.   GM

190
Porträt N. I. Utkin, 1822

Lithographie, 31 x 24,5 cm (Blatt),
23,5 x 20 cm (Darstellung)
Inv.-Nr. ЭРГ-19055
Herkunft: Alter Bestand der Sammlung der
Staatlichen Ermitage, Leningrad
Literatur: 159 (S. 80–87)

Nach einer Zeichnung von M. I. Belousov,
1822.
Die biographischen Daten zu Nikolaj Ivanovič
Utkin siehe Kat.-Nr. 230.   GM

STEPAN FILIPPOVIČ GALAKTIONOV
Petersburg 1779–1854 Petersburg

Die biographischen Daten zu diesem Künstler siehe Kat.-Nr. 14.

191
Ansicht von Marly und dem goldenen Berg im Park von Peterhof, 1800–1803

Kupferstich und Radierung, 51,7 x 66,5 cm (Darstellung)

Bezeichnet unten links in russischer und unten rechts in französischer Sprache und Widmung an Kaiser Aleksandr. I.
Inv.-Nr. ЭРГ-6251
Herkunft: 1941 aus dem Staatlichen Museum für Ethnographie der Völker der UdSSR, Leningrad
Ausstellungen: 1984 Leningrad, Grafika S. F. Galaktionova; 1985 Habana, Nr. 25
Literatur: 77 (S. 19–30); 215 (S. 106–112); 169 (Bd. 1, Sp. 190, Nr. 17); 201

Entstanden nach einer Zeichnung des Künstlers, handelt es sich um eine Darstellung aus einer 23 Blatt umfassenden Serie, die die Umgebung von Petersburg zeigt. Sie entstand am Anfang des Jahrhunderts fast gänzlich in der Klasse für Landschaftsstiche an der Kunstakademie, und zwar nach Gemälden von Semen Fedorovič Ščedrin (biographische Daten zu diesem Maler siehe Kat.-Nr. 44), des Leiters dieser Klasse.
Man sieht den unteren Park in Peterhof, links den sogenannten »Goldenen Berg«, also die Kaskade, die 1721–1727 der Architekt N. Micuetti und 1724–1732 sein Kollege M. G. Zemcov erbaut haben. Rechts sieht man den Palast von Marly, der 1720–1723 nach Entwürfen des Architekten I. F. Braunstein entstanden ist und in dem sich seit den 60er Jahren des Jahrhunderts eine Gedenkstätte für Petr I. befand.

GK

Druckgraphik

Ен Императорскомꙋ Величествꙋ
Государынѣ Императрицѣ
Елисаветѣ Алексѣевнѣ.

Dédié A SA MAJESTÉ IMPERIALE
L'Imperatrice
Elisabeth Alexiewna.

Видъ дворца каменнаго острова съ дачи Графа Строганова.

Vûe du palais de Kamennoy Ostrof, du coté oppose de la maison de plaisance de Mr. le Comte de Stroganof.

192

192
**Ansicht des Palastes auf der
Steinernen Insel in Petersburg,
vom Landhaus des Grafen
A. S. Stroganov aus gesehen, 1807**

Kupferstich und Radierung, 41,7 x 52 cm (Blatt)
Bezeichnet unten links in russischer und unten
rechts in französischer Sprache und Widmung
an die Kaiserin Elizaveta Alekseevna
Inv.-Nr. ЭРГ-20206

Herkunft: Alter Bestand der Sammlung der
Staatlichen Ermitage, Leningrad
Ausstellungen: 1984 Leningrad, Grafika S. F.
Galaktionova, S. 5–6, 19, Nr. 7
Literatur: 77 (S. 19–30); 215 (S. 106–112 u. a.);
169 (Bd. 1, Sp. 189, Nr. 15); 201

Nach einem Gemälde von Semen F. Ščedrin aus
dem Jahre 1803 (heute im Staatlichen Russischen Museum). Ein weiteres Blatt aus der oben
(siehe Kat.-Nr. 191) genannten Serie.
Dargestellt ist der kaiserliche Palast, der 1776–
1789 für den Großfürsten Pavel Petrovič nach

Plänen eines uns unbekannten Architekten errichtet worden ist, wobei Jurij M. Fel'ten die
Bauarbeiten leitete. Er liegt auf einer Landzunge der Insel. Links fließt die Kleine, rechts die
Große Nevka. Im Hintergrund links sieht man
die Pontonbrücke, die zur Insel führt und
rechts die Stroganov-Brücke. GK

MLLE ASENKOWA.

Artiste du Théâtre Impérial de S. M. l'Empereur de toutes les Russies

Rôle d'Esméralda dans le drame Russe de ce nom

H. Grewedon, Porträt V. N. Asenkova, 1838. Kat.-Nr. 193

B. Patersson, Blick auf den Petersplatz und das Denkmal von Petr I. in Petersburg, 1806. Kat.-Nr. 218

Parade auf dem Schloßplatz, nach 1810. Kat.-Nr. 253

HENRI (PIERRE-LOUIS) GREWEDON
Paris 1782–1860 Paris

Maler, Miniaturist, Lithograph, vor allem bekannt für seine Porträts. Als Sohn eines Offiziers der Louvre-Wache geboren und in Paris aufgewachsen, begann er auch dort sein Kunststudium, das er 1803 abschloß. 1804 stellte er im Pariser Salon sein Gemälde »Der Einzug des Achilles in Troja« aus und erhielt dafür die große Gold-Medaille. Noch im gleichen Jahr ging er nach Petersburg, wo er bis zum Ausbruch des Krieges gegen Napoleon lebte und arbeitete. 1812 siedelte er nach Stockholm über und später nach London. 1816 kehrte er nach Paris zurück, wo er jetzt ausschließlich als Lithograph arbeitete, vor allem Porträts von Schauspielerinnen.

193 FARBTAFEL S. 279
Porträt V. N. Asenkova, 1838

Aquarellierte Lithographie, lackiert,
49 x 41,5 cm (Blatt)
Bezeichnet links und rechts sowie Beischrift zum Bildinhalt
Inv.-Nr. ЭРГ-17897
Herkunft: Alter Bestand der Sammlung der Staatlichen Ermitage, Leningrad
Ausstellungen: 1984 Leningrad, Peterburg gogolevskogo vremeni, Nr. 54; 1988 Odessa, Izmail, Nr. 72

Varvara Nikolaevna Asenkova (1817–1841) war eine bekannte Charakterdarstellerin. Schon als Fünfzehnjährige spielte sie im Aleksandr-Theater dramatische und komödiantische Rollen. Sie war die erste Hauptdarstellerin in den Stücken von N. V. Gogol' (beispielsweise im »Revisor«, in dem sie 1836 die Rolle der Marija Antonovna übernahm). 1837 spielte sie mit großem Erfolg die Esmeralda in der dramatischen Fassung von Victor Hugos »Notre-Dame de Paris«. Im Kostüm dieses Stückes ist die Schauspielerin auch auf der vorliegenden Lithographie dargestellt. Die Asenkova spielte mit einer wahren Besessenheit, stand fast jeden Abend auf der Bühne und übernahm dabei 2–3 Rollen in der Woche. So ruinierte sie ihre Gesundheit und starb mit nur 24 Jahren an Schwindsucht.

GM

KARL HAMPELN [KARL KARLOVIČ GAMPEL'N]
Moskau 1794–1880 Moskau (?)

Aquarellmaler, Kupferstecher und Radierer, Lithograph, Miniaturist; besonders bekannt für seine Porträts, Genre-Szenen und Naturdarstellungen. Von Geburt an taub, wurde Hampeln, der der deutschen Kolonie in Moskau entstammte, seit 1808 in der Taubstummen-Anstalt in Wien erzogen und studierte danach an der dortigen Kunstakademie. 1816 siedelte er nach Petersburg über, wo er seit 1817 an der Schule für Taubstumme Zeichenunterricht gab. Seit 1826 lebte und arbeitete er in Moskau.

194 ABBILDUNG S. 248 und 282
Volksbelustigungen in Ekaterinen-Hof am 1. Mai, 1824–1825

Radierung und Aquatinta in Sepia,
1000 x 10 cm (gerolltes Blatt in einem zylindrischen Futteral)
Inv.-Nr. ЭРГ-7514
Herkunft: Alter Bestand der Sammlung der Staatlichen Ermitage, Leningrad
Ausstellungen: 1984 Leningrad, Peterburg gogolevskogo vremeni, Nr. 52; 1988 Odessa, Izmail, Nr. 69
Literatur: 29 (S. 190–200); 168 (Bd. 1, Sp. 217, Nr. 2)

Die ungewöhnlich lange Darstellung zeigt eine interessante Sehenswürdigkeit aus dem Petersburg der Zeit, nämlich den »Volksspaziergang«, der jedes Jahr am 1. Mai stattfand und an dem praktisch alle Bewohner der Stadt beteiligt waren. Sie beginnt an der Kalinkin-Brücke über die Fontanka und schildert mit äußerst genauen Details den Weg der festlichen Menge über die Ekaterinen-Chaussée zu dem vor der Stadt gelegenen Palast von Ekaterinen-Hof, der ehemaligen, 1930 abgebrannten, Sommerresidenz der Frau Petr I. Mit dokumentarischer Genauigkeit sind die Gebäude auf dem Panorama festgehalten, ebenso die Menschen, die an ihnen vorbeiziehen; zu Fuß, in Kutschen, Kaleschen oder großen Familiendroschken. Unterwegs sind vielerlei Zerstreuungen zu sehen, vor allem Musikanten, Tänzer oder Schauspieler. Auch der Hof selbst und seine Höflinge nahmen an der Volksbelustigung teil. Bei der Einfahrt in den Park sieht man die Kutschen der Kaiserinnen Marija Fedorovna und Elizaveta Alekseevna, daneben erkennt man Aleksandr I. inmitten seines Gefolges.

GM

GEORG JOHANN HEITMANN [EGOR IVANOVIČ GEJTMAN]
Wesenberg, Bezirk Narva 1800–1829 Petersburg

Kupferstecher, Radierer und Lithograph, Porträtist und Buchgraphiker. Er studierte seit 1811 an der Kunstakademie und beschäftigte sich seit 1817 in der Klasse von N. I. Utkin besonders mit Stichtechnik und außerdem mit der Historienmalerei. Er brach diese Ausbildung aber vorzeitig ab und trat 1820 in die Werkstatt Theodor Reits ein, der damals in Petersburg arbeitete. 1821/22 hat Heitmann Porträt-Lithographien der Professoren der Kunstakademie gearbeitet. Danach schuf er bis 1827 in derselben Technik sechs Porträts russischer Generäle nach Gemälden von George Dawe (biographische Daten zu diesem Künstler siehe Kat.-Nr. 9) für »Die Militär-Galerie des Jahres 1812«, an der zahlreiche bedeutende Künstler der Zeit beteiligt waren. Weitere Lithographien entstanden für private Auftraggeber.

195 ABBILDUNG S. 283
Porträt F. F. Ščedrin, 1821–1822

Lithographie, 26,3 x 21 cm (Blatt)
Bezeichnet rechts
Inv.-Nr. 19218
Herkunft: Alter Bestand der Sammlung der Staatlichen Ermitage, Leningrad
Ausstellungen: 1976 Leningrad, Rannjaja litografija, Nr. 30
Literatur: 156 (S. 28–31)

Entstanden nach einer Zeichnung des Künstlers. Feodosij Fedorovič Ščedrin (1751–1825) war ein bekannter russischer klassizistischer Bildhauer, der Porträt- und Monumental-Skulpturen sowie dekorative Bauplastik schuf. Er war am Figurenschmuck des Kazaner Domes, der Börse, der Admiralität und der Großen Kaskade in Peterhof beteiligt. Von 1818 bis 1825 war er Rektor der Kunstakademie. GM

194/I

194/II

194/III

195

196

196
Porträt Baron P. L. Schilling von Canstadt, Anfang der 20er Jahre des 19. Jahrhunderts

Lithographie, 38 x 27,5 cm (Blatt),
29,8 x 23 cm (Druck)
Bezeichnet unten rechts
Inv.-Nr. ЭРГ-33721
Herkunft: Alter Bestand der Sammlung der Staatlichen Ermitage, Leningrad
Ausstellungen: 1976 Leningrad, Rannjaja litografija, Nr. 31

Nach einer Zeichnung von K. Hampeln. Baron Pavel L'vovič Schilling von Canstadt [Šilling fon Kanštadt] (1786–1837) war Physiker und Orientforscher und außerdem der Erfinder des elektromagnetischen Telegraphen. 1812 nahm er am Vaterländischen Krieg teil und danach an den Feldzügen im Ausland. 1814 lernte er in Deutschland die von Alois Sennefelder erfundene Technik der Lithographie kennen und richtete daraufhin beim Ministerium für Auswärtige Angelegenheiten eine lithographische Werkstatt ein.   GM

GUSTAV ADOLF HIPPIUS
[GUSTAV FOMIČ GIPPIUS]
Nissi/Estland 1792–1856 Reval

Maler, Zeichner und Lithograph, bekannt vor allem als Porträtist. Seine erste Ausbildung erhielt er bei E. Henner in Reval und bei K.-S. Walter in Hegera. 1814–1816 studierte er an der Wiener Kunstakademie und lebte anschließend für zwei Jahre in Rom. 1820 bis 1849 lebte er in Petersburg, wo er in verschiedenen Lehranstalten Zeichenunterricht gab. 1822 begann er, gefördert von E. I. Engelhardt, dem Direktor des Lyzeums in Carskoe Selo, eine Folge von lithographischen Porträts bedeutender Persönlichkeiten des russischen Kulturlebens herauszugeben. Bekannt wurde er auch als Autor des Buches »Grundriß der Theorie des Zeichnens als allgemeiner Prozeß [Očerki teorii risovanija kak obščego processa]«, das 1844 in Petersburg erschien. Seit 1849 lebte er wieder in Reval.

197
Porträt D. S. Bortnjanskij,
1822–1823

Lithographie, 57 x 44 cm (Blatt)
Inv.-Nr. ЭРГ-25982
Herkunft: Alter Bestand der Sammlung der Staatlichen Ermitage, Leningrad
Ausstellungen: 1976 Leningrad, Rannjaja litografija, Nr. 35
Literatur: 2 (S. 130, Nr. 1); 168 (Bd. 1, Sp. 237, Nr. 1)

Das Blatt nach einer Zeichnung des Künstlers stammt aus dem sechsten Heft der Folge »Zeitgenossen – Eine Sammlung von lithographischen Porträts der Staatsbeamten, Schriftsteller und Künstler, die jetzt in Rußland leben – St. Petersburg, 1822«. Sie besteht aus 45 Lithographien, die in neun Heften mit je fünf Blättern erschienen sind.
Dmitrij Stepanovič Bortnjanskij (1751–1825) ist vor allem auf dem Gebiet der geistlichen Musik einer der damals bedeutendsten Komponisten Rußlands. Seit 1759 sang er in der Petersburger Sängerkapelle und wirkte bei Hofkonzerten

30.

Бортнянскій

197

ВИДЪ АНИЧЕОВСКАГО ДВОРЦА СЪ ПРИНАДЛЕЖАЩИМЪ КЪ НЕМУ СТРОЕНИЕМЪ. VUE DU PALAIS D'ANITCHKOV, AVEC SES APPARTENANCES.

und Opernaufführungen mit. Von 1769 bis 1779 war er in Italien, wo er Kompositionstechnik studierte. Seit 1784 war er Kapellmeister am Hof des Thronfolgers Pavel Petrovič, des späteren Kaisers Pavel I., in Gatčina, und wurde dann 1796 Leiter der Hofsängerkapelle. Von ihm sind zahlreiche Werke überliefert: Kirchliche Chormusik und weltliche Instrumentalmusik, dazu 10 Opern, die auf italienischen und russischen Bühnen zur Aufführung kamen. Besonders lebendig geblieben sind bis heute seine geistlichen Kompositionen, die deutlich von der italienischen Kirchenmusik seiner Zeit beeinflußt worden sind. Sie werden nicht nur in der Russisch-Orthodoxen Kirche bis heute gesungen, sondern haben auch – teilweise als Bearbeitungen für Orgel – Eingang in die evangelische Kirchenmusik Deutschlands gefunden. So hat Bortnjanskij z. B. auch im Auftrag des preußischen Königs eine Partitur für die deutsche lutherische Messe geschrieben. Seine in Deutschland wohl bekannteste Komposition ist die Vertonung der slavischen Hymne »Wie

wunderbar ist unser Herr auf Zion [Kol' slaven naš Gospod' v Sione]«, die mit einem veränderten Text (»Ich bete an die Macht der Liebe«) bis heute den Abschluß des großen Zapfenstreiches bildet.   GM/NT

IVAN ALEKSEEVIČ IVANOV
Moskau 1799–1848 Petersburg

Maler, Architekt und Graphiker. Er studierte 1789–1897 an der Kunstakademie bei A. D. Zacharov. Seit 1817 war er dort bis in die Vierziger Jahre selbst Lehrer und leitete seit 1820 die Klasse für perspektivische Darstellungen. 1830 wurde er für sein Gemälde »Ansicht der Paradetreppe der Kunstakademie« zum Akademie-Mitglied berufen. Seine Spezialität war das Genre im Zusammenhang mit sehr authentischen Darstellungen Petersburgs aus den Jahren nach

1810, die er als Aquarelle, Radierungen und Lithographien schuf. Bekannt wurde er auch als Illustrator von Werken A. S. Puškins, V. A. Žukovskijs, A. Ch. Vostokovs und I. A. Krylovs sowie durch satirische Bilderbögen zu Themen des Vaterländischen Krieges von 1812.

198
Der Nevskij Prospekt am Aničkov-Palast, 1814

Aquarellierte Umrißradierung, 31,2 x 55,4 cm (Blatt)
Betitelt unten auf Russisch und Französisch
Inv.-Nr. ЭРГ-7807
Herkunft: 1941 aus dem Staatlichen Museum für Ethnographie der Völker der UdSSR, Leningrad
Ausstellungen: 1976 Leningrad, Rannjaja litografija, Nr. 43
Literatur: 210 (S. 108, Nr. 14)

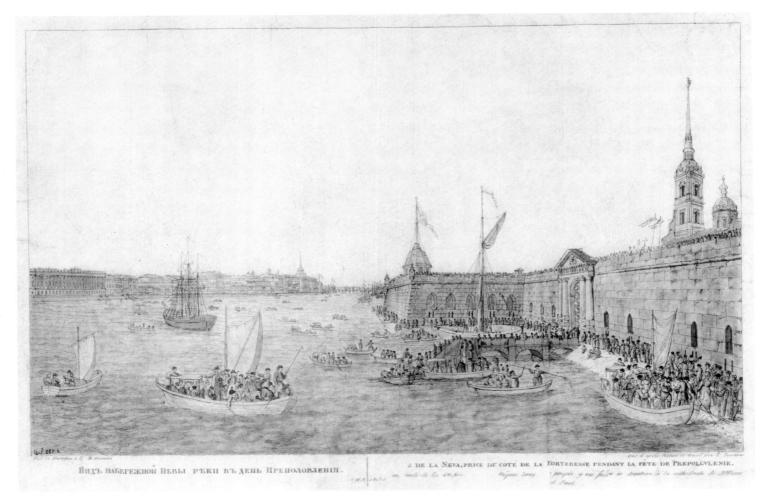

ВИДЪ НАБЕРЕЖНОЙ НЕВЫ РѢКИ ВЪ ДЕНЬ ПРЕПОЛОВЕНІЯ.   2 DE LA NEVA, PRISE DU COTÉ DE LA FORTERESSE PENDANT LA FETE DE PREPOLOVLENIE.

199

Nach einer Zeichnung von I. I. Terebenev.
Im Vordergrund sieht man die Hauptstraße noch mit ihrer 1800 gepflanzten Lindenallee, die bereits 1819 bei der Umgestaltung der Bürgersteige entfernt wurde.
Links sieht man einen Teil der Aničkov-Brücke, die 1715 (von M. O. Aničkov) zunächst aus Holz und 1785 als dreibogige Steinbrücke erbaut worden ist. 1839/41 hat sie der Ingenieur I. F. Buttac erweitert. 1850 wurde sie mit den bis heute erhaltenen vier Skulpturen der Rosse-Bändiger von P. K. Klodt [Clodt] geschmückt.
Neben der Brücke über die Fontanka einige Wohnhäuser.
Rechts sieht man das langgestreckte Gebäude des »Kabinetts« (das G. Quarenghi 1803–1805 erbaut hat) vor der Ostseite des Aničkov-Palastes (dessen Bau seit 1741 von den Architekten M. G. Zemcov, G. D. Dmitriev, F. B. Rastrelli errichtet und seit 1778/79 von I. E. Sta-

rov verändert worden ist). Ursprünglich diente das Gebäude des »Kabinetts« als Handelshof und Gasthaus für Kaufleute und Beamte des Kaiserlichen Hofes.   GK

199
Ansicht der Neva beim Neva-Tor der Peter-und-Pauls-Festung während des Mittpfingsten-Festes, 1815

Aquarellierte Umrißradierung, 40,5 x 59,6 cm (Blatt)
Bezeichnet auf Russisch und Französisch und datiert unten links
Inv.-Nr. ЭРГ-20865
Herkunft: Alter Bestand der Sammlung der Staatlichen Ermitage, Leningrad
Literatur: 210 (S. 109, Nr. 17)

Nach einer eigenen Zeichnung.
Zur Feier des Mittpfingsten-Tages am Mittwoch zwischen Ostern und Pfingsten fand eine Schiffsprozession und ein Bittgottesdienst statt, um Petersburg vor Überschwemmungen zu be-

wahren. Das Fest geht auf altchristliche Bräuche zurück. Das in den entsprechenden gottesdienstlichen Texten genannte »mystische Wasser« ist eine Metapher für die gnadenbringende Lehre Christi. Deshalb veranstaltet man an diesem Tage von einigen Kirchen aus Prozessionen zu dem nahegelegenen Fluß, wo dann eine kleine Wasserweihe vollzogen wird.

Das Bild zeigt rechts das Neva-Tor der Peter-und-Pauls-Festung, das in den 30er Jahren des 18. Jahrhunderts erbaut worden ist. Die zum Fluß gerichtete Fassade von 1784–1787 stammt von N. A. L'vov. Die vor dem Tor sichtbare Anlegestelle für den Kommandanten wurde schon 1774/75 nach Entwürfen des Architekten D. Smol'janinov von dem Ingenieur Murav'ev in Granit ausgeführt. Zu sehen ist dahinter die Ekaterinen-Bastion der Festung, die schon 1703 als eines ihrer ersten Gebäude (und damit der Stadt) errichtet worden ist – zuerst als Erdwall, danach 1779–1787 in Granit. Ganz rechts am Bildrand die Kuppel und der Glockenturm mit seiner hohen goldenen Spitze, den Domenico Trezzini 1712–1733 erbaut hat.

Jenseits der von zahlreichen Booten befahrenen Neva sieht man am anderen Ufer die dort befindlichen Paläste: den Marmorpalast (1768–1785 von A. Rinaldi erbaut), dann den Winterpalast (1754–1762 von F. B. Rastrelli errichtet) und rechts die Admiralität (1794 errichtet, 1806–1823 von A. D. Zacharov umgestaltet).   GK

200

GRIGORIJ GERASIMOVIČ JANOV
Gestorben 1840

Arbeitete als Stecher in Punktier- und Crayon-Manier. Biographische Daten zu seinem Leben und Schaffen sind kaum bekannt. Lediglich drei Porträt-Stiche von seiner Hand sind uns aus dem ersten Viertel des 19. Jahrhunderts überliefert.

200
Porträt John Field, um 1820

Crayon-Stich, 30 x 21 cm (Blatt),
26 x 19,5 cm (Platte)
Bezeichnet unten
Inv.-Nr. ЭРГ-16057
Herkunft: Alter Bestand der Sammlung der Staatlichen Ermitage, Leningrad
Literatur: 168 (Bd. 2, Sp. 1238, Nr. 3); 169 (Bd. 3, Sp. 2074, Nr. 1)

Nach einer Zeichnung von K. Ersen.
John Field (1783–1837) war ein englischer Pianist und Schüler von Clementi. Etwa 1810 bis 1822 lebte und arbeitete er in Petersburg, ging dann nach Moskau, wo er sein Leben beschloß. Neben seiner eigenen Konzerttätigkeit unterrichtete er zahlreiche russische Schüler und war besonders durch seine Interpretationen von Bach und Händel berühmt.   GM

201

Vasilij Andreevič Karatygin (1802–1853) war ein bedeutender Schauspieler, der zahlreiche tragende Rollen des klassischen Theaters gespielt hat. 1820 debütierte er am Petersburger Großen Theater, spielte danach aber – seit dessen Fertigstellung 1832 – am Aleksandra-Theater (heute: Akademisches Puškin-Dramentheater). Auf dem Stich ist er in seiner ersten Rolle dargestellt, nämlich als Thengal in dem gleichnamigen Stück von V. A. Ozerov.

GM

FEDOR IVANOVIČ IORDAN
Petersburg 1800–1883 Petersburg

Kupferstecher, Porträtist. 1809 bis 1825 studierte er an der Kunstakademie, seit 1819 dort bei N. I. Utkin. Anschließend lebte und arbeitete er bis 1850 als Stipendiat der Akademie in Paris, London und Rom. 1844 wurde er, auf Grund seiner Erfolge als Stecher, Mitglied der Akademie, 1855 Professor. 1855 bis 1883 war er dort als Lehrer tätig, wurde 1871 Rektor der Abteilung für Malerei und Bildhauerei und leitete seit 1875 die Mosaik-Abteilung. Seit 1860 war er außerdem Kustos der Kupferstichsammlung in der Ermitage. In dieser Funktion hat er sich um die Sammlung russischer Stiche besonders verdient gemacht.

201
Porträt V. A. Karatygin, 1825

Kupferstich, 22 x 15 cm (Blatt); 13 x 9,5 cm (Platte)
Bezeichnet unten mit den Namen des Zeichners, des Stechers und der dargestellten Person
Inv.-Nr. ЭРГ-13947
Herkunft: Alter Bestand der Sammlung der Staatlichen Ermitage, Leningrad
Ausstellungen: 1984 Leningrad, Peterburg gogolevskogo vremeni, Nr. 59; 1988 Odessa, Izmail, Nr. 79
Literatur: 168 (Bd. 1, Sp. 441, Nr. 21); 169 (Bd. 2, Sp. 1070, Nr. 1)

Nach einer Zeichnung von M. I. Terebenev.

OREST ADAMOVIČ KIPRENSKIJ
Hof Nežinskaja bei Kopor', Gouvernement St.-Petersburg 1782–1836 Rom

Führender russischer Maler von Porträts und Historien, Zeichner und Graphiker. 1788–1803 studierte er an der Kunstakademie bei G. I. Ugrjumov und G. F. Dawen. Von 1808 bis 1812 arbeitete er in Moskau und Tver', danach wurde er in Petersburg Mitglied der Akademie für die Gattung Porträtmalerei. 1816 reiste er nach Italien und hielt sich in den folgenden Jahren auch in der Schweiz, in Frankreich und in Deutschland auf. 1823 kehrte er noch einmal nach Rußland zurück, ging aber schon fünf Jahre später wieder nach Italien und blieb dort bis zu seinem Tode.

202
Porträt Graf F. V. Rostopšin, 1822

Lithographie, 34,8 x 23,5 cm (Blatt)
Bezeichnet und datiert unten links
Inv.-Nr. ЭРГ-18921
Herkunft: Alter Bestand der Sammlung der Staatlichen Ermitage, Leningrad
Ausstellungen: 1976 Leningrad, Rannjaja litografija, Nr. 41
Literatur: 169 (Bd. 2, Sp. 487, Nr. 20)

202

203

Graf Fedor Vasil'evic Rostopšin (1763–1826) war während der Herrschaft Kaiser Pavels I. ein bedeutender Staatsmann. 1796 wurde er Kabinettsminister für auswärtige Angelegenheiten und in den kaiserlichen Rat berufen. Mit der Ermordung Pavels und dem Regierungsantritt von Aleksandr I. wurde er in den Ruhestand versetzt und siedelte nach Moskau über. Dort wurde er 1812 zum Gouverneur und Oberkommandeur ernannt. Er verstand es jedoch nicht, die Verteidigung der Stadt gegen den herannahenden Gegner zu gewährleisten. Statt dessen ließ er patriotische Aufrufe drucken, die damals den Spottnamen »Rostopšins Aufkleberchen« erhalten haben. Der Gouverneur war auch daran beteiligt, Moskau vor seiner Einnahme durch die Franzosen in Brand zu stecken. 1814 wurde er in den Ruhestand versetzt, worauf sich offenbar der unter das Portrait gedruckte Zweizeiler bezieht:
Ohne etwas zu tun – und ohne Langeweile,
Sitz' ich nun da, verschränk die Hände!

GM

IGNAZ SEBASTIAN KLAUBER
Augsburg 1754–1817 Petersburg

Kupferstecher und Porträtist. Lernte bei seinem Vater, dem Stecher I.-B. Klauber, arbeitete danach in Rom und in Paris unter Leitung von J. G. Wille und später in Dänemark. Seit 1796 lebte er in Petersburg und leitete dort bis 1817 die Stecher-Klasse der Kunstakademie. So wurde er zum Lehrer so bedeutender russischer Kupferstecher wie N. I. Utkin (siehe Kat.-Nr. 230 ff.), A. G. Uchtomskij (siehe Kat.-Nr. 228 f.) oder S. F. Galaktionov (siehe Kat.-Nr. 14). 1799 leitete er dort die neu geschaffene Klasse für Landschaftsstiche, in der sich die besten seiner Schüler zusammenfanden, um nach Gemälden S. F. Ščedrins zu arbeiten. (Zu dieser Serie siehe Kat.-Nr. 191.) Seit 1805 war Klauber Kustos des Kupferstich-Kabinetts der Ermitage.

203
Porträt des Grafen A. S. Stroganov, 1802

Kupferstich, 53,5 x 38,5 cm (Blatt); 38,5 x 27,5 cm (Platte)
Inv.-Nr. ЭРГ-689
Herkunft: 1941 aus dem Staatlichen Museum für Ethnographie der Völker der UdSSR, Leningrad
Literatur: 168 (Bd. 2, Sp. 498, Nr. 17); 169 (Bd. 3, Sp. 164, Nr. 5)

Unter dem Porträt das Wappen der Familie Stroganov mit dem doppelköpfigen Reichsadler und der Grafenkrone. Dazu Beischrift auf Russisch und Französisch mit Namen, Titel, Beruf sowie den Würden und Auszeichnungen des Dargestellten. Dazu Widmung an ihn.
Nach einem Gemälde von I. B. Lampi.
Die biographischen Daten zu Graf Aleksandr Sergeevič Stroganov siehe Kat.-Nr. 51. GM

204

KARL IVANOVIČ KOL'MAN
[COLMAN]
Augsburg 1786–1846 Petersburg

Aquarellist, Kupferstecher und Lithograph, der
Landschaften und Genre-Bilder schuf.
Nach dem Studium in München, lebte und ar-
beitete er seit 1803 in Petersburg. Dort gab er
im Pagen- und im Ersten Kadetten-Korps sowie
in der Schule für Taubstumme Zeichen-
Unterricht und war daneben auch als privater
Zeichenlehrer tätig. 1836 wurde er Mitglied der
Akademie. 1846 war er in Italien. Neben seinen
Aquarellen von Petersburg und dessen Voror-
ten wurden seine Lithographien mit Genre-
Motiven bekannt, die im Auftrag des Peters-
burger Verlegers Aleksandr Ivanovič Pljušar
(1777–1827) entstanden.

204
Ansicht der Stadt Santa Cruz
auf der Insel Teneriffa im
Stillen Ozean, 1811–1812

Kupferstich und Radierung, 49,5 x 56 cm
(Blatt); 39,5 x 56 cm (Platte)
Bezeichnet unten links mit dem Namen des
Zeichners, rechts mit dem des Stechers. Unter
dem Bild betitelt
Inv.-Nr. ЭРГ-9345
Herkunft: 1941 aus dem Staatlichen Museum für
Ethnographie der Völker der UdSSR, Lenin-
grad
Literatur: 168 (Bd. 2, Sp. 502, Nr. 69)

Blatt 2 aus dem Atlas zu Admiral I. F. Kruzenšterns »Reise um die Erde in den Jahren 1803,
1804, 1805 und 1806 auf den Schiffen 'Hoffnung' und 'Neva'«. Das Werk faßt die Ergebnisse der ozeanographischen und ethnographischen Forschungen der russischen Expedition
zu den Inseln Sachalin und Hawai zusammen.
Insgesamt enthält der Atlas 109 Illustrationen,
die von mehreren Stechern der Kunstakademie
unter Leitung von I. S. Klauber gearbeitet worden sind. Ihnen zu Grunde liegen meist Zeichnungen von D. Tilesius, der an der Expedition
teilgenommen hat. (Das hier gezeigte Blatt geht
allerdings auf eine Zeichnung D. Gorners zurück.) GM

GABRIEL I. LUDWIG LORY
(GEN. LORY PÈRE)
Bern 1763–1840 Bern

MATTHIAS GABRIEL II. LORY
(GEN. LORY FILS)
Bern 1784–1846 Bern

Landschaftsmaler, Aquarellisten und Graphiker.
Der Vater lernte in der Werkstatt von C. Wolf und J. L. Aberli. Machte sich in den 80er Jahren selbständig und gab zahlreiche radierte Ansichten der Schweiz heraus, die er meist selbst koloriert hat. Der Sohn war zunächst Schüler seines Vaters. 1797 bis 1805 arbeiteten beide im Auftrag des Schweizer Kaufmanns J. Walser an einer Serie mit russischen Städteansichten, vor allem Petersburgs und Moskaus nach Zeichnungen anderer Künstler. Die Stiche dieser Serie sind sehr selten, da der größte Teil nach Moskau übersandt worden und 1812 dort verbrannt ist. Da beide Künstler lediglich mit ihrem Familiennamen signiert haben, ist es nahezu unmöglich, die Werke des Vaters von denen des Sohnes zu unterscheiden.

205 FARBTAFEL X
Ansicht des Großen Theaters in Petersburg, nach 1800

Aquarellierte Umrißradierung, 49,5 x 73,5 cm (Darstellung)
Betitelt unten in französischer Sprache
Inv.-Nr. ЭРГ-20048
Herkunft: Alter Bestand der Sammlung der Staatlichen Ermitage, Leningrad (seit 1806)
Ausstellungen: 1986 Paris; 1987 Leningrad, Rossija – Francija, Nr. 694
Literatur: 112 (S. 26–33); 246 (S. 1–12); 247 (S. 26–32)

Nach einem Gemälde von Johann Georg Mayr, um 1790 (heute im Staatlichen Russischen Museum, Leningrad). Ein Blatt aus der Serie mit Ansichten Petersburgs (bei dem die zu Grunde liegende Gemäldefassung verändert und sogar topographische Einzelheiten weggelassen sind). Dargestellt ist das Große (oder: Steinerne) Theater, das 1775–1783 nach Entwürfen des Architekten A. Rinaldi erbaut worden ist. Davor der Karussell- (seit etwa 1820: Theater-) Platz, neben dem Theater links und rechts die »Parloirs aus rohem Steine«. An dem dort im Winter entzündeten Feuer konnten sich die Kutscher aufwärmen, deren Herrschaft im Theater war. 1802–1805 wurde das Theater nach Plänen von

Thomas de Thomon stark verändert. Dieses Gebäude brannte aber in der Nacht des 1. Januars 1811 ab und wurde danach wieder neu errichtet. (Die letzte Vorstellung fand hier 1866 statt.)
Im Hintergrund rechts sieht man noch die Kuppeln des Nikolaus-Marine-Domes, den 1753–1762 der Architekt S. I. Čevakinskij erbaut hat.
GK

206 FARBTAFEL XIX
Die große Parade auf dem Schloßplatz, nach 1800

Aquarellierte Umrißradierung, 55,5 x 80,5 cm (Blatt)
Unten in französischer Sprache betitelt
Inv.-Nr. ЭРГ-20045
Herkunft: Alter Bestand der Sammlung der Staatlichen Ermitage, Leningrad (seit 1806)
Ausstellungen: 1982 Leningrad, Architektor Jurij M. Fel'ten, S. 15–15, Nr. 65 (ein identischer Abdruck)
Literatur: siehe Kat.-Nr. 205

Nach der »Wachablösung auf dem Schloßplatz«, einem Gemälde von Johann Georg Mayr, um 1790 (heute im Staatlichen Russischen Museum, Leningrad). Aus der unter Kat.-Nr. 205 genannten Serie (mit veränderter Staffage).
Vorn stehen – mit dem Rücken zum Zuschauer – eine Abteilung der Husaren, der Leib-Garde-Kosaken und der Chevalier-Garde; links das Trompeterkorps des Leib-Garde-Regiments »Preobražénskoe«, der Jäger mit ihren Trommeln und das Leib-Garde-Regiment »Preobražénskoe«. Die Glieder rechts gehören verschiedenen Regimentern an. Im Zentrum sieht man Kaiser Aleksandr I. zu Pferde, der von einer Suite berittener Generäle begleitet wird. Im Hintergrund sieht man links Wohnhäuser, die in den 80er Jahren des 18. Jahrhunderts von Ju. M. Fel'ten erbaut worden sind; rechts den Winterpalast, den Rastrelli 1754–1762 errichtet hat; ganz hinten die alten Gebäude der Admiralität, wie sie 1704 nach einem eigenhändigen Plan Petr I. zunächst in Holz und 1728–1738 von I. K. Korobov in Stein erbaut worden sind. GK

MATTHIAS GABRIEL II. LORY
(GEN. LORY FILS)
Bern 1784–1846 Bern

Die biographischen Daten zu diesem Künstler siehe Kat.-Nr. 205.

207 FARBTAFEL XX
Blick auf das Marsfeld vom Michaels-Schloß aus, 1804

Aquarellierte Umrißradierung, 46 x 72 cm (Blatt)
Bezeichnet und datiert unten rechts. Unten in französischer Sprache betitelt
Inv.-Nr. ЭРГ-20049
Herkunft: Alter Bestand der Sammlung der Staatlichen Ermitage, Leningrad (seit 1806)
Literatur: siehe Kat.-Nr. 205

Nach einem Gemälde von Johann Georg Mayr, um 1790.
Aus der unter Kat.-Nr. 205 genannten Serie.
Man sieht vorn das Marsfeld und rechts das Gebäude des Leib-Grenadier-Regimentes; im Hintergrund von links nach rechts: den Marmorpalast (erbaut 1768–1785 von A. Rinaldi), den Dienstflügel des Marmorpalastes (erbaut 1780–1788 von P. E. Egorov), den Obelisken für Rumjancev (1799 von V. Brenna errichtet und später auf die Basileios-Insel in die Nähe der Kunstakademie versetzt) sowie schließlich die Häuser von F. Groten bzw. N. I. Saltykov (1784–88 nach Entwürfen des Architekten D. Quarenghi) und I. I. Beckij (1784 erbaut von I. E. Starov). GK

208 FARBTAFEL XI
Blick auf den Schloßplatz und den Winterpalast vom Nevskij Prospekt aus, 1804

Aquarellierte Umrißradierung, 49,5 x 72,4 cm (Platte)
Bezeichnet und datiert unten links. Unten in französischer Sprache betitelt
Inv.-Nr. ЭРГ-20046
Herkunft: Alter Bestand der Sammlung der Staatlichen Ermitage, Leningrad
Literatur: siehe Kat.-Nr. 205

Nach einem Gemälde von Benjamin Patersson, 1801 (heute in der Ermitage).
Aus der unter Kat.-Nr. 205 genannten Serie mit veränderter Staffage.
In der Bildmitte hinten der Winterpalast, den F. B. Rastrelli 1754–1762 erbaut hat. Links sieht

209

man – von Erdwällen umgeben – einen Teil der Alten Admiralität, die von Petr I. im Jahre 1704 gegründet und 1728–1738 von I. K. Korobov in Stein errichtet worden ist. Rechts ist das Haus der Freien Ökonomischen Gesellschaft (nach 1768 von einem unbekannten Architekten erbaut), in dem sich zu Beginn des Jahrhunderts auch der Laden des Hofbuchhändlers befand, der auch Druckgraphik anbot. Bei der Admiralität steht eine kaiserliche, sechsspännige Kutsche. GK

ANDREJ EFIMOVIČ MARTYNOV

Petersburg 1768–1826 Petersburg

Die biographischen Daten zu diesem Künstler siehe Kat.-Nr. 113.

209
Ansicht des Landhauses des Grafen A. S. Stroganov von der Großen Nevka aus gesehen, 1814

Vernis moux, 43,5 x 59 cm (Blatt)
Bezeichnet und datiert unten links, unten auf Russisch und Englisch betitelt
Inv.-Nr. ЭРГ-6132

Herkunft: 1941 aus dem Staatlichen Museum für Ethnographie der Völker der UdSSR, Leningrad
Ausstellungen: 1977 Leningrad, Martynov, S. 45–46

Nach einer eigenen Zeichnung des Künstlers. Aus einer Serie von zehn Blättern mit Ansichten der Besitzungen des damaligen Präsidenten der Kunstakademie, des Grafen Aleksandr Sergeevič Stroganov, im Neuen Dorf am Schwarzen Flüßchen [Novaja derevnja u Černoj rečki] nahe Petersburg. Martynov schuf sie 1813/14 wohl im Auftrag des Grafen.
Dargestellt sieht man das Landhaus [dača], das 1794 nach Entwürfen des Architekten A. N. Voronichin erbaut worden ist. Rechts sieht man einen Teil der steinernen Anlegestelle mit einer zur Großen Nevka hin errichteten Balustrade. GK

210

211

OTTO JOHANN OESTERREICH [EMEL'JAN IVANOVIČ ESTERREJCH]
Petersburg 1790 – nach 1834 Petersburg (?)

Zeichner, Aquarellist, Miniaturist, Lithograph, besonders für Porträt-Darstellungen.
Als Sohn des deutschen Bildhauers Georg Johann Oesterreich studierte er 1801–1806 in der Klasse für Bildhauerei an der Kunstakademie. In den 20er und 30er Jahren zeichnete er zahlreiche Porträts bedeutender russischer Schriftsteller und Lyriker, die (meist von I. V. Českij; siehe Kat.-Nr. 182 ff., S. F. Galaktionov, siehe Kat.-Nr. 14 und I. Seleznev) gestochen und in deren Werkausgaben veröffentlicht worden sind. Seit 1820 widmete sich Oesterreich selbst der Lithographie und hat in dieser Technik über 30 Porträts führender Persönlichkeiten aus dem russischen Kulturleben der Zeit geschaffen.

210
Porträt I. A. Krylov, 1824

Lithographie, 32,4 x 25,5 cm (Blatt)
Bezeichnet links am Rande, in der Mitte unten betitelt und in russischer Sprache bezeichnet
Inv.-Nr. ЭРГ-18403
Herkunft: Alter Bestand der Sammlung der Staatlichen Ermitage, Leningrad
Ausstellungen: 1976 Leningrad, Rannjaja litografija, Nr. 92; 1988 Odessa, Izmail, Nr. 74

Nach einer Zeichnung des Künstlers.
Ivan Andreevič Krylov (1769–1844) war ein bedeutender russischer Schriftsteller, Dramatiker und Fabeldichter. Außerdem gab er unter anderem die satirischen Zeitschriften »Geisterpost [Počta duchov]« (1789), »Der Betrachter [Zritel']« (1792) heraus. 1809 bis 1843 erschienen von ihm neun Fabelbücher, deren Tendenzen Parasitentum, Vetternwirtschaft, Heuchelei und Schwärmerei für alles Ausländische als Vorurteile und Schwächen des Adels parodieren. Zugleich werden ihnen gesunder Menschenverstand, Fleiß, Arbeitskraft und Humor als positive Eigenschaften des einfachen Volkes

gegenübergestellt. Krylov wurde deshalb als ein Vorläufer für eine demokratische Gesinnung in der russischen Literatur angesehen. 1810 bis 1841 war er bei der Öffentlichen Bibliothek in Petersburg angestellt.   GM

ALEKSANDR OSIPOVIČ ORLOVSKIJ
Warschau 1777–1832 Petersburg

Die biographischen Daten zu diesem Künstler siehe Kat.-Nr. 120.

211
Selbstporträt, 1820

Lithographie, 56,5 x 44,8 cm (Blatt), 42 x 35 cm (Darstellung)
Inv.-Nr. ЭРГ-18781

212

Herkunft: Alter Bestand der Sammlung der Staatlichen Ermitage, Leningrad
Ausstellungen: 1958, Warschau – Moskau, Kat.-Nr. 26; 1960 Leningrad, Nr. 198; 1976 Leningrad, Rannjaja litografija, Nr. 67
Literatur: 15 (S. 60); 30 (S. 15); 168 (Bd. 2, Sp. 726, Nr. 31)

In der Darstellung monogrammiert und datiert, unter dem Oval lateinische Beischrift zur darge-stellten Person. GM

212
Stutzer in einer Droschke, 1820

Lithographie, 48,2 x 61,2 cm (Blatt), 44,7 x 55,7 cm (Darstellung)
Bezeichnet und datiert unten links, dazu der Name der lithographischen Anstalt
Inv.-Nr. ЭРГ-2778
Herkunft: Alter Bestand der Sammlung der Staatlichen Ermitage, Leningrad
Ausstellungen: 1960 Leningrad, Nr. 110; 1976 Leningrad, Rannjaja litografija, Nr. 65
Literatur: 15 (S. 158); 30 (No. 16); 168 (Bd. 2, Sp. 729, Nr. 52)

Eine von zwei Darstellungen, die unter dem Ti-tel »Droschki de ville et traineau à deux che-vaux« erschienen sind. GM

213
Fuhre bei der Lagerhalle eines Kaufmanns, 1820

Lithographie, 38 x 56,5 cm (Blatt), 36,5 x 55,5 cm (Darstellung)
Bezeichnet und datiert unten rechts, dazu der Name der lithographischen Anstalt
Inv.-Nr. ЭРГ-2616

213

Herkunft: Alter Bestand der Sammlung der Staatlichen Ermitage, Leningrad
Ausstellungen: 1960 Leningrad, Nr. 109; 1976 Leningrad, Rannjaja litografija, Nr. 66
Literatur: 15 (S. 167); 30 (No. 17); 168 (Bd. 2, Sp. 729, Nr. 49)

Eine von zwei Darstellungen, die unter dem Titel »Portefaix russe transportant du bois sur une charrette et traineau chargé de farine conduit par un isvoschik« (isvoschik = Fuhrmann) erschienen sind.　　　　　　　　　　GM

214　　　　ABBILDUNG S. 296
Straßenhändler mit Brot, 1826

Lithographie, 35,7 x 27 cm (Blatt)
Bezeichnet und datiert unten links und unten französisch betitelt
Inv.-Nr. ЭРГ-2735
Herkunft: Alter Bestand der Sammlung der Staatlichen Ermitage, Leningrad
Ausstellungen: 1960 Leningrad, Nr. 111; 1976 Leningrad, Rannjaja litografija, Nr. 66
Literatur: 15 (S. 170); 30 (No. 75); 168 (Bd. 2, Sp. 736, Nr. 7)

Ein Blatt aus dem Album »Album Russe ou fantaisies lithographiquement par Alexander Orlowski ... St. Petersbourg ... 1826«, das mit insgesamt 14 Blättern erschienen ist.　　GM

215　　　　ABBILDUNG S. 297
Straßenverkäufer für Bliny und Schuster, 1826

Lithographie, 35,7 x 27 cm (Blatt)
Bezeichnet und datiert unten links und unten französisch betitelt
Inv.-Nr. ЭРГ-2736
Herkunft: Alter Bestand der Sammlung der Staatlichen Ermitage, Leningrad
Ausstellungen: 1960 Leningrad, Nr. 112; 1976 Leningrad, Rannjaja litografija, Nr. 82
Literatur: 15 (S. 170); 30 (No. 82); 168 (Bd. 2, Sp. 736, Nr. 14)

Ein Blatt aus der unter Kat.-Nr. 214 genannten Folge. Bliny ist die russische Bezeichnung für eine spezielle Art dünner Pfannkuchen.　　GM

Boulanger russe transportant des pains.

214

Marchand de Blignis. Gâteaux russes.

215

216

BENJAMIN PATERSSON

Die biographischen Daten zu diesem Künstler
siehe Kat.-Nr. 32.

216
Blick auf den Uferkai der Neva vom Gießereihof zum Marsfeld, von der Peter-und-Pauls-Festung aus gesehen, 1799

Aquarellierte Umrißradierung, 47,6 x 61,5 cm
(Darstellung)
Bezeichnet unten links und rechts, außerdem
unten betitelt und Widmung an Kaiser Pavel I.
Inv.-Nr. ЭРГ-29285

Herkunft: Alter Bestand der Sammlung der
Staatlichen Ermitage, Leningrad
Ausstellungen: 1972 Leningrad, Patersen, Nr. 27
Literatur: 137 (Nr. 7–8)

Nach einem Gemälde des Künstlers, um 1797.
Ein Blatt aus einer Serie mit Ansichten Petersburgs, die Patersson 1799 nach eigenen Zeichnungen oder Gemälden gearbeitet hat.
Im Vordergrund das Ufer nahe der Peter-und-
Pauls-Festung; im Hintergrund jenseits des
Flusses das Panorama am Gagarin-Ufer und einem Teil des Schloß-Uferkais. Dort liegt ganz
links der Gießerei-Hof mit seinem Turm, der
schon 1711 zunächst in Holz errichtet und danach in den 30er Jahren in Stein erbaut worden
ist. Es folgen dann mehrere Wohngebäude, danach der 1704 angelegte Sommergarten (vor

dem Schiffe ankern) sowie die Häuser von I. I.
Beckij (1784 wohl nach Entwürfen des Archi-
tekten I. E. Starov erbaut), F. Groten und N. I.
Saltykov (1784–1788 von Giacomo Quarenghi
erbaut). Ganz rechts schließt am Bildrand das
Marsfeld an.   GK

217

Blick auf den Schloß-Uferkai und
den Winterpalast, von der Spitze
der Basileios-Insel aus gesehen,
1799

Aquarellierte Umrißradierung, 47,8 x 61,1 cm
(Platte)
Bezeichnet und datiert unten links und rechts,
in französischer Sprache betitelt und eine Wid-
mung
Inv.-Nr. ЭРГ-27227
Herkunft: Alter Bestand der Sammlung der
Staatlichen Ermitage, Leningrad
Ausstellungen: 1972 Leningrad, Patersen, Nr. 29;
1975 Paris, L'URSS et la France. Les grandes
monuments d'une tradition.
Literatur: 137 (Nr. 15–16)

Nach einem Gemälde des Künstlers. Ein Blatt
aus der unter Kat.-Nr. 216 genannten Folge.
Im Vordergrund rechts der Portikus der 1783
von Quarenghi errichteten Alten Börse, die um
1800 noch einmal vollkommen umgebaut wurde. Jenseits der Neva sieht man die Gebäude des
Schloßufers, und zwar von links nach rechts:
das Theater der Ermitage, das Quarenghi 1783-
1787 erbaut hat; hinter der Brücke die Alte Ermitage, die Jurij Fel'ten unter Benutzung eines
älteren Baues 1771–1787 errichtet und mit einer
frühklassizistischen Fassade versehen hat; der
Winterpalast, den in seiner heutigen Gestalt F.
B. Rastrelli 1754–1775 erbaut hat. Rechts sieht
man durch den Portikus hindurch noch einen
Teil der alten Admiralität, ein Werk von I. K.
Korobov aus den Jahren 1727–1738. GK

218 FARBTAFEL S. 280

Blick auf den Petersplatz und das
Denkmal von Petr I. in Petersburg,
1806

Aquarellierte Umrißradierung, 43,5 x 53,3 cm
(Blatt)
Bezeichnet und datiert unten links und unten
in französischer Sprache betitelt
Inv.-Nr. ЭРГ-17333
Herkunft: 1941 aus dem Staatlichen Museum für
Ethnographie der Völker der UdSSR, Lenin-
grad; bis 1930 befand sich das Bild in der Samm-
lung der Grafen Šeremetev in Petersburg
Ausstellungen: 1972 Leningrad, Patersen, Nr. 37;
1978 Minneapolis, Nr. 102
Literatur: 137 (Nr. 29–30 [identisches Blatt]);
169 (Bd. 3, Sp. 1733, Nr. 713)

АЛЕКСАНДРЪ ГРИГОРІЕВИЧЪ
ВАРНИКЪ.

219

220

Nach einem Gemälde des Künstlers.

In der Mitte des Platzes das Denkmal des berühmten (von Puškin besungenen) »Ehernen Reiter«. 1763 wurde der Platz westlich der Admiralität auf Geheiß Ekaterinas II. Petersplatz genannt (heute: Platz der Dekabristen). Durch Vermittlung von Denis Diderot, mit dem die Kaiserin befreundet war, erhielt der französische Bildhauer M. E. Falconet den Auftrag für das Standbild. Das Modell für den Porträt-Kopf des Kaisers schuf M. Collot (1748–1821), eine Schülerin Falconets, das für die Schlange am Fuße des Pferdes F. Gordeev. Insgesamt steht das Denkmal in der Tradition der Reiterstandbilder und beruft sich damit auf deren Ursprung in der Reiterstatue Marc Aurels in Rom. Die Beschaffung des Steinblocks, auf dem die Skulptur stehen sollte, bereitete besondere Schwierigkeiten. Schließlich fand man bei Lachta am Finnischen Meerbusen einen fast 1600 t schweren sogenannten »Donner-Stein« [Grom-kamen'], der der im Entwurf vorgesehenen Form entsprach und unter großen Mühen im Laufe von zwei Jahren nach Petersburg transportiert werden konnte. Zur hundertsten Wiederkehr der Thronbesteigung von Petr I. konn-

te das Denkmal am 7. August 1782 endlich enthüllt werden, dessen Aufstellung der Architekt J. M. Fel'ten leitete. Von ihm stammen auch die bis 1903 existierenden Gitter um das Denkmal. Rechts sieht man noch den Altbau des Senats, der ca. 1780–1790 – wohl von I. E. Starov – umgebaut worden war, ganz rechts jenseits der Neva die Kunstakademie, die A. F. Kokorinov und J.-B. Vallin de la Mothe 1764–1788 errichtet haben. GK

VLADIMIR IVANOVIČ POGONKIN
Petersburg 1793 – nach 1847 Petersburg

Maler, Zeichner, Lithograph.
Er studierte 1802–1812 an der Kunstakademie in der Klasse für Historienmalerei und nahm danach am Krieg von 1812 und den anschließenden Feldzügen im Ausland teil. Seit 1816 arbeitete er als Lithograph, seit 1820 vor allem im Auftrag der Gesellschaft zur Förderung der Künstler. Sein besonderes Interesse galt der Vervollkommnung der lithographischen Technik.

219
Porträt A. G. Varnek, 1827

Lithographie, 28,2 x 19,7 cm (Blatt), 18,5 x 14 cm (Darstellung)
Inv.-Nr. ЭРГ-17973

Nach der Beischrift unten geht die Darstellung auf ein Selbstporträt von Varnek aus dem Jahre 1826 zurück.
Die biographischen Daten zu Aleksandr Grigor'evič Varnek (bzw. Varnik) siehe Kat.-Nr. 50.
GM

PETR IVANOVIČ RAZMUCHIN
Petersburg 1812–1848 Petersburg

Lithograph und Porträtist.
Er war externer Schüler der Kunstakademie. In den 30er Jahren des 19. Jahrhunderts arbeitete er im Auftrag der Gesellschaft zur Förderung der Künstler.

220
Porträt K. P. Brjullov, nach 1833

Lithographie, 32,5 x 24,5 cm (Blatt), 11,5 x 15 cm (Darstellung)
Inv.-Nr. ЭРГ-17959
Herkunft: Alter Bestand der Sammlung der Staatlichen Ermitage, Leningrad
Ausstellungen: 1984 Leningrad, Peterburg gogolevskogo vremeni, Nr. 81; 1988 Odessa, Izmail, Nr. 112
Literatur: 2 (S. 1)

Nach einem Selbstporträt des Dargestellten in Aquarelltechnik von 1833.
Die biographischen Daten zu Karl Pavlovič Brjullov siehe Kat.-Nr. 5.   GM

KARL FRIEDRICH SABATH
Stettin 1782–1840 Petersburg

Zeichner, Aquarellist und Lithograph, wurde durch Dekorationsmalerei und Stadtansichten bekannt. 1811 trat er als Schauspieler und Sänger in den Dienst der Petersburger Theaterdirektion. 1815 wurde er aber zum Dekorationsmaler bestimmt und stand unter der Leitung von P. Gonzago. Seit 1823 arbeitete er gleichzeitig auch im Auftrag der Gesellschaft zur Förderung der Künstler, für die er 1820–1826 zusammen mit S. P. Sifljar Zeichnungen für die lithographische Serie »Ansichten von St. Petersburg und seiner Umgebung« arbeitete. Die beiden Künstler haben dafür insgesamt 23 Blätter geschaffen, wobei Sabath die Ansichten zeichnete, die Sifljar durch Staffage-Figuren belebte. Außerdem entstanden noch weitere Aquarelle und Lithographien.

221
Ansicht der Neva bei der Kunstakademie, nach 1820

Aquarellierte Federlithographie, 40 x 59,5 cm (Blatt)
Bezeichnet unten
Inv.-Nr. ЭРГ-6214
Herkunft: 1941 aus dem Staatlichen Museum für Ethnographie der Völker der UdSSR, Leningrad
Ausstellungen: 1984 Leningrad, Peterburg gogolevskogo vremeni, Nr. 84; 1988 Odessa, Izmail, Nr. 114
Literatur: 115 (S. 35)

Nach einer Zeichnung des Künstlers.
Im Vordergrund ist die Neva dargestellt mit verschiedenen Schiffen und Booten. Am Ufer sieht man die Kunstakademie und den Palast des Fürsten Menšikov, der 1710 von G. M. Fontana begonnen und 1720 von G. Schädel beendet wurde. Sein Besitzer, ein Vertrauter von Kaiser Petr I., war als Sohn eines Stallknechtes an den Hof gekommen, machte sich

222

223

aber bald so unentbehrlich, daß er nach der Schlacht von Poltava (1709) zum Generalfeldmarschall ernannt wurde. Den Höhepunkt seiner Macht erreichte er aber erst nach dem Tode Petrs, als er dessen zweiter Frau Ekaterina auf den Thron verhalf und die Regentschaft übernahm. Nach deren Tod fiel Menšikov 1727 den Intrigen seiner Gegner zum Opfer und wurde nach Sibirien verbannt, wo er zwei Jahre später starb. Sein Palast galt zu seiner Zeit als der schönste der Stadt und wurde auch nicht selten vom Kaiser für offizielle Feste genutzt. Nach der Verbannung Menšikovs wurde hier das 1731 gegründete Erste Kadetten-Korps einquartiert.

Der Bau der Akademie (am heutigen Universitäts-Kai) wurde nach Entwürfen der Architekten A. F. Kokorinov und J.-B. Vallin de la Mothe 1764 begonnen, aber von Fel'ten erst 1788 beendet. GM

VASILIJ KUZ'MIČ ŠEBUEV
Kronstadt 1777–1855 Petersburg

Die biographischen Daten zu diesem Künstler siehe Kat.-Nr. 43.

222
Selbstporträt, 1822

Lithographie, 29 x 22,8 cm (Blatt)
Inv.-Nr. ЭРГ-19171
Herkunft: Alter Bestand der Sammlung der Staatlichen Ermitage, Leningrad
Ausstellungen: 1976 Leningrad, Rannjaja litografija, Nr. 88
Literatur: 168 (Bd. 2, Sp. 1170), Nr. 7
GM

PETR FEDOROVIČ SOKOLOV
Moskau 1787–1848 Gut Mečik bei Char'kov

Die biographischen Daten zu diesem Künstler siehe Kat.-Nr. 143.

223
Porträt N. M. Murav'ëv, 1822

Lithographie, 24 x 19 cm (Blatt)
Inv.-Nr. ЭРГ-11320
Herkunft: 1955 aus dem Staatlichen Revolutions-Museum in Leningrad
Ausstellungen: 1976 Leningrad, Rannjaja litografija, Nr. 79; 1985 Leningrad, Vosstanie dekabristov, Nr. 114
Literatur: 167 (S. 330–347)

225

224

Nach einer Zeichnung des Künstlers.
Nikita Michajlovic Murav'ev (1796–1843) war einer der führenden Köpfe der regierungsfeindlichen Dekabristen-Bewegung, die mit dem niedergeschlagenen Aufstand vom 14. Dezember 1825 ihr Ende fand. Als einer der Organisatoren der Nördlichen Gesellschaft wurde er zu zwanzig Jahren Zwangsarbeit in Sibirien verurteilt und starb dort im Dorf Urik im Gouvernement von Irkutsk. Die Lithographie zeigt ihn in der Uniform eines Offiziers des Garde-General-Stabes, in dem er 1822 bis 1825 gedient hat.   GM

224
Porträt M. S. Lunin, 1822

Lithographie, 23 x 18,5 cm (Blatt)
Bezeichnet und datiert unten links
Inv.-Nr. ЭРГ-18477
Herkunft: Alter Bestand der Sammlung der Staatlichen Ermitage, Leningrad
Ausstellungen: 1976 Leningrad, Rannjaja litografija, Nr. 80; 1985 Leningrad, Vosstanie dekabristov, Nr. 113
Literatur: 167 (S. 330–347)

Nach einer Zeichnung des Künstlers.
Michail Sergeevič Lunin (1787–1845) war eines der aktivsten Mitglieder der Dekabristen-Verschwörung. Er gehörte sowohl der Nördlichen wie der Südlichen Gesellschaft an und trat als Autor philosophisch-politischer Abhandlungen hervor, in denen er das Wachstum der Dekabristen-Bewegung analysierte. Nach der

Niederwerfung des Aufstands vom 14. Dezember 1825 wurde auch Lunin zu zwanzigjähriger Zwangsarbeit in Sibirien verurteilt, die er in Čita und in Akatuja geleistet hat, wo er auch starb.   GM

225
Porträt E. F. Murav'ëva, 1827

Lithographie, 30,2 x 24,2 cm (Blatt),
23,3 x 18 cm (Darstellung)
Inv.-Nr. ЭРГ-18620
Herkunft: Alter Bestand der Sammlung der Staatlichen Ermitage, Leningrad
Ausstellungen: 1976 Leningrad, Rannjaja litografija, Nr. 81; 1985 Leningrad, Vosstanie dekabristov, Nr. 116

Nach einer Zeichnung des Künstlers.
Die biographischen Daten zu Ekaterina Fedorovna Murav'ëva siehe Kat.-Nr. 82.   GM

226

IVAN DMITRIEVIČ TELEGIN
Geboren 1779

Kupferstecher. 1784 bis 1800 war er Schüler der Kunstakademie, seit 1794 in der Stecher-Klasse von A. Radig und I. S. Klauber. 1799 bis 1803 arbeitete er dort in der Klasse für Landschafts-stiche, verlor danach aber infolge einer Krankheit sein Augenlicht. Sein weiteres Schicksal ist unbekannt. Telegin hat vor allem Ansichten der Umgebung von Petersburg, Genre-Szenen und Wappen gestochen.

226
Ansicht des Konnetabels von Gatčina, von der Steinernen Brücke aus gesehen, 1800

Kupferstich und Radierung, 45,5 x 33 cm (Platte)
Bezeichnet unten links und rechts auf Russisch und Französisch, außerdem unten in beiden Sprachen betitelt und Widmung an Kaiser Pavel I.
Inv.-Nr. ЭРГ-6130
Herkunft: 1941 aus dem Staatlichen Museum für Ethnographie der Völker der UdSSR, Leningrad
Ausstellungen: 1960 Leningrad, Nr. 64; 1985 Habana, Nr. 58; 1986 Paris, Nr. 446; 1987 Leningrad, Rossija – Francija, Nr. 281
Literatur: 77 (S. 19–30); 215 (S. 106–112 u. a.); 169 (Bd. 1, Sp. 189, Nr. 1414, Bd. 2, Sp. 996, Nr. 4)

Nach einer Gouache von S. F. Ščedrin (heute im Staatlichen Russischen Museum in Leningrad). Es handelt sich um ein Blatt der unter Kat.-Nr. 191 erwähnten Serie.
Ganz im Hintergrund der Platz (der vor allem nach dem Entwurf von V. Brenna entstanden ist) und der dort 1792/93 aufgestellte Obelisk des Steinmetzmeisters K. Plastinin. Im Vordergrund sieht man die steinerne Admiralitäts-Brücke über den Verbindungs-Fluß zwischen dem Weißen und dem Schwarzen See, die 1792–1794 erbaut worden ist. Diese Brücke führt zur Einfahrt in den Palastbereich, die mit zwei kleinen Pavillons markiert ist. Links im Hintergrund sieht man am Ufer des Schwarzen Sees den Priorats-Palast, den N. A. L'vov 1797–1799 erbaut hat.

GM

227/III

WERKSTATT DER BRÜDER THIERRY
1. Hälfte des 19. Jahrhunderts

Die Brüder Thierry waren Lithographen, Mitinhaber und Erben der Werkstatt von Gottfried Engelmann (1788–1839), die in Paris seit 1816 existierte.

227
Panorama Petersburgs, vom Gerüst der Aleksandr-Säule aus aufgenommen, 1836

Lithographie; drei Blätter: 63,5 x 110,7 cm 63,5 x 83,6 cm und 63,3 x 83,2 cm (Blatt) Bezeichnet unten in der Mitte auf allen drei Blättern
Auf dem zweiten und dritten Blatt finden sich alte Bleistiftaufschriften des Stechers N. I. Utkin, dem damaligen Kustos für Stiche an der Ermitage, zur Herkunft der Blätter aus dem Hofkontor
Inv.-Nr. ЭРГ-27224, 27225, 27286
Herkunft: Alter Bestand der Sammlung der Staatlichen Ermitage, Leningrad; eingegliedert schon 1837
Ausstellungen: 1978 Minneapolis, Nr. 64
Literatur: 82 (S. 35–37); 138 (S. VI, Nr. 61, 63)

Nach einer Zeichnung von Grigorij Grigor'evič Černecov, Juni 1834 (heute: Staatliches Russisches Museum, Leningrad).
Im Sommer 1834 wurde der Bau der Aleksandr-Säule von Auguste Montferrand auf dem Schloßplatz beendet. Vor Abbruch der Baugerüste wurde aber Grigorij Černecov für einige Zeit die Möglichkeit gegeben, ein Panorama der Stadt zu zeichnen, wie es sich dem Betrachter vom Gerüst aus bot. Diese Zeichnung entstand im Juni 1834. 1835 befahl Kaiser Nikolaj I., nach dieser Zeichnung auch Lithographien herzustellen, und deshalb wurde sie im November desselben Jahres Graf P. P. Palen, dem russischen Gesandten in Paris, übergeben. Er gab der damals führenden lithographischen Anstalt von Engelmann den Auftrag, der von den Brüdern Thierry ausgeführt wurde. 1836 kamen die Drucke nach Petersburg. Die entsprechenden Platten folgten am 11. August 1837.
Das Panorama besteht aus drei Teilen. Auf dem ersten sind die Gebäude des Hauptstabes, des Ministeriums für Finanzen und des Außenministeriums zu sehen, die durch den 1819–1829 von K. I. Rossi errichteten großen Bogen verbunden werden. Im Hintergrund sieht man die Häuserfluchten der Hauptstadt, aus denen sich deutlich die Kuppel des Kazaner Domes erhebt. Auch der Nikolaus-Marine-Dom ist – rechts davon und ein wenig weiter zum Horizont – noch auszumachen.
Das zweite Blatt zeigt links die Admiralität, deren U-förmiger Grundriß sich hier sehr gut erkennen läßt. Rechts im Vordergrund ist der südwestliche Teil des Winterpalastes zu erkennen, über dessen Haupteingang die Kaiserliche Flagge mit dem doppelköpfigen Adler weht. Dahinter fließt die Neva, an deren jenseitigem

Ufer man die Gebäude auf der Basileios-Insel gut erkennen kann; so beispielsweise rechts, wo sich die Neva teilt, die Rostra-Säulen, links davon die an einen antiken Tempel erinnernde Börse und ein wenig weiter links die Kunstkammer mit ihrem charakteristischen Türmchen. Auf dem dritten Blatt ist – links im Vordergrund – der südöstliche Flügel des Winterpalastes zu sehen, mit der Hofkirche, deren mit einem Kreuz gekrönte barocke Kuppel sich über den Palast erhebt. Rechts davon (und somit im Zentrum des Bildes) liegt das Ende des 18. Jahrhunderts von V. Brenna erbaute Exerzierhaus [Ekzercirgauz], noch weiter rechts der Uferkai der Mojka. Im Hintergrund kann man links noch die Peter-und-Pauls-Festung mit der hohen Spitze des dortigen Domes erkennen.   GK

ANDREJ GRIGOR'EVIČ UCHTOMSKIJ
Jaroslavl' (?) 1771–1852 Petersburg

Kupferstecher und Zeichner. 1789 bis 1800 war er Schüler der Kunstakademie, seit 1795 in der Klasse für Kupferstich bei I. S. Klauber, seit 1799 in der Klasse für Landschaftsstiche. 1800 wurde er Mitglied der Akademie, und leitete seit 1815 die Akademische Druckerei. 1817 wurde er an der Akademie Bibliothekar und 1831 Kustos des Akademie-Museums. Er hat eine immense Zahl an Stichen geschaffen, vor allem Landschaften sowie Ansichten Petersburgs und seiner Umgebung; aber auch Porträts, Architektur-Risse und Buchillustrationen.

228
Ansicht des Palastes in Pavlovsk vom See aus gesehen, 1803–1805

Kupferstich und Radierung, 49 x 36,9 cm (Platte)
Bezeichnet unten links in russischer und rechts in französischer Sprache. Darunter in beiden Sprachen betitelt und Widmung an Marija Fedorovna, die verwitwete Gemahlin Pavels I. Inv.-Nr. ЭРГ-6249
Herkunft: 1941 aus dem Staatlichen Museum für Ethnographie der Völker der UdSSR, Leningrad; früher befand sich das Bild im Besitz des Grafen Bobrinskoj in Petersburg
Ausstellungen: 1960 Leningrad, Nr. 71; 1986 Paris, Nr. 447; 1987 Leningrad, Rossija – Francija, Nr. 294
Literatur: 77 (S. 19–30); 169 (Bd. 1, Sp. 189, Nr. 1518, Bd. 2, Sp. 1073, Nr. 65); 215 (S. 106–112)

228

Nach einem Gemälde von Semen Feodorovič Ščedrin.
Ein Blatt aus der unter Kat.-Nr. 191 genannten Serie. Es wurde von dem Graveur Ivan Dmitrievič Telegin (biographische Daten siehe Kat.-Nr. 226) begonnen und, nach dessen Ausscheiden aus der Akademie, 1803 von Uchtomskij weiter bearbeitet und 1805 beendet.
Vorn sieht man das Ufer der Slavjanka, im Hintergrund den Palast, der auf Befehl des damaligen Großfürsten Pavel Petrovič (des nachmaligen Kaisers Pavel I.) in den Jahren 1782–1786 nach Entwürfen des Architekten Charles Cameron errichtet und 1797–1799 von Vincenzo Brenna zu einer kaiserlichen Prachtresidenz umgestaltet worden ist. Nach dem großen Brand von 1803 wurde der Palast bis 1805 von A. N. Voronichin wieder aufgebaut.
Am jenseitigen Ufer des Flusses die kleine Kentauren-Brücke über die Slavjanka, die 1799 ebenfalls von Cameron erbaut wurde, aber erst 1805 von Voronichin mit den Kentaurenfiguren (Kopien antiker Originale) versehen worden ist.   GK

229

229
Ansicht des Parks in Pavlovsk,
1804 – Juni 1805

Kupferstich und Radierung, 41,4 x 46,9 cm
(Platte)
Bezeichnet unten links in russischer und rechts
in französischer Sprache. Darunter in beiden
Sprachen betitelt und Widmung an die Kaise-
rinmutter Marija Fedorovna, die verwitwete
Gemahlin Pavels I.
Inv.-Nr. ЭРГ-6241
Herkunft: 1941 aus dem Staatlichen Museum für
Ethnographie der Völker der UdSSR, Lenin-
grad

Literatur: 169 (Bd. 2, Sp. 1073, Nr. 67); 125
(S. 106–112)

Nach einem Gemälde von Semen Feodorovič
Ščedrin.
Ein Blatt aus der unter Kat.-Nr. 191 genannten
Serie.
Man sieht den Park beim Palast (siehe Kat.-Nr.
228), den Fluß Slavjanka, die Anlegestelle Ma-
rienthal, rechts auf dem Hügel die Parloirs und
dahinter den großen Palast selbst. Links ganz
im Hintergrund der Turm der Festung Bip, die
1797/98 errichtet worden ist.   GK

NIKOLAJ IVANOVIČ UTKIN
Tver' 1780–1863 Petersburg

Kupferstecher für Porträts und biblische Themen, Schöpfer zahlreicher Vignetten und Buchillustrationen. Er war seit 1785 Student der
Kunstakademie, bis 1800 in der Klasse für Kupferstich bei A. Radig und I. S. Klauber. 1803
wurde er als Stipendiat nach Paris geschickt, wo
er bei dem Stecher Ch. C. Bervic arbeitete. 1814
war er von April bis Juni in London, bevor er
nach Rußland zurückkehrte. Im gleichen Jahr
wurde er Mitglied der Akademie und leitete
dort 1817 bis 1855 die Graveur-Klasse, aus der
in dieser Zeit mehr als 30 Stecher hervorgingen.

230

231

Utkin organisierte auch 1817–1860 das Kupferstichkabinett der Ermitage und 1843–1854 das
der Kunstakademie, deren erster Kustos er war.

230
Porträt des Fürsten A. B. Kurakin, 1812

Kupferstich und Radierung, 47 x 35,5 cm
(Blatt), 44 x 32 cm (Platte)
Unten das Wappen der Familie Kurakin, auf
Französisch betitelt
Inv.-Nr. ЭРГ-28774
Herkunft: Alter Bestand der Sammlung der
Staatlichen Ermitage, Leningrad
Ausstellungen: 1960 Leningrad, Nr. 140
Literatur: 168 (Bd. 2, Sp. 1057, Nr. 54); 169
(Bd. 3, Sp. 1150, Nr. 114)

Nach einem Gemälde von J.-B. Regnault.
Der Stich wurde während der Stipendien-Zeit
in Paris ausgeführt, wo Utkin den Dargestellten
kennengelernt hatte. Für diese Arbeit und deren Vorzeichnung wurde der Künstler 1814
zum Akademie-Mitglied berufen.
Fürst Aleksandr Borisovič Kurakin (1752–
1818) war ein einflußreicher Staatsmann, der
besonders Kaiser Pavel I. nahestand und (seit
1796) dessen Vize-Kanzler war. Seit 1806 war er
Botschafter des Russischen Reiches in Wien
und danach 1808–1812, in der bewegten Zeit
vor dem Rußlandfeldzug Napoleons, in Paris.
In Petersburg wurde er 1798 Mitglied der Frei-
en Ökonomischen Gesellschaft und der Akademie der Wissenschaften. Schon seit 1777 war er
Ehrenmitglied der Stockholmer Akademie.

GM

231
Porträt E. S. Semenova, 1816

Kupferstich und Radierung, 22,5 x 14 cm
(Blatt), 20,5 x 14 cm (Platte)
Unter dem Oval betitelt und mit einem panegy-
rischen Vierzeiler Widmung an die Dargestellte
Inv.-Nr. ЭРГ-15677
Herkunft: Alter Bestand der Sammlung der
Staatlichen Ermitage, Leningrad
Literatur: 168 (Bd. 2, Sp. 1057, Nr. 54); 169
(Bd. 3, Sp. 1905, Nr. 1)

Nach einer Zeichnung von O. A. Kiprenskij,
1816.
Ekaterina Semenovna Semenova (1786–1849)
war eine begabte und berühmte Schauspielerin.
Sie entstammte einer Familie leibeigener Bauern und erhielt ihre Ausbildung an der Peters-

232

233

burger Theaterschule bei I. A. Dmitrevskij. 1803 hatte sie ihr Bühnen-Debut. Sie galt als besondere Schönheit, hatte eine angenehm timbrierte Stimme und verfügte über besondere Ausdruckskraft der Bewegungen und Gesten. So wurde sie zu einer konkurrenzlosen Darstellerin der tragenden Rollen in den klassischen Stücken von V. A. Ozerov sowie in den Dramen von Voltaire, Racine und Schiller. In seinem 1820 erschienenen Artikel »Meine Anmerkungen zum russischen Theater« würdigte Puškin die Semenova als eine Darstellerin, die gerade die nationale Eigenart der russischen Theaterkunst besonders gut zum Ausdruck bringen konnte. Nachdem sie 1826 den Fürsten A. I. Gagarin geheiratet hatte, verließ sie die Bühne und wirkte nur noch gelegentlich bei Liebhaber-Aufführungen mit. GM

232
Porträt N. M. Karamzin, 1819

Kupferstich und Radierung, 37 x 28,8 cm (Blatt), 15,5 x 11,5 cm (Platte)
Bezeichnet unten
Inv.-Nr. ЭРГ-13933
Herkunft: Alter Bestand der Sammlung der Staatlichen Ermitage, Leningrad
Literatur: 168 (Bd. 2, Sp. 1055, Nr. 23); 169 (Sp. 1067, Nr. 10)

Nach einem Gemälde von A. G. Varnek, 1818. Das Porträt wurde 1819 für den vierten Band der ersten Ausgabe von Karamzins »Geschichte des rußländischen Staates« gestochen.
Nikolaj Michajlovič Karamzin (1766–1826) war Lyriker, Schriftsteller und vor allem ein bedeutender Historiker. Er gilt in der russischen Literatur als Haupt der sentimentalen Schule. Seit 1802 war er der Schriftleiter der Zeitschrift »Bote Europas [Vestnik Evropy]«. Vor allem aber fußt sein Ruf und seine Bedeutung bis zum heutigen Tage auf der zwölfbändigen »Geschichte des rußländischen Staates [Istorija gosudarstva Rossijskago]«, die 1816–1829 erschien (der letzte Band schon posthum) und die erste umfassende Darstellung der russischen Geschichte enthält. Nicht nur die Zeitgenossen schätzten das Werk außerordentlich, das bis heute eine wertvolle Sammlung historischer Fakten bietet.

GM

233

Porträt J. H. Müller, 1823

Kupferstich und Radierung, 38 x 25,5 cm
(Blatt), 23,5 x 18 cm (Platte)
Bezeichnet und datiert unten
Inv.-Nr. ЭРГ-22187
Literatur: 168 (Bd. 2, Sp. 1056, Nr. 40); 169 (Bd. 2,
Sp. 1328, Nr. 1)

Nach einem Gemälde von Ph. Berger, 1822.
Johann-Heinrich [Jean-Henri] Müller (? –1823)
war Musiker und Komponist, Mitglied der Petersburger Philharmonischen Gesellschaft und
ein Freund der Künstler Ph. Berger und N. Utkin. Er trat um 1820 bei Konzerten in Petersburg auf.   GM

234

Ekaterina II. im Park von Carskoe Selo, 1827

Kupferstich und Radierung, 71 x 52,5 cm
(Blatt), 55,5 x 41,5 cm (Platte)
Bezeichnet unten und Widmung an Kaiser
Nikolaj I.
Inv.-Nr. ЭРГ-750
Herkunft: 1941 aus dem Staatlichen Museum für
Ethnographie der Völker der UdSSR, Lenin-
grad
Ausstellungen: 1960 Leningrad, Nr. 143
Literatur: 168 (Bd. 1, Sp. 1055, Nr. 17); 169 (Bd. 2,
Sp. 809, Nr. 130)

Nach einem Gemälde von V. L. Borovikovskij,
1796.
Eines der bedeutendsten Werke russischer Ste-
cherkunst, auf Grund dessen Utkin 1828 zum
Mitglied der Antwerpener und drei Jahre später
der Dresdener Akademie gewählt wurde. Außerdem wurde er dafür vom sächsischen König
mit einer Goldmedaille ausgezeichnet. Der
Stich war eine Auftragsarbeit für den Kunstmä-
zen und Staatsmann N. P. Rumjancev.
Ekaterina II. ist hier während eines Spaziergan-
ges im Park von Carskoe Selo dargestellt. Im
Hintergrund sieht man den Obelisken des russischen Feldmarschalls P. A. Rumjancev-des-
Donaubezwingers [Zadunajskij], des Vaters des
Auftraggebers.
Die Dargestellte (1729–1796), eine in Stettin geborene Prinzessin Sophie-Friederike-Auguste
von Anhalt Zerbst, war 1762–1796 Kaiserin
von Rußland. Dorthin kam sie 1744 und wurde
ein Jahr später die Frau des Großfürsten Petr
Fedorovič, eines Enkels Petr I., der 1761/62

234

unter dem Namen Petr III. für sechs Monate
den russischen Kaiserthron innehatte. Ihn verlor er bei einer Palastrevolution, die seiner Frau
die Herrschaft brachte. Deren Außen- und In-
nenpolitik kam den Interessen des Adels entgegen, stärkte das System der Leibeigenschaft und
damit insgesamt die autokratische Regierungsform. Andererseits befaßte sich die Kaiserin
aber durchaus mit den modernen Ideen der
französischen Aufklärung, um die Monarchie
in Rußland zu festigen. Sie korrespondierte mit
Diderot und Voltaire und verfügte über ein be-
achtliches literarisches Talent. Sie verfaßte
selbst sowohl politische Abhandlungen als auch
Komödien und gab eine satirische Zeitschrift
heraus. Mit besonderer Aufmerksamkeit war
sie darum bemüht, bedeutende Kunstwerke aus
West- und Mitteleuropa zu erwerben. 1764 erwarb sie eine umfangreiche Gemäldesammlung
des Berliner Kaufmanns Gotzkowski und legte
damit den Grundstein für eines der bedeutendsten Museen der Welt.   GM

АЛЕКСАНДРЪ СЕРГѢЕВИЧЪ
ГРИБОѢДОВЪ.

Г. Р. ДЕРЖАВИНЪ.

235

236

235
Porträt A. S. Griboedov, 1829

Kupferstich und Radierung, 24 x 21 cm (Blatt),
17,8 x 14,8 cm (Platte)
Bezeichnet und datiert unten
Inv.-Nr. ЭРГ-22211
Herkunft: Alter Bestand der Sammlung der
Staatlichen Ermitage, Leningrad
Literatur: 168 (Bd. 1, Sp. 631, Nr. 1); 169 (Sp. 1054,
Nr. 12)

Nach der Miniatur eines unbekannten Künstlers.
Der Stich wurde für die Zeitschrift »Sohn des
Vaterlandes und Nördliches Archiv [Syn otečestva i Severnyj archiv]« (Jg. 1830, Nr. 1) gearbeitet.
Aleksandr Sergeevič Griboedov (1795–1829)
war Schriftsteller, Dramatiker, Diplomat und
Liebhaber-Komponist. Seine politische Über-
zeugung und sein Denken verbanden ihn mit
den Dekabristen. (Auch mit Puškin war er gut
bekannt.) 1812–1814 veröffentlichte er mehrere
Aufsätze. Seit 1815 machte er sich auch als Dramatiker einen Namen mit seinem Stück »Die
Jungvermählten [Molodye suprugi]«; aber auch
als Komponist, dessen Walzer bei seinen Zeitgenossen besonderen Anklang fanden. Seine be-

kannteste und wohl auch bedeutendste Komödie schrieb er in den Jahren 1823/24: »Verstand
schafft Leiden [Gore ot uma]«; in der sich die
fortschrittlichen Gedanken der damaligen russischen Gesellschaft spiegeln und die die Entwicklung zum Realismus in der russischen Literatur und beim Theater förderten. Seit 1816
war er im Kollegium für Auswärtige Angelegenheiten beschäftigt und wurde 1818 zum Sekretär des diplomatischen Dienstes in Persien
ernannt. 1829 wurde er dort bei einem Angriff
auf die russische Mission in Teheran getötet.
GM

236
Porträt G. P. Deržavin, 1831

Kupferstich und Radierung, 29,5 x 21 cm
(Blatt), 13 x 10 cm (Platte)
Bezeichnet und datiert unten
Inv.-Nr. ЭРГ-13152
Herkunft: Alter Bestand der Sammlung der
Staatlichen Ermitage, Leningrad
Literatur: 168 (Bd. 2, Sp. 1054, Nr. 14); 169 (Bd. 1,
Sp. 667, Nr. 19)

Nach einem Gemälde von B. L. Borovikovskij,
1812.
Der Stich wurde für die »Werke von G. R. Deržavin«, Teil 1–4, St.-Petersburg 1831–1833, gearbeitet.
Gavriil Romanovič Deržavin (1743–1816) war
ein bedeutender Lyriker und Staatsmann. Seit
etwa 1780 war er Privatsekretär Ekaterinas II.,
1793 wurde er Senator und von 1802 bis 1803
war er Justizminister. In den 70er Jahren wurde
er als Dichter berühmt; denn er darf als Schöpfer eines ganz spezifischen Stils betrachtet werden, in dem sich alte und neue Formen des
Versmaßes und der Dichtung vereinen. So verband er etwa die traditionelle Gattung der Ode
(z. B. »Auf den Tod des Fürsten Meščerskij«
1779 oder »Freiheit« oder »Der Staatsmann«
1776) mit lyrischen und sogar satirischen Elementen. Solche eigenwilligen Mischformen
zeigten einerseits das Ende des Hochklassizismus an und bereiteten andererseits den Boden
für die Blüte der russischen Poesie im 19. Jahrhundert. Als erster erkannte Deržavin auch das
dichterische Genie Puškins und begrüßte es ent-
husiastisch.
GM

A. I. Zauervejd, Ober-Offizier des Chevalier-Garde-Regimentes, 1818. Kat.-Nr. 242

A. I. Zauervejd, Stabs-Offizier des Leib-Garde-Husaren-Regiments, 1818. Kat.-Nr. 250

314

237

238

237
Porträt A. N. Olenin, 1836

Kupferstich und Radierung, 35,5 x 22 cm
(Blatt), 19,5 x 17 cm (Platte)
Unten das Wappen des Hauses Olenin und da-
neben auf Russisch und Französisch Angaben
zum Dargestellten
Inv.-Nr. ЭРГ-22181
Herkunft: Alter Bestand der Sammlung der
Staatlichen Ermitage, Leningrad
Literatur: 168 (Bd. 2, Sp. 1056, Nr. 45), 169 (Bd. 2,
Sp. 1389, Nr. 1)

Die biographischen Daten zu Aleksej Nikolaevič Olenin siehe Kat.-Nr. 135.   GM

ALEKSANDR ALEKSEEVIČ VASIL'EVSKIJ
Petersburg 1794–1849 Petersburg

Maler, Aquarellerist, Lithograph, Porträtist.
1803–1816 studierte er in der Klasse für Porträtmalerei an der Kunstakademie; seit etwa 1820
arbeitete er vor allem im Auftrag der Gesellschaft zur Förderung der Künstler. Nach 1830
hat Vasil'evskij vor allem Lithographien, meist
nach Vorbildern P. F. Sokolovs gearbeitet.

238
Porträt P. A. Kikin, 1834

Lithographie, 34 x 26,5 cm (Blatt)
Bezeichnet unten
Inv.-Nr. ЭРГ-18329
Herkunft: Alter Bestand der Sammlung der
Staatlichen Ermitage, Leningrad

Nach einem Porträt K. P. Brjullovs von 1820.
General Petr Andreevič Kikin (1777–1834) war
Teilnehmer des Vaterländischen Krieges von
1812 und der anschließenden Feldzüge im Ausland. 1816 bis 1826 war er Staats-Sekretär unter
Kaiser Aleksandr I. und Kaiser Nikolaj I. Als
Kunstfreund und Mäzen war er 1820 einer der
Mitbegründer der Gesellschaft zur Förderung
der Künstler in Petersburg und betrieb auch außerhalb dieser seine eigene intensive Künstler-
förderung. So unterstützte er z. B. – während
dessen Studienjahren in Italien – K. P. Brjullov,
nach dessen Vorbild diese Lithographie entstand. Auf Initiative Kikins wurde 1825 am
Nevskij-Prospekt eine ständige Verkaufsausstellung für Werke russischer Künstler eröffnet.
Nach seiner Pensionierung 1826 widmete sich
Kikin ausschließlich der Gesellschaft zur Förderung der Künstler, in der er das Amt des Vorsit-
zenden innehatte.   GM

239

SEMEN FADDEEVIČ VLADIMIROV
Geboren 1800 in Petersburg

Kupferstecher und Radierer, Porträtist. Er war der Sohn eines Aufsehers der Freien Ökonomischen Gesellschaft. Kam 1809 an die Kunstakademie, studierte aber erst von 1817 bis 1821 in der Klasse für Gravurtechniken bei N. I. Utkin. 1821–1824 war er Stipendiat der Akademie. Häufig arbeitete er im Auftrag der Gesellschaft zur Förderung der Künstler. Neben seinen Porträts entstanden auch Darstellungen biblischer Themen und Buchillustrationen. Nach 1824 ist er nicht mehr nachweisbar.

239
Porträt I. P. Martos, 1821–1822

Kupferstich, 59,5 x 36 cm (Blatt); 40 x 28,5 cm (Darstellung)
Inv.-Nr. ЭРГ-14461
Herkunft: Alter Bestand der Sammlung der Staatlichen Ermitage, Leningrad

Der Stich entstand nach einem Vorbild von A. G. Varnek (die biographischen Daten zu diesem Künstler siehe Kat.-Nr. 50).
Ivan Petrovič Martos (1754–1835) war ein bekannter Bildhauer, von dem sowohl Porträts als auch Monumentalskulpturen überliefert sind. Er war Mitglied der Kunstakademie, danach dort Professor und seit 1814 Rektor der Bildhauerei. Zahlreiche russische Bildhauer der Zeit waren seine Schüler. An den Akademien von Wilna und Antwerpen wurde er Ehrenmitglied. Besonders bekannt geworden ist er als Schöpfer bedeutender Denkmäler, so für Minin und Požarskij, die Helden des Befreiungskampfes gegen die Polen (1612), auf dem Roten Platz in Moskau (1804–1815; enthüllt 1818), für den Gelehrten M. V. Lomonosov in Archangel'sk (1826–1829) und für den Herzog Richelieu in Odessa (1823–1828); auch zahlreiche Grabmäler berühmter Zeitgenossen auf dem Lazarus-Friedhof der Lavra des heiligen Aleksandr-von-der-Neva in Petersburg stammen von seiner Hand. Er war ein typischer Vertreter des Spätklassizismus. In seinen Werken verbinden sich bürgerliches Selbstbewußtsein mit idealisierter Erhabenheit und dem lyrischen Ausdruck von Emotionen.   GM

240

MAKSIM NIKIFOROVIČ
VOROB'EV
Pskov 1787–1855 Petersburg

Die biographischen Daten zu diesem Künstler
siehe Kat.-Nr. 55.

240
Das Begräbnis von M. I. Kutuzov,
1814

Aquarellierter Kupferstich, 45,4 x 58 cm (Darstellung; Ränder beschnitten)

Bezeichnet und datiert unten links; dazu das
Wappen Kutuzovs und eine Widmung des
Künstlers
Inv.-Nr. ЭРГ-6551
Herkunft: 1941 aus dem Staatlichen Museum für
Ethnographie der Völker der UdSSR, Leningrad
Ausstellungen: 1960 Leningrad, Nr. 160; 1976
Leningrad, Rannjaja litografija, Nr. 34
Literatur: 168 (Bd. 1, Sp. 168, Nr. 1)

Das Begräbnis des ruhmreichen russischen Heerführers und General-Feldmarschalls, des Fürsten von Smolensk Michail Illarionovič Kutuzov (die biographischen Daten siehe Kat.-Nr. 159),

am 13. Juni 1813 wurde zu einer Trauerkundgebung des gesamten Volkes, die an der Begräbnisstätte in dem 1801–1811 von A. N. Voronichin errichteten Kazaner Dom am Nevskij-Prospekt, ihren Höhepunkt fand. Die Darstellung zeigt die lange, von schwarzgekleideten Fackelträgern geleitete Prozession während ihres Einzugs in die Kirche. Dem Zug der Geistlichen, an dessen Ende mehrere Bischöfe zu sehen sind, folgt der von Hand gezogene Katafalk. Zahlreiche Soldaten, darunter vorne links am Bildrand ein Kosak mit zwei anderen Kavalleristen, und Zivilisten geben dem Helden des Vaterländischen Krieges das letzte Geleit.

GM

241

THOMAS WRIGHT
Birmingham 1792–1849 London

Englischer Aquarellkünstler, Zeichner und Graphiker. Er studierte in London bei A. Meyer, lebte aber von 1822 bis 1826 und erneut von 1830 bis 1846 in Petersburg, wohin er durch Henry Dawe, den Neffen von George Dawe (biographische Daten zu diesem Künstler siehe Kat.-Nr. 9) gerufen worden war, um die Gemälde der Militär-Galerie im Winterpalast in Stiche umzusetzen. Seit 1827 war Wright Mitglied der Akademien von Florenz und Stockholm, seit 1836 auch der von Petersburg.

241
Porträt des Grafen
M. A. Miloradovič, 1823

Punktierstich, 38 x 26,5 cm (Blatt), 20 x 16,5 cm (Platte)
Bezeichnet unten, dazu auf russisch und englisch Name und Titel des Dargestellten
Inv.-Nr. ЭРГ-30294
Herkunft: Alter Bestand der Sammlung der Staatlichen Ermitage, Leningrad
Literatur: 168 (Bd. 2, Sp. 891, Nr. 52); 169 (Bd. 2, Sp. 1283, Nr. 20)

Nach einem Vorbild von George Dawe.
Ein Blatt aus der »Porträt-Sammlung der Militär-Galerie«, die 1823–1827 in London erschien. Ihre 200 Stiche wurden von verschiedenen Künstlern – unter Leitung von Henry Dawe und im Auftrag von Aleksandr I. – gearbeitet.
Graf Michail [Michajlo] Andreevič Miloradovič (1771–1825) war ein bedeutender russischer Staatsmann und Militär. Er nahm schon am russisch-schwedischen Krieg von 1788–1790 teil und zeichnete sich danach besonders im Feldzug von 1805 gegen Napoleon aus. 1806–1807 war er bei den Kampfhandlungen im Donaugebiet engagiert. Als Teilnehmer des Vaterländischen Krieges von 1812 und der anschließenden Feldzüge der russischen Armee in Mittel- und Westeuropa wurde er 1818 Militärgouverneur von Petersburg. Doch am 14. Dezember 1825 wurde er bei dem Versuch, die aufständigen Dekabristen auf dem Senatsplatz zu beruhigen, von diesen getötet. GM

ALEKSANDR IVANOVIČ ZAUERVEJD [SAUERWEID]
Petersburg 1783–1844 Petersburg

Sauerweid entstammte der Deutschen Kolonie in Petersburg. Er studierte in Dresden, von wo ihn Kaiser Aleksandr I. 1817 in seine Vaterstadt zurück beorderte. Dort war er als Professor für Schlachtenmalerei an der Kunstakademie tätig. Auch die Großfürsten Nikolaj Pavlovič (später Kaiser Nikolaj I.) und Michail Pavlovič, die jüngsten Brüder Kaiser Aleksandrs I. lehrte Sauerweid druckgraphische Techniken. Später gab er den Kindern des Großfürsten Nikolaj Pavlovič Zeichenunterricht, also auch dem späteren Kaiser Aleksandr II. Für den Hauptstab hat Sauerweid außerdem verschiedenste Uniformen und Mundierungen in Zeichnungen erfaßt sowie Gemälde militärischen Inhaltes geschaffen.

242   FARBTAFEL S. 313
Ober-Offizier des Chevalier-Garde-Regimentes, 1818

Aquarellierte Lithographie, 49,5 x 38,5 cm
Inv.-Nr. БГ-207658
Herkunft: Alter Bestand der Sammlung der Staatlichen Ermitage, Leningrad
Literatur: 49 (Nr. 58)

Gardisten zu Pferde gab es in Rußland erstmals zu Zeiten von Kaiser Petr I. Bei der Krönung Ekaterinas I., der zweiten Gemahlin des Herrschers, wurde eine solche Einheit aus den Reihen der Höflinge gebildet, die dort den Ehrendienst zu übernehmen hatten. Auch danach formierten sich solche Einheiten vor allem für Krönungsfeierlichkeiten. Im Januar 1799 wurde dann das Chevalier-Garde-Korps zu einer regulären militärischen Einrichtung, die dann im Januar 1800 (unter dem militärliebenden Kaiser Pavel I.) in das Chevalier-Garde-Regiment umgewandelt wurde. Die Chevalier-Gardisten waren zwar noch weiterhin für die Ehrenwachen im Hofdienst und bei Krönungszeremonien zuständig, wurden aber nun auch bei Kampfhandlungen eingesetzt. Dabei zeichneten sie sich 1805 in der Schlacht von Austerlitz sowie im Vaterländischen Krieg von 1812 und den Feldzügen von 1813/14 besonders aus, wofür ihnen die Georgs-Standarten verliehen wurden.
Auf der Lithographie ist ein Ober-Offizier in Paradeuniform vor der Manege der Gardekavallerie zu sehen. Im Hintergrund stehen an einem Kanalgitter zwei Chevalier-Gardisten, der eine in Paradeuniform mit Koller, der andere in gewöhnlicher Dienstuniform mit einer Mütze anstelle des Helms.   GV

243

243
Unter-Offizier des Chevalier-Garde-Regimentes, 1818

Aquarellierte Lithographie, 49,5 x 38,5 cm
Inv.-Nr. БГ-207660
Herkunft: Alter Bestand der Sammlung der Staatlichen Ermitage, Leningrad   GV

244

245

244

Stabs-Offizier des Leib-Garde-Dragoner-Regiments, 1818

Aquarellierte Lithographie, 49,5 x 38,5 cm
Inv.-Nr. БГ-207664
Herkunft: Alter Bestand der Sammlung der Staatlichen Ermitage, Leningrad

Die Geschichte des Leib-Garde-Dragoner-Regimentes beginnt im Jahre 1803, obwohl es erst 1809 ausdrücklich so benannt wurde. Da es sich bereits im Vaterländischen Krieg und den anschließenden Feldzügen der anti-napoleonischen Allianz durch besondere Tapferkeit auszeichnete, wurde es mit den Georgs-Standarten und den Georgs-Fanfaren ausgezeichnet.
GV

245

Gemeiner des Leib-Garde-Ulanen-Regiments, 1818

Aquarellierte Lithographie, 49,5 x 38,5 cm
Inv.-Nr. БГ-207675
Herkunft: Alter Bestand der Sammlung der Staatlichen Ermitage, Leningrad

Im Jahre 1803 wurde aus mehreren Eskadrons (Schwadronen) verschiedener Husaren-Regimenter das Husarenregiment »Odessa« gebildet, das noch im selben Jahr »Ulanen-Regiment Seiner Kaiserlichen Hoheit, des Thronfolgers [Cesarevič] Großfürst Konstantin Pavlovič« benannt wurde. 1809 wurden dann aus Teilen dieses Regimentes einerseits das Leib-Garde-Dragoner-Regiment, andererseits das Leib-

Garde-Ulanen-Regiment gebildet. Es nahm am Feldzug von 1805 teil und erhielt in der Drei-Kaiser-Schlacht bei Austerlitz seine Feuertaufe. Auch 1807 war es an den Feldzügen gegen die Franzosen beteiligt und 1808 gegen die Schweden. 1812 kämpfte es wiederum in zahlreichen Schlachten und zeichnete sich besonders bei der Verfolgung der zurückweichenden Armee Napoleons aus. In den Kämpfen bei Krasnoj eroberten die Ulanen eine französische Fahne. Für seinen Einsatz im Vaterländischen Krieg und im Feldzug von 1813–1814 wurde das Regiment mit den Georgs-Standarten und den Georgs-Fanfaren ausgezeichnet.

Die Kasernen des Regiments befanden sich in Strel'na, einer Vorstadt von Petersburg. GV

247

246

246
Ober-Offizier der Leib-Garde-Schwarzmeer-Kosaken-Eskadron, 1818

Aquarellierte Lithographie, 49,5 x 38,5 cm
Inv.-Nr. ВГ-207691
Herkunft: Alter Bestand der Sammlung der Staatlichen Ermitage, Leningrad

Diese Eskadron wurde 1811 gebildet und dem Leib-Garde-Kosaken-Regiment angegliedert. Zusammen mit ihm nahm es am Vaterländischen Krieg und den anschließenden Feldzügen in Mittel- und Westeuropa teil.
Später wurde es in »Kuban-Heer« umbenannt und die Eskadron aufgelöst.   GV

247
Gemeiner des Leib-Garde-Kosaken-Regiments, 1818

Aquarellierte Lithographie, 49,5 x 38,5 cm
Inv.-Nr. ВГ-207682
Herkunft: Alter Bestand der Sammlung der Staatlichen Ermitage, Leningrad

Im Jahre 1775 formierten sich in Moskau zwei dem Hof zugeordnete Kosaken-Kommandos, und zwar eins vom Don und eines von Čuguevo. Beide dienten Kaiserin Ekaterina II. als Eskorte [konvoj]. 1796 wurden sie umgebildet und wurden dabei zu einem Teil des Leib-Husaren-Kosaken-Regiments, aus dem man sie aber schon 1798 wieder ausgliederte und er-

neut zu einem selbständigen Truppenteil gemacht hat. Dessen Bezeichnung war nun »Leib-Garde-Kosaken-Regiment«. Seit 1799 nahmen sie an den Kämpfen gegen die Franzosen und danach gegen die Schweden teil. Für ihre Verdienste im Vaterländischen Krieg von 1812 und in den anschließenden Auslands-Feldzügen wurden sie mit den Georgs-Standarten und den silbernen Fanfaren ausgezeichnet. Besonders zeichnete sich das Regiment in den Schlachten bei Tarutino (1812) (siehe Kat.-Nr. 18) und bei Leipzig (1813) aus.   GV

249

248

248

Stabs-Offizier der Reitenden Leib-
Garde-Artillerie-Brigade, 1818

Aquarellierte Lithographie, 49,5 x 38,5 cm
Inv.-Nr. БГ-207692
Herkunft: Alter Bestand der Sammlung der
Staatlichen Ermitage, Leningrad

1796 wurde aus dem Leib-Garde-Artillerie-
Bataillon eine berittene Abteilung ausgeglie-
dert, die 1805 in »Reitende Leib-Garde-
Artillerie-Abteilung [Lejb-gvardii Konno-
artillerijskaja rota]« umbenannt und später zur
Brigade umgebildet wurde. Sie war an allen
Kämpfen zu Beginn des 19. Jahrhunderts beteiligt und wurde für ihre Tapferkeit im Vaterländischen Krieg mit den silbernen Fanfaren ausgezeichnet.   GV

249

Gemeiner der Reitenden Leib-
Garde-Pionier-Eskadron, 1818

Aquarellierte Lithographie, 49,5 x 38,5 cm
Inv.-Nr. БГ-207703
Herkunft: Alter Bestand der Sammlung der
Staatlichen Ermitage, Leningrad

Die Reitenden Pioniere waren die berittene Ab-
teilung der Genie-Truppen (d. h. Ingenieur-
Truppen). 1819 wurde daraus eine selbständige
Reitende Leib-Garde-Pionier-Eskadron gebil-
det, und zwar auf Anordnung von Großfürst
Nikolaij Pavlovič, der in diesem Jahre General-
Inspekteur der Genie-Truppen geworden war
und intensiv an deren Ausbau arbeitete.   GV

250   FARBTAFEL S. 314

Stabs-Offizier des Leib-Garde-
Husaren-Regiments, 1818

Aquarellierte Lithographie, 49,5 x 38,5 cm
Inv.-Nr. БГ-207670
Herkunft: Alter Bestand der Sammlung der
Staatlichen Ermitage, Leningrad

1775 wurde unter Kaiserin Ekaterina II. eine
Leib-Garde-Husaren Eskadron gebildet, die
1796 mit anderen Kavallerie-Abteilungen zu
einem »Leib-Husaren-Kosaken-Regiment« verbunden wurde. Daraus formierten sich 1798
einerseits das Leib-Garde-Kosaken-Regiment
und andererseits das Leib-Garde-Husaren-
Regiment. Schon 1799 nahmen die Garde-
Husaren an verschiedenen Kampfhandlungen
teil. 1805 und 1807 schlugen sie sich mit den
Franzosen. Für ihre Tapferkeit im Vaterländischen Krieg wurden sie mit den Georgs-
Standarten ausgezeichnet.
Ihre Kasernen befanden sich in Carskoe Selo;
daher wurden sie oft einfach »die Husaren von
Carskoe Selo« genannt.   GV

стекольщикъ и Конопатчикъ.

Le vitrier et le Calefat

Der Glaser und der Kaefaterer

Матросъ и Лакей

Un Matelot et un laquais

Ein Matrose und ein Bedienter

251

252

KAPITON ALEKSEEVIČ ZELENCOV

Petersburg 1790–1845 Petersburg

Maler, Zeichner und Graphiker. Ein Schüler von A. G. Venecianov, der in seinen Studienjahren in der Ermitage kopierte und daneben Interieurs malte. 1833 wurde er Mitglied der Akademie. Besonders hervorgetreten ist er vor allem als Illustrator von Werken russischer Schriftsteller wie V. A. Žukovskij oder I. A. Krylov. Seine Zeichnungen haben auch I. V. Českij (siehe Kat.-Nr. 182 ff.), S. F. Galaktionov (siehe Kat.-Nr. 14) und I. Seleznev in Graphik umgesetzt. Als seine bedeutendste Arbeit gelten 40 Illustrationen zur Publikation »Der magische Leuchtturm« (Petersburg, 1817 bis Anfang 1818).

251
Glaser und Kalfaterer, 1817

Aquarellierte Umrißradierung, 22 x 18,5 cm (Blatt)
Betitelt unten auf Russisch, Französisch und Deutsch
Inv.-Nr. ЭРГ-2759
Literatur: 131

Aus dem zweiten Heft der monatlich erscheinenden Publikation: »Der magische Leuchtturm oder: Darstellung der St.-Petersburger Straßenhändler, Handwerker und anderer Werkleute aus dem einfachen Volke, die hier mit treuer Feder nach ihrem wahrhaften Aussehen gezeichnet sind, wie sie miteinander reden, ein jeder mit der seinem Berufe entsprechenden Erscheinung.« Insgesamt erschienen 12 Hefte (Lieferungen), mit Titeln und Texten in russischer, französischer und deutscher Sprache, die charakteristische Dialoge der jeweils zu zweit

dargestellten Personen wiedergeben. Innerhalb der russischen Kunst handelt es sich hier um den ersten Versuch einer genauen bildlichen Beschreibung verschiedener sozialer Bevölkerungstypen. Die beigefügten Texte halten ihre Redeweise und charakteristische Szenen des Straßenlebens fest. Die Folge steht also in der Tradition der sogenannten »Kaufrufe«.   GM

252
Matrose und ein Bedienter, 1817

Aquarellierte Umrißradierung, 22 x 18,5 cm (Blatt)
Betitelt unten auf Russisch, Französisch und Deutsch
Inv.-Nr. ЭРГ-9720
Literatur: 131

Ein Blatt aus dem fünften Heft der unter Kat.-Nr. 251 genannten Veröffentlichung.   GM

Heerschau der Russischen Infanterie vor dem K. Pallast in Petersburg.   Revue de l'Infanterie St. Russe, devant le Palais de la Cour à Petersbourg

254

UNBEKANNTE MEISTER
DER ZEIT

253   FARBTAFEL S. 280

Parade auf dem Schloßplatz,
nach 1810

Aquarellierter Kupferstich, 51 x 70,7 cm
Inv.-Nr. ЭРГ-20851
Herkunft: Alter Bestand der Sammlung der
Staatlichen Ermitage, Leningrad

Paraden und sonstiges militärisches Zeremoniell waren in Petersburg immer sehr beliebt.
Darauf verweist die Gruppe der Stadtbewohner
links, die das militärische Schauspiel interessiert
betrachten. Auf dem Schloßplatz, dem traditionellen Ort für Militärparaden, fanden an jedem
Sonntag sogenannte Wachaufzüge der Garde,
die prächtigsten Paraden jedoch am 17. und am
21. April eines jeden Jahres statt. Auf dem Stich
sind die heranrückenden Kolonnen der Garde-
Infanterie dargestellt. Unten rechts sieht man
Kosaken des Leib-Garde-Kosaken-Regimentes.
GV

254

Heerschau der Garde-Infanterie auf
dem Schloßplatz, nach 1810

Aquarellierter Kupferstich, 49 x 72 cm
Betitelt unten rechts auf Französisch und unten
links auf Deutsch
Inv.-Nr. ЭРГ-6255

Man sieht Kaiser Aleksandr I., der mit seiner
Suite die Front der auf dem Schloßplatz angetretenen Regimenter abreitet. Hinter der Infanterie steht links eine Artillerie-Abteilung. Vorn
betrachten als Volkstypen drastisch geschilderte
Zuschauer das militärische Zeremoniell.   GV

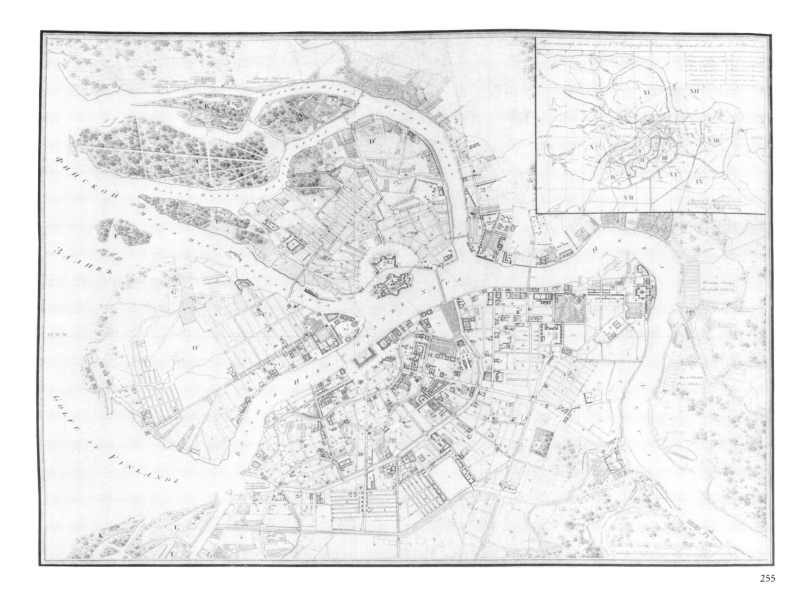

255
Plan der Stadt Petersburg, 1821

Aquarellierte Umrißradierung, 65 x 111,5 cm
Datiert und bezeichnet oben auf Russisch und
Französisch
Inv.-Nr. ЭРГ-9938
Herkunft: 1941 aus dem Staatlichen Museum für
Ethnographie der Völker der UdSSR, Lenin-
grad

Nach einer Zeichnung des Militär-Topogra-
phen Generalmajor von Vitzthum.
Links, rechts und unterhalb des Planes finden
sich Erklärungen, um die um 1800 immer kom-
plizierter werdende administrative Einteilung
der Stadt in zwölf Teilbezirke zu erläutern, die
jeweils wiederum in bestimmte Stadtviertel gegliedert sind. Sonst zeigt und nennt der Plan
nicht nur die Plätze und Straßen der Stadt, die
Brücken über die Flüsse und Kanäle, die kirchlichen und Verwaltungs-Gebäude sowie die Paläste und die wichtigsten Häuser, sondern auch
die Namen ihrer Eigentümer.　　　　　　GM

256　　　　　　　ABBILDUNG S. 326
Offizier im Schlitten auf dem
Schloßplatz, 1823

Aquarellierte Lithographie, 27,8 x 38,3 cm
(Blatt)
Inv.-Nr. ЭРГ-11612
Herkunft: Alter Bestand der Sammlung der
Staatlichen Ermitage, Leningrad

Aus »Souvenir de Sainte-Pétersbourg . . . Petersbourg 1823«, wobei dieser Lithographie offensichtlich die Zeichnung »Stutzer in der Droschke« von A. O. Orlovskij (siehe Kat.-Nr. 212)
zugrundeliegt.　　　　　　GM

256

257

257

Einspänniges Fuhrwerk [telega] mit Schnittholz auf dem Admiralitäts-Platz, 1823

Aquarellierte Lithographie, 27,8 x 38,3 cm (Blatt)
Inv.-Nr. ЭРГ-11615
Herkunft: Alter Bestand der Sammlung der Staatlichen Ermitage, Leningrad

Nach einem Original von A. O. Orlovskij. Es handelt sich um ein Blatt der unter Kat.-Nr. 256 genannten Serie. GM

258

Porträt V. M. Samojlov, nach 1820

Lithographie, 37,5 x 25,8 cm (Blatt)
Unten betitelt
Inv.-Nr. ЭРГ-18943
Herkunft: Alter Bestand der Sammlung der Staatlichen Ermitage, Leningrad
Ausstellungen: 1984 Leningrad, Peterburg gogolevskogo vremeni, Nr. 75; 1988 Odessa, Izmail, Nr. 98

Vasilij Michajlovič Samojlov (1782–1839) stammte aus dem Kaufmannsmilieu und entwickelte sich zu einem bedeutenden Opernsänger. Bis zum Beginn des 20. Jahrhunderts gehörten zahlreiche hervorragende Schauspieler zu seiner Familie. Schon als kleiner Junge sang er im Kirchenchor. 1803 stand er in Petersburg zum ersten Male auf der Bühne des Großen Theaters, wo er seitdem tätig war und zahlreiche Tenor- und Baritonrollen sang. Seine Zeitgenossen schätzten ihn besonders in der Rolle des Matvej in der Oper »Ivan Susanin« von Caterino Cavos (1775–1840) und des Don Juan in Fränzels »Die Stumme in den Bergen der Sierra-Morena«. GM

Spielkarten

Farbholzschnitt auf Papier, 9 x 5,8 cm
(34 Blätter)
Auf der ersten Karte der Stempel: Deutsches
Reich. Dreissig Pf., N. 15, C. L. Wüst, Frank-
furt a. M.
Inv.-Nr. КП-609

Kartenspiele sind in Rußland seit dem Beginn
des 17. Jahrhunderts bekannt. Aber um die Mitte des 18. Jahrhunderts fanden sie eine so starke
Verbreitung, daß der Staat mit Verboten und
Geldstrafen dagegen einschritt. Dadurch wurde
jedoch die Leidenschaft für das Spiel nicht ge-
ringer. Selbst einflußreiche Personen des öffentlichen Lebens gehörten zu ihren Anhängern.
Auch Ekaterina II. liebte es, Karten zu spielen,
und zwar um den Preis einkarätiger Diamanten.
Die ersten Kartenspiele kamen aus anderen europäischen Ländern nach Rußland, vor allem
aus Deutschland. Erst 1819 begann in der
Aleksandr-Manufaktur eine eigene russische
Produktion.   GM

Noten für die Romanze »Melodie« von G. Ja. Lomakin, nach 1830

Lithographie, 19 x 26,5 cm (8 Blätter)
Inv.-Nr. ЭДР-1320
Herkunft: 1941 aus dem Staatlichen Museum für
Ethnographie der Völker der UdSSR, Lenin-
grad

Gavriil Jakovlevič Lomakin war Musiker,
Chorleiter, Pädagoge und Komponist. Er gehörte ursprünglich zu den Leibeigenen des Grafen D. N. Šeremetev. 1840 bis in die 70er Jahre
leitete er den Privatchor der Grafen und außerdem die Hof-Sänger-Kapelle.   GM

В. М. САМОЙЛОВЪ.

258

GOLDSCHMIEDEARBEITEN

261 FARBTAFEL S. 333
Tabatière mit dem Porträt Kaiser Pavels I.

Jean Francois Xavier Budde, Petersburg, um 1780

Stadtzeichen Petersburg und Meisterzeichen.
Gold, ziseliert und poliert, Email, Glas mit Miniaturmalerei, 2 x 9 x 6 cm
Inv.-Nr. Э-4698
Herkunft: 1875 von der Kaiserin Marija Aleksandrovna der Preziosen-Galerie der Ermitage geschenkt
Literatur: 91 (S. 49); 99 (S. 112); 217 (S. 13)

Jean François Xavier Budde stammte ursprünglich aus Frankreich, siedelte aber zunächst nach Hamburg und dann nach Rußland über. 1769 wurde er Meister der Zunft ausländischer Goldschmiede in Petersburg, 1779 bis 1785 war er deren Vorsteher [al'derman von engl. older man]. Noch in den 90er Jahren des 18. Jahrhunderts arbeitete er für den Hof und für Privatleute Tischbestecke, Tabaksdosen, liturgische Geräte, Ringe, Orden und Paradewaffen.
Auf dem Deckel befindet sich ein Porträt Pavels I., auf dem Boden ein ziseliertes Medaillon mit musizierenden Amouretten im Stil französischer Tabatièren der Zeit. (Ähnliche Dekors findet man bei Arbeiten des Franzosen J. E. de Blerzy.) OK

262 FARBTAFEL S. 334
Tabatière mit dem Porträt des Großfürsten Aleksandr Pavlovič

Pierre (Peter) Teremin, Petersburg 1799

Meisterzeichen PT, Stadtzeichen Petersburg 1799, Beschau Aleksandr Jašinov (1795–1826) **АЯ**
Gold, gegossen, ziseliert und graviert; Email, Glas und Porzellan
Höhe 3,2 cm; Durchmesser 8 cm
Inv.-Nr. Э-4062
Herkunft: Geschenk der Kaiserin Marija Fedorovna an Kaiser Nikolaj I.; 1854 kam sie in die Preziosen-Galerie der Ermitage
Literatur: 99 (S. 34); 217 (S. 33); 237 (S. 283–284)

Peter Teremin arbeitete bis 1801 in Petersburg, wo er Meister der Zunft ausländischer Goldschmiede und 1800 bis 1801 deren Vorsteher war. Er und sein Bruder besaßen eine kleine Manufaktur, in der Galanterie-Waren, aber auch liturgische Geräte, Tabatièren und Schmuckstücke hergestellt wurden.
Die vorliegende Tabatière wurde bereits verschiedenen Meistern zugeschrieben. Das Meisterzeichen »P T« ist aber wohl P. Teremin zuzuweisen.
Die auf dem Deckel befestigte Porzellan-Kamee ist ein Abguß von jener Originalkamee, die Kaiserin Marija Fedorovna (1759–1828), die Gemahlin Pavels I., mit dem Bildnis ihres Sohnes anfertigen ließ. (Das Original und weitere Abformungen befinden sich ebenfalls in der Ermitage.) Die Buchstaben MFF sind die Abkürzung für: Maria Fedorovna fecit.
Die biographischen Daten zu Großfürst Aleksandr Pavlovič (1777–1825), dem späteren Kaiser Aleksandr I., siehe Kat.-Nr. 26. OK

263 FARBTAFEL S. 333
Tabatière mit einer Ansicht von Pavlovsk

Unbekannter französischer Meister, um 1830

Meisterzeichen und Stadtzeichen Paris 1819–1838
Gold, Silber, Schildpatt, Porzellan, bemalt
2 x 8,8 x 5,5 cm
Inv.-Nr. Э-3589
Herkunft: Alter Bestand der Sammlung der Staatlichen Ermitage, Leningrad; früher befand sich das Objekt in der Sammlung Karabanov, die in der Preziosen-Galerie der Ermitage aufbewahrt wurde

Das bemalte Porzellan-Medaillon zeigt den Palast von Pavlovsk, die Sommerresidenz des Kaisers Pavel I. (nähere Angaben zum Palast siehe Kat.-Nr. 228).
Vermutlich ist die Miniatur das Werk eines russischen Malers. Zahlreiche Beispiele belegen eine solche Zusammenarbeit verschiedener Werkstätten oder das Auswechseln der Miniaturen auf Werken der Goldschmiedekunst. OK

264 FARBTAFEL S. 334
Salzfaß

Aleksej Ivanovič Ratkov (? –1821), Moskau 1801

Meisterzeichen A. P., Stadtzeichen Moskau 1801, Beschau Meister T. K. und Feingehalt 84 Zolotniki (= 14 Lot oder 875 Sterling)
Gold, ziseliert und graviert, Email bemalt
Durchmesser 7,9 cm, Höhe 18,5 cm
Inv.-Nr. Э-7481
Herkunft: Unmittelbar nach seiner Entstehung kam das Gefäß in das Hofmarschall-Amt des Winterpalastes und wurde in der Preziosen-Galerie der Ermitage aufbewahrt

Aleksej Ivanovič Ratkov arbeitete seit 1777 in Moskau und galt als einer der besten Goldschmiede seiner Zeit. Als Meister arbeitete er zahlreiche sehr unterschiedliche Gegenstände, vor allem auch Bestecke und liturgische Geräte. Das Salzfaß wurde vermutlich für Kaiser Aleksandr I. angefertigt, dessen Monogramm mit dem Doppeladler den Deckel schmückt. OK

265 FARBTAFEL S. 334
Salzfaß

Unbekannter Meister aus der Werkstatt Keibel, Petersburg 1818–1825

Meisterzeichen K. K., Stadtzeichen Petersburg und Feingehalt 84 Zolotniki (= 14 Lot oder 875 Sterling)
Gold, Silber gegossen, ziseliert und graviert; Email
Durchmesser 8,6 cm, Höhe 16,2 cm
Inv.-Nr. Э-7488
Herkunft: Unmittelbar nach seiner Entstehung kam das Gefäß in das Hofmarschall-Amt des Winterpalastes und wurde in der Preziosen-Galerie der Ermitage aufbewahrt
Ausstellungen: 1986, Lugano, Nr. 109
Literatur: 217 (S. 28); 218 (S. 269)

Otto Samuel Keibel (1768–1809) kam aus Pasewalk in Pommern nach Petersburg. 1797 wurde er Meister, 1807/1808 Vorsteher der Zunft ausländischer Goldschmiede. Seine Werkstatt übernahm später sein Sohn und Schüler Johann Wilhelm Keibel, der das Meisterzeichen seines Vaters weiterhin benutzte. Er war 1825 bis 1828 Gehilfe des Zunft-Ältesten, seit 1828 selbst Ältester der Zunft. Vermutlich ist KK das Meisterzeichen [imennik] eines Werkstatt-Mitgliedes.
A. E. Fölkersam [Fel'kerzam], Kenner und Erforscher der russischen, speziell der Petersbur-

ger Gold- und Silberschmiedekunst, erkannte in dem Gefäß ein Geschenk der Petersburger Kaufmannschaft an Kaiser Aleksandr I. und schrieb es Otto S. Keibel zu. Nach dem Beschauzeichen der Stadt muß es aber zwischen 1818 und 1864 entstanden sein, also in der Zeit Johann Wilhelm Keibels. OK

266   FARBTAFEL S. 335
Orden des heiligen Andreas des Erstberufenen (Kleinod, Band und Stern)

Das Kleinod ist die Arbeit eines unbekannten Petersburger Meisters vom 1. Viertel des 19. Jahrhunderts; der Stern eine Arbeit von Meister Keibel

Meisterzeichen Keibel, Stadtzeichen Petersburg, 1. Viertel 19. Jahrhundert und Feingehalt 84 Zolotniki (= 14 Lot oder 875 Sterling)
Silber, Email, 10,2 x 5,7 cm
Band aus Moiré, 72 x 10 cm
Inv.-Nr. ƏPO-8355
Inv.-Nr. ƏPO-8356
Herkunft: Alter Bestand der Sammlung der Staatlichen Ermitage, Leningrad
Literatur: 31 (S. 144–158); 32 (S. 7–25); 66; M. M. Postnikova-Loseva, Russkoe juvelirnoe iskusstvo, ego centry i mastera XVI–XIX vv., Moskau 1874, S. 289; 201

Zu Keibel und seiner Werkstatt siehe Kat.-Nr. 265. 1826 arbeitete Keibel der Jüngere die russische Kaiserkrone. 1836 bis 1841 war er auch mit der Herstellung der Orden betraut. Die letzte Erwähnung der Firma stammt von 1910.
Der Orden wurde von Zar Petr Alekseevič, dem späteren Kaiser Petr I., am Festtage des Heiligen (30. November 1698) für besondere Tapferkeit im Türkenkriege und für Verdienste bei der Niederwerfung des Strelitzenaufstandes gestiftet. Das erste Ordens-Statut stammt allerdings erst aus dem Jahre 1720. Es verleiht den Rittern den Rang eines Generalleutnants und zieht zugleich andere, rangniedrigere Orden nach sich. Nur die Mitglieder der Kaiserlichen Familie, höchste Repräsentanten des Militärs und der Zivilverwaltung des Reiches sowie Mitglieder ausländischer Fürstenfamilien, Heerführer und Staatsmänner wurden mit dem Andreas-Orden ausgezeichnet.
Benannt ist er nach dem Apostel, der nicht nur Patron von Konstantinopel ist, sondern – nach der alten Überlieferung der Nestorchronik - auch als erster Missionar das Christentum auf dem Boden des späteren Rußland verbreitet haben soll und deshalb als besonderer Schutzheili-

ger des Landes verehrt wird. Seinen Beinamen trägt der leibliche Bruder des Petrus, weil er von Christus als erster Apostel berufen wurde. Petr I. verehrte den heiligen Andreas als persönlichen Schutzpatron. Die Ordens-Devise auf dem Stern lautet: »Für Glaube und Treue [Za veru i vernost']«.
Der Ordensstern wurde Anfang des 19. Jahrhunderts zum Emblem der Garde und deshalb auch auf zahlreichen militärischen Ausstattungsstücken und auf den Waffen der Garde-Truppen abgebildet.
Das Kleinod selbst zeigt auf dem doppelköpfigen Adler das X-förmige Kreuz, an dem Andreas, der Überlieferung nach, gekreuzigt worden ist, darüber die rot gefütterte Kaiserkrone. Diese Kombination taucht ebenfalls im Mittelfeld des Sterns wieder auf.
Die hier ausgestellten Stücke gehörten dem Grafen Michail Andreevič Miloradovič (1771–1825), einem bekannten russischen Heerführer und Helden des Vaterländischen Krieges von 1812. Er hatte bereits an den Feldzügen A. V. Suvorovs in Italien und der Schweiz, an der Schlacht bei Austerlitz (1805) und an den Donau-Feldzügen der Jahre 1806–1807 teilgenommen. 1812 kämpfte er bei Borodino und kommandierte während der Verfolgung der fliehenden Franzosen die Vorhut der russischen Armee. 1818 wurde er Militärgouverneur von Petersburg und am 14. Dezember 1825 auf dem Senatsplatz von dem Dekabristen Kachovskij tödlich verwundet (siehe Kat.-Nr. 46). Den Andreas-Orden erhielt der General als Kommandeur der Garde in der Völkerschlacht bei Leipzig am 6. Oktober 1813. GV

267   FARBTAFEL S. 336
Stern des Ordens des heiligen Andreas des Erstberufenen

Unbekannter Meister, Petersburg, nach 1800

12,5 x 12,5 cm
Inv.-Nr. ƏH.ПP.-1065
Herkunft: 1989 als Stiftung von Kalinin, Leningrad

In der Mitte ist auf Seide mit Seiden- und Metallstickerei der doppelköpfige Adler mit drei Kronen dargestellt. Auf seiner Brust trägt er das Andreaskreuz. Darum läuft – wiederum als Seiden- und Metallstickerei – ein mit Gold besticktes Band mit Lorbeerzweigen und der Devise des Ordens »Für Glaube und Treue«. Die Strahlen des Sterns bestehen aus Silberfäden und Silberfolie. Die Rückseite ist mit Leder kaschiert.

268   FARBTAFEL S. 336
Kleinod des Ordens des heiligen Aleksandr von der Neva, Ende 18. Jahrhundert

Die Arme des Kreuzes bestehen aus rotem Glas in einer Fassung; in den Winkeln dazwischen vergoldete Doppeladler, im Zentrum ein Emailmedaillon

8,2 x 7,9 cm
Inv.-Nr. ƏPP3-1667
Herkunft: Alter Bestand der Sammlung der Staatlichen Ermitage, Leningrad
Literatur: 66; 200

Der Gedanke, diesen speziellen Militärorden zu stiften, geht auf Kaiser Petr I. zurück. Seine tatsächliche Stiftung erfolgte aber erst nach dessen Tode, nämlich am 21. Mai 1725 durch seine Gemahlin und Nachfolgerin, Kaiserin Ekaterina I.; und zwar anläßlich der Vermählung ihrer Tochter, Großfürstin Anna Petrovna, mit Herzog Karl Friedrich von Schleswig-Holstein. Der Orden hat kein Statut und wurde von den Nachfolgern Petrs I. nicht nur als Auszeichnung für militärische, sondern auch für zivile Verdienste verliehen. Es gab bei ihm nur eine Klasse und man verlieh ihn deshalb nur an Personen, die mindestens bereits den Rang eines Generalmajors erreicht hatten. Er wurde mit einem dunkelroten Band von der linken Schulter zur rechten Hüfte getragen. Dazu gab es ein spezielles Ordenshabit. Die Ordens-Devise lautete: »Für Arbeit und das Vaterland [Za trudy i otečestco]«.
Benannt wurde er nach dem heiligen Fürsten Aleksandr Jaroslavovič (ca. 1220–1263), einem herausragenden Staatsmann und Heerführer der Alten Rus'. 1236–1251 war er Fürst von Novgorod, 1252 bis zu seinem Tode Großfürst von Vladimir. Seine siegreichen Schlachten bewahrten Rußland vor feindlichen Okkupationen: 1240 gegen die Schweden an der Neva (daher sein Beiname) und 1242 gegen die Ritter des Deutschen Ordens. Seit dem 14. Jahrhundert zählt er zu den Heiligen der Orthodoxen Kirche (weitere biographische Daten siehe Kat.-Nr. 43). Das Mittelfeld der Auszeichnung zeigt den Heiligen im Harnisch und mit rotem Mantel auf einem Schimmel. GV

269

Während in der römisch-katholischen Kirche seit dem Mittelalter die Aufbewahrungsstätte für das konsekrierte eucharistische Brot als Sakramentshäuschen oder großer schrankähnlicher Tabernakel gestaltet wurde, blieb dieser Schrein in der Orthodoxen Kirche stets klein und hat seinen Platz auf dem Altartisch selbst. Der Grund liegt darin, daß dort einerseits nur sehr wenig von den Gaben für die Krankenkommunion aufbewahrt wird, und daß in der Orthodoxie andererseits keine Formen eucharistischer Anbetung entwickelt worden sind.

Heute sieht dieser Gabenschrein, der früher auch die Form einer Taube haben konnte, die über dem Altar schwebte, in der Regel wie eine kleine Kirche mit Kuppeln aus. Die hier ausgestellte Form eines Berges Golgotha mit der Darstellung der Grablegung weicht von dieser Tradition ab und ist sehr selten. Offenbar hat sich Lundt von einer Zeichnung Aleksej Petrovič Antropovs (1716–1795) zu seiner Arbeit anregen lassen (heute im Staatlichen Russischen Museum, Leningrad) und dabei deren Komposition leicht verändert.

An dem Fuß des Berges sieht man die Grablegung. Christus liegt auf einem Sarkophag, der geöffnet werden kann und als eigentlicher Aufbewahrungsschrein für die Gaben diente. Am Fuß- und am Kopfende des Sarges stehen Joseph von Arimathäa und der Evangelist Johannes, dahinter die weinenden Frauen mit der Gottesmutter in der Mitte. Auf der Bergspitze erscheint über Wolken Gottvater.

Besonders geschickt ist hier die Struktur des Gesteins erfaßt worden. Und insgesamt lassen die genau aufeinander abgestimmten Proportionen das seinen Ausmaßen nach nicht sehr große Werk sehr ausdruckskräftig, ja monumental erscheinen; eine repräsentative Arbeit des russischen Frühklassizismus.   LZ/NT

SILBER

269
Gabenschrein (Tabernakel) in Form des Berges Golgotha

Justus Nikolaus Lundt, Petersburg 1787

Meisterzeichen INL, Stadtzeichen Petersburg 1787, Beschau A. I. Jašinov АЯ und Feingehalt 76 Zolotniki (= 12,5 Lot oder ca. 800 Sterling) Silber gegossen, ziseliert und vergoldet, 42 x 40 x 28 cm
Inv.-Nr. ЭРО-5714

Herkunft: 1941 aus dem Staatlichen Museum für Ethnographie der Völker der UdSSR, Leningrad
Ausstellungen: 1981 Leningrad, Chudožestvennyj metall, Nr. 453; 1988 Moskau, 1000-letie russkoj chudožestvennoj kul'tury, Nr. 338; 1988 Gottorf-Wiesbaden, 1000 Jahre Russische Kunst, Nr. 338

Justus Nikolaus Lundt wurde in Holstein geboren und war seit 1776 als Meister tätig. Bis etwa 1790 sind Arbeiten von ihm in Petersburg nachzuweisen.

Spieltisch, Ende 18. Jahrhundert. Kat.-Nr. 372; Spielkarten, Kat.-Nr. 259; Kerzenleuchter, 1. Hälfte 19. Jahrhundert. Kat.-Nr. 294

Tafelklavier, Ende 18. Jahrhundert. Kat.-Nr. 373; Stuhl, Ende 18. Jahrhundert. Kat.-Nr. 374; Noten für die Romanze »Melodie« von G. Ja. Lomakin, nach 1830. Kat.-Nr. 260

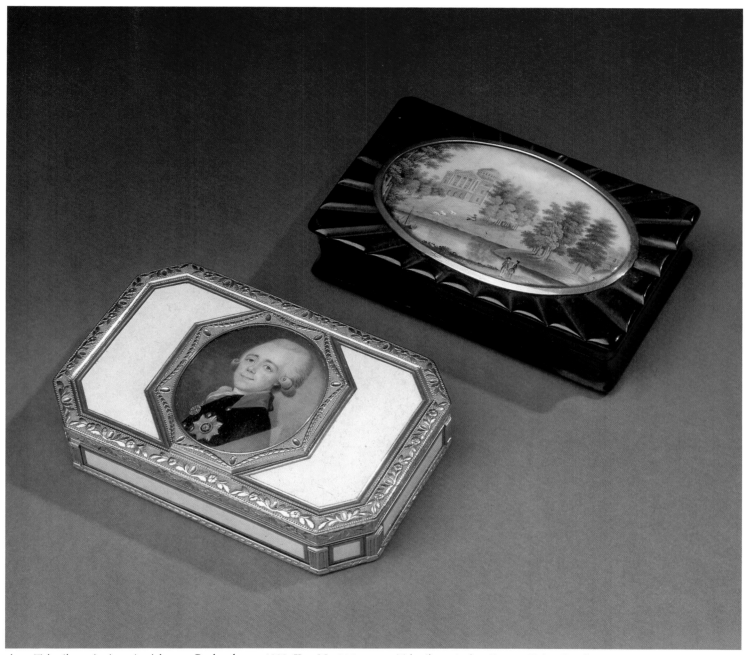

oben: Tabatière mit einer Ansicht von Pavlovsk, um 1830. Kat.-Nr. 263; unten: Tabatière mit dem Porträt Kaiser Pavels I., um 1780. Kat.-Nr. 261

links: Salzfaß, 1801. Kat.-Nr. 264; rechts: Salzfaß, 1818–1825. Kat.-Nr. 265; unten: Tabatière, 1799. Kat.-Nr. 262

Orden des heiligen Andreas des Erstberufenen (Kleinod, Band und Stern), 1. Viertel 19. Jahrhundert. Kat.-Nr. 266

Stern des Ordens des heiligen Andreas des Erstberufenen,
nach 1800. Kat.-Nr. 267

Kleinod des Ordens des heiligen Aleksandr von der Neva,
Ende 18. Jahrhundert. Kat.-Nr. 268

Ikone »Heiliger Michail von Tver'« mit vergoldetem Silberbeschlag, Kat.-Nr. 270

Ikone »Die heiligen Aleksandr von der Neva und Nikolaus von Myra«, Kat.-Nr. 271

Ikone »Heiliger Basileios der Große« mit vergoldetem Silberbeschlag, Kat.-Nr. 272

Ikone »Gottesmutter von Kursk« mit vergoldetem Silberbeschlag, Kat.-Nr. 273

Pokal, 1809. Kat.-Nr. 275

Säule mit der Büste des Generals N. M. Kamenskij, um 1809. Kat.-Nr. 276

Prunkteller, 1817. Kat.-Nr. 278

Liturgische Geräte aus der Feldkirche Kaiser Aleksandrs I., um 1812. Kat.-Nr. 277

Liturgische Geräte aus der Feldkirche Kaiser Aleksandrs I., um 1812. Kat.-Nr. 277

Terrine, nach 1820. Kat.-Nr. 280

Saucière, nach 1820. Kat.-Nr. 281

links: Pokal mit Deckel, 1840. Kat.-Nr. 289; Mitte: Pokal, 1836. Kat.-Nr. 287; rechts: Becher, 1838. Kat.-Nr. 288

Ikone »Heiliger Michail von Tver'« mit vergoldetem Silberbeschlag

Eitempera auf Holz; Beschlag Silber vergoldet und poliert mit Ziselierungen von Thomas Rokman, Petersburg 1817

Meisterzeichen, Stadtzeichen Petersburg 1817, Beschau A. I. Jašinov **AЯ** und Feingehalt 84 Zolotniki (= 14 Lot oder 875 Sterling)
Rechts vom Heiligenschein ist die Person des Dargestellten bezeichnet, unten links die Widmung: »Eine Gabe für den Dom des heiligen Apostels Andreas des Erstberufenen zu Gruzino von dem Wirklichen Staats-Rat Michajlo Michajlov Volynskij im Jahre 1822 am 2. Apriltage.«
32 x 26,3 cm
Inv.-Nr. ЭPO-8726
Herkunft: 1956 aus dem Zentraldepot der Paläste in der Umgebung von Leningrad; früher befand sich die Ikone im Andreas-Dom des Dorfes Gruzino, einem Besitztum des Grafen A. A. Arakčeev, im Gebiet von Novgorod
Ausstellungen: 1988 Moskau, 1000-letie russkoj chudožestvennoj kul'tury, Nr. 345; 1988 Gottorf-Wiesbaden, 1000 Jahre Russische Kunst, Nr. 345

Der Heilige ist in Ganzfigur – wohl in einer Kirche – dargestellt, in der Sarkophage zu sehen sind. Er trägt die reich verzierte Kleidung eines Fürsten und in seiner Linken ein Szepter. Oben links das dreieckige Gottes-Symbol, von dem aus drei Strahlen auf den Heiligen ausgerichtet sind.
Dargestellt ist der Fürst Michail von Tver', ein Neffe des heiligen Aleksandr von der Neva. 1272 geboren, regierte er seit 1280 das Fürstentum von Tver', wo er die Christi-Verklärungs-Kathedrale erbauen ließ. Als späterer Großfürst wurde er in die verhängnisvollen Bruderkriege zwischen den russischen Fürstentümern verwickelt. Doch konnten die Tverer unter Michail am 22. Dezember 1317 die Moskauer und Novgoroder besiegen. Unter den Gefangenen befand sich die Schwester des Tatarenkhans Uzbek, die kurz darauf in Tver' verstarb. Als der Tatarenherrscher Michail deswegen zu sich rief, ging dieser allein dorthin, um seine Krieger zu schonen. Der Khan nahm ihn zunächst gefangen und ließ ihn am 22. November 1318 zuerst fast zu Tode trampeln und dann erstechen. Erste Wunder ereigneten sich der Überlieferung nach schon bei der Überführung seines Leichnams nach Moskau. Die örtliche Verehrung begann unmittelbar danach, der Festtag des Heiligen wurde auf dem Konzil von 1549 beschlossen.

Die vorliegende Ikone gibt ein seltenes Beispiel für einen Ikonenbeschlag, der nicht von einem russischen Meister gearbeitet worden ist.
LZ/NT

Ikone »Die heiligen Aleksandr von der Neva und Nikolaus von Myra«

Eitempera auf Holz, vergoldeter Silberbeschlag [oklad] mit Ziselierung und Niello von Pavel Iv. Kudrjašov, Petersburg, nach 1820

Meisterzeichen **ПК**, Stadtzeichen Petersburg, Beschau A. I. Jasinov **AЯ** und Feingehalt 84 Zolotniki (= 14 Lot oder 875 Sterling)
54 x 43 cm
Inv.-Nr. ЭPO-9288
Herkunft: 1981 durch die Ankaufskommission der Ermitage

Meister Pavel Ivanovič Kudrjašov (1788–1872) arbeitete bis 1843 in Petersburg.
Die näheren Angaben zum heiligen Fürsten Aleksandr von der Neva, dessen Gebeine Kaiser Petr I. 1724 nach Petersburg übertragen ließ, siehe unter Kat.-Nr. 43.
Der andere dargestellte Heilige, Nikolaus von Myra, ist einer der – sowohl in der orthodoxen als auch in der abendländischen Christenheit – meistverehrten Heiligen. Trotzdem haben wir nur wenige historisch belegbare Nachrichten über ihn: Er wurde um 270 geboren. Von seinem gleichnamigen Onkel, dem Bischof von Myra in Lykien (heute Dembre südliches Kleinasien), wurde er zum Priester geweiht und zum Abt bestimmt. Nach dem Tode des Onkels wurde Nikolaus Bischof der Stadt und als solcher während der Verfolgung durch Galerius (um 310) gefoltert. Als Teilnehmer am Ersten Ökumenischen Konzil in Nikaia (325) verteidigte er die Orthodoxie gegen Areios. Im Alter von 65 Jahren soll er am Freitag, dem 6. Dezember 345/351 gestorben sein. Seine Gebeine wurden am 9. Mai 1087 von Kaufleuten in die süditalienische Stadt Bari gebracht.
Nikolaus wird in Ost und West als hilfreicher Wundertäter verehrt. Mehrere seiner Wundertaten werden bereits in den ältesten Viten überliefert, so etwa die Traumerscheinung vor Kaiser Konstantinos dem Großen. Besonders in Rußland wird Nikolaus schon sehr früh als Heiliger verehrt. Schon der erste Warägerfürst Askold (gest. 882), der zum Christentum übertrat, wurde vom Konstantinopler Patriarchen Fotios dem Großen 866 auf den Namen Nikolaus getauft. Vor allem wurde der Heilige zum Patron der Seefahrer.
LZ/NT

Ikone »Heiliger Basileios der Große« mit vergoldetem Silberbeschlag

Eitempera auf Holz; Beschlag Silber vergoldet und ziseliert von Trofim Rjabov, Petersburg, nach 1820

Meisterzeichen TP, Stadtzeichen Petersburg 1. Viertel 19. Jahrhunderts, Beschau A. I. Jašinov **AЯ** und Feingehalt 84 Zolotniki (= 14 Lot oder 875 Sterling)

Auf dem Silberbeschlag [oklad] findet sich folgende Stifterinschrift: »Dargebracht der Domkirche des heiligen Apostels Andreas des Erstberufenen in Gruzino vom Wirklichen Staatsrat Gur'ev, der in dieser Kirche begraben zu werden wünscht, im Jahre 1821, am 30. Oktobertag.«
32 x 27 cm
Inv.-Nr. ЭPO-8729
Herkunft: 1956 aus dem Zentraldepot der Paläste in der Umgebung von Leningrad; früher befand sich die Ikone im Andreas-Dom des Dorfes Gruzino, einem Besitztum des Grafen A. A. Arakčeev im Gebiet von Novgorod

Der Meister Trofim Ivanovič Rjabov arbeitete in der 1. Hälfte des 19. Jahrhunderts in Petersburg.
Dargestellt ist der heilige Basileios der Große, Erzbischof von Kaisaraia in Kappadokien, einer der bedeutenden Kirchenväter des 4. Jahrhunderts, in liturgischem Gewand mit Hirtenstab in kirchenähnlicher Architektur. Über ihm schwebt Gottvater in den Wolken. Auf einem (Altar-?) Tisch zur Linken des Dargestellten liegen die bischöfliche Mitra und ein aufgeschlagenes Buch. Da Basileios – nach den heutigen Forschungen durchaus zu Recht! – auch als Schöpfer einer der byzantinisch-orthodoxen Liturgie-Ordnungen gilt, dürfte es sich wohl um die von ihm verfaßte Agende handeln.
Er wurde 329/331 zu Kaisaraia in Kappadokien geboren, empfing 356 nach seinem Studium die Taufe und lebte anschließend als Mönch in Syrien, Palästina, Ägypten und Mesopotamien (ca. 357/58). Danach verschenkte er sein gesamtes, nicht unbeträchtliches Vermögen, um sich an den Pontus, d. h. die Nordküste Kleinasiens am Schwarzen Meer zurückzuziehen. Dort arbeitete er jene Regeln aus, die bis heute für das orthodoxe Mönchtum von grundlegender Bedeutung sind. 364 kehrte er nach Kaisaraia zurück, wurde Priester und war intensiv als Seelsorger tätig, wirkte auf sozial-karitativen Gebieten und im Bereich der Kirchenpolitik; Aktivitäten, die sich noch steigerten, als er 370 Erzbischof von Kaisaraia und Metropolit von Kappadokien wurde. Die besondere Bedeutung des

Basileios basiert jedoch vor allem auf seinen theologischen und aszetischen Schriften.

Wie schon Kat.-Nr. 270 stammt auch diese Ikone aus dem Dom im Dorf Gruzino, das 1796 von Kaiser Pavel I. dem Grafen A. A. Arakčeev geschenkt worden ist. Diese alte Kirche des heiligen Andreas des Erstberufenen wird im 14. Jahrhundert zum ersten Mal urkundlich erwähnt. Ihr Bau wurde mehrfach verändert; zum letzten Mal 1806 nach Entwürfen des Architekten F. I. Demercov. 1811 wurde sie Dom-Kirche [sobor]. LZ/NT

273 FARBTAFEL S. 340
Ikone »Gottesmutter von Kursk« mit vergoldetem Silberbeschlag

Eitemperamalerei auf Holz; Beschlag [oklad] Silber vergoldet mit Ziselierungen und Gravur, poliert, von Trofim Rjabov, Petersburg, nach 1820
Die Malerei der Ikone stammt aus dem 18. Jahrhundert.

Meisterzeichen TP, Stadtzeichen Petersburg 1. Viertel 19. Jahrhundert, Beschau A. I. Jašinov AЯ und Feingehalt 84 Zolotniki (= 14 Lot oder 875 Sterling).

Auf dem Beschlag der Ikone die Inschrift: »Der Diener Gottes Feodor Minkin starb am 31. Tage des März im Jahre 1809 und ward der Erde übergeben beim Dom des heiligen Andreas des Erstberufenen im Dorfe Gruzino.«
31 x 27,5 cm
Inv.-Nr. ЭРО-8724
Herkunft: 1956 aus dem Zentraldepot der Paläste in der Umgebung von Leningrad; früher befand sich die Ikone im Andreas-Dom des Dorfes Gruzino, einem Besitztum des Grafen A. A. Arakčeev, im Gebiet von Novgorod

Die biographischen Daten zu dem Meister des Beschlages siehe Kat.-Nr. 272.
Der in der Aufschrift erwähnte Bauer Fedor Minkin war der Vater der Nastas'ja Fedorovna Minkina, Haushälterin und langjährigen Favoritin des Grafen A. A. Arakčeev.
Die Ikone zeigt im Mittelfeld ein Bild der betenden Gottesmutter, die in Rußland häufig »Gottesmutter des Zeichens [Bogomater' Znamenie]« genannt wird. Der Überlieferung nach erschien Gläubigen das Urbild dieser Ikone erstmals am 8. September 1295 am Ufer des Flusses Tuskara unweit von Kursk. Von dort her stammt ihr Beiname und dort errichtete man ihr auch eine Kapelle, die allerdings 1383

274

von den Tataren zerstört worden ist. Auf Wunsch des Zaren Feodor Ioannovič wurde die Ikone 1597 nach Moskau gebracht, kam aber nach 1615 wieder in das neu erbaute 'Kloster des Zeichens' in Kursk, bis sie 1920 über Belgrad nach New-York kam.
Die vorliegende Ikone entstand nach dem Vorbild des als wundertätig verehrten Urbildes.
In der Randzone sieht man oben die Taube des Heiligen Geistes, in den vier Ecken die Evangelisten und rechts und links den Erzengel Michael und einen Schutzengel. LZ/NT

274
Deckelkrug, Petersburg 1796

Stadtzeichen Petersburg 1796, Beschau A3

Silber gegossen, ziseliert und vergoldet, 27,4 x 13,2 x 13,2 cm
Inv.-Nr. ЭРО-7354
Herkunft: 1941 aus dem Staatlichen Museum für Ethnographie der Völker der UdSSR, Leningrad; früher befand sich der Krug in der Sammlung der Grafen Šeremetev in Petersburg
Literatur: 25 (Nr. 112); 150 (S. 35)

Der Krug wurde 1796 dem Freiherrn A. V. Suvorov (die näheren biographischen Daten siehe Kat.-Nr. 24) von Kaiserin Ekaterina II. geschenkt, um geschehenes Unrecht wieder gut zu machen: 1789, nach dem vernichtenden Sieg bei Rîmnic über den türkischen Großvezir Jusuf-Pascha waren sämtliche Ehrungen, Auszeichnungen und Dankbezeugungen allein dem Oberkommandierenden der russischen Armeen, dem Fürsten von Taurien, Grigorij Potemkin, dem Favoriten (und möglicherweise morganatischen Gemahl) der Kaiserin zuteil geworden. Suvorov wurde in den feierlichen Oden und Kantaten, die den Sieg verherrlichten, nicht einmal erwähnt, obwohl er tatsächlich der maßgebliche Heerführer gewesen war. Erst nach fünf Jahren erhielt auch er als Auszeichnung für seine herausragenden Leistungen diesen massiven Silberkrug. Da es damals bereits Brauch geworden war, militärische Leistungen durch Titel und Orden auszuzeichnen, war in diesem Falle die Verleihung eines Ehrenpokals bereits ein Anachronismus, der an Gepflogenheiten des vorigen Jahrhunderts erinnerte. Offenbar wollte die Kaiserin damit jedoch direkt an die Bräuche Petrs I. anknüpfen, der häufig solche Trinkgefäße als Auszeichnungen verliehen hatte. In die Wölbung sind mehrfach zwei Münzen eingefügt: die eine mit dem Porträt Ekaterinas II. (von Johann Balthasar Hass), die 1769 anläßlich der Stiftung des Ordens des heiligen Georg geprägt worden ist; die andere mit dem Porträt Suvorovs (von Karl Leberecht und Johann Balthasar Hass), deren Rückseiten sich auf die Darstellung seiner Siege bei Rîmnic, Izmail, Focsani und Kinburn (1787, 1789, 1790) beziehen. Auf dem Deckel befindet sich außerdem eine Gedenkmünze zum Friedensschluß mit Schweden, auf deren Vorderseite wiederum das Porträt Ekaterinas II. (von Timofej Ivanov) und auf deren Rückseite ein Lorbeerkranz geprägt ist (von Friedrich-Wilhelm Hass). Im Boden eine weitere Gedenkmünze zum Friedensschluß mit Schweden (recto von Samojlo Judin, verso von unbekannter Hand).

KO

275 FARBTAFEL S. 341
Pokal, Petersburg 1809

Werkstatt Paul Magnus Tenner
Meisterzeichen TENNER

Silber, geschmiedet, ziseliert, vergoldet
42,5 x 20,5 x 20,5 cm
Inv.-Nr. ЭPO-4874
Herkunft: 1925 aus dem Staatlichen Archiv für Preziosen
Literatur: 25 (Nr. 212)

Die Werkstatt von Paul Magnus Tenner (? – 1819) war seit 1808 in Petersburg tätig; nach dem Tode des Meisters führte seine Frau das Unternehmen bis 1824 weiter.
Auf der Cuppa zwischen Fahnen und Trophäen die Inschrift: »Dem Grafen Pavel Andreevič Šuvalov vom I. Korps der Finländischen Armee, Umeo, im Jahre 1809, am 28. Julitag.« Dazu ein Wappen, bei dem es sich sehr wahrscheinlich um das der Stadt Umeo handelt. Der Deckel wird von einem Ritterhelm gekrönt.
Ein Andenken an den russisch-schwedischen Krieg von 1808/09, an dem P. A. Šuvalov aktiv beteiligt war. Zu den unter seinem Kommando eingenommenen Städten gehörte auch Umeo.
Graf Pavel Andreevič Šuvalov (1774–1823) nahm am Italienischen Feldzug unter A. V. Suvorov teil. 1799 wurde er zum General und zugleich zum Chef des Kürassier-Regimentes »Gluchovo« ernannt, mit dem er sich in den Kämpfen des Jahres 1807 auszeichnete. Für seine Verdienste im russisch-schwedischen Krieg wurde er zum General-Leutnant befördert. Šuvalov nahm ebenfalls am Vaterländischen Krieg von 1812 und an den anschließenden Feldzügen im Ausland teil. 1814 eskortierte er auf Befehl des alliierten Oberkommandos die französische Kaiserin Marie-Louise nach Rambouillet und den Ex-Kaiser Napoleon von Fontainbleau zu seiner Einschiffung nach Elba. Šuvalov war Ritter zahlreicher russischer und ausländischer Orden.

KO

276 FARBTAFEL S. 342
Säule mit der Büste des Generals N. M. Kamenskij

Werkstatt von Paul Magnus Tenner, nach einem Entwurf von F. I. Hattenberger, Petersburg, um 1809

Silber gegossen, ziseliert, graviert und vergoldet
87 x 30 x 30 cm
Inv.-Nr. ЭPO-7056
Herkunft: Alter Bestand der Sammlung der Staatlichen Ermitage, Leningrad
Literatur: 25 (Nr. 120); 98 (S. 81, Nr. 13)

Auf dem Sockel die Inschrift: »Von den Offizieren des Korps zu Umeo dem General Graf Nikolaj Michajlovič Kamenskij«; dazu die Ortsnamen der Schlachten des russisch-schwedischen Krieges von 1808/09, an denen Kamenskij beteiligt war: Sefar, Ratan, Orovajs und Kuortal. Zu Paul Magnus Tenner siehe Kat.-Nr. 275.
Franz Hattenberger [Franc Ivanovič Gattenberger] war Universitäts-Professor in Genf. In den 80er Jahren des 18. Jahrhunderts kam er

nach Rußland, war dort 1802 wesentlich an der Reorganisation der Kaiserlichen Porzellan-Fabrik beteiligt und bis 1806 ihr Direktor. Als ausgezeichneter Zeichner hat er zahlreiche Entwürfe für Bronze-, Gold- und Silberarbeiten angefertigt, so beispielsweise für Kaminuhren, Vasen, Geräte zum Tischschmuck und Skulpturgruppen. Seine Zeichnungen sind höchst authentische Zeugnisse des Empire. Nicht nur in staatlichen, sondern auch in privaten Werkstätten wurden sie als begehrte Vorlagen benutzt. General Graf Nikolaj Michajlovič Kamenskij (1776–1811) war Teilnehmer am Italienischen Feldzug unter dem Kommando von A. V. Suvorov und an den Kriegen gegen Napoleon in den Jahren 1805–1807. Eine wichtige Rolle spielte er im russisch-schwedischen Krieg von 1808/09. Für seine damaligen Verdienste wurde er mit den Orden des heiligen Aleksandr von der Neva und des heiligen Georg 2. Klasse ausgezeichnet. Im Februar 1810 wurde er zum Kommandierenden der Donau-Armee ernannt.

KO

277 FARBTAFELN S. 344, 345
Liturgische Geräte aus der Feldkirche Kaiser Aleksandrs I.

Werkstatt von A. Hedlund, Petersburg, um 1812

Meisterzeichen Hedlund und A. L., Stadtzeichen Petersburg, Beschau A. I. Jašinov АЯ und Feingehalt 84 Zolotniki (= 14 Lot oder 875 Sterling)
Silber gegossen, ziseliert, graviert, modelliert, vergoldet und teilweise emailliert
Inv.-Nr. ЭPO-8765–8778
Herkunft: 1956 aus dem Zentraldepot der Paläste in der Umgebung von Leningrad; bis 1941 befanden sich die Geräte im Aleksandr-Palast in Carskoe Selo (heute: Puškin)

Meister Axel Hedlund (1764–1833) arbeitete seit 1799 in Petersburg, 1816 wurde er Beschaumeister und hat zahlreiche Aufträge für den Hof ausgeführt. Sie entstanden nach Entwürfen von A. N. Voronichin (1759–1814), des Erbauers des Kazaner Domes (nähere biographische Daten zu ihm siehe Kat.-Nr. 73).
Gezeigt wird die vollständige Ausstattung einer Feldkirche, die aus folgenden Gerätschaften besteht: das Altarevangeliar (mit Emailmalereien, die auf der Vorderseite des Buchdeckels die Auferstehung Christi und die vier Evangelisten zeigen); das Altarkreuz (mit Emailmalereien, die

außer dem Gekreuzigten oben Gottvater, zu beiden Seiten die Gottesmutter und den Evangelisten Johannes sowie unten die Leidenswerkzeuge zeigen); der Kelch, die Brotschale [diskos], der Sternbogen [zvezdica]; eine weitere Schale; zwei kleinere Teller; ein Schöpfgefäß für das nach orthodoxem Ritus der Kommunion zugefügte heiße Wasser; ein Gabenbehälter; ein Löffel für die Kommunionausteilung und zwei kleine Lanzen zum Schneiden des eucharistischen Brotes.

Alle Gegenstände sind mit christlichen Symbolen – meistens mit dem Kreuz – verziert. Aufbewahrt und transportiert werden sie in einem hölzernen Koffer, der mit Samt ausgeschlagen und mit Tragegriffen versehen ist. Diese Feldkirchen-Geräte haben den Kaiser Aleksandr I. bei allen seinen Feldzügen begleitet und waren auch 1814 mit ihm in Paris. Später wurden sie im Winter- bzw. im Aleksandr-Palast aufbewahrt.   KO

279

278   FARBTAFEL S. 343
Prunkteller

Werkstatt von F.-J. Kolb, Petersburg, 1817

Meisterzeichen Kolb, Stadtzeichen Petersburg 1. Viertel 19. Jahrhundert, Beschau A. I. Jašinov АЯ und Feingehalt 84 Zolotniki (= 14 Lot oder 875 Sterling)
Silber gegossen, ziseliert, graviert, modelliert, vergoldet, Durchmesser 63 cm
Inv.-Nr. ЭРО-5420
Herkunft: Alter Bestand der Sammlung der Staatlichen Ermitage, Leningrad

Meister Friedrich Joseph Kolb, ein geborener Bayer, arbeitete von 1808 bis 1826 in Petersburg.
Auf dem Rand des Tellers vier Ansichten der Stadt Taganrog und dazwischen Poseidon, Demeter, Zeus und Athena. In der Mitte in einem Stern das Emblem Kaiser Aleksandrs I. und darum die Inschrift: »Im Jahre Eintausend Achthundert Siebenzehn hat die Griechische Gemeinde von Taganrog das Glück, alleruntertänigst dies Eurer Kaiserlichen Majestät darzubringen.«
Kaiser Aleksandr I. hatte eine besondere Vorliebe für die Stadt Taganrog am Nordrand des Schwarzen Meeres, die er mehrfach besucht hat und in der er am 19. November 1825 gestorben ist. Bei einem seiner Besuche wurde ihm dieser Teller mit Brot und Salz – der alt-russische Willkomm-Gruß – von der griechischen Gemeinde der Stadt überreicht. (Schon in der Antike siedelten sich griechische Kolonisten in dieser Gegend an.)   LZ

279
Salzfaß mit Deckel

Werkstatt von S. Eberlein, Petersburg, 1826

Meisterzeichen Eberlein und SE, Stadtzeichen Petersburg, Beschau M. M. Karpinskij 1826 und Feingehalt 84 Zolotniki (= 14 Lot oder 875 Sterling)
Dazu im Boden eingraviert: I H
Silber gegossen, ziseliert, vergoldet,
13,8 x 10,3 x 10,3 cm
Inv.-Nr. ЭРО-4761, 4769 b

Herkunft: Alter Bestand der Sammlung der Staatlichen Ermitage, Leningrad
Literatur: 25 (Nr. 141, 142 Deckel); Opisi serebra Dvora Ego Imperatorskogo Veličestva, Sankt-Petersburg (S. 395, 296). (In der Literatur wurde der Deckel häufig mit einem anderen Salzfaß gezeigt, das sich ebenfalls in der Sammlung der Ermitage befindet, jedoch von dem Silberschmied K.-A. Jantzen angefertigt worden ist.)

Samuel Eberlein (1780– ?) arbeitete im ersten Drittel des 19. Jahrhunderts in Petersburg.

Das Salzgefäß wurde Kaiser Nikolaj I. bei seiner Krönung, als traditioneller russischer Willkomm-Gruß mit Brot und Salz gereicht. (Daher das Monogramm des Kaisers auf dem Gefäß.) Es dürfte also 1826 entstanden und schon damals in den Winterpalast gekommen sein.　　　KO

280　　　FARBTAFEL S. 346
Terrine

Werkstatt von P. M. Tenner, Petersburg, nach 1820

Meisterzeichen TENNER, Stadtzeichen Petersburg, Beschau A. I. Jašinov АЯ und Feingehalt 84 Zolotniki (= 14 Lot oder 875 Sterling) Silber gegossen, ziseliert, poliert, 49 x 32 x 40 cm
Inv.-Nr. ЭPO-4828
Herkunft: 1941 aus dem Staatlichen Museum für Ethnographie der Völker der UdSSR, Leningrad; früher befand sich die Terrine in der Sammlung der Fürsten Jusupov in Petersburg
Literatur: 25 (Nr. 143)

Die Werkstatt von Paul Magnus Tenner (? – 1819) arbeitete seit 1808 in Petersburg; nach dem Tode des Meisters leitete seine Witwe den Betrieb bis 1824.

Die Terrine gehört zu einem großen Prunk-Service, das anläßlich der Hochzeit des Kaiserlichen Hofmeisters, Fürst Boris Nikolaevič Jusupov (1794–1849), mit Zinaida Ivanovna Naryškina (1809–1893), angefertigt wurde. Sie fand am 19. Januar 1825 statt.

Den Deckel krönt eine verkleinerte Kopie der berühmten Skulptur »Amor und Psyche« von Antonio Canova (1757–1822). Eine ihrer beiden Fassungen, heute in der Ermitage, befand sich früher in der Sammlung der Fürsten Jusupov.　　　LZ

281　　　FARBTAFEL S. 347
Saucière

Werkstatt von P. M. Tenner, Petersburg, nach 1820

Meisterzeichen TENNER, Stadtzeichen Petersburg, Beschau A. I. Jašinov АЯ und Feingehalt 84 Zolotniki (= 14 Lot oder 875 Sterling) Silber gegossen und geschmiedet, ziseliert, graviert und vergoldet, 16 x 22,5 x 14 cm
Inv.-Nr. ЭPO-4827
Herkunft: 1941 aus dem Staatlichen Museum für Ethnographie der Völker der UdSSR, Leningrad; früher befand sich die Saucière in der Sammlung der Fürsten Jusupov in Petersburg
Literatur: 25 (Nr. 140)　　　LZ

282

282
Kanne

A. Chr. Ywersen, Petersburg, 1829

Meisterzeichen YWERSEN, Stadtzeichen Petersburg, Beschau M. M. Karpinskij MK 1829 Silber gegossen, ziseliert, graviert, 33 x 15 x 13 cm
Inv.-Nr. ЭPO-4823

Herkunft: Alter Bestand der Sammlung der Staatlichen Ermitage, Leningrad
Literatur: 25 (Nr. 147)

Meister Anton Christian Ywersen ist durch Werke aus der Zeit von 1816 bis in die 30er Jahre des 19. Jahrhunderts in Petersburg nachgewiesen.　　　LZ

283

283
Flaschenkühler mit schwanenförmigen Henkeln

H. F. Stang, Petersburg, nach 1820

Meisterzeichen STANG, Stadtzeichen Petersburg 1. Viertel 19. Jahrhundert, Beschau A. I. Jašinov **АЯ** und Feingehalt 84 Zolotniki (= 14 Lot oder 875 Sterling)
Silber gegossen, ziseliert, modelliert,
29,3 x 26 x 17,7 cm
Inv.-Nr. ЭРО-4835 ab
Herkunft: 1941 aus dem Staatlichen Museum für Ethnographie der Völker der UdSSR, Leningrad
Literatur: 25 (Nr. 141)

Meister Hard Ferdinand Stang (1780–1821) arbeitete seit 1806 in Petersburg.
Der Flaschenkühler gehört zu einem Prunkservice. Der heutige innere Einsatz wurde am Anfang des 20. Jahrhunderts von der Firma Fabergé gearbeitet. KO

284
Ein Paar Leuchter als Hermen gestaltet

I. D. Tideman, Petersburg, nach 1820

Meisterzeichen TIDEMAN, Stadtzeichen Petersburg 1. Viertel 19. Jahrhundert, Beschau A. I. Jašinov **АЯ** und Feingehalt 84 Zolotniki (= 14 Lot oder 875 Sterling)
Silber gegossen, ziseliert, poliert,
26,8 x 10,1 x 10,1 cm
Inv.-Nr. ЭРО-4864 ab, 4865 ab
Herkunft: Alter Bestand der Sammlung der Staatlichen Ermitage, Leningrad
Ausstellungen: 1975 Leningrad, Nr. 174

Meister Ivan Dietrich Tideman (1775–1818) arbeitete seit 1805 in Petersburg.
Auf dem Fuß die Aufschrift »Zarensohn-Thronfolger [cesarevič]« und die Initialen AH unter der kaiserlichen Krone. Die Leuchter gehörten also dem Großfürsten Aleksandr Nikolaevič (1818–1881), dem Sohn Kaiser Nikolaj I. und späteren Kaiser Aleksandr II. LZ

284

285

286

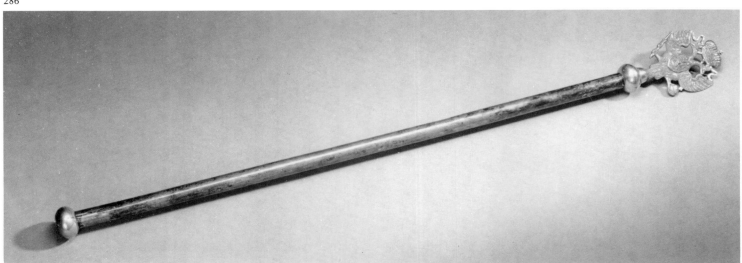

285

Ein Paar Leuchter als Schwäne gestaltet

a

Alexander Henrich Bole, 1. Drittel des 19. Jahrhunderts

Meisterzeichen AHB, Stadtzeichen Petersburg 1. Viertel 19. Jahrhundert, Beschau A. I. Jašinov АЯ und Feingehalt 84 Zolotniki (= 14 Lot oder 875 Sterling)
Silber gegossen, ziseliert, poliert,
14,1 x 19,3 x 8,4 cm
Inv.-Nr. ЭРО-4837

Meister Alexander Henrich Bole (1807–1869) arbeitete bis 1832 in Petersburg.

b

Hard Ferdinand Stang, Petersburg, nach 1820

Meisterzeichen STANG, Stadtzeichen Petersburg 1. Viertel 19. Jahrhundert, Beschau A. I. Jašinov АЯ und Feingehalt 84 Zolotniki (= 14 Lot oder 875 Sterling)
Silber gegossen, ziseliert, poliert,
13,2 x 19,8 x 8 cm
Inv.-Nr. ЭРО-4838
Herkunft: Alter Bestand der Sammlung der Staatlichen Ermitage, Leningrad
Ausstellungen: 1975 Leningrad, Nr. 166

Das Pendant zu dem unter Kat.-Nr. 285 a aufgeführten Leuchter wurde von Hard Ferdinand Stang (1780–1821) gearbeitet, der seit 1806 in Petersburg arbeitete.　　KO

286

Heroldsstab, 1. Drittel des 19. Jahrhunderts

Silber gegossen, ziseliert, vergoldet,
93,5 x 9 cm
Inv.-Nr. ЭРО-7008
Herkunft: 1941 aus dem Staatlichen Museum für Ethnographie der Völker der UdSSR, Leningrad; früher befand sich der Stab im Wappenmuseum der Leningrader Abteilung des Zentralen Historischen Archivs

Herolde gab es in Westeuropa seit dem Mittelalter an den Königshöfen und den Residenzen anderer Feudalherrscher. Bis ins 13. Jahrhundert hatten sie vor allem das Erscheinen ihrer Herren anzukündigen, danach Entscheidungen und Erlasse der Regierung auszurufen, an den Hofzeremonien teilzunehmen, Turniere zu leiten und die Wappen und Wappenlisten zu verwalten. Seit dem 18. Jahrhundert bezeichnete das Wort »Herold« eine Person, die speziell für feierliche Ankündigungen wichtiger Ereignisse, oder als Mitwirkende bei besonderen Hofzeremonien – z. B. bei Krönungen – bestellt wurden. Während in Rußland noch im Mittelalter Herolde keine Rolle spielten, traten sie nun auch hier nach westeuropäischem Vorbild – vor allem bei Krönungsfeierlichkeiten – in Aktion. Vermutlich hat einer von ihnen mit dem ausgestellten Stab, den oben der doppelköpfige Adler, das Staatswappen des Rußländischen Reiches, ziert, bei der Krönung Kaiser Nikolaj I. mitgewirkt.　　KO

287　　FARBTAFEL S. 348

Pokal

Monogrammist »AK«, Moskau, 1836

Meisterzeichen AK; Stadtzeichen Moskau, Beschau N. L. Dubrovon НД 1836 und Feingehalt 84 Zolotniki (= 14 Lot oder 875 Sterling)
Silber gegossen, mit Niello, ziseliert, graviert, vergoldet, 21,2 x 7,6 x 8 cm
Inv.-Nr. ЭРО-9018
Herkunft: 1971 aus dem Nachlaß von Professor S. T. Pavlov, Leningrad
Ausstellungen: 1986 Lugano, Nr. 113
Literatur: 24 (S. 93–94); 25 (Nr. 161)

Auf der einen Seite der Cuppa im Medaillon das Denkmal für Kaiser Petr I., der »Eherne Reiter«, und auf der anderen Seite Waffen.
Im zweiten Viertel des 19. Jahrhunderts begannen die Moskauer Silberschmiede, darunter auch der Monogrammist »AK« (der zwischen 1830 und etwa 1865 in Moskau arbeitete), ihre Erzeugnisse mit Ansichten von Petersburg – vor allem in Niello-Technik – zu schmücken. Vergleichbare Ansichten von Moskau gibt es erst seit den 80er Jahren des 19. Jahrhunderts.　　KO

288　　FARBTAFEL S. 348

Becher

Monogrammist »AK«, Moskau, 1838

Meisterzeichen AK, Stadtzeichen Moskau, Beschau N. L. Dubrovin НД Feingehalt 84 Zolotniki (= 14 Lot oder 875 Sterling)
Silber mit Niello, ziseliert, graviert, vergoldet,
10 x 8,5 x 6,4 cm
Inv.-Nr. ЭРО-9019
Herkunft: 1971 aus dem Nachlaß von Professor S. T. Pavlov, Leningrad
Ausstellungen: 1986 Lugano, Nr. 114
Literatur: 24 (S. 93); 25 (Nr. 161)

Auf der einen Seite der Cuppa im Medaillon das Denkmal für Kaiser Petr I., der »Eherne Reiter«, auf der anderen der Schloßplatz.　　KO

289　　FARBTAFEL S. 348

Pokal mit Deckel

Monogrammist »AK«, Moskau, 1840

Meisterzeichen AK, Stadtzeichen Moskau, Beschau N. L. Dubrovon НД und Feingehalt 84 Zolotniki (= 14 Lot oder 875 Sterling)
Silber mit Niello, ziseliert, graviert, vergoldet,
26,7 x 8,5 x 8,5 cm
Inv.-Nr. ЭРО-4781 ab
Herkunft: Alter Bestand der Sammlung der Staatlichen Ermitage, Leningrad
Ausstellungen: 1981 Köln, Nr. 141
Literatur: 25 (Nr. 127)

Auf der einen Seite der Cuppa im Medaillon das Denkmal für Kaiser Petr I., der »Eherne Reiter«, auf der anderen der Schloßplatz.　　KO

290   FARBTAFEL S. 365
Miniatur-Tabaksdose

mit einer Blumenvase verziert, Tula, um 1800

Stahl, Bronze, vergoldet, poliert und Buntmetall-Tauschierung, 1,2 x 4,4 x 2,5 cm
Inv.-Nr. ЭPM-2319
Herkunft: 1941 aus dem Staatlichen Museum für Ethnographie der Völker der UdSSR, Leningrad; früher befand sich das Objekt in der Sammlung des Kunstmäzens F. M. Pljuškin, Pskov
Ausstellungen: 1987 Leningrad-Moskau, Nr. 512

Tula ist von alters her ein Zentrum der Waffenproduktion Rußlands. Ende des 18. und Anfang des 19. Jahrhunderts begannen die Meister der staatlichen und der privaten Waffenschmieden in ihrer Freizeit Gegenstände für das tägliche Leben aus Stahl mit künstlerisch gestaltetem Bronzezierrat zu arbeiten. Auf diese Weise entstanden die verschiedensten Objekte, wie etwa Möbel, Jagdwaffen, Samoware, Lampen, Leuchter, Schatullen, Schreibutensilien oder Siegel sowie Schnallen, Knöpfe und andere Accessoires.
Dabei entwickelte man besondere Eigenschaften, die seitdem für die Kunstschmiede in Tula charakteristisch sind: vor allem die Wirkung des brünierten Stahls und seine Verbindungen mit vergoldeter Bronze, seine strenge Facettierung und insgesamt seine meisterhaft präzise Verarbeitung.   MM

291
Weinfontäne

in Gestalt einer hohen flachen Vase mit zwei symmetrischen Henkeln und Zapfhahn; graviertes Ornament aus Girlanden, Bändern, Draperien und Medaillons
Petersburg, Ende 18. Anfang 19. Jahrhundert (nach einem englischen Vorbild)

Kupfer versilbert, 55 x 24,5 x 26 cm
Inv.-Nr. ЭPM-2231
Herkunft: 1941 aus dem Staatlichen Museum für Ethnographie der Völker der UdSSR, Leningrad; früher befand sich das Objekt in der Sammlung der Grafen Stroganov in Petersburg
Ausstellungen: 1976 Leningrad, Russkie samovary, Nr. 21   MM

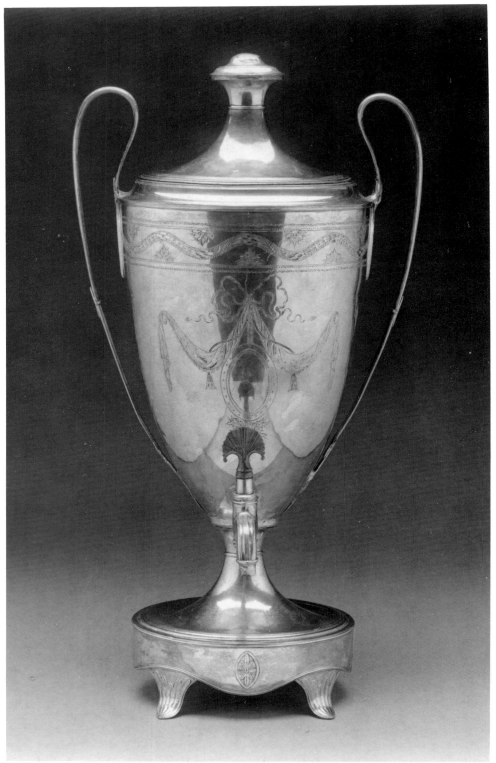

291

292   FARBTAFEL S. 365

Ständer mit Garnrollen

bogenförmig abgeschlossenes Gestell mit drei Spulen auf rechteckigem Kästchen mit Schubladen; mit zwei kleinen Vasen, Stahl-»Diamanten«, Rosetten und Lorbeerkränzen besetzt, Tula, um 1800

Stahl, Kupfer, vergoldet, poliert und bruniert, 25,5 x 17 x 10,5 cm
Inv.-Nr. ЭРМ-2183
Herkunft: 1949 aus der Sammlung Bačmanov, Petersburg
Ausstellungen: 1981 Leningrad, Chodužestvennyj metall, Nr. 97
Literatur: 106 (S. 165, Abb. 84)   MM

293   FARBTAFEL S. 366

Samowar

mit zwei symmetrischen Henkeln und schlankem Fußgestell mit Löwenpranken und Palmetten; eingraviertes Ornament aus Schilden und Pflanzen, Tula, Anfang 19. Jahrhundert

Kupfer gegossen, ziseliert und graviert, 68 x 33 x 33 cm
Inv.-Nr. ЭРМ-2236
Herkunft: 1941 aus dem Staatlichen Museum für Ethnographie der Völker der UdSSR, Leningrad
Ausstellungen: 1976 Leningrad, Russkie samovary, Nr. 23

Das Teetrinken wurde im Rußland des 18. Jahrhunderts zunächst beim Adel üblich, erlangte aber im 19. Jahrhundert auch in anderen Gesellschaftskreisen immer weitere Verbreitung. Bald übernahm der Samowar bei der einfachen Bevölkerung die Funktion des häuslichen Herdfeuers; wie bislang um dieses, versammelte sich jetzt die ganze Familie um ihn.
Zum wichtigsten Zentrum der russischen Samowar-Herstellung wurde die altrussische Stadt Tula und blieb dies bis heute. Jahr für Jahr kommen von dort mehrere Millionen Samoware in den Handel, sowohl für traditionelles Holzkohlenfeuer als auch für elektrischer Beheizung.   MM

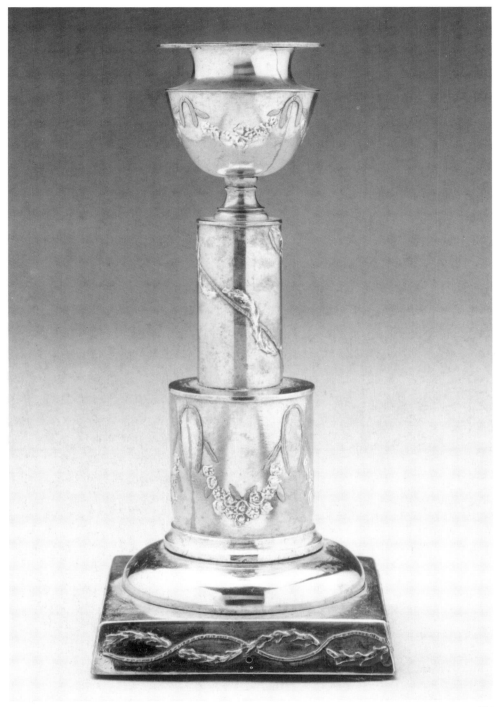

294

294   FARBTAFEL S. 331

Ein Paar Kerzenleuchter

vasenförmiger Kopf auf gestufter Säule über quadratischer Plinthe mit Blumenfestons und vegetabilen Ranken verziert, Tula, 1. Hälfte des 19. Jahrhunderts

Stahl, Kupfer, poliert und Buntmetalltauschierung, 17 x 8 x 8 cm
Inv.-Nr. ЭРМ-2465–2466
Herkunft: 1941 aus dem Staatlichen Museum für Ethnographie der Völker der UdSSR, Leningrad
Ausstellungen: 1975 Leningrad, Nr. 207   MM

Arbeiten aus Stahl und Bronze

296

Ein Paar Rauchbecken

Glasgefäße in Dreifüßen mit Löwenpranken, Löwenmasken und durchbrochenem Deckel, Petersburg, 1. Viertel 19. Jahrhundert

Bronze, vergoldet mit gläsernem Einsatz, 31,5 x 17,5 x 17,5 cm
Inv.-Nr. ЭРМ-340, 341
Herkunft: 1941 aus dem Staatlichen Museum für Ethnographie der Völker der UdSSR, Leningrad

Der Brauch der Räucherwaren und Duftspender kam aus dem Orient nach Europa. In Metallschalen wurden aromatische Harze verbrannt, in Glas- oder Keramikgefäßen wohlriechende Blumen bereitgestellt.   MM

296
Ein Paar Kerzenleuchter

säulenförmig, oben kanelliert und unten mit Weinranken und Akanthusblättern geschmückt, auf runder ornamentierter Basis, Petersburg (?), 1. Viertel 19. Jahrhundert

Bronze vergoldet, 30 x 14,5 x 14,5 cm
Inv.-Nr. ЭРМ-138, 139
Herkunft: 1941 aus dem Staatlichen Museum für Ethnographie der Völker der UdSSR, Leningrad   MM

297
Ein Paar dreiarmige Kandelaber

gehalten von einer knienden geflügelten männlichen Figur auf niedriger kannelierter Säulentrommel über quadratischer Plinthe, Petersburg, 1. Viertel 19. Jahrhundert

Bronze teilweise vergoldet und patiniert, 72 x 27 x 22 cm
Inv.-Nr. ЭРМ-151, 152
Herkunft: 1941 aus dem Staatlichen Museum für Ethnographie der Völker der UdSSR, Leningrad
Ausstellungen: 1975 Leningrad, Nr. 264

Die Trägerfiguren stellen – jeweils als Personifikationen der Zeit – den geflügelten Chronos dar.   MM

297

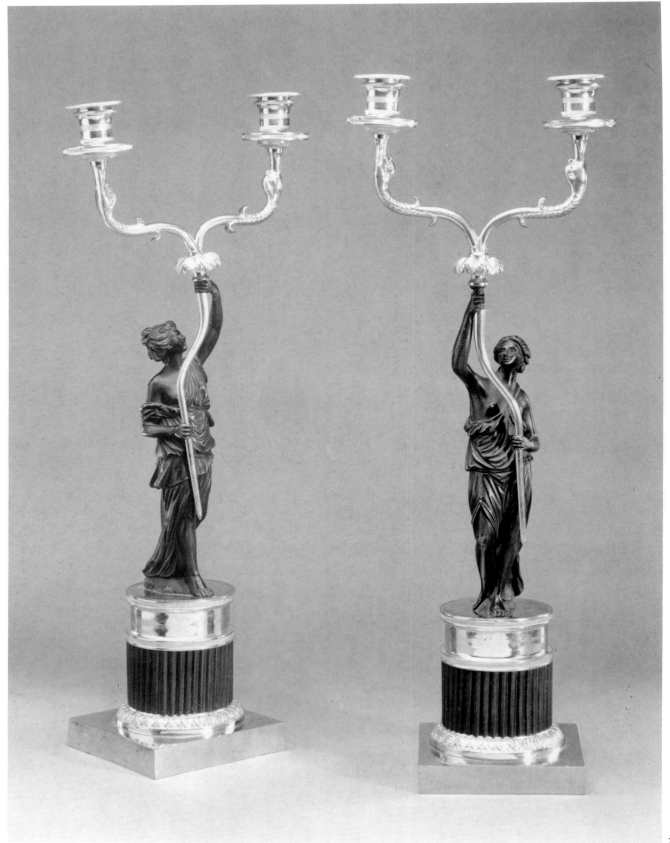

298
Ein Paar zweiarmige Kandelaber

getragen von einer weiblichen Figur auf niedriger kannelierter Säulentrommel über quadratischer Plinthe, Petersburg, 2. Viertel 19. Jahrhundert

Bronze teilweise vergoldet und patiniert, 50 x 20 x 12 cm
Inv.-Nr. ЭРМ-154, 153
Herkunft: 1941 aus dem Staatlichen Museum für Ethnographie der Völker der UdSSR, Leningrad
MM

299   FARBTAFEL S. 369
Ein Paar Vasen

in Form eines Kraters mit zwei symmetrischen vegetabilen Henkeln (Akantus) und Zierborten auf ornamentierter Säule über quadratischer Plinthe, Petersburg (?), 1. Viertel 19. Jahrhundert

Bronze vergoldet, 52,5 x 12 x 9 cm
Inv.-Nr. ЭРМ-344, 345
Herkunft: 1941 aus dem Staatlichen Museum für Ethnographie der Völker der UdSSR, Leningrad; früher befand sich das Objekt in der Sammlung N. N. Kokšarov, Petersburg
MM

300   FARBTAFELN XVII UND S. 367
Ein Paar Vasen

in Form einer Lekythos mit zwei symmetrischen vegetabilen Henkeln, zwei plastischen Greifen-Figuren sowie reichen ornamentalen Bronze-Applikken über quadratischem Sockel, Petersburg (?), 1. Viertel 19. Jahrhundert

Bronze teilweise vergoldet, patiniert auf einem Fuß aus rotem Marmor, 52 x 18 x 11 cm
Inv.-Nr. ЭРМ-334, 335
Herkunft: 1941 aus dem Staatlichen Museum für Ethnographie der Völker der UdSSR, Leningrad; früher befand sich das Objekt in der Sammlung N. N. Kokšarov, Petersburg
MM

301
Schale

auf vegetabil geformtem Dreifuß mit Löwenklauen, Petersburg (?), 1. Viertel 19. Jahrhundert

Bronze vergoldet, 24,5 x 17,5 x 17,5 cm
Inv.-Nr. ЭРМ-352
Herkunft: 1941 aus dem Staatlichen Museum für Ethnographie der Völker der UdSSR, Leningrad; früher befand sich das Objekt in der Sammlung N. N. Kokšarov, Petersburg
MM

301

302   FARBTAFEL S. 370
Ovale Schale

mit applizierten Ornamenten aus Putten und geflügelten Löwen, Griffe in Form von Widderhäuptern, auf gestuftem Fuß, Petersburg, 1. Viertel 19. Jahrhundert

Bronze teilweise vergoldet, ziseliert, patiniert, 21 x 37,5 x 29 cm
Inv.-Nr. ЭРМ-347

Herkunft: 1941 aus dem Staatlichen Museum für Ethnographie der Völker der UdSSR, Leningrad; früher befand sich das Objekt in der Sammlung des Mäzens F. M. Pljuškin, Pskov
Ausstellungen: 1981 Leningrad, Chodužestvennyj metall, Nr. 333
MM

303

Aleksej Petrovič Ermolov (1777–1861) war nicht nur ein bedeutender Militär (vor allem bei der Artillerie), sondern auch einer der populärsten Männer seiner Zeit. Er begann seinen Militärdienst im Jahre 1794 unter dem Kommando A. V. Suvorovs, von dem er auch zum ersten Mal für seine Tapferkeit ausgezeichnet wurde. Unter Kaiser Pavel I. fiel er jedoch in Ungnade, wurde verhaftet und später nach Kostroma verbannt. Nach dem Tode Pavels kehrte er in den Armee-Dienst zurück, nahm 1805–1807 an den Kämpfen gegen die Franzosen teil und erhielt dabei jeweils hohe Auszeichnungen. Große Popularität erlangte Ermolov während des Vaterländischen Krieges von 1812 und der anschließenden Feldzüge in Mittel- und Westeuropa. Bei der Einnahme von Paris kommandierte er das Grenadier-Korps. 1816 wurde er zum Oberkommandierenden der russischen Truppen in Georgien ernannt. 1818 erhielt er den Rang eines Generals der Artillerie. 1827 schied er aus dem aktiven Dienst aus und zog nach Moskau. 1831 ernannte ihn Kaiser Nikolaj I. jedoch zum Mitglied des Staatsrates. Vermutlich entstand das ausgestellte Relief zu diesem Anlaß.　　MM

304

303
Schreibgarnitur

Geflügelte weibliche Figur mit einer Vase für Tinte und Streusand in ihren Händen auf rechteckigem gestuftem Fuß, Petersburg, 1. Viertel 19. Jahrhundert

Bronze teilweise vergoldet, patiniert, mit hölzerner Fußplatte, 31 x 31,5 x 11,5 cm
Inv.-Nr. ЭРМ-521
Herkunft: 1941 aus dem Staatlichen Museum für Ethnographie der Völker der UdSSR, Leningrad; früher befand sich das Objekt in der Sammlung von N. N. Kokšarov, Petersburg
Ausstellungen: 1981 Leningrad, Chodužestvennyj metall, Nr. 334　　MM

304
Basrelief

mit dem Brustbild Generals A. P. Ermolov im Profil; unter dem Porträt Helm mit Lorbeer über einem Gedenkstein mit der Jahreszahl »1831«; vergoldeter Rahmen, Petersburg, 1831

Bronze teilweise vergoldet, patiniert, 15,3 x 9,8 x 0,5 cm
Inv.-Nr. ЭРМ-3954
Herkunft: 1941 aus dem Staatlichen Museum für Ethnographie der Völker der UdSSR, Leningrad; früher befand sich das Objekt in der Sammlung des Mäzens F. M. Pljuškin, Pskov

Arbeiten aus Stahl und Bronze

Ständer mit Garnrollen, um 1800. Kat.-Nr. 292; Miniatur-Tabaksdose, um 1800. Kat.-Nr. 290; Umschlagtuch, um 1800. Kat.-Nr. 412

Samowar, Anfang 19. Jahrhundert. Kat.-Nr. 293

Ein Paar Vasen, 1. Viertel 19. Jahrhundert. Kat.-Nr. 300

Ein Paar Rauchbecken, 1. Viertel 19. Jahrhundert. Kat.-Nr. 295

368

Ein Paar Vasen, 1. Viertel 19. Jahrhundert. Kat.-Nr. 299

Ovale Schale, 1. Viertel 19. Jahrhundert. Kat.-Nr. 302

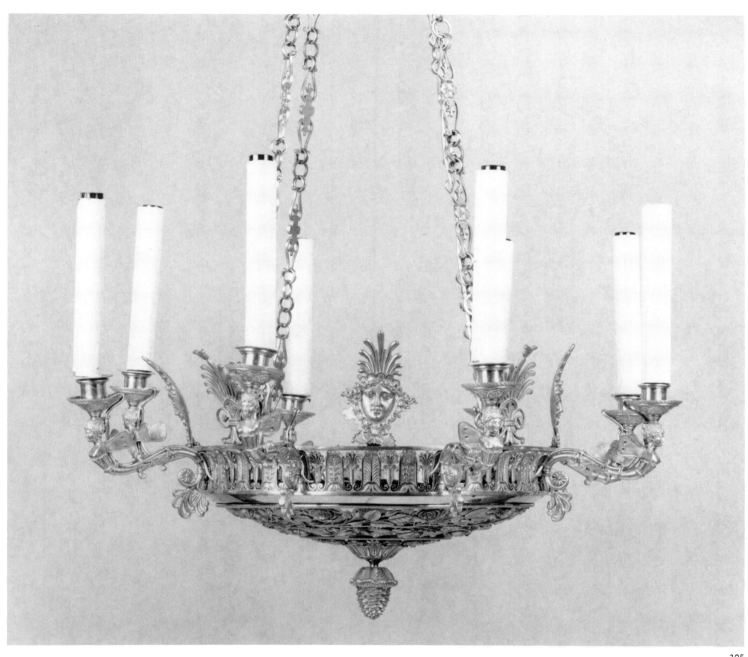

305

305
Decken-Leuchter

für acht Kerzen auf durchbrochener Schale, mit Rosenkränzen, Palmetten und Masken (abwechselnd das Haupt der Medusa und das Antlitz der Psyche) verziert; aufgehängt an vier Ketten, Petersburg, 1. Hälfte 19. Jahrhundert (nach einer Zeichnung von K. I. Rossi)

Bronze ziseliert und vergoldet, 125 x 66 x 66 cm
Inv.-Nr. ЭРМ-8294

Herkunft: 1985 erworben durch die Ankauf-Kommission der Staatlichen Ermitage, Leningrad
Ausstellungen: 1981 Leningrad, Chodužestvennyj metall, Nr. 331
Literatur: 198 (S. 31, Abb. 221–223)

Carlo [Karl Ivanovič] Rossi (1775–1849) war als Architekt der Schöpfer zahlreicher bedeutender Bauwerke und Gebäudeensembles in Petersburg. Mit ihnen hat er sich als herausragender Repräsentant des ausgereiften russischen Klassizismus erwiesen. Er war aber nicht nur als Baumeister, sondern auch als ebenso bedeutender Innenarchitekt tätig. Er arbeitete dabei mit Bildhauern, Dekorateuren oder Schnitzern zusammen, die nach seinen Entwürfen Möbelgarnituren, Lüster und Kandelaber, Vasen, Kamine und zahlreiche andere Einrichtungsgegenstände schufen.   MM

306

Ein Paar Kandelaber

mit der Figur der Siegesgöttin Nike
Paris, 1. Viertel 19. Jahrhundert

Bronze vergoldet und grüner Marmor,
82 x 25 x 25 cm
Inv.-Nr. Э-657, 658
Herkunft: aus dem Winterpalast nach 1917
Ausstellungen: 1984 Leningrad, Dekorativnaja
bronza P'era Filippa Tomira, Nr. 18, 118, 122

Das Modell für die Kandelaber stammt von
dem Franzosen Pierre Philippe Thomire (1751–
1843). Gegossen wurden sie aber vermutlich in
Petersburg.   JJZ

307

Ein Paar Vasen

mit der Figur einer geflügelten Sirene
Paris, 1. Viertel 19. Jahrhundert

Bronze vergoldet und grüner Marmor,
51 x 10 x 10 cm
Inv.-Nr. Э-590, 591
Herkunft: aus dem Winterpalast nach 1917
Ausstellungen: 1911 Petersburg, S. 262

Wohl nach einem französischen Modell vom
Ende des 18. Jahrhunderts, das jedoch vermutlich in Petersburg gegossen wurde.   JJZ

306

307

Pendule mit Schlagwerk, nach 1790. Kat.-Nr. 308

309

308   FARBTAFEL S. 373
Pendule

mit Schlagwerk

A. F. Gladkoj, Petersburg, nach 1790

Hölzerner Uhrenkasten mit rotem Holz furniert; Bronze- und Messingteile, gegossen, ziseliert und vergoldet; Werk aus Kupferlegierungen und Stahl; Zifferblatt emailliert und verglast, 34,5 x 24 x 18,7 cm
Auf dem Zifferblatt die Aufschrift: »A. Gladkoj. S. Petersburg«
Inv.-Nr. ЭРТх-1503
Herkunft: 1941 aus dem Staatlichen Museum für Ethnographie der Völker der UdSSR, Leningrad
Literatur: 108 (S. 20–26); Il tempo come cultura: i meccanismi delle collezioni dell'Ermitage di Leningrado e dei musei di Budapest, Florenz 1988, Nr. 10

Die Uhren von A. F. Gladkoj stehen stilistisch solchen Meistern der Möbel- und Uhrenproduktion wie D. Röntgen, I.-G. Strasser, H. Gambs und R. Highnam nahe. Zum ausgestellten Stück gab es ein sehr verwandtes Exemplar im Winterpalast im Arbeitszimmer Kaiser Aleksandrs I.
Aleksej Filippovič Gladkoj (geb. 1762) war ein russischer Mechaniker und Uhrmacher. 1767 wurde er bereits im Alter von 5 Jahren in die Petersburger Kunstakademie aufgenommen, wo er 1776 bis 1782 bei P. Nordstein in der Klasse für Uhrmacherei lernte. 1795 bis 1800 unterrichtete er selbst diese Klasse. Für die Aleksandr-Manufaktur, für die Gladkoj auf Empfehlung von Kaiserin Marija Fedorovna tätig wurde, konstruierte er eine neue Spinnmaschine. Nach der Jahrhundertwende siedelte er nach Moskau über, wo er seine Konstruktionsarbeit für Web- und Spinnmaschinen fortsetzte und zugleich Uhren baute und reparierte.   VM

309
Pendule

in Form einer Leier

Petersburg, um 1815

Hölzerner Uhrenkasten mit rotem Holz furniert; Bronze, gegossen, ziseliert, graviert und vergoldet; Werk aus Kupferlegierungen, Stahl, Blei, Bronze; Zifferblatt emailliert und verglast, 41,6 x 22 x 8,8 cm
Inv.-Nr. ЭРТх-1513
Herkunft: 1941 aus dem Staatlichen Museum für Ethnographie der Völker der UdSSR, Leningrad   VM

310
Kaminuhr

»Triumph der Amphitrite«

Petersburg, 1. Viertel 19. Jahrhundert

Vergoldete Bronze, 55 x 41 x 14 cm
Inv.-Nr. Э-648
Herkunft: 1931 aus dem Staatlichen Revolutions-Museum in Leningrad
Ausstellungen: 1971 Leningrad, Kat.-Nr. 151

In dem oben aufgeführten Katalog wird die Uhr als Arbeit eines französischen Uhrmachers vorgestellt. Wenn ihr auch möglicherweise ein französischer Entwurf zugrundelag, sprechen doch Qualität und Eigenart der Bronzebearbeitung für Petersburg.   JJZ

311
Pendule

mit Flötenwerk

»Graf A. A. Arakčeev am Grabmal Kaiser Aleksandr I.«, Paris, 1828

Bronze, gegossen, ziseliert, graviert und punziert; vergoldet, mattiert und patiniert, 109,7 x 76 x 39,4 cm
Inv.-Nr. ЭРМ-7532
Herkunft: 1941 aus dem Staatlichen Museum für Ethnographie der Völker der UdSSR, Leningrad; früher befand sich das Objekt auf dem Besitz des Grafen A. A. Arakčeev in Gruzino
Literatur: Notice sur la pendule représantant le comte Araktscheieff au tombeau de l'Empereur Alexandre, Paris 1828 [russ. Übersetzung von P. Ilin mit einem Kommentar von P. Paskevic im Sammelband »Russkij archiv 1869«, Moskau 1870, Sp. 1183–1192]; 41 (S. 439–471); 145 (S. 241)

310

311

Das zentrale Element der gesamten Komposition ist das Grabdenkmal mit der Büste Kaiser Aleksandrs I.; links davon Rüstungen und Waffen, rechts der General der Artillerie, Graf A. A. Arakčeev (1769–1834), der 1808–1810 Kriegsminister und in der zweiten Hälfte der Regierungszeit Aleksandrs I. ein einflußreicher Ratgeber des Kaisers war (nähere biographische Daten zu Arakčeev siehe Kat.-Nr. 9). Der Dargestellte ist nicht nur durch seine Uniform und Auszeichnungen charakterisiert, sondern durch seine Physiognomie, deren Porträtähnlichkeit in mehreren Sitzungen erarbeitet wurde.

In den Ecken des Zifferblattes die Tierkreiszeichen Steinbock, Widder, Waage und Schütze für die Monate Dezember, März, September und November. Sie verweisen auf: den Geburtstag des Kaisers am 12. Dezember 1777 a. St.; seine Thronbesteigung am 11. März 1801; seine Verehelichung am 17. September 1793 und seinen Tod am 19. November 1825.

Am Fuße des Denkmals befindet sich hinter einer kleinen Tür ein Miniaturporträt des Kaisers mit der Aufschrift: »KAISER ALEKSANDR DER GEBENEDEITE VERSCHIED IN TAGANROG AM 19. NOVEMBER 1825, AM DONNERSTAG UM 10 UHR 50 MINUTEN MORGENS«.

Auf dem Piedestal vorn ein Basrelief mit der allegorischen Darstellung der Vereinigung Finnlands (1809) und Polens (1815) mit Rußland (von Couriguer nach einer Zeichnung von A. E. Egorov; bezeichnet: »Couriguer sculpt.«): Rußland erscheint in Gestalt einer sitzenden Frau mit einem Füllhorn, dem Symbol für Wohlstand und Reichtum. Zum Zeichen des Schutzes und des ewigen Bundes führt sie eine Hand zu den Personifikationen von Finnland und Polen, die ihr durch Minerva – begleitet von der Eintracht – zugeführt werden. Der Ölzweig symbolisiert den Frieden. Ein Putto trägt die Wappenschilde beider Länder. Herkules zertritt die Zwietracht und Hermes verweist auf die neuen Grenzen des Reiches.

Auf dem Piedestal links die Inschrift: »TREU SEINEM HERRSCHER UND WOHLTÄTER AUCH NACH DESSEN TODE. PARIS IM JAHRE 1826«. Links am Fuß: »LEDURE A PARIS LE 1R SEPTEMBRE 1828«. Auf dem Piedestal rechts das Wappen Arakčeevs mit der Devise »OHNE FALSCH ERGEBEN [BEZ LESTI PREDAN]«. Das eingebaute Flötenwerk spielte ursprünglich die traditionellen Trauerklänge der orthodoxen Totenliturgie: »Ewiges Gedenken [Vecnaja pamjat']«.

Die Ikonographie der gesamten Komposition folgt dem detaillierten Programm des Auftraggebers, der für die Uhr 25.000 Francs zahlte. 1828 wurde sie fertiggestellt und im folgenden Jahr nach Rußland gebracht.

Nach Berichten von Zeitgenossen befand sich die Uhr zunächst auf Arakčeevs Gut Gruzino (etwa 14 km von der Stadt Čudovo entfernt am Ufer des Flusses Volchov im Gebiet von Novgorod). Dort hin hatte er sich nach dem Tod des Kaisers zurückgezogen, lebte vollkommen isoliert in Erinnerungen an vergangene Zeiten. Seine Verehrung für den Verstorbenen fand in der hier ausgestellten Gedenk-Uhr nun ihre deutlichste Verkörperung.

Ihr Flötenwerk setzte sich täglich – jeweils zu dem Zeitpunkt, in dem der Kaiser gestorben war – in Gang. Dann öffnete sich das Doppeltürchen am Fuße des Denkmals und es erschien dessen Porträt.

Uhrwerk und Kaiser-Porträt sind verloren gegangen. Vom Flötenwerk sind nur noch einige Holzpfeifen erhalten. VM

PORZELLAN

I. Erzeugnisse der Kaiserlichen Porzellanmanufaktur [Imperatorskij Farforovoj Zavod] in Petersburg

Die Manufaktur wurde 1744 in Petersburg an der Šlisselburger Chaussee gegründet. (Dafür hatte ein begabter Wissenschaftler, der Chemiker D. I. Vinogradov [ca. 1720–1758], die Methode der Porzellanherstellung noch einmal neu erfunden.) Sie arbeitete Services, Vasen und unterschiedliche Ausstattungsstücke für die kaiserlichen Paläste sowie erlesene Geschenke. Ende des 18. und Anfang des 19. Jahrhunderts erlebte die Entwicklung des russischen Porzellans mit dieser Manufaktur ihre höchste Blüte, da dort damals mehrere hervorragende Handwerker, Bildhauer und Architekten tätig waren: J.-D. Rachette (siehe Kat.-Nr. 91), A. N. Voronichin (siehe Kat.-Nr. 73), J. Thomas de Thomon (1754–1813) und S. S. Pimenov (1784–1833). Nach deren Entwürfen entstanden äußerst qualitätvolle plastische Arbeiten in Porzellan, dazu Vasen oder Services mit plastischem und gemaltem Dekor. Besonders berühmt wurde die Petersburger Porzellan-Manufaktur – eine der ältesten in Europa – durch ihre prächtigen Services, die damals für zahlreiche Paläste angefertigt wurden. Hinzu kommen ihre Serien von Tellern, als deren Dekor Darstellungen zu bestimmten Themenkreisen dienten, sowie zahlreiche dekorative Gegenstände für Palasteinrichtung und Vasen, von deren qualitätvoller Malerei in dieser Ausstellung bemerkenswerte Beispiele zeugen.

312–315 FARBTAFEL S. 378
Vier Teller

mit Ansichten aus der Umgebung von Petersburg, die meist auf Gemälde von S. F. Ščedrin (biographische Daten siehe Kat.-Nr. 44) zurückgehen.

Kaiserliche Porzellan-Manufaktur, 1814 bis 1825

Porzellan mit monochromem Druck und polychromer Ausmalung und Vergoldung, Glasur TK

links: Kat.-Nr. 315; rechts: Kat.-Nr. 312

links: Kat.-Nr. 313; rechts: Kat.-Nr. 314

312 FARBTAFEL S. 378
Teller

mit der Ansicht des Palastes in Pavlovsk. Nach einem Stich von A. G. Uchtomskij, der auf ein Gemälde von S. F. Ščedrin zurückgeht.

Keine Marke, 3,4 x 23,8 cm
Auf der Rückseite in Schwarz unter der Glasur betitelt
Inv.-Nr. ЭРФ-920

Zum Palast siehe Kat.-Nr. 102 und 228.　　TK

313 FARBTAFEL S. 378
Teller

mit der Ansicht des Taurischen Palastes von der Gartenseite

Keine Marke, 3,4 x 23,8 cm
Auf der Rückseite in Schwarz unter der Glasur betitelt
Inv.-Nr. ЭРФ-921

Zum Palast siehe Kat.-Nr. 121.　　TK

314 FARBTAFEL S. 378
Teller

mit der Ansicht des Konnetabels in Gatčina von der Steinernen Brücke aus gesehen
Nach einem Stich von I. D. Telegin, der auf ein Gemälde von S. F. Ščedrin zurückgeht

Keine Marke, 3,4 x 23,8 cm
Auf der Rückseite in Schwarz unter der Glasur betitelt
Inv.-Nr. ЭРФ-918

Näheres zum Palast und Park von Gatčina siehe Kat.-Nr. 119.　　TK

315 FARBTAFEL S. 378
Teller

mit der Ansicht des Palastes in Gatčina von der Gartenseite aus
Nach einem Stich von I. V. Českij, der auf ein Gemälde von S. F. Ščedrin zurückgeht

Keine Marke, 3,4 x 23,8 cm
Auf der Rückseite in Schwarz unter der Glasur betitelt
Inv.-Nr. ЭРФ-913
Herkunft: 1941 aus dem Staatlichen Museum für Ethnographie der Völker der UdSSR, Leningrad; früher (nach 1920) befanden sie sich im Museum für Alt-Petersburg
Literatur: 35 (S. 146, Abb. 200, 202); 97 (Abb. 87, 109); 232 (S. 41); 242 (Nr. 24–26, S. 86–89)

Die Drucktechnik auf Porzellan wurde erstmals 1757 in England entwickelt und angewandt. In Rußland begann man damit 1814 in der Kaiserlichen Porzellan-Manufaktur, angeregt durch den Vicomte de Puibusque, einen gefangengenommenen Franzosen, der als Lohn für diese Information freigelassen wurde und nach Hause zurückkehren durfte. Man hatte mit der neuen Technik jedoch nur geringen Erfolg, so daß nur sehr wenige Erzeugnisse mit gedrucktem Dekor verbreitet wurden. 1819 wurde ihre Herstellung weitgehend und gegen Ende der Regierungszeit Aleksandrs I. sogar ganz eingestellt. Vorher dienten Radierungen und Stiche bekannter Meister als Vorlagen für den Porzellan-Druck, besonders für eine Serie von Tellern mit Ansichten von Petersburg und seiner Umgebung, die nicht nur durch ihre Darstellungen sondern auch durch einheitliche Schmuckformen (farbige Bänder mit goldenen Girlanden) verbunden sind.　　TK

316 ABBILDUNG S. 380
Tasse mit Untertasse

mit dem Porträt des Grafen A. A. Arakčeev in einem ovalen Medaillon und mit vergoldeten Darstellungen von Kriegstrophäen verziert

Kaiserliche Porzellan-Manufaktur, nach 1815

Porzellan mit polychromer Unterglasurmalerei und Vergoldung, guillochiert
Keine Marke, 6,3 x 8 x 6,4 cm (Tasse),
2,6 x 13,7 cm (Untertasse)
Auf der Rückseite der Untertasse: »3«
Inv.-Nr. ЭРФ-2497 a, b
Herkunft: 1941 aus dem Staatlichen Museum für Ethnographie der Völker der UdSSR, Leningrad; früher befand sich das Objekt in der Sammlung von F. M. Pljuškin, Pskov

Die biographischen Daten zu Graf Arakčeev siehe Kat.-Nr. 9.　　TK

317 FARBTAFEL S. 381
Ein Paar Übertöpfe mit Untersetzern

verziert mit blauem Gittermuster und goldenen Palmetten-Ornamenten

Kaiserliche Porzellan-Manufaktur, 1. Viertel 19. Jahrhundert

Keine Marke, 29 x 25,7 cm
Inv.-Nr. ЭРФ-7647 a, b; 7648 a, b
Herkunft: 1964 erworben durch die Ankaufs-Kommission der Staatlichen Ermitage, Leningrad　　TK

318 FARBTAFEL S. 383
Grüner Krug

mit Goldornamenten

Kaiserliche Porzellan-Manufaktur, 1816–1825

Porzellan mit farbiger Glasur und Vergoldung, guillochiert
Keine Marke, 28 x 16,5 x 13,5 cm
Inv.-Nr. ЭРФ-5181
Herkunft: 1941 aus dem Staatlichen Museum für Ethnographie der Völker der UdSSR, Leningrad
Ausstellungen: 1893 Delhi, Nr. 63; 1983 Caracas, Nr. 115; 1984 Sofia, Nr. 63
Literatur: 123 (Abb. 62, 63)　　TK

319 FARBTAFEL S. 383
Dessertteller

aus dem Wappen-Service mit Darstellung eines Apfels und vergoldeten Ornamenten auf grünem Rand

Kaiserliche Porzellan-Manufaktur; Entwurf des Service von S. S. Pimenov und A. N. Voronichin, die Ausführung von A. S. Kanunikov und anderen Malern der Manufaktur, 1827

Porzellan mit polychromer Unterglasurmalerei und Vergoldung, guillochiert
Keine Marke, 3,5 x 23,9 cm
Auf der Rückseite unter der Glasur: Baltimore Apple
Inv.-Nr. ЭРФ-981
Herkunft: 1941 aus dem Staatlichen Museum für Ethnographie der Völker der UdSSR, Leningrad, wohin das Service in den 20er Jahren dieses Jahrhunderts aus dem Museum für Alt-Petersburg gelangt ist
Literatur: 96 (S. 217, Abb. 165); 97 (Abb. 122)

Das sogenannte Wappen-Service, ein für den Palast bestimmtes, 60 Gedecke umfassendes Prunk-Service, wurde von der Kaiserlichen Porzellan-Manufaktur in den 20er Jahren des 19. Jahrhunderts nach Entwürfen S. S. Pimenovs, des Leiters der Modellmeister-Werkstatt, und des Modellmeisters A. N. Voronichin (biographische Daten siehe Kat.-Nr. 73) gearbeitet. Insgesamt zählte das Service (das nach seiner Fertigstellung mit 25.000 Rubeln bewertet wurde) 606 Einzelstücke, inklusive mehrerer skulpierter Vasen mit vergoldeten Figuren, Körbe, deren durchbrochene Modellierung Flechtwerk imitiert sowie verschiedenartigster Schalen und Untersätze. Seine Dessertteller mit Darstellungen verschiedener Früchte zeichnen sich durch

316

eine besonders feine dekorative Malerei aus. (A. S. Kanunikov war Assistent des Leiters der Malerei-Abteilung der Manufaktur.)
Die Eßteller zeigen den Doppeladler, das Staatswappen des Rußländischen Reiches, das dem Service seinen Namen gegeben hat.　　　TK

320　　　　　　　　FARBTAFEL XVI
Übertopf und Untersetzer

mit Amor, der eine Nymphe verfolgt, in ovalem Medaillon, mit vergoldeten Palmetten-Ornamenten und Akantusblättern auf Goldgrund verziert. Die Darstellung geht auf eine Komposition von Angelika Kaufmann zurück.

Kaiserliche Porzellan-Manufaktur; Malerei von S. A. Golov. Die Form stammt von 1827, die Malerei aus dem folgenden Jahrzehnt

Porzellan mit polychromer Unterglasurmalerei und Vergoldung, guillochiert
Keine Marke,
28,6 x 25,7 x 25,7 cm (mit Untersatz)
Bezeichnet im Medaillon mit dem Namen des Malers. Das auf dem Boden des Gefäßes eingeprägte Monogramm nennt das Hofkontor als Auftraggeber

Inv.-Nr. ЭРФ-5304 a. b.
Herkunft: 1941 aus dem Staatlichen Museum für Ethnographie der Völker der UdSSR, Leningrad

Durch das Monogramm ist das Stück (wie auch sein Pendant) als Auftragsarbeit für das Hofkontor gekennzeichnet. Der Porzellanmaler Semen Afanas'evič Golov (1783–1849) entstammte einer Familie leibeigener Künstler, die in der Manufaktur tätig waren. Er absolvierte das der Manufaktur angeschlossene Gymnasium, wurde 1814 zum Maler bestimmt und 1819 dort Meister. Er gehörte zu ihren besten Kräften und beherrschte vor allem die Umsetzung unterschiedlicher Vorbilder in Porzellanmalerei meisterhaft.　　　TK

Übertopf mit Untersetzer, 1. Viertel 19. Jahrhundert. Kat.-Nr. 317

Teller, 1837. Kat.-Nr. 321

Grüner Krug, 1816–1825. Kat.-Nr. 318; Dessertteller, 1827. Kat.-Nr. 319

323, 322

321
Teller

FARBTAFEL S. 382

mit einem Stabs-Offizier, einem Ober-Offizier
und einem Hornisten des 7. Reserve-Eskadron
der Schwarzmeer-Kosaken; vergoldetes Rand-
dekor mit Kriegstrophäen und Doppeladlern

Kaiserliche Porzellan-Manufaktur, Malerei von
V. Stoletov, 1837

Porzellan mit polychromer Unterglasurmalerei
und Vergoldung, guillochiert
Unter der Glasur die Marke in Grau: II unter
einer Krone
Auf der Rückseite in Gold bezeichnet, in Grau

datiert und in Schwarz französisch betitelt (alles
unter der Glasur)
3,2 x 26 cm
Inv.-Nr. ЭРФ-896
Herkunft: 1941 aus dem Staatlichen Museum für
Ethnographie der Völker der UdSSR, Lenin-
grad; früher befand sich das Objekt im Archiv
für Kunst und Altertümer
Literatur: 35 (Abb. 289–290); 97 (Abb. 146); 232
(Abb. 43); 243 (S. 106–109, Abb. 31–32)

Im 19. Jahrhundert wurden in der Kaiserlichen
Porzellan-Manufaktur mehrere Serien soge-
nannter »Militär-Teller« mit Darstellungen russischer Soldaten in den Uniformen bestimmter
Perioden hergestellt. Die Malereien auf diesen

Tellern stammten von den besten Kopisten der
Manufaktur nach Vorbildern von A. I. Charle-
magne, K. K. Piratskij, V. V. Mazurovskij und
anderen. Bei der Arbeit waren die strikte Beachtung der historischen Authentizität und die
exakte Wiedergabe aller Uniform- und Ausrüs-
tungs-Details oberstes Gebot. Demzufolge in-
formierten sich die Künstler eingehend in Spe-
zialwerken und bei Kennern der Militärge-
schichte. Auf diese Weise wurden die Teller zu
begehrten Sammler-Objekten. In der Regel
wurde jede Komposition höchstens in zwei
Exemplaren angefertigt, von denen eines in das
Museum der Kaiserlichen Porzellan-Manufaktur kam.   TK

Porzellan

322
Osterei

mit der Ansicht des Elagin-Palastes in Petersburg nach einer Lithographie von K. P. Beggrow (1823), die auf eine Zeichnung von A. F. Schuch zurückgeht. Auf der Rückseite mit goldenen Pflanzenornamenten geschmückt

Kaiserliche Porzellan-Manufaktur, nach 1820

Porzellan mit polychromer Unterglasurmalerei und Vergoldung, guillochiert
Keine Marke, 9 x 6,8 cm
Inv.-Nr. ЭРФ-5542
Herkunft: 1941 aus dem Staatlichen Museum für Ethnographie der Völker der UdSSR, Leningrad

Zum Palast auf der Elagin-Insel siehe Kat.-Nr. 108, 109, die biographischen Daten zu Beggrow siehe Kat.-Nr. 108.   TK

323
Osterei

mit der Ansicht der Admiralität und des Schloßplatzes und der Aleksandr-Säule vom Isaakios-Dom aus gesehen. Um die Darstellung weiße, plastische Blumengirlanden

Kaiserliche Porzellan-Manufaktur, um 1840

Porzellan, z. T. modelliert, polychrome Unterglasurmalerei und Vergoldung, guillochiert
Keine Marke, 9,5 x 7,3 cm
Inv.-Nr. ЭРФ-5462
Herkunft: 1941 aus dem Staatlichen Museum für Ethnographie der Völker der UdSSR, Leningrad   TK

II. Erzeugnisse der Porzellan-Manufaktur Gardner

Diese älteste private Porzellan-Manufaktur Rußlands wurde 1766 im Dorfe Verblika bei Dmitrovo (Gouvernement Moskau) von dem eingebürgerten englischen Kaufmann Franc Jakovlevič Gardner gegründet, der 1746 in seine neue Heimat gekommen war. An der dortigen Porzellanherstellung waren der russische Keramik-Meister A. A. Grebenščikov und der Keramiker F. I. Hattenberger (der 1803 bis 1806 auch die Kaiserliche Porzellan-Manufaktur leitete) maßgeblich beteiligt. Im 18. Jahrhundert lieferte G. I. Kozlov (1738–1791) wichtige Entwürfe, vor allem für die vier Ordens-Services der Gardner-Manufaktur. Ihr damals bester Maler war Joachim Kästner.
Schon in den letzten Jahrzehnten des 18. Jahrhunderts konnte die Manufaktur ihren Ruf als qualifizierter privater Porzellan-Hersteller begründen. 1778–1785 entstanden dort im Auftrag der Kaiserin Ekaterina II. vier Prunk-Services für Empfänge, die zu Ehren der Ordens-Ritter des heiligen Georg des Siegträgers, des heiligen Aleksandr von der Neva, des heiligen Andreas des Erstberufenen und des heiligen apostelgleichen Vladimir im Winterpalast gegeben wurden. Im 19. Jahrhundert lebte die Manufaktur vor allem von höchst populären Figuren-Serien, die charakteristische Typen russischer Handwerker und Händler darstellten, daneben von anderen figürlichen Erzeugnissen und von Services gehobener Qualität.
Über drei Generationen blieb sie im Familien-Besitz, bis sie 1892 von der »Genossenschaft von M. S. Kuznecov zur Herstellung von Porzellan- und Fayence-Erzeugnissen« übernommen wurde. Gegenwärtig ist sie als »Staatliche Porzellan-Manufaktur von Dmitrovo« bekannt und setzt ihre Tätigkeit erfolgreich fort.   TK

324–326
FARBTAFEL S. 386
Drei Teile aus dem Dessert-Service des Ordens des heiligen Georg

F. Ja. Gardner-Manufaktur, 1178
Entwürfe von G. I. Kozlov

Porzellan mit polychromer Unterglasurmalerei und Vergoldung

324
FARBTAFEL S. 386
Ovaler Korb für Zwieback

durchbrochene Arbeit, geschmückt mit Ordensband und Girlanden aus Lorbeer, in der Mitte der Ordensstern

Unter der Glasur die Kobalt-Marke der Porzellan-Manufaktur: G
8,4 x 35,2 x 25,7 cm
Inv.-Nr. ЭРФ-7341   TK

325
FARBTAFEL S. 386
Schale

in Form eines Blattes, geschmückt mit Ordensband und Girlanden aus Lorbeer, in der Mitte der Ordensstern

Unter der Glasur die Kobalt-Marke der Porzellan-Manufaktur: G
7 x 25,5 x 25,3 cm
Inv.-Nr. ЭРФ-6870   TK

326
FARBTAFEL S. 386
Sahnetöpfchen mit Deckel

Auf dem Deckel eine modellierte Blume. Auf dem Topf der Ordensstern, das Ordensband und Lorbeer

Unter der Glasur die Kobalt-Marke der Manufaktur: G
7 x 8,5 x 6,4 cm (Tasse); 4 x 7 cm (Deckel)
Inv.-Nr. ЭРФ-6805 a, b
Herkunft: 1960 aus dem Zentraldepot der Schloßmuseen in Puškin; früher befand sich das Objekt im Winterpalast
Ausstellungen: 1883 Caracas, Nr. 126; 1984 Habana, Nr. 118, 120; 1984 México, Nr. 112–113; 1985 Bogotá, Nr. 116; 1986 Paris, La France et la Russie, Nr. 575–582; 1987 Leningrad, Rossija – Francija, Nr. 523–530
Literatur: 38 (S. 67–74, Abb. 76/77); 45 (Nr. 10, S. 60–61); 151 (S. 10, Abb. 13); 225 (S. 44–50, Abb. 20–26); 248 (S. 52–74, Tafel IV–X)

Das Georgs-Service, das 80 Gedecke umfaßte, wurde 1777 in Auftrag gegeben. Als Vorbild für die Gestaltung und das Dekor diente dabei ein Prunk-Service, das 1770–1772 von der Königlich-Preußischen Porzellan-Manufaktur zu Berlin angefertigt und von König Friedrich II. der Kaiserin Ekaterina II. geschenkt worden war. Die Entwürfe für das Dekor des Georgs-Service (und für die anderen Services) stammen von dem Dekorateur und Maler Gavriila Ignat'evič Kozlov (1738–1791). Das Georgs-Service wurde

Drei Teile aus dem Dessert-Service des Ordens des heiligen Georg, 1178. Kat.-Nrn. 324–326

1778 fertiggestellt (für 6.000 Rubel). Im selben Jahr wurde es auch bereits für das Festbankett der Ritter des Ordens vom heiligen Georg am Jahrestag der Ordensgründung benutzt.

Der Orden des siegreichen heiligen Georgs, der vier Klassen hatte, war am 26. November 1769 gestiftet worden, um Offiziere und Generäle für besondere Verdienste im Kampfe auszuzeichnen. Seine höchste Klasse wurde äußerst selten vergeben. Von seiner Stiftung 1769 an bis zu seiner Auflösung durch die Revolution von 1917 wurde er nur 25 Personen verliehen; unter ihnen so bedeutende Heerführer wie P. A. Rumjancev, A. V. Suvorov (siehe Kat.-Nr. 24) und M. I. Kutuzov (siehe Kat.-Nr. 31).

Alle Services für die alljährlichen Festbankette der jeweiligen Ordensritter wurden im Winterpalast aufbewahrt und unterstanden der Aufsicht des Hofmarschall-Amtes. Nach der Revolution wurden zahlreiche mehrfach vorhandene Teile (manche in mehreren Dutzend Exemplaren vorhanden) an andere Museen abgegeben oder gingen in verschiedene Privatsammlungen. **TK**

327–329 FARBTAFEL S. 388
Drei Teile aus dem Dessert-Service des Ordens zum heiligen Aleksandr von der Neva

F. Ja. Gardner-Manufaktur, Entwürfe von G. I. Kozlov, 1779

Porzellan mit polychromer Unterglasurmalerei und Vergoldung

327 FARBTAFEL S. 388
Schale

in Form eines Blattes, geschmückt mit dem Ordensband, in der Mitte der Ordensstern

Unter der Glasur die Kobalt-Marke der Manufaktur: G
7,2 x 30,8 x 24 cm
Inv.-Nr. ЭРФ-282 TK

328 FARBTAFEL S. 388
Tiefer Teller

geschmückt mit dem Ordensband, in der Mitte der Ordensstern

Unter der Glasur die Kobalt-Marke der Manufaktur: G
4 x 22,7 cm
Inv.-Nr. ЭРФ-7034 TK

329 FARBTAFEL S. 388
Sahnetöpfchen

mit Ordensband und Ordensstern

Unter der Glasur die Kobalt-Marke der Manufaktur: G
8 x 9 x 6,5 cm
Inv.-Nr. ЭРФ-6802, 6801, b
Herkunft: 1960 aus dem Zentraldepot der Schloßmuseen in Puškin; früher befand sich das Objekt im Winterpalast
Ausstellungen: 1883 Caracas, Nr. 124; 1984 Habana, Nr. 112; 1984 México, Nr. 114; 1985 Bogotá, Nr. 114
Literatur: 38 (S. 67–74, Abb. 68, 69, 71–73); 151 (S. 10, Abb. 25, 27); 225 (S. 44–50, Abb. 27–30); 248 (S. 79–83, Tafel XIX–XXV)

Das 40 Gedecke umfassende Service wurde 1777 bei der Manufaktur zusammen mit den Services für die Orden des heiligen Georg und des heiligen Andreas in Auftrag gegeben. Als erstes wurde das Georgs-Service geliefert. Die beiden anderen, für die Gardner 10.000 Rubel bezahlt wurden, folgten 1780.

Der Militär-Orden des heiligen Aleksandr-von-der-Neva (näheres siehe Kat.-Nr. 268) wurde nach den nicht mehr in die Tat umgesetzten Vorstellungen Kaiser Petrs I. von dessen Witwe Ekaterina I. gestiftet. Am 21. Mai 1725 wurde er zum ersten Mal dem Herzog Karl Friedrich von Holstein verliehen, der sich an diesem Tage mit Anna Petrovna, der Tochter Petrs I. und Ekaterinas I., vermählte. **TK**

330–331 FARBTAFEL S. 389
Zwei kleine Figuren

aus der Serie »Typen russischer Handwerker und Händler«, nach graphischen Arbeiten von K. A. Zelencov (siehe Kat.-Nr. 251, 252), die 1817 in der Zeitschrift »Der magische Leuchtturm«, erschienen

F. Ja. Gardner-Manufaktur, nach 1820

Porzellan mit polychromer Unterglasmalerei und Vergoldung

Charakteristische Beispiele für die Porzellanskulptur aus der Serie mit russischen Volkstypen nach Abbildungen des illustrierten Monatsblattes »Der magische Leuchtturm oder Anblick der Sankt-Petersburger Straßenverkäufer, Meister und anderer Handwerker aus dem einfachen Volke [Vol'šebnyj fonar' ili zrelišče Sankt-Peterburgskich raschožich prodavcov, masterov i drugich prostonarodnych promyšlennikov]«, 1817 in Petersburg erschienen (siehe auch Kat.-Nr. 251, 252).

Die Serie hatte großen Erfolg und wurde von der Manufaktur bis zur Mitte des 19. Jahrhunderts fortgesetzt. Dabei wurde sie auch später noch um weitere Figuren bereichert, die dann auf andere Vorbilder zurückgingen. »Russische Volkstypen« wurden nicht nur von Gardner, sondern auch von anderen russischen Porzellan-Manufakturen verbreitet und immer wieder durch neue Figuren ergänzt. Insgesamt zählen sie zu den beliebtesten Motiven der russischen Porzellanskulptur. **TK**

330 FARBTAFEL S. 389
Hausmeister [Dvornik]

Unter der Glasur die Marke der Manufaktur: G
Höhe 16,8 cm
Inv.-Nr. ЭРФ-3930
Herkunft: 1941 aus dem Staatlichen Museum für Ethnographie der Völker der UdSSR, Leningrad; früher befand sich das Objekt in der Sammlung A. A. Korovin, Petersburg **TK**

331 FARBTAFEL S. 389
Wachmann [Stražnik]

Unter der Glasur die Marke der Manufaktur: G
Höhe 15,7 cm
Inv.-Nr. ЭРФ-3913
Herkunft: 1941 aus dem Staatlichen Museum für Ethnographie der Völker der UdSSR, Leningrad; früher befand sich das Objekt in der Sammlung A. K. Rudakovskij, Petrograd
Ausstellungen: 1984 Delhi, Nr. 57; 1984 Habana, Nr. 107; 1984 México, Nr. 109; 1984 Sofia, Nr. 57
Literatur: 225 (S. 77, Abb. 62) **TK**

Drei Teile aus dem Dessert-Service des Ordens zum heiligen Aleksandr von der Neva, 1779. Kat.-Nrn. 327–329

Wachmann [Strážnik] und Hausmeister, nach 1820. Kat.-Nrn. 330 u. 331

333, 332, 334

Erzeugnisse der Porzellan-Manufaktur Batenin

335

III. Erzeugnisse der Porzellan-Manufaktur Batenin

Die Manufaktur wurde 1811 von dem Kaufmann Devjatov auf der Vyborger Seite von Petersburg gegründet und 1814 von Philipp Sergeevič Batenin übernommen. Der Verkauf ihrer Erzeugnisse erfolgte in einem Spezial-Geschäft (Nevskij Prospekt 25) im Hause der Kirchendiener des Kazaner Domes. Form und Dekor ihrer Produkte sind äußerst vielfältig. Am beliebtesten waren ihre Services, Vasen und Teller mit Ansichten von Petersburg und seiner Umgebung. 1830, nach dem Tode des Eigentümers, ging die Firma in den Besitz seiner Erben über und wurde bis 1838 weiter betrieben.   TK

332 · FARBTAFEL S. 390
Vergoldete Zuckerdose mit Deckel

mit der Ansicht des Taurischen Palastes von der Gartenseite gesehen

Porzellan-Manufaktur Batenin, 1832–1838

Porzellan mit polychromer Unterglasurmalerei und Vergoldung, guillochiert
Eingeprägte Marke der Nachfahren Batenin
13,5 x 12,6 cm
Inv.-Nr. ЭРФ-7438 a, b
Herkunft: 1962 erworben durch die Ankaufs-Kommission der Staatlichen Ermitage, Leningrad

Zum Taurischen Palast siehe Kat.-Nr. 121.   TK

333 · FARBTAFEL S. 390
Vergoldete Tasse

mit der Ansicht der Landzunge der Basileios-Insel und der Peter-und-Pauls-Festung in Petersburg

Porzellan-Manufaktur Batenin, nach 1830

Porzellan mit polychromer Unterglasurmalerei und Vergoldung, guillochiert
Keine Marke, 10 x 10,4 x 9 cm
Inv.-Nr. ЭРФ-8345
Herkunft: 1983 erworben durch die Ankaufs-Kommission der Staatlichen Ermitage, Leningrad

Zu den dargestellten Gebäuden siehe Kat.-Nr. 183 und 32.   TK

334 · FARBTAFEL S. 390
Vergoldete Vase

mit den Ansichten des Kazaner Domes und des Schloßplatzes mit der Aleksandr-Säule in Petersburg

Porzellan-Manufaktur Batenin, 1834–1838

Porzellan mit polychromer Unterglasurmalerei und Vergoldung, guillochiert
Keine Marke, 15,6 x 11 x 7,8 cm
Inv.-Nr. ЭРФ-8332
Herkunft: 1982 aus dem Staatsfundus

Zu den dargestellten Gebäuden siehe Kat.-Nr. 53, 106 und Kat.-Nr. 208.   TK

335 · FARBTAFEL S. 390
Vergoldete Tasse und Untertasse

mit der Ansicht des Schloßplatzes und der Aleksandr-Säule in Petersburg

Porzellan-Manufaktur Batenin, 1834–1838

Porzellan mit polychromer Unterglasurmalerei und Vergoldung, guillochiert
Keine Marke, 10,1 x 11,7 x 9,9 cm (Tasse);
3,6 x 16,5 cm (Untertasse)
Inv.-Nr. ЭРФ-2450 a, b
Herkunft: 1941 aus dem Staatlichen Museum für Ethnographie der Völker der UdSSR, Leningrad

Zur Aleksandr-Säule siehe Kat.-Nr. 208.   TK

IV. Erzeugnisse der Porzellan-Manufaktur Popov

Die Firma wurde 1806 von Karl Milly, einem Kommissionär der Gardner-Manufaktur, im Dorfe Gorbunovo im Dmitrovo-Bezirk des Moskauer Gouvernements gegründet. 1811 wurde sie von dem Kaufmann Andrej Gavrelovič Popov übernommen und entwickelte sich bald zu einer der besten russischen Produktionsstätten für Porzellan. In ihrem Laboratorium wurden spezielle Farb-Rezepturen neu entwickelt, durch die das Popovsche Porzellan eine besondere Farbenpracht seiner Malerei sowie Reinheit und Zusammenklang der Farbtöne entfalten konnte. Damit wurde die Manufaktur zu einem hervorragenden Repräsentanten einer eigenständig russischen Porzellanherstellung.
In den 50er Jahren des 19. Jahrhunderts übernahmen die Erben Popovs die Firma. Wenig später wurde sie von mehreren Gutsbesitzern gepachtet und stellte danach bald ihre Tätigkeit ein. Ihre Erzeugnisse findet man in allen bedeutenden Sammlungen russischen Porzellans.

TK

336 · FARBTAFEL S. 392
Teller

mit der Ansicht der Landzunge der Basileios-Insel und des Börsengebäudes in Petersburg

Porzellan-Manufaktur Popov, nach 1810

Porzellan mit polychromer Unterglasurmalerei und Vergoldung, guillochiert
Unter der Glasur die Kobalt-Marke: АП
3,5 x 20,7 cm
Inv.-Nr. ЭРФ-8460
Herkunft: 1985 erworben durch die Ankaufs-Kommission der Staatlichen Ermitage, Leningrad

Zu den dargestellten Gebäuden siehe Kat.-Nr. 183 und 227.   TK

Teller mit der Ansicht der Landzunge der Basileios-Insel und des Börsengebäudes in Petersburg, nach 1810. Kat.-Nr. 336

337–339

V. Erzeugnisse westeuropäischer
Porzellan-Manufakturen

337–339
**Drei Teile aus einem Dessert-
Service**

mit Blumendekor
Paris, 1. Viertel 19. Jahrhundert

Manufaktur Neppel

Porzellan mit farbiger Glasur, polychromer
Unterglasurmalerei und Vergoldung
Herkunft: 1941 aus dem Staatlichen Museum für
Ethnographie der Völker der UdSSR, Lenin-
grad

337
Vase als Weinkühler

mit Henkeln in Gestalt weiblicher Figuren, auf
der Wölbung Zweige von persischem Flieder
und Eibisch

Keine Marke
Unter der Glasur in Rot handschriftlich: Lilas
de Perse – Althaea rose
28,5 x 28 x 19 cm
Inv.-Nr. ЭРФ-6303 a, b

338
Teller

mit Zierrand um Mohnblüten

Unter der Glasur in Braun die Marke: P: Neppel à Paris, und in Rot handschriftlich: Coqueli-
cot simple rouge
2,7 x 21,7 cm
Inv.-Nr. ЭРФ-6327   TK

339
Vase

in Form einer Muschel mit goldenem Fuß und
Pfingstrosen

Keine Marke, 11 x 24 x 21 cm
Inv.-Nr. ЭРФ-6315   TK

340
Die Hausfrau

Meißen (nach 1840), nach einem Modell der zweiten Hälfte des 18. Jahrhunderts

Porzellan, bemalt und vergoldet
Höhe 15 cm, Durchmesser der Basis 15 cm
Inv.-Nr. Э-23708
Herkunft: 1931 aus dem Museum der Kunstakademie
                                              LL

342   ABBILDUNG S. 396
Pokal

mit Wappen und Wahlspruch aus dem »Privat-Service« für das Landhaus (das sogenannte Cottage) »Aleksandrija« Kaiser Nikolajs I. in Peterhof, 1827–1829

Kaiserliche Glas-Hütte, Petersburg

Kristall, Kobaltglas, graviert und Emailmalerei, 14 x 8 x 8 cm
Inv.-Nr. ЭРС-2609
Herkunft: 1960 als Geschenk amerikanischer Museen

Der hauptsächliche Bestand dieses Services aus Gläsern und Porzellangeschirr befindet sich im »Cottage« in Peterhof. Vermutlich stammen die Entwürfe der Gläser von I. A. Ivanov, dem Designer der Kaiserlichen Glas-Hütte, der dort 1815 bis 1848 tätig war. Auf dem Schild der Wahlspruch der russischen Armee: »Für den Glauben, den Zaren und das Vaterland [Za veru, Carja i Otečestvo]!«   TM

344   FARBTAFEL S. 398
Vase, nach 1820

Kaiserliche Glas-Hütte, Petersburg

Kristall, graviert und geschliffen, mit vergoldeter Bronze-Montierung, 50 x 14,5 x 14,5 cm
Inv.-Nr. ЭРС-3114
Herkunft: 1982 aus dem Nachlaß von T. P. Suchovceva, Leningrad
Ausstellungen: 1984 Delhi, Nr. 71; 1985 Mexico, Nr. 128; 1985 Bogota, Nr. 71
Literatur: 39 (S. 59)

Der hier angewandte besondere Schliff wurde seit dem Ende der 20er Jahre des 19. Jahrhunderts in der Petersburger Hütte entwickelt und ging unter dem Namen »Russischer Stein« in die Geschichte der Glaskunst ein. Vermutlich stammt der Entwurf dieser Vase von I. A. Ivanov, dem Designer der Glas-Hütte, der dort 1815 bis 1848 tätig war; denn die Glaswaren für die Kaiserliche Familie wurden in der Regel nach seinen Zeichnungen gearbeitet.   TM

GLAS

341   FARBTAFEL XV
Karaffe, Becher und Gläschen

aus dem »Orlov-Service, um 1800

Kaiserliche Glas-Hütte, Petersburg

Farbloses Glas, geschliffen, mit Gold bemalt, guillochiert, 25,7 x 19,1 x 19,1 cm (Karaffe); 9,1 x 7,1 x 7,1 cm (Becher); 7,8 x 5,3 x 5,3 cm (Gläschen)
Inv.-Nr. ЭРС-706 a, b; 685, 631
Herkunft: 1941 aus dem Staatlichen Museum für Ethnographie der Völker der UdSSR, Leningrad; früher befand sich das Objekt im Hause I. D. Orlovs in Petersburg
Ausstellungen: 1984 Mexico, Nr. 122–124; 1984 Habana, Nr. 122–124; 1985 Bogotá, Nr. 122–124
Literatur: 39 (S. 18–19); 71 (Tafel 173); 105 (S. 102–103)

Auf jedem Gefäß das Monogramm »A O« unter einer Krone. Wieviele Stücke ursprünglich zu dem Service gehörten, ist nicht bekannt. Auf dem Boden einer Karaffe ein Etikett mit der Aufschrift: »Für Varvara Davydovna zur Erinnerung an ihren Urgroßvater Aleksej Petrovič Orlov am 31. August 1905: Dorf Orlovka, als Geschenk.« Aleksej Petrovič Orlov war General-Major und Kommandeur des Leib-Garde Kosaken-Regimentes.   TM

343   FARBTAFEL S. 397
Vase »Medici«, um 1830

Kaiserliche Glas-Hütte, Petersburg

Farbloses und kobaltfarbenes Kristall, graviert und geschliffen; mit vergoldeter Bronze-Montierung, 33,5 x 19,5 x 19,5 cm
Inv.-Nr. ЭРС-1950
Herkunft: 1941 aus dem Staatlichen Museum für Ethnographie der Völker der UdSSR, Leningrad; früher befand sich das Objekt im Staatlichen Museums-Fundus
Ausstellungen: 1989 Leningrad, Russkoe i sovetskoe chudožestvennoe steklo, Nr. 108
Literatur: 71 (Tafel 173); 227 (S. 63); 228 (S. 138)

Besonders prächtiges Stück mit abwechselnd blauen und farblosen Partien mit Diamantschliff. Die gravierten Blätter der Mittelzone sind denen von Kat.-Nr. 342 verwandt; ein Indiz für die Vermutung, daß wohl auch der Entwurf für die Vase von I. A. Ivanov stammt.
                                              TM

345   FARBTAFEL S. 399
Ovales Väschen

mit gezähntem Rand und Henkeln in Form von Bronzevögeln, nach 1830

Kaiserliche Glas-Hütte, Petersburg

Goldrubin-Glas, graviert und geschliffen, mit vergoldeter Bronze-Montierung, 18 x 22,5 x 9 cm
Inv.-Nr. ЭРС-2716
Herkunft: Alter Bestand der Sammlung der Staatlichen Ermitage, Leningrad; früher gehörte das Objekt zur Ausstattung der persönlichen Räume Kaiser Nikolajs I.
Ausstellungen: 1981 Leningrad, Chodužestvennyj metall, Nr. 366; 1989 Leningrad, Nr. 113

Die Erfindung des »Goldrubin«, also eines mit Gold getönten Glases, geht in Rußland auf den Gelehrten M. V. Lomonosov (1711–1765) zurück. Dessen besonderes Interesse galt der Herstellung von farbigem Glas, denn vorher konnten russische Glas-Hütten lediglich farbloses, grünes und blaues Glas verarbeiten. In einer Versuchsreihe von 70 Experimenten ermittelte er Bedingungen und Möglichkeiten, Gold mit Glas zu verbinden. Daraus erwuchs seit etwa 1750 eine enge Zusammenarbeit zwischen Lomonosov und der Kaiserlichen Glas-Hütte in Petersburg. Als sich in den 20er Jahren des 19. Jahrhunderts das Interesse für farbiges Glas steigerte, förderte es dort gerade auch die Goldrubin-Produktion.   TM

Vase »Medici«, um 1830. Kat.-Nr. 343

Vase, nach 1820. Kat.-Nr. 344

398

Ovales Väschen mit gezähmtem Rand und Henkeln in Form von Bronzevögeln, nach 1830. Kat.-Nr. 345

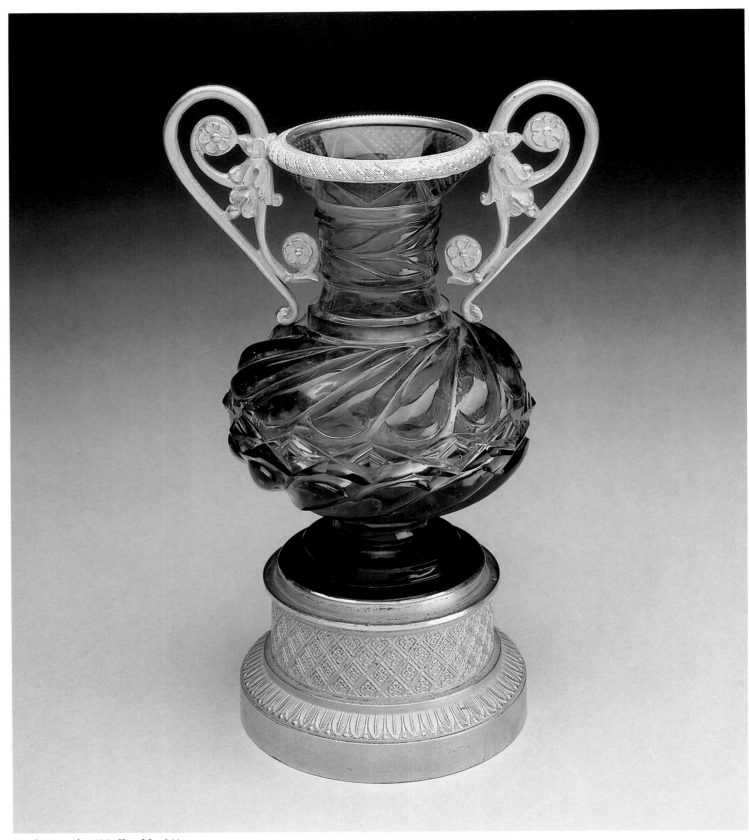

Väschen, nach 1830. Kat.-Nr. 346

Pokal, 1. Drittel 19. Jahrhundert. Kat.-Nr. 351

Schale, 1. Drittel 19. Jahrhundert. Kat.-Nr. 357; Vase, 1786–1790. Kat.-Nr. 352; Schale, nach 1800. Kat.-Nr. 356

Deckelvase auf vier bronzenen Delphinen, nach 1800. Kat.-Nr. 355

Vasenpaar »Medici«, 1826–1830. Kat.-Nr. 358; Uhr, nach 1820. Kat.-Nr. 359 (Aufnahme im Malachit-Saal der Ermitage)

Väschen, nach 1830

Kaiserliche Glas-Hütte, Petersburg

Farbloses Glas mit grünem Glas überfangen, geschliffen, mit vergoldeter Bronze-Montierung, 15,8 x 10,7 x 7,2 cm
Inv.-Nr. ЭРС-1906
Herkunft: 1941 aus dem Staatlichen Museum für Ethnographie der Völker der UdSSR, Leningrad; früher befand sich das Objekt im Staatlichen Museums-Fundus

Gegen Ende der 20er Jahre des 19. Jahrhunderts begann man in der Petersburger Glas-Hütte mit der Herstellung von Überfang-Glas, bei dem eine oder auch zwei farbige Glasschichten über eine meist farblose Schicht geschmolzen werden, um damit die dekorative Wirkung der Erzeugnisse zu steigern. Bei der anschließenden »kalten« Bearbeitung in der Schleif- und Gravur-Werkstatt, wurde dann die oberste Glasschicht jeweils dort wieder abgetragen, wo der Künstler den Lichteffekt des farblosen Kristalls nutzen wollte.   TM

347

347
Teller, um 1830

mit einem Medaillon nach der Zeichnung von F. P. Tolstoj: »Der dreitägige Kampf bei Krasnyj 1812«

Kaiserliche Glas-Hütte, Petersburg

Kristall, graviert, Silberbeize, Durchmesser 23,5 cm
Inv.-Nr. ЭРС-2367
Herkunft: Alter Bestand der Sammlung der Staatlichen Ermitage, Leningrad; früher befand sich das Objekt im Museum der Schule für technisches Zeichnen des Barons A. L. Stieglitz [Štiglic]
Ausstellungen: 1967 Leningrad, Chudožestvennoe steklo, S. 24; 1989 Leningrad, Nr. 94
Literatur: 209 (S. 32–33)

Die Glas-Gravur entstand unter Mitwirkung des preußischen Graveurs Johann Gube, der seine Technik den Handwerkern der Kaiserlichen Glas-Hütte (G. Glazunov, G. Muzikova und K. Plachov) vermittelte.
Aus einer Serie von insgesamt drei Tellern mit allegorischen Darstellungen zum Vaterländischen Krieg. Die beiden anderen zeigen »Den Volksaufstand von 1812« und »Die Befreiung Moskaus 1812« (beide ebenfalls im Besitz der Ermitage).

Die ihnen zugrunde liegenden Zeichnungen Fedor Petrovič Tolstojs (1783–1873) dienten auch für Arbeiten in anderen Techniken – z. B. für Basreliefs – als Vorlage. (Biographische Daten zu F. P. Tolstoj wie zu diesen Arbeiten siehe Katalog-Nr. 92–95.)
Der Ort Krasnyj liegt im Gebiet von Smolensk. Dort kämpften am 3. bis 6. November 1812 (a. St.) die russischen Armeen gegen die auf dem Rückzug befindlichen Franzosen, wobei Napoleon schwere Verluste zugefügt wurden.   TM

Becher

mit der Darstellung der Börse

Petersburg, 1. Drittel 19. Jahrhundert

Farbloses Glas, mit Gold und Silber bemalt, 9 x 9 x 8 cm
Inv.-Nr. ЭРС-2868
Herkunft: Alter Bestand der Sammlung der Staatlichen Ermitage, Leningrad; früher befand sich das Objekt in der Sammlung von A. K. Fabergé

Seiner Bemalung nach zu urteilen, entstand das Glas nicht in der Kaiserlichen Glas-Hütte zu Petersburg, sondern in einer privaten Werkstatt, die Andenken für Reisende produzierte. Zu dem dargestellten Gebäude der Börse, das von Thomas de Thomon erbaut worden ist, siehe Kat.-Nrn. 162 und 183   TM

348

349

349
Pokal

mit dem gravierten Porträt M. I. Kutuzovs und der Beischrift »General-Feldmarschall Fürst Goleniščev-Kutuzov«

Petersburg (?), 1. Drittel 19. Jahrhundert

Farbloses Glas, graviert und geschliffen, 21 x 9,7 x 9,7 cm
Inv.-Nr. ЭРС-440
Herkunft: Alter Bestand der Sammlung der Staatlichen Ermitage, Leningrad; früher befand sich das Objekt im Museum der Gesellschaft zur Förderung der Künstler, Petersburg

Ähnliche Gläser wurden nicht nur in Petersburg, sondern auch in Provinzstädten als Andenken für die Teilnehmer des Vaterländischen Krieges von 1812 hergestellt. Als Vorlagen für ihre Porträtdarstellungen dienten die Gemälde von D. Dawe für die berühmte Militär-Galerie im Winterpalast. (Nähere Angaben siehe Kat.-Nr. 56 und 173.)

Man weiß, daß sich ein solches Glas im Besitz des General-Feldmarschalls befunden hat. Die biographischen Daten zu dem Dargestellten siehe Kat.-Nr. 31. TM

350
Pokal

mit einem Medaillon mit dem Auge Gottes und der Aufschrift »Borodino am 26. August 1812«

Glas-Hütte Bachmetev in Nikol'skoe, Gouvernement von Penza, 1. Drittel 19. Jahrhundert

Kristall, Milchglas, graviert, bemalt und vergoldet, 13,7 x 6,6 x 6,6 cm
Inv.-Nr. ЭРС-436
Herkunft: 1941 aus dem Staatlichen Museum für Ethnographie der Völker der UdSSR, Leningrad; früher befand sich das Objekt im Staatlichen Museums-Fundus
Ausstellungen: 1984 Sofia, Nr. 70; 1989 Leningrad, Nr. 103
Literatur: 228 (S. 152)

Die alte Adelsfamilie der Bachmetevs erwarb in der Mitte des 18. Jahrhunderts die Glas-Hütte im Dorfe Nikol'skoe [= Nikolaus-Dorf] im Gouvernement Penza. Während des Vaterländischen Krieges von 1812 wurden jedoch ihre Gebäude und technischen Einrichtungen teilweise zerstört. Trotzdem entstanden dort zahlreiche Becher, Pokale und Gläser mit Darstellungen zum Krieg gegen Napoleon Bonaparte. Am 26. 8. 1812 (a. St.) fand bei Borodino im Gebiet von Možajsk bei Moskau die erste große Schlacht des Vaterländischen Krieges von 1812 statt, bei der 132.000 Russen mit 624 Geschützen unter dem Kommando von M. I. Kutuzov 135.000 Franzosen mit 587 Geschützen gegenüberstanden. Die Grande Armée verlor 58.000 Mann, die russische 44.000. Damit war Napoleons Plan, die russische Streitmacht in einer großen Schlacht zu vernichten, endgültig gescheitert. TM

Pokal

mit einem Medaillon mit dem Monogramm »A I« unter der Kaiserkrone und der Aufschrift »Frohlocke, Moskau, der Russe hat Paris genommen am 19. März 1814 [Likuj Moskva v Pariže ross vzjat 19 marta 1814]«

Glas-Hütte Bachmetev in Nikol'skoe, Gouvernement von Penza, 1. Drittel 19. Jahrhundert

Kristall, Kobaltglas, graviert, bemalt und vergoldet, 14 x 6,5 x 6,5 cm
Inv.-Nr. ЭРС-3227
Herkunft: 1984 als Geschenk von E. M. Baskova und E. M. Zalkinda, Moskau
Literatur: 78 (S. 70)

Zu der Herstellerfirma siehe Kat.-Nr. 350.   TM

GEFÄSSE AUS STEIN

Zentren der Steinbearbeitung im Rußland des 18. und 19. Jahrhunderts waren die Kaiserlichen Steinschneide- und Schleifwerkstätten in Peterhof (bei Petersburg), in Ekaterinburg im Ural (seit 1924: Sverdlovsk) und Kolyvany im Altaj-Gebirge. »Mit der Erbauung der Stadt Petersburg«, schrieb das Akademiemitglied A. E. Fersman, »beginnt auch eine neue Technik der Steinbearbeitung, die in Rußland die Grundlagen für eine steinverarbeitende Industrie schafft«. Damit kam es während der Regierungszeit Kaiser Petrs I. zur Geburt eines der interessantesten Zweige des russischen Kunsthandwerks.
Die staatliche Werkstatt in Peterhof ist die älteste, die für die künstlerische Verarbeitung von farbigen Steinen eingerichtet wurde. 1721 gegründet, verarbeitete man dort schon in den 30er und 40er Jahren des 18. Jahrhunderts den berühmten Jaspis aus dem Südural sowie karelischen Marmor, Jaspis, Quarz und Porphyr aus dem Altaj, aber auch ausländische Edel- und Halbedelsteine. In der zweiten Hälfte des 18. Jahrhunderts wurden im Ural beträchtliche

350

Mengen von Edelsteinen gefunden, die in Peterhof zu dekorativen Ausstattungs-Stücken für Paläste in Petersburg und die Residenzen im Umland verarbeitet wurden. Im 19. Jahrhundert ist das Werk vor allem mit Erzeugnissen aus Ural-Malachit und mit Mosaiken aus Halbedelsteinen hervorgetreten. Außerdem gab es dort eine Schule zur Ausbildung von entsprechenden Künstlern und Handwerkern. In Fortführung dieser Tradition arbeitet noch heute das Werk »Russische Edelsteine [Russkie samocvety]« in Leningrad.

Die staatliche Steinschneide-Werkstatt in Ekaterinburg arbeitet seit 1726, wurde also kurz nach der Stadtgründung von 1723 im Ural eingerichtet. Zunächst handelte es sich dort nur um einen kleinen Betrieb, der aber schon 1746 ein neues Gebäude erhielt. In ihm konnte der Mechaniker Nikita Bacharev den Bestand an entsprechenden Maschinen erweitern und technisch verbessern. 1750 entwickelte der Mechaniker Ivan Susorov neue Maschinen und Werkbänke für die Bearbeitung härterer Steine, wie z. B. Achat oder Jaspis. Nach einer nochmaligen Umgestaltung ging die Firma am 8. Dezember 1751 in anderen Besitz über, arbeitete aber auch weiterhin im Auftrag des Kaiserlichen Hofes, vor allem dekorative Ausstattungs-Stücke für zahlreiche Paläste der Hauptstadt und ihres Umlandes. In unseren Tagen wird ihre Tradition in dem Werk »Ural-Edelsteine [Ural'skie samocvety]« weitergeführt.

Die Kolyvany-Werkstatt arbeitet seit 1786, als man zunächst bei der Silbergießerei in Loktevo mit den Meistern Baklanov und Denisov aus dem Peterhofer Steinschneide-Betrieb ebenfalls eine Schleifmühle eröffnete. Im Jahre 1800 kam sie dann zur Kolyvaner Silber- und Kupfergießerei und wurde 1802 durch den Steinschneidemeister, Mechaniker und Maschinenbauer F. V. Strižkov mit einer für diese Zeit äußerst fortschrittlichen technischen Ausstattung versehen. Dort verarbeitete man vor allem heimischen Porphyr und Jaspis. Großartige Standleuchter, Vasen und Tischgeräte aus den Kolyvaner Werkstätten schmücken die großen Hallen der Ermitage sowie die Prunksäle und Treppenaufgänge des Winterpalastes.

Ende des 18. und in den ersten Jahrzehnten des 19. Jahrhunderts entstanden in allen drei Werkstätten herausragende Erzeugnisse nach Entwürfen so bedeutender Meister wie G. Quarenghi, C. Rossi, A. N. Voronichin und I. I. Halberg. Dabei wurden die geschnittenen und geschliffenen Formen häufig mit vergoldeten Bronze-Montierungen zusätzlich verziert. Die bedeutendsten Werkstätten dafür waren damals die der Kunstakademie und die staatliche Bronzewerkstatt.

LT

353

Vase

Loktevo (Altaj), 1786–1790

Schwarzer Loktevo-Porphyr mit weißen Einsprenglingen, behauen, geschliffen und poliert, 32,3 x 13,5 x 9,5 cm
Inv.-Nr. ЭРКм-948
Herkunft: 1941 aus dem Staatlichen Museum für Ethnographie der Völker der UdSSR, Leningrad; früher befand sich das Objekt im Alten Bestand der Ermitage   LT

353
Vase

in Form einer Hydra mit abnehmbarem Deckel, symmetrischen Amphoren-Henkeln mit vegetabilen Ornamenten und ornamental verarbeiteten Adlern auf den Voluten

Peterhof, nach einer Zeichnung von Giacomo Quarenghi, 1800–1801; Bronze nach einer Zeichnung von A. N. Voronichin, gefertigt von P. Agi in der Bronzewerkstatt der Kunstakademie, 1807–1808.

Graugrüner Kalka-Jaspis, geschliffen und poliert; mit vergoldeter Bronzemontierung, Höhe 44 cm, Durchmesser 22 cm
Auf dem Sockel Angabe des Herstellungsortes
Inv.-Nr. ЦХ-600-УЩ
Herkunft: Alter Bestand der Sammlung des Palast-Museums in Pavlovsk, dort seit 1824 in der Bibliothek des Palastes
Literatur: 96 (S. 324, Abb. 208); 184 (Abb. 222)   AV

354
Ein Paar Vasen

mit Ägypterfiguren und Schlangen als Henkel

Ekaterinburg, nach einer Zeichnung von A. N. Voronichin, 1803–1804

Hellbraune Breccie aus dem Altaj, behauen, geschliffen und poliert; mit vergoldeter Bronzemontierung, 59 x 54 cm
Inv.-Nr. Э-2688, 2689
Herkunft: Alter Bestand der Sammlung der Staatlichen Ermitage, Leningrad
Ausstellungen: 1981 Leningrad, Chodužestvennyj metall, Nr. 359
Literatur: 12 (Nr. 1); 63 (S. 18, 122, Abb. 29); 104 (S. 76, Tafel 8); 220 (Bd. 2, S. 141)   NM

354

355 FARBTAFEL S. 403

Deckelvase auf vier bronzenen Delphinen

Ekaterinburg, nach einer Zeichnung von A. N. Voronichin, nach 1800

Hellblauer transbajkalischer Lapislazuli; behauen, geschliffen und poliert; mit vergoldeter Bronzemontierung, 20 x 12,8 x 10,4 cm
Inv.-Nr. ЗИ-9141
Herkunft: Alter Bestand der Sammlung der Staatlichen Ermitage, Leningrad
Literatur: 12 (Nr. 1)   NM

356 FARBTAFEL S. 402

Schale

Kolyvany, nach 1800

Grauvioletter Porphyr, behauen, geschliffen, poliert, 15,8 x 16,5 x 16,5 cm
Unten Angabe des Herstellungsortes
Inv.-Nr. ЭРКм-392
Herkunft: 1941 aus dem Staatlichen Museum für Ethnographie der Völker der UdSSR, Leningrad; früher befand sich das Objekt in der Sammlung des Hauses der Grafen Šeremetev in Petersburg
Ausstellungen: 1984 Delhi, Nr. 84; 1984 Sofia, Nr. 84.   LT

357 FARBTAFEL S. 402

Schale

Ekaterinburg, 1. Drittel des 19. Jahrhunderts

Rosenquarz (Rhodonit) aus dem Ural mit schwarzen Einsprenglingen, behauen, geschliffen, poliert, 19 x 15,5 x 15,5 cm
Inv.-Nr. ЭРКм-391
Herkunft: 1941 aus dem Staatlichen Museum für Ethnographie der Völker der UdSSR, Leningrad
Ausstellungen: 1983 Caracas, Nr. 85; 1984 Habana, Nr. 89; 1984 Mexico, Nr. 89; 1984 Bogota, Nr. 95   LT

ARBEITEN AUS MALACHIT

Mit ihren Malachiterzeugnissen haben die Kaiserlichen Steinschneide-Werkstätten von Peterhof und Ekaterinburg besondere Berühmtheit erlangt.

Malachit (von malache = griechisch: Malve) ist ein Mineral von smaragd- bis schwarzgrüner Farbe, das durch Oxidation von Kupfererzen entsteht. In Rußland findet man es häufig, wobei sich allerdings nicht alle Arten für eine Bearbeitung eignen. Für die Steinschneidekunst sind eigentlich nur zwei Fundorte von Bedeutung: 1. die Grube von Gumeševo (1702 abgeteuft) im Besitz des ehemaligen Staatsrates Turčaninov, und 2. die Grube von Mednorudnjansk [ungefähr: »Kupfergrubenhausen«], im Besitz der Bergbaudynastie Demidov (1720 geadelte Kaufleute aus Tula). Erste Berichte über Mednorudnjansk sind bereits aus dem Jahre 1722 überliefert. Der systematische Abbau begann aber erst 1813. 1835 entdeckte man hier ein gewaltiges Malachitvorkommen von rund 250 Tonnen; Material für große dekorative Gegenstände und die Ausstattung prächtiger Interieurs, wie den Malachit-Saal im Hause Pavel Nikolaevič Demidovs (1798–1840) in der Großen Meer-Straße in Petersburg, den Malachit-Saal des Winterpalastes, für den Isaakios-Dom in Petersburg oder den Großen Kreml'-Palast in Moskau.

Zur künstlerischen Verarbeitung wurden vor allem drei Arten verwandt. Am kostbarsten war der »türkisartige« Stein, dessen »flockige« Maserung mit der der karelischen Birke vergleichbar ist. Er eignet sich hervorragend zur Bearbeitung. Ihm folgt, im Hinblick auf die technischen Qualitäten, der hellgrüne Malachit. Zuletzt kommt der »plüsch-« oder »samtartige« Malachit mit dunklem Ton und changierender Oberfläche, der aber schwer zu bearbeiten ist.

Das Akademie-Mitglied Aleksandr Evgenievič Fersman (1883–1945), bedeutender Geochemiker und Mineraloge, hat die erste Hälfte des 19. Jahrhunderts als die »Malachit-Zeit« der russischen Steinschneidekunst bezeichnet. Allein in Petersburg entstanden damals zahlreiche Werkstätten und Einrichtungen für den Vertrieb der begehrten Erzeugnisse. Zu den frühesten gehörte der Betrieb von N. N. Demidov, der enge Kontakte zu ausländischen Firmen unterhielt: zu Legry, zu der Goldschmiede-Werkstatt Odiot, oder zu Pierre Philippe Thomire (1751–1843), dem Pariser Spezialisten für Beschläge und andere kunsthandwerkliche Gegenstände in Bronze; aber auch zu italienischen Steinschnittmeistern. Er vertrieb seine Produk-

te in einer eigenen Handlung auf dem Nevskij-Prospekt und durch Agenten in zahlreichen Hauptstädten der Welt. Sein Nachfolger A. N. Demidov hatte 1847–1853 auf der Basileios-Insel eine Malachit-Manufaktur, deren prachtvolle Erzeugnisse 1851 auf der Weltausstellung in London besonderes Interesse erweckten. Seit etwa 1820 wurden noch weitere Firmen gegründet, so das »Englische Geschäft« von Nicols & Plinke und das von Tigelstein, die den Kaiserlichen Hof belieferten, das »Holländische Geschäft« der Familie Kruiz, ferner die Werkstätten von Galioti, Morin, Rogers, Triskorni, die bedeutende Privataufträge ausführten. Viele von ihnen unterhielten enge Kontakte zu den Steinschneide-Werkstätten in Peterhof und ließen für sich sowohl russische Fachkräfte (für die Malachit-Bearbeitung), als auch ausländische Meister (besonders für die Bronze-Montierungen) arbeiten.

Für Peterhof waren damals auch freischaffende Künstler tätig, die dort nicht angestellt waren. Sie bezogen vom Werk die Rohmaterialien und boten ihm die daraus angefertigten Produkte zum Kauf an. Im Unterschied zu den Ekaterinburgern hatten die Peterhofer Werkstätten das Recht, ihre Erzeugnisse auch an Privatpersonen zu verkaufen. Ende der 20er Jahre des 19. Jahrhunderts hatte sich der Handel mit qualitätvollen Stücken erheblich entwickelt.

Die begehrten Malachitwaren erzielten hohe Preise: nach einer erhaltenen Liste von 1830 kostete eine Malachit-Schatulle etwa 800–1000, ein Briefbeschwerer 150–200 Rubel.

Die Malachit-Mode griff bald auch auf Paris, Wien und Berlin über. Auch Napoleon schätzte einen Tisch, eine Vase und einen Kandelaber, die ihm Kaiser Aleksandr I. geschenkt hatte, als besondere Kostbarkeiten.

Hergestellt wurden die Produkte in der Technik des sogenannten »russischen Mosaiks«. Man zerteilte das Material in kleine Steine (Durchmesser etwa 2–4 mm), kombinierte sie der Vorzeichnung entsprechend, begann sie zu schleifen und zu polieren, um sie dann auf eine vorbereitete metallische oder steinerne Form des zukünftigen Produktes zu kleben. Die Zwischenräume zwischen den einzelnen Elementen wurden durch kleinere Teile gefüllt. Dabei verbanden die Meister ihr künstlerisches Vermögen mit einem sicheren Gespür für Form und Farbe sowie für die natürlichen Gegebenheiten des Steins. Damit und durch die Größe ihrer Arbeiten übertrafen sie sogar ihre italienischen Kollegen der Steinschneide-Technik.

Man unterschied schon damals fünf verschiedene Arten der Materialverarbeitung: 1. den »geschorenen Samt«, 2. den »Band-« oder »Strombrokat«, 3. den strahlenförmigen (»mit Astlöchern«) und 4. die symmetrische Gruppierung um die optische Symmetrieachse des Objekts.

364, 360, 363

Die zuletzt genannte Möglichkeit wurde auch kombiniert, kreuzförmig nach vier Seiten ausgerichtet, angewandt.

Häufig wird die Wirkung der Erzeugnisse durch vergoldete Bronzemontierungen ergänzt; und gerade diese Kombination unterschiedlicher Grün-Töne und Schattierungen mit dem goldenen Glanz des Metalls steigert die prächtige Erscheinung dieser Arbeiten.

A. E. Fersman formulierte dazu zusammenfassend folgendes: »Man muß die Säle der Ermitage besuchen und ihre Vasen und Schalen betrachten, man muß im Malachit-Saal des Winterpalastes lernen, diesen so kräftig sprechenden, raffinierten Stein zu schätzen, man muß all die Errungenschaften russischer Technik und Kunst intensiv studieren, um wirklich sagen zu können, was man aus diesem russischen Stein alles fertigen kann.«   LT

358   FARBTAFEL S. 404
Ein Paar Vasen

Typ »Medici« auf hohen Postamenten mit Maskarons, nach einer Zeichnung von I. I. Halberg [Gal'berg]

Peterhofer Steinschneide-Fabrik, 1826–1830

Malachit mit vergoldeter Bronze-Montierung, 67 x 24 x 24 cm
Inv.-Nr. ЭРКм-325 ab, 326 ab
Herkunft: 1941 aus dem Staatlichen Museum für Ethnographie der Völker der UdSSR, Leningrad; ursprünglich stammen die Vasen jedoch aus dem alten Bestand der Ermitage.

Ivan Ivanovič Gal'berg (1782–1863) war Architekt und Absolvent der Kunstakademie. 1805 arbeitete er als Assistent des Architekten G.

Quarenghi bei der Umgestaltung der Kleinen Ermitage. Seit 1817 war er Architekt des Kabinetts seiner Kaiserlichen Majestät. Nach 1820 war er, zusammen mit K. I. Rossi, am Bau des Michaels-Palastes und des Aleksandra-Theaters in Petersburg beteiligt. Auch als Lehrer hatte er großen Einfluß.   LT

359   FARBTAFEL XIV

Uhr

Viereckiges Gehäuse mit der Figur eines knienden Amors oben.

Petersburg, nach 1820

Malachit mit vergoldeter Bronzemontierung, 39,6 x 20,5 x 17 cm
Inv.-Nr. ЭРКм-217
Herkunft: Alter Bestand der Sammlung der Staatlichen Ermitage, Leningrad; ursprünglich im persönlichen Besitz des Kaisers Nikolaj I. und der Kaiserin Aleksandra Fedorovna.   LT

360   FARBTAFEL S. 413, ABBILDUNG S. 411

Briefbeschwerer

darauf zwei Email-Miniaturen mit Ansichten des Elagin-Palastes und des dortigen Parks

nach 1820

Malachit (mit Blei beschwert), Emailmalerei, vergoldete Bronze-Montierung,
9,4 x 23,6 x 7,7 cm
Inv.-Nr. ЭРКм-280
Herkunft: Alter Bestand der Sammlung der Staatlichen Ermitage, Leningrad

Zum dargestellten Palast siehe Katalog-Nrn. 108, 109   LT

361   FARBTAFEL S. 414

Briefbeschwerer

mit der Figur eines Löwen

Petersburg, nach 1820

Malachit, vergoldete Bronze, 7,3 x 12,6 x 8,3 cm
Inv.-Nr. ЭРКм-265
Herkunft: 1941 aus dem Staatlichen Museum für Ethnographie der Völker der UdSSR, Leningrad; ursprünglich stammt das Objekt jedoch aus dem alten Bestand der Ermitage.   LT

362   FARBTAFEL S. 414

Ständer für Taschenuhren

in Form einer Bronzesäule auf einem Postament. Sie trägt eine Vase mit Haken zum Aufhängen der Uhr.

Petersburg, nach 1820

Bronze vergoldet und Malachit, 21,8 x 6,1 x 6,1 cm
Inv.-Nr. ЭРКм-300

Herkunft: 1941 aus dem Staatlichen Museum für Ethnographie der Völker der UdSSR, Leningrad; früher befand sich das Objekt in der Sammlung der Fürsten Jusupov in Petersburg.
Ausstellungen: 1983 Caracas, Nr. 87, 1984 Habana, Nr. 91; 1984 Mexico, Nr. 91; 1985 Bogotá, Nr. 97   LT

363   ABBILDUNG S. 411

Ständer für eine Taschenuhr

in Form einer Säule auf einem Postament. Oben ein Adler mit einem Kranz, an dem sich der Haken für die Uhr befindet.

Petersburg, nach 1820

Bronze vergoldet und Malachit, 22,4 x 6,3 x 6,3 cm
Inv.-Nr. ЭРКм-291
Herkunft: 1941 aus dem Staatlichen Museum für Ethnographie der Völker der UdSSR, Leningrad; ursprünglich stammt das Objekt jedoch aus dem alten Bestand der Ermitage.   LT

364   ABBILDUNG S. 411

Tischglocke

Petersburg, nach 1820

Malachit und vergoldete Bronze, 10,5 x 7,6 x 7,6 cm
Inv.-Nr. ЭРКм-251
Herkunft: 1941 aus dem Staatlichen Museum für Ethnographie der Völker der UdSSR, Leningrad; früher befand sich das Objekt in der Sammlung der Fürsten Jusupov in Petersburg   LT

365   FARBTAFEL S. 415

Schälchen

Petersburg, nach 1820

Vergoldete Bronze und Malachit, 8,3 x 9,3 x 9,9 cm
Inv.-Nr. ЭРКм-226
Herkunft: 1941 aus dem Staatlichen Museum für Ethnographie der Völker der UdSSR, Leningrad; früher befand sich das Objekt in der Sammlung der Fürsten Jusupov in Petersburg   LT

366   FARBTAFEL S. 413

Papierablage

Peterhofer Steinschneide-Fabrik,
1. Drittel 19. Jahrhundert

Malachit mit vergoldeter Bronze-Montierung, 25,4 x 29 x 23 cm
Inv.-Nr. ЭРКм-227
Herkunft: Alter Bestand der Staatlichen Ermitage, Leningrad; ursprünglich im persönlichen Besitz des Kaisers Nikolaj I. und der Kaiserin Aleksandra Fedorovna
Ausstellungen: 1984 Delhi, Nr. 88; 1984 Sofia, Nr. 88
Literatur: 37 (Abb. 9); 185 (S. 209)   LT

367   FARBTAFEL S. 415

Kleine Malachit-Schatulle

mit Klapp-Deckel

Peterhofer Steinschneide-Fabrik,
1. Drittel 19. Jahrhundert

Malachit mit vergoldeter Bronze-Montierung, 9 x 20,4 x 15 cm
Inv.-Nr. ЭРКм-261
Herkunft: 1941 aus dem Staatlichen Museum für Ethnographie der Völker der UdSSR, Leningrad; früher befand sich das Objekt in der Sammlung der Fürsten Jusupov in Petersburg
Ausstellungen: 1981 Leningrad, Choduzestvennyj metall, Nr. 374; 1984 Delhi, Nr. 86; 1984 Sofia, Nr. 86
Literatur: 37 (S. 89); 185 (S. 213)   LT

368   FARBTAFEL S. 415

Malachit-Schälchen

in Form einer Wanne mit Griffen und Beschlägen auf Löwenfüßchen

Peterhofer Steinschneide-Fabrik,
1. Drittel 19. Jahrhundert

Malachit und vergoldete Bronze, 8,5 x 20,7 x 10,8 cm
Inv.-Nr. ЭРКм-225
Herkunft: Alter Bestand der Sammlung der Staatlichen Ermitage, Leningrad; ursprünglich im persönlichen Besitz des Kaisers Nikolaj I. und der Kaiserin Aleksandra Fedorovna
Ausstellungen: 1984 Delhi, Nr. 90; 1984 Sofia, Nr. 90   LT

Email-Miniatur mit Ansicht
des Elagin-Palastes, nach 1820.
Detail aus Briefbeschwerer,
Kat.-Nr. 360

Papierablage,
1. Drittel 19. Jahrhundert.
Kat.-Nr. 366

Briefbeschwerer mit Löwe, nach 1820. Kat.-Nr. 361; Ständer für Taschenuhren, nach 1820. Kat.-Nr. 362

vorne: Schälchen, nach 1820.
Kat.-Nr. 365

links: Malachit-Schälchen (Wanne),
1. Drittel 19. Jahrhundert.
Kat.-Nr. 368

rechts: Malachit-Schatulle,
1. Drittel 19. Jahrhundert.
Kat.-Nr. 367

Kombinierte Schreibtischgarnitur,
1. Drittel 19. Jahrhundert.
Kat.-Nr. 370

Ein Paar Kerzenleuchter,
1. Drittel 19. Jahrhundert.
Kat.-Nr. 371

415

Handarbeitstisch, um 1800. Kat.-Nr. 375

Schreibtisch, 1800–1820. Kat.-Nr. 378; Sessel, 1. Viertel 19. Jahrhundert. Kat.-Nr. 388

Sessel und Stühle aus einer Arbeitszimmer-Garnitur Kaiser Aleksandrs I., 1805/06. Kat.-Nr. 377 (Aufnahme in der Ermitage)

Thron des Großmeisters des Malteserordens, 1798–1800. Kat.-Nr. 376 (Aufnahme in der Ermitage)

Tischchen und Stuhl, 1. Viertel 19. Jahrhundert. Kat.-Nrn. 385 und 386

369
Ein Paar Vasen in Kraterform

mit Maskarons auf rechteckigen Basen.

Peterhofer Steinschneide-Fabrik,
1. Drittel 19. Jahrhundert

Malachit mit vergoldeter Bronze-Montierung,
23,3 x 20 x 20 cm
Inv.-Nr. ЭРКм-315, 316
Herkunft: 1941 aus dem Staatlichen Museum für
Ethnographie der Völker der UdSSR, Leningrad; ursprünglich gehörten die Vasen jedoch
zum Alten Bestand der Ermitage   LT

370   FARBTAFEL S. 415
Kombinierte Schreibtischgarnitur

Federschale mit Tintenfässern; mit Kriegstrophäen dekoriert.

Petersburg, 1. Drittel 19. Jahrhundert

Malachit mit vergoldeten Bronze-Teilen und
Kristalleinsätzen für die Tintenfässer,
24,2 x 30,3 x 18,7 cm
Inv.-Nr. ЭРКм-1076
Herkunft: Alter Bestand der Sammlung der
Staatlichen Ermitage, Leningrad; ursprünglich
im persönlichen Besitz des Kaisers Nikolaj I.
Ausstellungen: 1981 Leningrad, Choduzestven-
nyj metall, Nr. 375
Literatur: 185 (S. 205)   LT

369

371   FARBTAFEL S. 415
Ein Paar Kerzenleuchter

Petersburg, 1. Drittel 19. Jahrhundert

Malachit mit vergoldeter Bronze-Montierung,
30,3 x 11,8 x 11,8 cm
Inv.-Nr. ЭРКм-259, 260
Herkunft: 1941 aus dem Staatlichen Museum für
Ethnographie der Völker der UdSSR, Lenin-
grad; ursprünglich gehörten die Leuchter je-
doch zum Alten Bestand der Ermitage
Ausstellungen: 1975 Leningrad, Nr. 197; 1983
Caracas, Nr. 89, 90; 1984 Habana, Nr. 94, 95;
1984 Mexico, Nr. 94, 95; 1985 Bogotá, Nr. 100
Literatur: 37 (Abb. 3)   LT

372   FARBTAFEL S. 331
Spieltisch

Ende 18. Jahrhundert

Holz, in der Art karelischer Birke behandelt, Ulme geschnitzt, Intarsien; mit grünem Filz bespannt, 73 x 92 x 46 cm
Inv.-Nr. ЭРМб-427
Herkunft: 1941 aus dem Staatlichen Museum für Ethnographie der Völker der UdSSR, Leningrad
Literatur: 196 (Nr. 91, S. 245)

Mit aufklappbarer Platte, sowohl zum Kartenspielen als auch zum Schachspielen angelegt. Auf der oberen Platte ein Schachbrett in Intarsientechnik. Das geschnitzte Ornament in den vier Medaillons der aufgeklappten Innenseite entspricht in der Art seiner Ausführung, im Material und seinen Motiven einer Gruppe weiterer russischer Möbelstücke, die Ende des 18. Jahrhunderts entstanden sind.   NG

373   FARBTAFEL S. 332
Tafelklavier

Meister Gerhard Rohde. Petersburg, Ende 18. Jahrhundert

Gehäuse aus Rotholz, Intarsien-Medaillon im Zentrum der Deckplatte über der Klaviatur, Tasten aus Elfenbein und Ebenholz, 77 x 128 x 100 cm
Inv.-Nr. ЭРД-2448
Herkunft: 1941 aus dem Staatlichen Museum für Ethnographie der Völker der UdSSR, Leningrad

Im Medaillon: »GERHARD ROHDE ST. PETERSBOURG«.
Das rechteckige Gehäuse ruht auf einer ebensolchen Grundplatte, die von vier sich nach unten verjüngenden Beinen getragen wird. (Die Grundplatte wurde nach erhaltenen Vorbildern der Zeit ergänzt.)   NG

374   FARBTAFEL S. 332
Stuhl

Petersburg, Ende 18. Jahrhundert

Holz, Nußbaum getönt, geschnitzt und teilweise vergoldet; Seidenbezug des 19. Jahrhunderts, 33 x 44 x 39 cm
Inv.-Nr. ЭРМб-122/2
Herkunft: 1946 aus dem Revolutions-Museum; früher befand sich der Stuhl vermutlich im Winterpalast

Dieser Stuhl mit vasenförmigem Zierelement in der Lehne geht auf Vorbilder Thomas Chippendales (1718–1779) zurück. Deren gebräuchliche Form wurde jedoch auf charakteristische Weise verändert: Das Motiv des Zierelementes durchbricht mit einem oben angesetzten Teil die streng rechtwinklig angelegte Struktur des Stuhles. Bei den englischen Vorbildern besteht dieser Mittelteil dagegen aus einem Stück. Ein weiteres Merkmal für den russischen Ursprung des Stuhles ist zum einen die Verwendung unterschiedlicher Holzarten, die dann einheitlich in Nußbaum getönt worden sind, sowie zum anderen das Auftragen der Vergoldung ohne vorherige Grundierung direkt auf das Holz.   NG

375   FARBTAFEL S. 416
Handarbeitstisch

Rußland, um 1800

Wurzelholz (Nußbaum?) geschnitzt; mit eingefügtem seidenen Beutel, 72 x 54 x 54 cm
Inv.-Nr. ЦХ-652-у
Herkunft: Palast-Museum in Pavlovsk

Der runde Tisch wird von einem sich nach oben konisch öffnenden korbartigen Gestell getragen, das von zwei hölzernen Voluten begleitet wird. Die ornamental geformte Basis steht auf vier Beinen. Die Platte ist aufklappar. Unter ihr befinden sich ein Nähkästchen, ein Nadelkissen und ein Seidenbeutel für Handarbeitsutensilien.
Das Tischchen gehört zu den selten erhalten gebliebenen ursprünglichen Ausstattungs-Stükken aus den Wohnräumen der Kaiserin Marija Pavlovna im Palast von Pavlovsk. Dort befanden sich zahlreiche so originell gestaltete Handarbeits- und Zeichentischchen für Damen.   AA

376   FARBTAFEL S. 419
Thron des Großmeisters des Malteserordens

nach einem Entwurf von Giacomo Quarenghi; die Vergoldung vermutlich von Telesforo Bonaveri.

Petersburg, 1798–1800

Holz, geschnitzt und vergoldet; originaler Bezug aus Samt mit Silberstickerei, 156 x 115 x 96 cm
Inv.-Nr. ЭРМб-108/5

FUSSBANK
Holz, geschnitzt und vergoldet; originaler Bezug aus Samt, 23 x 64 x 42 cm
Inv.-Nr. ЭРМб-108/4

EIN PAAR STANDLEUCHTER
Holz, geschnitzt, vergoldet und bemalt, 136 x 35 x 35 cm
Inv.-Nr. ЭРД-2429, 2430
Herkunft: 1941 aus dem Staatlichen Museum für Ethnographie der Völker der UdSSR, Leningrad; früher befand sich der Thron in der Malteser-Kapelle in Petersburg
Literatur: 194 (S. 16–21); 195 (S. 123); 196 (S. 244); 239 (S. 88)

Die Gesamtplanung der Kapelle des Malteser-Ordens, bei dem Palast Graf Voroncovs wurde von Giacomio Quarenghi (1744–1817) durchgeführt. Außer dem hier gezeigten, für den Kaiser und zugleich Großmeister des Ordens, Pavel I., bestimmten Thron und den beiden Leuchtern gehörten zur Ausstattung einige Tabourets und dazu Stühle für die Bischöfe, die in Anlehnung an alte Kirchenstühle entworfen worden sind. Der Thron des Großmeisters stand auf einem erhöhten Podest unter einem hohen Baldachin mit Samt-Draperien. 1798 war Pavel I. Großmeister des Ordens geworden.   NG

377   FARBTAFEL S. 418
Sessel und Stuhl

Kaiserliche Tapisserie-Manufaktur, nach einem Entwurf von Luigi Rusca, 1805/06

Holz, geschnitzt und vergoldet; Originaler Tapisserie-Bezug, 99 x 74 x 69 bzw. 99 x 56 x 46 cm
Inv.-Nr. ЭРМб-1204, 1213
Herkunft: aus dem Winterpalast
Ausstellungen: 1911 St. Petersburg, S. 244; 1986 Leningrad, Ubransto russkovo inter'era, S. 14, 15 (mit Buntabb.)
Literatur: 129 (S. 12, 13); 196 (Nr. 114, 115, 116, S. 246); 239 (Nr. 184)

Stuhl und Sessel gehören zu der umfangreichen Arbeitszimmer-Garnitur, die der Hofminister Graf Dmitrij Aleksandrovič Gur'ev (1751–1825) Kaiser Aleksandr I. geschenkt hat. Insgesamt bestand sie aus sechsundzwanzig Möbelstücken; Stühlen, Sesseln, einem Sofa sowie vier Paravents. Heute befinden sich zwei der Paravents und zehn weitere Stücke in der Ermitage in Leningrad, neun andere dort im Staatlichen Russischen Museum und sieben in der Moskauer Tret'jakov-Galerie. NG

378 FARBTAFEL S. 417

Schreibtisch

Werkstatt Heinrich Gambs [Genrich Gambs]

Petersburg, 1800–1820

Rotholz, ziselierte Bronze, patiniert und vergoldet und Metallteile; die Bespannung der Platte im 20. Jahrhundert erneuert, 132 x 128 x 77 cm
Inv.-Nr. ЭРМб-1664
Herkunft: aus dem Winter-Palast
Ausstellungen: 1986 Leningrad, Ubransto russkovo inter'era, S. 41
Literatur: 239 (S. 149–150)

Form und dekorative Gestaltung sind typisch für die hoch qualifizierte Petersburger Werkstatt von Heinrich Gambs. In ihr arbeiteten neben Tischlern, Schnitzern und Mechanikern auch mehrere Meister für Bronze-Schmuckteile. Sie fertigten Serien phantasievoller Details an: antike Masken, stilisierte ägyptische Figuren, Karyatiden, Tierkreiszeichen und anderes. Auf zahlreichen Möbelstücken der Zeit findet man diese Teile in unterschiedlichen Kombinationen immer wieder. Nur ganz besondere, exemplarische Möbel, die dann häufig innen mit einem komplizierten Mechanismus und manchmal sogar mit einem Musikinstrument (z. B. einer eingebauten Orgel) ausgestattet sind, erhielten eigens für sie entworfene Beschläge und Zierelemente aus Bronze.
Heinrich Gambs (1765–1831) war ein Schüler von David Röntgen aus Neuwied (siehe Kat.-Nr. 393), der Anfang der 90er Jahre des 18. Jahrhunderts nach Rußland gekommen war. Er gründete in Petersburg eine Möbeltischlerei, für die in den folgenden Jahren immer mehr Mitarbeiter tätig wurden. 1795 eröffnete Gambs auch seine eigene und bald berühmte Möbelhandlung. Seit 1810 war er Kaiserlicher Hoflieferant. Die Firma, die später von den Söhnen Peter (1802–1871) und Ernst (1805 ?–1849) weitergeführt wurde, existierte mehr als siebzig Jahre und wurde auch weiterhin wegen ihrer qualitätvollen Verarbeitung und der Formenschönheit ihrer Erzeugnisse besonders geschätzt. NG

379

Münz-Schrank

Türen: David Roentgen, Neuwied, 1786–1787;
Schrank: Christian Meyer, Heinrich Gambs,
Rußland, Anfang 19. Jahrhundert

Rotholz, Eiche, vergoldete Bronze und Messing, 101 x 56 cm
Inv.-Nr. Э-155
Herkunft: Türen 1787 von D. Roentgen nach
Rußland gesandt
Ausstellungen: 1980 Leningrad, Mebel' Davida
Rentgena v Ermitaze, S. 37, Nr. 14
Literatur: 33 (Bd. II, S. 232); 196 (S. 19); 205
(S. 13–15); 219 (S. 28, 29); 242 (S. 86)

Ursprünglich wurden die Türen für ein Modell
eines geplanten Palastes in Pelle von Kaiserin
Ekaterina II. bei Roentgen bestellt. B. Geres
nimmt an, daß sie von I. Starov entworfen worden
sind, von dem auch die Pläne für den gesamten
Palast stammen. Der Bau wurde nicht
ausgeführt, und Christian Meyer übernahm die
Türen für einen Münzenschrank, dessen unterer
Teil später von Heinrich Gambs gearbeitet
wurde.　　　　　　　　　　　　　TVR

382

Zwei Sessel

Werkstatt von Ivan Iosifovič Bauman, nach
einem Entwurf von Karl Ivanovič Rossi, Petersburg,
1817–1818

Holz, geschnitzt, bemalt und teilweise vergoldet;
Seiden-Bezug Ende 19. Jahrhundert
Inv.-Nr. ЭРМб-762, 765
Herkunft: 1941 aus dem Staatlichen Museum für
Ethnographie der Völker der UdSSR, Leningrad;
früher befand sich das Objekt im
Aničkov-Palast in Petersburg
Ausstellungen: 1911 St.-Petersburg, S. 232; 1986
Leningrad, Ubransto russkovo inter'era, Farbabbildung
Literatur: 23 (S. 13–16); 130 (S. 187–194); 196
(S. 247); 239 (Nr. 210)

Zwei Stücke aus einer für den Aničkov-Palast
gefertigten Garnitur, von der sich in der Ermitage
noch zwei Sofas und elf Stühle befinden.
Ursprünglich waren sie mit blauem Samt bespannt.
Im Bestand der Ermitage befindet sich
eine weitere Garnitur, deren Formgebung, deren
Ornamentmotive und deren Plazierung dieser
Motive den hier gezeigten Stücken sehr verwandt
sind. Sie wurde 1818 für den Winterpalast
angefertigt.

Ivan Iosifovič Bauman [Johannes Baumann]
gründete im ersten Viertel des 19. Jahrhunderts
eine der bedeutendsten Möbelfirmen Petersburgs.
Er selbst kam – wie viele andere deutsche
Handwerker, Mechaniker und Ingenieure – Ende
des 18. Jahrhunderts nach Rußland. 1815 erfand
er zusammen mit seinem Mechaniker
Gottwald [Gotval'd] eine spezielle Maschine für
den Schnitt von dünnem Furnierholz. Seit 1823
war Bauman Hoflieferant für Möbel und Bronzen
und betrieb in der Nähe der Admiralität ein
renommiertes Möbelgeschäft. In seiner Werkstatt
entstanden Ausstattungsstücke für den
Aničkov-, den Elagin-, den Winter-, den
Michaels-Palast und für andere Interieurs in
und um Petersburgs.　　　　　　　　NG

Tisch

Umkreis von Karl Ivanovič Rossi
Petersburg, um 1820

Holz, geschnitzt, bemalt und vergoldet; Tisch-
platte Marmor, 74 x 88 x 63,5 cm
Inv.-Nr. ЭРМб-1215
Herkunft: aus dem Winter-Palast
Ausstellungen: 1986 Leningrad, Ubransto russ-
kovo inter'era, Farbabbildung   NG

382

Sessel

Umkreis von Vasilij Petrovič Stasov
Petersburg, nach 1820

Pappel, Beschläge aus vergoldeter, ziselierter
Bronze; Bezug aus Seide, 80 x 59 x 49 cm
Inv.-Nr. ЭРМб-362
Herkunft: 1941 aus dem Staatlichen Museum für
Ethnographie der Völker der UdSSR, Lenin-
grad; früher befand sich das Objekt im Palast
der Grafen Bobrinskoj in Petersburg
Literatur: 196 (Nr. 160, S. 248)

Die spezielle Konstruktion des Stuhles wurde
von dem Architekten Vasilij Petrovič Stasov
für die russische Möbelkunst entwickelt und er-
fuhr bald weite Verbreitung. Sie besteht aus
zwei seitlichen Rahmenteilen, die – mit Ausnahme der Armlehnen – aus einem Stück geschnitten sind; Sitz und Rückenlehne dienen als
Verbindung zwischen den beiden Seitenteilen.
NG

383

Konsoltisch

Rußland, nach 1820

Holz, geschnitzt und teilweise vergoldet,
84 x 87 x 40 cm
Inv.-Nr. ЭРМб-271
Herkunft: 1941 aus dem Staatlichen Museum für
Ethnographie der Völker der UdSSR, Lenin-
grad

Diese Form des Konsoltisches tauchte im
1. Viertel des 18. Jahrhunderts zum ersten Male
in Petersburg auf und veränderte erneut die Gestaltung des aus dem 18. Jahrhunderts übernommenen Möbeltyps. Seine in der ersten
Hälfte des 18. Jahrhunderts üppig geschnitzten
Details und verschränkten barocken Formen
wurden vorher bereits in den 70er Jahren durch
klassizistische Strenge verdrängt.   NG

383

384

384
Sessel und Stuhl

Petersburg, 1. Viertel 19. Jahrhundert

Rotholz, geschnitzt; Samt-Bezug aus späterer
Zeit, 88 x 62 x 53 cm
Inv.-Nr. ЭРМб-125/I–2
Herkunft: 1941 aus dem Staatlichen Museum für
Ethnographie der Völker der UdSSR, Lenin-
grad; früher befand sich das Objekt im Palast
der Grafen Bobrinskoj in Petersburg.
Literatur: 196 (Nr. 110–111, 113–114, S. 246)

Die geschnitzten Ornamente aus Helmen und
Schwertern beziehen sich auf die ikonographische Tradition der römischen Kaiserzeit und
sind damit für die russischen Empire-Möbel
zwischen 1810 und 1830 – vor allem aus der
Zeit nach dem Sieg über Napoleon – charakteristisch.   NG

385   FARBTAFELN S. 420, 445, 452
Tischchen

Rußland, 1. Viertel 19. Jahrhundert

Karelische Birke; geschnitzte und teilweise ver-
goldete schwarze Beine, 73 x 57 x 41 cm
Inv.-Nr. ЭРМб-156
Herkunft: 1941 aus dem Staatlichen Museum für
Ethnographie der Völker der UdSSR, Lenin-
grad; früher befand sich das Objekt in der
Sammlung der Grafen Šeremetev in Petersburg.

Die originelle Form des Tisches verbindet sich
mit den Möglichkeiten praktischer Nutzung.
Die Tischplatte ist aufklappbar und bedeckt
einen tiefen Kasten für Handarbeitsgerät.   NG

386   FARBTAFEL S. 420
Zwei Stühle

Rußland, 1. Viertel 19. Jahrhundert

Karelische Birke, geschnitzt; originaler Bezug
aus Seide, 84 x 44 x 44 cm
Inv.-Nr. ЭРМб-356/I–2
Herkunft: 1941 aus dem Staatlichen Museum für
Ethnographie der Völker der UdSSR, Lenin-
grad; früher befand sich das Objekt in der
Sammlung des Staatlichen Museums-Fundus.
Literatur: 196 (Nr. 106, S. 246); 239 (Nr. 189)
NG

387
Sessel

Petersburg, 1. Viertel 19. Jahrhundert

Rotholz, geschnitzt und teilweise vergoldet;
Seidenbezug 20. Jahrhundert, 95 x 63 x 55 cm
Inv.-Nr. ЭРМб-952/I
Herkunft: 1941 aus dem Staatlichen Museum für
Ethnographie der Völker der UdSSR, Lenin-
grad; früher befand sich das Objekt im Tauri-
schen Palast in Petersburg.   NG

388   FARBTAFEL S. 417
Sessel

Petersburg, 1. Viertel 19. Jahrhundert

Rotholz, geschnitzt und teilweise vergoldet;
Seidenbezug, 88 x 55 x 51 cm
Inv.-Nr. ЭРМб-326
Herkunft: 1941 aus dem Staatlichen Museum für
Ethnographie der Völker der UdSSR, Lenin-
grad
Ausstellungen: 1986 Leningrad, Ubransto russ-
kovo inter'era, Farbabbildung
Literatur: 196 (Nr. 125, 126, S. 246)   NG

387

389

390 FARBTAFEL XIII
Siebenteilige Garnitur

mit einem Sofa und sechs Sesseln

Petersburg, 1. Drittel 19. Jahrhundert

Getönte karelische Birke und Nußbaum, geschnitzt und teilweise vergoldet; Bezug aus französischer Seide, Anfang 19. Jahrhundert
je 102 x 59 x 49 bzw. 86 x 56 x 46 bzw.
104 x 154 x 63 cm
Inv.-Nr. ЭРМб-364/I, 2, 3, 4, 5, 6, 7
Herkunft: 1941 aus dem Staatlichen Museum für Ethnographie der Völker der UdSSR, Leningrad; früher befand sich das Objekt in der Wohnung der Fürsten Trubeckoj in Petersburg

Repräsentative Beispiele für die russische Möbelkunst im 1. Viertel des 19. Jahrhunderts mit furnierten Teilen sowie geschnitzten und vergoldeten Details. NG

391 FARBTAFEL S. 429
Reiseschreibtisch

Rußland, 1. Viertel 19. Jahrhundert

Rotholz, Messingbeschläge und Metallteile innen; Spiegel auf einem ausklappbaren Fach für Briefe; Schreibplatte mit grünem Filz bespannt,
25 x 54 x 31,5 cm
Inv.-Nr. ЭРМб-1787
Herkunft: 1986 erworben durch die Ankaufs-Kommission der Staatlichen Ermitage, Leningrad

Innen ein Gewinde, um damit die Lage der Schreibplatte zu verändern. Nicht nur hinter dem Spiegel, sondern auch hinter verschiedenen Fächern für Federn und Bleistifte sind kleine Geheimfächer verborgen. Außerdem Behälter für Tinte und Streusand.
Die begehrten praktischen Reiseschreibtische waren offenbar nicht überall zu erwerben. So notierte etwa F. Golovkin, der zeitweise in Italien gelebt hatte ausdrücklich in seinen Memoiren, daß er dort »eine gute englische Schatulle erworben habe, welche sich verschließen läßt und all die unerläßlichen Einteilungen für die ganzen Schreibutensilien aufweist«. NG

389
Frisiertoilette

Rußland, 1. Viertel 19. Jahrhundert

Karelische Birke, geschnitzt und getönt, mit eingesetztem Spiegel, 65 x 56 x 26 cm
Inv.-Nr. ЭРМб-258
Herkunft: 1941 aus dem Staatlichen Museum für Ethnographie der Völker der UdSSR, Leningrad

Im Sinne des Klassizismus, möglichst alle Objekte durch eine durchgängige Formgebung zu vereinheitlichen, wurden selbst kleinformatige Erzeugnisse des Kunsthandwerks architektonischen Vorbildern angenähert. So begegnet einem häufig das Motiv eines liegenden Löwen nicht nur in der Monumental-Architektur als Portalfigur, sondern auch bei Möbeln oder Goldschmiedearbeiten.
Die Form eines beweglichen Spiegels, zwischen zwei mit Delphinen verzierten Ständern war in Rußland seit den 90er Jahren des 18. Jahrhunderts weit verbreitet. NG

428 *Möbel*

Reiseschreibtisch, 1. Viertel 19. Jahrhundert. Kat.-Nr. 391

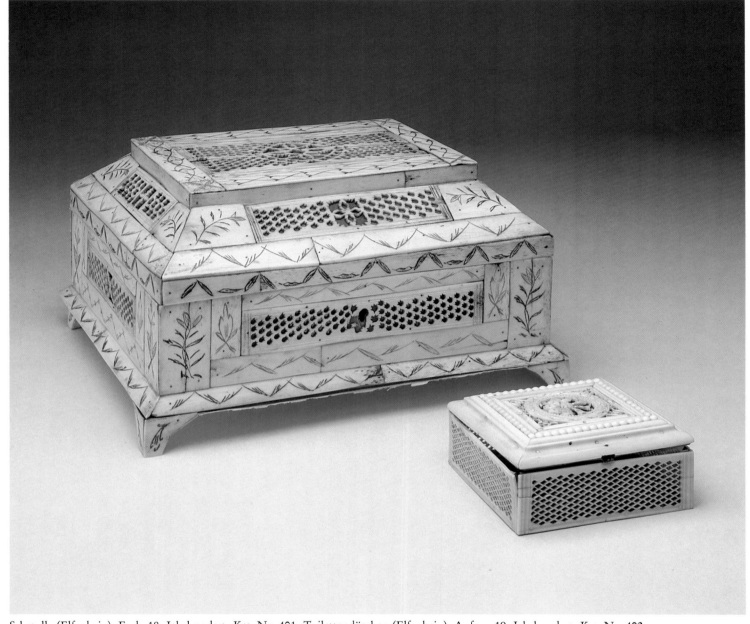

Schatulle (Elfenbein), Ende 18. Jahrhundert. Kat.-Nr. 401; Toilettendöschen (Elfenbein), Anfang 19. Jahrhundert. Kat.-Nr. 402

Drei Tabaksdosen. Oben: Kat.-Nrn. 407, 404; unten: Kat.-Nr. 408

Sommerkleid, um 1800. Kat.-Nr. 411

432

392

393

392 ABBILDUNG S. 433
Sekretär

Riga, 1. Viertel 19. Jahrhundert; 1840 in Moskau ergänzt

Rotholz, geschnitzt; innen Mechanismus für spezielle Fächer, Schloß und Scharniere aus Metall, 154 x 105 x 55 cm
Inv.-Nr. ЭPMб-1818
Herkunft: 1988 erworben durch die Ankaufs-Kommission der Staatlichen Ermitage, Leningrad; früher befand sich das Objekt im Kaiserlichen Palast zu Livadija

Bei einer Restaurierung des Sekretärs fand man im obersten Fach innen eine deutsche Inschrift, die besagt, daß der Sekretär von Meister H. Bock in Riga angefertigt und 1840 in Moskau von W. Techner »vollendet« worden ist. Das Stück trägt ein Schildchen mit einer Inventar-Nummer des Palastes zu Livadija auf der Krim; dort befand sich bis zur Revolution von 1917 am Ufer des Schwarzen Meeres eine der bevorzugten Residenzen der kaiserlichen Familie.

Der Sekretär ist sehr kompliziert eingerichtet: hinter dem vorderen aufklappbaren Deckel befinden sich zahlreiche Fächer und Schubladen, die alle – auch die kleinen Halbsäulen mit den geschnitzten Kapitellen – herausgenommen werden können. Mit den dahinter verborgenen Knöpfen sind noch weitere zu öffnen. NG

MÖBEL AUS WESTEUROPÄISCHEN WERKSTÄTTEN

393
Schatulle

Werkstatt von David Roentgen, Neuwied, 1783–1786

Rotholz und Eiche, vergoldete Bronze und Messing, 32 x 63 x 37 cm
Inv.-Nr. Э-5860

Herkunft: 1918 aus der Sammlung von S. E. Evdokimov, Petersburg
Ausstellungen: 1980 Leningrad, Mebel' Davida Rentgena v Ermitaže, S. 34
Literatur: 70 (S. 266); 241 (Tafel 61); 245 (Abb. 196)

David Roentgen (1743–1807) übernahm 1772 die Werkstatt seines Vaters in Neuwied. Mit fast 40 Mitarbeitern schuf er dort seine qualitätvollen Möbel, die in ganz Europa begehrt waren. 1784–1790 arbeitete er mehrfach für russische Auftraggeber.
Seit dem Anfang der 80er Jahre des 18. Jahrhunderts entstehen bei ihm zahlreiche Schatullen des hier ausgestellten Types (mit eingebauter Mechanik). B. Geres führt in seinem Katalog allein 22 Exemplare innerhalb einer Möbellieferung von 1786 nach Rußland auf. Das Medaillon mit dem Porträt Ludwigs XV. läßt jedoch vermuten, daß gezeigte Exemplar für den Export nach Paris bestimmt war. TVR

394

394
Stuhl

Werkstatt der Brüder Jacob, Paris, 1. Viertel 19. Jahrhundert

Auf dem Rahmen die Marke: Frères Jacob Rotholz, vergoldete Bronze; mit roter Seide bespannt, 90 x 53 x 50 cm
Inv.-Nr. Э-7588
Herkunft: 1923 aus dem Museum der Schule für technisches Zeichnen des Barons A. L. Stieglitz [Štiglic] in Petersburg/Petrograd
Literatur: K. A. Orlova/I. M. Sokolova, Glazami sovremennikov – Russkij žiloj inter'er pervoj treti XIX veka, Leningrad 1982, S. 66

Die Brüder François Honoré Georges (genannt Jacob-Desmalter, 1770–1841) und Georges II. Jacob führten seit 1796 gemeinsam das Unternehmen ihres Vaters, Georges I. (1739–1814), weiter. Als herausragende Ebenisten des Empire arbeiteten sie für Napoleon und andere europäische Fürstenhöfe. TVR

395
Tisch

mit Mosaik-Platte

Frankreich, Anfang 19. Jahrhundert

Mosaik: Werkstatt von Belloni (1772–ca. 1860), Paris
Tischgestell aus der Werkstatt der Brüder Jacob (siehe Kat.-Nr. 394)
Auf der Rückseite des Untertisches »Jacob Frères Rue Meslée NNᵒᵒ 76 & 77«
Gegossene und ziselierte Bronze vergoldet; polierte Holzteile, Mosaik und Email, 93,5 x 72 cm
Inv.-Nr. Э-552
Herkunft: 1928 durch den Staatlichen Museums-Fundus aus der Sammlung der Herzöge von Leuchtenberg
Ausstellungen: 1968 Leningrad, Vystavka mozaičkych izdelij XVI–XV vekov iz sobranija Ermitaža, Nr. 47
Literatur: M. Alfieri / M. G. Branchetti / G. Coznini, Mosaici minuti romani del 100e del 800, Edizioni del mosaico 1986, S. 74, Abb. 34; E. M. Efimova, Zapadnoeropeiskaja mozaika XIII–XIX vekov v sobranii Ermitaža, Leningrad 1968, S. 13, Nr. 76

Tischplatte aus weißem Marmor mit eingefügtem Mosaik. Im kreisförmigen Mittelteil auf blauem Grund ein Adler mit ausgebreiteten Schwingen und Kranz aus Eichenlaub mit Bändern, gerahmt von einem schwarzgrundigen Band mit einer Girlande aus Blättern und Früchten, von einem gelben Band umwunden. Ganz außen die vier Elemente Erde, Luft, Wasser und Feuer. Dazwischen vier Medaillons mit unterschiedlichen Masken als Symbole für die vier Jahreszeiten.

Die Einfassung der Platte mit Pflanzenornamenten und das Tischgestell aus vergoldeter Bronze. Die vier reich verzierten Beine unten mit Löwenpranken und oben mit Adlern, die die durchbrochene Halterung der Tischplatte tragen. Das ganze auf einer runden hölzernen Bodenplatte mit vier Tierfüßen. NM

395

396

397

ANGEWANDTE KUNST

396
Zwei dreiarmige Wandleuchter

in Form einer Lyra

Rußland, Ende 18. Jahrhundert

Holz, geschnitzt und vergoldet, 35 x 33 x 23 cm
Inv.-Nr. ЭРД-2294, 2295
Herkunft: 1941 aus dem Staatlichen Museum für
Ethnographie der Völker der UdSSR, Lenin-
grad
Ausstellungen: 1975 Leningrad, S. 26, Nr. 94

IU

397
Zwei Wandkonsolen

mit ägyptischen Köpfen

Rußland, Anfang 19. Jahrhundert

Holz, geschnitzt, schwarz bemalt und vergol-
det, 29 x 25 x 19 cm
Inv.-Nr. ЭРД-2390, 2391
Herkunft: 1941 aus dem Staatlichen Museum für
Ethnographie der Völker der UdSSR, Lenin-
grad

Ägyptische Dekorationen kamen nach 1800
auch in der russischen Kunst als eine Folge des
napoleonischen Feldzugs nach Ägypten auf.

IU

398–400

398
Nadeldöschen

2. Hälfte 18. Jahrhundert

Perlmutterplättchen über hölzernem Kern, mit
Silber gefaßt; Einlegearbeit in Gold, graviert,
11,8 x 2 cm
Inv.-Nr. ЭPPз-743 a, b
Herkunft: 1941 aus dem Staatlichen Museum für
Ethnographie der Völker der UdSSR, Lenin-
grad   IU

399
Toilettendöschen

2. Hälfte 18. Jahrhundert

Perlmutter, Gold, mit Einlegearbeiten; innen
im Deckel ein Spiegel, 2,5 x 5,5 x 4 cm
Inv.-Nr. ЭPPз-3371
Herkunft: 1959 erworben durch die Ankaufs-
Kommission der Staatlichen Ermitage, Lenin-
grad

Unter dem aufklappbaren Deckel innen drei
Fächer; davon zwei ebenfalls mit einem Deckel.
Die mit Pflanzenmotiven verzierte Dose diente
der Aufbewahrung von Schönheitspflaster, das
sich die Damen auf Gesicht, Rücken und Brust
klebten.   IU

400
Necessaire

18. Jahrhundert

Perlmutter mit Einlegearbeiten in Gold auf
Holz; innen mit Seide gefüttert, 4,1 x 2,1 x 7,6 cm
Inv.-Nr. ЭPPз-742 a, b
Herkunft: 1941 aus dem Staatlichen Museum für
Ethnographie der Völker der UdSSR, Lenin-
grad

Deckel aufklappbar. In der ornamentalen Verzierung die Inschrift: »Necessaire de toilette«.

IU

403

401   FARBTAFEL S. 430
Schatulle

Manufaktur Cholmogory, Ende 18. Jahrhundert

Elfenbein, graviert und geschnitzt, auf Holz, 12 x 22 x 19,5 cm
Inv.-Nr. ЭРК-1094
Herkunft: 1985 erworben durch die Ankaufs-Kommission der Staatlichen Ermitage, Leningrad

Schatullen und Kästchen der hier gezeigten Art dienten vor allem der Aufbewahrung von Schmuckstücken.   IU

402   FARBTAFEL S. 430
Toilettendöschen

Manufaktur Cholmogory, Anfang 19. Jahrhundert

Elfenbein, graviert und geschnitzt, auf Holz; oben Zierborte aus Glasperlen, 3,5 x 8 x 7,5 cm
Inv.-Nr. ЭРК-745
Herkunft: 1941 aus dem Staatlichen Museum für Ethnographie der Völker der UdSSR, Leningrad   IU

403
Kästchen

mit Leder-Futteral

Manufaktur Cholmogory, Anfang 19. Jahrhundert

Elfenbein, geschnitzt, auf Holz; ledernes Futteral mit Seidenfutter,
Schatulle: 31,5 x 26,5 x 9,5 cm,
Körbchen: 2,5 x 5,5 x 8,5 cm
Inv.-Nr. ЭРК-1031 a,
Herkunft: 1985 erworben durch die Ankaufs-Kommission der Staatlichen Ermitage, Leningrad; aus der Sammlung von O. I. Rybakov, Leningrad
Ausstellungen: 1987 Erbach - Hildesheim, S. 38, Nr. 51

links: 405; rechts 406; oben: 409

In dem achteckigen Handarbeitskästchen befinden sich zwei ovale Körbchen mit Deckel. Kasten und Körbchen sind mit Netzwerk und Ziermotiven in durchbrochener Schnitzerei geschmückt.   IU

404   FARBTAFEL S. 431
Tabaksdose

Rußland, nach 1810

Papiermaché, geprägt und graviert, schwarz lackiert, gold und silbern bemalt, 2 x 8,5 x 8,5 cm
Inv.-Nr. ЭРО-5808

Herkunft: 1945 erworben durch die Ankaufs-Kommission der Staatlichen Ermitage, Leningrad
Literatur: 132 (S. 114, Abb. 76)

Auf dem Deckel unter Glas ein Medaillon mit einem von der Sonne bestrahlten blühenden Baum. Dazu die Aufschrift »Durch dich!« und unten: »Dir der Wohltäter«. Der Überlieferung nach ist die Dose ein Geschenk Kaiser Aleksandrs I. an General-Feldmarschall M. I. Kutuzov (biographische Daten siehe Kat.-Nr. 31).
IU

405
Tabaksdose

möglicherweise Manufaktur P. Korobov (bei Moskau), nach 1810

Papiermaché, schwarz lackiert und farbig bemalt, 10,5 x 1,8 cm
Inv.-Nr. ЭРРЗ-16 a, b
Herkunft: 1941 aus dem Staatlichen Museum für Ethnographie der Völker der UdSSR, Leningrad
Literatur: 213 (S. 17); 214 (S. 112, 113)

Auf dem Deckel die Darstellung der drei Herrscher der anti-napoleonischen Koalition: Kaiser

440   *Angewandte Kunst*

Aleksandr I. von Rußland, König Friedrich-Wilhelm III. von Preußen und Kaiser Franz I. von Österreich. Dazu die Inschrift: »Der Bund der Herrscher zur Rettung Europas« (d. h.: der Alliierten, die Napoleon in der Völkerschlacht bei Leipzig besiegten). IU

406
Tabaksdose

möglicherweise Manufaktur P. Korobov (bei Moskau), nach 1810

Papiermaché, schwarz lackiert, mit aufgeklebtem Stich, 9,3 x 2,1 cm
Inv.-Nr. ЭPPз-1 a, b
Literatur: 213 (S. 16, 17); 214 (S. 11, 112)

Auf dem Deckel im aufgeklebten Stich die Darstellung Aleksandrs I. mit Europa. Über beiden der doppelköpfige Adler mit zwei Kränzen. Links und rechts die Inschrift: »Durch deine Festigkeit das Heil für Europa [Tvoeju tverdost'ju spasenie Evropa]« – »hast du durch deine Siege errungen [tvoimi pobedami priobreten]«; zu Füßen des Kaisers: »Friede Europas 1814«. Die Darstellung geht auf einen Stich S. Cardellis zurück, der in Petersburg ansässig war und 1814 dort zum Hof-Kupferstecher ernannt wurde. 1814/15 waren Objekte mit solchen vaterländischen Themen sehr populär. IU

407
FARBTAFEL S. 431
Tabaksdose

kurz vor 1820

Schildpatt, vergoldetes Kupfer, verglast, 2 x 8 x 8 cm
Inv.-Nr. ЭPPз-1297 a, b
Herkunft: 1941 aus dem Staatlichen Museum für Ethnographie der Völker der UdSSR, Leningrad
Literatur: 226 (S. 9, 10)

Das Relief auf dem Deckel zeigt die Profilporträts der Alliierten: den russischen Kaiser Aleksandr I., den preußischen König Friedrich-Wilhelm III. und den österreichischen Kaiser Franz I. Ringsherum die Inschrift in französischer Sprache: GL III ROI De PRse, FRcois II EMP. D'AUTche, ALdre EMP. DES RUSSIES.
Die Signatur: Morel E. (Eugène Morel, Pariser Medailleur, 1799 bis 1825) weist das Bildnisrelief als französische Arbeit aus. IU

408
FARBTAFEL S. 431
Tabaksdose

Petersburg, um 1820

Pappmaché, schwarz lackiert mit eingesetztem Mosaikbild und Malachit-Teilen; Rähmchen und weitere Details in Gold, 1,8 x 8,5 x 6,5 cm
Inv.-Nr. ЭPO-6383
Herkunft: 1941 aus dem Staatlichen Museum für Ethnographie der Völker der UdSSR, Leningrad

Auf dem aufklappbaren Deckel ein Brustbild Kaiser Aleksandrs I. Die Mosaiktechnik der Darstellung (siehe Kat.-Nr. 147 ff.) und die Verwendung von Malachit (siehe Kat.-Nr. 358 ff.) sind charakteristische Merkmale der Zeit. IU

409
Tabaksdose

Manufaktur P. Lukutin (bei Moskau), Anfang der 30er Jahre des 19. Jahrhunderts

Papiermaché mit aufgeklebter Radierung, lackiert, Durchmesser 9 cm, Höhe 2 cm
Inv.-Nr. ЭPPз-26 a, b
Herkunft: 1941 aus dem Staatlichen Museum für Ethnographie der Völker der UdSSR, Leningrad

Auf dem abnehmbaren Deckel ein Porträt des Großfürsten Konstantin Pavlovič; darum die Inschrift: »Seine Kais. Majestät Gr.-Fürst Thronfolger Konstantin Pavlovič«. Außerdem ist vermerkt, daß die Darstellung von einem Zensor Glinka im November 1829 gebilligt worden ist.
Als am Beginn der russischen Lackkunst noch keine entsprechenden Miniaturmaler zur Verfügung standen, beklebte man ihre Erzeugnisse mit speziell zu diesem Zweck hergestellten Stichen und Radierungen. In der Umgebung von Moskau entstand in den 90er Jahren des 18. Jahrhunderts eine der ersten dieser Manufakturen. Zunächst im Besitz von P. Korobov, ging sie bald an dessen Schwiegersohn P. I. Lukutin über. (Heute existiert sie unter dem Namen: Manufaktur für künstlerische Miniaturen in Fedoskino.) IU

410
ABBILDUNG S. 442
Garnitur für einen Schreibtisch

wohl Petersburg, Ende der 20er Jahre des 19. Jahrhunderts

Holz, Metall und Stein, 22,5 x 11 x 21 cm
Inv.-Nr. ЭPPз-991
Herkunft: 1941 aus dem Staatlichen Museum für Ethnographie der Völker der UdSSR, Leningrad

Die Garnitur besteht aus drei Objekten: 1. ein kleines Grabdenkmal mit Pyramide in der Mitte; auf ihr im Medaillon das Porträt Kaiser Aleksandrs I. im Profil und dessen Todesdatum »19. November 1825«; oben auf der Pyramide eine Urne, rechts und links von ihr je eine Schale mit brennender Opferflamme. 2. und 3. je ein kupferner Sarkophag mit Haarlocken, die nach der Überlieferung von Kaiser Aleksandr I. und Kaiserin Elizaveta Alekseevna stammen. IU

410

411 FARBTAFEL S. 432
Sommerkleid

Rußland, um 1800

Leinenbatist mit Stickereien in farbiger Seide
und Tüllapplikationen, Rückenlänge 196 cm
Inv.-Nr. ЭPT-10241 a, b
Herkunft: 1941 aus dem Staatlichen Museum für
Ethnographie der Völker der UdSSR, Lenin-
grad
Ausstellungen: 1962 Leningrad, Nr. 20; 1986
London, Nr. 18

Der ärmellose Schnitt mit hoch angesetzter
Taille und weich fließendem Faltenwurf ist
typisch für die klassizistische Mode der Zeit,
während die Art der Öffnung vorne auf die Mode des Barock zurückgeht. TKo

412 FARBTAFEL S. 365
Umschlagtuch

für ein ausgeschnittenes Kleid

Rußland, um 1800

Leinenbatist, an den Rändern farbige Platt-
stickerei, Rückenlänge 37 cm
Inv.-Nr. ЭPT-10241 B
Herkunft: 1985 erworben durch die Ankaufs-
Kommission der Staatlichen Ermitage, Lenin-
grad TKo

413 FARBTAFEL S. 447
Morgenkleid

Rußland, Anfang 19. Jahrhundert

Weißer Batist mit Plattstickerei, Rückenlänge
117 cm, Saumweite 202 cm
Inv.-Nr. ЭPT-8593
Herkunft: 1941 aus dem Staatlichen Museum für
Ethnographie der Völker der UdSSR, Lenin-
grad
Ausstellungen: 1962 Leningrad, Nr. 23; 1986
London, Nr. 22

Beispiel einer modischen »Matinée« aus dünnem hellfarbigem Baumwollstoff. TKo

414 FARBTAFEL S. 447
Sommerkleid

Rußland, ca. 1810–1820

Weißer Baumwollstoff, Batist-Plattstickerei auf
dem Oberteil, Ärmel und Rocksaum, Rückenlänge 133,5 cm, Saumweite 216 cm
Inv.-Nr. ЭPT-19551
Herkunft: 1985 erworben durch die Ankaufs-
Kommission der Staatlichen Ermitage, Leningrad TKo

415 FARBTAFEL S. 446
Redingote

Rußland, ca. 1810–1820

Kleingemusterte blaue Seide, Futter aus brau-
nem Zitz-Kattun; mit Applikationen aus gelber
Atlasseide, Rückenlänge 123 cm, Weite 233 cm
Inv.-Nr. ЭPT-7155
Herkunft: 1941 aus dem Staatlichen Museum für
Ethnographie der Völker der UdSSR, Lenin-
grad
Ausstellungen: 1986 London, Nr. 25

Beispiel des damals weit verbreiteten Gehrocks
zum Promenieren, dessen Schnitt sich an die
Damenmode der Zeit anlehnt. Für die kalte
Jahreszeit wurden sie aus Wolle angefertigt und
zusätzlich mit Watte oder Pelz gefüttert; im
Sommer aus hellen Baumwollstoffen mit
Stickereien und Spitzen oder aus Seide. TKo

416 FARBTAFEL S. 445
Kleid

Petersburg, ca. 1820–1830

Durchscheinender Seidenstoff mit Atlas-Streifen,
Rückenlänge 117 cm, Rockweite 232 cm
Inv.-Nr. ЭPT-17121
Herkunft: 1985 erworben durch die Ankaufs-
Kommission der Staatlichen Ermitage, Lenin-
grad
Literatur: 83 (Nr. 58) TKo

417 FARBTAFEL S. 446
Kleid

Petersburg, ca. 1820–1830

Blaß-blauer Kaschmir mit Volant und Applika-
tionen aus Atlasseide im selben Farbton,
Rückenlänge 133 cm, Saumweite 234 cm
Inv.-Nr. ЭPT-8686
Herkunft: 1941 aus dem Staatlichen Museum für
Ethnographie der Völker der UdSSR, Lenin-
grad; früher befand sich das Kleid in der Samm-
lung der Fürsten Jusupov in Petersburg
Literatur: 83 (Nr. 53); 244 (Nr. 57)

Beispiel für die Damenmode der 20er Jahre des
19. Jahrhunderts mit den typischen Merkmalen
der hohen Taille, den oben weitgeschnittenen
Ärmeln, dem vorne gerade geschnittenen und
an den Seiten offenen Rock, der hinten zur Mitte gerafft wird, und der reich gefaltete Volant.
Getragen wurde das Kleid über einem Reifun-
terrock. TKo

418 ABBILDUNG S. 444
Ballkleid

Petersburg, ca. 1820–1830

Weißer Seidenchiffon, mit Atlasseide, auf dem
Rock Goldstickerei, gerollter Saum mit Watte-
füllung, Rückenlänge 113 cm, Saumweite 226 cm
Inv.-Nr. ЭPT-8594
Herkunft: 1941 aus dem Staatlichen Museum für
Ethnographie der Völker der UdSSR, Lenin-
grad; früher befand sich das Kleid in der Samm-
lung der Fürsten Jusupov in Petersburg
Ausstellungen: 1962 Leningrad, Nr. 31

Beispiel eines Ballkleides der 20er Jahre des
19. Jahrhunderts mit den typischen Merkmalen
eines großen Dekolletés, Puffärmeln (russisch
wörtlich: Laternen-Ärmel [rukava-fonarik])
und weitem Rock, dessen modischen Fall die
Rolle am Saum bewirkt. TKo

418

Kleid, ca. 1820–1830. Kat.-Nr. 416; Spenzer, ca. 1820–1830.
Kat.-Nr. 420; Handtasche, ca. 1810–1830. Kat.-Nr. 449; Tischchen,
1. Viertel 19. Jahrhundert. Kat.-Nr. 385

links: Volkstracht einer Kaufmannsfrau, 1. Hälfte 19. Jahrhundert.
Kat.-Nr. 430;
rechts: Volkstracht, 1. Drittel 19. Jahrhundert. Kat.-Nr. 429

Kleid, ca. 1820–1830. Kat.-Nr. 417; Schal, ca. 1820–1840. Kat.-Nr. 434   Redingote, ca. 1810–1820. Kat.-Nr. 415

Sommerkleid, ca. 1810–1820. Kat.-Nr. 414; Schal, ca. 1820–1840. Kat.-Nr. 433

Morgenkleid, Anfang 19. Jahrhundert. Kat.-Nr. 413; Schal, 2. Viertel 19. Jahrhundert. Kat.-Nr. 436

Uniform eines Generals, 1814. Kat.-Nr. 421

Uniform eines Offiziers des Leib-Garde-Husaren-Regimentes, 1816.
Kat.-Nr. 423

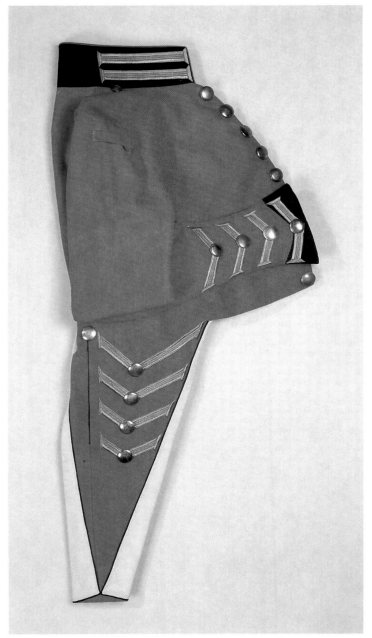

Vize-Uniform eines Offiziers des Chevaliers-Garde-Regimentes, 1815.
Kat.-Nr. 422

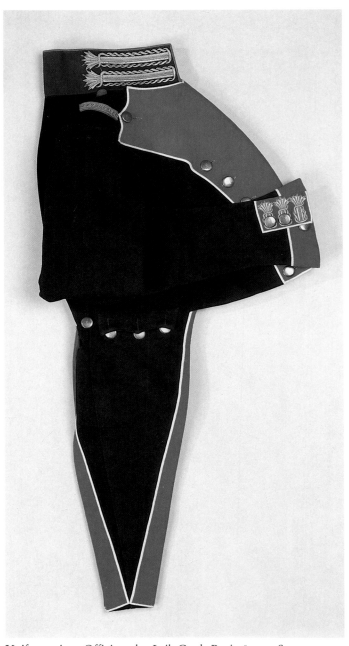

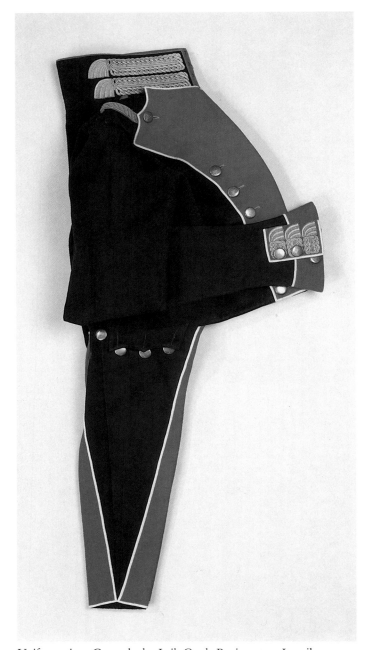

Uniform eines Offiziers des Leib-Garde-Regimēntes »Semenovo«, nach 1820. Kat.-Nr. 424

Uniform eines Generals des Leib-Garde-Regimentes »Izmajlovo«, nach 1820. Kat.-Nr. 425

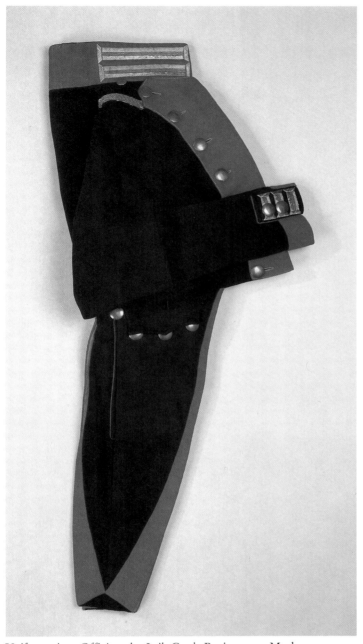

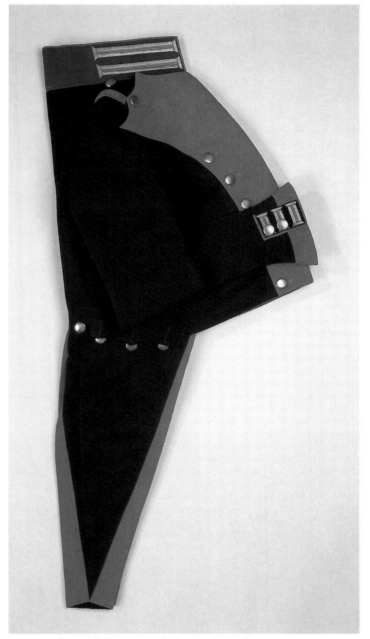

Uniform eines Offiziers des Leib-Garde-Regimentes »Moskau«,
nach 1820. Kat.-Nr. 426

Uniform eines Offiziers des Leib-Garde-Grenadier-Regimentes,
nach 1820. Kat.-Nr. 427

Zwei Stoffproben, Ende 18. und 1. Viertel
19. Jahrhundert. Kat.-Nrn. 460 und 461

Schal und Tischchen, 1. Viertel
19. Jahrhundert. Kat.-Nrn. 432 und 385

452

419
Ballkleid

Westeuropa, ca. 1820–1830

Geklöppelte Seidenspitze, Rückenlänge 139 cm
Saumweite 450 cm
Inv.-Nr. ЭРТ-8600
Herkunft: 1941 aus dem Staatlichen Museum für Ethnographie der Völker der UdSSR, Leningrad
Ausstellungen: 1962 Leningrad, Nr. 37; 1974 Leningrad, Nr. 69; 1986 London, Nr. 34
Literatur: 83 (Nr. 60); 224 (Nr. 65)

Die zu Spitze verarbeitete ungebleichte goldgelbe Rohseide (»blonde« genannt) war in der zweiten Hälfte der 20er und Anfang der 30er Jahre des vorigen Jahrhunderts sehr beliebt. Die besten Erzeugnisse kamen aus Cannes, Bayeux und Le Puy; mit Pflanzenornamenten aus etwas dickeren Fäden als der Tüllgrund, um der Spitze eine leichte Reliefwirkung zu verleihen.

TKo

420
Spenzer

FARBTAFEL S. 445

Petersburg, ca. 1820–1830

Seide, Applikationen auf Brust und Ärmeln aus Atlasseide, wattiert; Trotteln in Form von Eicheln aus Seidenfaden über Holzkern, Rückenlänge 32 cm
Inv.-Nr. ЭРТ-16022
Herkunft: 1923 aus dem Museum der Zentralschule für Technisches Zeichnen des Barons A. L. Štiglic (Stieglitz) in Petersburg
Ausstellungen: 1962 Leningrad, Nr. 25; 1974 Leningrad, Nr. 59
Literatur: 83 (Nr. 58, 59); 244 (Br. 52, 53)

Um 1800 gehörte der »Spenzer« zur Garderobe modebewußter Damen. Diese besonders kurze Jacke betonte die damals übliche hohe Taille des Kleides. Sie wurde häufig mit Pelz oder Watte gefüttert. Ihren Namen trägt sie nach Earl Georges John Spencer (1758–1834), der seine Frackschöße abschneiden ließ und als erster dann ein solches eng anliegendes Jäckchen trug.

TKo

419

421 FARBTAFEL S. 448

Uniform

eines Generals, 1814

Tuch mit Kantillenstickerei in Gold und mit Flitter; Metallknöpfe vergoldet, Vorderlänge 38,5 cm, Rückenlänge 93 cm, Stehkragenhöhe 8 cm
Inv.-Nr. ЭPT-11087
Herkunft: 1950 aus dem Museum für Artillerie-Geschichte in Leningrad

Der Überlieferung nach gehörte die Uniform Kaiser Aleksandr I. TKo

422 FARBTAFEL S. 449

Vize-Uniform

eines Offiziers des Chevaliers-Garde-Regimentes, Petersburg, 1815

Tuch mit Kantillenstickerei in Silber; Metallknöpfe versilbert, Vorderlänge 43 cm, Rückenlänge 93 cm, Stehkragenhöhe 8 cm
Inv.-Nr. ЭPT-11091
Herkunft: 1950 aus dem Museum für Artillerie-Geschichte in Leningrad

Nähere Daten zum Regiment siehe Kat.-Nr. 242. Die roten Vize-Uniformen [vic-mundiry] trugen die Offiziere des Chevaliers-Garde-Regiment wie die Leib-Garde-Kavallerie-Regimentes bei Hoffesten, wenn sie sich außer Fronte befanden.
Der Überlieferung nach gehörte die Uniform Kaiser Aleksandr I. TKo

423 FARBTAFEL S. 449

Uniform

eines Offiziers des Leib-Garde-Husaren-Regimentes, Petersburg, 1816

Tuch mit Goldborten und Schnüren; Kupferknöpfe vergoldet, Vorderlänge 44 cm, Rückenlänge 51 cm, Stehkragenhöhe 11 cm
Inv.-Nr. ЭPT-11093
Herkunft: 1950 aus dem Museum für Artillerie-Geschichte in Leningrad

Nähere Angaben zu diesem Regiment siehe Kat.-Nr. 250. Der Dolman ist bis ins 19. Jahrhundert die den Husaren-Regimentern eigene schoßlose Jacke, die – über der Brust verziert – mit Knebeln und Knöpfen geschlossen wurde. Später wurde sie durch den waffenrockähnlichen Attila abgelöst. TKo

424 FARBTAFEL S. 450

Uniform

eines Offiziers des Leib-Garde-Regimentes »Semenovo«, Petersburg, nach 1820

Tuch mit Goldstickerei; Kupferknöpfe vergoldet, Vorderlänge 41 cm, Rückenlänge 94 cm, Stehkragenhöhe 9,5 cm
Inv.-Nr. ЭPT-11096
Herkunft: 1950 aus dem Museum für Artillerie-Geschichte in Leningrad

Dieses Regiment entstand gleichzeitig mit dem Leib-Garde-Regiment »Preobraženskoe« (nähere Angaben siehe Kat.-Nr. 174). Zusammen mit ihm bildete es eine Brigade und nahm dementsprechend an denselben Kampfhandlungen teil. Das äußere Kennzeichen dieses Regiments war die blaue Farbe des Uniformkragens. Kaiser Aleksandr I. trug die Uniform des Regimentes »Semёnovo« besonders gern, was damit erklärt wurde, daß die Farbe des Kragens mit der Augenfarbe des Herrschers korrespondierte. TKo

425 FARBTAFEL S. 450

Uniform

eines Generals des Leib-Garde-Regimentes »Izmajlovo«, Petersburg, nach 1820

Tuch mit Kantillenstickerei in Gold; Kupferknöpfe vergoldet, Vorderlänge 41 cm, Rückenlänge 91 cm, Stehkragenhöhe 9 cm
Inv.-Nr. ЭPT-11098
Herkunft: 1950 aus dem Museum für Artillerie-Geschichte in Leningrad

Nähere Angaben zu diesem Regiment siehe Kat.-Nr. 175. Die Uniform gehörte Kaiser Nikolaj I. und wurde von ihm am Tag der Niederwerfung des Dekabristen-Aufstandes (14. Dezember 1825) getragen. Zum Aufstand siehe Kat.-Nr. 46. TKo

426 FARBTAFEL S. 451

Uniform

eines Offiziers des Leib-Garde-Regimentes »Moskau«, Petersburg, nach 1820

Tuch mit Goldstickerei; Kupferknöpfe vergoldet, Vorderlänge 37 cm, Rückenlänge 89 cm, Stehkragenhöhe 7,5 cm
Inv.-Nr. ЭPT-11101
Herkunft: 1950 aus dem Museum für Artillerie-Geschichte in Leningrad

Nähere Angaben zu diesem Regiment siehe Kat.-Nr. 176. TKo

427 FARBTAFEL S. 451

Uniform

eines Offiziers des Leib-Garde-Grenadier-Regimentes, Petersburg, nach 1820

Tuch mit Goldstickerei; Kupferknöpfe vergoldet, Vorderlänge 45 cm, Rückenlänge 96 cm, Stehkragenhöhe 8,5 cm
Inv.-Nr. ЭPT-11104
Herkunft: 1950 aus dem Museum für Artillerie-Geschichte in Leningrad

Nähere Angaben zu diesem Regiment siehe Kat.-Nr. 178. Der Überlieferung nach gehörte diese Uniform Kaiser Aleksandr I. TKo

428

Grenadier-Mütze

des Grenadier-Regimentes »Pavel«

Rußland, Anfang 19. Jahrhundert

Haube aus Metall, mit rotem und weißem Wollstoff; Schild aus getriebenem Kupfer, Höhe 29,5 cm
Inv.-Nr. ЭPT-15093
Herkunft: 1941 aus dem Staatlichen Museum für Ethnographie der Völker der UdSSR, Leningrad
Literatur: 132 (S. 104, 107, Abb. 70)

Nähere Angaben zum Regiment siehe Kat.-Nr. 180. Das Schild auf der Stirnseite zeigt den doppelköpfigen Adler mit dem heiligen Georg als Drachentöter, dem Patron Moskaus und Rußlands, im Wappen. Über den Köpfen des Adlers die kaiserliche Krone und zwei Bänder mit der Devise des russischen Heeres »Mit uns ist Gott [S nami Bog]!« Unten: »Fedor Sečkin«, der Name des Soldaten, der diese Mütze getragen hat. Im Schild des Wappens und im linken Flügel des Adlers zwei Einschüsse. TKo

429 FARBTAFEL S. 445

Volkstracht

mit Sarafan, Hemd, Halsschmuck und Kopfband

Petersburg, erstes Drittel 19. Jahrhundert

Sarafan aus Wollstoff, an Rändern und Knopfleisten mit Seidenbändern, Seiden- und Metallfädenstickerei, Kantillen und Metallfolie verziert; Knöpfe aus Kupfer mit figürlichen Darstellungen; Hemd aus Leinen mit Seidenstickerei an den Ärmeln; Halsschmuck aus Bernstein

und Glasperlen; Kopfband aus Borten und breiten Bändern aus Seidendamast, Länge des Sarafans 110 cm, des Hemdes 27 cm und des Halsschmucks 26 cm, Kopfband 12 x 164 cm
Inv.-Nr. ЭPT-7282, 13238, 12483, 10315
Herkunft: Sarafan, Hemd und Halsschmuck: 1941 aus dem Staatlichen Museum für Ethnographie der Völker der UdSSR, Leningrad; früher befand sich der Sarafan in der Sammlung der Kunstakademie, das Hemd in der Sammlung von I. A. Gal'nbek; der Halsschmuck stammt aus dem Museum für Volkskunde der Leningrader Sektion für Volksbildung, das Kopfband kam 1950 aus einer Privatsammlung
Ausstellungen: 1962 Leningrad, Nr. 66 (Sarafan); 1983 Sofia, Nr. 156 (Halsschmuck); 1987 London, Nr. 104 (Hals- und Kopfschmuck); 1989 Paris, Nr. 146 (Hals- und Kopfschmuck)

Zu Beginn des 19. Jahrhunderts trug ein Großteil der in den Städten lebenden Handwerker, Kaufleute und Bauern noch die alten Nationaltrachten. In den nördlichen Regionen, zu denen Petersburg gehört, bestand die Frauentracht aus dem Sarafan, einem langen dreieckig geschnittenen Trägerrock und einem Hemd mit weiten Ärmeln. Die Mädchen flochten ihr Haar zu einem langen Zopf und wanden sich ein einzelnes Band oder auch ein aus mehreren Borten bestehendes Kopfband um das Haupt. Verheiratete und verwitwete Frauen hingegen bedeckten das Haupthaar mit einem Kopftuch, mit einem aus Tüchern bestehenden Kopfputz, dem sogenannten »povojnik«, oder mit einer Haube. An Feiertagen trugen die russischen Frauen die sogenannten »kokošniki«, reich geschmückte Hauben, die sich in ihrer Form – je nach Landstrich – unterscheiden.

EJM

430   FARBTAFEL S. 445

Volkstracht

einer Kaufmannsfrau mit Sarafan, Hemd, Kokošnik und Umschlagtuch, Gouvernement Tver', 1. Hälfte 19. Jahrhundert

Der Sarafan aus Seidenstoff mit eingewebtem Muster aus Metallfäden, am Rande und längs der Nähte mit Goldborten verziert; Kupferknöpfe mit Stoff überzogen; Hemd aus Musselin mit weißer Stickerei in Baumwolle; Kokošnik aus Samt mit Silber- und Goldstickerei und einem Volant aus Perlmutter und Perlen an Pferdehaar; Tuch aus Musselin mit Goldstickerei und Flitter

428

430 (Detail)

Länge des Sarafans 106 cm, des Hemdes 37,5 cm; Kokošnik 23 x 16 cm; Umschlagtuch 125 x 120 cm
Inv.-Nr. ƏPT-17231, 14967, 10162, 18014
Herkunft: Sarafan, Hemd, Kokošnik: 1941 aus dem Staatlichen Museum für Ethnographie der Völker der UdSSR, Leningrad; Tuch: 1971 erworben aus Privatbesitz durch die Ankaufs-Kommission der Staatlichen Ermitage, Leningrad
Ausstellungen: 1987 London, Nr. 108 (Hemd); 1989 Paris, Nr. 150 (Hemd)

Die im Laufe des 18. und 19. Jahrhunderts in Petersburg angesiedelte Bevölkerung stammte aus unterschiedlichen Gegenden Rußlands. Meist bewahrten sie sich ihre traditionellen heimischen Bräuche, ihre besonderen Formen zu leben und ebenso ihre Volkstrachten. Man trug sie noch in der 1. Hälfte des 19. Jahrhunderts in zahlreichen Kaufmannsfamilien, wobei die Festtagskleider besonders prächtig und aus kostbarem Material angefertigt wurden. Das hier gezeigte Festtagskleid gehörte einer Kaufmannsfrau, die aus dem Gouvernement Tver' nach Petersburg übergesiedelt ist. EJM

431
Priestergewand mit Stola

Rußland 1817 oder 1842

Auf dem Futter: »Gefertigt aus dem Hochzeitskleid der Herrscherin, Kaiserin Aleksandra Fedorovna, gestiftet im Jahre 1842 im Jänner am 12. Tage.«

Weißer Moiré mit Goldstickerei in Form von Blattgirlanden, Kantillen und Flitter.
Länge des Gewandes 140 cm, Stola 150 x 34 cm
Inv.-Nr. ƏPT-7838, 7862
Herkunft: 1941 aus dem Staatlichen Museum für Ethnographie der Völker der UdSSR, Leningrad
Literatur: 116 (Nr. 26)

Die in der Russischen Orthodoxen Kirche gebräuchlichen liturgischen Gewänder der Geistlichen entsprechen grundsätzlich denen aus byzantinischer Zeit und bewahren deren traditionellen Schnitt mit kleinen Variationen (wie beispielsweise dem versteiften Nackenteil des Priestergewandes).

Hier werden zwei Teile aus dem insgesamt sechsteiligen Priester-Ornat gezeigt: das Obergewand (Phelonion [felon]) und die Stola [epitrachil']. Das Phelonion ist einer mittelalterlichen abendländischen Glockenkasel ähnlich, wird aber in Rußland – zur leichteren Handhabung – vorn gekürzt. Sein Name ist vermutlich von dem während der römischen Kaiserzeit üblichen Mantel, der paenula, herzuleiten. Um die Kopföffnung, am Saum und hinauf zur Brust ist es mit Bändern oder – wie im vorliegenden Fall – mit reicher Floralstickerei verziert. Auf dem Rücken finden sich immer ein Kreuz und darunter ein Stern, die die Menschwerdung Christi und seinen Kreuzestod symbolisieren. Das Phelonion wird bei Gottesdiensten aus dem Stundengebet über dem schwarzen Talar [rjasa] getragen, während der eucharistischen Liturgie über dem Untergewand [stichar' oder podriznik].

Die Stola ist das eigentliche liturgische Kennzeichen des priesterlichen Standes und wird deshalb bei allen Amtshandlungen angelegt. Ursprünglich handelte es sich um ein langes schmales Band, das über beide Schultern getragen wurde (wie der griechische Name »epitrachilion« besagt). Alle frühen bildlichen Darstellungen zeigen es deshalb als zwei nebeneinander hängende Streifen. Erst gegen Ende des Mittelalters festigte sich der Brauch, beide Enden miteinander zu verbinden. Einen weiteren Schritt der Entwicklung zeigt das ausgestellte Beispiel, bei dem beide Bandstreifen zu einem verschmolzen sind und nur noch durch die Stickerei die ursprüngliche Trennung angedeutet wird.

Schon in der Alten Rus' war es üblich, daß reiche Stifter den Kirchen und Klöstern kostbare Kleider schenkten, damit sie zu liturgischen Gewändern, Velen und Altardecken verarbeitet werden konnten. Besonders Hochzeitskleider, die einerseits nur an einem Tag getragen werden konnten, andererseits aber meistens sehr kostbar waren, wurden gern für solche Geschenke verwandt. Im vorliegenden Fall handelt es sich um das Kleid, das die Kaiserin Aleksandra Fedorovna (1798–1860), die ehemalige Prinzessin Charlotte von Preußen, 1817 am Tage ihrer Eheschließung mit Kaiser Nikolaj I. trug. EJM/NT

431

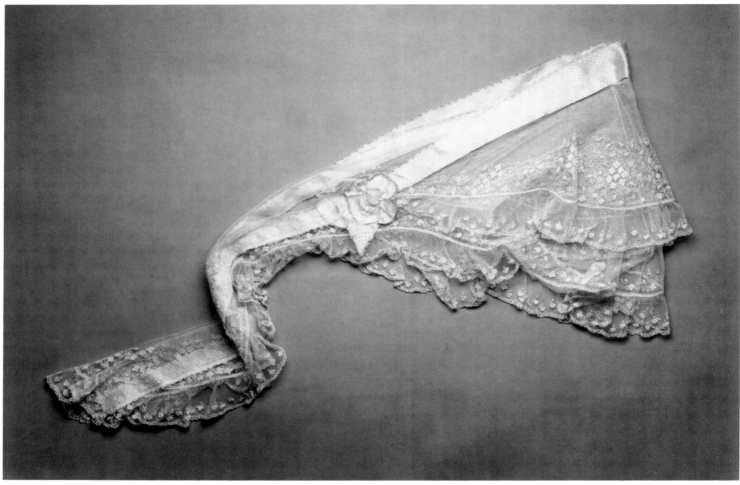

435

432   FARBTAFEL S. 452
Schal

Leibeigenen-Werkstatt, 1. Viertel 19. Jahrhundert

Kaschmir mit doppelseitiger Bindung (Double-Face), mit eingenähten separat gewebten Streifen, 151 x 143 cm
Inv.-Nr. ЭPT-19284
Herkunft: 1979 vom Ministerium für Kultur der UdSSR aus der Sammlung L. A. Grünberg (Frankreich) erworben
Ausstellungen: 1981 Leningrad, Šarfy, Nr. 3
Literatur: 117 (S. 441)

In Rußland gab es in der ersten Hälfte des 19. Jahrhunderts mehrere Webereien, die örtlichen Gutsbesitzern gehörten. Dort waren Meister und Arbeiter Leibeigene. Sie webten vor allem Schals, Umschlag- und Halstücher aus den feinen Flaumhaaren von Bergziegen und Saiga-Antilopen. Besonders berühmt wurden damit die Manufakturen von N. A. Merlina (siehe Kat.-Nr. 433), D. A. Kolokol'cov (siehe Kat.-Nr. 436) und die der Familie Enikeev. Die Flaumhaare wurden gewaschen, gehechelt und gesponnen, danach gebleicht und gefärbt. Auf kleinen Webstühlen wurden die gemusterten Borten hergestellt, auf großen Webstühlen die einfarbigen Kaschmir-Bahnen gefertigt. Danach wurden alle Details mit kleinen Stichen nach den entsprechenden Vorzeichnungen zusammengenäht. Diese Art der Herstellung erlaubte ein beidseitiges Tragen des Tuches.   EJM/NT

433   FARBTAFEL S. 447
Schal

Manufaktur N. A. Merlina im Dorf Skorodumovka, Gouvernement Nižnij Novgorod, ca. 1820–1840

Kaschmir, doppelseitige Bindung (Double-Face), mit eingenähten gemusterten Streifen und mit Stoffstreifen in Serge-Bindung eingefaßt, 265 x 53,5 cm
Inv.-Nr. ЭPT-19286
Ausstellungen: 1981 Leningrad, Šarfy, Nr. 11
Literatur: 117 (S. 437, 442–443)

Gestreifte Schals waren besonders in den 20er und 30er Jahren des 19. Jahrhunderts in Mode. In der Werkstatt von N. A. Merlina wurden dafür Muster aus Blumenarrangements, Zweigen oder Girlanden, mit Blättern und Blüten gewebt, die mit ihren frischen Farben und dunke-

len Schattierungen sehr realistisch wirken. Für die Borten der Schals benutzte man dort bevorzugt die sogenannte »türkische Bohne« als Ziermotiv.

Die Erzeugnisse der Werkstatt wurden mehrfach mit Goldmedaillen ausgezeichnet. Ihre volkstümlichen Produkte wurden auch von adligen Damen und sogar von Mitgliedern der Zarenfamilie gern getragen. Durch ihre komplizierte und zugleich exakte Verarbeitung und durch die ausgewogene Schönheit ihrer Ornamente unterschieden sich diese beidseitig tragbaren russischen Erzeugnisse von Schals und Halstüchern anderer Herkunft und Machart.
EJM

434 FARBTAFEL S. 446
Schal

Rußland, ca. 1820–1840

Musselin, farbige Seidenstickerei mit Plattstich, 244 x 50 cm
Inv.-Nr. ЭРТ-17447
Herkunft: 1967 erworben durch die Ankaufs-Kommission der Staatlichen Ermitage, Leningrad
Literatur: 116 (Nr. 160)

In den 20er und 30er Jahren des 19. Jahrhunderts wurde es Mode, neben einfarbigen Tüchern der strengen klassischen Form leichte Schals aus Musselin und Tüll mit gestickten oder eingewebten Mustern zu tragen. Bei den für sie verwendeten Schmuckformen aus Blumenmotiven trifft man häufig das Motiv der »türkischen Bohne« (siehe Kat.-Nr. 433).   EJM

435
Dreieckiges Kopf- oder Halstuch [kosynka]

Rußland, ca. 1810–1840

Tüll mit Seidenband, bestickt, 206 x 41 cm
Inv.-Nr. ЭРТ-8215
Herkunft: 1941 aus dem Staatlichen Museum für Ethnographie der Völker der UdSSR, Leningrad; früher befand sich das Tuch in der Sammlung der Fürsten Jusupov in Petersburg

Die in den 20er und 30er Jahren des 19. Jahrhunderts beliebten bestickten Tücher aus weißem Tüll oder Musselin entstanden nicht nur in städtischen Ateliers oder Manufakturen, sondern auch in Klöstern.   EJM

436 FARBTAFEL S. 447
Schal

Manufaktur D. A. Kolokol'cov im Dorf Aleksandrovka, Gouvernement Saratov (Volga), 2. Viertel 19. Jahrhundert

Kaschmir, doppelseitige Bindung (Double-Face), Verarbeitung mit eingenähten Ornamentstreifen, eingefaßt mit einfarbigen Streifen in Serge-Bindung, 254 x 61 cm
Inv.-Nr. ЭРТ-7064
Herkunft: 1946 erworben aus Privatbesitz durch die Ankaufs-Kommission der Staatlichen Ermitage, Leningrad
Ausstellungen: 1962 Leningrad, Nr. 151; 1981 Leningrad, Šarfy, Nr. 14
Literatur: 117 (S. 445)

Für diese Werkstatt sind geometrisch stilisierte Schmuckformen und Pflanzenmotive sowie eine besonders farbige – und dabei oft kontrastreiche – Gestaltung charakteristisch.   EJM

437 FARBTAFEL S. 465
Ein Paar Damenschuhe

Rußland, Anfang 19. Jahrhundert

Ockerfarbenes Glacéleder [lajka] und Leder, Seidenband, Stickerei mit Flitter und Kantillen, Länge 22 cm
Inv.-Nr. ЭРТ-19183 a, b
Herkunft: 1979 aus dem Staatlichen Museum für Ethnographie der Völker der UdSSR, Leningrad

Um 1800 wurden – zusammen mit den klassizistischen Kleidern nach antikem Vorbild – Schuhe ohne Absätze wieder Mode (eine Mode, die bis in die 40er Jahre anhielt). Sie wurden aus Glacéleder oder aus Stoff angefertigt und jeweils ihrem Zweck entsprechend verziert. Für den linken und den rechten Fuß wurden sie übrigens ohne Unterschied ganz gleichartig gearbeitet.   TKo

438 ABBILDUNG S. 460
Ein Paar hohe Damenschuhe

Petersburg, nach 1820

Weißer Moiré, an der Seite Verschnürung mit weißem Band; mit Leinwand gefüttert und Ledersohlen, Länge 23,5 cm
Inv.-Nr. ЭРТ-2508 a, b
Herkunft: 1941 aus dem Staatlichen Museum für Ethnographie der Völker der UdSSR, Leningrad
TKo

439 ABBILDUNG S. 460
Ein Paar Damenschuhe [tufli]

Werkstatt Leclerc, Petersburg, etwa 1820–1840

Rosa Seiden-Rips, mit Glacéleder gefüttert und Ledersohle, Länge 22,5 cm
Inv.-Nr. ЭРТ-2499 a, b
Herkunft: 1941 aus dem Staatlichen Museum für Ethnographie der Völker der UdSSR, Leningrad; früher befanden sich die Schuhe in der Sammlung der Fürsten Jusupov in Petersburg
TKo

440 ABBILDUNG S. 460
Halbschuhe

Petersburg, etwa 1820–1840

Atlas, mit Glacéleder gefüttert und Ledersohle, Länge 24 cm
Inv.-Nr. ЭРТ-2494 a, b
Herkunft: 1941 aus dem Staatlichen Museum für Ethnographie der Völker der UdSSR, Leningrad
TKo

441 FARBTAFEL S. 465
Ein Paar Damenschuhe

Petersburg, ca. 1820–1840

Gemusterte Seide in Jacquard-Bindung, mit gaufriertem Band abgesetzt, mit Leder gefüttert und Ledersohle, Länge 24 cm
Inv.-Nr. ЭРТ-2521 a, b
Herkunft: 1941 aus dem Staatlichen Museum für Ethnographie der Völker der UdSSR, Leningrad; früher befanden sich die Schuhe in der Sammlung der Fürsten Jusupov in Petersburg
TKo

442 FARBTAFEL S. 466
Fächer

Westeuropa, um 1800

Farbig bedruckte Atlasseide mit Silber und Flitter bestickt, mit Seide gefüttert; Stäbe aus geschnitztem Elfenbein mit durchbrochenem Muster, durch einen Kupferstift mit Perlmutterkopf verbunden, Länge 21,5 cm
Inv.-Nr. ЭРТ-6573
Herkunft: 1941 aus dem Staatlichen Museum für Ethnographie der Völker der UdSSR, Leningrad; früher befand sich das Objekt in der Sammlung des Pskover Mäzens und Kunstsammlers F. M. Pljuškin

439

438, 440

Bis zum Beginn des 18. Jahrhunderts wurden in Rußland ausschließlich große Wedel orientalischer Herkunft als Fächer benutzt. Als dann aber in den Städten und innerhalb der gehobenen Schichten westeuropäische Mode zum Vorbild wurde, setzte sich bald auch der kleinere Faltfächer durch. Viele wurden aus Frankreich, England und Deutschland importiert. Doch gab es schon im 18. Jahrhundert auch zahlreiche Fächer-Werkstätten in Moskau und Petersburg. Auch diese reizvollen Accessoires spiegeln die sich wandelnden Etappen der stilistischen Entwicklung: Mit dem Klassizismus weicht der Formen- und Materialreichtum des Rokoko einer kühleren und vereinfachten Gestaltung. Die Fächer werden nochmals kleiner und bestehen in der Regel nur noch aus einem Material, wie z. B. aus Bein, Horn, Karton, Stoff oder Papier. Oft war das Fächergestell mit Malerei, durchbrochener Schnitzerei oder mit aufgesetzten Ornamenten aus Flitter gestaltet.

EJM

443   FARBTAFEL S. 466
Fächer

Petersburg (?), Anfang 19. Jahrhundert

Seide auf Horngestell, bemalt und mit Flitter bestickt, Länge 24 cm
Inv.-Nr. ЭРТ-6579
Herkunft: 1941 aus dem Staatlichen Museum für Ethnographie der Völker der UdSSR, Leningrad   EJM

444   FARBTAFEL S. 467
Fächer mit Futteral

Rußland, etwa 1820–1840

Elfenbein mit durchbrochenem Muster, durchbrochene Bronzestäbchen und Emailplättchen; Futteral aus Karton, mit Seide bezogen und mit Borte eingefaßt, Länge 15,8 cm
Inv.-Nr. ЭРТ-18362 a, b
Herkunft: 1985 erworben aus Privatbesitz durch die Ankaufs-Kommission der Staatlichen Ermitage, Leningrad   EJM

445   FARBTAFEL S. 467
Fächer

Rußland, etwa 1820–1840

Gefärbtes Horn, farbig und teilweise mit Gold bemalt, Länge 16,2 cm
Inv.-Nr. ЭРТ-17869
Herkunft: 1985 erworben durch die Ankaufs-Kommission der Staatlichen Ermitage, Leningrad; früher befand sich das Objekt in der Sammlung von S. N. Chanukaev, Leningrad

EJM

446   FARBTAFEL S. 468
Brieftasche

Rußland, 1. Drittel 19. Jahrhundert

Atlasseide, farbig bestickt, mit Seidenschnur eingefaßt; Futter und Fächer innen aus gemusterter Seide, 16,5 x 13,7 cm
Inv.-Nr. ЭРТ-5268
Herkunft: 1941 aus dem Staatlichen Museum für Ethnographie der Völker der UdSSR, Leningrad; früher befand sich das Objekt in der Sammlung des Pskover Kunstsammlers und Mäzens F. M. Pljuškin
Literatur: 116 (Nr. 105)

Brieftaschen wurden von Männern in Rußland erst seit dem Ende des 18. Jahrhunderts zum Aufbewahren von Papieren und Papiergeld benutzt. Sie waren in der Regel rechteckig, hatten innen mehrere Fächer und Taschen und wurden mit einem kleinen Schloß oder einem Band geschlossen.
Zu Beginn des 19. Jahrhunderts hatte man meist Brieftaschen aus weißer oder farbiger Atlasseide mit farbigem Plattstich in Seide oder mit anderer Stickerei. Bevorzugt verwendete man Pflanzen als Schmuckmotive: Kränze, Girlanden oder Bukets, die – verbunden mit figürlichen oder symbolischen Elementen – häufig auf die Tätigkeit ihres Besitzers anspielten.
Solche Brieftaschen wurden zunächst in Heimarbeit hergestellt, im Laufe der Zeit aber auch bald nicht nur in städtischen Ateliers und Manufakturen, sondern auch in Klöstern.   EJM

447   ABBILDUNG S. 462
Brieftasche

Rußland, 1. Drittel 19. Jahrhundert

Weiße Atlasseide mit weißer Seide gefüttert; auf dem Deckel und innen mit schwarzem Haar in kleinen Steppstichen bestickt (nach einer gestochenen Vorlage), 15,5 x 11 cm
Inv.-Nr. ЭРТ-8874
Herkunft: 1941 aus dem Staatlichen Museum für Ethnographie der Völker der UdSSR, Leningrad; früher befand sich das Objekt in der Sammlung von V. M. Tatiščev, Petersburg
Literatur: 116 (Nr. 156)   EJM

448   FARBTAFEL S. 468
Brieftasche

Städtische Werkstatt, Rußland, 1. Viertel 19. Jahrhundert

Schwarze Atlasseide mit farbigem Plattstich in Seide, mit goldener Schnur umsäumt; Futter und Innentaschen aus rosa Seide, 19,5 x 13 cm
Inv.-Nr. ЭРТ-5197
Herkunft: 1941 aus dem Staatlichen Museum für Ethnographie der Völker der UdSSR, Leningrad; früher befand sich das Objekt in der Sammlung des Pskover Kunstsammlers und Mäzens F. M. Pljuškin   EJM

449   FARBTAFELN S. 445, 469
Handtasche

Rußland, ca. 1810–1830

Braune Seide, unten Stickerei mit kleinen Perlen auf Leinwand; Bänder aus rosa Seide, Futter aus weißer Seide, 29 x 19 cm
Inv.-Nr. ЭРТ-4864
Herkunft: 1941 aus dem Staatlichen Museum für Ethnographie der Völker der UdSSR, Leningrad; früher befand sich das Objekt in der Sammlung des Pskover Kunstsammlers und Mäzens F. M. Pljuškin
Ausstellungen: 1962 Leningrad, Nr. 176; 1976 New York, Nr. 476

Im Rußland des 19. Jahrhunderts waren Erzeugnisse mit Perlenstickereien beim Adel, bei den Kaufleuten und Bürgern der Städte, aber auch bei den Gutsbesitzern auf dem Lande besonders beliebt. Zahlreiche solcher Objekte in öffentlichen und privaten Sammlungen spiegeln die stilistischen und thematischen Vorlieben

447, 458

der Zeit. Dabei mischen sich Zeugnisse der damaligen Antikenverehrung mit Motiven einer romantischen Sentimentalität.

Für die Perlenstickerei wurden unterschiedliche Techniken angewandt: Flache Stickereien wurden in der Regel auf Leinwand gearbeitet, plastische hingegen wurden aus vorher aufgezogenen Perlenschnüren gestrickt oder gehäkelt. Außerdem hatte man sogar eine Webart entwickelt, in die auch Perlen eingearbeitet wurden. Für die Darstellungen und Zierformen all dieser Arbeiten wurden spezielle farbige Vorlagen herausgegeben.   EJM

450   FARBTAFEL S. 469

Handtäschchen

Rußland, 1828

Stickerei mit kleinen Perlen auf Leinwand, am oberen Rand Schlaufen aus Seide; Futter aus gemusterter Seide, 19,8 x 15,8 cm
Inv.-Nr. ЭПТ-20540
Herkunft: 1988 gestiftet von I. N. Popov und T. B. Aleksandrova, Moskau   EJM

451   FARBTAFEL S. 470

Überzug für ein Glas

Rußland, ca. 1820–1840

Häkelarbeit aus Perlenschnüren, 10,4 x 10,3 cm
Inv.-Nr. ЭПТ-17886
Herkunft: 1971 erworben durch die Ankaufs-Kommission der staatlichen Ermitage, Leningrad; früher befand sich das Objekt in der Sammlung von S. N. Chanukaev, Leningrad

Während der 1. Hälfte des 19. Jahrhunderts wurden solche Überzüge für Tintengläser, Federhalter, Toilettendosen, Bürsten für den Kartentisch und viele andere kleinere Gebrauchsgegenstände besonders populär.   EJM

Textilien und Accessoires

452   FARBTAFEL S. 470

Pfeife [Tschibuk]

Städtische Werkstatt, Rußland, ca. 1820–1840

Der obere Teil des Pfeifenrohrs mit einem Überzug aus gehäkelten Perlenschnüren, mit vergoldeten Bronzeringen befestigt; Mundstück aus Bernstein, Pfeifenkopf aus Meerschaum mit silberner Fassung, Rohrlänge 103 cm, Pfeifenkopf 13 x 5 cm
Inv.-Nr. ЭPT-16081, 16082
Herkunft: 1941 aus dem Staatlichen Museum für Ethnographie der Völker der UdSSR, Leningrad
Ausstellungen: 1984 Sofia, Nr. 110, 111

Typisches Beispiel der damals in Rußland verbreiteten Tschibuk-Pfeife, nach türkischem Vorbild mit langem Rohr   EJM

453   FARBTAFEL S. 470

Tabaksdose

Rußland, ca. 1820–1840

Geprägtes Leder über würfelförmiger Blechdose; auf den Seitenflächen Perlenstickerei auf Leinwand, 11,5 x 13 x 13 cm
Inv.-Nr. ЭPT-16104 a, b
Herkunft: 1954 aus den Sammlungen der Staatlichen Tret'jakov-Galerie, Moskau   EJM

454   FARBTAFEL S. 470

Beutel

Städtische Werkstatt, Rußland, ca. 1820–1840

Grünes und rotes Leder; Schnur mit Seidenquasten; auf beiden Seiten des Beutels Perlenstickerei auf Leinwand, 18,2 x 7,5 x 20 cm
Inv.-Nr. ЭPT-4862
Herkunft: 1941 aus dem Staatlichen Museum für Ethnographie der Völker der UdSSR, Leningrad; früher befand sich das Objekt in der Sammlung des Pskover Kunstsammlers und Mäzens F. M. Pljuškin
Ausstellungen: 1984 Sofia, Nr. 109   EJM

455   FARBTAFEL S. 470

Bürste

für den Kartentisch, Städtische Werkstatt, Rußland, 1. Drittel 19. Jahrhundert

Auf dem quadratischen hölzernen Brettchen für die Borsten Perlenstickerei auf Leinwand, 5 x 4,2 x 2,3 cm
Inv.-Nr. ЭPT-16698
Herkunft: 1958 erworben durch die Ankaufs-Kommission der Staatlichen Ermitage, Leningrad   EJM

456   FARBTAFEL S. 469

Nadeldöschen

Rußland, ca. 1810–1840

Zweiteiliges Döschen (mit Deckel) aus gedrechseltem Holz; Umkleidung aus Perlenschnüren, 9,4 x 1,4 cm
Inv.-Nr. ЭPT-5105 a, b
Herkunft: 1941 aus dem Staatlichen Museum für Ethnographie der Völker der UdSSR, Leningrad; früher befand sich das Objekt in der Sammlung von I. A. Gel'nbek, Petersburg   EJM

457   FARBTAFEL S. 469

Toilettendöschen

Rußland, 1. Drittel 19. Jahrhundert

Dose und Deckel aus Horn; Umkleidung aus Perlenschnüren, 5,1 x 2,3 cm
Inv.-Nr. ЭPT-5085 a, b
Herkunft: 1941 aus dem Staatlichen Museum für Ethnographie der Völker der UdSSR, Leningrad; früher befand sich das Objekt in der Sammlung des Pskover Kunstsammlers und Mäzens F. M. Pljuškin   EJM

458   ABBILDUNG S. 462

Notizbüchlein

Rußland, ca. 1820–1830

Einband aus braunem Leder mit Goldprägung und kleinen Bronzebeschlägen; vorn und hinten eingesetzte Perlenstickerei auf Gaze im Mittelfeld; innen mit blauem Moiré gefüttert, 13,8 x 9,5 cm
Inv.-Nr. ЭPT-5144
Herkunft: 1941 aus dem Staatlichen Museum für Ethnographie der Völker der UdSSR, Leningrad   EJM

459   ABBILDUNG S. 464

Tapisserie »Aurora«

Petersburger Manufaktur, um 1800

Gobelin-Weberei aus Wolle und Seide, 247 x 256 cm
Inv.-Nr. ЭPT-16227
Herkunft: 1919 aus dem Hof-Kavallerie-Museum
Literatur: T. T. Korsunova, Russkie špalery – Peterburgskaja špalernaja manufaktura, Leningrad 1975, S. 258–259, Nr. 127, 128

Die 1717 von Petr I. gegründete Petersburger Manufaktur erlebte in der zweiten Hälfte des 18. und am Anfang des 19. Jahrhunderts ihre Blütezeit. Damals entstanden dort nicht nur kleinformatige Porträts und andere gewebte Darstellungen, sondern auch komplette Ensembles für die Ausstattung verschiedener Paläste, zu denen große Gobelins für die Wände, Teppiche und Portieren gehörten. Sie zeigten Szenen aus der griechischen und römischen Mythologie, was sie ganz allgemein mit der damaligen Malerei und besonders mit den Wandmalereien zeitgenössischer Interieurs verbindet. Ihre Kompositionen wurden durch jene Regeln bestimmt, die im 17. Jahrhundert an den Akademien zu Rom und Bologna erarbeitet worden waren. Besonders geschätzt wurden Kompositionen Guido Renis und seines Kreises, auch als Vorlagen für Tapisserien, wie das hier ausgestellte Stück belegt. Als authentisches Zeugnis der Petersburger Bildwirkerei der Zeit gehörte es wohl zu einer Folge von Wandteppichen. Die gewebte Umrahmung mit Palmetten, Rosetten und anderen an die Antike angelehnten Ornamentformen ist nicht mehr erhalten.

TKo

460   FARBTAFEL S. 452

Stoffprobe

Moskauer Werkstatt (?), Ende 18. Jahrhundert

Seide, gewebt, 85,5 x 50,5 cm
Inv.-Nr. ЭPT-19231
Herkunft: 1979 aus dem Museum für Religionsgeschichte in Leningrad

Im 18. Jahrhundert entstand – protegiert durch Kaiser Petr I. – auch in Rußland eine eigenständige Seidenweberei, die sich rasch entwickelte. Ihr Standort war Moskau, wo bereits in der zweiten Hälfte des 18. Jahrhunderts zahlreiche Manufakturen unterschiedliche Seidenstoffe von hohem technischen und künstlerischen Niveau produzierten. Zu dieser Produktion ge-

459

hört offenbar auch der vorliegende Stoff, dessen Muster sich deutlich an französischen Vorbildern orientiert; eine bezeichnende Eigenart der russischen Seidenstoffe der Zeit, die damit den Bedürfnissen der vermögenden Stände entgegenkamen. Die noch in der Mitte des Jahrhunderts weit verbreiteten Muster mit verschlungenen oder sich kreuzenden Bändern und Blumengirlanden werden jetzt durch eine strengere Ordnung vertikaler Streifen ersetzt, die den zeitgenössischen stilistischen Vorlieben entsprechen. IKu

461 FARBTAFEL S. 452

Stoffprobe

Kaiserliche Aleksandr-Manufaktur in Petersburg (?), 1. Viertel 19. Jahrhundert

Seide, gewebt, mit Borte, 76 x 85 cm
Inv.-Nr. ЭПТ-18762
Herkunft: Alter Bestand der Sammlung der Staatlichen Ermitage, Leningrad

Zu Beginn des 19. Jahrhunderts verwendeten die maßgebenden russischen Architekten heimische Dekorationsstoffe für die Innenausstattung ihrer Gebäude und die Bespannung von Möbeln; und zwar ausschließlich Seidenstoffe, in die keine Metallfäden mehr eingewebt waren. Ihre an griechischen und römischen Vorbildern angelehnten Zierformen aus Kränzen, Rosetten oder Akanthus-Blättern sind – im Vergleich zu vorhergehenden Ornamenten – strenger und häufig in symmetrischer Ordnung angelegt. IKu

Ein Paar Damenschuhe, Anfang 19. Jahrhundert. Kat.-Nr. 437

Ein Paar Damenschuhe, ca. 1820–1840. Kat.-Nr. 441

unten: Fächer, Westeuropa, um 1800. Kat.-Nr. 442; oben: Fächer, Petersburg (?), Anfang 19. Jahrhundert. Kat.-Nr. 443

Zwei Fächer, Rußland, etwa 1820–1840. Kat.-Nrn. 444 und 445

oben: Brieftasche, 1. Drittel 19. Jahrhundert. Kat.-Nr. 446; unten: Brieftasche, 1. Viertel 19. Jahrhundert. Kat.-Nr. 448

oben: Handtasche. Kat.-Nr. 449; unten v. l. n. r.: Handtäschchen, Nadeldöschen u. Toilettendöschen. Kat.-Nrn. 450, 456 u. 457

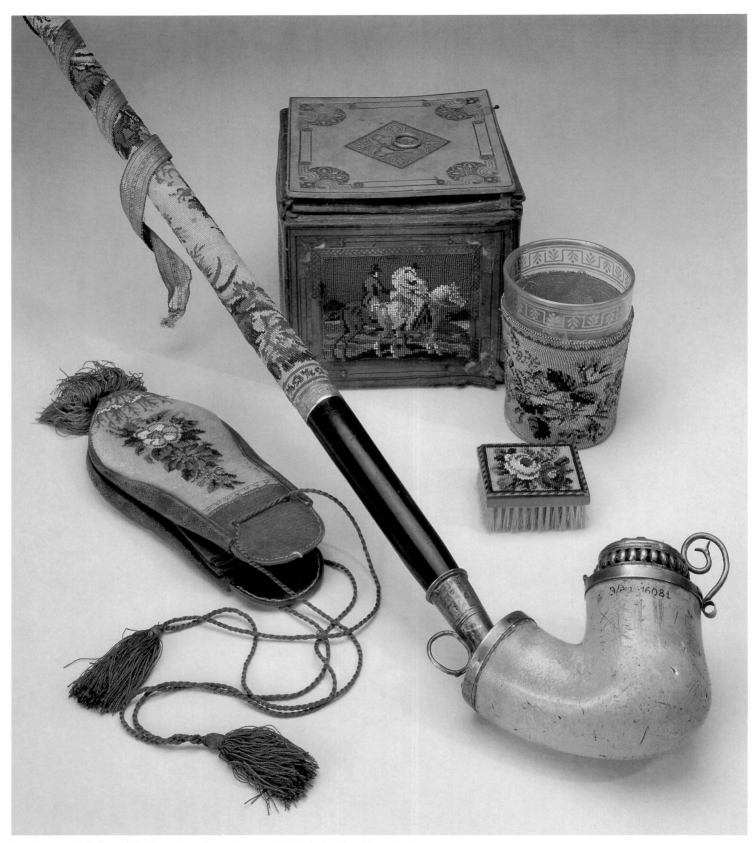

Glasüberzug, Pfeife, Tabaksdose, Beutel u. Bürste, ca. 1820–1840. Kat.-Nrn. 451–455

Georgs-Fahne des Leib-Garde-Regimentes
»Preobraženskoe«, 1813. Kat.-Nr. 473

Georgs-Fahne des Infanterie-Regimentes
»Černigov«, Modell 1806, 1813. Kat.-Nr. 474

Fahne der Palast-Grenadier-Kompagnie, 1830. Kat.-Nr. 475

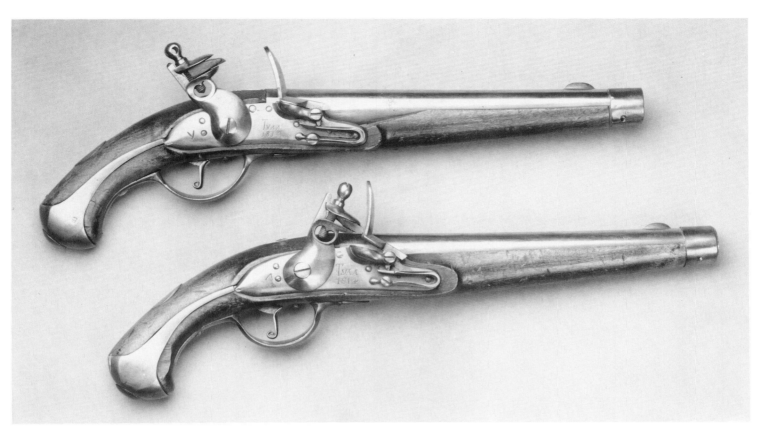

WAFFEN

462
Ein Paar Militär-Steinschloß-Pistolen

Tula, 1814

Glatte Läufe, rund, aus poliertem Stahl; auf dem Schloßblech eingraviert: »Tula 1814«; hölzerner Schaft mit Kupfergarnituren, auf dem Kolben ein ovales Plättchen mit dem eingravierten Monogramm »A I« (für Aleksandr I.) unter der Kaiserkrone, Gesamtlänge 44 cm, Länge des Laufes 26,5 cm, Kaliber 1,6 cm
Inv.-Nr. 3.0. 908
Herkunft: Alter Bestand der Sammlung der Staatlichen Ermitage, Leningrad

Die Waffen-Schmiede in der am Upa-Fluß gelegenen, 1146 gegründeten Stadt Tula wurde 1712 von Kaiser Petr I. gegründet. Seitdem ist Tula als Zentrum der Metallbearbeitung, aber auch für die Herstellung von Samowaren bekannt. Zur Zeit des Vaterländischen Krieges von 1812 und während der anschließenden Feldzüge im Ausland kämpfte die russische Armee mit Feuerwaffen hoher Qualität aus Tula.   JE

463
Offiziers-Stichdegen

Modell 1798, Meister V. N. Schaaf [Saaf], Petersburg, 1825/1826

Der dem Griff zugewandte obere Teil der Klinge mit Vergoldungen und Brünierungen. Auf der einen Klingenseite zwischen stilisierten Pflanzenornamenten und Trophäen das Wappen der Fürsten Golicyn und darüber in Gold auf einem Banner das biblische Motto: »SI DEUS PRO NOBIS QUIS CONTRA NOS [Wenn Gott für uns ist, wer ist dann wider uns].« (Röm. 8,31). Auf der anderen Seite der Klinge zwischen den gleichen Ornamenten, ein Schild

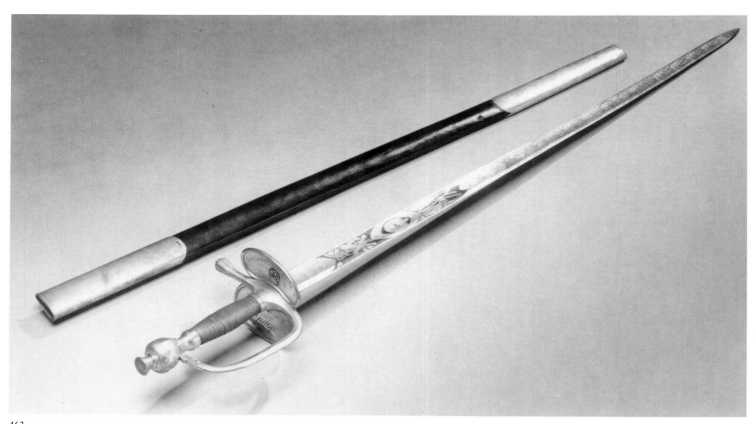

463

mit den Initialen »NG«. Auf dem Stichblatt eingraviert: »Шафъ съ сыновиями въ С:Пбургъ«. Auf beiden Seiten der Klinge im unteren Teil zur Spitze hin Lorbeerkränze mit den eingravierten Namen der Schlachtorte, an denen Einheiten der russischen Armee gekämpft haben, sowie die Daten der jeweiligen Gefechte. Dazu eine Lyra. Die Namen der Schlachten ohne Daten noch einmal in der selben Reihenfolge auf der Außenseite des Stichblattes. Der mit Draht umwickelte Griff (mit Knauf, Griffbügel, -kappe und Endknopf) aus vergoldeter Bronze; an dem Stichblatt das Zeichen des Ordens der heiligen Anna III. Klasse und auf der Oberseite eingraviert: »Für Tapferkeit [Za chrabrost']«; Scheide mit metallenem Mund- und Ortblech, Scheidenkörper Leder, Gesamtlänge 96 cm, Klingenlänge 77 cm
Inv.-Nr. 3.O. 6920
Herkunft: 1921 aus dem Besitz des Fürsten G. N. Golicyn
Literatur: 208 (S. 6–9)

Wilhelm Schaaf, der diesen Degen angefertigt hat, gehört zu jenen deutschen Meistern für Blankwaffen, die 1815 in den Dienst der neu gegründeten Waffenschmiede in Zlatoust (siehe Kat.-Nr. 465) getreten sind. Danach siedelte er nach Petersburg über und gründete hier Ende 1824 seine eigene Werkstatt. Seit 1825 sind von ihm signierte Arbeiten aus Petersburg überliefert.
Der Degen gehörte dem Fürsten Nikolaj Borisovič Golicyn (1794–1866), einem Teilnehmer der Kriege zwischen Rußland und dem napoleonischen Frankreich. Zur Zeit des Vaterländischen Krieges von 1812 diente er als Ordonnanz bei General P. I. Bagration. Fürst Golicyn war aber nicht nur ein Militär, sondern vor allem auch ein talentierter Musiker, Literat und Politiker. Schon in seiner Jugend beschäftigte er sich viel mit Musik und lebte einige Zeit in Wien, wo er mit Joseph Haydn zusammentraf. 1822 bis 1826 korrespondierte er mit Ludwig van Beethoven. In Golicyns Auftrag schrieb der

Komponist die drei späten Streich-Quartette op. 127, op. 130 und op. 132. Der Fürst bewirkte auch die Uraufführung von Beethovens »Missa solemnis« in Petersburg am 26. März 1824. Der Komponist hat seine Verehrung und Dankbarkeit gegenüber Golicyn mehrfach in seinen Briefen zum Ausdruck gebracht und ihm auch die Ouvertüre »Die Weihe des Hauses« (op. 124) gewidmet. Auch an der Gründung der »Sankt-Petersburger Gesellschaft der Musikfreunde [Sankt-Peterburgskoe obščesto ljubitelej muzyki]« war er aktiv beteiligt. Seit 1828 betätigte er sich auch literarisch; neben seinen Erinnerungen verfaßte er zahlreiche Gedichte und poetische Übersetzungen von Werken Puškins sowie seiner Zeitgenossen Ivan Ivanovič Kozlovs (1779–1840) und Nikolaj Michajlovič Jazykovs (1803–1846/47) in die französische Sprache. JE

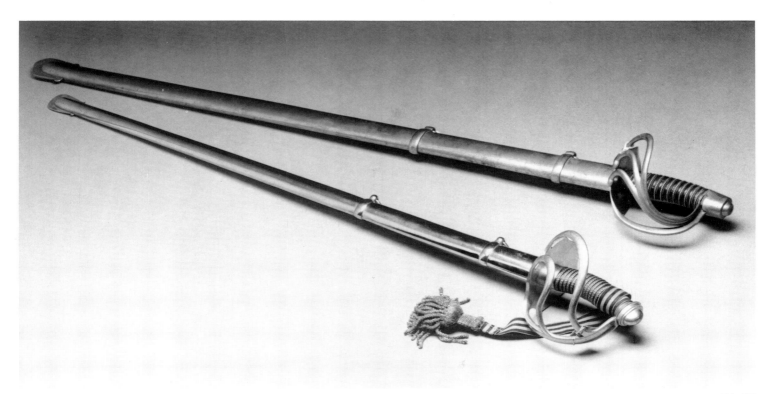

464, 465

464

Kürassier-Pallasch für Mannschaften

Modell 1826; Zlatoust, 1836

Einschneidige gerade Stahlklinge mit zwei breiten Blutrinnen; auf dem Stichblatt eingraviert: »Zlatoust, im Februar d. J. 1836«; mit Leder bespannter Griff mit Kupferdrahtbünden; Gefäß mit einem Haupt- und drei Nebenbügeln aus Bronze; Scheide aus Stahl mit Trag- und Schleppring an Bändern und Schleifeisen, Gesamtlänge 116 cm, Klingenlänge 97,5 cm
Inv.-Nr. **3.O.** 8022
Herkunft: 1956 aus dem Revolutionsmuseum in Leningrad
Literatur: 94 (S. 18, 31, Zeichnung 16)

Als Pallasch bezeichnet man eine Hieb- und Stich-Waffe, die im 17. Jahrhundert als spezielle Form der Blankwaffe für die Kavallerie aufkam. Im 18. Jahrhundert gehörte der Pallasch dann grundsätzlich zur Bewaffnung der schweren Kavallerie, also der Dragoner, Kürassiere und der Grenadiere zu Pferde. Zu Beginn des 19. Jahrhunderts trugen in der russischen Armee ebenfalls die Kürassier- und Dragoner-Regimenter Pallasche, ebenso die Enter-Abteilungen der Marine. Zu Pferde wurde der Pallasch unter den Küraß geschnallt, zu Fuß, da kein Küraß getragen wurde, an weißem Ledergürtel über den Koller geschnallt. Der Pallasch der Dragoner unterschied sich von dem hier gezeigten der Kürassiere lediglich durch die Scheide; diese war aus Leder mit Kupfermund- und Ortblech. Die Waffen-Schmiede in Zlatoust wurde unter Kaiser Aleksandr I. gegründet. Der im Gebiet von Čeljabinsk am Fluß Aj gelegene, 1754 gegründete und 1811 mit Stadtrechten ausgestattete Ort wurde nach dem Patron seiner ersten Kirche benannt, die dem heiligen Johannes Chrysostomos (griech. = Goldmund, russisch: Ioann Zlatoust) geweiht war. Neben Kampf-Waffen für Armee und Flotte wurden in Zlatoust auch reich verzierte Schmuck-Waffen als Geschenkartikel für Mitglieder der Kaiserlichen Familie, höhere Beamte, in- und ausländische Militärs und Politiker hergestellt. JE

465

Kürassier-Pallasch für Offiziere

Modell 1810; Zlatoust, 1837

Einschneidige Klinge aus poliertem Stahl mit zwei breiten Blutrinnen; mit Leder bespannter Holzgriff mit Kupferdrahtbünden (Hilze); Gefäß mit einem Haupt- und zwei Nebenbügeln aus vergoldeter Bronze; Stahlscheide mit Trage- und Schleppring an Bändern und Schleifeisen; auf dem Stichblatt eingraviert: »Zlatoust im Jahre 1837«, Gesamtlänge 108 cm, Klingenlänge 92 cm
Inv.-Nr. **3.O.** 2149
Herkunft: Alter Bestand der Sammlung der Staatlichen Ermitage, Leningrad
Literatur: 94 (S. 18, 30, Zeichnung 15)

Zur Art der Waffe und der Waffenschmiede siehe Kat.-Nr. 464 JE

466

FAHNEN UND STANDARTEN

In der alt-russischen Zeit führten die russischen Armeen Kirchenbanner [chorugvi] mit den gestickten Ikonen Christi oder bestimmter Patrone, vor allem der Kriegerheiligen Georg oder Demetrios, mit sich. Sehr häufig wurde auch das Mandylion für diese Fahnen verwandt.

Mit der Europäisierung des russischen Heeres unter Petr I. und seinen Nachfolgern kam es auch zur Übernahme der etwa seit dem 16. Jahrhundert üblichen westlichen Fahnenformen, so daß schließlich jedes Infanterieregiment, Sappeurbataillon und jede Militärschule eine eigene Fahne [znamja], jedes Kavallerie-Regiment eine Stan-

darte [štandart; bei Kosaken: znamja] hatte, die auch alle dem betreffenden Truppenteil verliehenen Auszeichnungen (wie Fahnenbänder, Georgskreuze, Inschriften usw.) trug. Artillerie und Pontonierbataillone führten hingegen keine Fahnen mit sich, sondern erhielten als Auszeichnung lediglich die silbernen Georgstrompeten.

Einige Fahnen wurden als »Georgsfahnen« bzw. »Georgsstandarten« bezeichnet; darunter verstand man solche, die als besondere Auszeichnung für Tapferkeit vor dem Feind verliehen wurden (Näheres siehe Kat.-Nr. 472). Sie zeigen in der Spitze das Georgskreuz und Georgsbänder in den schwarz-orangenen Farben des Ordens des heiligen Georg des Siegträgers (siehe Kat.-Nr. 326), die den Kaiserfarben ent-

sprechen. Die Jubiläums- und Erinnerungsbänder waren bei der Garde blau (als Farbe des Bandes des Ordens vom heiligen Andreas dem Erstberufenen, siehe Kat.-Nrn. 266–267) und bei der Armee rot (als Farbe des Ordens zum heiligen Aleksandr von der Neva, siehe Kat.-Nr. 268).

Die Garderegimenter hatten in der Regel einen doppelköpfigen Adler oder auch ein Kreuz oben auf der Fahnenstange, die Linienregimenter eine Spitze. Bei den Garde-Kürassier-Regimentern war die Standarte an einer Querstange und diese an Schnüren an der Fahnenstange befestigt (ähnlich den alt-römischen Vexilla). NT

466

Standarte

des Dragoner-Regimentes »Sibirien«, 1797
Fahnenblatt aus Seide, an die Stange genagelt;
Fahnenrand mit Fransen aus Metallfäden,
Stickerei in Seide und Metallfäden; auf der Stan-
ge die bronzene Spitze mit dem Staatswappen
Rußlands; daran Fahnenbanderole mit zwei
Quasten, 60 cm im Geviert
Inv.-Nr. 3H. 1657
Herkunft: 1950 aus dem Museum für Artillerie-
Geschichte in Leningrad
Literatur: 69 (Teil 9, S. 66, Zeichnung Nr. 1255)

Obwohl die Dragoner zu den ältesten regulären
Kavallerie-Truppen in Rußland gehörten (in

der Zeit Petr I. entstanden) und die eigentliche
russische Linien-Kavallerie bildeten, schwankte
die Zahl ihrer Regimenter – bedingt durch die
Gründung neuer Arten von berittenen Einheiten – im ganzen 18. Jahrhundert beträchtlich.
Dieses Regiment wurde 1775 in Sibirien gebildet. 1777 erhielt es die Bezeichnung »Dragoner
Regiment ‚Sibirien‘ [Sibirskij dragunskij polk]«,
gehörte dann aber schon 1812 zu jenen sieben
Dragoner-Regimentern, die zu Ulanen umgebildet wurden. Als Ulanen-Regiment »Sibirien«
nahm es am Vaterländischen Krieg von 1812
und an den anschließenden Feldzügen in
Mittel- und Westeuropa teil.
Dargestellt ist auf dem Avers der Standarte der
Doppeladler, das Staatswappen des Rußländischen Reiches.   GV

467

Standarte

des Leib-Kürassier-Regimentes Seiner Majestät,
1798

Fahnenblatt aus Seide, an die Stange genagelt;
Stickerei in Seide und mit Metallfäden; auf der
Stange die bronzene Spitze mit dem Staatswap-
pen Rußlands; daran Fahnenschnur mit zwei
Quasten, 50 x 60 cm
Inv.-Nr. 3H. 930
Herkunft: 1950 aus dem Museum für Artillerie-
Geschichte in Leningrad
Literatur: 69 (Teil 9, S. 63, Zeichnung Nr. 1249)

Das Regiment wurde schon 1702 als »Dragoner-
Regiment des Fürsten Grigorij Volkonskij« ge-

468

bildet. Bis 1761 wurde es mehrfach umbenannt und erhielt schließlich den Namen: »Leib-Kürassier-Regiment Seiner Kaiserlichen Majestät [Lejb-kirasirskij Ego Imperatorskogo Veličestva polk].« 1796 wurde »Kaiserlich« wieder gestrichen. Wegen seiner außerordentlichen Tapferkeit vor dem Feinde während des Vaterländischen Krieges von 1812 und der anschließenden Feldzüge in Mittel- und Westeuropa, wurde es zum »Leib-Garde-Regiment Seiner Majestät [Lejb-gvardii Kirasirskij Ego veličestva polk]« erhoben (eine Bezeichnung, die bis zum Jahre 1917 beibehalten wurde). Zugleich wurde

bei ihm der Küraß aus geschwärztem Eisen eingeführt.

Die Standarte zeigt auf dem Avers ein Kreuz im Strahlenkranz, zu dem ein doppelköpfiger Adler auffliegt; in den Ecken jeweils das Monogramm Pavels I. unter der Kaiserkrone.   GV

468
Fahne

des Grenadier-Regiments »Kleinrußland«, Muster von 1798

Fahnenblatt Seide, in der Mitte das in Öl gemalte Staatswappen, 150 cm im Geviert
Inv.-Nr. 3H. 1333
Herkunft: 1950 aus dem Museum für Artillerie-Geschichte in Leningrad
Literatur: 69 (Teil 9, S. 43, Zeichnung Nr. 1227)

469

Das zur Linien-Infanterie gehörige Regiment wurde 1756 gebildet und zwar als »4. Grenadier-Regiment«. 1790 erhielt es dann nach alter, auf das Jahr 1708 zurückgehender russischer Tradition, den Namen einer Provinz und wurde jetzt als »Kleinrussisches Grenadier-Regiment« bezeichnet. Unter Kaiser Pavel I., der auch die preußisch beeinflußten Uniformen aus der Zeit Petrs III. wieder einführte, wurden die Grenadier-Regimenter jedoch statt dessen nach ihren jeweiligen Chefs oder Kommandeuren benannt. Deshalb hieß dieses Regiment zuerst »Grenadier-Regiment des Generalmajors Radt« und danach »Grenadier-Regiment des

Generalmajors Berch«. 1801 wurde ihm aber sein alter Name zurückgegeben: Grenadier-Regiment »Kleinrußland« [Malorossijskij grenaderskij polk].

Die Fahne entspricht der bei den meisten Linien-Infanterie-Regimentern üblichen Form und zeigt auf dem Revers auf strahlenförmigem grünen Kreuz in der Mitte den gemalten Reichsadler in einem Lorbeerkranz. Er trägt in einem Schild auf der Brust die Darstellung des heiligen Georg als Drachentöter.   GV

469
Fahne

des Grenadier-Regimentes »Sankt-Petersburg«, 1798

Fahnenblatt aus Seide, an die Stange genagelt; in der Mitte Malerei in Öl; auf der Stange die bronzene Spitze mit dem Staatswappen Rußlands, 150 cm im Geviert
Inv.-Nr. **3H. 224**
Herkunft: 1950 aus dem Museum für Artillerie-Geschichte in Leningrad
Literatur: 69 (Teil 9, S. 42–43, Zeichnung Nr. 1226)

Das Regiment wurde 1726 gegründet und nach seinem Inhaber »Regiment von Lukiev« genannt. Im Laufe des 18. Jahrhunderts wechselte es wiederholt seinen Namen. 1790 erhielt es dann erstmals die Bezeichnung »Grenadier-Regiment ‚Sankt-Petersburg' [Sankt-Peterburgskij grenaderskij polk]«. Als unter Pavel I. – preußischem Vorbild folgend – die Bezeichnung der Regimenter nach ihren jeweiligen Chefs oder Kommandeuren eingeführt wurde, erhielt es nacheinander folgende Namen: Grenadier-Regiment des Generalmajors Fürst Golicyn, des Generalmajors Fürst Volkonskij, des Generalmajors Safonov, des Generalleutnants Sacken [Saken]. 1801 erhielt es seinen alten Namen zurück. 1814 wurde es »Grenadierregiment Seiner Majestät des Königs von Preußen« und schließlich 1894 zum Garde-Regiment erhoben. Nun hieß es »Leib-Garde-Regiment ‚Sankt-Petersburg, König Friedrich-Wilhelms III.' [Lejb-gvardii Sankt-Peterburgskij korolja Fridricha-Vil'gel'ma III polk]«.

Die Fahne zeigt auf dem Revers inmitten strahlenförmig angeordneter Felder das russische Staatswappen. GV

470

Standarte

des Chevalier-Garde-Corps, 1799

Fahnenblatt aus Seide, Fahnenrand mit Fransen aus Metallfäden; an einer Querstange, die ihrerseits mit einer Schnur oben an der Fahnenstange befestigt ist; auf der Stange bronzene Kugel mit aufgesetztem Malteser-Kreuz in weißem Email, 50 x 40 cm
Inv.-Nr. 3H. 1567
Herkunft: 1950 aus dem Museum für Artillerie-Geschichte in Leningrad
Literatur: 69 (Teil 9, S. 70, Zeichnung Nr. 1264)

Zum Regiment siehe Kat.-Nr. 242.   GV

471
Fahne

des Leib-Garde-Regimentes »Izmajlovo«, 1800

Fahnenblatt aus Seide mit Malerei in Öl in der
Mitte, an die weißgestrichene Stange genagelt;
auf der Stange die bronzene Spitze mit dem Na-
menszug Pavels I., 150 cm im Geviert
Inv.-Nr. 3H. 161
Herkunft: 1950 aus dem Museum für Artillerie-
Geschichte in Leningrad
Literatur: 69 (Teil 9, S. 70, Zeichnung Nr. 1263)

Zum Regiment siehe Kat.-Nr. 175.
In der Mitte der Fahne fand sich unter der Kaiserkrone der Doppeladler, das Staatswappen

Rußlands, in Ölmalerei, dazu der Wahlspruch:
»Mit uns ist Gott! [S nami Bog!]«, in den Ecken
das Monogramm Pavels I. unter zwei Kronen
(oben die Kaiserkrone und unten die des Großmeisters des Ordens vom heiligen Johannes von
Jerusalem, d. h. des Malteser-Ordens). Als die
1530 dem Orden von Kaiser Karl V. als souveränen Besitz übergebene Insel 1798 von Napoelon usurpiert wurde, ließ sich Kaiser Pavel I.,
der schon 1797 ein russisches Großpriorat errichtet hatte, zum Großmeister der Malteser
wählen. Deshalb wurden damals zahlreiche russische militärische Einrichtungen mit dem
Johanniter- bzw. Malteser-Kreuz und seinen
Farben ausgestattet.   GV

472
Ehren-Standarte

»Für Auszeichnung« des Leib-Garde-Reiter-
Regimentes, 1807

Fahnenblatt aus Seide, an die Stange genagelt;
Fahnenrand mit Fransen aus Metallfäden,
Stickerei in Seide und Metallfäden; auf der Stan-
ge die bronzene Spitze mit dem Staatswappen
Rußlands, dem Doppeladler; daran Fahnenban-
derole mit zwei Quasten, 50 x 60 cm
Inv.-Nr. 3H. 1910
Herkunft: 1950 aus dem Museum für Artillerie-
Geschichte in Leningrad
Literatur: 42 (S. 53, 54); 43 (S. 258); 69 (Teil 17,
S. 46)

472

Die Geschichte des Regimentes beginnt 1721, mit dem Dragoner-Regiment »Kronšlot«. 1725 wurde das Regiment neu zusammengestellt, bestand jetzt nur noch aus Adeligen und hieß nur noch »Leib-Regiment [Lejb-Regiment]«. 1730 wurde es in »Reiter-Garde [Konnaja gvardija]«, 1801 in »Leib-Garde-Reiter-Regiment [Lejbgvardii Konnyj polk]« umbenannt. Es war zu Beginn des 19. Jahrhunderts an den Kämpfen gegen die Franzosen beteiligt und zeichnete sich besonders am 20. November 1805 in der Drei-Kaiser-Schlacht bei Austerlitz aus. Dort eroberte es bei einer Attacke die Fahne des 4. Linien-Regiments der napoleonischen Armee. Dafür

wurde den Garde-Reitern die Ehren-Standarte »Für Auszeichnung [Za otličie]« verliehen. Für die Teilnahme am Vaterländischen Krieg von 1812 und an den anschließenden Feldzügen in Mittel- und Westeuropa wurde das Regiment mit Georgs-Standarten ausgezeichnet. Für seinen Einsatz im Gefecht bei Fère-Champagnoise erhielt es 1814 auch die silbernen Georgs-Fanfaren.

Georgs-Standarten bzw. -fahnen waren besondere Auszeichnungen für Regimenter, die sich während der Kriegeshandlungen durch besondere Tapferkeit hervorgetan hatten. 1806 wurden diese Fahnen in der russischen Armee ein-

geführt. Sie unterschieden sich von gewöhnlichen Fahnen- und Standarten dadurch, daß in der Fahnenspitze, anstele des Staatswappens das Zeichen des Ordens des heiligen Georg des Siegträgers angebracht war, den Ekaterina II. 1769 für militärisches Verdienst gestiftet hatte. Außerdem gehörte zur Georgs-Fahne eine Banderole aus Ordensband mit Quasten und auf dem Fahnenblatt die Angabe, für welche Leistung die Auszeichnung verliehen worden war.

Die vorliegende Standarte zeigt im Mittelfeld den sich zur Sonne emporschwingenden Doppeladler, der in seinen Fängen ein Band in der blauen Farbe des Ordens des heiligen Andreas

des Erstberufenen trägt. Auf dem Band: »FÜR DIE EINNAHME EINER FAHNE BEI DEN FRANZOSEN ZU AUSTERLITZ AM 20. NOVEMBER DES JAHRES 1805 [ZA VZJATIE ZNAMJA U FRANCUZOV PRI AUSTERLIC 20 NOJABRJA 1805 GODA]«. Auf dem Rand des Fahnenblattes die Devise der russischen Armee: »MIT UNS IST GOTT! [S NAMI BOG!]« und in den Ecken das Kaiserliche Monogramm Aleksandrs I. unter der Kaiserkrone. GV

473   FARBTAFEL S. 471
Georgs-Fahne

des Leib-Garde-Regimentes »Preobraženskoe«, 1813

Fahnenblatt aus Seide, an die Stange genagelt; in der Mitte Malerei in Öl; auf der Stange die bronzene Spitze mit dem Zeichen des Ordens vom heiligen Georg; daran das seidene Band des Ordens als Fahnenbanderole mit zwei Quasten, 150 cm im Geviert
Inv.-Nr. 3H. 2046
Herkunft: 1950 aus dem Museum für Artillerie-Geschichte in Leningrad
Literatur: 43 (S. 152); 69 (Teil 17, S. 44, Zeichnung 2415)

Zum Regiment siehe Kat.-Nr. 174.
Die Fahne zeigt in der Mitte das rußländische Staatswappen, in den Ecken das Monogramm Aleksandrs I. und am Rand die Inschrift: »Für erwiesene Heldentaten in der Schlacht des 18. August d. J. 1813 bei Kulm [Za okazannye podvigi v sraženii 18 avgusta 1813 g. pri Kul'me]«. GV

474   FARBTAFEL S. 471
Georgs-Fahne

des Infanterie-Regimentes »Černigov«, Modell 1806, 1813

Fahnenblatt aus Seite, an die Stange genagelt; im Mittelfeld Malerei in Öl; auf der Stange die bronzene Spitze mit dem Zeichen des Ordens vom heiligen Georg; daran das seidene Ordensband als Fahnenbanderole mit zwei Quasten, 150 cm im Geviert
Inv.-Nr. 3H. 1991
Herkunft: 1950 aus dem Museum für Artillerie-Geschichte in Leningrad
Literatur: 43 (S. 112, 220)

Das Regiment wurde schon im Jahre 1700 gebildet und nach dem Namen seines Inhabers »Fuß-Regiment von Schweden [Pechotnyj regiment fon Šveden]« genannt. 1708 wurde dann das nunmehrige Musketier-Regiment – wie fast alle russischen Infanterie-Truppen – nach einer Provinz des Reiches benannt, nämlich »Infanterie-Regiment 'Černigov' [Černigovskij pechotnyj polk]«. Im weiteren Verlauf des 18. Jahrhunderts hat es weitere Umbenennungen erfahren, bis es schließlich, nach dem Sturz Pavels I., seinen alten Namen zurückerhielt. Die Fahne zeigt im Mittelfeld den aufschwebenden Doppeladler unter der Kaiserkrone, in den Ecken das Monogramm Kaiser Aleksandrs I. und am Band die Inschrift: »Für Auszeichnung im Kampf und bei der Vertreibung des Gegners aus den Gauen Rußlands im Jahre 1812 [Za otličie pri poraženii i izgnanii neprijatelja iz predelov Rossii 1812 goda]«. GV

475   FARBTAFEL S. 472
Fahne

der Palast-Grenadier-Kompagnie, 1830

Fahnenblatt aus Samt, an die Stange genagelt; Fahnenrand mit Fransen aus Metallfäden; Stickerei in Seide und Metallfäden; auf der Stange die Fahnenspitze aus vergoldeter Bronze in Form eines auf einer Kugel sitzenden Doppeladlers; das Band des Ordens vom heiligen Georg als Fahnenbanderole mit zwei Quasten, 160 cm im Geviert
Inv.-Nr. 3H. 2594
Herkunft: 1950 aus dem Museum für Artillerie-Geschichte in Leningrad
Literatur: 59

Über den Truppenteil siehe Kat.-Nr. 173.
Die Fahne zeigt in der Mitte in einem Lorbeerkranz unter der Kaiserkrone den Doppeladler mit dem Schild des heiligen Georg auf der Brust, das Staatswappen Rußlands. In den Enden des diagonalen Kreuzes im Lorbeerkranz mit Krone das Monogramm Kaiser Nikolajs I. GV

476   ABBILDUNG S. 484
Fahne

des Großfürsten Konstantin Pavlovič, 1817–1831

Fahnenblatt aus Seide, an die Stange genagelt; Fahnenrand mit Silberborte vernäht und mit Fransen aus Metallfäden, Stickerei in Seide und Metallfäden; auf der Stange die kupferne Spitze, 150 cm im Geviert
Inv.-Nr. 3H. 2509
Herkunft: 1950 aus dem Museum für Artillerie-Geschichte in Leningrad

Näheres über Großfürst Konstantin Pavlovič (1779–1831), den zweitältesten Sohn Kaiser Pavels I. und Bruder Aleksandrs I. bzw. Nikolajs I., siehe Kat.-Nr. 26.
Die Fahne zeigt das Staatswappen Rußlands. Auf der Brust des Doppeladlers jedoch nicht – wie üblich – der heilige Georg, sondern in einem Schild der einköpfige weiße Adler auf rotem Feld, das Wappen Polens mit der Kette des polnischen Ordens vom Weißen Adler, den August II. 1713 und 1807 Aleksandr I. erneut gestiftet haben.
Konstantin Pavlovič war Oberkommandierender der Armee des auf dem Wiener Kongreß 1815 geschaffenen, durch Personal-Union mit Rußland verbundenen Königsreiches Polen (das sogenannte »Kongreß-Polen«) und dort Stadthalter seines kaiserlichen Bruders. GV

476

477

VLADIMIR EFREMOVIČ ALEKSEEV
1784–1832

Alekseev kam 1801 als Schüler von K. Leberecht in die Petersburger Münze [Peterburgskij Monetnyj Dvor]. Seit 1805 arbeitete er dort als Medailleur und schuf Medaillen und Münzen.

477
Medaille

zum Andenken an den Besuch des Königs von Preußen, Friedrich-Wilhelm III. in Petersburg, 1818

Auf der Vorderseite oben in der Rundung: FRIDER(ICUS) WILHEL(MUS) III BORUSS (ORUM) R(EX) [Friedrich Wilhelm III. der Preußen König]; unter dem Porträt das Monogramm des Medailleurs: A
Auf der Rückseite am Rande: AMICITIA PRINCIPUM FELICITAS POPULORUM [die Freundschaft der Fürsten ist das Glück der Völker] und in der Mitte: AUGUSTO HOSPITI LAETA PETROPOLIS MENSE IUNIO MDCCCXVIII [dem erhabenen Gast die frohgestimmte Peterstadt im Monat Juni 1818]
Silber, geprägt, Durchmesser 52 mm
Inv.-Nr. ДРМ-3839
Herkunft: Alter Bestand der Sammlung der Staatlichen Ermitage, Leningrad
Literatur: 187 (Nr. 400); 193 (Nr. 331)

Die Medaille zeigt auf der Vorderseite im Profil das Porträt des preußischen Königs Friedrich-Wilhelm III. (1770–1840), eines Großneffen Friedrichs II. 1797 trat er die Nachfolge seines Vaters Friedrich-Wilhelm II. (1744–1797) an und setzte zunächst dessen Neutralitätspolitik fort, die zu außenpolitischer Isolierung und schließlich zur Abhängigkeit von Napoleon führte. 1803 und 1805/06 konnte er sein Land allerdings noch erheblich vergrößern. Doch trat er 1806 überstürzt der anti-napoleonischen Koalition bei, deren Niederlage bei Jena und Auerstädt ihn 1807 zu dem demütigenden Frieden von Tilsit zwang. Daß Preußen danach überhaupt noch weiterhin existieren konnte, hatte er ganz wesentlich Aleksandr I. zu verdanken. 1812/13 wurde er von seinen politischen Beratern und Generälen, vor allem aber durch die patriotische Befreiungsbewegung in Preußen, regelrecht zu einem Bündnis mit Rußland (und später auch mit Österreich) gezwungen. Nach dem Sieg über Napoleon wurden die Beziehungen Preußens zu Rußland noch enger, nicht zuletzt durch verwandtschaftliche Verbindungen zwischen beiden Herrscherhäusern. Die Tochter Friedrich-Wilhelms, Prinzessin Charlotte von Preußen (1798–1860), die nach ihrem Übertritt zum orthodoxen Glauben Aleksandra Fedorovna hieß, heiratete am 13. Juni 1817 den Großfürsten Nikolaj Pavlovič (1796–1855), den Bruder Aleksandrs I. und späteren Kaiser Nikolaj I. (seit 1825). Im Mai und Juni 1818 besuchte Friedrich-Wilhelm III. anläßlich der Geburt seines Enkels (am 17. April), Großfürst Aleksandr Nikolaevič (1818–1881; ab 1855 Kaiser Aleksandr II.), Rußland und hielt sich außerdem vom 16. Juni bis 17. Juli a. St. in Petersburg auf. Für den hohen Gast wurden zahlreiche Feste veranstaltet. Hinzu kamen Besuche in Carskoe Selo, Pavlovsk und Kronštadt, wo man in Anwesenheit der beiden Monarchen eine Fregatte vom Stapel laufen ließ.

EŠČ

Gold- und Silber-Medaillen wurden dort den Studenten erstmals 1814 als Auszeichnungen verliehen. Von einer solchen frühen Medaille (von Joseph Suttor, einem Medailleur, der zu Beginn des 19. Jahrhunderts an der Petersburger Münze gearbeitet hat) hat Baranov die Darstellung für die Vorderseite seiner Medaille übernommen. Sie zeigt die Personifikation der Medizin, vor einem Dreifuß, um den sich die Schlange des Äskulap windet. Ihr wendet sich die Sitzende mit einer Schale in der Linken zu. In ihrer Rechten hält sie ein Heilkraut. EŠČ

478

HEINRICH [ANDREJ IGNATI'EVIČ] GUBE

Breslau 1805–1848 Petersburg

Gube erhielt seine künstlerische Ausbildung in Wien und arbeitete dann in der Berliner Medaillen-Münzanstalt Loos. 1830 wurde er von dem damaligen Hauptmedailleur der Petersburger Münze aufgefordert, in russische Dienste zu treten und ging 1830 dorthin. Er unterrichtete außerdem seit dem Ende der 30er Jahre das Fach Medaillen und Münzen an der Bergbau-Schule des Technologischen Institutes. Gube hat ungefähr fünfzig Medaillen und Gedenkmünzen gearbeitet.

ALEKSANDR PAVLOVIČ LJALIN

Petersburg 1802–1862 Petersburg

Nach Beendigung der Kunstakademie wurde Ljalin 1824 Medailleur an der Petersburger Münze. Seit 1843 war er dort Ältester und seit 1852 Hauptmedailleur. 1833 erhielt er die Berufung zum Mitglied der Akademie und seit 1852 lehrte er dort das Fach Medaillen und Münzen. 1858 wurde er als Professor an die Kunstakademie berufen. Von ihm stammen mehr als hundert Stempel für Medaillen und Münzen.

VASILIJ SERGEEVIČ BARANOV

1810–1885

Baranov schloß 1833 sein Studium an der Kunstakademie ab und wurde danach Mitarbeiter an der Petersburger Münze. Dort war er seit 1839 zunächst als Medailleur tätig, seit 1843 als Erster Medailleur, bis er 1866 in den Ruhestand trat.

478
Auszeichnungsmedaille

der Petersburger Medizinisch-Chirurgischen Akademie

Petersburg, ca. 1830–1840

Auf der Vorderseite links unter der Darstellung die Initialen des Medailleurs: B. Б.

Auf der Rückseite am Rande die lateinische Inschrift: IMPERATORIA ACADEMIA MEDICO CHIRURGICA PETROPOLITANA [Kaiserliche Medizinisch-chirurgische Akademie von Petersburg].
In der Mitte: ALUMNO IN SPEM TUENDAE CIVIUM VALETUDINIS [Dem Absolventen, der Hoffnung gibt, daß er die Gesundheit der Bürger pflegen wird]
Silber, geprägt, Durchmesser 56 mm
Inv.-Nr. ДРМ-3579
Herkunft: Alter Bestand der Sammlung der Staatlichen Ermitage, Leningrad
Literatur: 187 (Nr. 405); 193 (Nr. 273)

1798 wurde die Petersburger Medizinischchirurgische Schule in eine Akademie umgewandelt; ein Schritt, der für die systematische medizinische Ausbildung und für die Entwicklung der medizinischen Wissenschaft in Rußland von größter Bedeutung war.

479

480

Auf der Rückseite wird die Inschrift zitiert, die auf der Attika des Triumphbogens von Narva [Narvskie Triumfal'nye vorota] steht. Er wurde 1831–1834 von Vasilij P. Stasov (1769–1848) anstelle eines 1814 von Quarenghi errichteten hölzernen Vorgängers in Stein ausgeführt. 1814 war durch dieses Tor die siegreiche Garde aus dem Vaterländischen Krieg nach Petersburg zurückgekehrt. Stasov übernahm für seinen mit Kupferplatten verkleideten Ziegelbau die Form des hölzernen Tores, erweiterte aber dessen dekorative Ausstattung: Den Bogen flankieren nun Krieger in alt-russischen Rüstungen zwischen kannelierten Säulen. Die Attika ist mit weiblichen Statuen geschmückt, die Ruhm und Sieg verkörpern. Ein sechsspänniger Streitwagen mit der geflügelten Figur des Sieges krönt das Monument. Die Pferde schuf Peter Jakob Clodt von Jürgensburg (1805–1867), die Figur des Sieges Stepan St. Pimenov (1784–1833). Außerdem sind links und rechts des Portals – auf der Medaille noch gut zu entziffern – die Etappen der russischen Armee von Borodino über Leipzig bis Paris aufgeführt.   EŠČ

ALEKSEJ ALEKSEEVIČ
KLEPIKOV
Petersburg 1801–1852 Petersburg

Auch Klepikov hat die Kunstakademie in Petersburg – und zwar gleichzeitig mit Ljalin – absolviert. Beide begannen danach auch gleichzeitig als Medailleure für die Münze zu arbeiten. 1831 wurde Klepikov approbierter Künstler und 1834 Mitglied der Akademie. Mehr als dreißig Medaillen-Stempel und einige Steinschneidearbeiten sind von ihm bekannt.
Zeitweilig haben die drei hier genannten Künstler – so für Kat.-Nr. 479 – zusammengearbeitet.

479   ABBILDUNG S. 487
Medaille

zum Andenken an die Eröffnung des steinernen Triumphbogens von Narva in Petersburg, 1834

Auf der Vorderseite oben am Rande die Jahreszahlen 1812, 1813 und 1814, unten am Rande: GUBE FECIT.
Auf der Rückseite oben in der Rundung: ПОБѢДОНОСНОЙ РОССІЙСКОЙ ИМПЕРАТОРСКОЙ ГВАРДІИ [DER SIEGTRAGENDEN RUSSLÄNDISCHEN KAISERLICHEN GARDE], darunter das Datum: 18. August 1834 und die Namen der Medailleure A. Klepikov (links) und A. Ljalin (rechts).
Silber, geprägt, Durchmesser 65 mm
Inv.-Nr. ДРМ-4288
Herkunft: Alter Bestand der Sammlung der Staatlichen Ermitage, Leningrad
Literatur: 193 (Nr. 377)

KARL ALEKSANDROVIČ
[CARL] LEBERECHT
Meiningen 1755–1827 Petersburg

Biographische Daten siehe Kat.-Nr. 88.

480
Medaille

zum Andenken an die Grundsteinlegung des Kazaner Domes in Petersburg, 1801

Auf der Vorderseite in der Rundung: Б. М. АЛЕКСАНДРЪ I. ИМПЕРАТОРЪ И САМОДЕРЖЕЦЪ ВСЕРОСС. [Von Gottes Gnaden Aleksandr I. Kaiser und Autokrator von Ganz Rußland] und unter dem Porträt der Name des Künstlers
Auf der Rückseite die Datierung:
1801 AUGUST 27. TAG.
Silber, geprägt, Durchmesser 66 mm
Inv.-Nr. 3408
Herkunft: Alter Bestand der Sammlung der Staatlichen Ermitage, Leningrad
Literatur: 187 (Nr. 331 a); 193 (Nr. 246)

Mitte des 18. Jahrhunderts wurde es in Petersburg Brauch, in das Fundament von Neubauten Kästchen mit Münzen und Medaillen einzumauern. Die hier gezeigte Gedenkmedaille zeugt von der großen Bedeutung dieses Gotteshauses, das dazu bestimmt war, die Kazaner Ikone der Gottesmutter aufzunehmen, also jenes Heiligtum, dessen Schutz sich die Dynastie der Romanovs anbefohlen hatte (zu dieser Kirche siehe Kat.-Nr. 73, 106, 240).

Typisches Beispiel für die Medaillenkunst der Zeit und deren schlichte klassizistische Formgebung. Wie eine Gedenktafel zeigt die Rückseite ohne allen weiteren Zierrat lediglich das Datum des Ereignisses. EŠČ

KARL LEBERECHT UND VASILIJ ADREANOVIČ BEZRODNYJ
1783 – nach 1859

Bezrodnyj war 1788 bis 1803 Schüler der Kunstakademie. Seit 1807 arbeitete er in der Petersburger Münze und zwar vor allem als Kopist.

481
Ehrenmedaille

für die Teilnehmer der ersten russischen Weltumseglung 1803 bis 1806

Auf der Vorderseite unter dem Porträt die Signatur des Medailleurs Bezrodnyj
Auf der Rückseite um die Darstellung: ЗА ПУТЕШЕСТВІЕ КРУГОМЪ СВѢТА [FÜR DIE REISE RUND UM DIE WELT]. Oben in der Mitte: 1803, unten in der Mitte: 1806; rechts unten: C. Leberecht f[ecit].
Silber, geprägt, 40 x 30 mm (Achteck)
Inv.-Nr. ДРМ-3563
Herkunft: 1931 aus der Akademie der Wissenschaften
Literatur: 3 (S. 116); 139 (S. 37)

Am 7. August 1803 verließen zwei Segelschiffe – die »Hoffnung« unter dem Kommando von I. F. Kruzenštern (1770–1846) und die »Neva« unter dem Kommando von Ju. F. Lisjanskij (1773–1837) – den auf einer Insel im Finnischen Meerbusen direkt vor Petersburg liegenden Hafen von Kronštadt. Am 13. August 1806 kehrte die

481

Expedition von ihrer Weltumseglung erfolgreich dorthin zurück, nachdem man sowohl im Indischen als auch im Atlantischen Ozean intensive und umfangreiche ozeanographische Untersuchungen durchgeführt hatte.
Bereits am 15. August 1806 wurde die Medaille zur Auszeichnung der Matrosen geprägt, die an der Expedition teilgenommen hatten. Man trug sie am blauen Bande des Ordens vom heiligen Andreas dem Erstberufenen (siehe Kat.-Nrn. 266, 267) auf der Brust.
Soweit bekannt, wurden mit ihr aber nur die 34 Matrosen der »Neva« ausgezeichnet, die – wie geplant – 1804 die Siedlung Neu [Novo]-Archangel'sk, das Zentrum der russischen Kolonie in Amerika, besucht hatten. Als durch englische und amerikanische Piraten provozierte Indianerstämme dort das Fort angriffen, wirkten sie bei dessen Verteidigung tatkräftig mit. Auch beim Wiederaufbau der von den Aufständischen niedergebrannten Festung leistete die Mannschaft der »Neva« wesentliche Hilfe.
Das Porträt auf der Vorderseite ist eine exakte Kopie von Bezrodnyj nach einem Vorbild von Leberecht. EŠČ

Medaille

der Sankt-Petersburger Philharmonischen Gesellschaft zu Ehren Joseph Haydns, 1808

Auf der Vorderseite oben der Name des Komponisten in einem ovalen Kranz; darunter eine Lyra und auf deren Fuß: Leberecht f[ecit]; ganz unten: 1802
Auf der Rückseite Inschrift in fünf Zeilen: SOCIETAS PHILARMONICA PETROPOLITANA ORPHEO REDIVIVO [DIE PHILHARMONISCHE GESELLSCHAFT VON PETERSBURG DEM WIEDERBELEBTEN ORPHEUS] und noch einmal: Carl Leberecht F.
Silber, geprägt, Durchmesser 64 mm
Inv.-Nr. ДРМ-3504
Herkunft: Alter Bestand der Sammlung der Staatlichen Ermitage, Leningrad
Literatur: 89 (S. 11, 65, 66); 193 (Nr. 253)

Im März 1802 wurde in Petersburg der Wohltätigkeitsverein »Kasse für Musiker-Witwen [Kassa muzakyntskich vdov]« gegründet, dessen Hauptziel es war, Mittel für die Hinterbliebenen verstorbener Musiker aufzubringen. In dessen ersten Benefizkonzerten am 24. und 31. März 1802 wurde Haydns Oratorium »Die Schöpfung« aufgeführt. (Schon 1799 hatte er dieses Oratorium in einem Konzert anläßlich der Gründung eines ähnlichen Wohltätigkeitsvereins, der »Musikalischen Witwen- und Waisen-Gesellschaft in Wien«, dirigiert.)
1805 wurde die »Kasse für Musiker-Witwen« in »Philharmonische Gesellschaft« umbenannt, der nun – laut Satzung – sämtliche Orchestermitglieder der Kaiserlichen Theater angehörten. Neben ihren wohltätigen Zielen, machte die Gesellschaft es sich zur Aufgabe, Oratorien und symphonische Musik zur Aufführung zu bringen und populär zu machen. 1808 wurde auf ihre Initiative hin die hier gezeigte Medaille zu Ehren Haydns geprägt, um auf dessen Bedeutung für die Entwicklung des russischen Musiklebens rühmend hinzuweisen. Ein Abschlag in Gold mit dem Gründungsdatum 1802 wurde dem Komponisten selbst übersandt, der sich dafür in einem Brief vom 28. Juli 1808 bedankte und der Philharmonischen Gesellschaft weiterhin gutes Gedeihen wünschte, »die für so wohltätige Zwecke geschaffen worden ist«. EŠČ

482   483 a

KARL ALEKSANDROVIČ LEBERECHT

483 a
Medaille

zum hundertjährigen Stadtjubiläum von Petersburg, 1803

Auf der Vorderseite um das Porträt Petrs I. oben im Rund: OTЪ БЛАГОДАРНАГО ПОТОМСТВА [Von der dankbaren Nachkommenschaft], links unten an der Büste: C. Leberecht F[ecit].
Auf der Rückseite unten, am Grundriß der Peter-und-Pauls-Festung, das Datum der Stadtgründung (1703); auf dem Schild in den Händen des Herkules das des Jubiläums (1803).
Silber, geprägt, Durchmesser 66 mm
Inv.-Nr. ДРМ-3504
Herkunft: Alter Bestand der Sammlung der Staatlichen Ermitage, Leningrad
Literatur: 61 (Lieferung II, S. 238); 193 (Nr. 256)

Während der Feierlichkeiten anläßlich des hundertjährigen Stadtjubiläums überbrachte eine Abordnung der Stadtverwaltung am 16. Mai 1803 Kaiser Aleksandr I. von dieser Münze einen Abschlag in Gold mit dem Porträt des Stadtgründers. Mit einem Erlaß ordnete der Kaiser am darauf folgenden Tag an, daß die Medaille auf dem Sarkophag Petrs I. in der Domkirche der Peter-und-Pauls-Festung angebracht werden solle: »als unbezweifelbares Zeugnis für kommende Jahrhunderte dafür, wie heilig sein Andenken in Rußland gehalten wird.«
Auf der Vorderseite das Porträt im Profil mit einem Lorbeerkranz; auf der Rückseite das dem Stadtgründungsdatum entsprechende Tierkreiszeichen, darunter ein sitzender Herkules mit geschulterter Keule und einem Schild, auf dem rechts die Peter-und-Pauls-Festung und links die Turmspitze der Admiralität sowie eine Ecke des Winterpalastes zu erkennen sind. Unter Herkules, als Grundriß, die als Keimzelle der zukünftigen Stadt am 16. 5. 1703 auf der Haseninsel gegründete Festung und ihr gegenüberliegend die Petrograder Seite mit der Befestigung Kronverk, die bereits 1707/08 nördlich der Peter-und-Pauls-Festung und jenseits des Kronverker Zuflusses [Kronverkskij proliv] angelegt wurde.   EŠČ

483 b
Medaille

zum hundertjährigen Stadtjubiläum von Petersburg, 1803

Variante von Kat.-Nr. 483 a
Bronze, geprägt, Durchmesser 66 mm
Inv.-Nr. ДРМ-3499
Herkunft: 1927 aus dem Landhaus »Mari'ino« der Grafen Stroganov

Es handelt sich um einen Abschlag der oben beschriebenen Münze in Bronze statt in Silber.
           EŠČ

483 b

484

KARL [IVANOVIČ] MEISNER
ca. 1774–1815 Petersburg

Meisner war ein Medailleur deutscher Abstammung, der seit 1797 zu den Mitarbeitern der Petersburger Münze gehörte. Seit 1800 war er als Lehrer in der Medailleur-Klasse der Kunstakademie tätig.

485
Medaille

zu Ehren Pavels I.

(aus einer Serie mit Porträts russischer Fürsten und Zaren)

Auf der Vorderseite im Rund: Б. (ожиею) М. (илостию) ПАВЕЛЪ I ИМПЕРАТ (ор) И САМОДЕР(жец) ВСЕРОСС(ийский) [VON GOTTES GNADEN PAVEL I. KAISER UND ALLRUSSLÄNDISCHER AUTOKRATOR]. Unter dem Porträt: K. Meisner. F[ecit] Auf der Rückseite in elf Zeilen: BESTIEG DEN THRON AM 6. NOVEMBER 1796. WAR GNÄDIG UND SORGTE UNERMÜDLICH FÜR DEN GUTEN BESTAND DES HEERES, SEINE WAFFEN AGIERTEN IN ITALIEN MIT UNERMESSLICHEM ERFOLG, ER STARB VOM 11. AUF DEN 12. MÄRZ 1801 UND LEBTE 46 JAHRE, 5 MONATE UND 22 TAGE (60).
Kupfer, geprägt, Durchmesser 39 mm
Inv.-Nr. ДРМ-1129
Herkunft: 1928 aus dem Museums-Fundus
Literatur: 187 (S. 23); 231 (Bd. 4)

Gehört zu einer Porträt-Serie mit sämtlichen russischen Herrschern seit Rjurik, die in den 70er Jahren des 18. Jahrhunderts in der Petersburger Münze entstand. Sie stützte sich auf die »Kurzgefaßten rußländischen Chronisten [Kratkij rossijskij lětopisec]« von M. V. Lomonosov und A. I. Bogdanov. Seit dem Ende des 18. und während des 19. Jahrhunderts wurde die Serie bis zu Kaiser Aleksandr III. (1845–1894), dem vorletzten russischen Monarchen, fortgesetzt.
Auf der Vorderseite das Profilporträt Kaiser Pavels I. mit Orden; gut erkennbar das Kreuz des Großmeisters des Ordens vom heiligen Johannes von Jerusalem (Johanniter- oder Malteser-Orden). Die Zahl 60 auf der Rückseite bezeichnet die fortlaufende Nummer dieser Medaille in der Serie. EŠČ

484
Medaille

zum Andenken an die Grundsteinlegung der Börse in Petersburg, 1805

Auf der Vorderseite steht im Rund die Inschrift: Б. М. АЛЕКСАНДРЪ I ИМПЕРАТОРЪ И САМОДЕРЖЕЦЪ ВСЕРОСС. [Von GOTTES GNADEN ALEKSANDR I. KAISER UND ALLRUSSLÄNDISCHER AUTOKRATOR], unten, über dem Feld mit der Datierung links: C. LEBERECHT. F. und rechts: TS. THOMON AR [chitecte]. Darunter das Datum der Grundsteinlegung: 23. Juni 1805.

Silber, geprägt, Durchmesser 51 mm
Inv.-Nr. ДРМ-3542
Herkunft: 1869 aus der Sammlung von K. F. Schroll
Literatur: 187 (Nr. 347); 193 (Nr. 264)

Die Darstellung der Vorderseite zeigt – hinter Gewässer mit Booten – die Fassade der Börse (von Thomas de Thomon 1803 entworfen) zwischen den beiden Rostra-Säulen (siehe Kat.-Nr. 183). Damit ist die Medaille eine der ersten Darstellungen dieses Bauensembles. EŠČ

485

486

JACOB REICHEL [JAKOV JAKOVLEVIČ REJCHEL']

Warschau 1780–1856 Brüssel

Medailleur, Miniaturist und Zeichner. Seit 1802 war er in Petersburg und arbeitete nach Beendigung des Studiums an der Kunstakademie im Jahre 1808 an der Petersburger Münze. Seinen Dienst trat er dort jedoch erst 1811 nach einem vorhergehenden zweijährigen Auslandsaufenthalt an. Seit 1818 war er Leiter der technischen Abteilung der Staatsdruckerei. Er schuf Medaillen und zahlreiche Entwürfe für Münzen und war ein kenntnisreicher Numismatiker. Seine eigene Sammlung umfaßte etwa vierzigtausend Münzen und Medaillen und wurde später von der Ermitage erworben.

486
Ehrenmedaille

für die Schüler des Lizeums in Carskoe Selo, 1814

Auf der Vorderseite oben: ДЛЯ ОБШЕЙ ПОЛЬЗЫ [ZUM ALLGEMEINEN WOHLE] und unten am Rand: J. R. F[ecit].
Auf der Rückseite in acht Zeilen: ОТЪ ИМПЕРАТОРСКАГО ЦАРСКОСЕЛЬСКАГО ЛИЦЕЯ ЗА ДОБРОНРАВIЕ И УСПѢХИ [VOM KAISERLICHEN LIZEUM ZU CARSKOE SELO FÜR GUTES BENEHMEN UND ERFOLGE]
Silber, geprägt, Durchmesser 63 mm
Inv.-Nr. ДРМ-3930
Herkunft: 1929 aus dem Puškin-Haus der Akademie der Wissenschaften
Literatur: 183 (Nr. 396); 197 (Nr. 305)

Das Lyzeum in Carskoe Selo [Zarendorf], einer der Residenzen der Kaiser in der Umgebung von Petersburg, wurde am 19. Oktober 1811 gegründet und im sogenannten »Kirchenflügel« des 1789/91 von I. Neelov errichteten Ekaterinen-Palastes untergebracht, den Stasov zu diesem Zweck erweitert hatte. Das Lyzeum entstand auf Anregung M. M. Speranskijs (siehe Kat.-Nr. 69) als Modell einer Lehranstalt mit Internat nach französischem Vorbild und entwickelte sich bald zur Eliteschule des Landes. Söhne aus adligen Familien sollten hier »für die wichtigen Aufgaben des Staatsdienstes« vorbereitet werden. Zur ersten Schülergeneration gehörten 1811–1817 unter anderem A. S. Puškin und die Dekabristen Del'vig und Kjuchel'beker. Lehrer waren in den ersten Jahren so bedeutende Pädagogen und Gelehrte wie der Naturrechtstheoretiker Aleksandr Petrovič Kunicyn (1783–1840) oder, als erster Direktor des Lyzeums, der aufklärerische Publizist Vasilij Fedorovič Malinovskij (1765–1814), der bereits 1802 für die Aufhebung der Leibeigenschaft plädiert hatte. Sie brachten ihren Schülern die Prinzipien der allgemeinen Gleichheit und Brüderlichkeit nahe, erweckten in ihnen die Liebe zum Vaterland und das Streben zum Wohle der Allgemeinheit. Neben naturwissenschaftlichen und humanistischen Studien wurden die Schüler ebenso auf künstlerischen Gebieten ausgebildet, vor allem in der Poesie und im Zeichnen.
Die Vorderseite der Medaille zeigt das Emblem des Lyzeums, das das breit angelegte Bildungsprogramm der Anstalt symbolisiert: die Eule als Verkörperung der Weisheit und Attribut der Minerva, der Göttin der Wissenschaft; die Lyra als Instrument des Apoll, des Gottes der Künste; Lorbeer- und der Eichenkranz an der Lyra als Zeichen des Ruhmes; die Schriftrolle unter der Lyra als Zeichen für humanistische Bildung. Wie der Wahlspruch darüber besagt, dienen alle Komponenten dem »allgemeinen Wohle«.

EŠČ

487

bereit, dafür unentgeltlich die Stempel zu entwerfen und zu schneiden. Schon im Mai des selben Jahres legte er seine Entwürfe für beide Seiten der Medaille vor, die auch bald, vom Rat akzeptiert, entsprechend ausgeführt wurden.

Die Medaille zeigt auf der Vorderseite einen Alten in antiker Gewandung mit dem Lorbeerkranz in seiner Rechten; vor ihm ein korinthisches Kapitell, hinter ihm ein unvollendeter Torso, zu seinen Füßen Pinsel und Palette (für die drei akademischen Disziplinen der Architektur, der Bildhauerei und der Malerei).

EŠČ

FEDOR PETROVIČ GRAF TOLSTOJ
Petersburg 1783–1873 Petersburg

Die biographischen Daten zu diesem Künstler siehe Kat.-Nr. 92.

487
Ehren-Medaille
der Kunstakademie, 1815

Auf der Vorderseite im Rund:
АЛЕКСАНДРЪ ПЕРВОЙ Б. М. ИМПЕРАТОРЪ ВСЕРОСС. [ALEKSANDR I. VON GOTTES GNADEN ALLRUSSLÄNDISCHER KAISER. Unter dem Porträt: G.[raf] F[edor] TOLSTOJ. Auf der Rückseite oben: ДОСТОЙНОМУ [DEM WÜRDIGEN], unten auf dem Postament: С. П. Б. ИМПЕР. АКАД. ХУДОЖ. [S(ankt) P(eters) B(urger)

KAISERL. AKAD. D. KÜNSTE] und darunter noch einmal, wie oben, der Name des Künstlers.
Silber, geprägt, Durchmesser 54 mm
Inv.-Nr. ДРМ-3919
Herkunft: Alter Bestand der Sammlung der Staatlichen Ermitage, Leningrad
Literatur: 145 (S. 62, 63); 193 (Nr. 332)

1757 wurde in Petersburg auf Initiative des Grafen Aleksandr Ivanovič Suvalov (1727–1797), des Favoriten und General-Adjutanten der Kaiserin Elizaveta Petrovna, die erste russische Akademie der »drei namhaftesten Künste« gegründet. 1763 wurde Ivan I. Beckoj nach Suvalov Akademie-Präsident und führte an seinem Institut 1765 den Brauch der Ehren-Medaillen ein.
Im Februar 1815 beschloß der Rat der Akademie eine neue Form der akademischen Auszeichnung und dafür auch eine neue Medaille einzuführen. Graf Fedor Tolstoj erklärte sich

488
Ehren-Medaille
»Für die Einnahme von Paris«, 1826

Auf der Rückseite in fünf Zeilen: ЗА ВЗЯТIЕ ПАРИЖА I2 МАРТА I8I4 [FÜR DIE EINNAHME VON PARIS AM 12. MÄRZ 1814]
Silber, geprägt, Durchmesser 28 mm
Inv.-Nr. ДРМ-3751
Herkunft: 1928 aus dem Institut für Geschichte bei der Akademie der Wissenschaften der UdSSR
Literatur: 139 (S. 85); 193 (Nr. 322)

Die Medaille wurde am 30. August 1814 gestiftet, jedoch erst Anfang 1826 hergestellt. Mit ihr wurden zunächst diejenigen Teilnehmer am Feldzug von 1814 ausgezeichnet, die damals noch – bis zum 19. März 1826 – in der Armee dienten. Insgesamt wurden bis zum 1. Mai 1832 noch etwa 150.000 solcher Medaillen verliehen. Getragen wurden sie an einem Band, das eine Kombination aus dem blauen Band vom Orden des heiligen Andreas des Erstberufenen (siehe Kat.-Nrn. 266, 267) und des orange-schwarzgestreiften Bandes vom Orden des heiligen Georg des Siegträgers (siehe Kat.-Nr. 326) darstellt.

EŠČ

488

489

489
Medaille

zum hundertjährigen Bestehen der Akademie der Wissenschaften, 1826

Auf der Vorderseite im Rund: Б. М. НИКО-ЛАЙ I ИМПЕРАТОРЪ И САМОДЕР-ЖЕЦЪ ВСЕРОСС. [VON GOTTES GNA-DEN NIKOLAJ I. KAISER UND ALLRUSS-LÄNDISCHER AUTOKRATOR], unten: G[raf] Fedor Tolstoj
Auf der Rückseite im Rund: ОСНОВАТЕЛЮ И ХРАНИТЕЛЯМЪ [DEM GRÜNDER UND DEN BEWAHRERN] und unten: ИМ-ПЕР. С. ПЕТЕР. АКАДЕМІЯ НАУКЪ ДЕКАБРЯ XXIX ДНЯ MDCCCXXVI Г. [DIE KAISERL. S. PETER(SBURGER) AKA-DEMIE DER WISSENSCHAFTEN IM DE-ZEMBER AM XXIX. TAGE D. J. MDCCCXXVI]

Silber, geprägt, Durchmesser 65 mm
Inv.-Nr. ДРМ-4068
Herkunft: 1923 aus der Kunstakademie
Literatur: 193 (Nr. 347)

Die im Januar 1724, noch kurz vor dessen Tode von Kaiser Petr I. gegründete, aber sich erst 1725/265 tatsächlich konstituierende Akademie der Wissenschaften in Petersburg zählte von Anfang an zahlreiche Gelehrte aus verschiedenen Ländern Westeuropas – vor allem aus Frankreich, der Schweiz und Deutschland – zu ihren Mitgliedern. Während eines Festaktes am 29. Dezember 1826, anläßlich des hundertjährigen Bestehens der Akademie, wurden, in Anwesenheit von Repräsentanten der kaiserlichen Familie, wiederum 14 russische und 21 ausländische Ehrenmitglieder aufgenommen und vorgestellt; unter ihnen der preußische König Friedrich-Wilhelm III. (siehe Kat.-Nr. 477).

Die Medaille zeigt auf der Vorderseite das Porträt Kaiser Nikolajs I. (1796–1855) im Profil, auf der Rückseite Pallas Athene im Harnisch auf einem Thron mit Schild, Speer und Eule. Sie bekränzt eine doppelköpfige Herme mit dem Antlitz Kaiser Petrs I., des Gründers der Akademie, und – auf der anderen Seite – dem Antlitz Nikolajs I. EŠČ

489 a

wie Kat.-Nr. 489

Silber, geprägt, Durchmesser 65 mm
Inv.-Nr. ДРМ-4069
Herkunft: 1927 aus der Akademie der Wissen-
schaften, Leningrad   EŠČ

490

PAVEL PETROVIČ UTKIN

Zlatoust 1808–1852 Petersburg

Medailleur und Steinschneider. Seine künstlerische Laufbahn begann Utkin – zur Zunft der
Zierwaffenschmiede gehörig – in der Waffen-
Schmiede seiner Heimatstadt Zlatoust (Gebiet
von Čeljabinsk). Von dort wurde er als Stipendiat des Departements für Bergbau- und
Mühlen-Wesen zur Vervollkommnung seiner
Fähigkeiten an die Petersburger Kunstakademie
entsandt. Bereits vor Abschluß seiner dortigen
Ausbildung in der Medailleur-Klasse (1831) arbeitete Utkin für die Petersburger Münze, deren Mitarbeiter er 1835 wurde. Außerdem lehrte Utkin seit 1831, also kurz nach Beendigung
des eigenen Studiums seinerseits an der Akademie als Medailleur und Zeichner. 1839 wurde er
Mitglied, 1842 schließlich Professor der Akademie. Von ihm sind mehr als zwei Dutzend
Medaillen-Stempel und zahlreiche Steinschneidearbeiten überliefert.

490
Medaille

zum Andenken an die Enthüllung der
Aleksandr-Säule in Petersburg, 1834

Auf der Vorderseite im Rund:
АЛЕКСАНДРЪ ПЕРВЫЙ ИМПЕРАТО-
РЪ ВСЕРОССІЙСКІЙ [ALEKSANDR I.
ALLRUSSLÄNDISCHER KAISER], unten:
К[opiert von] P. UTKIN.

Auf der Rückseite im Rund: АЛЕКСАНДРУ
ПЕРВОМУ БЛАГОДАРНАЯ РОССІЯ
[ALEKSANDR DEM ERSTEN DAS DANK-
BARE RUSSLAND], und unten auf: 30 AUG.
1834, darüber rechts das Monogramm Utkins.
Silber, geprägt, Durchmesser 51 mm
Inv.-Nr. ДРМ-4329
Herkunft: Alter Bestand der Sammlung der
Staatlichen Ermitage, Leningrad
Literatur: 17 (S. 181–186); 193 (Nr. 348)

Auf der Vorderseite eine hervorragend exakte
Kopie Utkins nach einem Porträt Kaiser Aleksandrs I., das der Medailleur I. Šilov (1787/88–
1827) Anfang des 19. Jahrhunderts geschaffen
hat. Auf der Rückseite eine Darstellung der
Aleksandr-Säule auf dem Schloßplatz in Petersburg (siehe Kat.-Nr. 55).

Alle Medaillen, die mit der Errichtung dieser
Säule zusammenhängen, stammen von Utkin.
Auch in dem Fundament dieses Denkmals für
den russischen Sieg im Vaterländischen Krieg
von 1812 wurde eine Platin-Medaille des Meisters aus dem Jahre 1830 eingemauert, die anläßlich der Grundsteinlegung geprägt worden
war. Eine zweite entstand 1832 und wurde unter den 704 t schweren Monolithen gelegt, als
man ihn für die mit ihren 47,5 m höchste Tri-
umpfsäule der Welt auf das Postament stellte.
Gleichzeitig mit der hier gezeigten Gedenk-
Medaille zur Einweihung wurden 1834 auch
Gedenk-Rubel geprägt, die eine Darstellung der
Säule von H. Gube (siehe Kat.-Nr. 479) zeigen.
                                              EŠČ

491

491
Brustkreuz

für Priester zum Gedenken des Krieges von
1812

Silber, geprägt, 4,6 x 8 cm
Inv.-Nr. ДРМ-3744
Herkunft: 1917 aus der Sammlung von I. I. Tolstoj
Literatur: 139 (S. 86); 193 (S. 293)

Brustkreuze wurden in Byzanz und in der alten
Rus' ursprünglich nur von herausragenden Persönlichkeiten geistlichen wie weltlichen Standes als Schmuck getragen. Erst später wurden
sie zum üblichen Amtszeichen der Bischöfe und
blieben bis zum Ende des 18. Jahrhunderts ausschließlich diesen vorbehalten. Am 17. Dezember 1797 verlieh jedoch Kaiser Pavel I. erstmals
auch Erzpriestern und anderen verdienten Priestern ein vergoldetes vierendiges Schmuck-
kreuz, das als kirchlicher und zugleich monar-
chischer Orden eine besondere Auszeichnung
war.
In diesem doppelten Sinn war auch das hier gezeigte Brustkreuz am 30. August 1814 gestiftet
worden. Verliehen wurde er allen Priestern der
Russischen Orthodoxen Kirche, die ihr Amt
vor dem 1. Januar 1813 angetreten hatten und
deshalb zur patriotischen Stärkung des Volkes
während des Vaterländischen Krieges beigetragen haben konnten. 1816 wurde auch der prote-
stantischen Geistlichkeit das Tragen dieses Ge-
denkkreuzes erlaubt. Man begann jedoch erst
1818 mit seiner Verleihung, die bis 1829 andau-
erte. Insgesamt wurden in dieser Zeit etwa
40.000 solcher Kreuze in der Petersburger Münze hergestellt, die an dem dünnen, schwarz-rot-
schwarz-gestreiften Band des Ordens vom heiligen Vladimir zu tragen waren.
Auf der Vorderseite in einem Strahlenkranz das
Auge Gottes und darunter die Jahreszahl 1812;
auf der Rückseite die Psalmworte: »Nicht uns,
nicht uns, sondern deinem Namen (gebührt der
Ruhm, o Herr) [Ne nam, ne nam, a imeni
Tvoemu]!« (Ps 113(114),9). Das Brustkreuz für
Kleriker entspricht weitgehend den unter Kat.-
Nr. 492 und 493 aufgeführten Verdienstmedail-
len.   EŠČ/NT

492

493

492
Verdienstmedaille

für Teilnehmer an den Schlachten des Vaterländischen Krieges von 1812

Petersburger Münze, 1. Drittel 19. Jahrhundert

Silber, geprägt, Durchmesser 20 mm
Inv.-Nr. ДРМ-3691
Herkunft: 1928 von der Verwaltung für bildende Künste in Leningrad
Literatur: 139 (S. 80); 193 (Nr. 292)

Die Verdienst- und Gedenkmedaille wurde am 5. Februar 1813 zur Auszeichnung aller Militärränge der Armee und des Landsturms (opolčenie) gestiftet, die an den Kämpfen gegen die napoleonische Armee bis zum 1. Januar 1813 teilgenommen hatten. Die Medaille war auf der Brust am blauen Band des Ordens vom heiligen Andreas dem Erstberufenen (siehe Kat.-Nrn. 266, 267) zu tragen. Insgesamt hat die Münze et-

wa 215.000 Exemplare dieser Medaille hergestellt, mit der bis zum Jahre 1817 Auszeichnungen vorgenommen worden sind.
Auf der Vorderseite das Auge Gottes im Strahlenkranz mit der Jahreszahl 1812, auf der Rückseite das Zitat von Psalm 113(114),9: »Nicht uns, nicht uns, sondern deinem Namen (gebührt der Ruhm, o Herr) [Ne nam, ne nam, a imeni Tvoemu]!«   EŠČ

493
Medaille

wie Kat.-Nr. 492, in der Ausführung für Adelige und Kaufleute

Bronze, geprägt, Durchmesser 28 mm
Inv.-Nr. ДРМ-3700
Herkunft: 1931 vom Leningrader Zoll

Im Andenken an den Vaterländischen Krieg von 1812 wurden diese Bronze-Medaillen bis zum Jahre 1823 als Auszeichnungen für Adelige und Kaufleute verliehen; für Männer mit einem Durchmesser von 28 mm, für Frauen von 24 mm. Von den großen Medaillen wurden insgesamt 64.662 Exemplare verliehen, von den kleinen 7.606. Die Adligen trugen die Medaillen am Bande des Ordens vom heiligen Vladimir (rot mit breiten schwarzen Seitenstreifen), die Kaufleute am Band des Ordens der heiligen Anna (rot mit schmalen gelben Seitenstreifen).   EŠČ

494

494
Tapferkeitsmedaille

vom Orden der heiligen Anna, um 1800

Auf der Rückseite: Nr. 16043

Kupfer, geprägt, vergoldet und emailliert, Durchmesser 24 mm
Inv.-Nr. ИО-25751
Herkunft: 1937 aus dem Museums-Fundus
Literatur: 139 (S. 10); M. Gritzner, Handbuch der Ritter- und Verdienstorden, Leipzig 1893, S. 429 ff.

Der Orden der heiligen Anna wurde am 14. Februar 1735 von Herzog Carl-Friedrich von Holstein-Gottorf (1702–1739), dem Vater Kaiser Petr III. (1728–1762), zum Andenken an die russische Kaiserin Anna Ioannovna (1693–1740) und an Großfürstin Anna Petrovna (1708–1728), seine verstorbene Gemahlin (die Tochter Petrs I.), in Kiel gestiftet. Damals hatte der Orden nur eine Klasse und sollte lediglich aus 15 Rittern bestehen. Bei der Neuordnung des russischen Ordenswesens durch Kaiser Pavel I. wurde dort auch der Orden der heiligen Anna am 5. April 1796 als russischer Orden integriert, in drei Klassen geteilt und damit zur Verleihung an alle Stände des In- und Auslandes vorgesehen. Später stiftete Kaiser Aleksandr I. noch eine vierte Klasse, die nur an Militärpersonen verliehen wurde, wobei das Ordenszeichen auf der Blankwaffe zu tragen war.
Schon Kaiser Pavel I. hatte außerdem noch am 12. November 1796 eine Verdienstmedaille des Ordens eingeführt. Sie sollte Soldaten und Unter-Offizieren für eine zwanzigjährige untadelige Dienstzeit verliehen werden (damals betrug in Rußland der reguläre Militärdienst für Gemeine und Unterführer 20 Jahre!), wurde jedoch bald auch für persönliche Tapferkeit und Einsatzbereitschaft verliehen. Das Verdienstzeichen befreite seinen Träger grundsätzlich von körperlichen Züchtigungen, die damals in der russischen Armee häufig als Strafen angewendet wurden. Seit März 1804 befreite es darüber hinaus auch von der Kopfsteuer. In der Regierungszeit Pavels I. wurde die Medaille ungefähr in vierzigtausend Exemplaren verliehen, unter Aleksandr I. in mehr als 115.000. Kaiser Nikolaj I. hat die Verdienstmedaille dann in eine fünfte Klasse des Ordens umgewandelt.
Die Medaille zeigt das rote Kreuz des Ordens der heiligen Anna unter der Kaiserkrone.

EŠČ/NT

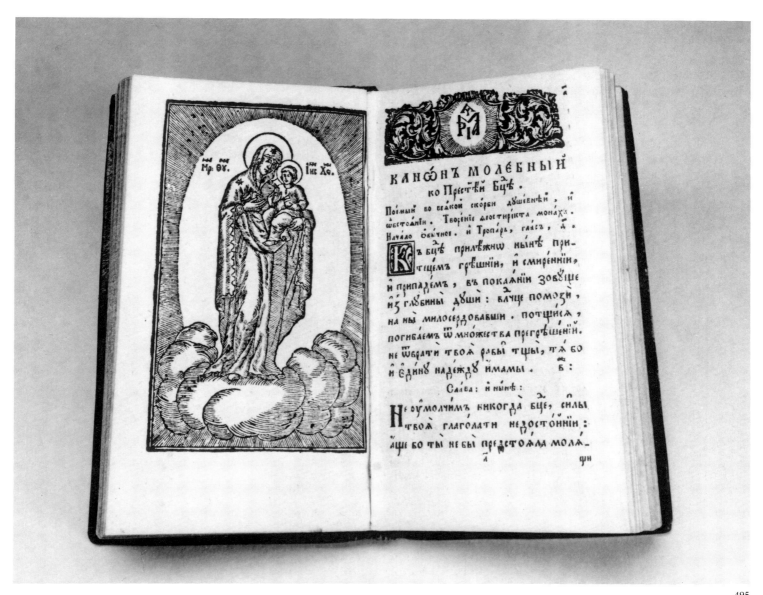

BÜCHER

495
Gebetbuch [Molitvoslov]

Ohne Ort und ohne Jahr (Ende 18. Jahrhundert). Eingebunden vier Seiten mit Holzschnitt-Illustrationen. 118 S., Einband aus rotem Leder mit Goldprägung, 13 x 8 cm

Inv.-Nr. НБГЭ-240863

Exlibris Graf Dmitrij Nikolaevič Šeremetev und Graf Sergej Dmitrievič Šeremetev.
Auf Vorsatzblatt Widmung des Grafen Nikolaj Petrovič Šeremetev: »Der Gräfin Praskov'ja Ivanovna Šeremeteva. Gebrauche dies immer beim Abendmahl.«
Herkunft: 1936 aus dem Staatlichen Museum für Ethnographie der Völker der UdSSR, Leningrad.

Das kirchenslavische Gebetbuch befand sich im Besitz der in der Widmung genannten Gräfin Praskov'ja Šeremeteva [Žemčugova] (1768–1803), einer ehemaligen leibeigenen Schauspielerin, die Graf P. N. Šeremetev geheiratet hatte (siehe Kat.-Nr. 2).
Die hier abgebildeten aufgeschlagenen Seiten zeigen links die Gottesmutter mit ihrem Sohn auf den Wolken, rechts den Anfang des »Bittkanons zur allreinen Gottesgebärerin«, darüber in einer Vignette das Wort »Marija« als Anagramm.
VF

496, 499, 503

496

Metropolit Platon von Moskau [Petr Egorovič Levšin]

Поучителъные слова

при высочайшемъ дворъ ЕЕ Императорского Величества Великой Государыни Екатерины Алексеевны, Самодержецы Всероссійской и въ другихъ мъстахъ въ 1763 по 1778 годъ сказываные Его Императорского Высочества учителемъ и придворнымъ проповъдникомъ (...) Платономъ [Belehrende Homilien, die in den Jahren 1763 bis 1778 am Allerhöchsten Hofe Ihrer Kaiserlichen Majestät, der Großen Herrscherin Ekaterina Alekseevna, Autokratorin von ganz Rußland und an anderen Orten von dem Lehrer und Hofprediger Seiner Kaiserlichen Hoheit ... Platon ... gesprochen worden sind] Band 1–20, Moskau 1779–1806

Ausgestellt: Band 5, 1780, 392 S. Einband aus rotem Leder mit Goldprägung (u. a. der kaiserliche Doppeladler) vom Ende des 18. Jahrhunderts, 19,5 x 14 cm

Inv.-Nr. НБГЭ-94983

Exlibris: »P« im Oval (Kaiser Pavel I.) auf dem Einband
Herkunft: Alter Bestand der Sammlung der Staatlichen Ermitage, Leningrad
Literatur: 19; P. Hauptmann, Die Katechismen der russisch-orthodoxen Kirche, Göttingen 1971, S. 43–66

Der Autor, der spätere Metropolit Platon von Moskau, wurde 1737 als Petr Levšin in einer Dorfpriesterfamilie in Časnikovo bei Moskau geboren. Er absolvierte die Moskauer Geistliche Akademie, wo er seit 1757 selbst als Lehrer für Poetik und Griechisch tätig war. 1758 empfing er im Dreieinigkeits-Kloster auf den Namen Platon die Mönchsweihe und 1759 die Ordination zum Priester. 1762 hatte er eine entscheidende Begegnung mit Ekaterina II., die ihn wenig später zum Erzieher und Religionslehrer des Großfürsten Pavel Petrovič (1754–1801), des späteren Kaisers Pavels I., bestimmte; ein Amt, das Platon bis zur Heirat des Großfürsten (1773) ausübte. Schon vorher hatte er außerdem den Konvertitenunterricht für die erste Gemahlin Pavels übernommen (Prinzessin Wilhemine

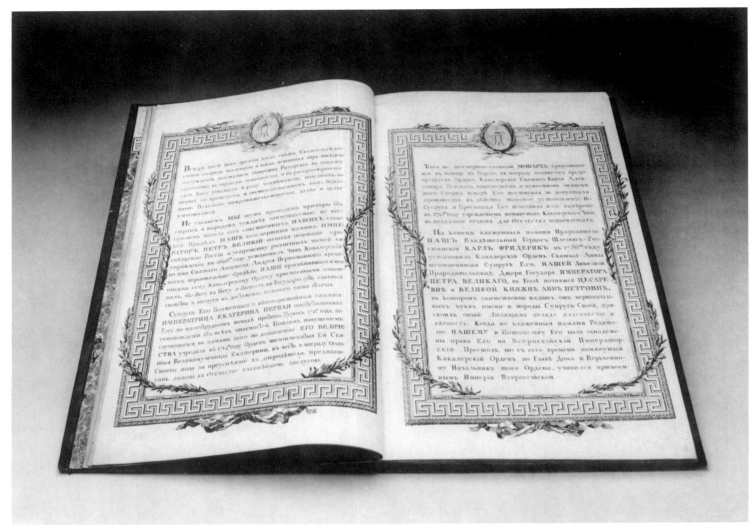

499

von Hessen-Darmstadt, 1755–1776, die nach ihrem Übertritt zum orthodoxen Glauben Natalija Alekseevna hieß). In den Jahren 1763–1765 erhielt der Thronfolger besonders intensiven Unterricht. Gleichzeitig entstand als eines der Hauptwerke des Verfassers die »Orthodoxe Lehre oder kurzgefaßte christliche Theologie [Pravoslavnoe učenie ili sokrašenno christianskoe bogoslovie]«, die bereits 1770 auch in einer deutschen Übersetzung in Riga erschien. Daneben war Platon, der 1770 Erzbischof von Tver' und 1775 Erzbischof (seit 1787 Metropolit) von Moskau wurde, ein hervorragender Prediger und war in dieser Funktion auch häufig am kaiserlichen Hofe tätig. 1811 wurde der gelähmte Metropolit seines Amtes entbunden und starb schließlich einen Monat nach der Befreiung Moskaus von den Franzosen.

Die hier gezeigten belehrenden Homilien sind eine Sammlung von Predigten und Heiligenvi-

ten. Sie gehören zu den wenigen erhaltenen Büchern aus der Privatbibliothek Pavels I. mit dem auf den Einband geprägten Exlibris. Er stellte für sich Bibliotheken in Pavlovsk, in Gatčina, im Michaels-Schloß und im Winterpalast zusammen: ein reicher Bestand, dessen Grundstock bereits Ekaterina II. angelegt hatte.
VF/NT

497   ABBILDUNG S. 503
Bibliothek der Großfürsten Alexander und Konstantin

Von I.K.M.d.K.a.R. [Ihrer Kaiserlichen Majestät der Kaiserin aller Reußen], Teil 1–9, Berlin und Stettin bei Friedrich Nicolai, 1784–1788. Einband aus der 2. Hälfte des 18. Jahrhunderts, 16 x 10 cm

Inv.-Nr. НБГЭ-78223–78231

Exlibris: Buchzeichen »Kaiserliche Fremdsprachliche Ermitage-Bibliothek [Imperatorskaja Ermitažnaja Inostrannaja biblioteka]«
Herkunft: Alter Bestand der Sammlung der Staatlichen Ermitage, Leningrad

Der Berliner Verleger und Buchhändler Friedrich Nicolai (1733–1811) erwarb im Auftrag

links oben: 527; links unten: 525; Mitte: 498; rechts oben: 524, 511, 502

der Kaiserin Ekaterina II. zahlreiche Bücher für ihre Bibliothek.

In der hier ausgestellten Sammlung befanden sich auch Werke der Kaiserin selbst, die sie für die Großfürsten Aleksandr und Konstantin Pavlovič verfaßt hatte. Sie dienten der Erziehung ihrer Enkel, die Ekaterina ihrem Sohn Pavel nicht zutraute und deshalb selbst übernommen hatte. Besondere Aufmerksamkeit widmete sie dabei der Unterweisung in russischer Geschichte. VF

498

Магазинъ общеполезныхъ знаній и изобратеній и присовокупленіемъ Модного журнала, раскрашенныхъ рисунковъ и музыкальныхъ нотъ

[Magazin allgemein nützlicher Kenntnisse und Erfindungen mit der Beilage eines Mode-Journals, kolorierten Zeichnungen und Musiknoten], Zweiter Teil – Juli bis Dezember. In Sankt-Petersburg gedruckt in der Typographie von I. K. Schnoor, 1795, 430 S. Eingebunden 8 Seiten mit kolorierten Stichen, 4 Seiten mit Noten, eine Seite mit Liedtext. Zeitgenössischer Einband vom Ende des 18. Jahrhunderts, 20,5 x 13 cm

Inv.-Nr. НБГЭ-237660

Herkunft: 1936 aus dem Staatlichen Museum für Ethnographie der Völker der UdSSR, Leningrad

Literatur: 182 (Bd. 4, Nr. 179, 202); 192 (Bd. 2, Nr. 1921, 1922)

Das Blatt erschien monatlich im Verlag von J. D. Gerstenberg & Co. Seinen Artikeln zu unterschiedlichen Themen wurden kolorierte Illustrationen mit Modedarstellungen, Noten und Liedtexten beigegeben. Hinzukam die kostenlose Beilage: »Annoncen zum Magazin zur Verbreitung allgemein nützlicher Kenntnisse ...«, in der Informationen über die bei Gerstenberg verkauften Bücher, Musikinstrumente, Karten, Barometer usw. zu finden waren. Bei ihm erschienen ebenfalls 1792 bis 1794 die »Sankt-Petersburger Ärztlichen Nachrichten [Sanktpeterburgskie vračebnye vedomosti]«,

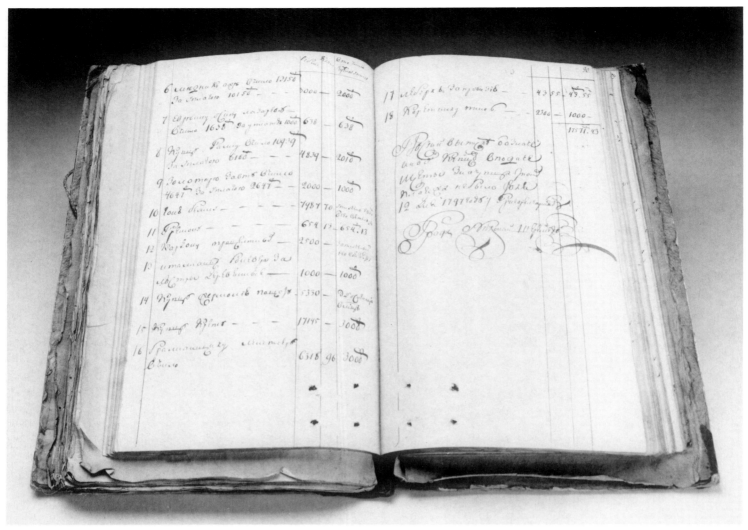

500

die erste Fachzeitschrift für Medizin in Rußland, sowie 1795 bis 1796 der erste Musikalmanach, das »Taschenbuch für Musikfreunde [Karmannaja kniga dlja ljubitelej muzyki]«.

VF

499

ABBILDUNG S. 504

Установление о российскихъ Императорских Орденахъ

[Satzung der Kaiserlich-Rußländischen Orden], Gedruckt beim Senat, Moskau, 1797, 51 Kupferstiche, davon 13 Blatt Text mit Ornamenten und 38 Blatt Abbildungen, 48 x 32 cm

Inv.-Nr. НБГЭ-75409

Herkunft: Alter Bestand der Sammlung der Staatlichen Ermitage, Leningrad
Literatur: 72

Die »Satzung« ist ein Erlaß Kaiser Pavels I., verabschiedet am 5. April 1797, dem Tag seiner Kaiserkrönung. Durch sie wurden sämtliche Orden des Landes zu einem rußländischen Ritter-Orden zusammengefaßt, dessen verschiedene Klassen sie dann jeweils bilden sollten. 1801 hat allerdings Aleksandr I. diese Anordnung seines Vaters bereits wieder rückgängig gemacht und die abgeschafften Orden in ihrer ursprünglichen Form wiederhergestellt.

Beispiel einer reich illustrierten Edition der Zeit. Die Rahmung der Textseiten nach französischem Vorbild.

Die 38 Darstellungen zeigen Ordenszeichen und Gewänder der Ordensritter als kolorierte Kupferstiche.

Die hier abgebildeten aufgeschlagenen Seiten enthalten die Entstehungs-Geschichte der Orden des heiligen Andreas des Erstberufenen, der heiligen Großmartyrerin Katharina, des heiligen Aleksandr von der Neva und der heiligen Anna mit der Angabe der jeweiligen Stifter und des Stiftungszweckes.

VF

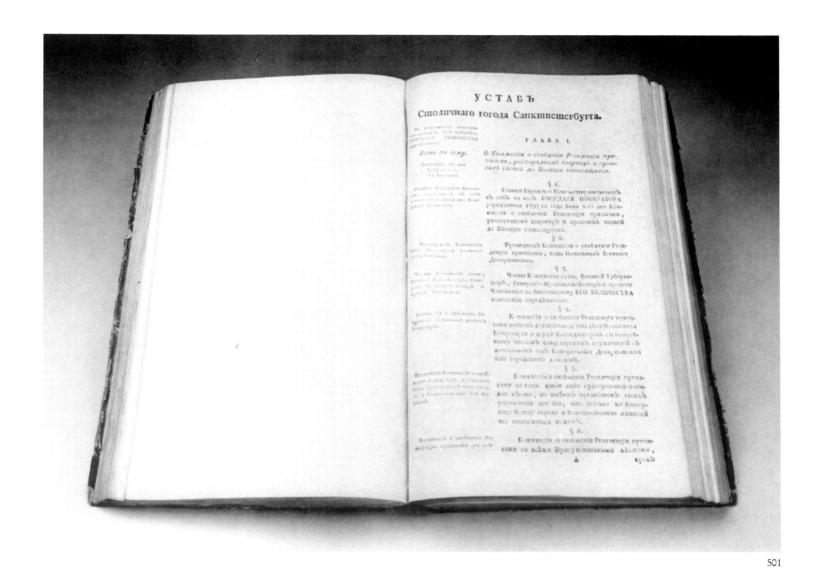

501

500

Книга на записку подлиннымъ его сіятельства Повеленіямъ

[Notizbuch für höchsteigene Verfügungen Seiner Erlaucht], 1797, Manuskript, 312 S., Kartoneinband vom Ende des 18. Jahrhunderts, 35 x 23 cm

Inv.-Nr. НБГЭ-235636

Herkunft: 1936 aus dem Staatlichen Museum für Ethnographie der Völker der UdSSR, Leningrad

Das »Haus(halts)buch [Domovaja kniga]« enthält die Anweisungen des Grafen N. P. Šeremetev und seiner Petersburger Palastverwalter. Ausstattungswünsche für einzelne Zimmer, für die dort auf- und umzustellenden Gegenstände sind hier mit aller Ausführlichkeit verzeichnet. Die abgebildeten aufgeschlagenen Seiten zeigen Abrechnungen für Anschaffungen, Renovierungen und andere Dinge. Mit solchen Eintragungen ist das Buch ein seltenes und wertvolles Dokument für das Leben in Petersburg am Ende des 18. Jahrhunderts. VF

501

Указы Императора Павла Первого Самодержца Всероссійского

[Erlasse des Kaisers Pavel des Ersten, Autokrators von ganz Rußland], Senatsdruckerei, Moskau 1798–1799, 583 S. Zeitgenössischer Einband vom Ende des 18. Jahrhunderts, 33 x 21 cm

Inv.-Nr. НБГЭ-65388

Herkunft: 1896 aus dem Bibliotheksbestand des Fürsten A. B. Lobanov-Rostovskij

In diesem Sammelband sind verschiedene Erlasse Pavels I. aus den Jahren 1798 und 1799 zusammengefaßt, die ursprünglich einzeln gedruckt und verbreitet worden sind. Die abgebildeten

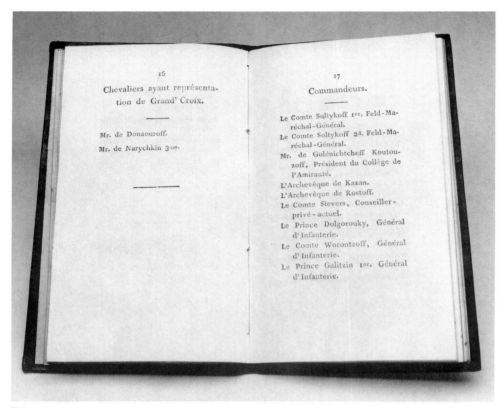

503

Exlibris: Buchzeichen der Kaiserlichen Ermitage-Bibliothek
Herkunft: Alter Bestand der Sammlung der Staatlichen Ermitage, Leningrad
Literatur: 200

Das Buch enthält ein Verzeichnis der Ritter des Ordens vom heiligen Johannes von Jerusalem (auch Malteser- oder Johanniter-Orden genannt, siehe Kat.-Nr. 376) mit den Angaben ihrer jeweiligen Funktionen und Ränge.

Unmittelbare Beziehungen zwischen Rußland und dem Souveränen Orden bestehen seit 1698, als der spätere Generalfeldmarschall (seit 1701) und Graf (seit 1706) Boris Petrovič Šeremetev (1652–1719; ein alter Kampfgefährte Petrs I., besonders auf dem Feldzug nach Azov 1681) Malta besuchte und dort – im Widerspruch zu den Statuten des Ordens trotz seines orthodoxen Glaubens – als dessen Ritter aufgenommen wurde. Im 18. Jahrhundert wurden danach die Kontakte zwischen Petersburg und La Valetta, der Hauptstadt des Ordensstaates, immer enger. Als dieser durch die französische Revolution den bisherigen Schutz der französischen Könige verlor und einen neuen Protektor suchte, fand er diesen in der Person Pavels I. 1797 gründete der Kaiser für den Orden ein neues Großpriorat in Rußland – und zwar zweifach: Ein »russisch-katholisches« (für römische Katholiken im Rußländischen Reich) und ein »russisches« (für Orthodoxe). 1798 ließ sich Pavel I. dann selbst zum Großmeister des Ordens wählen.

Unter den Ordensrittern befanden sich unter anderem der Heerführer A. V. Suvorov (siehe Kat.-Nr. 24) und der Dichter G. R. Deržavin, der damit für seine Ode auf den neuen Großmeister ausgezeichnet wurde; hinzu kamen zahlreiche andere Militär- und Zivilpersonen sowie Hofbeamte. Wie die abgebildeten aufgeschlagenen Seiten zeigen, zählten sogar die orthodoxen Erzbischöfe von Kazan' und Rostov zu den Kommandeuren des Ordens. Andererseits wurde dessen Zeichen, das sogenannte Malteser-Kreuz, in das Staatswappen des rußländischen Reiches aufgenommen. Als nach dem Sturz Pavels dessen Sohn Aleksandr I. den Kaiserthron bestieg, übernahm er den Rang eines Großmeisters nicht, sondern blieb lediglich weiterhin Ordensprotektor. Deshalb wurde 1801 das Malteser-Kreuz wieder aus dem Staatswappen entfernt. 1803 legte der Kaiser schließlich auch den Titel des Protektors ab.

Neben der französischen Ausgabe dieser Verzeichnisse gibt es auch mehrere russische Editionen. VF

Seiten zeigen den Anfang der »Ordnung der Hauptstadt Sankt Petersburg« vom 12. September 1798 mit genauen Regeln für nahezu alle Details des städtischen Lebens. Kapitel I: »Von der Kommission für die Versorgung der Residenz, für die Ordnung der Wohnungen und für die anderen, die Polizei betreffenden Angelegenheiten«. VF

[Tipografija Imperatorskogo Šljachetskogo Suchoputnogo Kadetskogo Korpusa], 1799, 131 S. (beide Nummern in einem Band). Zeitgenössischer Ledereinband mit Goldprägungen, 20 x 12,5 cm

Inv.-Nr. НБГЭ-72894

Herkunft: Alter Bestand der Sammlung der Staatlichen Ermitage, Leningrad

Typisches Beispiel für die monatlich erscheinenden Fachzeitschriften der Zeit. Es erschien gleichzeitig in einer französischen und einer russischen Ausgabe. VF

502 ABBILDUNG S. 505
Журналъ о Земледѣліи, для Всероссійскій имперіи

[Journal der Landwirtschaft für das Allrußländische Reich], Werke des Grafen Louis de Clermont-Tonner, Mitglied der Freien Ökonomischen Gesellschaft in Sanktpetersburg, in französischer Sprache, übersetzt von Michajlo Baradavkin; Monate September, Oktober, Nr. IX–X, Sankt Petersburg, Druckerei des Kaiserlichen Adels-Kadetten-Korps für Landtruppen

503 ABBILDUNG OBEN U. S. 502
Ordre Souverain de St. Jean de Jérusalem

[Der Souveräne Orden des heiligen Johannes von Jerusalem], Sankt Petersburg, Kaiserliche Druckerei, 1799, 58 S. Zeitgenössischer Ledereinband mit Goldprägung, auf der Vorder- und Rückseite des Einbands das Malteserkreuz in Papier, 16 x 10 cm

Inv.-Nr. НБГЭ-75889

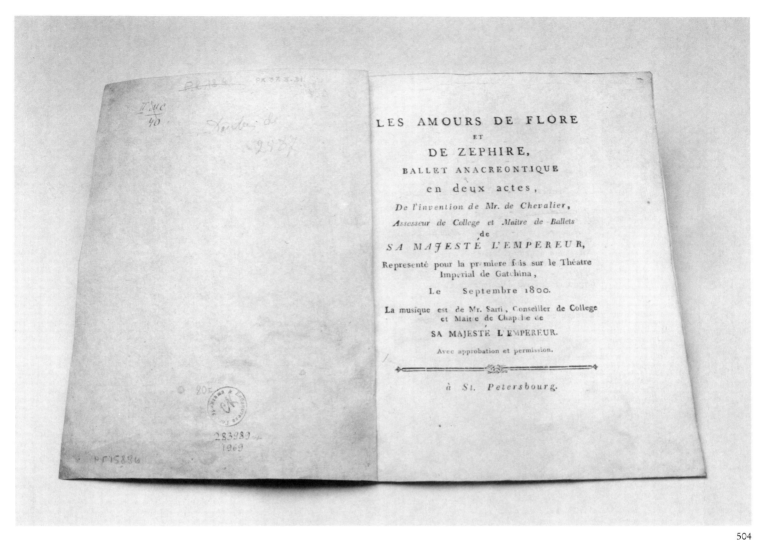

504
Les Amours de Flore et de Zephire

Ballet Anacréontique en deux actes. De l'Inven-
tion de Mr. de Chevalier . . . Représenté pour la
première fois sur le Théatre Impérial de Gatchi-
na, Le Septembre 1800 [Die Liebschaften von
Flora und Zephir – Anakreontisches Ballett in
zwei Akten, erfunden von Herrn de Chevalier
. . . Aufgeführt zum ersten Male auf dem Kaiserlichen Theater von Gačina, September
1800], Sankt Petersburg ohne Jahr. Farbige Broschur, mit Tinte beschriftet, 23 x 18 cm

Inv.-Nr. НБГЭ-283989

Herkunft: 1936 aus dem Staatlichen Museum für
Ethnographie der Völker der UdSSR, Leningrad
Ausstellungen: 1987 Leningrad, Rossija – Francija, S. 288–289, Nr. 691

Programm für eine Gala-Vorstellung bei Hofe
mit den damals besten Schauspielern und Tän-
zern Petersburgs. Die Dekorationen stammten
von Pietro Ginzago, einem italienischen Thea-
terkünstler und Monumentalmaler. Regie führte der Tänzer und Ballettmeister Peicam Chevalier, der 1798 nach Petersburg gekommen war,
aber noch zu Lebzeiten Kaiser Pavels I. Rußland wieder verließ. Die Musik stammte von
dem Kaiserlichen Hofkapellmeister und Leiter
des Konservatoriums Guiseppe Sarti (1729–
1820), der seit 1784 in Petersburg tätig war.

VF

505
Catalogue raisonné des tableaux

qui composent la collection du Comte A. de
Stroganoff [Erläuterter Katalog der Gemälde
aus der Sammlung des Grafen A. Stroganov],
Sankt Petersburg, Kaiserliche Druckerei, 1800,
84 S. Zeitgenössischer Einband, 21 x 13 cm

Inv.-Nr. НБГЭ-311322

Herkunft: Alter Bestand der Sammlung der
Staatlichen Ermitage, Leningrad
Literatur: 204

Graf Aleksandr Sergeevič Stroganov (1733–
1811) war Präsident der Kunstakademie und ein
bedeutender russischer Kunstsammler (siehe
auch Kat.-Nr. 51). Seine Gemälde-Sammlung
gehörte zu den bedeutendsten in ganz Rußland.
Seine breit angelegte Bibliothek galt am Ende

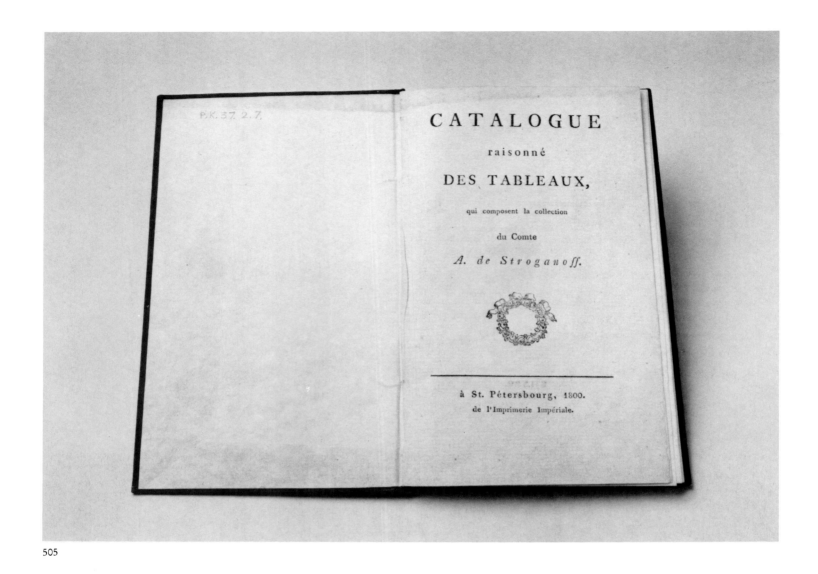

505

des 18. Jahrhunderts als die beste in Petersburg. Hervorzuheben ist, daß beide Einrichtungen auch für Besucher geöffnet waren. Deshalb wurde auch mehrfach ein Katalog herausgegeben. Im vorliegenden Exemplar aus dem Jahre 1800 sind insgesamt 116 Bilder verzeichnet und jeweils mit kurzen Erläuterungen versehen.

VF

506
Михайловскій замокъ

[Das Michaels-Schloß], ohne Ort und Jahr (1801). Einband aus der Mitte des 19. Jahrhunderts, 15 Radierungen, 52,5 x 44 cm

Inv.-Nr. НБГЭ-116754

Exlibris: Buchzeichen Fürst Aleksej Borisovič Lobanov-Rostovskij und Buchzeichen »H.A.« (Kaiser Nikolaj Aleksandrovič, d. h. Nikolaj II.)
Herkunft: 1896 aus dem Bibliotheksbestand des Fürsten A. B. Lobanov-Rostovskij

Die Darstellungen zeigen Pläne und Fassaden des Michaels-Schlosses (siehe Kat.-Nr. 123); die abgebildete aufgeschlagene Seite gibt eine Ansicht vom Sommergarten aus gesehen wieder. Die Radierungen stammen von I. Kolpakov. Sie sind verkleinerte Kopien nach Darstellungen von V. Brenna, dem Architekten des Schlosses.

VF

507
Санктпетербургскія вѣдомости

[Sanktpetersburger Nachrichten], 1802, Nr. 65–72, zusammen gebunden, 828 S. Zeitgenössischer Einband, 23,5 x 20 cm

Inv.-Nr. НБГЭ-61318/9

Exlibris: Buchzeichen der Kaiserlichen Ermitage-Bibliothek
Herkunft: Alter Bestand der Sammlung der Staatlichen Ermitage, Leningrad
Literatur: 175 (S. 19–20)

Die »Sankt Petersburger Nachrichten [Sanktpeterburgskija vedomosti]« erschienen 1728 bis 1917 und folgten damit den unter Petr I. publizierten »Nachrichten«, die bis 1727 zunächst vom Kollegium für Auswärtige Angelegenhei-

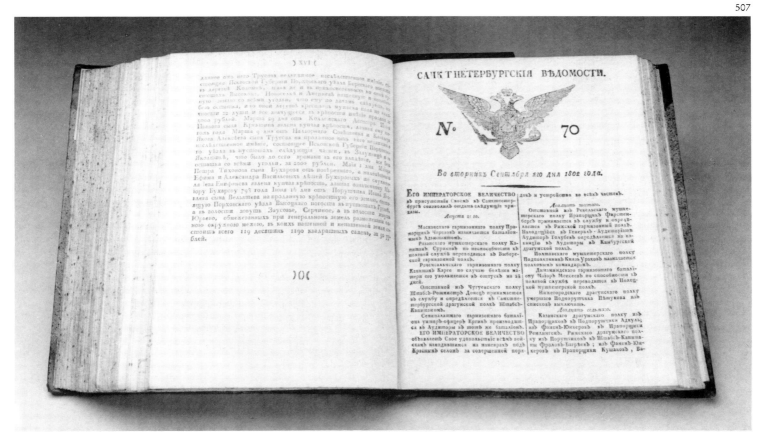

ten und danach von der Akademie der Wissenschaften herausgegeben worden waren. Gleichzeitig mit den »Nachrichten« erschien die »St. Peterburgische Zeitung« in deutscher Sprache, wobei die »Nachrichten« eine Zeitlang lediglich eine Übersetzung der deutschen Zeitung waren. Sie brachte vor allem eine Chronik der Ereignisse im Lande und – in einer Beilage – zahlreiche Verlautbarungen, Erlasse und Verfügungen. Damit war sie damals eine der wichtigsten Zeitungen der Hauptstadt und ist heute eine authentische Informationsquelle über das Leben der Zeit.

Die abgebildeten aufgeschlagenen Seiten zeigen rechts die Nr. 70 vom Dienstag, dem 2. September 1802, und beginnt mit der Veröffentlichung einiger Verfügungen des Kaisers vom 25.–27. August, in denen es vor allem um militärische Umbesetzungen geht.   VF

Auch in Rußland erregten die drei großen Reisen (1768–1779) des englischen Seefahrers James Cook (1728–1779) große Aufmerksamkeit. Dies führte zu einer russischen Ausgabe des Reiseberichtes und einem Album mit Abbildungen. Bei der vorliegenden Ausgabe handelt es sich um ein Exemplar, daß 1805 dem Grafen N. A. Kušelev-Bezborodko von L. Goleniščev-Kutuzov, dem Verleger und Übersetzer des Buches (einem Verwandten des Feldmarschalls), geschenkt worden ist. Die Blätter wurden in Alben mit reichen bibliophilen Einbänden zusammengefaßt.   VF

508   FARBTAFEL S. 525

Карты и рисунки ко первой части Путешествія капитана Кука

[Karten und Zeichnungen zur ersten Reise des Kapitäns Cook], ohne Ort und Jahr. Zeitgenössischer Ledereinband mit 16 Radierungen, 28 x 22,5 cm

Inv.-Nr. НБГЭ-311221

Exlibris: Stempel der »Bibliothek des Grafen Nikolaj Aleksandrovič Kušelev-Bezborodko«; auf den einzelnen Blättern Stempel mit den Initialen »KB« (Kušelev-Bezborodko); außerdem Buchzeichen Aleksandr Aleksandrovič Polovcov

Карты и рисунки ко второй части Путешествія капитана Кука

[Karten und Zeichnungen zur zweiten Reise des Kapitäns Cook], ohne Ort und Jahr, Zeitgenössischer Ledereinband, mit 14 Radierungen, 28 x 22,5 cm

Inv.-Nr. НБГЭ-311222

Exlibris: Stempel der »Bibliothek des Grafen Nikolaj Aleksandrovič Kušelev-Bezborodko«; auf den einzelnen Blättern Stempel mit den Initialen »KB« (für Kušelev-Bezborodko); außerdem Exlibris Aleksandr Aleksandrovič Polovcov
Herkunft: 1936 aus dem Staatlichen Museum für Ethnographie der Völker der UdSSR, Leningrad

509   ABBILDUNG S. 514

Heinrich von Reimers

St. Petersburg am Ende seines Ersten Jahrhunderts

Mit Rückblicken auf Entstehung und Wachsthum dieser Residenz unter den verschiedenen Regierungen während dieses Zeitraums. Erster und zweiter Teil, Verlag F. Dieneman & Comp., Sankt Petersburg und Penig, 1805. Band 1: 430 S., zwei Radierungen von Sanders als Frontspiz und Titelblatt; außerdem drei Karten im Text von J. Petermann (davon ein Blatt koloriert), Band 2: 460 S. Titelblatt von I. Müller; außerdem eine kolorierte Karte. Zeitgenössische Einbände, je 21 x 12,5 cm

Inv.-Nr. НБГЭ-66469, 66470

Exlibris: Buchzeichen Fürst Aleksej Borisovič Lobanov-Rostovskij in beiden Bänden und Buchzeichen »H. A.« (Kaiser Nikolaj Aleksandrovič, d. h. Nikolaj II.)
Herkunft: 1896 aus dem Bibliotheksbestand des Fürsten A. B. Lobanov-Rostovskij

Heinrich von Reimers (1768–1812), russischer Staatsrat und bedeutendes Mitglied der lutherischen Gemeinde, war vor allem als Übersetzer aus dem Deutschen tätig. Er lebte in Riga, wo er auch Verlagsgeschäfte betrieb, hielt sich aber auch mehrere Jahre in Petersburg auf. Hauptsächlich übersetzte er Schulbücher, verfaßte aber auch eigene Werke zur russischen Geschichte und zu überlieferten Zeugnissen des russischen Altertums.
In Petersburg gab er das »Sankt Petersburger Adreßbuch [Sanktpeterburgskaja adresnaja kniga]« in deutscher und in russischer Sprache heraus. Die hier vorliegende Geschichte der Residenzstadt ist wohl sein bedeutendstes Werk, in dem die Baugeschichte und das Wachstum

der neuen Hauptstadt bis ins Detail beschrieben werden.
Die abgebildete aufgeschlagene Titelseite des 2. Teils zeigt das 1798–1801 aufgestellte Denkmal für den Feldherrn Suvorov auf dem Marsfeld (siehe Kat.-Nr. 87).   VF

510   ABBILDUNG S. 515

Henri de Reimers [Heinrich von R.]

L'Académie Impériale des beaux-arts

à St. Petersbourg. Depuis son origine jusqu'au Règne d'Alexandre I. [Die Akademie der Schönen Künste in Sankt-Petersburg. Von ihrem Anfang bis zur Regierung Aleksandrs I.], Petersburg, Druckerei F. Drechsler, 1807, 190 S. Mit radiertem und gestochenem Titelblatt, Einband 20. Jahrhundert, 21,5 x 13,5 cm

Inv.-Nr. НБГЭ-133202

Exlibris: Buchzeichen S. P. Jaremic
Widmung: »Für Fedos'ja Petrovna Frau Voronec zur freundschaftlichen Erinnerung. Der Herausgeber. Sankt Petersburg. Am 5. Märztage des Jahres 1808.«
Herkunft: 1939 aus dem Bestand der Bibliothek von S. P. Jaremic
Literatur: 109 (S. 31, Nr. 427)

Der Autor widmete sein Werk dem damaligen Akademie-Präsidenten Graf A. S. Stroganov (siehe zu ihm Kat.-Nr. 51). Das Buch enthält eine ausführliche Geschichte der Kaiserlichen Kunstakademie von ihrer Gründung bis zum Jahre 1807. Diese detaillierte Darstellung wird durch ein Verzeichnis aller Mitglieder, aller approbierten Künstler sowie aller Personen, die von der Kunstakademie ausgezeichnet worden sind, ergänzt. Da das Buch insgesamt eine aufschlußreiche Quelle für die Wissenschaft darstellt, wurden 1892 einige Auszüge aus ihm ins Russische übersetzt und im »Russischen Archiv [Russkij archiv]« (Lieferung 5–6, S. 292–320) veröffentlicht.   VF

511   ABBILDUNG S. 505

Журналъ для пользы и удовольствія

[Zeitschrift für Nützliches und Vergnügliches], Dritter Teil, Sankt-Petersburg, Druckerei Drechsler, 1805, Nr. 7–9 zusammen gebunden, 209 S. Zeitgenössischer Einband, 20,5 x 13 cm

Inv.-Nr. НБГЭ-72905

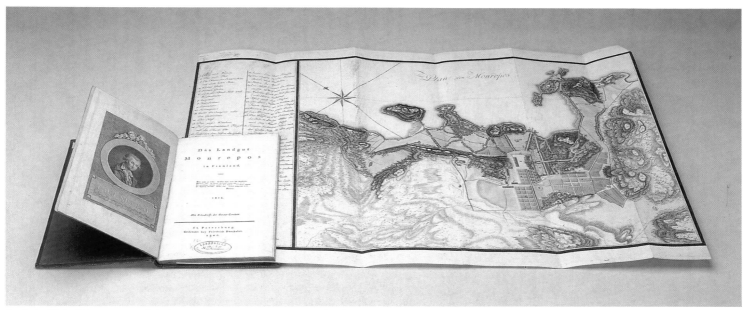

Ludwig Heinrich von Nocolai, Das Landgut Monrepos in Finnland, 1806. Kat.-Nr. 512

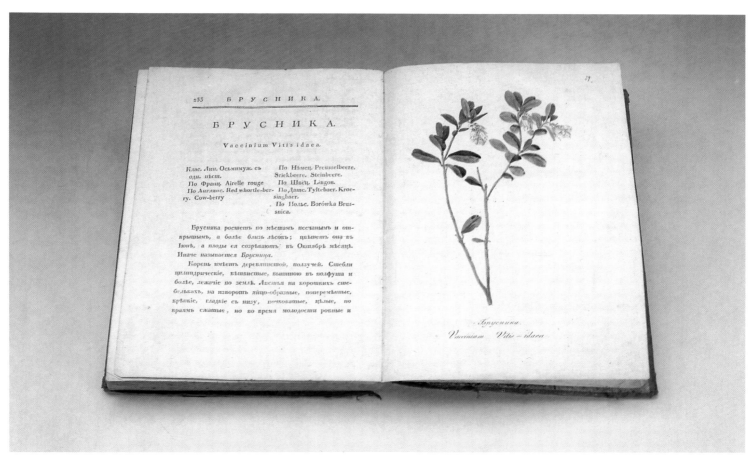

Osip Libošic / Karl Trinius, Die Sanktpetersburger und die Moskauer Flora . . ., 1818. Kat.-Nr. 522

509

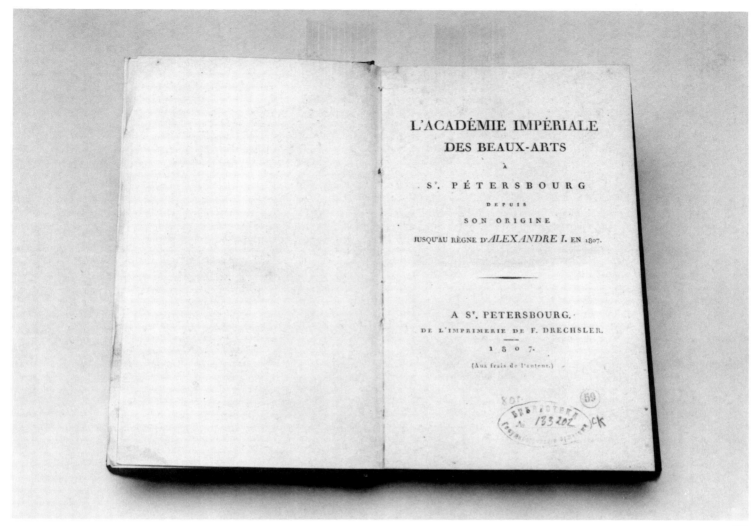

L'ACADÉMIE IMPÉRIALE
DES BEAUX-ARTS
À
Sᵗ. PÉTERSBOURG
DEPUIS
SON ORIGINE
JUSQU'AU RÈGNE D'*ALEXANDRE I.* EN 1807.

A Sᵗ. PETERSBOURG.
DE L'IMPRIMERIE DE F. DRECHSLER.
1807.
(Aux frais de l'auteur.)

510

Herkunft: Alter Bestand der Sammlung der Staatlichen Ermitage, Leningrad
Literatur: 175 (S. 115)

Eine Monatszeitschrift für Gedichte, Prosawerke und kritische Beiträge. Zu ihren Mitarbeitern gehörten u. a. der aufklärerische Dichter Ivan Petrovič Pnin (1773–1805), ein engagierter Gegner der Leibeigenschaft, und der Dramatiker Vladislav Aleksandrovič Ozerov (1769–1816). VF

512 FARBTAFEL S. 513
Ludwig Heinrich von Nicolai

Das Landgut Monrepos in Finnland

St. Petersburg, Druckerei Friedrich Drechsler, 1806, 28 S. mit einem Porträt auf dem Frontispiz und einer kolorierten Karte. Zeitgenössischer Einband, 22,5 x 14 cm

Inv.-Nr. НБГЭ-96311

Exlibris: Buchzeichen Fürst Aleksej Borisovič Lobanov-Rostovskij und Exlibris »H. A.« (Kaiser Nikolaj Aleksandrovič, d. h. Nikolaj II.) Außerdem handschriftliche Vermerke des Fürsten Aleksej Borisovič mit biographischen Angaben über den Autor des Buches.
Herkunft: 1896 aus dem Bibliotheksbestand des Fürsten A. B. Lobanov-Rostovskij

Baron Ludwig-Heinrich von Nicolai (1737–1820) wurde in Straßburg geboren und hat seine Jugend in Paris verbracht, wo er mit so bedeutenden französischen Aufklärern wie Diderot, Friedrich Melchior Grimm und d'Alembert zusammentraf. Über sie ergaben sich auch Kontakte nach Rußland. Seit 1769 war er auf Wunsch der Kaiserin Ekaterina II. als Lehrer und später als persönlicher Sekretär und Bibliothekar des Großfürsten Pavel Petrovič (des späteren Kaisers Pavel I.) tätig. 1798 wurde er zum Präsidenten der Akademie der Wissenschaften ernannt. Aber auch als Dichter, Schriftsteller und als begabter Zeichner trat er hervor. Als er 1803 in den Ruhestand trat, zog er sich auf sein poetisch beschriebenes Gut Monrepos bei Vyborg [Viipuri] im Großherzogtum Finnland zurück, wo er die letzten Jahre seines Lebens verbrachte. VF

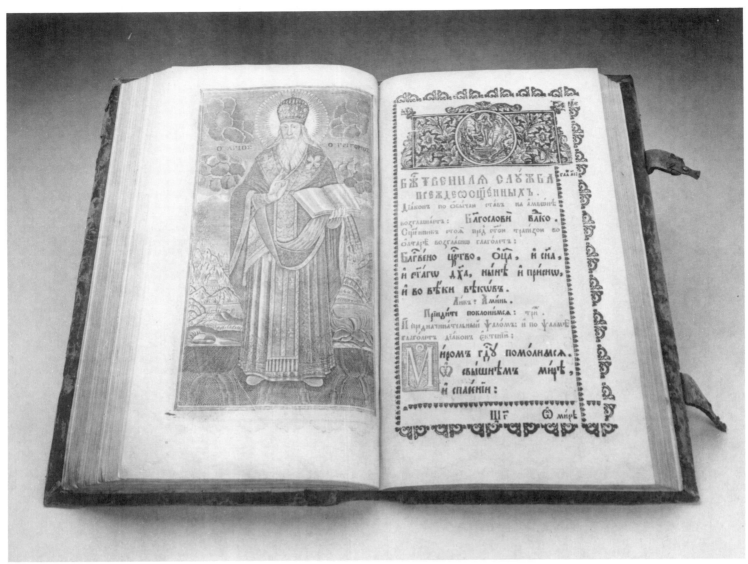

513

513
Служебник

[Agende], Kiev, Druckerei des Höhlen-
Klosters, 1806, 546 S. 4 Blatt mit Radierungen
im Text; außerdem zahlreiche Vignetten und
Verzierungen. Zeitgenössischer Einband,
35 x 21 cm

Inv.-Nr. НБГЭ-351371

Herkunft: Alter Bestand der Bibliothek der Er-
mitage
Literatur: S. K. Kilesso, Kievo-Pecerskaja Lavra,
Moskau 1975, S. 113–119

Die in kirchenslavischer Sprache und Schrift
zweifarbig gedruckte »Agende [Služebnik]« ent-

hält die in der russischen Orthodoxen Kirche
üblichen, von Priester und Diakon zu singen-
den Teile der eucharistischen Liturgien und der
Stundengebete. Hinzu kommen die entsprechenden Rubriken und einige weitere wech-
selnde Texte.
Die abgebildeten aufgeschlagenen Seiten zeigen
rechts den Anfang der in der großen Fastenzeit
vor Ostern mittwochs und freitags zelebrierten
»Liturgie der Vorgeweihten Gaben [Božestven-
naja služba preždeosvjaščennych]«, d. h. einer
Vesper mit anschließender Kommunion. Die
Ordnung dieses Gottesdienstes geht der Überlieferung nach auf Papst Gregor I. (590–604) zurück, der auf der gegenüberliegenden Seite in liturgischer Gewandung gezeigt wird. In der Vignette oben die Auferstehung Christi.

Das Kiever Höhlenkloster [Kievo-Pečerskaja
Lavra] ist das älteste Kloster der Rus'. Es wurde
1051 vom heiligen Antonij in den Grotten und
Höhlen am Steilufer des Dnepr gegründet und
kam 1062 an seinen jetzigen Standort. 1592
wurde es dem Patriarchen von Konstantinopel,
1688 dem von Moskau unterstellt und 1786 in
den Rang einer Lavra erhoben.
Die bis 1918 existierende Druckerei des Klosters wurde 1615 von dem Archimandriten Eli-
sej (Pleteneckij) eingerichtet. Da mehrere bedeutende Drucker für die neue Werkstatt gewonnen werden konnten, entwickelte sie sich
im Laufe der Zeit neben der Patriarchal- (später:
Synodal-) Druckerei in Moskau zur bedeutendsten und qualitätsvollsten Kirchendruckerei
Rußlands (besonders unter den Metropoliten

Petr Mogila und Innokentij Gizel'). Seit 1720 unterstand sie der Zensur des Petersburger Synod. Vor allem liturgische Textbücher wurden in Kiev gedruckt und mit Illustrationen herausgegeben. NT/VF

514 FARBTAFEL S. 525
Gavriil Andreevič Saryčev

Дневные записки Плавания Гаврилы Сарычева по Балтийскому морю и финскому заливу

[Tagebuchaufzeichnungen von der Reise ... des Gavrilo Saryčev über die Ostsee und den Finnischen Meerbusen in den Jahren 1802, 1803, 1804 und 1805], Sankt Petersburg, Marine-Druckerei, 1808, 185 S. Roter Ledereinband mit Goldprägung vom Anfang des 19. Jahrhunderts, 24,5 x 20 cm

Inv.-Nr. НБГЭ-76420

Exlibris: Stempel der »Bibliothèque de Tsarskoe Selo« und Buchzeichen der Kaiserlichen Ermitage-Bibliothek
Herkunft: Alter Bestand der Sammlung der Staatlichen Ermitage, Leningrad

Admiral Gavriil Andreevič Saryčev (1763–1831) war seit 1808 General-Hydrograph des Marine-Haupt-Stabes und beschäftigte sich vor allem mit Kartographie. Aber schon 1785–1794 hatte er, zusammen mit I. I. Billings, die Küsten Nordostsibiriens bei den Aleuten erforscht. 1809 wurde er für seine Arbeiten zur Geschichte der Seefahrt, des Lotsenwesens und der Kartographie zum Ehrenmitglied der Kaiserlichen Akademie der Wissenschaften (später auch anderer wissenschaftlicher Gesellschaften Rußlands) gewählt. Auch der erste Stadtplan von Sankt Petersburg stammt von ihm. Mehrere Jahre überarbeitete er außerdem die Marinekarten der Ostsee [Baltijskoe more]. In seinen »Tagebuchaufzeichnungen« über die dafür unternommenen Fahrten finden sich neben den marinetechnischen und navigatorischen Eintragungen auch kurze Beschreibungen von Orten, Inseln und ethnographischen Besonderheiten. VF

515 ABBILDUNG S. 128

Анекдоты о Императоръ Павлъ Первомъ, Самодержце Всероссійскомъ . . .

[Anekdoten über den Kaiser Pavel, den Ersten, Autokrator von ganz Rußland, zusammengestellt nach etlichen ausländischen und rußländischen Autoren und herausgegeben von E. Tyrtov], Universitäts-Druckerei, Moskau 1807, 100 S. Als Frontispiz eine Radierung mit dem Porträt Pavels I. Einband aus der Mitte des 19. Jahrhunderts, 21,5 x 13,5 cm

Inv.-Nr. НБГЭ-97100

Exlibris: Buchzeichen Fürst Aleksej Borisovič Lobanov-Rostovskij und Buchzeichen »H.A.« (Kaiser Nikolaj Aleksandrovič, d. h. Nikolaj II.)
Herkunft: 1896 aus dem Bibliotheksbestand des Fürsten Aleksej Borisovič Lobanov-Rostovskij

Auf der Rückseite des vorderen Einbanddeckels von der Hand des Fürsten Aleksej Borisovič Lobanov-Rostovskij: »In den Listen des Heeres in Gatčina ist für das Jahr 1796 ein Unterleutnant Semen Tyrtov im Musketierbataillon des Obersten Arakčeev (in seiner, also Arakčeevs, Rotte) verzeichnet. Über den Autor des Buches ist fast nichts bekannt.«
Als spezifisches Literaturgenre findet man im Rußland des 18. Jahrhunderts Memoiren in der Form von kurzen anekdotischen Erzählungen. Die bekannteste dieser Anekdoten-Sammlungen war jene über Kaiser Petr I., die 1785 in Leipzig bei Breitkopf erschien und bald auch ins Russische übersetzt wurde. Ihr Verfasser war der in Memmingen gebürtige Jacob von Stählin (1709–1785), der seit 1737 Professor für Eloquenz an der Petersburger Akademie der Wissenschaften und 1742–1747 Erzieher des Prinzen Karl Peter Ullrich von Holstein-Gottorf (1728–1762; des späteren Kaisers Petr III.) war.
Das vorliegende Werk steht also in einer besonderen literarischen Tradition. Zugleich ist es aber eines der letzten seiner Gattung, denn allmählich zu flacher Lobrede degeneriert, war diese Form der Memoiren-Literatur zur Zeit Pavels I. bereits wieder aus der Mode gekommen.
Fürst Aleksej Borisovič Lobanov-Rostovskij (1824–1896), der ehemalige Besitzer des Buches, war Diplomat (1882–1895 Botschafter in Wien) und Politiker (1895/96 Innenminister) und zugleich ein bedeutender Büchersammler, der seine Bibliothek später Kaiser Nikolaj I. hinterlassen hat. VF/NT

516 ABBILDUNG S. 518
Aleksej Nikolaevič Olenin

Опыт новаго библиографического порядка . . ./ Essai sur un nouvel Ordre Bibliographique . . .

[Versuch einer neuen Bibliotheksordnung für die Sanktpetersburger Kaiserliche Bibliothek], Sankt Petersburg, Druckerei der Gouvernements-Verwaltung, 1809, 112 S. Mit drei radierten Illustrationen. Zeitgenössischer Einband, 28,5 x 23 cm

Inv.-Nr. НБГЭ-65517

Exlibris: Buchzeichen Fürst Aleksej Borisovič Lobanov-Rostovskij und Buchzeichen »H. A.« (Kaiser Nikolaj Aleksandrovič, d. h. Nikolaj I.)
Herkunft: 1896 aus dem Bibliotheksbestand des Fürsten Aleksej Borisovič Lobanov-Rostovskij
Literatur: 50 (S. 32–33)

Die biographischen Daten zu Aleksej Nikolaevič Olenin (1763–1843) siehe Kat.-Nr. 135. Olenin erarbeitete ein für Rußland neues System der Bibliotheksordnung und veröffentlichte es in französischer und russischer Sprache. Mit diesem ersten im Lande publizierten Handbuch wurden dort erstmals verbindliche Normen für eine systematische Katalogisierung von Büchern aufgestellt. Außerdem enthält das Buch eine Geschichte der Kaiserlichen Bibliothek, der heutigen »Öffentlichen Saltykov-Ščedrin-Gedenk-Bibliothek« (am Ostrovskij-Platz), in der sich unter anderem die etwa 7000 Bände umfassende Bibliothek Voltaires befindet, die Ekaterina II. vom ursprünglichen Besitzer erworben hat. Aus ihrem wertvollen altrussischen Inkubabel-Bestand ist vor allem das Ostromir-Evangelium aus dem 11. Jahrhundert zu nennen. Die abgebildeten aufgeschlagenen Seiten zeigen auf dem Frontispiz die Fassade des am Nevskij-Prospekt gelegenen, 1796–1801 von Egor T. Sokolov errichteten Altbaus (des sogenannten Zaluskij-Hauses) und auf dem Titel den Neubau, der 1828–1834 nach Entwürfen von Carlo Rossi errichtet wurde. VF/NT

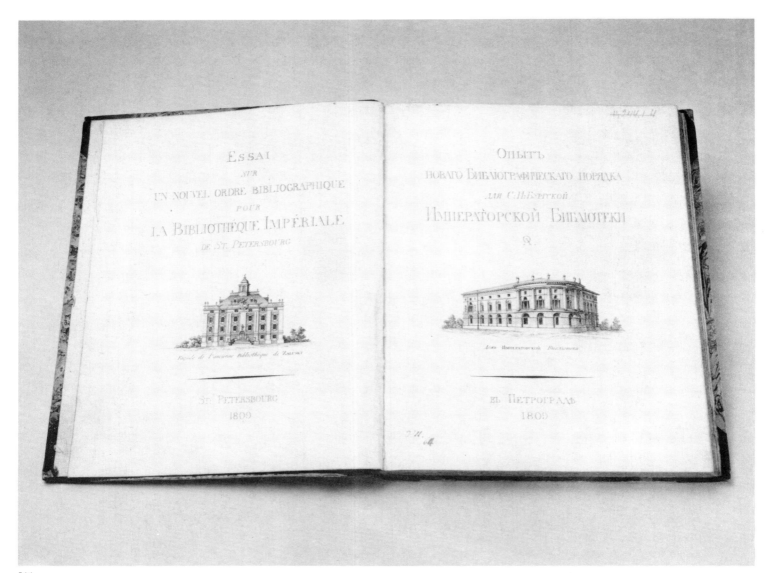

516

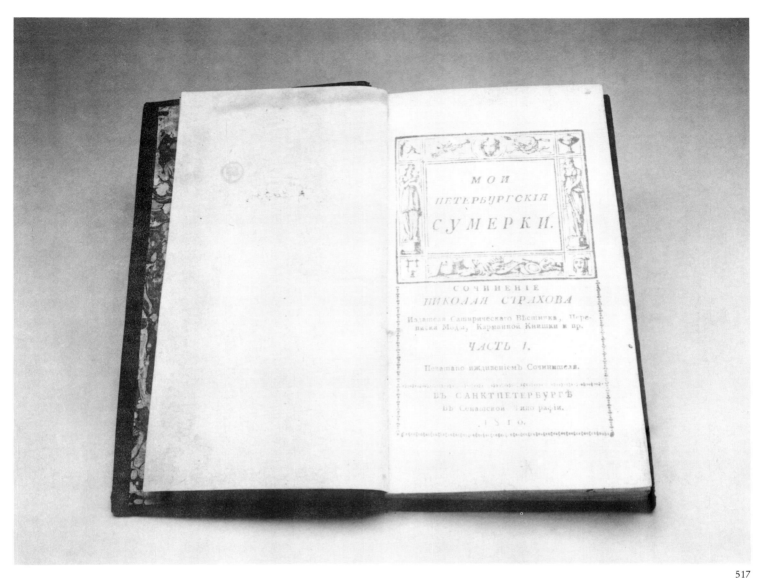

517
Nikolaj Ivanovič Strachov

Мои Петербургскія сумерки

[Meine Petersburger Dämmerungen], Teil I–II,
Petersburg, Senats-Druckerei, 1810. Ausgestellt:
Teil I: 130 S. Zeitgenössischer Einband, 17,5 x
10,5 cm

Inv.-Nr. НБГЭ-144934
Herkunft: 1946 aus dem Antiquariatsbuchhandel

Nikolaj Ivanovič Strachov (1768–?) war Redakteur, Herausgeber und Publizist. 1790–1792 edierte er die Zeitschrift »Satirischer Bote [Satiričeskij vestnik], die damals sehr populär war. Außerdem wurden von ihm noch weitere Almanache und Sammelbände mit satirischen und unterhaltsamen Geschichten herausgegeben: z. B. die »Briefwechsel über die Mode [Perepiski mody]« oder das »Taschenbüchlein [Karmannaja kniška]«. Das vorliegende Buch besteht aus einer recht heterogenen Sammlung von Anmerkungen, mehr oder minder tiefsinnigen Betrachtungen, Aphorismen und kleinen literarischen Skizzen, die durch ihr gemeinsames Thema Petersburg miteinander verbunden sind. Dabei werden hier zum ersten Mal in der russischen Literatur menschliche Gefühle und Gedanken mit der Erscheinung und den Funktionen einer Stadt in Zusammenhang gebracht, wie dies später andere russische Schriftsteller – vor allem Puškin und Dostojevskij – weitergeführt und intensiviert haben.   VF

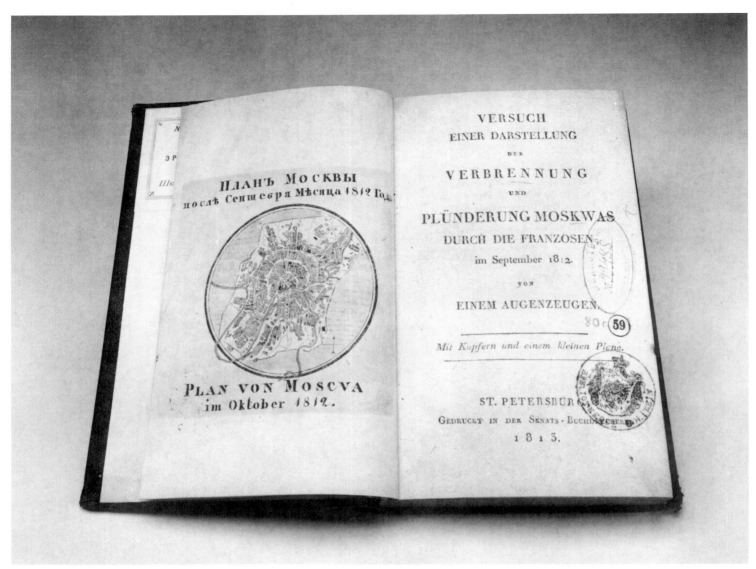

518

518

Johann Horn

Versuch einer Darstellung der Verbrennung und Plünderung Moskwas

durch die Franzosen im September 1812 von einem Augenzeugen, Sankt Petersburg, Senats-Druckerei, 1813, 106 S. Zwei Blätter mit Radierungen im Text, dazu als Frontispiz ein kolorierter Plan Moskaus aus dem Jahre 1812. Zeitgenössischer Einband, 18,5 x 12 cm

Inv.-Nr. НБГЭ-99488

Exlibris: Stempel der »Bibliothèque Golitzin« und Buchzeichen der Kaiserlichen Ermitage-Bibliothek
Herkunft: 1886 aus dem Bestand der Bibliothek des Golicyn-Museums

Das anonym in deutscher Sprache erschiene Buch wurde von einem unbekannten Teilnehmer des Vaterländischen Krieges von 1812 (Johann Horn) verfaßt. Es erschien in Petersburg, als die Kriegshandlungen noch andauerten. Auf der Karte Moskaus sind die während des Brandes von 1812 zerstörten Stadtviertel mit roter Farbe markiert.   VF

519

Nikolaj Michajlovič Karamzin

Исторія Государства Россійскаго

[Geschichte des Rußländischen Staates], Band 1–12, Sankt Petersburg, Militär-Druckerei des Hauptstabes, 1816–1829; ausgestellt Band 1: Sankt Petersburg 1816, 548 S. Zeitgenössischer Einband, 24 x 14,5 cm

Inv.-Nr. НБГЭ-42695

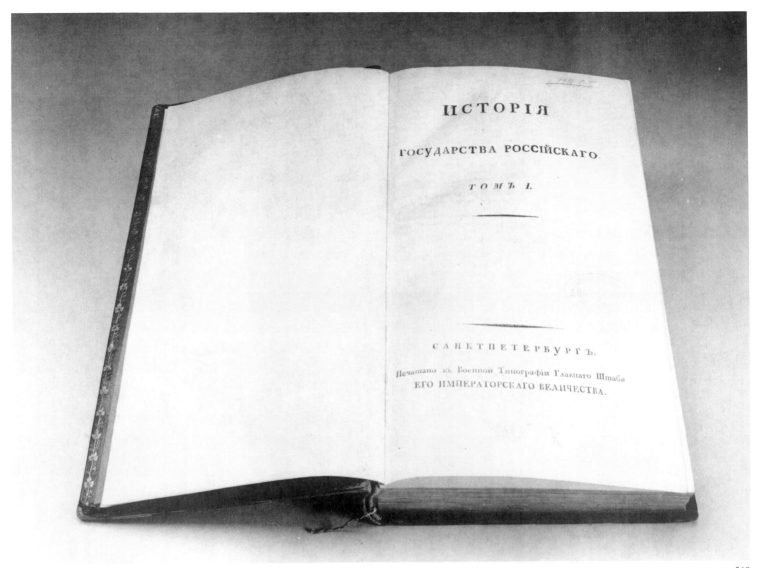

ИСТОРІЯ

ГОСУДАРСТВА РОССІЙСКАГО.

ТОМЪ I.

САНКТПЕТЕРБУРГЪ.

Печатано въ Военной Типографіи Главнаго Штаба
ЕГО ИМПЕРАТОРСКАГО ВЕЛИЧЕСТВА.

519

Exlibris: Stempel der Palast-Bibliothek von Carskoe Selo und Buchzeichen »A. H.« (Kaiser Aleksandr Nikolaevič, d. h. Aleksandr II.)
Herkunft: Alter Bestand der Sammlung der Staatlichen Ermitage, Leningrad
Literatur: 73

Nikolaj Michajlovič Karamzin (1766–1826; siehe Kat.-Nr. 232) war Historiker, Publizist und als Schriftsteller der führende Vertreter und Theoretiker der russischen sentimentalen Schule. Er gründete die Zeitschriften »Moskauer Journal [Moskovskij žurnal]« und »Bote Europas [Vestnik Evropy]«, die er 1791–92 beziehungsweise 1802/03 selbst edierte. Sein kunsttheoretisches Urteil und sein literarisches Vorbild haben die russische Literatur des 19. Jahrhunderts ganz wesentlich geprägt. Sein historisches Hauptwerk ist die zwölfbändige Geschichte Rußlands, die auf ausführlichem Quellenstudium basiert. Er führte damit die Tradition der russischen Geschichtsschreibung des 18. Jahrhundert fort, die von Autoren wie dem Universalgelehrten Michail Vasil'evič Lomonosov (1711–1765), dem Staatsmann Vasilij Nikitič Tatiščev (1686–1750) oder Fürst Michail Michajlovič Ščerbatov (1733–1790) begründet worden war. Karamzins »Geschichte« setzte damals eine rege gesellschaftspolitische Diskussion unterschiedlichster Positionen und Vorstellungen zur russischen Geschichte in Gang.
VF

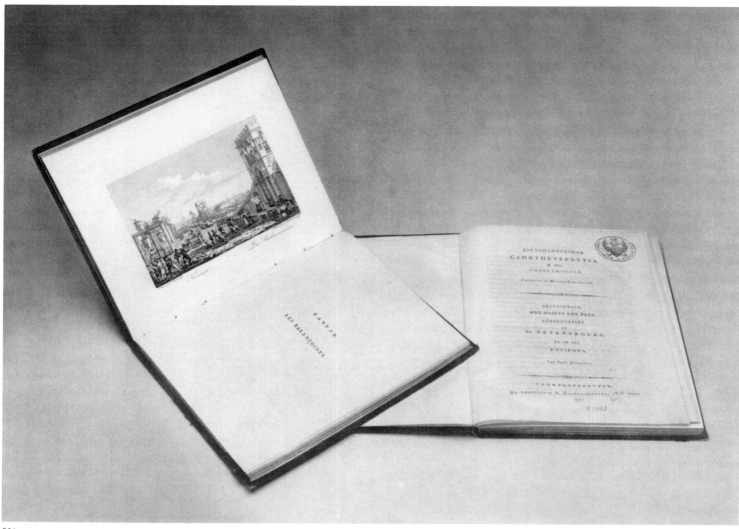

521

520 FARBTAFEL S. 525

August Krämer

Carl Theodor Reichfreyherr von Dalberg

vormaliger Großherzog von Frankfurt, Fürst-Primas und Erzbischof. Regensburg, Verlag J. B. Rotermundt, 1817, 108 S. Ein radiertes Porträt als Frontispiz. Zeitgenössischer Einband, 24,5 x 19,5 cm

Inv.-Nr. НБГЭ-64135

Exlibris: Buchzeichen der Kaiserlichen Ermitage-Bibliothek. Mit handschriftlicher Widmung des Verfassers an Kaiser Aleksandr I.
Herkunft: Alter Bestand der Sammlung der Staatlichen Ermitage, Leningrad

August Krämer war Fürstlich Thurn- und Taxischer Rat und Bibliothekar zu Regensburg, der das vorliegende Buch als biographischen Nekrolog auf Karl-Theodor Freiherr von Dalberg-Hernsheim (1744–1817) verfaßt hat. Dieser war der letzte Kurfürst-Erzbischof von Mainz und Kur-Erzkanzler des Heiligen Römischen Reiches. Er stammte aus Worms, promovierte 1761 in Heidelberg zum Doktor der Rechte, trat danach in kurmainzische Dienste und wurde 1771 Statthalter in Erfurt. In dieser Zeit schloß er sich den Freimaurern und dem Illuminatenbund an. 1787 wurde er zum Koadjutor in Mainz und Worms gewählt und 1788 – nach seiner Priesterweihe am 3. Februar 1788 – ebenfalls zum Koadjutor von Konstanz. Am 31. August desselben Jahres empfing er in Bam-

berg die Bischofsweihe. 1799 wurde er Fürstbischof von Konstanz und am 25. Juli 1802 Kur-Erzbischof von Mainz. Doch schon am 25. Februar 1803 hob der Reichsdeputationshauptschluß die geistlichen Fürstentümer auf; jedoch mit einer Ausnahme: Nach § 25 wurden die Rechte von Mainz (nämlich die des Kurfürsten, Reichskanzlers und Metropoliten sowie des Primas von Deutschland) auf den bischöflichen Stuhl von Regensburg, den Dalberg jetzt einnahm, übertragen. Dabei handelte es sich um eine ad personam getroffene Entscheidung, denn Dalberg genoß offenbar in Frankreich hohes Ansehen. Das gute Verhältnis zu Napoleon brachte es mit sich, daß ihm nach der Gründung des Rheinbundes 1806 der Titel eines Fürstprimas, das Präsidium im Rheinbund und,

522

neben anderen Gebieten, die Stadt Frankfurt zugesprochen wurde, wo er nun residierte. Nach dem Wiener Frieden von 1809 mußte Dalberg 1810 allerdings das Fürstentum Regensburg an Bayern abtreten, wofür er als Entschädigung Fulda, die Grafschaft Hanau sowie den Titel eines Großherzogs von Frankfurt erhielt. Nach der Niederlage Napoleons und dem Einmarsch der Allierten in Frankfurt zog sich Dalberg nach Regensburg und dort ins Privatleben zurück.   NT/VF

521 · FARBTAFEL S. 525
Pavel Petrovič Svin'in

Достопамятности Санктпетербурга и его окрестностей / Déscription des objets les plus remarquables de St. Petersbourg et de ses environs

[Die Denkwürdigkeiten von Sanktpetersburg und seiner Umgebung], Sankt Petersburg, Druckerei V. Plavil'ščikov, Teil I–V in zwei Heften, 1816–1828. I. Heft, 1816, 116. S. mit 6 radierten Darstellungen im Text und einer Karte, II. Heft, 1817, 205 S., mit 6 radierten Darstellungen im Text. Die Illustrationen stammen von S. Galaktionov (siehe Kat.-Nr. 191) nach Zeichnungen von P. Svin'in. Beide in grünem Seideneinband aus der ersten Hälfte des 19. Jahrhunderts, 25 x 20 cm

Inv.-Nr. НБГЭ-90043
Inv.-Nr. НБГЭ-248405
Herkunft: Alter Bestand der Sammlung der Staatlichen Ermitage, Leningrad
Literatur: 192 (S. 424)

Pavel Petrovič Svin'in (1788–1839) war Schriftsteller, Journalist und bildender Künstler. Er unternahm weite Reisen durch Rußland und hielt sich in seiner Funktion als Sekretär des russischen Konsulates in Philadelphia an verschiedenen Orten Amerikas und Europas auf. 1818 bis 1830 gab er die Zeitschrift »Vaterländische Notizen [Otečestvennye zapiski]« heraus. Außerdem verfaßte er Arbeiten zur Geschichte Rußlands und historische Erzählungen, z. B. 1834 den Roman »Ermak oder die Unterwerfung Sibiriens [Ermak ili pokorenie Sibiri]«. In der Regel hat Svin'in seine Werke, die bei den Zeitgenossen viel Anklang fanden, mit Darstellungen nach eigenen Zeichnungen illustriert.

Die »Denkwürdigkeiten [Dostopamjatnosti]« wurden in französischer und russischer Sprache verfaßt. Sie sind das Hauptwerk des Autors und zugleich einer der ersten Stadtführer durch Petersburg in russischer Sprache. Neben der Beschreibung der Baudenkmäler und Stadtviertel bringt er auch zahlreiche Hinweise zur Geschichte der Residenz. Die Publikation erfreute sich großer Beliebtheit und wurde in zahlreichen Exemplaren verkauft. Die Darstellung auf der abgebildeten Seite zeigt Schaukeln, wie sie damals bei Volksfesten, besonders in der Butterwoche, aufgestellt wurden.   VF

522 · FARBTAFEL S. 513
Osip Libošic / Karl Trinius

Флора Санктпетербургская и Московкая

или Описаніе растеній находящихся в окрестностях обеих стодиц Российской Империи для любителей Ботаники и садов [Die Sanktpetersburger und die Moskauer Flora oder Beschreibung der Gewächse, die sich in der Umgebung der beiden Hauptstädte des Rußländischen Reiches befinden, für den Liebhaber der Botanik und der Gärten], Sankt Petersburg, Kriegsmarine-Druckerei, 1818, Buch I–IV, 245 S. 40 kolorierte Radierungen im Text. Zeitgenössischer Einband, 26,5 x 20,5 cm

Inv.-Nr. НБГЭ-13696

Exlibris: Buchmarke der Zentralen Schule des Barons Štiglic für technisches Zeichnen
Herkunft: 1929 aus dem Bibliotheksbestand der Schule des Barons Stiglic

Wie auf dem Titelblatt vermerkt, wurde das Buch von Joseph Liboschitz [Osip Libošic], dem Leibarzt [lejb-medik] Seiner Majestät des russischen Kaisers, und von Charles [Karl] Trinius, dem Leibarzt Seiner Königlichen Hoheit, des Großherzogs von Württemberg, verfaßt und von S. Orlov ins Russische übersetzt. Die vorliegende Ausgabe ist zweisprachig (französisch und russisch); ein Beispiel jener zahlreichen wissenschaftlichen Publikationen, die damals in Petersburg üblicherweise mehrsprachig vor allem auf Russisch, Deutsch und Französisch) erschienen. Ganz allgemein erfreuten sich damals solche illustrierten Nachschlagewerke zu naturwissenschaftlichen Themen großer Beliebtheit.   VF

523 · ABBILDUNG S. 526
Für Wenige, Для немногихъ

Nr. 1–6, Moskau, Druckerei Avgust Semenen, 1818, Heft 1, Januar, 33 S. – Heft 2, Februar, 33 S. –Heft 3, März, 31 S. – Heft 4, April, 33 S. – Heft 5, Mai, 25 S. –Heft 6, Juni, 28 S. Alle Hefte mit der Broschur des Verlages. Schuber vom Ende des 19. Jahrhunderts mit Goldprägung, 17 x 12,5 cm

Inv.-Nr. НБГЭ-90676–90681

Exlibris: Buchzeichen »Bibliothèque de Tsarskoe Selo« und Buchzeichen »H. A.« (Kaiser Nikolaj II. d. h. Nikolaj Aleksandrovič). Außerdem geprägtes Exlibris auf dem Schuber mit den Initialen Nikolajs II. unter der Kaiserkrone.
Herkunft: Alter Bestand der Sammlung der Staatlichen Ermitage, Leningrad
Literatur: 191 (Nr. 205)

Der poetische Almanach wurde von dem Dichter Vasilij Andreevič Žukovskij (1783–1852) herausgegeben. Sein Inhalt wurde zunächst für die Gemahlin des Großfürsten Nikolaj Pavlovič (1796–1855), des späteren Kaisers Nikolaj I. (1825–1855) zusammengestellt. Žukovskij, der zunächst als sentimentaler, dann als romantischer Dichter, vor allem aber durch seine Übersetzungen Homers, Schillers, Goethes und Byrons hervorgetreten war (siehe Kat.-Nr. 529), unterrichtete die Großfürstin Aleksandra Fedorovna in russischer Sprache und Literatur. Der eigenwillige Lehrer benutzte dafür literarische Meisterwerke in anderen Sprachen, die er übersetzte und danach in diesem Almanach veröffentlichte. Er enthält jeweils den originalen Text und dazu die Übersetzung ins Russische.   VF

524 · ABBILDUNG S. 505
Благонамѣренный

[Der Wohlgesinnte], 5. Teil, Sankt Petersburg, Marine-Druckerei, 1819, 409 S. Zeitgenössischer Einband, 21,5 x 13 cm

Inv.-Nr. НБГЭ-72364

Herkunft: Alter Bestand der Sammlung der Staatlichen Ermitage, Leningrad
Literatur: 175 (S. 165)

Herausgeber der Zeitschrift war Aleksandr Efimovič Izmajlov (1779–1831), ein Schriftsteller, der sich damals mit lyrischen Gedichten und

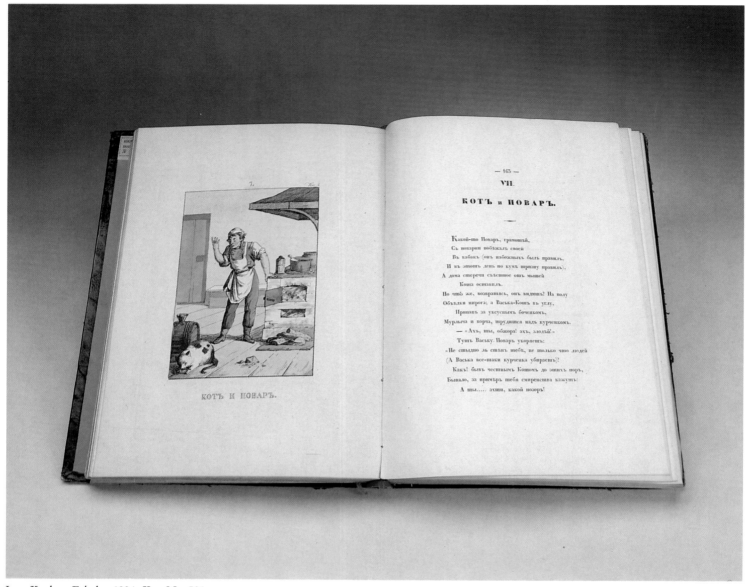

Ivan Krylov, Fabeln, 1834. Kat.-Nr. 531

Rechte Seite (von oben nach unten)
Gavriil Andreevič Saryčev, Tagebuchaufzeichnungen von der Reise . . ., 1808. Kat.-Nr. 514
Pavel Petrovič Svin'in, Die Denkwürdigkeiten von Sanktpetersburg und seiner Umgebung, 1816/1817. Kat.-Nr. 521
August Krämer, Carl Theodor Reichfreyherr von Dalberg, 1817. Kat.-Nr. 520
Karten und Zeichnungen zur ersten Reise des Kapitäns Cook. Kat.-Nr. 508

523

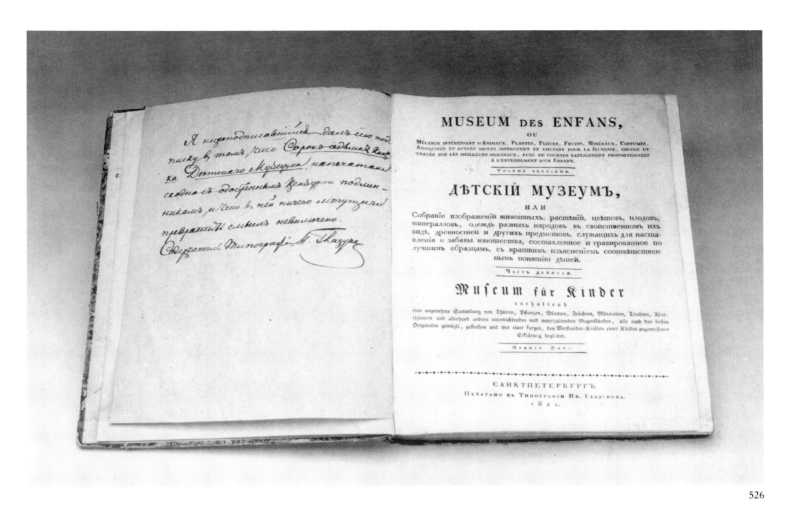

Fabeln vor allem aber durch seinen Sittenroman »Evgenij . . .« (1799–1801), einen Namen gemacht hat. Der »Wohlgesinnte« war das Organ der »Freien Gesellschaft der Liebhaber der rußländischen Literatur, Wissenschaften und Künste [Vol'noe obščestvo ljubitelej rossijskoj slovesnosti, nauk i chudožestv]« und erschien 1818 bis 1826 in unregelmäßiger Folge. Die Zeitschrift vertrat keine bestimmte literarische oder politische Richtung, sondern brachte Beiträge ganz unterschiedlicher Autoren. Einen besonderen Teil bildeten in ihr literarische Kritiken zur Geschichte, zu Lyrik und Prosawerken. Der »Wohlgesinnte« war eine der weitverbreitesten und beliebtesten Zeitschriften der Zeit. VF

525 ABBILDUNG S. 505
Невскій зритель

[Der Neva-Beobachter], 2. Teil: Juni, Sankt Petersburg, Druckerei V. Plavil'ščikov, 1820, 100 S. Broschur des Verlages, 23 x 14 cm

Inv.-Nr. НБГЭ-72372

Herkunft: Alter Bestand der Sammlung der Staatlichen Ermitage, Leningrad
Literatur: 175 (S. 170)

Die Monatszeitschrift erschien 1820–1821. Insgesamt wurden 6 Teile oder 18 Hefte gedruckt. Als eine der interessantesten Publikationen der Zeit widmete sie sich Fragen der Literatur und Kunst, der Geschichte und der Politik. Zu ihren Mitarbeitern gehörten Puškin, seine Freunde Evgenij Abramovič Baratynskij (1800–1844) und Baron Anton Antonovič Del'vig (1798–1831), aber auch die literarisch tätigen Dekabristen Kondrat Fedorovič Ryleev (1795–1826) und Wilhelm Küchelbecker (1797–1846). VF

526
Детский музеум . . . / Museum des Enfans . . . / Museum für Kinder

enthaltend eine angenehme Sammlung von Thieren, Pflanzen, Blumen, Früchten, Mineralien, Trachten, Alterthümern und allerhand andern unterrichtenden und unterhaltenden Gegenständen, alle nach den besten Originalen gewählt, gestochen und mit einer kurzen, den Verstandes-Kräften eines Kindes angemessenen Erklärung begleitet. Teil 1–26, Sankt Petersburg, Druckerei Ivan Glazunov, 1815–1829. Ausgestellt Teil 9 und 10 in einem Band, 1821, 134 S. Mit 36 kolorierten Radierungen im Text. Zeitgenössischer Einband, 25,5 x 21,5 cm

Dem Titel gegenüber folgender Vermerk des Verlegers Ivan Petrovič Glazunov (1762–1831): »Ich, der Endunterzeichnende, bestätige durch diese Unterschrift, daß das siebenundvierzigste

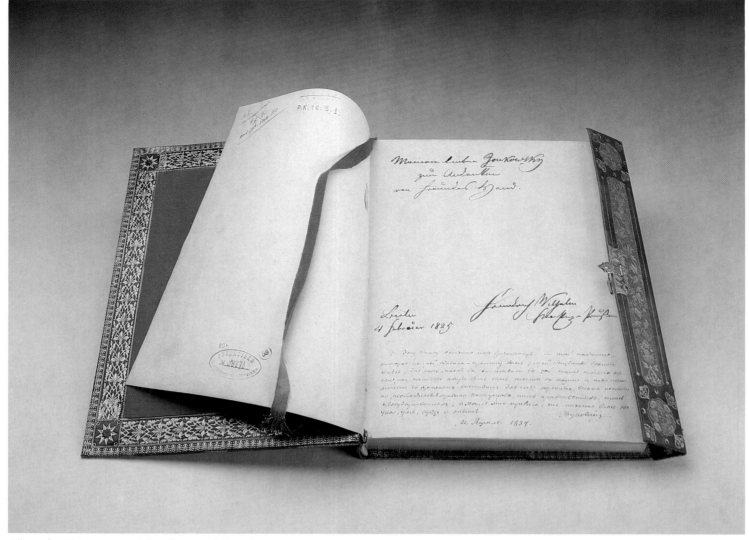

Album für Notizen, 20er Jahre des 19. Jahrhunderts. Kat.-Nr. 529

Büchlein des Museums für Kinder in Übereinstimmung mit dem von der Zensur gebilligten Original gedruckt wird und daß sich in ihm nichts Sinnentstellendes findet. Der Eigentümer der Druckerei I. Glazunov.«

Inv.-Nr. НБГЭ-242840

Herkunft: 1955 aus dem Antiquariatsbuchhandel
Literatur: 175 (S. 149)

Das »Museum für Kinder [Detskij muzeum] erschien monatlich 1815 bis 1819 und 1821 bis 1829 als besonders kindgerechte Enzyklopädie mit einer breiten Auswahl von Beiträgen zur Naturgeschichte, zur Welt der Flora und der Fauna. Der Textteil war mehrsprachig, in der Regel Französisch, Russisch und Deutsch, um damit auch dem Sprachunterricht zu dienen. VF

527   ABBILDUNG S. 505
Журналъ изящныхъ искусствъ

[Das Journal der schönen Künste], Nr. 6, Sankt Petersburg 1823, 100 S. mit einer Radierung von M. Ivanov nach einer Zeichnung von Graf F. Tolstoj (siehe Kat.-Nr. 92). Broschur des Verlages, 26,5 x 21,5 cm

Inv.-Nr. НБГЭ-116120

Exlibris: Buchzeichen der Kaiserlichen Ermitage-Bibliothek
Herkunft: Alter Bestand der Sammlung der Staatlichen Ermitage, Leningrad
Literatur: 234 (Buch 3, S. 5–26)

Das »Journal« erschien 1823 (Nr. 1–6) und 1825 (Nr. 1–3) in der Druckerei von Nikolaj Ivanovič Greč (1787–1867), ebenfalls Herausgeber der Zeitschrift »Sohn des Vaterlandes [Syn Otečestva]«, und danach in der Druckerei der Kanzlei des Ministeriums für Innere Angelegenheiten. Die Beiträge behandeln Fragen der Geschichte und der Kunstkritik. Jeder Nummer wurde eine Illustration beigegeben. Herausgeber war der Konferenz-Sekretär der Kunstakademie, Vasilij Ivanovič Grigorovič. Das »Journal« spiegelt die Aktivitäten der Kunstakademie und der Petersburger »Gesellschaft zur Förderung der Künstler« wieder, damals eine der bedeutendsten künstlerischen Vereinigungen der Residenzstadt. Finanziert wurde die Zeitschrift zunächst durch das Finanzministerium und danach durch einen privaten Künstlerkreis um Aleksej Nikolaevič Olenin.

Der Papierumschlag mit seinem karg ornamentierten Rand ist charakteristisch für die Verlags-Ausstattung von Büchern und Zeitschriften der Zeit, denn in der Regel wurden die Druckerzeugnisse nach den individuellen Wünschen der Besitzer neu gebunden.   VF

528   ABBILDUNG S. 530
Полярная звѣзда . . .

[Der Polarstern – Taschenbuch auf das Jahr 1824 für Liebhaberinnen und Liebhaber der russischen Literatur], Sankt-Petersburg, Militär-Druckerei des Haupt-Stabes, 1824, 322 S. Gestochenes Vorsatzblatt, 5 Blätter mit Illustrationen (Radierung und Kupferstich) im Text, 1 Blatt mit Noten, 13 x 9,5 cm

Inv.-Nr. НБГЭ-207805

Herkunft: 1956 aus dem Antiquariatsbuchhandel
Literatur: 191 (Nr. 255)

Der »Polarstern [Poljarnaja zvezda]« war ein wichtiger Literatur-Almanach der Zeit, in dem sich besonders die freisinnigen Ansichten und Bestrebungen der damaligen russischen Gesellschaft wiederspiegeln. Seine Herausgeber waren die führenden Köpfe der Dekabristen, der später hingerichtete Dichter Kondrat Ryleev (1795–1826), einer der Wortführer des Aufstandes vom 14. Dezember 1825, und der Stabskapitän Aleksandr Bestužev [Marlinskij] (1797–1827), der zu 20 Jahren Strafarbeit verurteilt worden ist.
Das Hauptziel der Veröffentlichungen war es, beim Leser die Liebe zur russischen Sprache und zur russischen Literatur zu wecken. Deshalb findet man unter den Mitarbeitern und Autoren zahlreiche führende Schriftsteller und Lyriker der Zeit: A. S. Puškin (1799–1837), Vasilij Žukovskij (1783–1852) oder Fürst Petr Vjazemskij (1792–1878). Neben der Literatur im speziellen Sinne widmete man sich ausgiebig der Gesellschaftskritik und der Behandlung öffentlicher Angelegenheiten. Gerade hierin lag die besondere Bedeutung der Zeitung, die damit der Verbreitung revolutionärer Gedanken diente.
Die abgebildete aufgeschlagene Seite zeigt unter dem Namen der Zeitschrift eine Lyra vor einem strahlenden Stern – offenbar ein Symbol für den »freien Sinn«. Darunter stehen die Namen der Herausgeber und der Erscheinungsort.   VF

529   FARBTAFEL S. 528
Album für Notizen

20er Jahre des 19. Jahrhunderts. Einband mosaikartig aus rotem und grünem Leder zusammengesetzt, mit Goldprägung in Form orientalischer Ornamente. Auf den Deckeln, in Imitation arabischer Kalligraphiebänder: »Gabe der Liebe [Dar ljubvi]« und »Gedenke meiner [Pomni menja]«, 27,5 x 22 cm

Inv.-Nr. НБГЭ-98873

Herkunft: Alter Bestand der Sammlung der Staatlichen Ermitage, Leningrad

Das Album wurde dem russischen Dichter und Übersetzer Vasilij A. Žukovskij (1783–1852) vom preußischen König Friedrich-Wilhelm III. (siehe Kat.-Nr. 477) im Jahre 1825 geschenkt. Eine entsprechende eigenhändige Widmung des Monarchen findet sich auf dem ersten Blatt.
V. A. Žukovskij (siehe Kat.-Nr. 125) war der natürliche Sohn des russischen Landedelmannes Bunin und einer türkischen Mutter. Seit seiner frühen Jugend war er literarisch tätig, inspiriert durch eine leidenschaftliche Liebe zu seiner Cousine Marija Protasova. 1815 bis 1817 war er ein sehr aktives Mitglied der literarischen Gesellschaft »Arzamas«. 1818 bis 1839 war er Erzieher des Thronfolgers, Großfürst Aleksandr Nikolaevič (1818–1881) (des späteren Kaisers Aleksandr II.; 1855–1881), der durch die Aufhebung der Leibeigenschaft in die Geschichte eingegangen ist. Dessen umfangreiches Reformprogramm dürfte nicht zuletzt auf den pädagogischen Einfluß Žukovskijs zurückzuführen sein. Da Großfürst Aleksandr ein Enkel des preußischen Königs Friedrich-Wilhelm III. war, ergab sich auch der Kontakt des Dichters zu diesem Monarchen. Žukovskij hat dann seinerseits das Album seinem Zögling geschenkt, wie eine entsprechende Widmung vom 22. August 1834 und Unterweisung für Großfürst Aleksandr Nikolaevič auf der ersten, zweiten und dritten Seite des Buches belegt.
1840 heiratete Žukovskij die junge Tochter des Malers von Reutern und lebte seitdem bis zu seinem Tode in Deutschland. Sein dichterisches Werk ist nicht sehr umfangreich. Er war aber einer der größten Übersetzer, dessen Übertragungen Schillers, Homers, Goethes und Byrons den Originaltexten nahezu ebenbürtig sind. Bei weniger bedeutenden Dichtern übertrifft die Qualität der Übersetzung häufig die der zugrunde liegenden Texte.   VF/NT

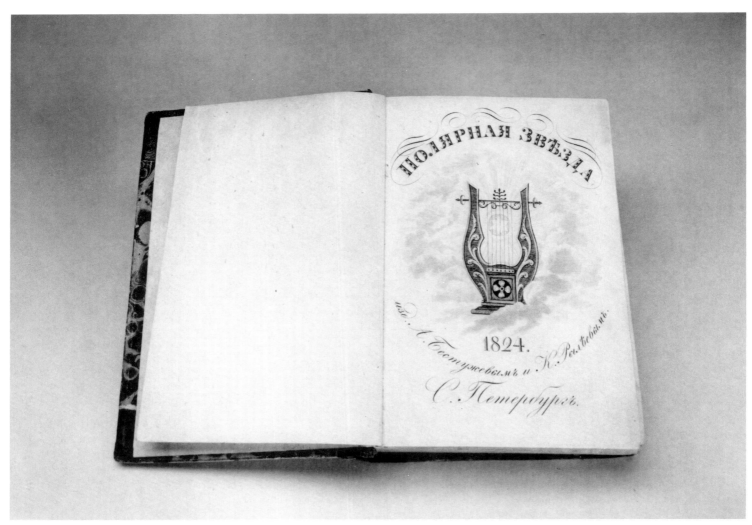

528

530

Aleksandr Puškin

Полтава [Poltava]

Sankt Petersburg, Druckerei des Departements für Volksaufklärung, 1829, 91 S. Zeitgenössischer Einband, 18,5 x 12,5 cm

Inv.-Nr. НБГЭ-164242

Exlibris: Buchmarke des Grafen Aleksandr Alekseevič Bobrinskoj (1800–1868) (siehe Kat.-Nr. 42)
Herkunft: 1941 aus dem Bibliotheksbestand des Grafen A. A. Bobrinskoj

Eine zu Lebzeiten von Aleksandr Sergeevič Puškin (1799–1837; siehe Kat.-Nr. 76) erschienene Ausgabe seines drei Gesänge umfassenden historischen Epos auf die Schlacht von Poltava.

Dort fand am 27. 6. 1709 a. St. das entscheidende Treffen des Nordischen Krieges (1700–1721) statt, bei dem Petr I. die Armee des Schweden-Königs Karl XII. vernichtend schlagen konnte. Der schwedische Monarch mußte in die Türkei fliehen. Das Kriegsglück neigte sich nun endgültig Rußland zu. Die Schlacht schuf also die Voraussetzung für die Festigung der russischen Machtposition an der Ostsee und letztlich auch für die Existenz Petersburgs: befreit von der unmittelbaren militärischen Bedrohung durch die Schweden, konnte Petr nun die Ostseeküste sichern. VF/NT

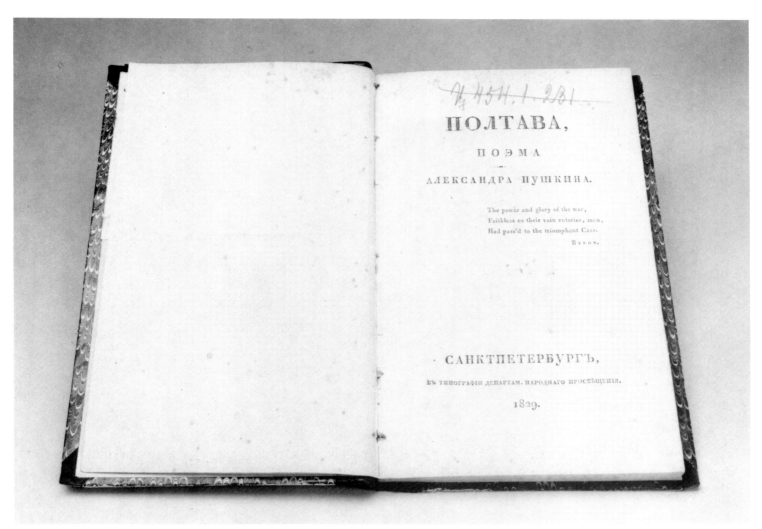

531   FARBTAFEL S. 524

Ivan Krylov

Басни

[Fabeln], Teil 1 und 2, Sankt Petersburg, Druckerei A. Smirdin, 1834, zwei Teile in einem Band, 376 S. mit 92 kolorierten Radierungen von A. P. Sapoznikov. Zeitgenössischer Einband, 27 x 20 cm

Inv.-Nr. НБГЭ-42573

Exlibris: Stempel der »Persönlichen Bibliothek Seiner Kaiserlichen Majestät. Aničkov Palast«
Herkunft: Alter Bestand der Sammlung der Staatlichen Ermitage, Leningrad
Literatur: 192 (S. 329)

Ivan Adreevič Krylov (1769–1844, siehe auch Kat.-Nr. 210) war Dramatiker und Journalist, wurde aber vor allem durch seine Fabeln als russischer »Lafontaine«, bekannt. Er arbeitete an vielen literarischen Zeitschriften und Almanachen in Petersburg und Moskau mit. Bei mehreren Zeitschriften war er selbst Herausgeber, so bei der »Geisterpost [Počta duchov]« (1789), dem »Beobachter [Zritel']« (1792) und beim »Sankt Petersburger Merkurius« (1793).
Die vorliegende Ausgabe der Fabeln bei Smirdin (1795–1857) gilt als die beste Edition seiner beliebten Werke. Die aufgeschlagene Seite zeigt den Anfang der Fabel von dem Kater und dem Koch.   VF

AUSSCHNITT AUS DER STAMMTAFEL DER DYNASTIE ROMANOV BZW. HOLSTEIN-GOTTORF

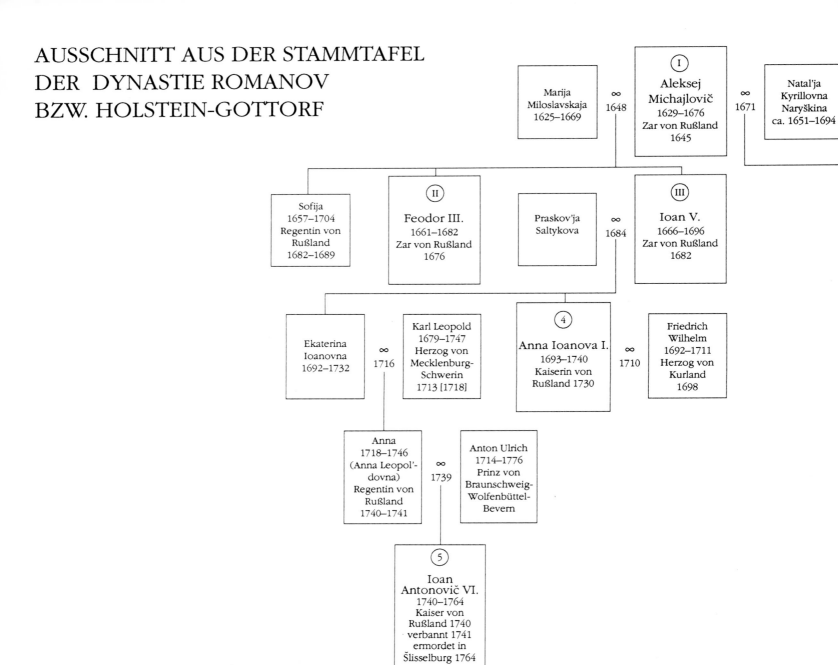

Die römischen Ziffern bezeichnen die Reihenfolge der russischen Zaren, die arabischen jene der Kaiser (vgl. die nachfolgende Herrscherliste).

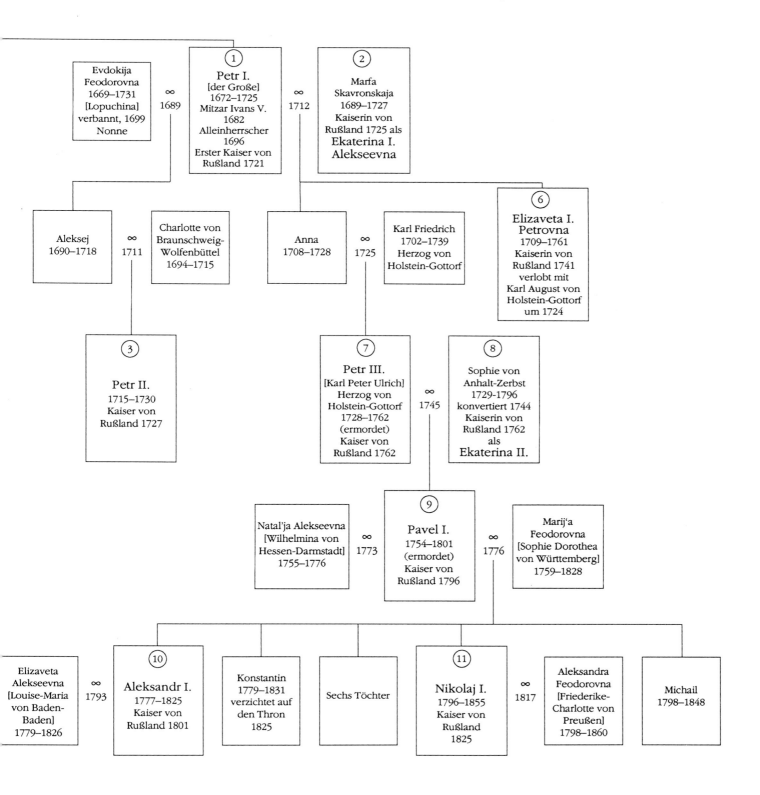

DIE RUSSISCHEN KAISER
– Biographische Grunddaten–

1. PETR I.

30. 5. 1672	geboren als Sohn aus der 2. Ehe des Zaren Aleksej Michajlovič (1629–1676) mit Natal'ja Naryškina (1651–1694)
27. 4. 1682	Proklamation zum Zaren
6. 5. 1682	Zweizarenherrschaft gemeinsam mit seinem Halbbruder Ivan V. (1666–1696) unter der Regentschaft der Halbschwester Sof'ja Alekseevna (1657–1704)
7. 8. 1689	Eigene Regierungsübernahme im Jahr der Volljährigkeit
29. 1. 1696	Tod Ivans V.; Petr Alleinherrscher
26. 7. 1718	Tod des Zarensohnes Aleksej (geb. 1690) an den Folgen der Folterung, nachdem er der Verschwörung gegen seinen Vater für schuldig befunden und zum Tode verurteilt worden war
22. 10. 1721	Proklamation zum Kaiser
28. 1. 1725	Tod Petrs I. in Petersburg infolge einer Lungenentzündung

2. EKATERINA I. ALEKSEEVNA

5. 4. 1684	geboren als Marfa Skavronskaja in einer litauischen Bauernfamilie, Dienstmagd bei einem Pastor Glück
1702	Erste Ehe mit dem schwedischen Dragoner Johann Kruse
1703	Übersiedlung auf das Gut Menšikovs nach Moskau
1. 3. 1704	Feste Beziehung mit Petr I., der folgende Kinder entstammen: Ekaterina (1706–1708), Anna (1708–1728) und Elizaveta (1709–1761), die spätere Kaiserin, Margarita (1714) und Petr (1715–1719)
19. 2. 1712	Heirat mit Zar Petr I. in Petersburg
7. 5. 1724	Krönung zur Kaiserin in Moskau
8. 2. 1726	Bildung des »Obersten Geheimen Rates« als oberste Reichsbehörde zur Beratung des Herrschers
7. 5. 1727	Tod Ekaterinas I.

3. PETR II.

12. 10. 1715 geboren als Enkel Petrs I. (Sohn des Thronfolgers Aleksej Petrovič und der Prinzessin Charlotte von Braunschweig-Wolfenbüttel, 1694–1715)

7. 5. 1727 Proklamation zum Kaiser gemäß dem Testament seiner Stiefgroßmutter Ekaterina I., zuerst unter der Regentschaft von A. D. Menšikov (1673–1729)

28. 2. 1728 Krönung in Moskau

29. 11. 1729 Bekanntgabe der Verlobung mit Ekaterina Alekseevna Dolgorukaja (1712–1745)

18. 1. 1730 Tod des Kaisers an den Pocken in Moskau; Erlöschen der Dynastie Romanov im Mannesstamm

4. ANNA IOANOVNA [IVANOVNA]

25. 1. 1693 geboren als zweite Tochter Ivans V. und der Zarin Praskov'ja Fedorovna (geb. Saltykova)

31. 10. 1710 Verehelichung mit Herzog Friedrich Wilhelm von Kurland (1692–1711), einem Neffen des preußischen Königs, nach dessen Tod 1711 als Herzogin-Witwe in Mitau

25. 1. 1730 Berufung auf den Thron durch Entscheid des »Obersten Geheimen Rates«

28. 2. 1730 Restauration der Autokratie

4. 3. 1730 Auflösung des »Obersten Geheimen Rates«

28. 4. 1730 Krönung in Moskau

10. 11. 1731 Berufung eines Ministerkabinetts aus drei Staatsministern als persönliches Beratergremium

17. 10. 1740 Tod der Kaiserin

5. IOAN VI.

11. 8. 1740 geboren als Sohn des Prinzen Anton Ullrich von Braunschweig-Bevern (1714–1776) und der Anna Leopol'dovna (1718–1746), geb. Prinzessin Elisabeth Katharina von Mecklenburg-Schwerin, einer Tochter des Herzogs Karl-Leopold von Mecklenburg (1679–1747) und der Carevna Ekaterina Ioanovna (1692–1732), der Schwester von Kaiserin Anna Ioanovna

17. 10. 1740 auf Anordnung Kaiserin Annas zum Thronerben unter der Regentschaft ihres Günstlings Ernst Johann von Bühren [Biron] (1690–1772), Herzogs von Kurland, bestimmt

8. 11. 1740 Sturz von Bührens; Übernahme der Regentschaft durch die Mutter des Kaisers, Großfürstin Anna Leopol'dovna

21. 11. 1741 Sturz Ioans VI. durch eine Palastrevolution, Verbannung zuerst nach Riga, dann nach Dünamünde und weitere Orte, schließlich

Anf. 1756 Inhaftierung in der Festung Šlisselburg in strengster Einzelhaft, dort

5. 7. 1764 bei einem Befreiungsversuch durch den Offizier Vasilij Jakovlevič Mirovič (1740–1764) von der Wachmannschaft ermordet und in Šlisselburg begraben

6. ELIZAVETA PETROVNA

18. 12. 1709 geboren als Tochter Petrs I. und Ekaterinas I.
25. 11. 1741 Thronbesteigung durch eine Palastrevolution
25. 4. 1742 Krönung in Moskau
25. 12. 1761 Tod der Kaiserin

7. PETR III.

10. 2. 1728 geboren als Sohn des Herzogs Karl-Friedrich von Holstein-Gottorf (1702–1739) und der Anna Petrovna (1708–1728), einer Tochter Petrs I. und Ekaterinas I., also als Neffe Elizaveta Petrovnas; getauft auf die Namen Karl Peter Ullrich

      1739 Herzog von Holstein-Gottorf

      1742 von Kaiserin Elizaveta zu ihrem Nachfolger bestimmt

      1745 Heirat mit der späteren Kaiserin Ekaterina II.

5. 1. 1762 Thronbesteigung

27. 6. 1762 Palastrevolution zugunsten Ekaterinas

29. 6. 1762 Erzwungene Abdankung Petrs III. und Internierung in Ropša

6. 7. 1762 Ermordung Petrs III.

8. EKATERINA II.

21. 8. 1729 geboren als Prinzessin Sophie Friederike Auguste von Anhalt-Zerbst in Stettin

      1744 Übersiedlung nach Rußland

28. 6. 1744 Aufnahme in die Orthodoxe Kirche unter dem Namen Ekaterina Alekseevna

25. 8. 1745 Heirat mit dem zukünftigen Kaiser Petr III.; der Ehe entstammt der Sohn Pavel, der spätere Kaiser

28. 6. 1762 Proklamation zur Kaiserin infolge einer Palastrevolution

22. 9. 1762 Krönung in Moskau

6. 11. 1796 Tod der Kaiserin in Petersburg durch einen Schlaganfall

9. PAVEL I.

1. 10. 1754 geboren als Sohn Petrs III. und Ekaterinas II.

1773 Erste Ehe mit Prinzessin Wilhelmine von Hessen-Darmstadt [Natal'ja Alekseevna] (1755–1776)

1776 Zweite Ehe mit Prinzessin Sophie von Württemberg [Marija Fedorovna] (1759–1828)

6. 11. 1796 Übernahme der Regierung nach dem Tod seiner Mutter

5. 4. 1797 Krönung am Ostersonntag in Moskau und Erlaß einer neuen Thronfolgeordnung nach dem Prinzip der Primogenitur (unter Ausschluß der weiblichen Erbfolge)

12. 3. 1801 Palastrevolution und Ermordung des Kaisers

10. ALEKSANDR I.

12. 12. 1777 geboren als ältester Sohn Pavels I. und Marija Fedorovnas im Winterpalast zu Petersburg

28. 9. 1793 Heirat mit Prinzessin Louise Maria Auguste von Baden-Baden [Elizaveta Alekseevna] (1779–1826); der Ehe entstammten nur zwei Töchter, die beide im Kindesalter starben: Marija (1799–1800) und Elizaveta (1806–1808)

12. 3. 1801 Thronbesteigung infolge einer Palastrevolution, der sein Vater zum Opfer fällt

15. 9. 1801 Krönung in Moskau

19. 11. 1825 Tod in Taganrog; nach Gerüchten Weiterleben als Starec Fedor Kuzmič in Sibirien

KONSTANTIN I.

27. 4. 1779 geboren als zweiter Sohn Pavels I. und Marija Fedorovnas

1796 Heirat mit der Prinzessin von Sachsen-Coburg [Anna Fedorovna]

1820 Scheidung von Anna Fedorovna und Heirat mit der polnischen Gräfin Joanna Grudzińska [Fürstin Lovickaja]

1822 geheimer Thronverzicht

15. 6. 1831 gestorben

11. NIKOLAJ I.

25. 7. 1796 geboren als dritter Sohn Pavels I. und Marija Fedorovnas

1. 7. 1817 Heirat mit Prinzessin Friederike-Louise-Charlotte-Wilhelmine von Preußen [Aleksandra Fedorovna] (1798–1860), einer Tochter Friedrich-Wilhelm III. von Preußen

16. 8. 1823 durch ein geheimes Manifest Aleksandrs I. nach Verzicht des Großfürsten Konstantin Pavlovič zum Thronfolger erklärt

14. 12. 1825 Thronbesteigung nach Beendigung des »Großmutstreites« mit seinem älteren Bruder; Niederschlagung des Dekabristenaufstandes

21. 7. 1826 Krönung in Moskau

18. 2. 1855 Tod des Kaisers

12. ALEKSANDR II.

17. 4. 1818 geboren als Sohn Nikolajs I. und Aleksandra Fedorovnas in Moskau

16. 4. 1841 Heirat mit Prinzessin Maximiliane-Wilhelmine-Auguste-Sophie-Marie von Hessen und bei Rhein [Marija Aleksandrovna] (1824–1880); der Ehe entstammten acht Kinder: Aleksandr, Nikolaj, Aleksandr, Vladimir, Aleksej, Marija, Sergij und Pavel

19. 2. 1855 Thronbesteigung

26. 8. 1856 Krönung in Moskau

1880 Morganatische Heirat mit der dreißig Jahre jüngeren Fürstin Ekaterina M. Dolgorukaja-Jur'evskaja

1. 3. 1881 ermordet durch ein Bombenattentat der Bewegung »Volkswille [Narodnaja volja]« in Petersburg

13. ALEKSANDR III.

26. 2. 1845 geboren als zweiter Sohn Aleksandrs II. und Marija Aleksandrovnas

1865 nach dem Tode seines älteren Bruders Nikolaj Thronfolger

28. 10. 1866 Heirat mit Prinzessin Dagmar von Dänemark [Marija Fedorovna] (1847–1928), der Tochter König Christians IX.

1. 3. 1881 Thronbesteigung nach der Ermordung seines Vaters

10. 5. 1883 Krönung in Moskau

20. 10. 1894 Tod des Kaisers

14. NIKOLAJ II.

6. 5. 1868 geboren als ältester Sohn Aleksandrs III. und Marija Fedorovnas

21. 10. 1894 Thronbesteigung nach dem Tode seines Vaters

14. 11. 1894 Heirat mit Prinzessin Alice-Viktoria-Helene-Beatrice von Hessen und bei Rhein [Aleksandra Fedorovna] (1872–1918), der Tochter Großherzog Ludwigs IV. (1837–1892); der Ehe entstammen die Kinder Olga (geb. 1895), Tat'jana (geb. 1897), Marija (geb. 1899), Anastasija (geb. 1901) und Aleksij (geb. 1904)

14. 5. 1896 Krönung in Moskau

17. 10. 1905 »Oktober-Manifest« mit Ankündigung einer Verfassung; Umwandlung Rußlands in eine Konstitutionelle Monarchie

2. 3. 1917 Abdankung Nikolajs II. zugunsten seines Bruders Michail Aleksandrovič (1878–1918)

8. 3. 1917 Verhaftung Nikolajs II. und Internierung mit seiner Familie zuerst in Carskoe Selo, dann

1. 8. 1917 Verschleppung nach Tobol'sk und später nach Ekaterinburg, dort

16. 7. 1918 Ermordung Nikolajs II. und seiner ganzen Familie auf Anordnung des Orts-Sowjets

NT

CHRONOLOGISCHE TABELLE ZU DEN WICHTIGSTEN EREIGNISSEN IN DER GESCHICHTE RUSSLANDS UND PETERSBURGS 1796–1825

Alle Daten sind nach Julianischem, sogenanntem »Alten«, Kalender angegeben; um das entsprechende Datum des Gregorianischen Kalenders zu errechnen, sind im 18. Jahrhundert elf Tage hinzuzurechnen und im 19. Jahrhundert zwölf Tage.

1796

25. Juli   Geburt des Großfürsten Nikolaj Pavlovič, des dritten Sohnes von Pavel Petrovič

6. November   Plötzlicher Tod der Kaiserin Ekaterina II. an einem Schlaganfall; ihr Sohn Pavel I. tritt mit 42 Jahren die Nachfolge an

18. Dezember   Begräbnis Ekaterinas II. und der sterblichen Überreste Petrs III., die aus der Lavra des heiligen Aleksandr von der Neva in den Dom der Peter-und-Pauls-Festung übertragen wurden

– Einwohnerzahl Petersburgs steigt auf mehr als eine Viertel Million Menschen

– Baubeginn der Kaiserlichen Öffentlichen Bibliothek (Architekt: E. T. Sokolov), fertiggestellt 1801

– Baubeginn des Gebäudes der Militär-Medizinischen Akademie

– Baubeginn des neuen Gebäudes der Münze (fertiggestellt 1806)

– Bildung des Leib-Garde-Husaren-Regimentes und des Leib-Garde-Jäger-Bataillons (seit 1806 ebenfalls Regiment)

1797

15. Januar   Definitiver Abschluß der polnischen Teilungen

5. April   Krönung Pavels I. in der Mariä-Entschlafen-Kathedrale des Moskauer Kreml'; Erlaß einer neuen Thronfolgeordnung nach dem Prinzip der Primogenitur

– Baubeginn des Michaels-Schlosses (fertiggestellt 1800, Architekten: V. I. Baženov und V. F. Brenna)

– Bau des Uferkaus am Mojka-Fluß (fertiggestellt 1810)

– Ernennung des Comte de Choiseul-Gouffier zum Präsidenten der Kunstakademie (im Januar 1800 von Pavel I. wieder entlassen)

1798

12. Februar   Tod des polnischen Königs (1764–1795) Stanisław II. August Poniatowski (geb. 17. 1. 1732) in Petersburg

16. März   Pavel I. erlaubt, unter Aufhebung des Verbotes von 1762, nichtadeligen Unternehmern den Erwerb von Leibeigenen als Arbeitskräfte

12. September   Verabschiedung des »Erlasses für die Hauptstadt Sankt Petersburg«

– Manifest zur Errichtung des Ordens vom heiligen Johannes von Jerusalem (Malteserorden) in Rußland; Annahme des Großmeistertitels durch Pavel I.

– Eröffnung der Medizinisch-Chirurgischen Akademie als Weiterführung der Medizinisch-Chirurgischen Schule

– Publikation des »Sankt Petersburger Journals« durch I. P. Pnin und A. F. Bestužev

– Baubeginn der Michaels-Manege (fertiggestellt 1801, Architekt: V. F. Brenna)

– Bildung des Leib-Garde Kosaken-Regimentes
– Eröffnung eines Öffentlichen Theaters durch den Fürsten N. G. Šachovskoj in Nižnij-Novgorod
– Geburt des Großfürsten Michail Pavlovič, des jüngsten Sohnes Pavels I.

1799

April–Sept. Siegreicher Feldzug Suvorovs, des Oberbefehlshabers der antinapoleonischen Koalitionstruppen in Oberitalien

26. Mai Geburt von Aleksandr Sergeevič Puškin in Moskau

8. Juli Gründung der Russisch-Amerikanischen Kompanie in Petersburg als Aktiengesellschaft unter Kontrolle der Regierung

13. September Überquerung des St. Gotthard durch die russischen Truppen

28. Oktober Rückkehr der am II. Koalitionskrieg beteiligten russischen Armee in die Heimat

– Baubeginn des Gebäudes der Stadtduma mit dem Turm (fertiggestellt 1804, Architekt: D. Ferrari)
– Bau des Denkmalobelisken zu Ehren der Siege des Feldmarschalls P. A. Rumjancev auf dem Marsfeld (1818 an den Uferkai der Basileios-Insel versetzt, Architekt: V. F. Brenna)
– Gründung der Aleksandr-Manufaktur für Papier- und Stoffherstellung
– Bildung des Chevaliergarde-Korps (1800 umgebildet in das Chevalier-Garde-Regiment)
– Übersiedlung des Architekten Thomas de Thomon nach Rußland

1800

18. April Verbot des Buchimportes nach Rußland

6. Mai Tod des Generalissimus Suvorov, Beisetzung in der Lavra des heiligen Aleksandr von der Neva in Petersburg

16. Juli Unterzeichnung eines auf acht Jahre befristeten russisch-preußischen Bündnisvertrages in Peterhof

5. September Besetzung Maltas durch die Engländer; Ende der Souveränität des Ordens

22. November Abbruch der Handelsbeziehungen Rußlands zu England

– Bau der Kasernen des Chevalier-Garde-Regimentes (Architekt: L. Rusca)

1801

18. Januar Annexion des Königreiches Georgien durch Rußland

11./12. März Ermordung Kaiser Pavels I. und Thronbesteigung Aleksandrs I. (geb. 12. 12. 1777)

16. März Verzicht Aleksandrs auf die Großmeisterwürde des Malteserordens, aber weiterhin Protektor (bis 1803)

31. März Aufhebung des Buchimportverbotes

5. Juni Meereskonvention mit Großbritannien

24. Juni Gründung des »Inoffiziellen Komitees«

26. September Friedensvertrag mit Frankreich

27. September Verbot der Folter im Strafrecht

– Gründung der »Freien Gesellschaft der Freunde der Literatur, der Wissenschaften und der Künste«
– Beginn der Bauarbeiten am Kazaner Dom (fertiggestellt 1811, Architekt: A. N. Voronichin)
– Enthüllung des Denkmals für A. V. Suvorov auf dem Marsfeld (Architekt: A. N. Voronichin, Bildhauer: M. I. Kozlovskij)
– Gründung der Gießerei und Metallfabrik, der späteren Putilov-Werke (heute: Kirov-Werke), nach Verlegung der Kaiserlichen Hüttenbetriebe aus Kronštadt

1802

8. September Bekanntgabe des Programms zur Ablösung der alten Kollegialbehörden durch (zunächst acht zivile) Fachministerien

24. September Selbstmord Aleksandr Radiščevs (geb. 31. 8. 1749) in Petersburg

– Einrichtung des Ministeriums für Volksaufklärung
– Bildung der »Philharmonischen Gesellschaft«
– Entdeckung des elektrischen Bogens durch V. V. Petrov
– Baubeginn des Portikus auf dem Nevskij Prospekt (fertiggestellt 1806, Architekt: L. I. Rusca)

1803

20. Februar	Zulassung einer neuen sozialen Klasse der »freien Landbewohner« aus freigelassenen Leibeigenen
16. Mai	100-Jahr-Feier der Gründung Petersburgs
7. August	Beginn der ersten russischen Weltumseglung unter dem Kommando von I. F. Kruzenštern und Ju. F. Lisjanskij (bis 1806)
–	Gründung des Marien-Krankenhauses für Arme (fertiggestellt 1806, Architekt: G. Quarenghi)
–	Einrichtung der städtischen Feuerwehren
–	Beginn der Bauarbeiten am »Kabinett« (fertiggestellt 1806, Architekt: G. Quarenghi)
–	Baubeginn der Kasernen des Leib-Grenadier-Regimentes [seit 1813: Leib-Garde-Grenadier-Regiment] (fertiggestellt 1809, Architekt: L. I. Rusca)
–	Beginn der Bauarbeiten am Ringkanal [Obvodnyj kanal] in Petersburg (fertiggestellt 1835)

1804

4. Januar	Beginn des Krieges mit Persien durch die Erstürmung von Ganža (jetzt: Elizavetpol')
19. Januar	Gründung des Bergkadettenkorps
22. April	Gemeinsame Deklaration mit dem preußischen König Friedrich-Wilhelm III. zur Sicherung Norddeutschlands
9. Juli	Einführung der Präventivzensur in Rußland
16. August	Abbruch der diplomatischen Beziehungen zu Frankreich
9. Dezember	Erste Judenverordnung
–	Beginn der Bauarbeiten an den Kasernen des Chevalier-Garde-Regimentes (fertiggestellt 1806, Architekt: L. I. Rusca)
–	Gründung der »Technologischen Zeitschrift [Technologičeskij zurnal]«
–	Umwandlung des Lehrergymnasiums (des früheren Seminars) in ein Pädagogisches Institut (seit 1816: Pädagogisches Haupt-Institut)
–	Beginn der Bauarbeiten an der Manege für die Garde-Kavallerie (fertiggestellt 1807, Architekt: G. Quarenghi)

–	Baubeginn an der Petersburger Börse (fertiggestellt 1810, Architekt: Thomas de Thomon)
–	Bau der granitenen Uferbefestigung an der Landzunge der Basileios-Insel (Architekt: Thomas de Thomon)
–	Beginn der Bauarbeiten am Universitäts-Kai (fertiggestellt 1835)

1805

30. März	Abschluß einer neuen Konvention zwischen Großbritannien und Rußland in Petersburg
28. Juli	Beitritt Österreichs zu dieser anti-napoleonischen Koalition
20. November	Sieg Napoleons über die verbündeten russisch-österreichischen Truppen in der sogenannten »Drei-Kaiser-Schlacht« von Austerlitz

1806

8. Juli	Unterzeichnung des russisch-französischen Friedensvertrages in Paris
12. Juli	Deklaration Aleksandrs I. zum Bündnis mit Preußen
13. August	Rückkehr der russischen Weltumsegler unter Kruzenštern
16. Oktober	Russisch-Preußische Militärkonvention
16. November	Manifest Aleksandrs I. zum Beginn erneuter Kriegshandlungen gegen Frankreich
22. November	Besetzung der Donaufürstentümer
30. November	Aufruf des Kaisers zur Bildung der Landwehr
25. Dezember	Eroberung Bukarests
27. Dezember	Kriegserklärung des Osmanischen Reiches an Rußland
–	Beginn der Bauarbeiten zum Smol'na-Institut (fertiggestellt 1809, Architekt: G. Quarenghi)
–	Errichtung der Rostra-Säulen auf der Landspitze der Basileios-Insel (Architekt: Thomas de Thomon)
–	Beginn der Bauarbeiten zum Berginstitut (fertiggestellt 1811, Architekt: A. N. Voronichin)

- Baubeginn der neuen Admiralitäts-Gebäude (fertiggestellt 1823, Architekt: A. D. Zacharov)
- Erste Eisenbrücke in Petersburg (sog. »Polizei-« oder »Grüne Brücke« über die Mojka)

1807

26. Januar   Schlacht bei Preußisch-Eylau
14. April   Vertrag von Bartenstein als preußisch-russisches Bündnis gegen Napoleon
2. Juni   Russische Niederlage bei Friedland
9. Juni   Abschluß des französisch-russischen Waffenstillstandes in Tilsit
14. Juni   Sieg des russischen Heeres unter Graf M. A. Miloradovič über die Türken bei Obileşti
25. Juni   Russisch-französischer Friedensvertrag von Tilsit
26. Oktober   Abbruch der Beziehungen mit England

1808

10. Februar   Deklaration Aleksandrs I. zum Bruch mit Schweden; Einmarsch in Schwedisch-Finnland; Eroberung von Helsingfors
16. März   Deklaration zur Vereinigung Finnlands mit Rußland
17. April   Tod des Architekten Ivan Egorovič Starov (geb. 23. 2. 1745 in Petersburg) in Petersburg
15./27. Sept.   Erfurter Fürstentag
20. September   Französisch-russischer Allianzvertrag
24. Dezember   Annahme des Titels eines »Großfürsten von Finnland« durch Aleksandr I.
- Gründung der »Artillerie-Zeitschrift [Artillerijskij žurnal]«
- Gründung des »Komitees für Stadtbauten [Komitet gorodskich stroenij]« als leitende Behörde für Bau und Reparatur von staatseigenen Gebäuden
- Bildung des Leib-Garde-Bataillons »Finnland« (seit 1811 Regiment)

1809

4. März   Geburt des Schriftstellers Nikolaj Vasil'evič Gogol' (in Sorociny/Gouvernement Poltava)
5. September   Friedensvertrag von Frederikshavn zwischen Rußland und Schweden: Abtretung Finnlands, der Aland-Insel und Ost-Västerbottens an Rußland
20. September   Einrichtung der »Hauptverwaltung der Wasser- und Landverkehrswege«
- Reformprojekte der gesamten Staatsverfassung von M. M. Speranskij
- Bildung der Leib-Garde-Dragoner- und -Ulanen-Regimenter

1810

1. Januar   Neuordnung des Staatsrates: ein Präsidium mit vier Departements (Gesetze, Militär, zivile und geistliche Angelegenheiten, Staatsökonomie)
30. Mai   Kapitulation der türkischen Garnison der Festung Silistria
20. Juni   Neues Münzreglement mit dem Silberrubel als Basiswährung
12. August   Gründung des Kaiserlichen Lyzeums in Carskoe Selo (1843 nach Petersburg verlegt)
9. November   Erste Anlage von Militärsiedlungen im Gouvernement Mogilev
- Gründung der »Militär-Zeitschrift [Voennyj žurnal]«
- Gründung des Instituts für das Ingenieur-Korps für die Landwege
- Gründung des Garde-Konvois

1811

15. März   Übernahme des Oberbefehls im Russisch-Türkischen Krieg durch den Kommandierenden der Moldau-Armee, M. I. Kutuzov
5. Oktober   Unterzeichnung einer neuen Preußisch-russischen Militärallianz in Petersburg
19. Oktober   Eröffnung des Lyzeums in Carskoe Selo
23. November   Russisch-türkischer Waffenstillstandsvertrag

- Gründung des Instituts des Forst-Korps
- Errichtung der literarischen Gesellschaft »Gespräch der Freunde des russischen Wortes [Beseda ljubitelej russkogo slova]« (1816 wieder aufgelöst)
- Bildung des Leib-Garde-Regimentes »Litauen« (seit 1817: »Moskau«)

1812

17. März	Entlassung M. M. Speranskijs
31. März	Berufung eines Geheimen Finanzkomitees
16. Mai	Friede von Bukarest als Ende des russisch-türkischen Krieges: Rußland gewinnt Bessarabien (d. i. die östliche Moldau)
12. Juni	Angriff der französischen Grande Armée (über 600.000 Mann) ohne vorherige Kriegserklärung bei Kovno: Beginn des Vaterländischen Krieges
6. Juli	Unterzeichnung des russisch-englischen Friedens- und Bündnisvertrages in Örebro
6. Juli	Bildung der Petersburger Landwehr unter Leitung von M. I. Kutuzov
4.–6. August	Schlacht um Smolensk
8. August	Ernennung Kutuzovs zum Oberbefehlshaber der russischen Truppen
26. August	Schlacht bei Borodino: geordneter Rückzug nach Moskau
1. September	Kriegsrat in Fili: Beschluß der Räumung der Hauptstadt
2. September	Einzug Napoleons in Moskau
3.–8. Sept.	Brand Moskaus
11. Oktober	Abzug der französischen Okkupanten aus Moskau
11. November	Tod des Metropoliten Platon [Levšin] von Moskau (geb. 29. 6. 1737), des früheren Religionslehrers Kaiser Pavels I.
14.–16. Nov.	Übergang der Reste der Grande Armée (nur noch 50.000 Mann) über die Berezina
Dezember	Gründung der Petersburger Bibelgesellschaft (ab 1814: Russische Bibelges.)
18. Dezember	Konvention von Tauroggen
24. Dezember	Besetzung Königsberg durch russische Truppen
	- Bildung des Leib-Garde-Sappeur-Bataillons

1813

27. Januar	Einmarsch der russischen Truppen in Warschau
20. Februar	Einmarsch in Berlin
16. April	Tod M. I. Kutuzovs in Buntzlau; Überführung nach Petersburg und Beisetzung im Kazaner Dom
4. September	Tod des Architekten Thomas de Thomon (geb. 21. 12. 1754 in Nancy) in Petersburg
4.–7. Oktober	Völkerschlacht bei Leipzig
12. Oktober	Friedensvertrag von Gülistan zur Beendigung des russisch-persischen Krieges
	- Eingliederung des Leib-Grenadier-Regimentes, des Leib-Kürassier- und des Grenadier-Regimentes »Pavel« in die Garde

1814

17. Februar	Vertrag von Chaumont: Erste gemeinsame Absprache der Alliierten über die Neuordnung Europas
13. März	Gefecht bei Fer-Champagnoise
19. März	Einzug Kaiser Aleksandrs I. in Paris (gemeinsam mit König Friedrich-Wilhelm III. von Preußen)
18. April	Frieden zu Paris
12. Juni	Heimkehr der Petersburger Truppen aus Frankreich
15. Oktober	Geburt des Schriftstellers Michail Jur'evič Lermontov (in Moskau)
	- Eröffnung der Kaiserlichen Öffentlichen Bibliothek in Petersburg

1815

13. Mai	Manifest Kaiser Aleksandrs I. aus Wien an die polnische Bevölkerung über die Bildung eines polnischen Königreiches im Rahmen des Russischen Reiches
8. Juni	Proklamation des Königreiches Polen in Warschau
14. September	Gründung der »Heiligen Allianz« durch Aleksandr I., den österreichischen Kaiser Franz I. und Friedrich-Wilhelm III. von Preußen in Wien als eine an den christlichen Prinzipien orientierte europäische Staatenordnung

15. November Unterzeichnung der Verfassungsurkunde für das Königreich Polen durch Aleksandr I. in Warschau; Großfürst Konstantin Pavlovič wird Statthalter
- Bau des ersten Dampfschiffes in Rußland, der »Elizaveta«, für die Route Petersburg–Kronštadt
- Gründung des literarischen Zirkels »Arzamas« (aufgelöst 1818)

1816

9. Februar Gründung des »Bundes der Rettung [Sojuz spasenija]« durch Aleksandr N. Murav'ëv (1817 umbenannt in »Gesellschaft der wahren und echten Söhne des Vaterlandes«)
21. Juli Tod des Dichters Gavriil Deržavin in Zvanka/Gouv. Novgorod (geb. 14. 7. 1743 bei Kazan')
6. November Aufhebung der Erlaubnis von 1798 für Nichtadelige, Leibeigene zu besitzen
- Bildung der »Freien Gesellschaft der Freunde der russischen Literatur«
- Bildung des »Komitees für Bauwesen und hydraulische Arbeiten« als bestimmender Instanz für das gesamte Bauwesen Petersburgs (unter Leitung des Grafen Betancourt)
- Didelot wird erster Ballettmeister des Kaiserlichen Russischen Theaters
- Carlo Rossi tritt in den Dienst des Hofes

1817

18. Februar Tod des Architekten Giacomo Quarenghi (geb. 20. 9. 1744) in Petersburg
3. Juni Eheschließung des Großfürsten Nikolaj Pavlovič mit der preußischen Königstochter Friederike-Charlotte (nach ihrer Konversion: Aleksandra Fedorovna)
5. September Geburt des Schriftstellers und Lyrikers Graf Aleksej Konstantinovič Tolstoj (in Petersburg)
- Puškin wird Sekretär im Kollegium für auswärtige Angelegenheiten in Petersburg und tritt der Gesellschaft »Arzamas« bei

- Errichtung der Mineralogischen Gesellschaft
- Gründung der Staatlichen Kommerzbank
- Beginn der Bauarbeiten an den Kasernen des Leib-Garde-Regimentes »Pavel« (fertiggestellt 1820, Architekt: V. P. Stasov)
- Baubeginn der Kirche »Aller Leidenden Freude« (fertiggestellt 1818, Architekt: L. I. Rusca)
- Beginn des Umbaus des Hofmarstalls an der Mojka (fertiggestellt 1823, Architekt: V. P. Stasov)
- Beginn des modernen Straßenbaus in Rußland auf der Strecke Petersburg–Moskau

1818

17. April Geburt des Großfürsten Aleksandr Nikolaevič, des späteren Kaisers Aleksandr II.
Mai/Juni Besuch des preußischen Königs Friedrich-Wilhelm III. in Rußland
17. September Beginn des Aachener Kongresses unter persönlicher Beteiligung der führenden europäischen Monarchen, auch Kaiser Aleksandrs
- Organisation der zweiten Revolutionsgesellschaft, des »Bundes der Wohltätigkeit [Sojuz blagodenstvija]«
- Eröffnung des Asiatischen Museums in Petersburg
- Beginn der Bauarbeiten am Elagin-Palast und Ausgestaltung des dortigen Parks (fertiggestellt 1822, Architekt: K. I. Rossi, Gartenbaumeister: I. Busch)
- Baubeginn am Isaakios-Dom (fertiggestellt 1858, Architekt: A. Montferrand)

1819

8. Februar Entstehung der Sankt Petersburger Universität durch Umbildung des Pädagogischen Hauptinstitutes; drei Fakultäten: philosophisch-juristisch, physikalisch-mathematisch, historisch-philologisch (die Medizinisch-chirurgische und die Geistliche Akademie bleiben selbständig)

20. Juli Ernennung eines Bischofs für die evangelisch-lutherische Konfession in Rußland (mit Sitz in Petersburg) durch Kaiser Aleksandr I.
– Umfassende Reorganisation der asiatischen Reichsteile durch den sibirischen Generalgouverneur Graf M. M. Speranskij
– Gründung der literarischen Gesellschaft »Die grüne Lampe [Zelenaja lampa]«
– Eröffnung der Ingenieur-Hauptlehranstalt
– Eröffnung des »Russischen Museums« von P. P. Svin'in (existierte bis 1834)
– Beginn der Bauarbeiten am Michail-Palast (fertiggestellt 1825, Architekt: K. I. Rossi)
– Baubeginn des neuen Gebäudes des Hauptstabes (fertiggestellt 1829, Architekt: K. I. Rossi)

1820

16. Januar Beginn der russischen Antarktis-Expedition Fabian von Bellingshausens und Michail Lazarevs
13. März Ausweisung der Jesuiten aus Rußland
5. Mai Versetzung A. Puškins nach Südrußland wegen Verbreitung provokanter politischer Verse und Epigramme
16. Oktober Meuterei des Leib-Garde-Regimentes »Semenovo« in Petersburg
– Eröffnung der Artillerie-Schule
– Eröffnung der regelmäßigen Postkutschen-Verbindung zwischen Petersburg und Riga sowie den Vororten

1821

24. Juli Rückkehr der russischen Antarktisexpedition
11. November Geburt des Schriftstellers Fedor Michajlovič Dostoevskij (in Moskau)
– Ausbildung der geheimbündlerischen »Nördlichen Gesellschaft« der späteren Dekabristen
– Organisation der »Gesellschaft zur Förderung der Künstler«

1822

26. Januar Neugliederung Sibiriens in zwei Generalgouvernements (Tobol'sk und Omsk)
1. August Verbot der Freimaurer und aller Geheimgesellschaften
8. Oktober Beginn des Kongresses zu Verona als letzter Manifestation der »Heiligen Allianz« unter Beteiligung von Kaiser Aleksandr I.

1823

16. August Unveröffentlichtes Manifest Aleksandrs I. zu seiner Nachfolge: Nikolaj Pavlovič wird zum nächsten Kaiser bestimmt, da Großfürst Konstantin wegen seiner morganatischen Ehe mit der polnischen Gräfin Grudzińska auf den Thron verzichtet
– Publikation der Zeitschrift »Polarstern« (aufgelöst 1825)
– Gründung der Schule für die Fähnriche und Junker der Garde

1824

7. November Schwere Überschwemmung in Petersburg mit zahlreichen Opfern
– Erste Versuche mit dem optischen Telegraphen auf der Strecke Petersburg–Šlisselburg
– Gründung des Botanischen Museums und des Botanischen Gartens bei der Akademie der Wissenschaften in Petersburg

1825

16. Februar Britisch-russische Konvention zur Festlegung der Ostgrenze der russischen Besitzungen in Nordamerika
16. Juni Verbot der Überstellung von Leibeigenen an Fabriken
10. Oktober Tod des Komponisten Dmitrij Stepanovič Bortnjanskij (geb. 1751 in Gluchov) in Petersburg
19. November Überraschender Tod Kaiser Aleksandrs I. in Taganrog

14. Dezember	Thronbesteigung Kaiser Nikolaj I. nach Beendigung des sogenannten »Großmutstreites« zwischen ihm und seinem Bruder Konstantin; Offiziersverschwörung und Meuterei von ca. 3.000 Eidesverweigerern auf dem Senatsplatz in Petersburg (sog. »Dezember [Dekabristen]-Aufstand«); Ermordung des Generals Miloradovič; Niederschlagung nach wenigen Stunden
17. Dezember	Einrichtung einer Sonderkommission zur Aburteilung der 121 Hauptangeklagten des Aufruhrs
	– Gründung der »Bergbauzeitschrift [Gornyj zurnal]« und der »Zeitschrift für Manufakturen und Handel [Žurnal manufaktur i torgovli]«
	– Große Seite und Petersburger Seite der Stadt werden durch eine Pontonbrücke verbunden

NT/GV/NP

VERZEICHNIS DER IM KATALOGTEIL ERWÄHNTEN AUSSTELLUNGEN UND IHRER KATALOGE IN CHRONOLOGISCHER REIHENFOLGE

1902 Petersburg: Врангель Н. Н. Подробный иллюстрированный каталог выставки русской портретной живописи за 150 лет, с 1700 па 1850. [Baron N. N. Vrangel', Ausführlicher bebilderter Katalog der Ausstellung russischer Porträtmalerei in den 150 Jahren von 1700 bis 1850]

1904 Petersburg: Историческая выставка предметов искусств. [Historische Ausstellung von Kunstgegenständen]

1905 Petersburg: Каталог / ... / историко-художественной выставки русских портретов, устраиваемой в Таврическом дворце в пользу вдов и сирот павших в бою воинов, Выпуски 1–8. [Katalog der ... historisch-künstlerischen Ausstellung russischer Porträts, die im Taurischen Palast zu Nutzen der Witwen und Waisen der im Kampf gefallenen Krieger veranstaltet worden ist, Lieferung 1–8]

1911 Petersburg: Историческая выставка архитектуры. [Historische Architektur-Ausstellung]

1941 Leningrad: М. Ю. Лермонтов. К 125-летию со дня рождения (1814–1939). Каталог выставки в Ленинграде. [M. Ju. Lermontov – Zum 125. Geburtstag (1814–1939); Katalog der Ausstellung in Leningrad]

1958 Warschau, Moskau: Орловский А. О. Выставка произведений. Каталог. Государственная Третьяковская галерея. Национальный музей в Варшаве. Под общей редакцией Г. А. Недошивина. [A. O. Orlovskij – Werkausstellung, Katalog, Staatliche Tret'jakov-Galerie, Moskau, und Nationalmuseum, Warschau. Gesamtredaktion: G. A. Nedošivin]

1959 Leningrad: Выставка русского портрета ХУШ – начала XIX века. Каталог. Составители Л. Ф. Галич, А. А. Русакова. [Ausstellung des russischen Porträts im 18. und am Beginn des 19. Jahrhunderts, Katalog, zusammengestellt von L. F. Galič und A. A. Rusakova]

1960 Leningrad: Комелова Г. Н., Котельникова И. Г., Принцева Г. А. Русская гравюра и литография ХУШ – начала XIX века. Каталог выставки. [G. N. Komelova, I. G. Kotel'nikova, G. A. Princeva, Russische Stiche und Litographien im 18. und am Beginn des 19. Jahrhunderts, Ausstellungskatalog]

1962 Leningrad: Шарая Н. М., Моисеенко Е. Ю. Костюм в России ХУШ – начала XX вв. Государственный Эрмитаж. Из фондов музея. Каталог. [N. M. Šaraja, E. Ju. Moiseenko, Das Kostüm in Rußland im 18. und zu Beginn des 19. Jahrhunderts, aus dem Fundus der Staatlichen Ermitage, Katalog]

1966 Novi Sad: Руска графика ХУШ – XX в. Изложба. Предговори и каталог Г. Н. Комелова. [Russische Graphik vom 18. bis 20. Jahrhundert, Ausstellung, Einleitung und Katalog von G. N. Komelova]

1967 Leningrad, Steklo: Художественное стекло. Альбом по материалам выставки в Государственном Эрмитаже. Коллектив авторов. Л., 1967. [Künstlerisches Glas – Album nach Materialien der Ausstellung in der Staatlichen Ermitage von einem Autorenkollektiv]

1967 Leningrad, Quarenghi: Архитектурные проекты и рисунки Джакомо Кваренги из музеев и хранилищ СССР. Выставка к 150-летию со дня смерти архитектора. Составители каталога А. Н. Воронихина, М. Ф. Коршунова, А. М. Павелкина. Вступительная статья А. Н. Воронихиной. [Architektonische Entwürfe und Zeichnungen von Giacomo Quarenghi aus den Museen und Archiven der UdSSR, Ausstellung zum 150. Todestag des Architekten, Katalog erstellt von A. N. Voronichina, M. F. Koršunova, A. M. Pavelkina; einleitender Artikel von A. N. Voronichina]

1971 Leningrad: Западноевропейские часы ХУ1–XIX веков из собрания Эрмитажа. Каталог. Составители Е. М. Ефимова, М. И. Торнеус. [Westeuropäische Uhren des 16. bis 19. Jahrhunderts aus der Sammlung der Ermitage, Katalog, zusammengestellt von E. M. Efimov und M. I. Torneus]

1972 Leningrad, Patersen: Петербург конца ХУШ – начала XIX века в произведеннях художника Б. Патерсена. Каталог выставки из фондов Государственного Эрмитажа. Составители Каталога Г. Н. Комелова, И. Г. Котельникова. Автор вступительной статьи Г. Н. Комелова. [Petersburg am Ende des 18. und zu Anfang des 19. Jahrhunderts in den Werken des Künstlers B. Patersen, Katalog der Ausstellung aus dem Fundus der Staatlichen Ermitage, zusammengestellt von G. N. Komelova und I. G. Kotel'nikova; einleitender Artikel von G. N. Komelova]

1972 Leningrad, Aquarell: Акварель и рисунок русских художников конца ХУШ – середиьы XIX в. Временная выставка из фондов Отдела истории русской культуры Государственного эрмитаже. Автор вступительной статьи и каталога Г. А. Принцева. [Aquarell und Zeichnung russischer Künstler am Ende des 18. und bis zur Mitte des 19. Jahrhunderts, zeitweilige Ausstellung aus dem Fundus der Abteilung für russische Kulturgeschichte an der Staatlichen Ermitage, einleitender Artikel und Katalog zusammengestellt von G. A. Princeva]

1974 Leningrad: Костюм в России ХУШ – начала XX века. Из собрания Эрмитажа. Каталог выставки. Составитель каталога и автор вступительной статьи Т. Т. Коршунова. [Das Kostüm in Rußland im 18. und am Beginn des 19. Jahrhunderts, Katalog der Ausstellung aus der Sammlung der Ermitage, zusammengestellt und eingeleitet von T. T. Koršunova]

1975 Leningrad: Осветительные приборы конца ХVШ – начала XX века в России. Каталог выставки. Автор вступительной статьи Л. Р. Никифорова. Составители – коллектив авторов. [Beleuchtungseinrichtungen am Ende des 18. und Anfang des 19. Jahrhunderts in Rußland, Ausstellungskatalog, zusammengestellt von einem Autorenkollektiv; einleitender Artikel von L. R. Nikiforova]

1976 Leningrad, Rannjaja litografija: Ранняя русская литография из собрания эрмитажа. Каталог выставки. Составитель Г. А. Миролюбова. [Frühe russische Lithographie aus der Sammlung der Ermitage, Ausstellungskatalog, zusammengestellt von G. A. Miroljuboba]

1976 Leningrad, Russkie samovary: Русские самовары ХVШ – начала XX века. Из фондов Отдела истории русской культуры Государственного эрмитажа. Каталог временной выставки. Автор вступительной статьи и составитель каталога М. Д. Малченко. [Russische Samoware des 18. und des beginnenden 19. Jahrhunderts, aus dem Fundus der Abteilung für russische Kulturgeschichte an der Staatlichen Ermitage, Katalog der zeitweiligen Ausstellung, zusammengestellt und eingeleitet von M. D. Malčenko]

1976 New York: Costume. – History of Russian Costume. New York. Metropolitan Museum of Art, 1976

1977 Leningrad, Martynov: Наумов В. А. Андрей Ефимович Мартынов. Каталог выставки. [V. A. Naumov, Andrej Efimovič Martynov, Ausstellungskatalog]

1977 Leningrad, Novye postuplenija: Новые поступления Эрмитажа 1966–1977. Каталог выставки. Коллектив авторов. [Neuzugänge in der Ermitage 1966–1977, Ausstellungskatalog, zusammengestellt von einem Autorenkollektiv]

1978 Leningrad: Невский проспект в изобразительном искусстве. ХVШ – первая половина XIX века. Каталог выставки из фондов Отдела истории русской культуры. Автор вступительной статьи Г. Н. Комелова. Составители каталога Г. Н. Комелова, Г. А. Миролюбова, Г. А. Принцева. [Der Nevskij-Prospekt in der darstellenden Kunst des 18. und der ersten Hälfte des 19. Jahrhunderts, Katalog der Ausstellung aus dem Fundus der Abteilung für russische Kulturgeschichte an der Staatlichen Ermitage, zusammengestellt von G. N. Komelova, G. A. Miroljubova, G. A. Princeva; einleitender Artikel von G. N. Komelova]

1978 Minneapolis: The Art of Russia 1800–1850. An exhibition from the museums of the USSR. Minneapolis, 1978

1980 Leningrad, Peterburg – Petrograd – Leningrad: Петербург – Петроград – Ленинград в произведениях русскин и советских художников. Каталог выставки в Центральном выставочном зале Ленинграда. [Petersburg – Petrograd – Leningrad in den Werken russischer und sowjetischer Künstler, Katalog der Ausstellung im Zentralen Expositions-Saal von Leningrad]

1980 Leningrad, Möbel: Герес Б. Мебель Давида Реьтгена в Эрмитаже. Каталог выставки. [V. Geres, Möbel von David Röntgen in der Ermitage, Ausstellungskatalog]

1981 Köln: Russische Schatzkunst aus dem Moskauer Kreml und der Leningrader Ermitage, Katalog: G. N. Komelova, M. W. Martinowa, J. N. Uchanova unter der Mitarbeit von M. D. Maltschenko. Museum der Stadt Köln. 1981–1982

1981 Leningrad, Metall: Художественный металл в России ХVШ – начала XX века. Каталог выставки в Государственном Эрмитаже. Автор вступительной статьи Н. В. Калязина. Составители каталога – Коллектив авторов. [Künstlerisch bearbeitetes Metall in Rußland vom 17. bis zum Beginn des 20. Jahrhunderts, Katalog der Ausstellung in der Staatlichen Ermitage, zusammengestellt von einem Autorenkollektiv; einleitender Artikel von N. V. Kaljazina]

1981 Leningrad, Šarfy: Шарфы и шали русской работы первой половины XIX века. Каталог временной выставки. Автор – Моисеенко Е. Ю. [Tücher und Schals – Russische Arbeiten der ersten Hälfte des 19. Jahrhunderts, Katalog der zeitweiligen Ausstellung, zusammengestellt von E. Ju. Moiseenko]

1981 Leningrad, Miniatjury: Миниатюра в России ХVШ – начала XX века. Каталог выставки из фондов Государственного Эрмитажа. Авторы вступительной статьи и составители каталога Г. Н. Комелова и Г. А. Принцева при участии Л. Р. Никифоровой и Н. Б. Петрусевич. [Miniaturmalerei in Rußland im 18. und zu Beginn des 19. Jahrhunderts, Katalog der Ausstellung aus dem Fundus der Staatlichen Ermitage, zusammengestellt und eingeleitet von G. N. Komelova und G. A. Princeva unter Mitwirkung von L. R. Nikiforova und N. B. Petruševič]

1982 Leningrad, Ermitaž: Памятники культуры и искусства, приобретенные Эрмитажем в 1980–1981 годах. [Kunst- und Kulturdenkmäler, die von der Ermitage in den Jahren 1980 und 1981 erworben worden sind]

1983 Moskau: 225 лет Академии художеств СССР. Каталог выставки. Живопись, скульптура, архитектура, графика, театрально-декоративное искусство, декоративно-прикладное искусство, документы, издания. Том I. 1757–1917. [225 Jahre Akademie der Künste der UdSSR, Ausstellungskatalog: Malerei, Skulptur, Architektur, Graphik, Bühnenmalerei, dekorative und angewandte Kunst, Dokumente, Publikationen, Band I: 1757–1917]

1983 Leningrad: Садовопарковое искусство Ленинграда в произведениях художников и архитекторов ХVШ – XX вв. Каталог выставки в Центральном выставочном зале Ленинграда. [Die Gartenbau- und Parkgestaltungskunst in Leningrad in den Werken der Künstler und Architekten des 18. und des 19. Jahrhunderts, Katalog der Ausstellung im Zentralen Expositions-Saal in Leningrad]

1983 Caracas: Das siglos de arte ruso XVIII–XIX. Tresoros del Ermitage. Introduction A. G. Pobedinskaja. Elaborado por A. G. Pobedinskaja, V. Ju. Matvéyev

1983 Delhi: Russian decorative arts and jewellery of 17th–19th centuries

1984 Leningrad, Restavracija pamjatnikov: Реставрация памятников в Эрмитаже. Каталог выставки. [Restauration der Denkmäler in der Ermitage, Ausstellungskatalog]

1984 Sofia: Руско декоративно-приложно изкуство от ХVШ – началото на XX век. От колекцията па държавния Ермитаж. Составители Т. Т. Коршунова, Е. А. Тарасова. [Die russische dekorative und angewandte Kunst vom 17. bis zum Beginn des 20. Jahrhunderts, aus der Sammlung der Staatlichen Ermitage, zusammengestellt von T. T. Koršunova und E. A. Tarasova]

1984 Leningrad, Peterburg gogolevskogo vremeni: Петербург гоголевского времени. Каталог временной выставки. Составители Миролюбова Г. А. и Принцева Г. А. [Petersburg in der Zeit Gogol's, Katalog der zeitweiligen Ausstellung, zusammengestellt von G. A. Miroljubova und G. A. Princeva]

1984 Habana: Tesoros del Ermitage. Das siglos de arte ruso (XVIII–XIX). Pintura y artes aplicadas.

1984 Mexico: Tesoros del Ermitage. Das siglos de arte ruso (XVIII–XIX). Pintura y artes aplicadas. Museo Carrillo Gil Agosto-septiembre 1984

1985 Bogotá: Arte ruso siglos XVII a XX. Museo del Ermitage. Museo National Bogotá. Junio 19 a Julio 19 de 1985

1985 Lima: Tesoros del' Ermitage. Muestra de arte artesania Rusa del siglo XVII – prineipios siglo XX

1985 Leningrad, Vosstanie dekabristov: Восстание декабристов в памятниках русского изобразтедьного искусства. Каталог выставки. Автор вступительной статьи и составитель каталога Г. А. Принцева. [Der Dekabristen-Aufstand in den Zeugnissen der russischen darstellenden Kunst, Ausstellungskatalog, zusammengestellt und eingeleitet von G. A. Princeva]

1985 Leningrad, Inter'er v russkoj zivopisi: Интерьер в русской живописи XIX – начала XX века. Каталог выставки. Составитель А. Г. Побединская. [Inneneinrichtungen in der russischen Malerei des 19. und des beginnenden 20. Jahrhunderts, Ausstellungskatalog, zusammengestellt von A. G. Pobedinskaja]

1986 Leningrad: Художестренное убранство русского интерьера XIX века. Очерк-путеводитель Коллектив авторов. [Die künstlerische Ausstattung von russischen Inneneinrichtungen im 19. Jahrhundert, Überblick und Reiseführer, zusammengestellt von einem Autorenkollektiv]

1986 Leningrad, Voronichin, Thomon, Zacharov: А. Н. Воронихин, Т. де Томон, А. Д. Захаров. Выставка из фондов Эрмитажа. [A. N. Voronichin, Th. de Thomon, A. D. Zacharov, Ausstellung aus dem Fundus der Ermitage]

1986 Leningrad, Monferrand: Огюст Монферран. К 200-летию со дня рождения. Каталог выставки. Из фонфов Эрмитажа. [Auguste Montferrand – Zu seinem 200. Geburtstag, Katalog der Ausstellung aus dem Fundus der Ermitage]

1986 Leningrad, Ermitaž: Памятники культуры и искусства, приобретенные Эрмитажем в 1985 году. Каталог выставки. [Kunst- und Kulturdenkmäler, die von der Ermitage 1985 erworben worden sind, Ausstellungskatalog]

1986 Lugano: Ori e Argenti dall Ermitage. Cataloge. Milano, 1986

1986 Paris: La France et la Russie au Siècle des Lumières, Relations culturelles et artistiques de la France et de la Russie au XVIII siècle. Paris, 1987

1987 Leningrad, Rossija – Francija: Россия — франция. Век Просвещения. Русско-французские культурные связи в 18 стьлетии. Каталог выставки. [Rußland – Frankreich: das Zeitalter der Aufklärung / Russisch-französische Kulturbeziehungen im 18. Jahrhundert, Ausstellungskatalog]

1987 Leningrad, Portret: Портретная живопись в России ХУШ века из собрания Эрмитажа. Каталог выставки. Вступительная статья и каталог И. Г. Котельниковой. [Die Porträtmalerei in Rußland im 18. Jahrhundert, Katalog der Ausstellung aus der Sammlung der Ermitage, zusammengestellt und eingeleitet von I. G. Kotel'nikova]

1987 Erbach – Hildesheim: Russisches Elfenbein 17. bis 20. Jahrhundert. Entwicklungsgeschichte der Elfenbeinkunst in der UdSSR.

1987 London: Costume – Russian style 1700–1920. Court and country dress from the Hermitage. T. Korshunova, S. Moiseyenko. London, Barbican editions, 1987

1988 Odessa – Izmail: Гоголь в Петербурге. Выставка из собрания Государственного Эрмитажа. Одесский Государствеьний исторический Музей. Авторы вступительной статьи и составители каталога Г. А. Миролюбова, Г. А. Принцева. [Gogol' in Petersburg, Ausstellung aus der Sammlung der Staatlichen Ermitage im Staatlichen Historischen Museum zu Odessa, Katalog zusammengestellt und eingeleitet von G. A. Miroljubova und G. A. Princeva]

1989 Leningrad: Русское и советское художественное стекло XI–XX века. К ХУ Международному конгрессу по стеклу. Каталог выставки в Государственном Эрмитаже. [Russisches und sowjetisches künstlerisches Glas vom 11. bis zum 20. Jahrhundert – Zum XV. Internationalen Glas-Kongreß, Katalog der Ausstellung in der Staatlichen Ermitage]

1989 Paris: Les costumes historique russes du Musée de l'Ermitage de Leningrad. Musée Jacquemart-Andre. T. Korchunova, E. Moiseenko

1989 Athen: Hermitage. Monuments of ancient Greek art from the Black Sea, Rembrandt and Russian Painters

1989 Hamburg: Schiffahrt und Kunst aus der UdSSR. Russische Kunst des 18. und 19. Jahrhunderts aus Leningrader Museen und aus der Sammlung Peter Tamm, Hamburg. Ort Maritim

VERZEICHNIS DER IM KATALOGTEIL NUMERISCH ZITIERTEN LITERATUR

Л. — Ленинград
М. — Москва
Спб — Санкт Петербург
СГЭ — Сообщения Государственного Эрмитажа
ТГЭ — Труды Государственного Эрмитажа

1. Адарюков В. Я. Гравер Иван Васильевич Ческий. М., 1924.

2. Адарюков и Обольянинов — Адарюков В. Я., Обольянинов Н. А. Словарь русских литографированных портретов. Том I, А—Л. М., 1916.

3. Алексеев А. И. Освоение русскими людьми Дальнего Востока и Русской Америки до конца XIX века. М., 1982.

4. Алексеева Т. В. В. Л. Боровиковский и русская культура на рубеже 18—19 веков. М., 1975.

5. Алексеева — Алексеева Т. В. Художники школы Венецианова. М., 1982.

6. Антонова Л. В., Соколова Т. М. Архитектура Петербурга-Ленинграда в памятниках изобразительного искусства и архитектурных чертежах. Путеводитель по выставке. Л., 1954.

7. Анциферов Н. П. Душа Петербурга. Петроград. 1922

8. Анциферов Н. П. Быль и миф Петербурга. Петроград. 1924.

9. Анциферов Н. П. Петербург Пушкина. М., 1950.

10. Архипов Н. И., Раскин А. Г. Петродворец. Л.—М., 1961.

11. Архитектор Юрий Михайлович Фельтен. Каталог выставки. Автор вступительной статьи и составитель каталога М. Ф. Коршунова. Л., 1982.

12. Асаевич К. Ф., Ефимова Е. М. Каменные изделия, созданные по проектам А. Н. Воронихина в Эрмитаже. — В книге: Самоцветы. Бюллетень Центральной научно-исследовательской лаборатории камней-самоцветов. Л., 1961, № I.

13. Асварищ Б. И., Вилинбахов Г. В. Отечественная война 1812 года в картинах Петера Хесса. Л., 1984.

14. Аттенгофер Г.—Л. Медико-топографическое описание Санкт-Петербурга. Спб., 1820.

15. Ацаркина — Ацаркина Э. Н. Александр Осипович Орловский. М., 1971.

16. Ацаркина Э. Н. Карл Павлович Брюллов. Жизнь и творчество. М., 1963.

17. Ашик В. А. Памятники и медали в память боевых подвигов русской армии в войнах 1812, 1813 и 1814 годов и в память императора Александра I. Спб., 1913.

18. Баренбаум И. Е. Книжный Петербург. М., 1980.

19. Барсов А. Очерки жизни Митрополита Платона. М., 1891.

20. Бартенев И. А. Зодчие и строители Ленинграда. Л., 1963.

21. Башуцкий А. Панорама Санкт-Петербурга. Книги I—З. Спб., 1834.

22. Белинский В. Г. Петербург и Москва. Сочинения: В 12 частях. — М., 1874. — Часть 12. — С. 196—238.

23. Белов Н. О мебели, исполненной К. И. Росси для некоторых дворцов Петербурга. — В книге: СГЭ. Выпуск XXV. Л., 1964.

24. Бернякович, 1973 — Бернякович З. Новые поступления в коллекцию русского серебра. — В книге: СГЭ, выпуск XXXVI. Л., 1973.

25. Бернякович, 1977 — Бернякович З. А. Русское художественное серебро XVII-начала XX века в собрании Эрмитажа. Л., 1977.

26. Божерянов И. Н. Невский проспект. 1703—1903. Культурно-исторические очерки духовной жизни С.-Петербурга. Том II. Спб., 1902.

27. Бурьянов В. Прогулка с детьми по С.-Петербургу и его окрестностям. Спб., 1838.

28. Валицкая А. П. Орест кипренский в Петербурге. Л., 1981.

29. Великанова С. И. Гравюра К. Гампельна »Екатерингофское гуляние I мая« как источник для изучения быта и архитектуры Петербурга 1820 годов. — В книге: Старый Петербург. Историко-этнографические исследования. Л., 1982. С. 190—200.

30. Верещагин — Верещагин В. А. Русская карикатура. А. О. Орловский. Том 3. Спб., 1913.

31. Вилинбахов Г. В. К истории учреждения ордена Андрея Первозванного и эволюция его знака. — В книге: Культура и искусство Петровского времени. Публикации и исследования. Государственный Эрмитаж. Л., 1977. С. 144—158.

32. Вилинбахов Г. В. Отражение идеи абсолютизма в символике петровских знамен. — В книге: Культура и искусство России XVIII века. Новые материалы и исследования. Сборник статей. Гос. Эрмитаж. Л., 1981, С. 7—25.

33. Вильчевская Е. Мебельный мастер Давид Рентген. — В книге: ТГЭ. Том II. Л., 1941.

34. Витязева В. А. Невские острова — Елагин, Крестовский, Каменный. Л., 1986.

35. Вольф, 1906 — Императорский фарфоровый завод. 1744—1904. Составители Н. Б. Вольф, С. А. Розанов, Н. М. Спилиотти, А. Н. Бенуа, Спб., 1906.

36. Кольценбург О. Внутренний вид Эрмитажной библиотеки времен Пушкина. — В книге: СГЭ, выпуск IV. Л., 1947.

37. Воронихина, Малахит. — Воронихина А. Н. Малахит в собрании Эрмитажа. Л., 1963.

38. Воронов М. Г. Гавриил Игнатьевич Козлов. Жизнь и творчество. Л., 1982.

39. Воронов Н. В., Дубова М. М. Невский хрусталь. Л., 1984.

40. Врангель Н. Н. Русский музей императора Александра III. Живопись и скульптура. Том II. Спб., 1904.

41. Врангель Н., Маковский С., Трубников А. Аракчеев и искусство. — Старые годы. 1908, июль-сентябрь. С. 439—471.

42. Габаев Г. С. Краткий очерк развития образца Русских знамен и штандартов в XIX веке. Без места, без года.

43. Габаев Г. С. Роспись — Габаев Г. С. Роспись русским полкам 1812 года. Киев. 1912.

44. Галич Л. Ф., Савинов А. Н. А. В. Тыранов. — В книге: Очерки жизни и творчестра художников первой половины XIX в. Л., 1954.

45. Гарднеровские сервизы. — Среди коллекционеров. 1921, № 10. С. 60—61.

46. Глинка В. Пушкин и Военная галерея Зимнего дворца. Л., 1949.

47. Глинка В. М. О трех портретах работы Я. Ромбауэра. В книге: СГЭ. Выпуск XVIII. Л., 1978. С. 20—21.

48. Глинка В. М. О работах Яна Гладыша, выполненных в Петербурге в 1806—1808 годах. — В книге: Ежегодник. Памятники культуры. Новые открытия 1980 год. Л., 1981.

49. Глинка В. М. Русский военный костюм XVIII-начала XX вв. Альбом. Л., 1988.

50. Голубева О. Д. Хранители мудрости. М., 1988.

51. Гордин А. Крылов в Петербурге. Л., 1969.

52. Гордин А., Гордин М. Путешествие в пушкинский Петербург. Л., 1983.

53. Город глазами художников. Петербург — Петроград — Ленинград. в произведениях живописи и графики. Л., 1978.

54. Государственный Русский музей. Живопись. XVIII — начало XX вв. Каталог. Л., 1980.

55. Государственный Русский музей. Скульптура XVIII-начала XX века. Каталог. Л., 1988.

56. Граф Ф. П. Толстой. Обзор художественной деятельности. 1783—1873. Русская старина, 1873, апрель.

57. Графика С. Ф. Галактионова. Каталог. Составитель каталога и автор вступительной статьи В. А. Наумов. Л., 1984.

58. Грибанов В. К. Багратион в Петербурге. Л., 1979.

59. Гринев С. А. История Роты Дворцовых гренадер. Спб., 1912.

60. Два новых русских художника. — Отечественные записки. 1822. Часть X. № 25.

61. Деммени М. Г. Сборник указов по монетному и медальному делу в России. Выпуск II. Спб., 1887.

62. Дулькина Т. И., Ашарина Н. А. Русская керамика и стекло XVIII-XIX веков. Собрание Государственного Исторического музея. М., 1978.

63. Ефимова Е. М. Русский резной камень в Эрмитаже. Л., 1961.

64. Зажурило В. К., Кузьмина Л. И., Назарова Г. И. Пушкинские места Ленинграда. Л., 1974.

65. Зажурило В. К., Чарная М. Г. По Пушкинским местам Ленинграда. Очерк-путеводитель. Л., 1982.

66. Замысловский Е. Е., Петров И. И. Исторический очерк Российских орденов и сборник основных орденских статутов. Спб., 1891.

67. Зильберштейн И. С. Художник-декабрист Николай Бестужев. Издание 3-е. М., 1988.

68. Иезуитова Р. В. Жуковский в Петербурге. Л., 1976.

69. Историческое описание — Историческое описание одежды и вооружения Российских войск. Часть 9. Спб., 1900. Часть 17. Спб., 1901.

70. Каталог художественных предметов и редкостей XVI, XVII XVIII, и начала XIX вв. Собрание С. Э. и В. Я. Евдокимовых. Спб., 1898.

71. Качалов Н. Н. Стекло. М., 1959.

72. Клепиков С. А. Русская гравированная книга XVII-XVIII веков. — В книге: Книга. Исследования и материалы. № IX. М., 1964.

73. Козлов В. П. »История Государства Российского« Н. М. Карамзина в оценках современников. М., 1989.

74. Козьмян Г. К. Чарлз Камерон. Л., 1987.

75. Комелова — Комелова Г. Н. Виды Санкт-Петербурга и окрестностей. Серия литографий, выпущенных Обществом поощрения художников в 1821—1826 гг. Издание 2-е. Л., 1961.

76. Комелова Г. Н. Д. И. Евреинов — русский миниатюрист на эмали. — В книге: Памятники культуры. Новые открытия. Ежегодник. 1979. Л., 1980.

77. Комелова, 1985 — Комелова Г. Н. Серия гравированных видов окрестностей Петербурга начала XIX века (к истории гравировально-ландшафтного класса). — В книге: Культура и искусство России XIX века. Л., 1985, С. 19—30.

78. Комелова Г. Н., Уханова И. Н. Русское художественное стекло. — В книге: СГЭ. Выпуск LI. Л., 1986.

79. Коноплева М. С. Семен Федорович Щедрин. — В книге: Материалы по русскому искусству. Л., 1928.

80. Копанев А. И. Население Петербурга в первой половине XIX века. М.-Л., 1957.

81. Корсаков А. Ваятель М. И. Козловский. — Русский архив. Том I. 1892. С. 446—448.

82. Коршунова М. Ф. К истории создания литографированной панорамы Петербурга 1837 года. — В книге: СГЭ. Выпуск 46. Л., 1981.

83. Коршунова Т. Т. Костюм в России — Коршунова Т. Т. Костюм в России ХУШ — начала XX века из собрания Государственного Эрмитажа. Л., 1979.

84. Костикова Н. Николай Аргунов. М., 1951.

85. Котельникова И. Г. Виды Петербурга 30—50 годов XIX века в акварелях В. С. Садовникова. Л., 1962.

86. Котельникова И. Г. Панорама Невского проспекта В. С. Садовникова. Альбом. Л., 1974.

87. Котельникова И. Г. Портрет неизвестного генерала из собрания Государственного Эрмитажа. — В книге: Василий Андреевич Тропинин. Материалы и исследования. М., 1982. С. 207—222.

88. Кочеткова Н. Д. Фонвизин в Петербурге. Л., 1984.

89. Краткий обзор деятельности Санктпетербургского Филармонического общества за первое столетие его существования. 1802—1902. Спб., 1902.

90. Круглова В. А. Василий Кузьмич Шебуев, 1777—1855. Л., 1982.

91. Кузнецова Л. К. Творчество петербургского ювелира Франсуа Будде. В книге: Декоративно-прикладное искусство России и Западной Европы. Л., 1986.

92. Кузнецова Э. В. Искусство силуэта. Л., 1970.

93. Кузнецова Э. В. Федор Петрович Толстой. 1783—1873. М., 1977.

94. Кулинский А. Н. Холодное оружие русской армии и флота. Л., 1988.

95. Курбатов В. Петербург. Художественно-исторический очерки Спб., 1913.

96. Кучумов А. М. Русское декоративно-прикладное искусство в собрании Павловского дворца-музея. Л., 1981.

97. Лансере, 1968 — Лансере А. К. Русский фарфор. Искусство первого в России фарфорового завода. Л., 1968.

98. Ливен Г. Э. Путеводитель по Кабинету Петра Великого и Галереи Драгоценностей. Спб., 1901.

99. Ливен Г. Э. Путеводитель по Галерее Петра I и Драгоценных вещей. Спб., 1902.

100. Лисовский В. Г. Андрей Воронихин. Л., 1971.

101. Литературные памятные места Ленинграда. Издание 3-е. Л., 1976.

102. Лукомский Г. К. Старый Петербург. Прогулки по старинным кварталам. Издание 2-е. Петроград. Без года.

103. Лукомский Г. К. Санкт-Петербург. Мюнхен, 1923.

104. Макаров В. К. Цветной камень в собрании Эрмитажа. Л., 1938.

105. Малинина Т. А. О некоторых сервизах XIX века Императорского стеклянного завода. — В книге: Культура и искусство России XIX века. Л., 1985. С. 101—112.

106. Малченко М. Д. Тульские златокузнецы. Альбом. Л., 1973.

107. Мануйлов В. А., Назарова Л. Н. Лермонтов в Петербурге. Л., 1984.

108. Матвеев В. Ю. Приборы времени в собрании Эрмитажа. — В книге: Памятники науки и техники. 1985. М., 1986.

109. Материалы к библиографии по истории Академии художеств. Л., 1957.

110. Медерский Л. А. Архитектурный облик пушкинского Петербурга. Л., 1949.

111. Мелентьев В. Д. Кутузов в Петербурге. Л., 1986.

112. Мигдал Д. М. Иоганн-Георг Майер и его виды Петербурга. — В книге: Сообщения Государственного Русского музея. Выпуск УI Л., 1959, С. 26—33.

113. Миролюбова. Ранняя литография — Ранняя русская литография в собрании Государственного Эрмитажа. Каталог выставки. Авторвступительной статьи и составитель каталога Г. А. Миролюбова. Л., 1976.

114. Миролюбова Г. А. Художник-литограф В. И. Погонкин. — В книге: ТГЭ. Выпуск 23. Л., 1982. С. 54—62.

115. Миролюбова — Миролюбова Г. А. Новые материалы к истории создания серии литографий »Виды С.-Петербурга и окрестностей« (1821—1826). — В книге: Культура и искусство России XIX века. Л., 1985, С. 31—41.

116. Моисеенко. Вышивка, 1978 — Моисеенко Е. Русская вышивка ХУП-начала XX века. Из собрания Государственного Эрмитажа. Л., 1978.

117. Моисеенко, 1986 — Моисеенко Е.Ю. »Колокольцовские« изделия в собрании Государственного Эрмитажа. — В книге: Памятники культуры. Новые открытия. Ежегодник. Л., 1986.

118. Мокрицкий А. Н. Мокрицкий А. Н. Воспоминания о венецианове и учениках его. В книге: Венецианов в письмах художников и воспоминаниях современников. Л., 1931.

119. Мытарева К. В. Работы Ю. Олешкевича в Эрмитаже. — В книге: СГЭ. Выпуск ХУ, 1978.

120. Некрасова М. А., Земцов С. М. Отечественная война 1812 года и русское искусство. М., 1969.

121. Немчинова Д. Елагин остров. Дворцово-парковый ансамбль. Л., 1982.

122. Никифорова Л. Р. Родина русского фарфора. Л., 1979.

123. Никифорова Л. Р. Русский фарфор в Эрмитаже. Альбом. Л., 1973.

124. Никулина Н. И. Виды залов Зимнего дворца и Эрмитажа работы учеников А. Г. Венецианова. — В книге: СГЭ. Выпуск XIII. Л., 1958.

125. Никулина Н. И. Силуэты Ф. П. Толстого в собрании Эрмитажа. Л., 1961.

126. Оль Г. А. Александр Брюллов. Л., 1983.

127. Орлова А. А. Глинка в Петербурге. Л., 1970.

128. Орлова К. Новые данные о реставраторе А. Ф. Митрохине. — В книге: СГЭ. Выпуск XXIII. 1962. С. 31—32.

129. Орлова К. А. Ампирный ансамбль мебели начала XIX в. — В книге: Тезисы докладов научной сессии »Архитектурное и декоративное решение русского интерьера ХУШ – середины XIX вв.«. Л., 1968.

130. Орлова К. А. Мебель по рисункам К. И. Росси в собрании Эрмитажа. – В книгей ТГЭ. Выпуск 15. Л., 1974.

131. Осетров Е. И. Волшебный Фонарь. Факсимильное воспроизведение издания 1817 года. М., 1988.

132. Отечественная война 1812 года в художественных и исторических памятниках из собрания Эрмитажа. Под общей редакцией В. М. Глинки и А. В. Помарнацкого. Л. 1963.

133. Очерки истории Ленинграда. Т. I. М.–Л., 1955.

134. Памятники архитектуры Ленинграда. Л., 1957.

135. Памятники, 1979 – Памятники русской художественной культуры X – начала XX века. Государственный Эрмитаж. М., 1979.

136. Пекарский. Петербургская старина. – Современник. 1861.

137. Петербург в произведениях Патерсена, 1978 – Петербург в произведениях Патерсена. Альбом. Авторн-составители Г. Комелова, Г. Принцева, И. Котельникова. М., 1978.

138. Петербург, Петроград, Ленинград в произведениях художников. Авторы альбома Гримм Г., Кошкарова Л. М., 1958.

139. Петерс Д. И. – Петерс Д. И. Наградные медали России XIX – начала XX веков. Каталог. М., 1989.

140. Петинова Е. Ф. Пётр Васильевич Басин. 1793–1877. Л., 1984.

141. Петров В. Н. Гишар. – В книге: Сообщения Государственного Русского музея. Выпуск I. 1941.

142. Петров В. Н. Памятник А. В. Суворову в Ленинграде. – В. книге: Из бронзы и мрамора. Л., 1965.

143. Петров В. Н. Михаил Иванович Козловский. М., 1977.

144. Петров П. Н. Краткое обозрение мозаичного дела. Обзор мозаики вообще и особенно в России. Спб., 1864.

145. Петров П. Н. Сборник материалов для истории Императорской Академии Художеств. Часть П. Спб., 1865.

146. Петров П. Н. История Санкт-Петербурга. Спб., 1885.

147. Петрова Т. А. Тронный зал императрицы Марии Федоровны в Зимнем дворце и картина Е. Ф. Крендовского. – В книге: ТГЭ. Том П. Л., 1977.

148. Пилявский В. И. Стасов – архитектор. Л., 1963.

149. Помарнацкий А. В. О скульптурных портретах Суворова В. И. Демут-Малиновского и Л.-М. Гишара. – В книге: СГЭ. Выпуск ХУП. 1960. С. 24–27.

150. Помарнацкий А. В. Портреты А. В. Суворова. Очерки иконографии. Л., 1963.

151. Попов В. А. Русский фарфор. Частные заводы. Л., 1980.

152. Портретная миниатюра, 1986 – Портретная минитюра в России ХУШ-начала ХХ века. Из собрания Государственного Эрмитажа. Авторы вступительной статьи и каталога Г. Н. Комелова и Г. А. Принцева. Л., 1986.

153. Постникова-Лосева М. М. Русское ювелирное искусство, его центры и мастера XVI-XIX вв. М., 1974.

154. Преснов Г. М. Михаил Иванович Козловский Л., 1953.

155. Принцева Г. А. Картина В. Ф. Тимма »Восстание 14 декабря 1825 года«. – В книге СГЭ. Выпуск XIII. Л., 1958. С. 24–25.

156. Принцева Г. А. Гейтман Е. И. и его портретные литографии 1820-х годов. – В книге: СГЭ. Выпуск XXXУП. Л., 1973. С. 28–31.

157. Принцева Г. А. Декабристы в изобразительном искусстве из собраний Эрмитажа. Издание 2-е. Л., 1975.

158. Принцева Г. А. Работы П. Ф. Соколова в Эрмитаже. – В книге: Памятники культуры. Новые открытия. Ежегодник. 1981. М.-Л., 1982.

159. Принцева Г. А. Гравер и литограф И.-П. Фридриц. – В книге: ТГЭ Выпуск 23. Л., 1983. С. 80–87.

160. Принцева – Принцева Г. А. Николай Иванович Уткин. 1780–1863. Л., 1983

161. Принцева Г. А. Бастарева Л. И. Декабристы в Петербурге. Л., 1975.

162. Пушкарев И. И. Описание Санкт-Петербурга и уездных городов Санкт-Петербургской губернии. Тома 1–4. Спб., 1839–1842.

163. Пушкарев И. И. Путеводитель по Санкт-Петербургу и окрестностям его. Спб., 1843.

164. Пушкинский Петербург. Под редакцией Б. В. Томашевского. Л., 1949.

165. Пушкинский Петербург – Пушкинский Петербург. Альбом. Авторсоставитель А. М. Гордин. Л., 1974.

166. Пыляев. Старый Петербург. Рассказы из былой жизни столицы. Спб., 1903.

167. Ракова М. М. Список портретов работы акварелиста П. Ф. Соколова. В книге: Очерки по истории русского портрета I половины XIX века. М., 1966. С. 330–347.

168. Ровинский (1) – Ровинский Д. А. Подробный словарь русских граверов. Тома 1–2. Спб., 1895.

169. Ровинский (2) – Ровинский Д. А. Подробный словарь русских гравированных портретов. Тома 1–4. Спб., 1886–1889.

170. Ромм А. Г. Борис Иванович Орловский. М., 1947.

171. Ротач А. Л., Чеканова О. А. Монферран. Л., 1979.

172. Русская акварель – Русская акварель в собрании Государственного Эрмитажа. Альбом-каталог. Авторсоставитель Г. А. Принцева. М., 1988.

173. Русская культура УI-XIX веков. Путеводитель. Редактор В. Н. Васильев. Л., 1974.

174. Русская культура УII-XУIII веков. Очерк-путеводитель. Редакторы Г. Н. Комелова и И. Н. Уханова. Л., 1983.

175. Русская периодическая печать. 1702–1894. Справочник. М., 1959.

176. Русская эмаль XII-начала XX века из собрания Государственного Эрмитажа. Альбом. Л., 1987.

177. Русский музей. Каталог. Петроград. 1917.

178. Русский фарфор XIX века. Петербургский завод Батенина. Государственный Русский музей. Каталог. Составитель каталога и автор вступительной статьи Е. А. Иванова. Л., 1986.

179. Русское прикладное искусство. Автор вступительной статьи и составитель Е. А. Иванова. Л., 1976.

180. Салтыков, 1952 – Салтыков А. Б. Русская керамика. Пособие по определению памятников материальной культуры М., 1952.

181. Свиньин П. П. Достопамятности Санкт-Петербурга и его окрестностей. Спб., 1816–1821.

182. Сводный каталог русской книги гражданской печати XVIII века. 1725–1800. Тома I–Y. М., 1962–1967.

183. Селиванов, 1903 – Селиванов А. В. Фарфор и фаянс Российской империи. Владимир, 1903.

184. Семенов В. Б. Яшма. Сверловск, 1979.

185. Семенов. Малахит – Семенов В. Б. Малахит. Тома 1–2. Свердловск, 1987.

186. Сивков А. В. Петровский зал Зимнего дворца. Л, 1949.

187. Смирнов В. П. – Смирнов В. П. Описание русских медалей. Спб., 1908.

188. Смирнов Г. В. М. Н. Воробьев. М., 1950.

189. Смирнов Г. В. Зарянко. М., 1951.

190. Смирнов Г. В. Венецианов и его школа. Л., 1973.

191. Смирнов-Сокольский Ник. Русские литературные альманахи и сборники XVIII–XIX веков. М., 1965.

192. Смирнов-Сокольский Ник. Моя библиотека. Тома 1–2. М., 1969.

193. Собрание русских медалей – Собрание русских медалей. Спб., 1840.

194. Соколова Т. М. Предматы убранства Мальтийской капеллы, исполненные по рисункам Дж. Кваренги. – В книге: СГЭ. Выпуск XVII. Л., 1960.

195. Соколова, 1967 – Соколова Т. М. Очерки по истории художественной мебели XV–XX веков. Л., 1967.

196. Соколова, Орлова – Соколова Т. М., Орлова К. А. Русская мебель. Л., 1973.

197. Соколова Т. М. Карл Иванович Росси. К 200-летию со дня рождения. Проспект временной выставки. Государственный Эрмитаж. Л., 1975.

198. Соловьев К. А. Русская осветительная арматура XVIII–XIX века. М., 1950.

199. Сомов А. Каталог картинной галереи Эрмитажа. Спб., 1897.

200. Спасский И. Г. Иностранные и русские ордена до 1917 года. Л., 1963.

201. Степан Филиппович Галактионов и его произведения. Составитель В. Я. Адаюков. Спб., 1910.

202. Столпянский П. Н. Петербург. Как возник, основался и рос Санкт-Петербург. Петроград, 1918.

203. Столпянский П. Н. Старый Петербург. Петроград, 1923.

204. Строгановский дворец-музей. Краткий путеводитель. Петроград, 1922.

205. Суслов А. Комнатное убранство Эрмитажа. Л., 1929.

206. Тарановская М. З. Карл Росси. Л., 1978.

207. Тарасова Л. А. Мозаики Е. Я. Веклера в гобрании Государственного Эрмитажа. – В книге: Декоративно-прикладное искусство России и Западной Европы. Сборник научных трудов. Л., 1986, С. 58–65.

208. Тарасюк Л. И. Шпага Н. Б. Голицына. – В книге: СГЭ. Выпуск XXVIII. Л., 1967. С. 6–9.

209. Татевосова А. А. Отечественная война 1812 года в произведениях петербургского стеклянного завода. – В книге: Проблемы развития русского искусства. Тематический сборник трудов Института живописи, скульптуры и архитектуры им И. Е. Репина. Выпуск IX. Л., 1977.

210. Тевяшов – Тевяшов Е. Н. Описание нескольких гравюр и литографий. Спб., 1903.

211. Трубников А. Тома де Томон. – Старые годы, 1908, июль-сентябрь, С. 494–512.

212. Турчин В. С. Александр Григорьевич Варнек. 1782–1843. М., 1985.

213. Уханова И. Н. Русские лаки. Л., 1964.

214. Уханова И. Н. Лукутинские лаки Подмосковья. – В книге: ТГЭ. Выпуск 23. Л., 1983.

215. Федоров-Давыдов, 1953 – Федоров-Давыдов А. А. Русский пейзаж XVIII-начала XIX века. М., 1953.

216. Федоров-Давыдов А. А. Федов Яковлевич Алексеев. М., 1955.

217. Фелькерзам А. Е. Алфавитный указатель санктпетербургеких золотых и серебряных дел мастеров. 1714–1814. Спб., 1907.

218. Фелькерзам А. Е. Описи серебра двора Его Императорского Величества. Том П. Спб., 1907.

219. Фелькерзам А. Новый зал драгоценностей в Императорском Эрмитаже. – Старые годы, 1911, январь.

220. Ферсман А. Е. Очерки по истории камня. Т. 2. М., 1962.

221. Фомичев С. А. Грибоедов в Петербурге. Л., 1982.

222. Художественное убранство русского интерьера XIX века. Очеркпутеводитель. Л., 1986.

223. Целищева Л. Н. Степан Семенович Щукин. 1762–1828. М., 1979.

224. Черепнин. Императорское воспитательное общество благородных девиц. Т. I. Спб., 1914.

225. Черный, 1970 – Черный Н. В. Фарфор Вербилок. М., 1970.

226. Чижов С. И. Дополнение к иконографии Александра I по медалям. М., 1914.

227. Шелковников Б. А. Художественное стекло. Л., 1962.

228. Шелковников Б. А. Русское художественное стекло. Л., 1969.

229. Шредер Ф. А. Новейший путеводитель по Санкт-Петербургу с историческими указаниями. Спб., 1820.

230. Шуйский В. К. Винченцо Бренна. Л., 1986.

231. Щукина Е. С. Ломоносов и русское медальерное искусство. — В книге: Ломоносов. Статьи и материалы. Том IY. М.-Л., 1960.

232. Эмме, 1950 — Эмме Б. Н. Русский художественный фарфор. М.-Л., 1950

233. Эрмитаж. История и архитектура зданий. Л., 1974.

234. Эрнст С. Р. »Журнал изущных искусств«. 1823—1825 годы — В книге: Русский библиофил. 1914, книга 3. С. 5—26.

235. Яцевич А. Крепостной Петербург пушкинского времени. Л., 1937.

236. Яцевич А. Пушкинский Петербург. Л., 1935.

237. Bäcksbacka L. St. Peterburg Juwelerare, Gult-och silvermedek 1714–1814. Helsingfors, 1951.

238. Bulletin de la Galerie Nationale Hongroise. 1961, N 3. P. 5–36.

239. Antoine Cheneviere. Russian Furniture. The Golden Age 1780–1840. London, 1988.

240. Holst Christian von. Iohann Heinrich Dannecker/Staatsgalerie Stuttgart. Bd. 1–2. – Stuttgart: Gants. 1987.

241. Huth. H. Abraham und David Roentgen und ihre Neuwieder Möbelwerkstatt. Berlin. 1928.

242. Huth H. Roentgen und Gluk-Intuition und Kunstwissenschaft. – Festschrift für H. Swazzenski. Berlin. 1973.

243. H. Hyvönen. Russian Porcelain. Collection Vera Saarela. Helsinki. 1982.

244. Korchounova T., 1983 – Korchounova T. Le costume en Russie XVIIIe-debut du XXe siecle. Musee de l'Ermitage. Leningrad. 1983.

245. Leningrad in Works of Graphic Art, 1975 – Leningrad in Works of Graphic Art and Painting. Leningrad, 1975.

246. Longe E. Gabriel Lory. Vater und Sohn; – S. Daniel Lajond. Russische Ansichten Separat aus dem Bericht der Gottfried Keller-Stiftung. 1952–1953. S. 27–41. Ibid. 1954–1955. S. 1–12.

247. Mandach C. de. Deux peintres Suisses Les Lory. Lausanne. 1920. P. 26–32.

248. Marvin C. Ross. Russian Porcelain. The collections of Marjorie Merriweather Post Hillwood. Washington, University of Oklahoma Press = Norman. 1968.

NAMENSREGISTER

A

Aberli, Johann Ludwig (1723–1786) 291

Ablesimov, Aleksandr Onisimovič (1742–1783) 35

Achmatova, Anna (1889–1966) 17

Adelung, Fedor Pavlovič (1768–1843) 146

Afanas'ev, Konstantin Jakovlevič (1793–1857) 87, 252

Agi, Pierre (1752–1828) 91, 409

Agnivcev, N. 17

Ajvazovskij, Ivan Konstantinovič (1817–1900) 186

Akimov, Ivan Akimovič (1754–1814) 174

Aleksandr I. (1777–1825) 1, 12, 19, 21, 22, 25, 27, 28, 29, 30, 32, 33, 34, 35, 39, 40, 47, 54, 55, 59, 60, 63, 65, 67, 68, 70, 76, 81, 83, 96, 102, 110, 114, 118, 119, 120, 121, 124, 127, 131, 145, 146, 150, 151, 159, 167, 178, 190, 191, 192, 193, 194, 197, 203, 206, 209, 210, 216, 217, 232, 238, 246, 249, 255, 264, 268, 269, 270, 271, 277, 281, 289, 291, 315, 318, 319, 324, 328, 329, 351, 352, 374, 375, 377, 379, 410, 423, 440, 441, 454, 473, 475, 483, 485, 488, 490, 492, 494, 497, 500, 504, 505, 506, 508, 512, 522, 538, 539, 542, 543, 544, 545, 546, 547

Aleksandr II. (1818–1881) 211, 213, 214, 215, 217, 230, 231, 235, 319, 354, 485, 521, 529, 539, 540, 546

Aleksandr III. (1845–1894) 56, 134, 492, 540

Aleksandr von der Neva, Heiliger (ca. 1219–1263) 2, 3, 9, 10, 27, 50, 81, 82, 83, 97, 174, 175, 194, 214, 225, 316, 329, 349, 385, 476, 506, 542

Aleksandr Nikolaevič (1818–1881) (siehe Aleksandr II.)

Aleksandra Fedorovna (1798–1860) 28, 59, 85, 86, 118, 143, 146, 230, 412, 456, 485, 523, 539

Aleksandra Pavlovna (1783–1801) 159

Aleksandrova, T. B. 462

Aleksandrovna, Marija (siehe Marija)

Alekseev, Fedor Jakovlevič (1753/55–1824) 12, 73, 77, 86, 141, 186

Alekseev, Vladimir Efremovič (1784–1832) 485

Aleksej Michajlovič (1629–1676) 534

Aleksej Petrovič 535

d'Alembert, Jean le Roud (1717–1783) 515

Alice-Viktoria-Helene-Beatrice von Hessen und bei Rhein (1872–1918) 540

Amenophis III. (1402–1364 v. Chr.) 15

Amiconi, J. (1675–1752) 188

Anciferov, Nikolaj P. 4, 8, 14, 15, 112

Andreas der Erstberufene, Heiliger 4, 44, 50, 82, 97, 141, 180, 189, 329, 349, 350, 385, 476, 482, 483, 489, 494, 499, 506

Aničkov, M. O. 211, 212, 218, 286

Anna, Heilige 155, 205, 235, 474, 499, 500, 506

Anna Fedorovna (1781–1860) 159

Anna Ioanovna [Ivanovna] (1693–1740) 9, 80, 500, 535, 536

Anna Leopol'dovna (1718–1746) 536

Anna Pavlovna (1795–1865) 159

Anna Petrovna (1708–1728) 329, 387, 500, 534, 537

Annenskij, Innokentij Feodorovič (1856–1909) 16

Anting, Johann-Friedrich (1753–1805) 238

Anton Ullrich von Braunschweig-Bevern (1714–1776) 536

Antropov, Aleksej Petrovič (1710–1795) 73, 250

Apraksin, Fedor Matveevič (1661–1728) 5, 7

Apraksin, Vladimir Stepanovič (1796–1833) 158

Arakčeev, Aleksej Andreevič (1769–1834) 27, 28, 39, 145, 203, 349, 350, 375, 377, 379, 517

Argunov, Ivan Petrovič (1727–1802) 73, 141

Argunov, Nikolaj Ivanovič (1771–nach 1829) 73, 75, 141

Argutinskij-Dolgorukij, V. N. 214

Armfel'd, Gustav Magnus (1792–1812) 20

Asenkova, Varvara Nikolaevna (1817–1841) 35, 281

Atkinson, John Augustus (1775–nach 1831) 78, 252

August I. (der Starke) (1670–1733) 5

Augustine-Wilhelmine von Hessen-Darmstadt (1755–1776) 159, 502, 504, 538

B

Bacciarelli, Marcellino (1731–1818) 227

Bacharev, Nikita 408

Bachmetev (Glas-Hütte) 406, 407

Bagration, Petr Ivanovič (1765–1812) 474

Baklanov (Steinschneide-Meister) 408

Balug'janskij, Michail Andreevič (1769–1847) 146

Bantyš-Kamenskij, Nikolaj Nikolaevič (1737–1814) 40, 195, 196, 275

Baradavkin, Michajlo [Michail] 508

Baranov, Vasilij Sergeevič (1810–1885) 486

Barante, Amable-Guillaume Brugière de (1782–1866) 60

Baratynskij, Evgenij Abramovič (1800–1844) 85, 527

Barberi, Michelangelo 249

Barclay de Tolly [Barklaj de Tolli] Michail Bogdanovič (1761–1818) 51, 83, 110, 152

Barsukov, Nikolaj Platonovič (1838–1906) 197

Barth, Eduard 86

Barth, Johann Wilhelm Gottfried (1779–1852) 86, 211, 213

Basileios der Große, Heiliger (ca. 328–379) 349, 350

Basin, Petr Vasil'evič (1793–1877) 38, 85, 142

Baskova, E. M. 407

Bašmačkin, Akakij Akakievič 15

Batenin, Philipp Sergeevič 99, 100, 391

Batjuškov, Konstantin Nikolaevič (1787–1855) 30, 33, 52, 83, 112, 271

Baumann, Ivan Iosifovič [Johannes] 94, 424

Baženov, Vasilij Ivanovič (1737–1799) 46, 48, 67, 174, 218, 229, 541

Beckij, Ivan Ivanovič (1704–1795) 72, 73, 141, 291, 298, 494

Beethoven, Ludwig van (1770–1827) 36, 474

Beggrow, Carl Joachim [Karl Petrovič] (1799–1875) 87, 216, 255, 259

Belinskij, Vissarion Grigor'evič (1811–1848) 10, 15

Bellingsgauzen, Faddej Faddeevič [Bellingshausen, Fabian F.] (1779–1852) 40, 200, 547

Bellini, Vincenco (1802–1835) 165

Belloni (1772–ca. 1860) (Möbel-Werkstatt in Paris) 435

Belosel'skij 60

Belousov, Lev Aleksandrovič (1806–1854) 263

Belousov, M. I. 259, 276

Belyj, Andrej (1880–1934) 16, 17

Benningsen, Leontij Leont'evič (1745–1826) 153

Benois [Benua], Aleksandr Nikolaevič (1870–1960) 15

Ber [Baer], Karl M. (1792–1876) 41

Berch, Vasilij Nikolaevič (1781–1834) 479

Berezovskij, Maksim Sozontovič (1745–1777) 38

Kokovin, Vasilij (Steinschneider) 90
Kokšarov, N. N. 363, 364
Kolb, Friedrich Joseph 352
Kol'man [Colman], Karl Ivanovič (1786–1846)
290
Kologrivov, Ju. 8
Kolokol'cov (Manufaktur) 102
Kolokol'cov, D. A. 458
Kolosov, M. 180
Kolosova, A. 35
Kolosova, Evgenija [Evdokija] Ivanovna
(1782–1869) 84, 180
Kolosova-Karatygina, A. M. 180
Kolpakov, Ivan Ivanovič (1771–nach 1840) 510
Konstantin Pavlovič (1779–1831) 20, 81, 131,
146, 159, 178, 210, 227, 238, 270, 320, 441,
483, 504, 505, 538, 539, 546, 547, 548
Korf, Modest Andreevič (1800–1876) 19, 245
Korff, Johann Albert (1697–1766) 130, 275
Korobov, Ivan Kuz'mič (1700–1747) 54, 174,
215, 255, 291, 292, 299
Korobov, P. (Manufaktur) 440, 441
Korovin, A. A. 387
Korsun, A. I. (Mitarbeiter der Ermitage) 143
Kosciuszko, Taddeusz A. B. (1746–1817) 20,
227
Košelev, R. A. 39
Kosikovskij, A. I. 258
Kossi, R. 264
Kovalev (Major) 15
Kovalevaja-Žumžugova, Praskov'ja Ivanovna
141
Kozlov, Gavriila Ignat'evič (1738–1791) 385
Kozlov, Ivan Ivanovič (1779–1840) 34, 474
Kozlovskij, Michail Ivanovič (1753–1802) 46,
55, 79, 80, 81, 110, 204, 205, 247, 270, 546
Krämer, August 522
Kraft, Peter (1780–1856) 264
Krendovskij, Evgraf Feodorovič (1810–1854)
158
Krestovskij, V. 121
Kreutzinger, Joseph (1757–1829) 158
Krol, Renate 212
Krüger, Franz (1797–1857) 264
Kruiz 410
Kruse, Johann (schedischer Dragoner) 538
Kruzenštern, Ivan Fedorovič [Adam Krusenstern]
(1770–1846) 40, 199, 200, 269, 272, 275, 290,
489, 543
Krylov, Ivan Andreevič (1769–1844) 30, 33, 85,
117, 126, 127, 150, 275, 285, 293, 323, 531
Krylov, Nikifor Stepanovič (1802–1831) 158
Kudrjašov, Pavel Ivanovič (1788–1872) 349
Kudrjukova, Frau 177
Küchelbecker, Wilhelm (1797–1846) (siehe
Kjuchel'beker)
Kügelgen, Carl von (1772–1832) 76
Kügelgen, Gerhard von (1772–1820) 76, 159
Kukol'nik, Nestor Vasil'evič (1809–1868) 85
Kurakin, Aleksandr Borisovič (1752–1818) 87,
134, 309

Kušelev-Bezborodko, Nikolaj Aleksandrovič
512
Kusov, Ivan Vasil'evič (1750–1819) 251
Kusovnikov 36
Kutuzov, Michail Illarionovič
[eigentlich Goleniščev-Kutuzov] (1745–1813)
38, 51, 83, 96, 110, 165, 167, 187, 206, 251,
317, 387, 406, 440, 512, 544, 545
Kuzmič, Starec Fedor (siehe Aleksandr I.)
Kuznecov, M. S. 385
Kvarengi (siehe Quarenghi)

L

Ladurner, Adolphe (1798–1856) 160
Lafontaine, Jean de (1621–1695) 531
Lagorio, Lev Feliksovič (1826–1905) 186
Lampi d. Ältere, Johann-Baptist Edler von
(1751–1830) 76, 142, 289
Lancry, de (Bronzegießer) 91
Langeron 21
Lamsdorf [Lambsdorff], Matvej Ivanovič
(1745–1828) 146
Lanskoj, A. D. 130
Laval, Graf 34, 212
Lazarev, Michail Petrovič (1788–1851) 40, 547
Lebedev 186
Leberecht, Karl Aleksandrovič [Carl] (1755–1827)
206, 351, 485, 488, 489, 490, 492
Leblond, Jean-Baptist Alexandre (1669–1719)
6, 8, 270
Lefort, François (1655–1699) 8
Legry 410
Lenc [Lenz], Emil Ch. (1804–1865) 41
Le-Picque 55
Lermontov, Michail Jur'evič (1814–1841) 118,
545
Lesière, V. 227
Lessing, Gotthold Efraim (1729–1781) 35
Leuchtenberg, Maximilian von 143, 435
Levickij, Dmitrij Grigor'evič (1735–1822) 73,
74, 75, 76, 87, 176, 250
Levitskij, Efimij (Erzpriester) 203
Levšin, Petr Egorovič (siehe Platon)
Liboschitz, Joseph [Osip Libošic] 523
Lisjanskij, Ju. F. (1773–1837) 200, 489, 543
Litta, Julij Pompeevič [Giulio] (1765–1839) 189
Ljalin, Aleksandr Pavlovič (1802–1862) 486, 488
Lobanov-Rostovskij, Aleksej Borisovič
(1824–1896) 22, 34, 507, 510, 512, 515, 517
Lobanov-Rostovskij, A. Ja. 232
Lochov, G. M. 165
Löwenwald, Karl Gustaf von (gest. 1735) 114
Lomakin, Gavriil Jakovlevič (Musiker) 327, 332
Lomonosov, Michail Vasil'evič (1711–1765)
11, 60, 82, 83, 95, 96, 130, 316, 395, 492, 521
Lopuchin, Ivan Vladimirovič (1756–1816) 251
Lory, Gabriel I. Ludwig (gen. Lory Père)
(1763–1840) 78, 291

Lory, Matthias Gabriel II. (gen. Lory Fils)
(1784–1846) 78, 113, 116, 291
Losenko, Anton Pavlovič (1737–1773) 73
Lotmann, Jurij Michajlovič (geb. 1922) 124
Louise-Maria-Auguste von Baden-Durlach
(siehe Elizaveta Alekseevna)
Ludwig IV. (1837–1892) 544
Ludwig XV. (1710–1774) 434
Lukiev (Regiments-Inhaber) 480
Lukini, Giovanni [Ivan Francevič] (1784–1858)
52
Lukomskij, G. K. 13, 14, 112
Lukomskij, Vladimir Kreskent'evič (1882–1946)
12
Lukutin, P. I. 441
Lundt, Justus Nikolaus 330
Lunin, Michail Sergeevič (1787–1845) 303
L'vov, Nikolaj Aleksandrovič (1751–1803) 36,
101, 168, 257, 287, 304

M

Machaev, Michail Ivanovič (1718–1770) 77, 78
Magnus II. Eriksson (1316–1374) 3
Majlevskaja, A. P. 144
Majlevskij, A. M. 144
Makovskij, K. E. 142
Malinovskij, Vasilij Fedorovič (1765–1814) 493
Manceva, N. M. 206
Marc Aurel (121–180) 300
Margarita Petrovna (1714) 534
Maria Magdalena, Heilige 225
Marie-Antoinette 76
Marie-Louise 351
Marija Aleksandrovna (1824–1880) 197, 328,
539, 540
Marija Antonovna 281
Marija Fedorovna, Kaiserin [geborene Prinzessin
Sophia-Dorothea-Augusta-Louise von Würt-
temberg] (1759–1828) 20, 62, 68, 69, 81, 145,
146, 158, 159, 210, 216, 238, 273, 281, 307,
308, 328, 374, 538, 539
Marija Nikolaevna (1819–1876) (Tochter d.
Kaiserin Aleksandra Fedorovna) 86, 143
Marija Pavlovna (1786–1859) 159, 422
Marin, Sergej Nikiforovič (1776–1813) 250
Martos, I. I. 158
Martos, Ivan Petrovič (1754–1835) 50, 65, 81,
82, 206, 316
Martynov, Andrej Efimovič (1768–1826) 12, 86,
87, 217, 292
Masal'skij, Konstantin Petrovič (1802–1861)
245
Masjukov, Pavel Semenovič 74, 142, 143
Matinskij, Michail (ca. 1750–1820) 35
Mattarnovič, G. J. 232
Matveev, Andrej Merkurevič (1701–1739) 72, 73
Matveev, Fedor Michajlovič (1758–1826) 77, 165
Maximiliane-Wilhelmine-Auguste-Sophie-
Marie von Hessen und bei Rhein (1824–1880)
(siehe Marija Aleksandrovna)

S

Sabath, Karl Friedrich (1782–1840) 87, 257, 260, 301

Sablukov, Nikolaj Aleksandrovič (1776–1848) 20, 21

Šachovskoj, Aleksandr Aleksandrovič (1777–1846) 32, 35, 36, 276

Šachovskoj, N. G. 546

Sacken [Saken], Fabian Vil'gel'movič von der Osten (1752–1837) 480

Sadovnikov, Vasilij Semenovič (1800–1819) 78, 231

Safonov, Generalmajor 480

Sal'cha (gefangene Türkin) 230

Saltykov, Nikolaj Ivanovič (1736–1816) 291, 298

Saltykov, P. B. 233

Saltykov, Vasilij Fedorovič (gest. 1730) 229

Saltykov, Graf 141

Saltykova, E. P. 85, 197

Samojlov, Nikolaj Aleksandrovič (1744–1814) 165

Samojlov, Vasilij Michajlovič (1782–1839) 35, 326

Samojlova, Julija Pavlovna (1775–1834) 85, 165

Samson 79, 80, 270

Sandunova [später: Uranova], Elizaveta Semenovna (1772–1832) 35

Sanese, P. 227

Sapožnikov, Andrej Petrovič (1795–1855) 531

Sarti, Guiseppe (1729–1820) 509

Saryčev, A. 269

Saryčev, Gavriil Andreevič (1763–1831) 272, 517

Satilov, V. A. 206

Sauerweid (siehe Zauervejd)

Scaevola 204

Ščedrin, Apollon 55

Ščedrin, Feodosij Fedorovič (1751–1825) 55, 80, 81, 165, 270, 273, 281

Ščedrin, Semen Fedorovič (1745–1804) 12, 55, 77, 150, 175, 176, 217, 249, 277, 278, 289, 304, 307, 308, 377, 379

Ščepkin, Michail Semenovič (1788–1863) 36

Ščerbatov, Michail Michajlovič (1733–1790) 130, 521

Schaaf [Saaf, V. N.], Wilhelm 473, 474

Schedel, Gottfried Johann [Ivan Ivanovič Šedel'] (ca. 1680–1752) 169

Scheibe [Šejbe], K. (Möbelwerkstatt) 94

Schiller, Friedrich (1759–1805) 32, 35, 230, 310, 523, 529

Schilling von Canstadt, Pavel L'vovič [Šilling fon Kanštadt] (1786–1837) 283

Schlüter, Andreas (ca. 1660–1714) 217

Schmidt, I. G. 205

Schnoor, I. K. 125, 126, 127, 505

Schreiber (Bronzegießer) 91

Schubert, F. F. (siehe Šubert)

Schuch, A. F. 249

Schütz, Christian Georg (1718–1791) 76, 159

Schwarz, I. G. (siehe Švarc)

Schwertfeger, T. 214

Scotti, Giovanni-Battista [Ivan Karlovič] (1776–1830) 67, 158

Ščukin, Stepan Semenovič (1762–1828) 75, 176, 177, 178, 180, 245

Ščurygin, Ja. I. 206

Šebuev, Vasilij Kuz'mič (1777–1855) 38, 83, 142, 143, 174, 233, 235, 302

Sečkin, Fedor (Soldat) 454

Seleznev, I. 293, 323

Semenen, Avgust (Druckerei) 523

Semenova, Ekaterina Semenovna (1786–1849) 34, 35, 87, 257, 276, 309, 310

Semenova, Nimfodora Semenovna (1787/88–1876) 35, 275, 276

Semiradskij, G. I. 142

Sennefelder, Alois 87, 283

Serafim (Glagolevskij) (1821–1843) 39

Šeremetev, Boris Petrovič (1652–1719) 3, 508

Šeremetev, Dmitrij Nikolaevič 268, 327, 501

Šeremetev, Nikolaj Petrovič (1751–1809) 44, 73, 130, 131, 141, 189, 227, 241, 250, 350, 410, 426, 501, 507

Šeremetev, Sergej Dmitrievič (geb. 1844) 501

Šeremeteva, Praskov'ja Ivanovna (1768–1803) [geborene Kovaleva; Künstlername Žemžugova] 36, 189, 501

Seslavin, A. N. 121

Severgin, Vasilij Michajlovič (1765–1826) 41

Shakespeare, William 35

Šifljar, S. P. 87, 249, 260, 263, 301

Šilling, Baron Paul L. [von Schilling] (1786–1837) 41

Šilov, I. A. (1787/88–1827) 206, 497

Simon, Antoine 91

Sipjagin, N. M. 119

Šiškov, Aleksandr Semenovič (1754–1841) 22

Sjuzor, P. Ju. 143

Skalozub, Sergej Sergeevič [wörtlich: Zähnefletscher] 115

Skavronskaja, Marfa (siehe Ekaterina I.)

Skavronskaja, Marija Pavlovna 165

Skavronskij, P. M. 197

Slenin, Ivan Vasil'evič (1789–1836) 33

Smirdin, Aleksandr Filippovič (1795–1857) 33, 130, 531

Smith, Adam 146

Smol'janinov, D. 168, 287

Smugliewicz, F. 165

Sof'ja Alekseevna (1657–1704) 113, 534

Sojmonov, Fedor Ivanovič (1692–1780) 90

Sokolov, Egor Timofeevič (1750–1824) 33, 218, 517, 541

Sokolov, Petr Fedorovič (1787–1848) 86, 245, 302, 315

Sokolovskij, M. M. 35

Sophia-Dorothea-Augusta-Louise von Württemberg (1759–1828) (siehe Marija Fedorovna)

Sophie Friederike Auguste von Anhalt-Zerbst (1729–1796) (siehe Ekaterina II.)

Sopikov, Vasilij Stepanovič (1765–1818) 128, 130

Sosnickij, I. 35

Šotošnikov, Michail Ivanovič 269, 271

Spasskij, Petr Nikitič (1792–1838) (siehe Fotij)

Spencer, Earl Georges John (1758–1834) 453

Speranskij, Michail Michajlovič (1772–1839) 27, 28, 38, 193, 194, 197, 245, 493, 544, 545, 547

Spiridov, Grigorij Antonovič (1713–1790) 111

Staël, Mme. de (1766–1817) 28

Stählin, Jacob von (1709–1785) 517

Staggi, Pietro 47

Stang, Hard Ferdinand (1780–1821) 354, 357

Stange, N. 207

Stanisław II. August (siehe Poniatowski)

Starov, Ivan Egorovič (1745–1808) 45, 46, 55, 63, 65, 79, 81, 155, 212, 215, 228, 255, 286, 291, 298, 300, 424, 544

Stasov 112

Stasov, V. N. 188, 493

Stasov, Vasilij Petrovič (1769–1848) 59, 70, 71, 81, 110, 160, 218, 259, 265, 425, 488, 546

Stedingk, Schwedischer Gesandter 19

Stieglitz [Štiglic], A. L. 131, 405, 435, 453, 523

Štork [Storck], Andrej Karlovič (1766–1835) 146

Strachov, Nikolaj Ivanovič (1768–?) 519

Strasser, I.-G. 374

Štrejchenberg, A. I. 120

Strižkov, Filipp V. 90, 408

Stroganov, Aleksandr Pavlovič (gest. 1812) 193

Stroganov, Aleksandr Sergeevič (1733–1811) 33, 48, 60, 84, 90, 91, 94, 130, 131, 134, 143, 180, 195, 206, 228, 240, 258, 269, 278, 289, 292, 358, 490, 509, 512

Stroganov, Grigorij Aleksandrovič (1770–1857) 193

Stroganov, Pavel Aleksandrovič (1772–1817) 25, 193

Stroganova, Natal'ja Pavlovna (1796–1872) 193

Stroganova, Sof'ja Vladimirovna 193

Stunder, J. J. 174

Stupin, Aleksandr Vasil'evič (1775–1861) 158

Šubert, Fedor Fedorovič [Schubert] (1789–1865) 151, 152

Šubin, Fedor Ivanovič [eigentlich: Šubnoj] (1740–1805) 78, 270

Suboc, I. (Buchbinder) 131

Suchanov, Samson Ksenofontovič (1766–ca. 1840) 51

Suchovceva, T. P. 395

Sumarokov, Aleksandr Petrovič (1717–1777) 10, 190, 257

Susorov, Ivan (Mechaniker) 408

Suttor, Joseph (Medailleur) 486

Šuvalov, Aleksandr Ivanovič (1727–1797) 36, 72, 134, 494

Šuvalov, Pavel Andreevič (1774–1823) 351

Zauervejd [Sauerweid], Aleksandr Ivanovič
    (1783–1844) 81, 177, 263, 319–322
Zech (Bronzegießer) 91
Zelencov, Kapiton Alekseevič (1790–1845)
    323, 387
Zemcov, Michail Grigor'evič (1688–1743) 155,
    169, 170, 270, 277, 286
Zemcov, M. H. (Architekt) 212
Žemčugova, Praskov'ja Ivanovna (1768–1803)
    [eigetlich: Kovaleva] 36
Zick, Januarius (1730–1797) 76, 159
Zotov, Nikita Moiseevič (ca. 1644–1718) 8
Zubov, Aleksej Fedorovič (1682/83–nach 1750)
    77, 78
Zubov, Aleksandr Nikolaevič (1727–1795) 251
Zubov, Platon Aleksandrovič (1767–1822) 251
Zubov, Valerian Aleksandrovič (1771–1804)
    225
Zubova, Elizaveta Vasil'evna (1742–1813) 251
Zubova, Natalija Aleksandrovna (1775–1844)
    250
Žukovskij, Vasilij Andreevič (1783–1852) 21,
    28, 30, 32, 33, 34, 83, 85, 117, 127, 130, 131,
    150, 230, 285, 323, 523, 529

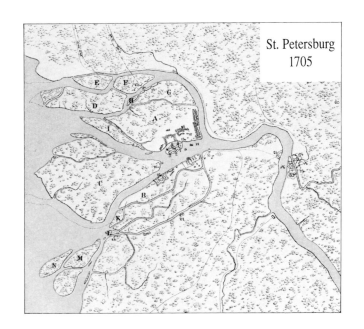

St. Petersburg
1705

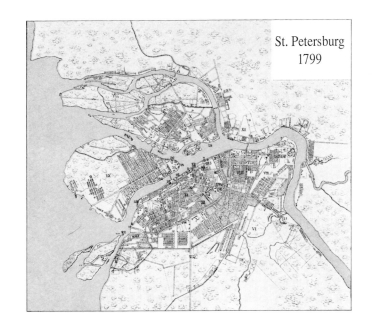

St. Petersburg
1799

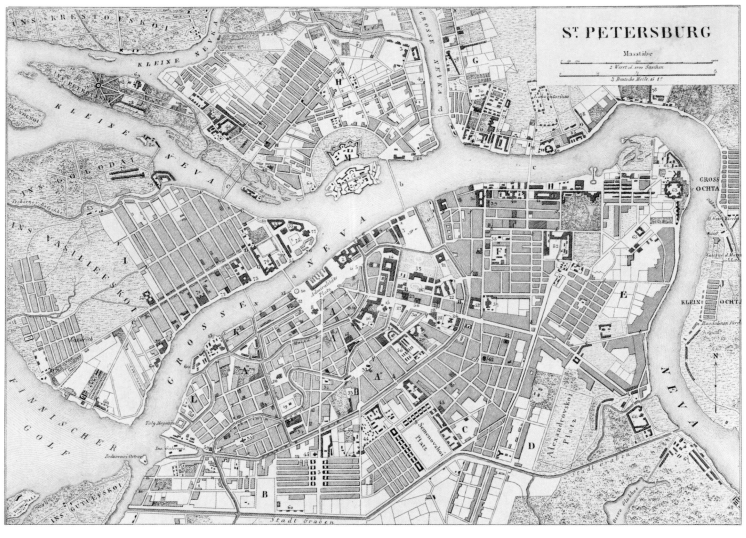

ST. PETERSBURG

Massstäbe

568

1. Peter-und-Pauls-Festung mit dem
   gleichnamigen Dom
2. Altes Arsenal (Kronverk)
3. Dreieinigkeits-Brücke
4. Häuschen Petrs I.
5. Militär-Hospital und
   Militär-Medizinische Akademie
6. Samson-Brücke
7. Aleksandr-Brücke
8. Smol'na-Kloster
9. Taurischer Palast und
   Taurischer Garten
10. Fontanka-Fluß
11. Michaels-Schloß
12. Zaren-Aue (Marsfeld)
13. Michails-Palast
14. Kazaner-Dom
15. Lutherische Petri-Kirche
16. Römisch-Katholische
    St. Katharinen-Kirche
17. Armenisch-Apostolische Kirche
18. Großer Handels-Hof
    (Gostinnyj dvor)
19. Aleksandr-Theater
20. Kaiserliche Öffentliche
    Bibliothek
21. Lavra des heiligen
    Aleksandr-von-der-Neva